轧钢生产新技术600问

梁爱生　孙斌煜
李玉贵　杨晓明　编著

北　京
冶金工业出版社
2006

内容简介

本书共4章，以问答的形式介绍了轧辊生产及使用、轧辊轴承的寿命、高精度轧制、小型连轧等方面的新技术、新工艺和新设备，可供从事轧钢生产、科研工作的工程技术人员、技术工人和管理人员学习，也可供大专院校相关专业师生参考。

图书在版编目(CIP)数据

轧钢生产新技术600问/梁爱生等编著. —北京：冶金工业出版社，2004.9(2006.6重印)

ISBN 7-5024-3583-2

Ⅰ.轧… Ⅱ.梁… Ⅲ.轧钢学—问答 Ⅳ.TG33-44

中国版本图书馆CIP数据核字(2004)第068203号

出版人 曹胜利(北京沙滩嵩祝院北巷39号，邮编100009)
责任编辑 李培禄 美术编辑 李 心
责任校对 杨 力 李文彦 责任印制 牛晓波
北京虎彩文化传播有限公司印刷；冶金工业出版社发行；各地新华书店经销
2004年9月第1版，2006年6月第2次印刷
787mm×1092mm 1/16；26.5印张；639千字；401页；3001-6000册
62.00元
冶金工业出版社发行部 电话：(010)64044283 传真：(010)64027893
冶金书店 地址：北京东四西大街46号(100711) 电话：(010)65289081
(本社图书如有印装质量问题，本社发行部负责退换)

前 言

最近几年，我们先后开展了高精度轧制技术、轧机轴承与轧辊寿命研究及应用、小型连轧及近终形连铸技术等方面的科研工作，取得了一些科研成果，其中“延长大型轧机轴承使用寿命”课题荣获2004年国家科技进步二等奖，有些成果已应用于宝钢、太钢等钢铁企业，并取得了很好的使用效果。

为了将这些新技术、新成果广为宣传，我们将这几方面的主要内容以问答的形式编写成书出版，希望为推动我国轧钢行业的科技进步做出贡献。

本书共4章，第一章轧辊生产及使用，由梁爱生教授编写；第二章轧辊轴承的寿命，由孙斌煜教授编写；第三章高精度轧制技术，由李玉贵副教授编写；第四章小型连轧新技术，由杨晓明教授编写。全书由梁爱生教授统稿并审定。

我们在进行轧辊轴承寿命研究的工作中与燕山大学、上海宝山钢铁(集团)公司、太原钢铁(集团)公司、太原重型机械集团公司等单位进行了很好的合作，在此向合作单位表示感谢。

本书在编写过程中引用了有关资料，在此向有关作者表示感谢。同时对我们的部分同事和研究生对本书编写工作的帮助深表谢意。特别对冶金工业出版社的编辑对本书出版的大力支持深表谢意。

由于作者水平有限，加之时间仓促，书中不当之处还望读者批评指正。

作 者

2004年7月

目 录

第一章 轧辊生产及使用

1. 为什么说未来轧钢生产发展将带来轧辊的设计、制造、使用、维修、检测的一场革命？ …… 1
2. 轧辊的类型和结构如何？ …… 1
3. 轧辊的技术要求是什么？ …… 2
4. 初轧机与型钢轧机轧辊的名义直径 D 与辊身长度 L 如何确定？ …… 2
5. 板带轧机轧辊的辊身长度 L 与直径 D 如何确定？ …… 3
6. 各种轧机的重车率如何确定？ …… 4
7. 轧辊辊颈 d 和辊颈长度 l 如何确定？ …… 4
8. 轧辊传动端的形式与尺寸如何选择？ …… 5
9. 常用的轧辊材料有哪些？ …… 5
10. 铸铁轧辊是如何分类的？ …… 6
11. 型钢轧机轧辊与钢板轧机轧辊有何不同？ …… 6
12. 国内外方坯连轧机组轧辊常用哪种材质？ …… 6
13. 如何选择大中型型钢轧机轧辊的材质？ …… 8
14. 小型、线材轧机轧辊常用哪些材质？ …… 8
15. 热带钢轧机轧辊的使用特性是什么？ …… 9
16. 铸铁轧辊的缺陷有哪几种类型？ …… 10
17. 防止轧辊产生夹渣缺陷有何措施？ …… 11
18. 防止轧辊产生铸造裂纹有何措施？ …… 12
19. 防止轧辊产生气孔有何措施？ …… 13
20. 防止轧辊产生缩松缺陷的主要途径是什么？ …… 13
21. 如何防止轧辊白口过深过浅？ …… 14
22. 如何防止轧辊白口深度的不均匀？ …… 15
23. 如何防止微观组织及硬度不合格？ …… 15
24. 化学成分不合格的主要原因及预防措施是什么？ …… 16
25. 21 世纪轧辊技术的总体趋势是什么？ …… 17
26. 何谓 FEWTIC 轧辊？ …… 18
27. 何谓轧辊表面织构化？ …… 18
28. 英国钢铁公司棒材轧制用辊采取了哪些技术措施？ …… 19
29. 何谓金属喷雾成形技术？ …… 19
30. 耐磨支撑辊的最新发展是什么？ …… 20
31. 冷轧机支撑辊的磨损情况如何？ …… 20

32. 热轧机支撑辊的磨损情况如何? …… 22
33. 干平整轧机支撑辊的磨损情况如何? …… 23
34. 为什么要研究中厚板四辊轧机工作辊磨损预报模型? …… 24
35. 工作辊磨损的主要形式是什么? …… 24
36. 工作辊磨损模型的表达式是什么? …… 24
37. 工作辊磨损模型参数如何确定? …… 25
38. 中厚板轧机工作辊失效的原因是什么? …… 26
39. 防止中厚板轧机工作辊失效的对策和措施有哪些? …… 27
40. 如何控制宽带钢热轧机轧辊的剥落,应用效果如何? …… 28
41. 铝板带轧机轧辊磨损情况如何? …… 30
42. 铝板轧机轧辊钢种如何选择? …… 32
43. 轧辊的冶炼与重熔、锻压及锻后热处理要达到的技术要求是什么? …… 32
44. 轧辊粗磨后的调制热处理应注意什么问题? …… 32
45. 轧辊精磨及最终热处理后的硬度分布如何? …… 33
46. 轧辊的残余应力是怎样分布的? …… 34
47. 轧辊的使用和维护应注意哪些问题? …… 34
48. 铝板带坯的铸轧辊的结构与其使用寿命的关系是什么? …… 35
49. 铸轧辊热装配工艺参数如何确定? …… 35
50. 合理的铸轧生产工艺参数如何确定? …… 37
51. 轧辊疲劳断裂分析专家系统的设计思想、主要功能、总体结构和工作流程是什么? …… 38
52. 日本用于焊管轧辊的新材料有哪些? …… 40
53. SKD11 轧辊材质的性能怎样? …… 41
54. KD11V 轧辊材质的性能怎样? …… 41
55. KDA 轧辊材质的性能怎样? …… 43
56. 轧辊自动堆焊的原理是什么? …… 44
57. 轧辊自动堆焊设备、堆焊材料以及工艺流程是怎样的? …… 45
58. 轧辊堆焊时容易产生的缺陷及预防措施有哪些? …… 45
59. 上钢一厂二辊轧机轧辊堆焊工艺试验的基本情况是什么? …… 46
60. 上钢一厂使用堆焊轧辊的经济效益如何? …… 47
61. 鞍钢二辊轧机轧辊工况条件及轧辊报废的原因是什么? …… 47
62. 鞍钢二辊轧机轧辊堆焊材料如何选择? …… 48
63. 鞍钢二辊轧机轧辊堆焊工艺及使用情况如何? …… 49
64. 型材轧辊的工况如何? …… 51
65. 型材轧辊堆焊的焊接性能如何? …… 51
66. 攀钢轨梁厂 ϕ1150mm 初轧机轧辊的堆焊工艺如何? …… 52
67. 冷轧辊失效的形式及其原因是什么? …… 54
68. 冷轧辊失效的预防措施有哪些? …… 55
69. 轧辊失效后如何修复? …… 55
70. 什么是用喷镀法改善轧辊表面质量的技术? …… 56

71. 如何改善张紧辊、导电辊、张力辊及导辊的表面质量？ …… 56
72. 采用轧辊表面涡流检验技术有何意义？ …… 57
73. 涡流检验的原理是什么？ …… 57
74. 涡流检测装置由哪几部分组成？ …… 58

第二章　轧辊轴承的寿命

75. 轧辊轴承的类型及工作特点是什么？ …… 59
76. 液体摩擦轴承的工作原理是什么？ …… 59
77. 动压油膜轴承的工作原理是什么？ …… 60
78. 动压轴承保持液体摩擦的条件是什么？ …… 61
79. 动压轴承的分类及结构特点是什么？ …… 61
80. 静压轴承出现的原因是什么？ …… 62
81. 静压轴承的工作原理是什么？ …… 62
82. 600mm 冷轧机支撑辊静压轴承的结构如何？ …… 63
83. 轴承承载能力如何计算？ …… 64
84. 何谓静-动压轴承？ …… 64
85. 静-动压轴承有何特点？ …… 64
86. 1700mm 冷连轧机支撑辊静-动压轴承供油系统由哪些液压元件组成？ …… 64
87. 轧机油膜轴承有何特点？ …… 64
88. 油膜轴承为什么承载能力大？ …… 65
89. 为什么说油膜轴承使用寿命长？ …… 66
90. 为什么说油膜轴承的速度范围宽？ …… 66
91. 为什么说油膜轴承的结构尺寸小？ …… 66
92. 油膜轴承摩擦系数低有何意义？ …… 67
93. 为什么说油膜轴承抗冲击能力强？ …… 67
94. 为什么说油膜轴承抗污染能力强？ …… 67
95. 为什么说油膜轴承一次投资大？ …… 67
96. 可逆轧机采用动压油膜轴承应注意什么问题？ …… 68
97. 大型热连轧机对油膜轴承有何要求？ …… 69
98. 大型冷连轧机对油膜轴承有何要求？ …… 70
99. 滚动轴承的主要失效形式有哪几种？ …… 71
100. 何谓轴承的疲劳寿命？ …… 71
101. 滚动轴承额定疲劳寿命如何计算？ …… 71
102. 滚动轴承的工况监视与故障诊断有何重要意义？ …… 72
103. 滚动轴承工况监视与故障诊断技术的发展过程是怎样的？ …… 72
104. 滚动轴承发生异常的基本形式是什么？ …… 74
105. 何谓滚动轴承简易诊断法？ …… 74
106. 用于滚动轴承简易诊断的判定标准是什么？ …… 74
107. 何谓谱图特征参数诊断法？ …… 75

108. 冲击脉冲技术的诊断原理是什么? …… 75
109. 共振解调技术的工作原理是什么? …… 75
110. 常用的精密诊断法有哪些? …… 76
111. 用声发射法进行故障诊断的主要优点有哪些? …… 76
112. 何谓油液分析诊断法? …… 76
113. 双列圆锥滚子轴承内圈断裂事故的原因是什么? …… 77
114. 双列球面滚子轴承的外圈破碎和内圈断裂事故的原因是什么? …… 78
115. 冷轧机工作辊轴承的失效和损坏的原因是什么? …… 79
116. 轴承故障预防措施有哪些? …… 79
117. 四辊轧机工作辊轴承的使用现状如何? …… 81
118. 中德双方对武钢冷轧厂工作辊轴承短寿命采取了什么措施? …… 82
119. 宝钢 2050mm 四辊轧机工作辊轴承使用情况如何? …… 82
120. 国内其他三台四辊轧机工作辊轴承使用情况如何? …… 83
121. 延长大型轧机轴承寿命研究有什么新的突破? …… 83
122. 重载机构的综合特点是什么? …… 84
123. 构件的变形对机器承载特征的影响是什么? …… 84
124. 从球面调心轴承工作原理可受到的启发是什么? …… 85
125. 平面自位型短应力线高刚度轧机的机构图是怎样的? …… 86
126. 空间自位型高刚度轧机的辊式约束机构图是怎样的? …… 86
127. 2050mmCVC 热连轧精轧机工作辊操作侧轴承座的机构图是怎样的? …… 86
128. 改造后的四辊轧机工作辊操作侧机构简图是怎样的? …… 87
129. 四辊轧机工作辊的受力情况如何? …… 88
130. 组合轴承载荷是如何分布的? …… 90
131. 组合轴承三维接触压力分布的边界元法解析的意义是什么? …… 90
132. 四列滚子轴承三维弹性接触边界元法计算程序框图是什么? …… 91
133. F_4 机座组合轴承接触压力计算模型做了哪些结构和几何简化? …… 91
134. 2050mmCVC 轧机工作辊操作侧轴承装配及其边界元离散模型是什么? …… 92
135. 轴承座是如何变形的? …… 93
136. 组合轴承中两列圆柱滚子的载荷是如何分布的? …… 93
137. 轴承座修改后的外形图是什么样子的? …… 94
138. 轴承座外形修改前后的接触应力是如何分布的? …… 94
139. 轴承座截面形状改变前后径向载荷在周向是如何分布的? …… 94
140. 有限长滚子与滚道之间的接触状态如何? …… 94
141. 不同弯辊力作用下组合轴承中的径向接触载荷是如何分布的? …… 94
142. 不同弯辊力作用下组合轴承中轴向载荷是怎样分布的? …… 97
143. 不同弯辊力作用下两列圆柱滚子轴承中的偏载系数是多少? …… 97
144. 弯辊力对径向载荷圆周分布有何影响? …… 97
145. 水平力对径向载荷在圆周上是如何分布的? …… 97
146. 不同水平力作用下组合轴承中接触压力是如何分布的? …… 97

147. 不同滚子凸度下组合轴承中的径向接触压力是如何分布的？ …… 99
148. 滚子凸度对其载荷轴向分布有何影响？ …… 99
149. 轴向间隙对其载荷周向分布有何影响？ …… 99
150. 不同径向游隙时组合轴承中径向接触压力是怎样分布的？ …… 100
151. 组合轴承中的轴向载荷是如何分布的？ …… 100
152. 水平力和间隙对轴承中径向接触载荷分布有何影响？ …… 100
153. 轴承的温升与温度分布状态对轴承的性能有何影响？ …… 100
154. 滚动轴承中产生哪些摩擦？ …… 102
155. 组合轴承座的热变形计算结果如何？ …… 102
156. 组合轴承中圆柱滚子外圈的热变形计算结果如何？ …… 103
157. 组合轴承动态运行行为的实验研究的意义是什么？ …… 104
158. 径向偏载的测试方案是什么？ …… 104
159. 轴向力测试方案是什么？ …… 105
160. 轴承的温度如何测量？ …… 106
161. 2050mm 热轧精轧机组基本情况是什么？ …… 106
162. 2050mm 连续可变凸度热连轧机工作辊系的结构组成如何？ …… 107
163. 2050mm 连续可变凸度热连轧机工作辊接轴结构组成如何？ …… 108
164. 现场实测组合轴承动态偏载行为概况如何？ …… 109
165. 空转—咬钢—轧制—甩尾过程的径向载荷有何变化？ …… 110
166. 实测得到的径向压力的动态响应结果如何？ …… 110
167. 轴承座表面主应力是如何变化的？ …… 110
168. 轧制过程中轴承温度的动态响应如何？ …… 112
169. 不同工况下的总轴向力是多少？ …… 112
170. 2050mm F_4 机座组合轴承中的自适应均载装置是怎么回事？ …… 112
171. 不自位下组合轴承中径向接触压力是如何分布的？ …… 114
172. 自位情况下组合轴承中径向接触压力是怎样分布的？ …… 114
173. 不自位下组合轴承中轴向载荷是如何分布的？ …… 115
174. 自位下组合轴承中轴向载荷是如何分布的？ …… 115
175. 自位状态下施加 1100kN 弯辊力时组合轴承中的径向接触应力是怎样分布的？ …… 119
176. 安装自位装置后轴承径向压力的动态响应如何？ …… 119
177. 安装自位装置和自位垫块及采用非圆截面镗孔后轴承径向压力动态响应如何？ …… 119
178. 采用非圆截面镗孔后径向压力的动态响应如何？ …… 119
179. 径向压力的动态响应过程如何？ …… 119
180. 组合轴承均载的效果如何？ …… 119
181. 延长四辊轧机工作辊滚动轴承寿命研究的结论是什么？ …… 121
182. 轧辊油膜轴承的磨损及预防措施是什么？ …… 121
183. 轧辊油膜轴承的划伤及预防措施是什么？ …… 122
184. 轧辊油膜轴承的锈蚀及预防措施是什么？ …… 122
185. 轧辊油膜轴承的片状剥落及预防措施是什么？ …… 123

186. 轧辊油膜轴承塑性流动的主要原因是什么？ …… 123
187. 轧辊油膜轴承产生龟裂的主要途径是什么？ …… 123
188. 轧辊油膜轴承产生烧熔的原因及防止措施是什么？ …… 124
189. 轧辊油膜轴承防止产生规则裂纹有何措施？ …… 124
190. 轧辊油膜轴承产生边缘磨损的原因及预防措施是什么？ …… 124
191. 何谓静-动压轴承套全域磨损？ …… 125
192. 一维雷诺方程式的推导做了哪些假设？ …… 125
193. 轴承间隙如何计算？ …… 125
194. 黏压方程和黏压系数是什么？ …… 126
195. 轧辊油膜轴承弹流的计算方法是什么？ …… 127
196. 油膜轴承弹流计算步骤是什么？ …… 127
197. 油膜轴承弹流计算框图是什么？ …… 127
198. 油膜轴承的压力与油膜形状是什么？ …… 128
199. 油膜轴承的弹性变形对压力分布有何影响？ …… 128
200. 油膜轴承的弹性变形对轴承承载能力有何影响？ …… 130
201. 油膜轴承弹性变形对油膜厚度分布有何影响？ …… 130
202. 相对间隙 ψ 对轴承承载能力有何影响？ …… 131
203. 速度对轴承承载能力有何影响？ …… 132
204. 润滑油黏度及其黏压效应对承载能力有何影响？ …… 132
205. 轧制速度对承载能力和最小油膜厚度有何影响？ …… 133
206. 润滑油流量与载荷和速度的关系是什么？ …… 133
207. 太钢高线精轧机的基本结构是什么？ …… 134
208. 太钢高线精轧机的油膜轴承烧损的主要原因是什么？ …… 134
209. 太钢高线精轧机轧辊杆系的受力情况如何？ …… 135
210. 太钢高线精轧机油膜轴承烧损的其他原因是什么？ …… 136
211. 太钢高线轧机油膜轴承压力分布和膜厚曲线实测的结果是什么？ …… 136
212. 线材生产从咬入到轧制稳定过程中载何如何变化？ …… 137
213. 测试结论和改进措施是什么？ …… 138
214. 宝钢 1580mm 热连轧机精轧机组支撑辊油膜轴承的基本情况是什么？ …… 139
215. 锥套在装拆过程与使用过程中出现的表面损伤情况如何？ …… 139
216. 锥套在装拆过程与使用过程中出现的断裂与强化带情况如何？ …… 139
217. 锥套在装拆过程与使用过程中出现的滑移与粘着的情况如何？ …… 139
218. 何谓弹性结合？ …… 141
219. 我们研究弹性结合的目标和内容是什么？ …… 142
220. 锥套装配过程中力学模型怎样，载荷如何处理？ …… 143
221. 锥套内表面主应力与相当应力是如何分布的？ …… 144
222. 锥套与辊颈接触面的接触应力如何分布？ …… 144
223. 锥套无胀型内压偏载推进时的接触压力如何分布？ …… 144
224. 胀型压力 p＝35MPa 偏载推进时的接触压力如何分布？ …… 144

225. 胀型压力 $p=50\text{MPa}$ 偏载推进时的接触压力如何分布？ …… 144
226. 油膜轴承锥套损伤问题边界元法研究的结论是什么？ …… 144
227. 锥套与辊颈的表面粘着磨损的机理是什么？ …… 147
228. 锥套表面粘着磨损的机理是什么？ …… 147
229. 磨损机理试验装置与加载条件是什么？ …… 148
230. 试件表面磨损的特征是什么？ …… 148
231. 弹性结合锥套接触损伤的模拟试验研究的结论是什么？ …… 149
232. 锥套损伤机理的实验目的是什么？ …… 149
233. 传感器设计安装和测量内容有哪些？ …… 150
234. 锥套损伤机理实验的方法是什么？ …… 150
235. 锥套损伤机理实验装置的组成是什么？ …… 150
236. 1580mm 麦斯塔油膜轴承锥套理论分析与模拟试验结果相比如何？ …… 150
237. 2050mmF_3 轧机支撑辊油膜轴承的结构与组成是怎样的？ …… 152
238. 计算中对模型进行了哪些结构与几何简化？ …… 153
239. 油膜轴承中的载荷计算结果如何？ …… 153
240. 不同径向间隙对油膜轴承接触区径向载荷分布有何影响？ …… 153
241. 不同径向间隙时油膜轴承的径向接触如何压力？ …… 158
242. 自位情况下不同轧制力的油膜轴承径向接触应力如何分布？ …… 158
243. 自位情况下不同径向间隙的接触应力如何分布？ …… 158
244. 不同轧制力对油膜轴承径向接触压力分布有何影响？ …… 158
245. 自位情况下不同间隙的接触区径向载荷如何分布？ …… 158
246. 自位情况下不同轧制力的接触区径向载荷如何分布？ …… 160
247. 油膜轴承在自位与不自位情况下的径向载荷如何分布？ …… 160
248. 2050mm 轧机油膜轴承数据库的设计与实现的意义是什么？ …… 161
249. 油膜轴承数据库管理系统由哪几部分组成？ …… 161
250. 油膜轴承数据库设计的主要内容是什么？ …… 161
251. 何谓油膜轴承数据的维护？ …… 163
252. 怎样进行数据的查询和使用？ …… 164
253. 该油膜轴承数据库有何功能？ …… 165

第三章　高精度轧制技术

254. 为什么说轧制产品高精度比是轧钢技术发展的重要趋势之一？ …… 167
255. 热轧板带的新技术主要有哪些？ …… 167
256. 冷轧板带及涂镀层的新技术主要有哪些？ …… 168
257. 型钢轧机的新技术主要有哪些？ …… 168
258. 线材轧机的新技术主要有哪些？ …… 168
259. 无缝管轧制的新技术主要有哪些？ …… 169
260. 板带材几何尺寸精度的表示方法是什么？ …… 169
261. 横向厚差与板形是什么关系？ …… 171

262. 平直度 I 与波浪度 λ 是何关系? …… 171
263. 轧件厚度波动的原因是什么? …… 172
264. 厚度控制的基本原理是什么? …… 173
265. 何谓平直度? …… 174
266. 平直度缺陷如何分类? …… 175
267. 造成平直度缺陷的原因是什么? …… 175
268. 如何改善平直度的缺陷? …… 176
269. 板厚调节方式的发展过程是怎样的? …… 177
270. 何谓动态设定 AGC? …… 179
271. 动态设定 AGC 测控模型是什么? …… 179
272. 动态设定 AGC 在上海浦钢中板轧机上的应用效果如何? …… 181
273. 动态设定 AGC 在宝钢 2050mm 热连轧机上的应用效果如何? …… 182
274. 板形控制有哪些方式? …… 184
275. 板形控制的工艺方法有哪些? …… 184
276. 板形控制的设备方法有哪些? …… 185
277. 铅垂方向弯曲轧辊技术有哪几种方式? …… 185
278. 水平方向弯曲轧辊技术有哪几种方式? …… 187
279. 阶梯形支撑辊技术有几种形式? …… 187
280. 轴向移动圆柱形轧辊技术有哪几种形式? …… 187
281. 非圆柱形轧辊轴向移动技术有哪几种形式? …… 189
282. CVC 辊型如何设计? …… 190
283. UPC 辊型的特点是什么? …… 191
284. CVC 辊型与弯辊的最佳配合是什么? …… 192
285. 轴向移动轴套或带有轴套轧辊的轧辊技术有哪几种形式? …… 192
286. 轧辊整体胀形技术有哪几种? …… 192
287. 轧辊端部胀形技术有哪几种? …… 193
288. 轧辊变形自补偿技术有哪几种? …… 193
289. 轧辊交叉技术有哪几种? …… 193
290. 各种板形控制技术的控制能力如何? …… 194
291. 什么是板形标准曲线? …… 195
292. 板形标准曲线有何作用和意义? …… 196
293. 板形标准曲线的设定方法是什么? …… 197
294. 选择板形标准曲线的原则是什么? …… 198
295. 瑞典 ABB 公司生产的分段辊式自动板形控制系统组成有哪些? …… 199
296. 对现行板形控制方法的基本评价如何? …… 200
297. 板厚和板形综合调节技术的发展情况如何? …… 202
298. DC 轧机的工作原理是什么? …… 203
299. DC 轧机的主要特点是什么? …… 205
300. 板形模糊控制技术的发展情况如何? …… 206

301. 模糊逻辑在轧机分段冷却控制中的应用效果如何? …… 206
302. 传统热轧带钢生产的宽度控制有哪几种方式? …… 207
303. 何谓轧制过程的宽度自动控制? …… 209
304. 薄带坯连铸连轧的宽度控制其压缩方式有哪些? …… 210
305. 为什么说轧制理论的研究是实现高精度轧制技术的基础? …… 211
306. 当前轧制理论研究的进展情况如何? …… 213
307. 边界元法的主要特点是什么? …… 214
308. 用边界元法对板带轧制过程的高精度数值模拟可得出什么结论? …… 214
309. 当代宽厚板轧机各项技术指标如何? …… 215
310. 宽厚板高精度轧制技术的发展方向是什么? …… 215
311. 宽厚板高尺寸精度技术是什么? …… 216
312. 宽厚板控制轧制和控制冷却技术应用情况如何? …… 216
313. 宽厚板四辊可逆式轧机的特点是什么? …… 217
314. 宽厚板轧机冷却装置有何特点? …… 217
315. 宽厚板热矫直机有何特点? …… 218
316. 宽厚板冷床的主要形式有哪些? …… 218
317. 宽厚板剪切线为什么要采用滚动剪? …… 219
318. 宽厚板采用什么热处理炉? …… 220
319. 宽厚板轧机的主传动、自动控制、自动检测系统如何? …… 220
320. 奥钢联中厚板 HYDROPLATE 技术包的基本功能及其特点是什么? …… 221
321. 奥钢联的预平整机有何特点? …… 223
322. 伯利恒钢铁公司的 ADCO 机及其过程控制有何特点? …… 223
323. 何谓全辊缝热平整机? …… 225
324. 马钢 2300mm 中板轧机厚控系统的技术特点是什么? …… 225
325. 厚控的基本控制方法是什么? …… 226
326. 中厚板板形控制的内容及指标是什么? …… 227
327. 热轧带钢除鳞的重要意义是什么? …… 228
328. 薄板坯连铸连轧中的除鳞技术有何特点? …… 228
329. 达涅利公司开发的薄板坯除鳞技术采取了什么措施? …… 229
330. 西马克公司开发的新型除鳞机是什么样的? …… 232
331. 无头轧制的目的是什么? …… 233
332. 热带无头轧制的主要技术有哪些? …… 233
333. 无头轧制工艺的应用效果如何? …… 235
334. 超薄热轧带钢生产新技术的发展情况如何? …… 235
335. 超薄热带的轧制特征及设备与控制技术特点是什么? …… 236
336. 超薄热带的质量如何? …… 237
337. 宽带钢冷轧机的类型有哪几种? …… 238
338. 酸洗-冷轧联合机组较传统方法有何优点? …… 239
339. 单机架可逆式冷轧机得到较大发展的原因是什么? …… 239

340. 单机架可逆式冷轧机有几种类型? …… 239
341. 生产高精度冷轧带钢出现了什么样的新型轧机? …… 240
342. 高精度冷轧带钢在电子产品中有何应用? …… 241
343. 高精度冷轧带钢在机电行业和轿车行业有何应用? …… 242
344. 高精度冷轧带钢在轻工方面有何应用? …… 242
345. 带有组合式支撑辊的十二辊轧机的结构及特征是什么? …… 243
346. 十二辊轧机板形控制的特点是什么? …… 244
347. 二十辊森吉米尔式轧机板形控制能力如何? …… 244
348. 西马克、德马克开发的冷轧新技术有何特色? …… 245
349. 什么是 TKS 冷连轧机? …… 246
350. 什么是边部减薄控制法? …… 247
351. 什么是 SDI 紧凑式冷轧机? …… 247
352. ϕ160mm/ϕ550mm×600mm 高精度四辊液压精轧机的基本性能如何? …… 248
353. ϕ160mm/ϕ550mm×600mm 高精度四辊液压精轧机组的主要技术特点是什么? …… 249
354. 液压 AGC 计算机控制系统配置及功能怎样? …… 250
355. 精密镀铜钢带有何应用? …… 251
356. 双阶梯支撑辊在四辊冷连轧机上的应用结果如何? …… 251
357. 什么是 K-WRS 轧机? …… 252
358. 什么是动态形状轧辊? …… 253
359. 动态形状轧辊的特点是什么? …… 253
360. 什么是超高张力轧制? …… 254
361. 什么是复合矫直轧制和复合成形轧制? …… 255
362. 什么是改善表层的半熔融和熔融轧制? …… 256
363. 什么是多自由度非对称轧制? …… 256
364. 日本自动轧管机组是如何控制钢管尺寸精度的? …… 257
365. 日本连续式轧管机组是如何控制钢管尺寸精度的? …… 257
366. 精密钢管与汽车工业的关系如何? …… 259
367. 轿车用精密钢管的技术要求是什么? …… 260
368. 轿车用精密钢管的生产工艺特点是什么? …… 260
369. 汽车减振器管的市场需求、品种规格及生产工艺如何? …… 261
370. 汽车传动轴管的市场需求、品种规格及生产工艺如何? …… 262
371. 我国高精密冷拔管生产现状如何? …… 262
372. 生产高精度冷拔钢管的工艺措施有哪些? …… 264
373. 高精度冷拔钢管产品的技术指标是什么? …… 265
374. 我国缸筒用冷拔高精度钢管生产现状如何? …… 266
375. 冷拔高精度钢管在缸筒制造中的优势是什么? …… 267
376. 小直径精密焊管有何用途? …… 269
377. 精密电焊管的生产方法及工艺是什么? …… 269
378. 十一辊高精度管材矫直机的结构及主要技术性能如何? …… 269

379. 复合辊框架矫直机的特点及主要指标性能如何? …… 271
380. 条钢、线材采用无头轧制有何优点? …… 272
381. 何谓EWR法? …… 272
382. EWR法的焊缝质量如何? …… 273
383. 方坯无头轧制优点的产生因素是什么? …… 274
384. 长条的定径方法有哪几种? …… 275
385. 何谓精密轧制系统(PRS)? …… 275
386. PRS的紧凑箱轧制(CCR)机架有何特点? …… 276
387. PRS轧辊孔型是如何设计的? …… 277
388. 发达国家新建成线材轧机有何技术突破? …… 277
389. 马钢H型钢轧机液压自动辊缝控制系统由哪几部分组成? …… 278
390. GBJ型高精度合金钢棒材矫直机的主要特点是什么? …… 279
391. 何谓棒材Tekisun轧机? …… 281
392. 何谓线材Tekisun轧机? …… 282
393. 棒材连轧机的微张力控制系统的组成及控制过程如何? …… 284
394. 检测仪表在轧制生产中的重要性是什么? …… 285
395. 宽带钢热连轧机对在线检测仪表的要求是什么? …… 285
396. 宽带钢冷连轧机对在线检测仪表的要求是什么? …… 286
397. 表面覆层设备对在线检测仪表的要求是什么? …… 288
398. 无缝管轧机和焊管设备对在线检测仪表的要求是什么? …… 289
399. 检测仪表的现状如何? …… 290
400. 厚度检测仪表的现状如何? …… 290
401. 宽度检测仪表的现状如何? …… 291
402. 长度测量仪表的现状如何? …… 292
403. 直径测量仪表的现状如何? …… 292
404. 板形测量仪表的现状如何? …… 293
405. 辊缝检测仪表的现状如何? …… 293
406. 压力测量仪表的现状如何? …… 294
407. 张力测量仪表的现状如何? …… 294
408. 速度测量仪表的现状如何? …… 295
409. 轧件位置跟踪检测仪表的现状如何? …… 295
410. 涂镀层厚度测定仪的现状如何? …… 296
411. 表面状态检测仪表的现状如何? …… 296
412. 内部缺陷检测仪表的现状如何? …… 296
413. 辊型检测仪的意义是什么? …… 297
414. 现有的辊型检测仪状况如何? …… 297
415. 微位移传感器的分类及特点是什么? …… 297
416. 光电位移传感器的工作原理是什么? …… 298
417. 光电式辊型仪的具体设计方案有哪些? …… 299

418. 太原重型机械学院研制的辊型检测仪系统的主要组成及主要技术指标是什么？ ……… 300
419. 激光莫尔法的原理是什么？ …………………………………………………… 301
420. 激光位移法的测量原理是什么？ ……………………………………………… 302
421. 激光截光法的测量原理是什么？ ……………………………………………… 303
422. 激光扫描板形仪的测量原理是什么？ ………………………………………… 304
423. 激光板形测量技术今后发展的趋势是什么？ ………………………………… 305
424. 钢管涡流探伤新技术的现状如何？ …………………………………………… 305
425. EEC-30 智能全数字式钢管涡流探伤仪的技术特性是什么？ ………………… 305
426. 石油套管测长称重机组的主要技术性能及测长原理是什么？ ……………… 306
427. 影响测长精度的因素有哪些？ ………………………………………………… 307
428. 控制测长精度有何措施？ ……………………………………………………… 308
429. 提高中厚板超声波在线自动探伤精度的技术措施是什么？ ………………… 309
430. 光电编码器的工作原理在太钢中厚板生产中有何应用？ …………………… 310
431. 位移检测装置的特点及使用效果如何？ ……………………………………… 311

第四章 小型连轧新技术

432. 为什么说我国建设先进的小型连轧机具有十分重要的意义和紧迫性？ ……… 312
433. 现代小型轧机的主要特点是什么？ …………………………………………… 312
434. 小型连轧钢厂综合技术水平发展过程的主要标志是什么？ ………………… 313
435. 小型连轧机的规模和种类如何？ ……………………………………………… 313
436. 国内外一些典型的小型连轧机主要技术参数是什么？ ……………………… 313
437. 国内外一些典型半连续式小型车间主要技术参数是什么？ ………………… 316
438. 碳素钢小型轧机有哪些新工艺和新设备？ …………………………………… 316
439. 合金钢小型轧机有哪些新工艺和新装备？ …………………………………… 316
440. 怎样选择原料规格？ …………………………………………………………… 316
441. 为什么要对原料表面进行清理？ ……………………………………………… 317
442. 钢的加热工艺制度包括哪些内容？ …………………………………………… 317
443. 怎样确定钢坯的断面尺寸和长度？ …………………………………………… 317
444. 采用直接热装工艺有什么优点？ ……………………………………………… 318
445. 采用热装的条件是什么？ ……………………………………………………… 318
446. 热装工艺有哪几种方式？ ……………………………………………………… 319
447. 特钢合金钢棒材车间热装热送的主要设备组成有哪些？ …………………… 319
448. 小型车间热装热送的主要设备有哪些？ ……………………………………… 320
449. 怎样确定钢的加热温度范围？ ………………………………………………… 320
450. 怎样确定钢的加热速度？ ……………………………………………………… 321
451. 怎样确定钢的加热时间？ ……………………………………………………… 322
452. 怎样确定加热炉的温度制度？ ………………………………………………… 322
453. 怎样计算加热炉的产量？ ……………………………………………………… 323
454. 怎样用肉眼判断钢的加热温度？ ……………………………………………… 323

455. 怎样提高加热炉的加热效率? …… 323
456. 怎样计算炉内燃料的需要量? …… 324
457. 什么叫过热、过烧,产生过热、过烧的原因是什么? …… 324
458. 什么叫脱碳,它受哪些因素影响? …… 325
459. 氧化铁皮对轧钢生产有什么影响? …… 325
460. 加热温度不均对轧钢生产有什么影响,如何防止温度不均? …… 326
461. 步进式炉和推钢式炉相比有何优点? …… 327
462. 三种连续加热炉炉型相比有何优缺点? …… 328
463. 各种步进式加热炉的应用情况如何? …… 328
464. 煤气烧嘴和油烧嘴的种类和特征是什么? …… 329
465. 小型连轧高压水除鳞采取哪些措施? …… 329
466. 何谓控制轧制技术? …… 330
467. 控制轧制技术在连续式小型轧机中的应用如何? …… 330
468. 连续小型轧机上控温轧制的使用范围如何? …… 331
469. 采用低温轧制技术的主要目的是什么? …… 331
470. 低温轧制技术的可行性如何? …… 332
471. 低温轧制的优缺点是什么? …… 332
472. 低温轧制的制约条件是什么? …… 332
473. 采用低温轧制的经济效益如何? …… 333
474. 何谓控制冷却与在线热处理技术? …… 333
475. 控制冷却与在线热处理在连续小型轧机中应用得如何? …… 333
476. 在连续式小型轧机中实现控制轧制、控制冷却及在线热处理所需的工艺与设备条件是什么? …… 335
477. 带肋钢筋或圆钢轧后水冷系统由哪几部分组成,该系统的特点是什么? …… 335
478. 棒材生产中机架间冷却的机理及工艺是什么? …… 336
479. 精轧机后为什么要采用穿水冷却工艺? …… 337
480. 穿水冷却装置的基本原理是什么? …… 337
481. 控轧钢筋可获得哪些经济效益? …… 337
482. 实行控制轧制后钢筋的性能有什么变化? …… 337
483. 采用轧后余热控制热处理工艺生产带肋钢筋有何经济效益? …… 338
484. 斯太尔摩控冷法三种形式的特点是什么? …… 338
485. 高速线材生产的控制冷却技术发展概况如何? …… 339
486. 何谓切分轧制技术? …… 339
487. 切分轧制的方法有哪几种,切分轧制前、后轧件断面形状的不同组合有哪几种? …… 340
488. 棒材生产中为什么要采用切分轧制技术? …… 340
489. 切分轧制的工艺过程及关键技术是什么? …… 341
490. PTS-ASHLOW-MFK集团公司的切分轧制技术的具体内容是什么? …… 341
491. PTS-ASHLOW-MFK集团公司的精导卫技术有什么特点? …… 342
492. 切分轧制对围盘有什么要求? …… 342

493. 采用切分轧制技术所需要的条件是什么？ …… 343
494. 切分轧制的孔型设计应注意些什么问题？ …… 343
495. 预切和切分入口采用什么导卫装置？ …… 344
496. 切分出口采用什么导卫装置？ …… 344
497. 切分轧制时轧机调整的基本要求是什么？ …… 345
498. 切分轧制常见的工艺问题是什么？ …… 346
499. 某钢铁公司棒材切分孔型系统的特点是什么？ …… 346
500. 何谓在线多条矫直和飞剪定尺剪切？ …… 347
501. 何谓不需矫直的棒材定尺剪切技术？ …… 348
502. 多线矫直定尺飞剪联合系统的形式和特点是什么？ …… 348
503. 自动堆垛机改革的主要内容是什么？ …… 348
504. 堆垛机基本设备组成有哪些？ …… 349
505. 何谓磁性堆垛机？ …… 349
506. 何谓非磁性堆垛机？ …… 350
507. 达涅利摩加沙玛中小型材堆垛机技术性能如何？ …… 350
508. NMC400 型堆垛机的主要特点是什么？ …… 351
509. 合金钢小型轧机和碳素钢小型轧机有何不同？ …… 352
510. 合金钢为什么要采用全连续化轧制？ …… 352
511. 合金钢对连铸坯的断面有何要求？ …… 352
512. 对合金钢坯料需进行哪些检查和修磨？ …… 353
513. 何谓脱头轧制？ …… 353
514. 合金钢在线温度控制有哪几种？ …… 354
515. 目前国内外常用的粗轧机机型有哪几种？ …… 354
516. 新型高刚度轧机的主要形式及特点是什么？ …… 355
517. 近代小型轧钢厂采用的悬臂式轧机有何优点？ …… 356
518. 高精度预应力轧机的结构特点是什么？ …… 356
519. 整体式轧机(BLOCK)有何特点？ …… 357
520. 闭口式轧机的特点是什么？ …… 357
521. 短应力线轧机有何特点？ …… 357
522. 紧凑式轧机的工作原理是什么？ …… 358
523. 紧凑式轧机的主要特点是什么？ …… 358
524. 紧凑式轧机的结构和技术特性如何？ …… 358
525. 悬臂辊式轧机的特点是什么？ …… 359
526. 连续式小型轧机中常用粗轧机的特点是什么？ …… 359
527. 紧凑式粗轧机组含钢停车事故的常规处理办法有什么弊端？ …… 360
528. 紧凑式粗轧机组含钢停车事故处理困难的原因是什么？ …… 360
529. 紧凑式粗轧机组含钢停车事故处理的改进措施及效果如何？ …… 361
530. 三辊行星轧机的工作原理是什么？ …… 361
531. 三辊行星轧机有何优点？ …… 362

532. SY 型高刚度轧机的规格性能及特点是什么？ …… 362
533. HGR 型与 GY 型、SY 型短应力线高刚度轧机的结构有何不同？ …… 363
534. 摆锻式轧机的工作原理及特点是什么？ …… 363
535. 预应力轧机有什么特点？ …… 364
536. 三辊轧制技术的特点是什么？ …… 364
537. Tekisun 轧机有什么特点？ …… 365
538. 非高速有扭和高速无扭两种轧机的技术性能有何差别？ …… 366
539. 无扭精轧机组的发展趋势是什么？ …… 367
540. 德马克 15°/75°侧交型和摩根新一代 V 形机组各有何特点？ …… 367
541. 摩根高速线材轧机有何特点？ …… 367
542. 南京钢铁厂引进的 BCV 精轧机组的技术性能和设计特点是什么？ …… 368
543. 我国自制的三辊小型万能轧机的基本结构是什么？ …… 368
544. 平立三辊万能轧机的技术参数是什么？ …… 369
545. 平立三辊万能轧机的使用效果如何？ …… 370
546. 小型轧机的机架有哪几种形式？ …… 370
547. 三辊 Y 形轧机有何特点？ …… 371
548. 飞剪在小型连轧机上的作用是什么？ …… 371
549. 小型连轧机使用的飞剪种类及特点是什么？ …… 371
550. 小型连轧机对飞剪的要求有哪些？ …… 372
551. 现代小型飞剪的传动方式及其发展趋势是什么？ …… 372
552. 现代小型飞剪的结构形式及其特点是什么？ …… 373
553. CV50FR4. 2 切头飞剪有何特点？ …… 373
554. CV30FR4. 1 成品倍尺(分段)飞剪剪切精度高的主要技术措施有哪些？ …… 373
555. BM 型棒材定尺飞剪有何特点？ …… 374
556. CV30FR4. 1 成品飞剪的结构特点是什么？ …… 374
557. CV30FR4. 1 飞剪在设计和安装调整中应注意的问题是什么？ …… 375
558. 气动离合器与制动器的结构特点和选用时应注意事项是什么？ …… 375
559. 曲柄连杆式飞剪结构组成是什么？ …… 376
560. 回转式飞剪机结构组成是什么？ …… 376
561. 飞剪机基本参数如何选择？ …… 378
562. 小型型材车间的冷床有哪几种形式，各种冷床有何特点？ …… 379
563. 冷床步进梁的运动轨迹及步进梁的传动机构有哪几种形式？ …… 379
564. 小型车间冷床结构与使用特点是什么？ …… 380
565. 高速超短冷床的功用及结构组成是什么？ …… 380
566. 高速超短冷床的特点及建立高速超短冷床的条件是什么？ …… 381
567. 高速超短齿条步进式冷床有何优点？ …… 381
568. 冷床上卸装置的结构特点是什么？ …… 382
569. 新型 DE 小型冷床有何特点？ …… 382
570. 热轧圆钢的冷床夹尾装置有何功能？ …… 383

571. 双线高速超短冷床有何特点? …… 383
572. 双线高速超短冷床系统的组成是什么? …… 383
573. 矫直—剪切联合作业线的特点及工艺过程是什么? …… 384
574. 成品收集和打捆设备的具体功能是什么? …… 384
575. 型号为 LF450/6 和 LF150/4 的打捆机的技术性能及结构如何? …… 385
576. FVAI 垂直立活套的工作原理是什么? …… 385
577. 外侧导辊式扭转导板有什么特点? …… 385
578. 内侧导辊式扭转导板的特点是什么? …… 386
579. CYF-B 型油水分离器的工作原理是什么? …… 386
580. CYF-B 型油水分离器的主要技术性能参数是什么? …… 387
581. 基础回油装置及设计参数是什么? …… 387
582. 小型连轧机的自动化系统必须具备的基本条件是什么? …… 387
583. 计算机控制与一般自动控制有何不同? …… 387
584. 轧钢生产过程中计算机控制系统的基本功能是什么? …… 388
585. 实现小型连轧过程自动化的意义是什么? …… 388
586. 小型连轧自动化包括哪些内容? …… 388
587. 发展小型连轧自动化应考虑解决的问题是什么? …… 389
588. 小型连轧机有几种控制功能,各有什么作用? …… 389
589. 新疆八一钢厂小型棒材连轧机直流传动控制系统如何构成? …… 389
590. MAXISEMI S 整流器的结构组成是什么? …… 390
591. 控制系统 ISA-D 的组成和软硬件配置如何? …… 390
592. 直流主电机转速参考值如何设定? …… 392
593. 双闭环调速的原理是什么? …… 392
594. 弱磁是如何控制的? …… 392
595. 直流电机速度控制的动态响应如何? …… 393
596. 剪切机控制装置 ISA-D 机箱包括哪些硬件模块? …… 394
597. 剪切机直流调速控制 ISA-D 系统由哪些软件组成? …… 395
598. 冷床设备有何功能? …… 395
599. 冷床电机速度控制及自动化系统有何配置? …… 396
600. 小型连轧设备中各单体设备的运行电机的调速方法有几种,各有什么特点? …… 396
601. 小型连轧设备传动控制用检测器的作用是什么? …… 397
602. 小型连轧设备电控系统设计时应考虑哪些原则? …… 397
603. 小型连轧机的计算机控制系统是怎样构成的? …… 398
604. 小型连轧机采用计算机控制系统的目的是什么? …… 398
605. 小型连轧机计算机控制系统的任务是什么? …… 398
606. 小型连轧计算机选型的基本原则是什么? …… 398

参考文献 …… 400

第一章　轧辊生产及使用

1. 为什么说未来轧钢生产发展将带来轧辊的设计、制造、使用、维修、检测的一场革命？

轧辊是轧机的重要部件。在轧制生产中，轧辊要与所轧金属直接接触，使金属产生塑性变形，因此，轧辊是轧机的主要变形工具。由于轧辊是在高压（有的轧制力高达几万千牛）、高温（1000多摄氏度）、高速（每秒100多米）下工作，加之有氧化铁皮、冷却水，其工作环境十分恶劣，因此，轧辊的质量和使用寿命直接关系到轧机的生产率、产品的质量及钢材的生产成本。

未来轧钢生产向着高速、重载、高强度、高刚度、高精度、连续化和自动化方向发展，对轧辊提出了更高的要求。

从世界范围来看，由于钢铁生产能力过剩，故其竞争愈演愈烈。从根本上来看，钢铁产品的市场立足在新一代生产力的基础上，只有生产出质量高、成本低的产品，才能立于不败之地。轧辊是轧机的大型消耗部件，因此如何提高轧辊的使用寿命，成为降低生产成本的一个非常重要的方面。

鉴于轧辊的使用寿命涉及到设计、制造、使用、维修、检测各个方面，为了适应未来轧钢生产的发展方向，必然会带来轧辊的设计、制造、使用、维修、检测的一场革命。

2. 轧辊的类型和结构如何？

轧辊是轧机的重要部件，按照轧机类型可分为板带轧机轧辊、型钢轧机轧辊和钢管轧机轧辊三大类。

板带轧机轧辊的辊身呈圆柱形，热轧板带轧辊的辊身微凹，当受热膨胀时，可保持较好的板形；冷轧板带轧辊的辊身呈微凸，当它受力弯曲时可保证良好板形；型钢轧机轧辊的辊身上有轧槽，根据型钢轧制工艺要求，安排孔型。钢管轧制中采用斜轧原理轧制的轧辊有圆锥形、腰鼓形或盘形。

轧辊按辊面硬度可分为：

（1）软辊：肖氏硬度约为30～40，用于开坯机、大型型钢轧机的粗轧机等。

（2）半硬辊：肖氏硬度约为40～60，用于大型、中型、小型型钢轧机和钢板轧机的粗轧机。

（3）硬面辊：肖氏硬度约为60～85，用于薄板、中板、中型型钢和小型型钢轧机的精轧机及四辊轧机的支撑辊。

（4）特硬辊：肖氏硬度约为85～100，用于冷轧机。

轧辊由辊身、辊颈和轴头三部分组成。辊颈安装在轴承中，并通过轴承座和压下装置把轧制力传给机架。轴头和连接轴相连接，传递轧制扭矩。轴头有三种主要形式：梅花轴头、万向轴头、带键槽的或圆柱形轴头。实践表明，带双键槽的轴头在使用过程中，键槽壁容易崩裂，目前常用易加工的带平台的轴头代替双键槽的轴头。

直径超过400mm的冷轧轧辊，在锻造后，多半在中心镗一个ϕ70～250mm的通孔。这样，一方面可以使轧辊经热处理后的内应力分布均匀；另一方面在轧辊表面淬火时，可对轧辊通水冷却，提高淬火效果。

3. 轧辊的技术要求是什么？

不论热轧或冷轧，轧辊都是实现轧制过程中金属变形的直接工具，因此，对轧辊质量要求严格。其主要质量要求有强度、硬度、耐热性及耐用性。轧制强度是最基本的指标，在满足强度要求的同时，还必须有一定的耐冲击韧性。要使轧辊具有足够的强度，主要从选择轧辊材质及确定合理的轧辊结构与尺寸上全面考虑。轧辊强度足够与否，可根据轧辊强度计算确定。

硬度通常是指轧辊工作表面的硬度，也是轧辊的主要质量指标。它决定轧辊的耐磨性，在一定程度上决定轧辊的使用寿命。轧辊的硬度可通过材料选用及对轧辊表面进行某种热处理来满足要求。另外，对于热轧辊来说，它还应具有一定的耐热性，以保证轧制产品的精度，同时也决定轧辊的使用寿命。

随着轧制技术的发展及市场的激烈竞争，对轧辊的技术要求越来越高。提高轧辊的使用寿命，可降低产品的生产成本，对于板带轧机的轧辊来说，对轧辊表面质量提出了更高要求。

4. 初轧机与型钢轧机轧辊的名义直径 D 与辊身长度 L 如何确定？

初轧机和型钢轧机的轧辊名义直径 D，既是轧机的主要参数，也是轧辊尺寸的主要参数。当轧辊的直径 D 确定后，轧辊的其他参数受强度、刚度或结构上的限制也将随之确定。

初轧机和型钢轧机的轧辊辊身是有孔型的，因此，轧辊的名义直径应有确切的含义。通常，型钢轧机是以齿轮机座的中心距作为轧辊名义直径；初轧机把辊环外径作为名义直径。因此，有孔型的轧辊其名义直径均大于其工作直径。为避免孔槽切入过深，轧辊名义直径与工作直径的比值一般不大于1.4。

轧辊工作直径 D_1 可根据最大咬入角 α 和轧辊的强度要求来确定。

轧辊的强度条件是轧辊各处的计算应力小于许用应力。轧辊的许用应力是其材料的强度除以安全系数。通常轧辊的安全系数选取5。

按照轧辊咬入条件，轧辊的工作直径 D_1，应满足下式：

$$D_1 \geqslant \frac{\Delta h}{1-\cos\alpha}$$

式中　α——最大咬入角，它和轧辊与轧件的摩擦系数有关。各种轧机的最大咬入角可参考表1-1。

表1-1　各种轧机的最大咬入角和 $\Delta h/D_1$ 值

轧制情况		最大咬入角 α/(°)	最大比值 $\Delta h/D_1$	轧辊与轧件的摩擦系数
热轧	在有刻痕或堆焊的轧辊中轧制初轧坯或钢坯	24～32	1/6～1/3	0.45～0.62
	轧制型钢	20～25	1/8～1/7	0.36～0.47
	轧制带钢	15～20	1/14～1/8	0.27～0.36
	自动轧管机轧热轧钢管	12～14	1/60～1/40	

续表 1-1

轧制情况		最大咬入角 $\alpha/(°)$	最大比值 $\Delta h/D_1$	轧辊与轧件的摩擦系数
在润滑条件下冷轧带钢	在较光洁的轧辊上轧制	5～10	1/130～1/23	0.09～0.18
	在表面经很好磨光的轧辊上轧制	3～5	1/350～1/130	0.05～0.08
	在表面经很好磨光的轧辊上轧制，用植物油润滑	2～4	1/600～1/200	0.03～0.06

带有孔型的轧辊辊身长度 L 主要取决于孔型配制、轧辊的抗弯强度和刚度。因此，粗轧机的辊身较长，以便配制足够数量的孔型；而精轧机轧辊尤其是成品轧机轧辊的辊身较短，这样，可加强轧辊刚度，提高产品尺寸精度。通常，各种轧机轧辊的 L 与 D 均有一定比例，其比值可参考表 1-2。

表 1-2　各种轧机的 L/D 值

轧机名称	L/D	轧机名称	L/D
初轧机	2.2～2.7	中厚板轧机	2.2～2.8
型钢轧机	1.5～2.5	装甲板轧机	3.0～3.5
开坯和粗轧机座	2.2～3.0	二辊薄板轧机	1.5～2.2
精轧机座	1.5～2.0	二辊铁皮轧机	1.3～1.5

计算出的轧辊直径换算成轧辊名义直径，应符合国家规定的初轧机与型钢轧机系列标准。我国初轧机系列有 750、850、1150 几种；横列式型钢轧机有 ϕ500/300、ϕ650、ϕ800 等。

5. 板带轧机轧辊的辊身长度 L 与直径 D 如何确定？

板带轧机轧辊的主要尺寸是辊身长度 L（L 也标志着板带轧机的规格）和直径 D。决定板带轧机轧辊尺寸时，应先确定辊身长度，然后再根据强度、刚度和有关工艺条件确定其直径。

辊身长度 L 应大于所轧钢板的最大宽度 b_{max}，即

$$L = b_{max} + a$$

式中　a——常数，视钢板宽度而定。当 $b_{max}=400\sim1200$mm 时，$a\approx100$mm；当 $b_{max}=1000\sim2500$mm 时，$a=150\sim200$mm；当钢板更宽时，$a=200\sim400$mm。

辊身长度确定后，对二辊轧机可根据咬入条件及轧辊强度（参照表 1-2）确定辊径。

对于四辊轧机，为减小轧制力，应尽量使工作辊直径小些。但工作辊最小直径受辊颈和轴头的扭转强度和轧件咬入条件（表 1-1）的限制。支撑辊直径主要取决于刚度和强度的要求。

四辊轧机的辊身长度 L 确定以后，可根据表 1-3 确定工作辊直径 D_1 和支撑辊直径 D_2。

表 1-3 中，比值 L/D_2 标志着辊系的抗弯刚度，其值愈小则刚度愈高。一般说来，辊身长度较大时，选用较大比值。

表 1-3　各种四辊轧机的 L/D_1、L/D_2 及 D_2/D_1 值

轧机名称		L/D_1		L/D_2		D_2/D_1	
		比值	常用比值	比值	常用比值	比值	常用比值
厚板轧机		3.0～5.2	3.2～4.5	1.9～2.7	2.0～2.5	1.5～2.2	1.6～2.0
宽带钢轧机	粗轧机组	1.5～3.5	1.7～2.8	1.0～1.8	1.3～1.5	1.2～2.0	1.3～1.5
	精轧机组	2.1～4.0	2.4～2.8	1.0～1.8	1.3～1.5	1.8～2.2	1.9～2.1
冷轧板带钢轧机		2.3～3.0	2.5～2.9	0.8～1.8	0.9～1.4	2.3～3.5	2.5～2.9

注：此表是根据辊身长度在1120～5590mm范围内的165台四辊轧机统计而得。

辊径比 D_2/D_1 的选择，主要取决于工艺条件。当轧件较厚（咬入角较大）时，由于要求较大的工作辊直径，故选较小的 D_2/D_1 值；当轧件较薄时，则选较大的 D_2/D_1 值。因此，厚板轧机和热带钢轧机粗轧机座比精轧机座的辊径比小些，热轧机比冷轧机辊径比小些。对于支撑辊传动的四辊轧机，一般选 $D_2/D_1=3\sim4$。

在冷轧薄带钢轧机上，轧制压力很大。若工作辊直径过大，则弹性压扁值也大，以致无法轧出薄带。为此，工作辊最大直径还受被轧带材最小厚度的限制。根据经验，$D_1<(1500\sim2000)h_{min}$。

6. 各种轧机的重车率如何确定？

在轧制过程中，轧辊辊面因工作磨损，需不止一次地重车或重磨。轧辊工作面的每次重车量为0.5～5mm；重磨量为0.01～0.5mm。轧制直径减小到一定程度后，就不能再使用。轧辊从开始使用直到报废，其全部重车量与轧辊名义直径的百分比称为重车率。

初轧机轧辊的重车率受咬入能力和辊面硬度的限制；钢板轧机轧辊只受表面硬度的限制。表1-4示出了各种轧机的轧辊重车率。

表 1-4　各种轧机的轧辊重车率

轧机名称	最大重车率/%	轧机名称		最大重车率/%
初轧机	10～12	四辊轧机	工作辊	3～6
型钢轧机	8～10		支撑辊	6
中厚板轧机	5～8	四辊冷连轧机	工作辊	3～6
薄板轧机	4～6		支撑辊	10

7. 轧辊辊颈 d 和辊颈长度 l 如何确定？

轧辊辊颈 d 和长度 l 与轧辊轴承形式及工作辊载荷有关。由于受轧辊轴承径向尺寸的限制，辊颈直径比辊身直径要小得多。因此辊颈与辊身过渡处，往往是轧辊强度最差的地方。只要条件允许，辊颈直径和辊颈与辊身的过渡圆角 r 均应选大些。

使用滑动轴承的轧机，其$\frac{d}{D}$、$\frac{l}{D}$和$\frac{r}{D}$的比值列于表1-5（表中 D 是新辊直径）。

使用滚动轴承时，由于轴承外径较大，辊颈尺寸不能过大，一般近似地选 $d=(0.5\sim0.55)D$，$\frac{l}{D}=0.83\sim1.0$。

表 1-5　使用滑动轴承时轧辊尺寸参数

轧机类型	$\frac{d}{D}$	$\frac{l}{D}$	$\frac{r}{D}$
初 轧 机	0.55～0.7	1.0	0.065
开坯和型钢轧机	0.55～0.63	0.92～1.2	0.065
二辊型钢轧机	0.6～0.7	1.2	0.065
小型及线材轧机	0.53～0.55	$l+(20\sim30)$mm	0.065
中厚板轧机	0.67～0.75	0.83～1.0	0.1～0.12
二辊薄板轧机	0.75～0.8	0.8～1.0	$r=50\sim90$mm

8. 轧辊传动端的形式与尺寸如何选择？

轧辊除基本尺寸 D、L、d、l 以外，尚有轴头形式与尺寸的选择问题。

梅花轴头的外径 d_1 在各种轧机上有不同的选择方式。它与辊颈直径 d 的关系大致如下：

三辊型钢与线材轧机	$d_1=d-(10\sim15)$
二辊型钢(连续式) 轧机	$d_1=d-10$
中板轧机	$d_1=(0.9\sim0.94)d$
二辊薄板轧机	$d_1=0.85d$

万向轴头的尺寸如图 1-1 所示，此图带有整体扁头的轧辊，多用于初轧机。图中尺寸的计算公式为：

$$D_1=D-(5\sim15)$$

$$s=(0.25\sim0.28)D$$

$$a=(0.50\sim0.60)D_1$$

$$b=(0.15\sim0.20)D_1$$

$$c\approx(0.50\sim1.00)b$$

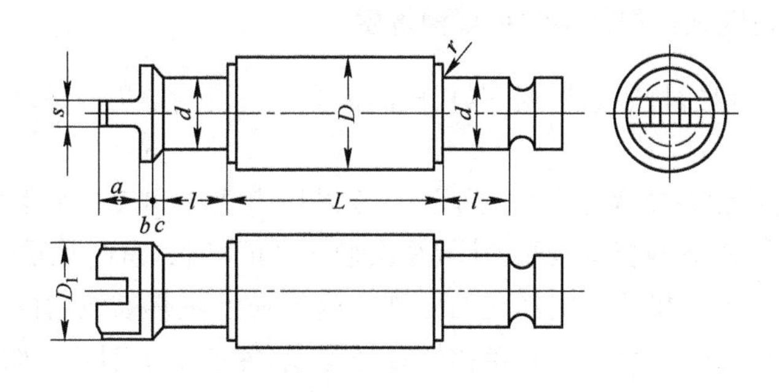

图 1-1　万向轴头(扁头)

9. 常用的轧辊材料有哪些？

常用的轧辊材料有合金锻钢、合金铸钢和铸铁等。用于轧辊的合金锻钢，在我国《金属机械标准》中已有规定，JB/ZQ4289—86 标准中列出了热轧轧辊和冷轧轧辊用钢。热轧轧辊有 55Mn2、55Cr、60CrMnMo、60SiMnMo 等；冷轧轧辊用钢有 9Cr、9Cr2、9CrV、9Cr2W、9Cr2Mo、60CrMoV、80CrNi3W、8CrMoV 等。用于轧辊的合金铸钢种类尚不多，也没有统一标准。随着电渣重熔技术的发展，合金铸钢的质量正逐步提高，今后合金铸钢轧辊将会得到广泛应用。铸铁轧辊在冶金轧辊中所占比例最大，它在冶金生产中占有重要位置。

10. 铸铁轧辊是如何分类的？

铸铁轧辊的种类很多，没有完全统一的分类方法，但一般习惯上按以下三种方法分类。

按用途分类：初轧轧辊、型钢轧辊、板带轧辊。

按材质分类：冷硬铸铁轧辊包括普通冷硬铸铁轧辊、低合金冷硬铸铁轧辊、中合金冷硬铸铁轧辊、高合金冷硬铸铁轧辊、特殊冷硬铸铁轧辊。无限冷硬铸铁轧辊包括普通无限冷硬铸铁轧辊、低合金无限冷硬铸铁轧辊、中合金无限冷硬铸铁轧辊、高合金无限冷硬铸铁轧辊。铸铁复合轧辊包括普通冷硬复合轧辊、合金冷硬复合轧辊、普通无限冷硬复合轧辊、合金无限冷硬复合轧辊、硬合金轧辊、冷硬铸铁-球铁复合轧辊、普通球铁复合轧辊、合金（低、中、高合金）球铁复合轧辊、球铁无限冷硬复合轧辊、钢铁复合轧辊。半冷硬铸铁轧辊包括普通铸铁轧辊、合金铸铁轧辊、普通球铁轧辊、合金球铁轧辊。还有锻造白口铸铁轧辊。

按质量分类：大型轧辊，质量大于 10t；中型轧辊，质量 3～10t；小型轧辊，质量在 3t 以下。

11. 型钢轧机轧辊与钢板轧机轧辊有何不同？

型钢轧机的轧辊可轧制各种规格和不同形状的钢材。不论哪种型钢轧辊，在辊身上均需按照型钢的形状和尺寸准确地设计并车削出孔槽。型钢轧机轧辊与钢板轧机轧辊不同，一般把距辊身表面一定深度的纵横面作为轧钢的工作面。因此，对型钢轧机轧辊在使用性能上所要求的共同点，除了具有一定的强度和韧性外，沿辊身直径的深度方向应有尽可能小的硬度降落，即辊身截面从外向里硬度降落要小，孔槽的耐磨性要力求均匀。

12. 国内外方坯连轧机组轧辊常用哪种材质？

方坯连轧机组轧辊的材质是根据坯料、成品的最大压下率、孔型深度和形状、轧辊辊身直径和长度决定的。

钢坯连轧机组轧辊各机架压下率不同，一般采用表 1-6 和表 1-7 中所列的轧辊材质。因为这种连轧机轧制钢坯的温度较高，轧辊每次使用时间较长，有的轧辊一次要连续轧制几十天时间。所以，在 1～2 机组上的轧辊的孔型内壁容易产生热裂纹，往往导致槽底或者侧壁发生小掉肉。在后三个机组上的轧辊比较容易磨损，保证不了钢坯的设计尺寸。所以，这种轧机所用的轧辊，除要求应有较高的强度和耐热裂纹的性能外，还应具有良好的耐磨性和抗粗化的性能。为适应这种轧制的需要，应该采用合金球墨铸铁、合金铸钢、半钢、高铬铸铁和锻造白口铸铁等材质轧辊。

表 1-6　国内钢坯连轧机轧辊材质

机　组	机　座　号	轧辊尺寸 $\phi \times L$/mm×mm	平、立	轧辊材质
No. 1	1	900×1200	平	球墨铸铁
	2	900×1200	平	铸　钢
	3	770×800	立	铸　钢
	4	770×1200	平	铸　钢
	5	770×800	立	球墨铸铁
	6	770×1200	平	球墨铸铁
No. 2	1	570×800	立	铸　钢
	2	570×800	平	球墨铸铁
	3	570×800	立	球墨铸铁
	4	570×800	平	球墨铸铁
	5	570×800	立	球墨铸铁
	6	570×800	平	球墨铸铁
No. 1	1	650×1350	平	铸　钢
	2	650×1350	平	铸　钢
	3	650×1350	平	铸　钢
	4	650×1350	平	球墨铸铁
	5	650×1350	平	球墨铸铁
	6	650×1350	平	球墨铸铁
No. 2	1	490×1100	平	铸　钢
	2	490×1100	平	铸　钢
	3	490×1100	平	铸　钢
	4	490×1100	平	球墨铸铁
	5	490×1100	平	球墨铸铁
	6	490×1100	平	球墨铸铁

表 1-7　国外推荐钢坯连轧机轧辊材质

机组	机座号	轧　辊　材　质		轧制能力的增加
		普　通	改　进	
No. 1	1	镍铬钼铸钢 HS27-35	锻造白口铸铁 HS40	150～250
		铬钼铸钢 HS27-35		
	2～3	铬钼铸钢 HS235-42	锻造白口铸铁 HS42-47	200～400
		半钢 HS35-42		
	4	半钢 HS35-42	锻造白口铸铁 HS42-47	
	5～6	球墨铸铁 HS55-65		
No. 2	1	镍铬钼铸钢 HS27-35		
	2～3	球墨铸铁 HS55-65	锻造白口铸铁 HS42-47/HS50-55	150～250
	4～6	球墨铸铁 HS55-65	锻造白口铸铁 HS50-55	150～250

13. 如何选择大中型型钢轧机轧辊的材质？

用于大中型型钢轧机的轧辊，其材质的选择也是根据各种具体条件确定的，例如，轧机的类型、产品的种类、轧机强度、轧机架次和孔型的形状和尺寸等。

大中型型钢的形状是比较复杂的，尤其是二辊或三辊横列式轧机轧辊孔槽通常比较深，从辊身表面到槽底应具有合适的硬度，使孔槽内具有较均匀的耐磨性，这是这种轧辊的主要性能。同时也应保证具有足够的强度和韧性，否则，轧钢中容易折断和扭断梅花头。

一般二辊或三辊横列式轧机分粗轧、中轧和精轧机架，所用轧辊亦分粗轧、中轧和精轧轧辊。一般来说，粗轧辊孔槽较深，要求轧辊要具有较高的强度和抗折断性能。中轧辊在轧制中负荷较重，要求轧辊孔槽内必须具有较好的耐磨性、抗表面粗糙和抗折断性能，尤其耐磨性是中轧辊的突出矛盾，所采用的轧辊必须充分满足这一要求。精轧辊孔槽较浅，一般不易折断。但是，精轧机架是产品的成品机架，精轧后钢材必须要有精确的形状和尺寸。因此，轧辊应具有较高的耐磨性。

在老式轧机上，粗轧辊多采用铬钼铸钢轧辊以防折断。钢轧辊使用中孔槽磨损扩宽后一般采用堆焊修复。中轧和精轧大多采用半冷硬球墨铸铁和合金无限冷硬铸铁轧辊。

先进的串列式和万能轧机由开坯机、轧边机和水平轧机组成。在水平轧机中分为粗轧、中轧和精轧机架，各轧辊的材质可参考表1-8。

表1-8　大中型轧机各机架轧辊材质

机　组		轧　辊　材　质
开坯机架		铬钼铸钢HS29-35，铬钼铸钢HS30-40 石墨铸钢HS36-42，高强度铸钢HD32-40
轧边机架		球墨铸铁HS37-43，钢基半钢(组合套)HS45-53
立轧机架		无限冷硬铸铁HS70-80，球墨铸铁HS50-60 钢基半钢(组合套)HS40-50，锻造白口铸铁HS50-60
水平机架	粗轧、中轧和精轧	半钢组合套HS40-50，45-55离心铸造轧辊 半钢HS45-55，合金球铁，无限冷硬，冷硬半钢

14. 小型、线材轧机轧辊常用哪些材质？

小型和线材轧机轧制小规格型钢和线材。一般老式轧机所用的轧辊列入表1-9和表1-10。高速连续轧机所用轧辊可参考表1-11。

表1-9　小型线材轧辊

轧　辊　名　称	白口深度/mm				辊身表面硬度HS		辊径表面硬度HS
	$<\phi200$	$\phi201\sim250$	$\phi251\sim300$	$>\phi300$	$<\phi400$	$>\phi400$	
普通冷硬铸铁轧辊	12～25	15～30	17～35	≥20	≥63	≥58	≤48
钼合金冷硬铸铁轧辊	12～25	15～30	17～35	≥20	≥63	≥58	≤48
低铬钼冷硬铸铁轧辊	12～25	15～30	17～35	≥20	≥63	≥58	≤48
低镍铬钼冷硬铸铁轧辊	12～25	15～30	17～35	≥20	≥65	≥62	≤52

续表 1-9

轧辊名称	白口深度/mm				辊身表面硬度 HS		辊径表面硬度 HS
	<ϕ200	ϕ201～250	ϕ251～300	>ϕ300	<ϕ400	>ϕ400	
铜铬钼冷硬铸铁轧辊	12～25	15～30	17～35	≥20	≥65	≥62	≤52
低镍铬冷硬铸铁轧辊	12～25	15～30	17～35	≥20	≥65	≥62	≤52
中镍铬冷硬铸铁轧辊	12～25	15～30	17～35	≥20	≥68	≥65	≤52

表 1-10 小型线材轧机轧辊材质

机组	架次	形式	轧辊材质	硬度 HS
粗轧机组	1	平	铸钢	35～40
	2	平	无限冷硬铸铁	50～55
	3	平	合金冷硬铸铁	60～67
No. 1	4	平	合金冷硬铸铁	60～67
	5	平	合金冷硬铸铁	60～67
	6	平	合金冷硬铸铁	60～67
	7	平	合金冷硬铸铁	60～67
No. 2	8	平	合金冷硬铸铁	60～67
	9	平	合金冷硬铸铁	60～67
	10	平	合金冷硬铸铁	60～67
	11	平	合金冷硬铸铁	60～67
No. 3	12	平	合金冷硬铸铁	60～67
	13	平	合金冷硬铸铁	60～67

表 1-11 高速线材轧机轧辊材质

机组	轧辊材质	
	普通的	先进的
粗轧	球墨铸铁 HS50～67 半钢 HS40～50	锻造白口铁 HS45～55
1号中轧	球墨铸铁 HS60～70 半合金无限冷硬 HS65～70	球墨铸铁 高铬铸铁
2号中轧	中合金无限冷硬 HS65～75 复合浇注的高合金冷硬 HS65～75	高铬铸铁 复合浇注半钢
精轧	复合浇注的高合金冷硬 HS70～80	粉末冶金(磁化钨)

15. 热带钢轧机轧辊的使用特性是什么？

热带钢轧机分为半连续轧机，3/4 连轧和全连续轧机。仅有可逆式粗轧机和一组精轧机架所组成的叫做半连续式；具有数台粗轧机，其中有一台可逆式的称为 3/4 连轧机；具有数台粗轧机及一组精轧机架的称为全连续式。一般半连续式在粗轧部分设有一台二辊轧机和一台可逆式万能轧机，精轧机组设 6 台精轧机架。而全连续式的粗轧部分分为前段(1～2

座二辊轧机)和后段(3～4座四辊轧机)两部分。在精轧部分一般设置7～8个机架。

热连轧机轧制速度高,各机架轧辊均承受着较大的机械应力、摩擦应力、热应力以及很大的冲击负荷,往往由于轧辊不适应这种繁重的工作条件而产生各种损坏,所以准确地分析使机架轧辊损坏的原因,是有效地选择轧辊材质和防范措施的前提。粗轧机架和精轧机组的前后机架的使用条件不同,对轧辊的性能要求也有所不同,必须针对各架次轧制中所存在的问题和以轧辊使用性能的基本要求来适当地选取轧辊材质,才能提高轧机轧制效率和钢材质量。

粗轧前段机架的轧辊与板坯开坯机轧辊的使用条件相似,辊身磨损很大,由于轧制压力较大,钢坯温度很高,容易产生较大较深的热龟裂和折断,而且热龟裂相交后经常出现局部剥落,造成板材表面的周期性缺陷。因此采用铸钢、锻钢等材质轧辊,有时也使用特殊的复合铸钢轧辊,粗轧后段机架的工作辊,因为有大型支撑辊,所以不论是连续式粗轧机,还是半连续式的可逆式粗轧机的工作辊的工作强度几乎不是太大的问题,它的主要问题是辊身表面粗糙度。国内曾经使用过锻钢轧辊和无限冷硬铸铁轧辊,由于硬度低,耐磨性不好而被淘汰,后来创造性地采用了球墨复合铸铁轧辊,与锻钢轧辊相比,使用寿命提高了几倍,至今仍在继续使用。国外这种轧机一般采用半钢和高硬度特殊半钢材质,对克服表面粗糙和抗磨损都很有效。

为了确保带钢的误差和提高轧机的生产率,将精轧机组的轧辊在使用和制造上严格分为精轧前后两段是合理的。精轧前段一般属于1～3架,后3(4)机架属于后段。根据机组的大致条件,前段轧机轧辊容易产生斑带,使钢材表面粗糙化。对于这种机架轧辊产生斑带的原因,有的认为是氧化铁被啄印,有的认为是由于辊身组织中存在着巨大的渗碳体在受力后剥落而形成坚硬物磨削造成的。其根据是检验坚硬物质的成分与辊身的成分一致,而与钢板成分根本不相同。国外的大量实践证明,这种机架使用半钢、复合半钢轧辊和高铬铸铁轧辊对解决斑带缺陷相当有效,一般冷硬铸铁轧辊在这种机架上均满足不了使用要求。

精轧后段工作辊存在的主要问题是辊身掉皮,该段轧辊辊身也极易磨损。因此,精轧后段工作辊必须具有抗剥落、抗磨损的特性。实践证明,渗碳体是产生集体剥落的主要原因,所以,精轧后段工作辊不能靠增加碳化物的含量来提高辊身硬度,而应该用合金和热处理改变机体组织来提高机体的强度和硬度。

总之,精轧机组轧制条件要求轧辊内外层相变残余应力小、辊身刚性好、压扁度小、中心弹性系数均匀、抗剥落、中心强度较高和表面抗粗糙化、抗磨损,这样高性能的铸铁轧辊目前只有采用离心铸造工艺才能生产。

16. 铸铁轧辊的缺陷有哪几种类型?

铸铁轧辊是使用特种铸造方法生产出来的冷硬铸铁件,它对于铸造裂纹等缺陷的敏感性较强,并容易形成其他许多类型的铸造缺陷和废品。这些缺陷和废品大部分发生在轧辊制造厂,多数是在铸造合格率上反映出来。

此外,对于铸造轧辊来说,还可能存在一种内在的缺陷,即隐藏在轧辊内部,在使用前没暴露出来的缺陷。这些缺陷将会在轧钢中表现出来。

因此,铸铁轧辊的质量不仅反映在铸造合格率上,还反映在轧钢生产上,而且,在某种程度上后者更重要。

为了提高铸造合格率，减少轧钢中的轧辊缺陷，延长铸铁的使用寿命，首先必须了解铸造缺陷废品的类型和产生原因，以采取适当的防范措施。

铸铁轧辊的主要缺陷及废品类型见表1-12。

表1-12　铸铁轧辊的缺陷及废品分类

缺陷的名称	缺陷的类型
夹杂	夹渣、加沙、夹灰
裂纹	纵向热裂纹、横向热裂纹、冷裂纹
气孔	金属引起的气孔、冷型焊接引起的蜂窝状气孔
缩松和缩孔	白口浅、白口深、白口偏、过渡区过长以致没有白口
宏观组织不合格	硬度高、硬度低、硬度不均匀、硬度梯度高
显微组织及硬度不合格	石墨球化等级低，辊颈、辊身中心过多的渗碳体
粘砂	机械粘砂、化学粘砂，挂砂部分加工余量过大或过小、辊颈歪头、点冒口不当而卡不住冒口
轧辊尺寸不合格	空心辊的中心眼偏斜

17. 防止轧辊产生夹渣缺陷有何措施？

(1) 加强铁水的熔炼操作，在火焰炉内熔炼铁时调整好风量和燃料的比例。在用反射炉熔炼铁水时应注意熔化期，保护炉内的微氧化气氛，以减少化学元素烧损。在精炼期保持炉内的微还原性气氛，以利于铁水的净化。此期间须用干燥过的熔剂在扒渣后进行造渣。加入的造渣剂应是增加渣子活度并有利于脱氧的材料，如萤石。经验证明，经造渣后，渣中氧含量(体积分数)可降低40%～50%。在用冲天炉熔炼铁水时，也应注意减少硅、锰的烧损，否则将会使轧辊增加废品。

在用反射炉熔炼时，出炉前应扒出部分渣滓，并投入干燥过的硅铁粉、锰铁粉，在出铁槽中投入稀土合金等脱氧剂以加强对铁水的精制，铁水中可脱出10%～30%(体积分数)的氧。特别是稀土合金的脱氧效果尤为显著。当轧辊中的夹渣缺陷十分严重时，加入0.15%～0.2%(质量分数)的稀土合金是相当有效的。

(2) 对于球墨铸铁应该合理控制硅含量，一般较大直径的球墨铸铁复合轧辊，冷硬层中的硅含量(质量分数)应保持在0.5%～0.7%的范围内，较小直径的轧辊，硅含量(质量分数)的上限可放宽到0.85%，对减少石墨夹杂或混合渣的尺寸是有利的。当含铜时，硅含量要相应降低，或者与反石墨化元素相配合使用。

(3) 根据轧辊所需要的适宜的浇注温度，应合理控制铁水出铁温度。对于球铁轧辊，根据球化工艺和轧辊的大小，温度可控制在1370～1470℃；对于冷硬轧辊，温度可控制在中限温度出铁，过高或过低均会造成夹渣缺陷。根据各种不同规格、材质的轧辊，选择浇注温度。

(4) 加强浇注过程的控制。对于各种类型的铸铁轧辊，均应保证浇注平稳，尽可能地提高浇注速度，以创造铁渣分离的有利条件。对于大型复合轧辊，第一次浇注高度应控制在冒口箱全高的二分之一高度。

(5) 浇注前应确保冷型涂料干燥，避免黑皮眼。对冷型涂料在浇注前确保干燥，避免在白口层内产生呛渣。

在夹渣废品中，还经常出现一种所谓"黑皮眼"废品，轧辊辊身精加工后残留的黑皮眼是不规则的，有时是闭合有时是不闭合的线形缺陷，加工余量过小则清除不掉。"黑皮眼"形成的主要原因是呛疤深、冷型内径小、轧辊辊身椭圆度大、铁水流动性不好、黑皮坑深和偏打顶针眼所造成的。解决的办法是，保持适当的浇注温度，避免浇注中呛渣，合理考虑辊身的加工余量，减少白口偏等。

(6) 采取清渣措施。在球铁轧辊夹渣严重的情况下，活性较大而熔点较低的钠的化合物(如水晶石、食盐、硼砂、苏打粉等)作为清渣剂是合适的，它们在高温铁水中成为液体，能使铁水中的氧化物、硫化物稀释积聚，降低渣的黏度和减少渣和铁水的相间张力，便于夹渣物上浮到铁水表面扒除，从而减少夹渣缺陷。经验证明，把处理铁水量0.3%～0.4%的食盐，经过焙烧去掉结晶水，用镁处理后用钟罩压入包内，在球铁夹渣十分严重的情况下可起到良好的清渣效果。

然而，在铁水包内加入附加物以减少夹渣缺陷的做法，并不能代替过程的控制。只有在充分注意了各个影响夹渣的因素以后才能够考虑此方法。当夹渣的矛盾十分尖锐，一时又达不到满意的过程控制时，方能使用向铁水包中加入附加物的方法。

18. 防止轧辊产生铸造裂纹有何措施？

铸铁轧辊的裂纹是常见的铸造废品。按其特点分为热裂和冷裂。根据裂纹的形状分为横裂和纵裂。按其部位又可分为下辊身小裂纹、上辊身小裂纹、辊身通裂、辊身中间小裂纹、辊身中间螺旋形裂纹以及辊颈横竖裂纹等。关于热裂纹形成的温度范围，有的认为是在凝固温度范围内，但临近于固相线温度时才形成的，此时合金处于固—液态；有的认为热裂纹是在稍低于固相线温度时形成的，此时合金处于固态；也有的认为是在浇注后850～1050℃的范围内形成的。

冷裂纹在轧辊完全凝固后才形成，在轧辊开箱或机械加工时各处不是同时进行的，因此引起了很大的内应力。这种内应力的产生和存在，往往使轧辊产生发裂。

防止裂纹缺陷的措施很多，其主要方法是，在轧辊凝固过程中较长时间保持冒口铁水的液体状态，轧辊浇注可加入发热剂、脱氧或者用电弧加热均可。在奥氏体转变为马氏体过程中要采取保温措施(在冷型外侧加保温套)，使其缓慢均匀冷却，开箱温度不能高于150℃，以保证基体体积的逐渐增大；适当增加冷型涂料厚度(加厚到2～3mm)，或采用导热性较低的涂料，对防止发裂都有效果；适当增加表层铁水中的硅含量，在高合金硬度铸铁轧辊中硅含量(质量分数)可增加到0.6%～0.8%，使冷硬层中出现一定数量且充分弥散的细小石墨，以增加马氏体转变中体积增大时的缓冲作用，对防止发裂比较有效。

关于热裂纹的形成机理，目前有两种理论，即强度理论和液膜理论。

强度理论认为，铸件在凝固末期，当结晶骨架已经形成并开始线收缩后，由于收缩受阻，铸件中就会产生应力和塑性变形；当应力或者塑性变形超过了合金在该温度下的强度极限时，铸件就会开裂。铸件凝固后，在稍低于固相线时，如果也满足上述条件，同样会造成热裂纹。铸铁轧辊在接近固相线温度时强度和塑性都很低，所以，可能很小的铸造应力和塑性变形都能产生热裂纹。

液膜理论认为，铸件冷却到固相线附近时，晶体周围还有少量未凝固的液体，构成一层液膜，初期较厚，温度越接近固相线，液膜就越薄。当铸件全部凝固后，液膜即全部消失。在晶粒之间有液膜存在，该处的强度和塑性低，此时铸件收缩受阻液膜即被拉长。当液膜拉长速度超过了某一限度时，液膜即被拉裂。

对于类似铸铁轧辊的铸件热裂纹的形成温度范围和形成机理尚需进一步研究。

19. 防止轧辊产生气孔有何措施？

(1) 降低轧辊熔体中的气孔含量。氢和氧的饱和度增高，在气孔形成中起着主要的作用。轧辊熔体中氧的饱和度决定于熔渣中 FeO 的含量。因此，反射炉熔炼铁水时采取扒渣并用干燥的造渣材料进行造渣，能减少熔体中的氧气含量。经验证明，采用经过烘干预热300～500℃的合金材料及造渣材料，对消除铸铁轧辊的气孔具有显著的作用。

(2) 控制镁的加入量。在保证球化的情况下，适当减少镁的加入量，以减少蒸气形成气孔的可能性。

镁残留量与形成气孔的数量的关系如图1-2 所示。

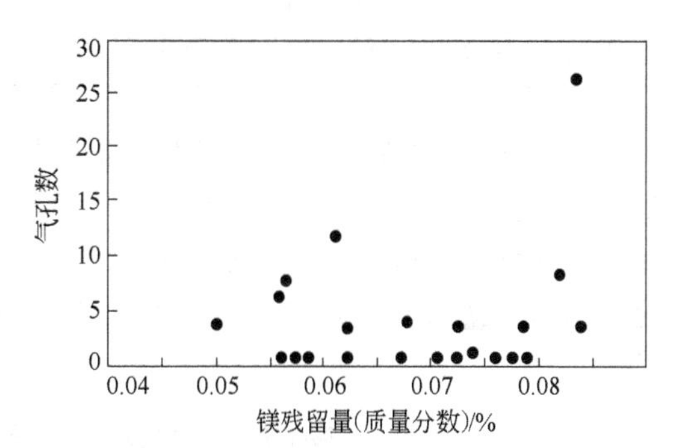

图 1-2　镁残留量与气孔的关系

因此，在确保石墨球化的基础上，将镁加入量减到最低，对消除由于镁蒸气形成的气孔是有益的。

(3) 冷型质量管理。严格检查冷型质量，对已经有龟纹和凹沟的冷型要重车或报废。在喷涂料前用砂轮或电动钢丝刷刷冷型时，把冷型内表面的氧化铁和其他聚集物磨掉。

(4) 炉型配合。加强炉型配合，扣箱不宜过早，以免冷型涂料吸水变潮。

(5) 铸型干燥。坚持正常的铸型烘干制度，保证砂型干燥，保证冷型合理的喷涂料温度和浇注温度。

20. 防止轧辊产生缩松缺陷的主要途径是什么？

(1) 调整化学成分，增大共晶度，特别是增加碳的含量，在减少反石墨化元素和保证球化的前提下，降低镁的残留量，使液体金属缩小结晶间隔，从而形成集中缩孔。但是，这对于需使用大量回炉料及采用重油为燃料的反射炉来说往往有一定困难，因为碳量的提高会带来配料时生铁比例的大幅增加。另外，过分地提高碳量会影响轧辊的使用性能。

(2) 提高浇注温度，有利于消除辊颈的缩松缺陷。但是，为防止各种铸铁轧辊产生铸造缺陷和废品，浇注温度必须控制在各自较窄的温度区间里。浇注温度过高，可能带来裂纹废品。所以，用提高浇注温度来解决辊颈缩松已成为不可能的做法，当一包铁水浇注多支轧辊时则更困难。

(3) 采取浇注后捣上辊颈外表铁水的方法可以消除边部最初结晶的枝状晶，采用氧化铁皮撞制冒口可使缩松减轻。用冷却速度较快的镁砂撞制冒口效果更好。

(4) 采用冷模挂砂(挂砂厚度为 15～20mm)铸型，可以消除上下辊颈的缩松缺陷。

21. 如何防止轧辊白口过深过浅?

严格控制工艺试样,准确调整轧辊白口深度。各种调整剂的加入量对白口深度的影响见表1-13。

表1-13　铸铁轧辊白口深度的调整

调整剂	白口深度/mm	每吨铁水加入量
75%硅铁	−1	0.2kg
碲	+1	一般为1.5g
碲	+1	白口过浅、麻口过长为2.0g
铬铁	+1	0.15～0.5kg

采用反射炉熔炼铁水时,当炉内取试片白口过深时,在炉内加75%(质量分数)硅铁。铁水硅含量(质量分数)增加0.01%～0.015%时,试片白口深度减少1mm左右。当试片上的白口深度过浅时,可在炉内加入氧化铁皮或富铁矿石。在30～35t铁水的反射炉内加入矿石后的硅、锰降低量见表1-14。表1-15是冲天炉铁水在铁水包内加氧化铁时化学成分的变化。

表1-14　炉内加矿石铁水降硅降锰数量(质量分数)

矿石加入量/kg	100	200	300	400	500
降硅/%	0.055～0.065	0.105	0.140	0.171	0.215
降锰/%	0.064	0.063	0.087	0.080	0.113

表1-15　铁水中加入氧化铁皮后各元素含量(质量分数)的变化(%)

序号	铁水质量/kg	加氧化铁皮质量/kg	处理前				处理后			
			C	Si	Mn	S	C	Si	Mn	S
1	1700	25	3.53	0.64	0.79	0.071	3.57	0.52	0.63	0.083
2	1700	20		0.69	0.74	0.066		0.60	0.69	0.077
3	1700	17	3.52	0.6	0.74	0.083	3.53	0.53	0.63	0.073
4	1700	10		0.58	0.77	0.089	3.6	0.54	0.68	0.095
5	1700	10	3.64	0.62	0.72	0.084	3.65	0.50	0.65	0.095
6	1700	7	3.64	0.54	0.70	0.082	3.65	0.53	0.65	0.093

在出铁时可以在流子里加硫磺,在铁水包内可以用碲来调整冷硬轧辊的白口深度。一般试片的白口深度和轧辊白口深度的关系如下:

用冲天炉熔炼时

试片白口深度:轧辊白口深度=(1～1.6):1

用反射炉熔炼时

试片白口深度:轧辊白口深度=(1～2):1

对于薄板轧辊,特别是轧钢中容易掉皮、掉肉和环裂严重的轧辊,采用所谓高纯度的冷硬层是不妥当的。这种轧制条件要求轧辊冷硬层与灰口辊芯间,具有一定过渡区的粗型组织。在其显微组织碳化物则要求彼此孤立、断续，并分布有细小、充分弥散的石墨，从而使冷硬层既具有高硬度，又具有一定韧性。国内外的经验证明，这样组织的轧辊使用寿命高，对轧钢是有利的。所以，冷硬层中含有一定数量的细小石墨，不应认为是轧辊的缺陷。

缩短熔炼时间，减少化学元素的烧损。这就必须认真按规程装炉，勤调风量和燃料，确保合理的配比，避免炉内的强氧化性气氛，同时要使炉内燃料达到合理燃烧。

控制适当的浇注温度和合理的停留时间。采用半冲洗的冷硬复合铸铁轧辊，白口的浓度受温度的影响，随浇注温度的提高白口层深度下降，随停留时间的延长总白口深度增加。

22. 如何防止轧辊白口深度的不均匀？

采用冲洗法浇注球墨复合冷硬铸铁轧辊，特别是硅铁粉进行中心冲洗时，白口不均匀缺陷发生较频繁。这主要是在冲硅铁粉时，由于冲入铁水和硅铁粉的机械冲刷及热铁水熔蚀所造成的。其防止措施如下：铁水温度过低或过高，特别是过低时，白口不均匀的现象十分严重，因此，适当控制铁水温度对解决白口偏的缺陷是有利的。温度是影响流动性的一个因素，但是流动性低，不一定都是由于温度低的缘故。实践经验证明，铸铁在熔炼过程中，过分氧化，铁水的流动性降低，因此铁水熔炼时防止化学元素烧损可防止白口不均匀现象加重，点流和冲洗对白口层的影响很大，浇注后点流时间间隔适当延长，在保证进口冲动的情况下，适当减少点入的铁量，有助于保护白口。根据进口尺寸、铁水温度、铸型高度确定点流的间隔时间、铁水流量，一般可参照表1-16。

在采用硅铁粉冲洗时，冲洗时间长短（在将硅铁全部冲进型腔条件下），对白口的影响很大，时间越长，白口偏得越严重。对数百支轧辊白口的观察、分析发现。直径630mm的轧辊，总冲洗时间大于70s，白口的不均匀性随冲洗时间的延长而增加。因此，为了在合理的时间内将硅铁冲完，就必须妥善设计和装配硅铁及浇注漏斗。

表1-16　轧辊的点流间隔及点流时间

规　格 /mm×mm	碳含量(质量分数) /%	进口直径/mm	浇注温度/℃	点流间隔/s	点流时间/s
ϕ630×930	3.1～3.4	90	1255～1300	80～140	5～8
ϕ805×1200	3.1～3.4	100	1240～1275	90～160	5～10
ϕ800×2800	3.1～3.4	110	1235～1260	90～120	8～12
ϕ650×1700	3.1～3.4	90	1235～1295	70～120	6～12
ϕ76×2300	3.1～3.4	100	1235～1270	80～120	6～12

下辊颈长短，即进口与下辊身的距离远近，对白口的均匀性有一定的影响。进口位于辊颈最下部时，辊颈愈长，热铁水在点流冲硅时对白口层的冲刷愈小，白口愈均匀。因此，当下辊颈较短，白口不均匀性十分严重的时候，适当加长下辊颈，增加进口与下辊身的距离，对防止辊身白口不均匀性和冲裂废品有显著效果。

23. 如何防止微观组织及硬度不合格？

对于球墨铸铁轧辊，主要是石墨包含物的形状及尺寸不合格、轧辊硬度不合格、显微组织不合格。

防止石墨包含物的形状及尺寸不合格的措施有：保证有足量球化剂的残余量；增加孕育效果和减少孕育衰退，最根本的问题是降低原铁水的碳含量，适当增加孕育量，加快轧辊的冷却速度，特别是中心冷却速度。如在制作大截面的球铁轧辊时，采取空心（浇注时中心采用风冷或水冷）的办法，可减少孕育衰退，增加中心的球化率。不论是板钢轧辊，还是型钢轧辊，其硬度值均是力学性能中的一个主要指标。在板钢轧辊中，其白口层的硬度不仅受到碳含量的影响，还受到其他合金元素的影响。在制造高合金轧辊时，镍铬对硬度的影响较大。一般球铁轧辊的 $m(\mathrm{Ni}):m(\mathrm{Cr})=4:1$，合金冷硬铸铁为 $m(\mathrm{Ni}):m(\mathrm{Cr})=3:1$ 时，组织中可得到大的马氏体，肖氏硬度可以达到 HS75 以上。在碳含量（质量分数）为 2.6%～2.8%、镍含量（质量分数）小于 3.5%的轧辊中，组织中就会出现较多的屈氏体，贝氏体和马氏体的含量减少，这种轧辊的硬度一般都低于 HS75。为了高硬度轧辊（硬度大于 HS75），必须要有较高的镍铬钼含量。对于具有珠光体-渗碳体-石墨的轧辊的硬度，主要取决于石墨化参数。当碳铬含量低于规定的数量，硅含量高于规定的含量或孕育的硅含量超过规定的加入量时，就会出现硬度不合格。当跑镁严重，镁残留量低于 0.05%（质量分数）时，正包浇注的镁处理轧辊多数因硬度低而报废。

解决硬度不合格的主要办法是严格控制好炉前成分，准确地计量孕育硅铁的数量，在压镁前严格检查镁的数量，压镁时防止跑镁。

铁水的浇注温度对硬度也是一个影响因素。一般地说，浇注温度愈高，硬度愈低。反之硬度愈高。经验证明，浇注铁水温度每改变 10℃，轧辊的硬度改变 HS1～2。

显微组织不合格，钢板轧辊的灰口区出现过多的自由碳化物组织，是由于石墨化参数太低所造成的。造成石墨化参数太低的基本原因，是成分构成不合理或中心冲洗不好。在轧辊中心存在着大量的自由渗碳体，轧辊折断时呈现为放射形的组织。放射形组织轧辊的性能很差，强度低、脆性大、易折断。放射形的轧辊使用寿命低，严重地影响轧钢的生产。轧辊浇注时加强中心冲洗是消除放射形组织最关键的环节。

24. 化学成分不合格的主要原因及预防措施是什么？

根据使用的要求，各种轧辊规定了不同的化学成分，化学成分不合格，将降低轧辊的内在质量，影响轧辊的实用性能。因此，保证所规定的化学成分是铸铁轧辊生产上的一个基本要求。化学成分不合格主要是由以下几个因素造成的：

（1）料前对所采用的生铁、废辊和回炉料等的成分不明，从而无法对产品成分进行控制。所以，在配料前必须对配入铁料的化学成分做认真化验，成分不清楚时，不准许配料和装炉。

（2）错用生铁、废辊、余料及轧辊切头等，将不需要的合金元素过多地带入炉内。因此，各种铁料必须标志清楚，分类堆放，严禁混杂。在配料时应基本上做到专料专用，装炉前应详细检查铁料，按指定铁料吊运装炉，在采用冲天炉熔化铁水时，批料和配入数量要准确。

（3）炉内错加合金料或合金料数量不准确。

（4）采用反射炉及感应电炉熔炼铁水时，炉前的合金料不应一次投入。在取第一次化验试样和工艺试样后，应将预计加入的合金料的 2/3 投入炉内，其余的 1/3 合金料在第二次取化验样及工艺试样后，成分做进一步调整时，根据需要再适量加入。

（5）进行炉前成分调整时，必须根据炉内铁水量决定投入合金料的数量，不能一律按固定吨位的铁水量计算合金料数量，否则铁水量多时，所调整的化学成分往往低于规定的下限，造成成分不合格，反之，成分会超过规定范围。

(6) 采用反射炉熔炼低硅的冷硬铸铁轧辊铁水时，有时炉内氧化气氛大、元素烧损多而出现泡沫渣，因此，在发现泡沫渣后，应立即将渣子扒掉，从新造渣，并投入少量硅铁粉，以改善熔渣的组成。在调整成分后应再取化验试样及工艺试样，以便在出铁前再做必要的成分调整。

采用冲天炉熔炼铁水时，亦应注意减少元素烧损。在计算合金料的加入数量时，应该考虑化学元素的烧损量。

(7) 轧辊总的硅含量不合要求，在孕育的半冷硬轧辊和无限冷硬轧辊中，如果孕育硅铁量不准确，会使轧辊表面硅含量过多或过少，致使硬度过低过高。在球墨复合铸铁轧辊中，确保中心足够的硅含量，是提高轧辊使用寿命的关键。因此，复合轧辊中心硅没能完全冲入辊心，应当认为是严重的内在质量缺陷。

25. 21 世纪轧辊技术的总体趋势是什么?

采用高速钢制成的耐磨轧辊和碳化物弥散轧辊，使轧机生产效率提高，产品尺寸精度提高，但是同时也要求轧机操作条件作相应改变，特别是要求更强的冷却，更严格的检测和轧辊要与具体机架相匹配。

1996 年在英国的伯明翰，由英国“材料协会轧钢委员会”组织的题为“2000 轧辊”的国际轧辊会议，有来自 28 个国家的代表参加。

会议的目的是探讨轧辊制造、材料、表面处理和检验的发展趋势，为轧机提供 21 世纪用的轧辊。为使轧钢厂能够满足客户对表面质量和公差的越来越高的要求，轧辊制造这门“黑工艺”已被质量控制措施、检验手段和更高的研究开发投资取代。此外，轧钢厂还希望他们的轧辊寿命更长，轧辊修磨频率更小和消除断辊问题。

轧辊制造厂正在通过采用新材料和制造技术来满足这一要求。例如，带钢轧机的支撑辊目前一般以复合铸造辊代替整体铸造的铁辊和钢辊，这种复合铸造辊由较硬的外壳和内部的韧性芯体组成。工作辊越来越多地采用较硬的合金来铸造。目前正在生产的钢种有高合金高速钢、工具钢和喷入碳化物钢。新型锻辊材料也已经研制成功，例如电渣重熔钢制成的轧辊以及硬化深度可以达到 50mm 的轧辊，以免在一个研磨役期之后还要对轧辊进行再次热处理。今后的发展是轧辊的喷射成形(SFE 公司目前正经营一座采用 OSPREY 法的中间试验厂)以及采用热等静压(HIP)成形的粉末冶金。

在轧辊研磨方面，都在采用更高的自动化程度，但是仍有许多钢厂采用 20 世纪 50 年代的方法。采用自动化可以达到更高的一致性和精度。特别是采用高速钢轧辊时，必须保证轧辊在返回轧机之前去除裂纹和碰伤，而为达到这一点，采用涡流或超声波技术对轧辊进行全面检查是必要的。

带钢轧机的轧辊表面结构已得到改善，特别是采用放电织构化代替传统的喷丸方法。放电织构化与镀铬同时使用已经使轧辊寿命提高了两倍。

采用更多的外来工作辊材料，应更加注意保证支撑辊的硬度小于工作辊的硬度，甚至使轧辊与特定机架的要求相匹配。热带钢轧机需要三种不同类型的轧辊，每种轧辊都需要与其支撑辊相适应。

根据材料的发展，乐观的预计轧辊寿命可提高7～9倍，但是与此相对的是传统管理技术的运用、要求轧辊上磨出更复杂的外形、为适合较小定货而过早换辊，以及由于扭曲和失速引起的轧辊损坏。实际上预计今后轧辊寿命是可以提高一倍的。

26. 何谓FEWTIC轧辊？

Shefsield Forgemasters公司最近采用了由它与London & Scandinavian Metallurgical公司共同研制成功的可取代高速钢轧辊的轧辊，即含碳化物的复合轧辊。在这种轧辊中，将过渡金属碳化物喷射到轧辊的离心铸皮区中。碳化物不被基体材料所溶解，而是容易在铁包裹这些颗粒之前被熔融基体润湿，形成直径500μm以下的颗粒。典型的碳化物颗粒尺寸为2～10μm，而且是最佳形状圆形。FEWTIC这种名称出自采用铁、钨和钛的碳化物来生产具有接近铁的密度的固溶碳化物，以防止离心铸造时产生的偏析。这种生产方法叫做“复合碳化物增强法”，目前用于改善合金无限冷硬轧辊。5%～10%(质量分数)这么少的碳化物加入量，就可以使热带钢轧机精轧机架轧辊的磨损速度比普通合金无限冷硬轧辊降低38%。

27. 何谓轧辊表面织构化？

喷丸使轧辊表面产生一种不可预见的织构化表面，因为研磨后任何保留下来的硬喷丸都会使轧辊表面粗糙度R_a值降低。喷丸还能在轧辊表面上产生潜伏波纹，这种波纹接着被印到被轧制的带钢上。因此研制了使冷轧机精轧架和平整机架轧辊的织构化更可控制的方法。

比利时Sidmar公司正在采用电子束织构化方法来产生一种确定织构，这种方法优于激光织构化法。激光织构化法产生一种确定织构，这种织构可以造成带钢表面，在印上两种周期形状(比如由冷轧的精轧机架和由平整机架印上的形状)时，会出现波纹形状。激光织构化法还有造价昂贵、生产效率低和可重复性差的缺点。电子束织构法可以克服所有这种缺点，目前正用来生产Si-betex级的薄板，这种薄板不仅涂漆时表面粗糙度好，而且可以使镀锌层的粉化降低30%。电子束织构化处理，要求将轧辊置于真空中。放电织构化要求与镀铬配合使用，以提高耐磨性。采用放电织构化还可以提高表面粗糙度R_a值，而不会引起波纹，这就可以使批量式退火之后的粘结印痕的影响程度减小。

放电织构化要在绝缘溶液中使用。在Sarclad公司的设备条件下，绝缘“槽”放置在慢速旋转的轧辊上，而轧辊受到通过溶液的放电火花的轰击。另一种方法是：整个轧辊部分地浸在绝缘油中并受到50根电极的轰击(每例25根)，镀铬放电织构化处理轧辊。该方法自1990年一直被英国钢铁公司使用，它可以使带钢上产生一种始终如一的织构，使织构的重复率提高，以及能去除研磨缺陷，例如颤痕。没有损伤的轧辊可以不经研磨进行再织构化。

Sarclad公司认为，90%的轧辊故障是由于表面裂纹造成的，而表面裂纹一旦长到长度大于3mm和深度0.3mm就可以引起剥落。热轧辊比冷轧辊更容易产生这种故障。在日本，一般采用超声波检测来检验裂纹。但是涡流，在寻找与表面垂直的裂纹、与表面平行的裂纹以及碰伤方面，有更大的潜力，而这后两种缺陷不能用超声波来检测。但是，不管是超声波还是涡流技术都不能用于轧辊边缘附近的检测，这就要求用酸侵蚀法。

28. 英国钢铁公司棒材轧制用辊采取了哪些技术措施?

英国钢铁公司的轧辊约 50%用于棒材部门。这些轧辊往往不是买新的,而是将磨损的热带钢轧机的轧辊经过切削后,供作粗轧机的辊坯。用贴焊来修复粗轧机辊坯是英国钢铁公司斯肯索普厂目前经常采用的方法。有时焊积的金属量高达 7t。

对棒材轧机,烧结碳化物复合轧辊,可使精轧架的产品偏差减少和轧辊磨损降低,这方面的一种新发展是,将碳化钨或碳化钴复合辊环直接浇注到钢质辊轴上,而不是将其装配到键槽上,因为键槽可能会由于水浸入而腐蚀和磨损。足够的水冷是碳化物轧辊的一项必不可少的要求,而且必须控制 pH 值,以防止因碱度过高而造成碳化物侵蚀,或因酸度过高而造成钴基体金属侵蚀。所有的轧钢屑要从水中去除,这一点对提高轧辊寿命也是很重要的。

29. 何谓金属喷雾成形技术?

金属喷雾成形技术(OSPREY)近年来的发展十分迅速。1992 年当我们首次接触这项技术时,它还尚未得到广泛的推广,也未建立起一个生产型工厂。当 1996 年 5 月,英国 OSPREY 公司来宝钢访问时,我们得知美国、德国、加拿大、日本、瑞典等国的一些厂家均已获得了该公司的生产许可证,正生产着各种零件,此外,生产能力为 5t,直径可达 ϕ800mm 的 OSPREY 设备合同也已签订。在“轧辊 2000 年”会议中,这项技术是被普遍认为在 21 世纪中非常有前途的轧辊制造技术。OSPREY 工艺的简单过程如图 1-3 所示。

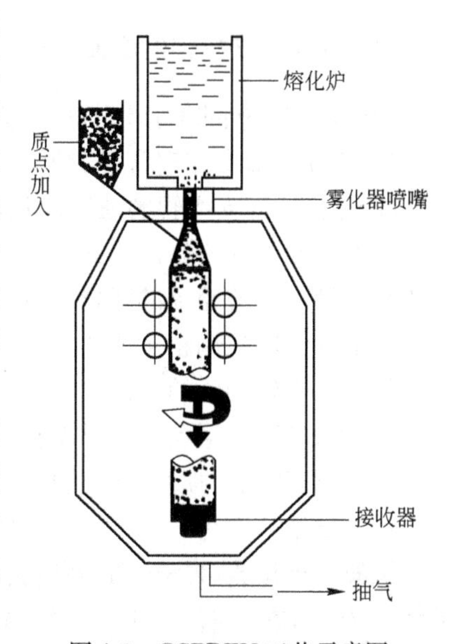

图 1-3 OSPREY 工艺示意图

金属液体在雾化器中被高速气流雾化为细小颗粒,然后迅速飞向接收器,并在其上沉积成形,金属液体的流量和雾化气体的气流流量可以按不同比例调节改变。雾化器喷嘴的数量及喷嘴的运动方式也可以选择,可以是一个喷嘴或多个喷嘴,喷嘴可以静止也可以运动。金属被雾化以后还可以按照不同需要加入不同的粒子,如陶瓷颗粒。接收器可以做成不同形状,如板状、管状,也可以以不同的方式运动,上下、水平或旋转,接收器是一个圆盘,向下旋转运动,从而“拉”出一个棒状零件。以上的种种灵活性,使得用 OSPREY 工艺已经能生产出辊板管以及异形零件等种种接近最终产品形状的零件,并适用于多种材料。

通常的轧辊制造手段,如静态铸造、离心铸造、复合浇注、电渣重熔和连续浇注成形,由于凝固时金属液体的体积大(或者是整个钢锭,或者是整个铸件型腔),凝固速度慢(通常在 10K/s 左右),因此总免不了出现一次组织粗大、各类偏析、缩孔疏松等缺陷,这对于一些高合金含量的材料尤其突出。

OSPREY 工艺属于半固态成形技术,由于其雾化颗粒很小(可控制在 10~$10^3\mu$m 之间),雾化颗粒在飞行过程中冷却速度极高(可达 10^3~10^4K/s),且多数颗粒处于半液半固的状态之中，在接收器上沉淀成形，因而从根本上改变了以往的工艺的成形规律，这样就可以得到用以往的制造方法所无法得到的结果。

30. 耐磨支撑辊的最新发展是什么？

支撑辊品种的改进与冷、热轧机工作辊性能的改进相比较，看起来是非常缓慢的。由于铸钢支撑辊存在质量问题，如破断、剥落，因此自20世纪60年代初以来，锻造支撑辊在日本得到广泛的应用。在20世纪70年代中期，由于研制成功碳的质量分数为5%的锻造支撑辊，因此支撑辊的耐磨性能得到明显改进。这些轧辊硬度更高，接近HS70。自那时以后，耐磨支撑辊的新发展很少。但是，由于采用了钢锭铸造、热处理等方面的先进技术，因此轧辊的质量得到某些改进。

鉴于各种原因，主要是要求改进轧制带钢的表面质量，客户仍要求进一步改进支撑辊的耐磨性能。磨损的问题包括：串列冷轧机后部机架上的边缘斑痕、热轧机上的腐蚀磨损、支撑辊的磨损碎片以及干平整机上的轧制带钢的光泽度。以下考虑各种轧辊材料（包括新钢种）在支撑辊耐磨性方面的应用。

31. 冷轧机支撑辊的磨损情况如何？

冷轧机支撑辊的磨损形状可分为两类：

（1）凹形，即支撑辊磨损层形状呈凹形的，或称为“箱式”的。

（2）凸形，即支撑辊磨损层形状呈凸形的，或称为“边缘跌落式”的。

凹形。凹形或所谓的箱式形状，即在带钢宽度以内部位的磨损量大于带钢宽度以外部位的磨损量。随着磨损的积累以及工作辊和支撑辊之间在辊筒中心处的辊缝增加，沿着带钢宽度上的板厚控制精度恶化。

凸形。当轧辊辊筒端部的磨损量大于带钢宽度以内部位的磨损量时，则形成凸形，或“边缘跌落式”磨损形状。这种磨损，常常伴有在串列冷轧机后部机架处的边缘斑痕。一般来说，凹形形状的磨损量大于凸形形状的磨损量。

铬的质量分数为5%支撑辊磨损表面的实例：例1，一台冷轧机，在轧制75000t之后，在第1机架上支撑辊（HS70）的磨损表面引起“箱式”磨损形状。在带钢宽度以内部位的磨损量为0.7mm；在带钢宽度以外部位的磨损量为ϕ1.3mm。例2，一台冷轧机在轧制25000t之后，在第6机架上支撑辊（HS68）的磨损表面引起“边缘跌落式”磨损形状。在带钢宽度以内部位的磨损量为ϕ0.2mm；在带钢宽度以外部位的磨损量为ϕ0.55mm。

例1为在串列冷轧机第1机架上使用后造成凹形磨损的轧辊，虽然轧辊表面，在带钢宽度以内和在带钢宽度以外部位都呈现出鳞片形状，但是在带钢宽度以内部位的磨损量较大，更凹凸不平。

例2为造成凸形磨损的轧辊。该轧辊用在串列冷轧机的最后一架机架上。带钢宽度以外部位的磨损量最大，并呈现出与例1凹形磨损表面相似的鳞片形状。

同时，例2带钢宽度以内部位形状，与例1带钢宽度以内部位形状相比较，具有较小的磨损量和具有平滑的表面。例2轧辊表面上的带钢边缘部分具有独特的外观，这可能是这部分表面受到的损坏不同于带钢其他部分所致。根据以上实例，前部轧机支撑辊容易引起凹形磨损，而后部轧机支撑辊容易引起凸形磨损。支撑辊的磨损类型可认为受每个机架的特性条件影响，例如轧制负荷的分布、工作辊凸度、工作辊表面织构化处理、轧辊挠度及润滑。

边缘斑痕是不太清晰地呈现在带钢最小宽度部分附近的一些环形线条。这些线条是由在串列式轧机最后一架机架上采用的支撑辊表面上的凸形磨损引起的。这些线条有时称做“印痕”，因为它们是由工作辊压印到轧制带钢上的。

支撑辊表面上的带钢边缘部分受到严重的损坏。这种损坏，根据不同带钢的轧制量，在轧辊表面的每个部分上积累。将宽带钢边缘部分与窄带钢边缘部分进行比较，被窄带钢边缘部分损坏层持续时间比被宽带钢边缘部分损坏层持续时间要长。这是因为每部分的磨损量不同所致。因此，当同样宽度（接近最小宽度）的积累轧制带钢量足够大时，被带钢边缘损坏的表面层为环形线条状。

从引起凸形磨损的支撑辊的半值宽度的测量值可以看出，在轧辊内部半值宽度低于不变值的宽度为一疲劳层。在轧辊表面半值宽度重新升高部分为一个塑性变形层。无论是疲劳层还是塑性变形层的深度，在带钢宽度之外部分上比在带钢宽度之内部分上要深，而与磨损量成正比。此外，在带钢边缘处的疲劳层仍比带钢宽度之内的部分要深。由一个引起边缘跌落式磨损形状的冷轧机支撑辊表面层的形成和测量得知，在带钢宽度以内和带钢宽度以外部分的测量值为：

	损坏层	宽度以内	在宽度以外
A	产生裂纹层	小于 0.01mm	约 0.04mm
B	产生变形层	约 0.02mm	约 0.08mm
C	产生疲劳层	约 0.20mm	约 0.40mm

以弹性接触方式进行轧制的支撑辊的材质，受到所谓的“疲劳磨损”。疲劳磨损以下述次序发展：(1)反复的轧制接触；(2)疲劳；(3)产生微裂纹；(4)裂纹扩展；(5)形成磨损碎片。

局部塑性变形的积累，结果产生裂纹，虽然肉眼看上去是处在弹性接触。塑性变形层的形成以及该层中裂纹的扩展，就塑性变形层的厚度而言，是支撑辊的主要磨损过程。例 1 和例 2 中的肉眼可看到的裂纹暴露于轧辊表面上，所看到的鳞片形状是相同的。有些形状是刚逃离的磨损碎片的印迹。因此，轧辊表面的鳞片形状越粗糙，则磨损碎片就越粗糙。

根据以上的调查研究，表面呈现粗糙鳞片形状的支撑辊易于引起大量的磨损。据报道，磨损碎片的大小与塑性变形层的深度成正比，虽然这些报道都是依据于滑动接触磨损。从上述实例带钢宽度之内和带钢宽度之外之间的比较表明，塑性变形层的深度和可见裂纹同样都与磨损量有关系。这就说明，塑性变形和裂纹的产生都明显地影响支撑辊磨损。

根据表 1-17 所示概念研制了两种类型的高合金钢支撑辊。将这两种支撑辊在实验室检验获得的磨损及断裂韧性与普通的 w(Cr)5%钢相比较，虽然三个品种之间的差别，在硬度水平上均为 HRC55 和更高时是很小的，但是在支撑辊一般采用的硬度水平即大约为 HRC50 时就变得明显了。

表 1-17 三种类型锻钢支撑辊

品　种	化学成分(质量分数)	概　念
普通型	5%Cr	通过高的硬度和深的硬化层(与3%Cr相比较)来改善耐磨性
新型A	8%Cr-Mo	通过增强基体和精细分布残余碳化物来改善耐磨性
新型B	5%Cr-W-Mo-V	通过高的W、Mo和V的含量增强基体和提高回火温度来改善性能

新型支撑辊(HS68/72)应用到支撑辊引起典型的凹形磨损的串列冷轧机第1机架，在轧制了75000/88000t之后的结果表明，虽然通过采用新型支撑辊，磨损总量降低了35%～45%，断面磨损降低了50%～60%，但是实验室检验结果并没有预计的那么满意。

表1-17中两种新型支撑辊在不同轧机上的耐磨性，B种的稳定性比A种的要好。A种根据每台轧机的特点，显示出一种分散的性能。B种用于串列冷轧机的最后一架机架上，在此支撑辊引起典型的凸形磨损，其结果造成边缘斑痕。

B种支撑辊(HS72)用在第6机架上轧制了34000t之后的磨损表面情况表明，带钢边缘部分和带钢宽度以内部分之间的表面状态的差别小于普通轧辊的情况。增强的新钢种基体使带钢边缘部分因疲劳引起的损坏减少，这正是采用合金材料的意图。

32. 热轧机支撑辊的磨损情况如何?

热轧机支撑辊(HS68)，在其表面上发现有无数的腐蚀坑。在带钢的宽度之内，腐蚀坑的面积占32%，而在带钢的宽度之外，腐蚀坑的面积占13%。腐蚀坑占的比例，在带钢宽度以内高于带钢宽度以外。腐蚀坑的形成使被轧制的带钢与工作辊的真正接触面积减少，它可引起工作辊表面凹凸不平或支撑辊剥落(剥落起源于腐蚀坑下方的疲劳裂纹)。同时，带钢宽度以内和带钢宽度以外之间的磨损量的差别也能引起严重的凹形磨损形状，这是热轧机支撑辊所具有的特性。

根据在一台串列轧机的F_3机架上采用的热轧辊支撑辊表面层的形成及测量结果表明，在带钢宽度之内部分上的测量值为：

	磨损层	深度
A	腐蚀坑	0.05/0.10mm
B	变形层	约0.10mm
C	裂纹层	约0.20mm
D	疲劳层	约0.45mm

虽然疲劳层的深度与冷轧机支撑辊的深度相同，但是塑性变形层和可见裂纹的深度较大。塑性变形层的深度与最深腐蚀坑的深度相同。这就说明，由塑性变形引起的微裂纹的产生和腐蚀坑形成的扩展之间相互影响。与冷轧机支撑辊不同，许多裂纹穿过塑性变形层进入疲劳层中。裂纹从腐蚀坑的底部向外扩展。一般来说，硬度较高的支撑辊容易形成具有严重腐蚀坑的表面。该表面要比具有较低磨损量的硬度较低的轧辊引起的表面更粗糙。

为防止支撑辊中的腐蚀坑引起工作辊表面变粗糙，研制了一种新型的13%Cr支撑辊。

实验室检验表明，这种新支撑辊具有较高的耐磨性能。但是，将该种支撑辊应用在串列热精轧机的 F_2 机架上并不成功。发现 5%Cr 和 13%Cr，在带钢宽度以外，只有很小的差别。同时还发现磨损量也没有明显差异(表 1-18)。这一结果的原因可以认为是，腐蚀坑的形成与塑性变形层有关系。也就是说，腐蚀坑应该是由于塑性变形层中微型裂纹内的 pH 值降低而产生的，即使具有高的耐表面腐蚀的 13%Cr，对抵制腐蚀坑的形成也是无效的。

表 1-18　磨损量比较

品　种	总磨损量/mm	断面磨损/mm
5%Cr	ϕ1.35	ϕ0.21
13%Cr	ϕ0.95	ϕ0.22

两类高合金支撑辊还证明对热轧机支撑辊具有有效的耐磨损作用。

33. 干平整轧机支撑辊的磨损情况如何？

无限冷硬轧辊与锻造轧辊不同，用于做平整轧机支撑辊的最普遍的轧辊。当采用锻造支撑辊时，由于与无光织构化工作辊进行轧制接触，因而形成严重的磨损碎片。由于这个原因，尽管锻造辊具有优良的力学性能(即韧性和耐轧制接触疲劳性)，但是锻造的支撑辊很少能用在平整轧机上。平整轧机的另一个问题是被轧制带钢的光泽度问题，它在很大程度上受支撑辊品种的影响。

对于磨损检验之后的 5%Cr 锻造辊、无限冷硬轧辊以及高 Cr 铸铁辊的磨损表面与无光织构化工作辊进行比较，发现支撑辊试样上存在粗糙的鳞片形状。出现这种情况是由于锻钢表面产生的塑性变形最大，而相反高 Cr 铸铁的塑性变形最小所致，因为其高的硬 M_7C_3 共晶碳化物含量高，含有共晶 M_3C 碳化物的无限冷硬辊居中。

另一方面，从支撑辊品种与无光织构化工作辊的干磨损检验中的表面粗糙度变化的比较可以看出，工作辊试样的表面粗糙度，随着轧制次数的增加而降低，即对锻钢、无限冷硬铸铁和高 Cr 铸铁，表面粗糙度从高到低，直至达到稳定值。在高 Cr 铸铁的情况下 M_7C_3 碳化物迅速地使工作辊试样的无光织构化表面变得平滑。用具有低的表面粗糙度的工作辊轧制的带钢表面粗糙度自然是低的。

低表面粗糙度与高光泽度是一致的，一般描写为“带黑色的”。支撑辊品种的改变往往会改变被轧带钢的光泽度。

对这些现象在实验室检验中进行了模拟。将几种支撑辊品种和无光织构化工作辊干磨损检验的磨损量进行比较。检验条件是：磨损检验机：二辊制式；TR 尺寸：ϕ100mm×20mm；润滑：干式(无润滑)；$P_{最大}$：1470mm^2；配对辊：HRC65，无光织构处理的(R_a1μm)。支撑辊品种为 5%Cr 铸造辊，HRC51；5%Cr 锻造辊，HRC56；无限冷硬轧辊，HRC56；高 Cr 铸铁辊，HRC59。5%Cr 锻钢的磨损量比无限冷硬或高 Cr 铸铁高得多。同时来自支撑辊试样的磨损碎片，同实际轧机的情形一样，还严重地粘结到反作用辊上。此外对支撑辊和工作辊的表面粗糙度的变化也进行了调查。检验的支撑辊品种为 5%Cr 铸造辊，HRC51；5%Cr 锻造辊，HRC56；无限冷硬轧辊，HRC56；高 Cr 铸铁辊，HRC59。检验的工作辊为无光织构化工作辊。虽然锻钢辊的表面，随着与无光织构化工作辊试验的轧制接触的增加而变粗糙，但是无限冷硬和高 Cr 铸铁辊却是稳定的，并不变粗糙。

在一种情况下，被轧带钢的光泽度变得更“带白色的”，也就是随着支撑辊从无限冷硬向锻钢变化而出现更低的光泽度。在另一种情况下，随着从无限冷硬向高铬铸铁变化则变得更带黑色。带钢光泽度的改变是由工作辊表面粗糙度的改变引起的，正如由前面所述的支撑辊品种检验所模拟的一样。

34. 为什么要研究中厚板四辊轧机工作辊磨损预报模型?

在中厚板生产中，工作辊辊形是影响轧后钢板板形的主要因素之一。由于中厚板轧制的节奏快、品种规格多且采取单机架多道次，不同压下量(轧制力)可逆轧制，工作辊的工作环境恶劣，轧辊表面磨损严重，并且容易出现裂纹和剥落。这不仅增加辊耗，降低轧机生产率，而且严重影响钢板的板形质量。大量的研究和生产实践表明，为了有效控制轧件的几何精度(厚度、板形及平面形状)和表面质量，延长轧辊服役期等，都需要能精确地预测轧辊在工作中的表面磨损形状和磨损量。完善的轧机板形控制系统更必须具备一个精确的轧辊磨损预报模型。

35. 工作辊磨损的主要形式是什么?

轧制时工作辊承受周期性载荷的作用，表面温度剧烈波动，与轧件之间以及支撑辊之间存在相互接触摩擦并伴随有坚硬的破碎氧化皮的研磨，因此导致表面磨损严重。其磨损形式主要有:(1)磨粒磨损。工作辊与轧件之间以及与支撑辊之间的研磨；(2)疲劳磨损。工作辊受周期性载荷的作用，表层会出现机械疲劳，同时周期性的受轧材的加热和水雾的冷却而导致表层热力学疲劳；(3)黏着磨损。当轧制较硬的材料时，高温轧件与辊面在压力下紧密接触，会产生轧辊黏着磨损；(4)剥落。它是一种疲劳破坏，能破坏轧辊的坚硬层，导致轧辊报废。剥落的形式通常是狭口和周向裂纹，局部磨粒磨损、疲劳裂纹、残余应力等导致的应力分布不均匀可以加速轧辊的剥落。在中厚板轧制中，工作辊主要承受磨粒磨损和疲劳磨损。

36. 工作辊磨损模型的表达式是什么?

轧制过程中影响工作辊磨损的因素主要包括:(1)轧件方面，如轧件的温度、材质、宽度、厚度及表面状况等；(2)轧辊方面，如轧辊的材质、原始辊形、硬度、表面粗糙度及直径等；(3)轧制工艺，如轧制压力、轧制速度、轧制长度、润滑状况、冷却条件及轧制计划安排等。以上因素共同影响，共同作用且多具有时变性，至今尚不能从磨损机理出发导出正确的预报模型，只能通过大量的实测和分析建立半理论半实践的磨损预报模型。目前使用较多的经验公式大都是考虑轧辊的磨损与几个主要影响因素(轧制压力、宽度、接触弧长、轧制长度)之间的关系，采用不同的数学方法对预报模型进行处理以得出轧辊模型的参数。

工作辊磨损预报模型计算方法采用切片法，沿工作辊辊身均匀切成n片，计算各片的磨损量。在综合考虑中厚板轧机工作辊的磨损特征的基础上，本文认为轧过第i块钢第m道次后，工作辊第j片的磨损量为:

$$w_i m_j = k_0 L_z p^{k_1} \frac{l_s}{D_w}(1 + k_2 f_j)$$

式中　L_z—— 轧制长度，km；

p—— 单位面积轧制力，即比压，Pa；

l_s—— 接触弧长，mm；

D_w—— 工作辊直径，mm；

k_0—— 模型参数，与钢板材质、工作辊材质、钢板温度等有关；

k_1—— 单位面积轧制压力影响指数；

k_2—— 钢板宽度范围内不均匀磨损系数；

f_j—— 描述轧辊周向不均匀磨损程度的函数。

f_j 的函数形式为：

$$f_j = \begin{cases} 0 & \text{与钢板非接触区} \\ a_0 + a_2x^2 + a_4x^4 & \text{与钢板接触区} \end{cases}$$

式中　x—— 钢板宽度范围内的正则坐标，$x \in [-1,1]$。

一个轧制单位结束后，工作辊的磨损辊形 W_{cj} 用下式表示：

$$W_{cj} = \sum_{i=1}^{n} \sum_{m=1}^{r} w_{cmj}$$

式中　n—— 一个轧制单位内所轧钢板的块数；

r—— 一个轧制单位内所轧每块钢板的道次数。

37. 工作辊磨损模型参数如何确定？

为了确定第 36 问中所描述的磨损模型中的各项参数，在武钢轧板厂进行了工作辊磨损辊型的大规模连续实测，取得了大量珍贵的配套数据。根据实测数据采用遗传算法对磨损模型参数进行估计，得到的模型各参数见表 1-19。图 1-4 为利用模型各参数用于其他轧辊磨损预报计算的结果。可以看出，预报精度相对较高，可用于工作辊磨损在线预报模型。

表 1-19　工作辊磨损预报模型参数表

道　次	1	2	3	4	5	6	7	8
K_0	1.722	1.810	1.912	1.843	1.817	1.803	1.781	1.721
K_1	1.398	1.364	1.463	1.414	1.469	1.487	1.413	1.413
K_2	0.18	0.18	0.18	0.18	0.18	0.18	0.18	0.18

此外，大量的实测数据也反应了 2800mm 四辊轧机的工作辊磨损形状与量值的特点和规律，从中可得出如下结论：

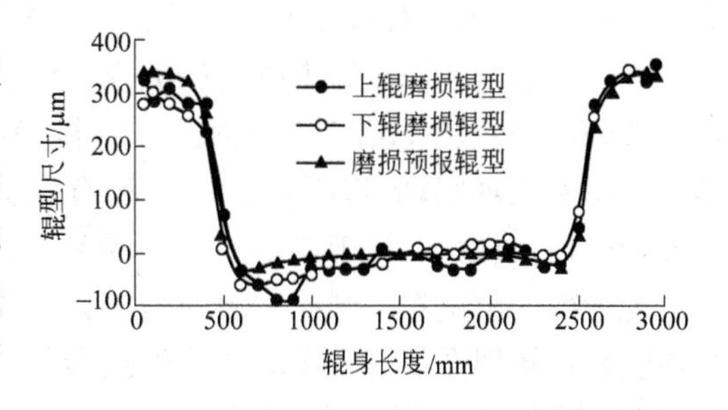

图 1-4　工作辊磨损预报计算的结果

(1) 上下工作辊的磨损沿轴线分布不均匀，整体形状呈“箱形”。一般“箱形”的底部宽度 1800mm，口部宽度 2600mm，两者的比值为 0.69。“箱形”的形状与轧制单位编排有关。

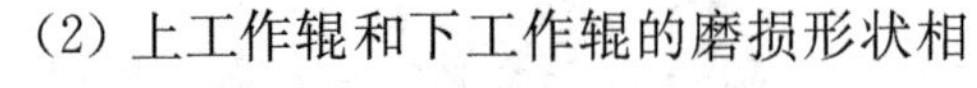

(2) 上工作辊和下工作辊的磨损形状相似，但磨损量不同，一般都是下工作辊比上工作辊磨损更大一些，上工作辊的值为下工作辊的 84%～97%。

工作辊的磨损形状总是不对称的，即传动侧(DS)和操作侧(OS)的磨损程度不等，但相差不大，差值一般约为±(2～4)。

尽管生产安排每3个班(或者每6个班)换工作辊，但同样工作时间里工作辊磨损差别较大，主要由于各班轧制的钢种、规格、吨位(主要反应在轧制总长度上)、计划编排不同。统计表明，轧件材料越硬，轧制规格要求轧制力越大、压下量越大，以及班轧制总长越大等，则工作辊磨损程度越大。计划编排得当，工作辊磨损程度会有所改善。

38. 中厚板轧机工作辊失效的原因是什么?

近年来中厚板轧机工作辊多采用高NiCr和高铬铸铁轧辊。高NiCr无限冷硬球墨复合铸铁轧辊大多采用离心铸造，具有高硬度、高耐磨性的特性。高铬复合铸铁工作轧辊具有硬度高、耐磨性好、耐腐蚀工作层硬度落差小等特点。与高NiCr辊相比，其轧制效益可提高20%以上，尤其在进行控制轧制时，由于终轧温度低，磨损大，板形和同板差易受影响，高铬工作辊更显出优越性。但高铬工作辊对水冷条件要求较严格，轧辊热平衡后温度一般不应超过60℃。

1999年6月，A公司高铬轧辊第1次上机，换辊后，使用200mm×1250mm×2100mm坯料轧成25mm×2200mm×7000mm定尺普碳板。当轧制第6块钢纵轧第11道次时，下工作辊突然断裂(断裂直径ϕ786mm)，此时轧制温度和压下量正常，轧制力和扭矩校验在正常范围之内，用有限元法对工作辊进行强度校验，也在许用范围之内，因此排除了因设备或操作原因造成断辊的可能性。但金相检验表明心部的碳化物粗大且不均匀，从结合层往里碳化物量越来越多，严重处达20%以上。合同规定，心部的硅含量(质量分数)应为1.6%～2.6%，而实际硅含量(质量分数)仅为1.51%，低于下限值。在球墨铸铁中硅含量低，易使石墨量减少，碳化物增加，这种组织状态会明显降低其塑性和伸长率。在轧辊上机初期，辊身表面受热膨胀，心部受到拉应力，由于心部组织不正常，较薄弱处先被拉裂，然后扩展，直至断裂。心部球墨铸铁的球化率较低，也会降低轧辊的力学性能。

另外，高铬辊合金含量高，如果热处理工艺不当，会使铸态组织应力较大，也易导致断辊。

总之，该轧辊存在严重的质量缺陷。

2000年2月，换高NiCr辊后使用200mm×1250mm×2460mm坯料轧制19mm×2438mm×6096mm双倍尺成品板，钢种为SS400。当轧制第11块钢板最后一道时，下工作辊突然断裂，辊身部位断成三截，断裂直径为ϕ792.2mm。该轧辊是第5次上机，已轧制19124.4t钢板。据宏观观察，断口平直、致密，没有疲劳裂纹痕迹，断口呈放射状，属于典型的应力断裂。此时轧制工艺参数完全正常。同样采用前述的计算方法检验，轧制力、轧辊强度等均无问题。根据金相检验结果，该轧辊心部区域碳化物含量(质量分数)达10%～20%，形态粗大且部分成网状，见图1-5。

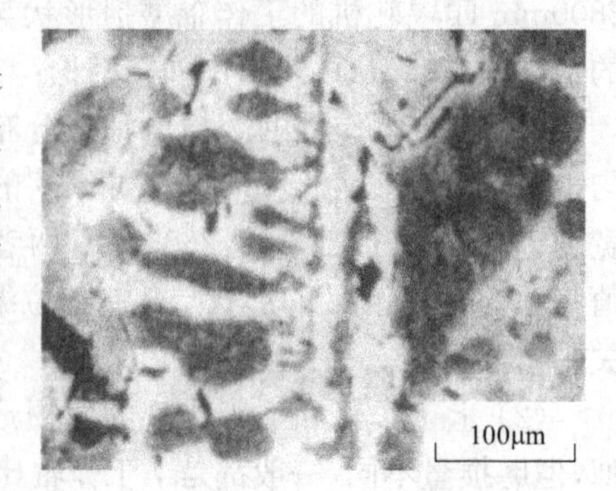

图1-5 断裂轧辊心部组织

由于碳化物强度小，脆性大，这种组织状态明显降低了心部材料的强度和塑性，尤其是处于寒冷天气的轧辊(当时气温约－6～－8℃)与灼热的钢坯接触时，在外层和心部之间形成较大的温度梯度，外层受热膨胀，对心部产生较大的拉应力，由于心部组织不正常，因而首先在较薄弱处被拉裂，然后扩展，直至断裂。上述分析可以看出，轧辊的铸造质量是断裂的主要原因。

某钢中板厂投产以来工作辊出现的裂纹主要有两种形式：一是由于电器跳闸或系统电压低跳闸造成板坯夹钢。夹钢后板坯不能及时从轧辊中退出，轧辊表面出现严重龟裂，见图1-6裂纹的深度较深，有时可达十多毫米，开口度较大，很有规律地出现在轧辊的一条母线上，每次车磨量较大，对轧辊的使用寿命造成很大影响，若车磨不净，下次上机，该裂纹将继续扩展；二是轧辊沿母线方向形成间断的小裂纹，裂纹呈小块状，一般不连续，严重时会连接起来，这种情况主要是轧钢时操作不当造成的，在送钢过程中由于主机短暂的停转造成工作辊的局部母线方向的烧伤，这种裂纹深度有时可达3～4mm，对轧辊的使用寿命造成不利影响，必须车磨干净，才能再上机使用。

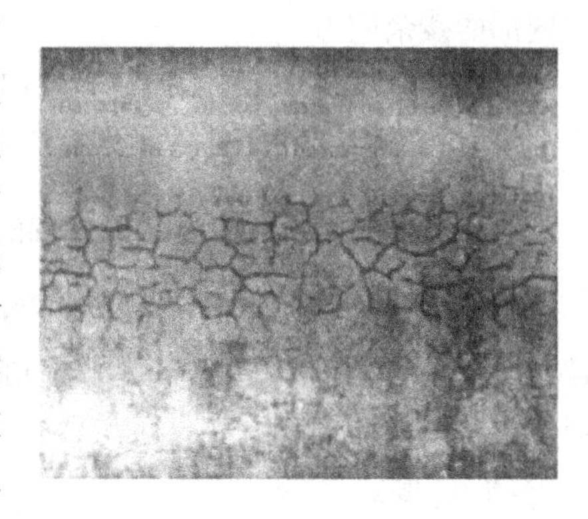

图1-6　轧辊表面的龟裂

39. 防止中厚板轧机工作辊失效的对策和措施有哪些?

为了有效地避免上述工作辊断裂和裂纹失效情况的发生，要从轧辊制造、操作使用以及技术管理等方面采取相应的对策和措施。

制造方面：

(1) 减少轧辊的内部缺陷，提高心部材料的强度；

(2) 提高轧辊心部材料区域组织的均匀性，改善碳化物的形态和分布，增加心部材料的塑性和韧性，降低热应力；

(3) 提高内部组织的石墨化程度；

(4) 尽量减薄外层合金材料，加大热传导性，减小内外温差，合理制定热处理工艺，最大限度地减小心部的拉应力，将外层压应力控制在一定范围内；

(5) 优化成分设计和铸造工艺，进一步提高轧辊的强度和抗热裂性。

使用方面：

(1) 为了克服因操作不当造成的轧辊裂纹，将原压下手操作主机改由推床工操作主机送钢，避免了因配合不协调，造成钢坯在轧辊中短暂停留，烧坏轧辊；

(2) 随着电气系统逐渐正常运行，因跳闸造成的夹钢现象逐渐减少；

(3) 轧辊的冷却条件对断辊和裂纹的发展也有较大影响，尤其是下辊冷却能力差，有时换下的下辊辊温高达80℃，通过对护板和冷却系统的改造，改善了冷却条件；

(4) 轧制中为避免轧辊受到很大的热负荷而造成事故，严禁通过减少或关闭轧辊冷却水来调节辊型，应尽量降低轧辊内外层的温度梯度；

(5) 天气寒冷时，为了减少应力，换辊后可轧制几块易轧品种并控制轧制节奏，以使辊温缓慢升高，有条件时可采用轧辊预热装置；

(6) 尽量缩短换辊周期，避免轧辊疲劳出现裂纹或其他形式的失效，若产生微小裂纹，应及时磨削以避免裂纹继续扩展，这对保持良好的辊型、提高钢板板形和尺寸精度及表面质量都有利；

(7) 尽可能提前购置工作辊，普通轧辊使用前要有半年到一年的自然时效期，以降低轧辊内部的残余应力。

管理方面，轧辊的使用、操作和维护要通过管理来实现。针对前述存在的问题，采取严格的考核制度，制定详细严格的管理制度，同样可以有效地减少轧辊失效现象，降低轧辊消耗。

40. 如何控制宽带钢热轧机轧辊的剥落，应用效果如何？

(1) 采用支撑辊新辊型。采用ONO SOKKI光栅传感器配合鞍架测量了近200支热轧常规支撑辊（即通常采用的常规平辊）服役后的轧辊辊型，可以发现热轧精轧机组F_1～F_7常规支撑辊辊面在生产中普遍存在磨损量大，磨损严重不均匀：辊身中部磨损较多，两端磨损较少，呈U形。

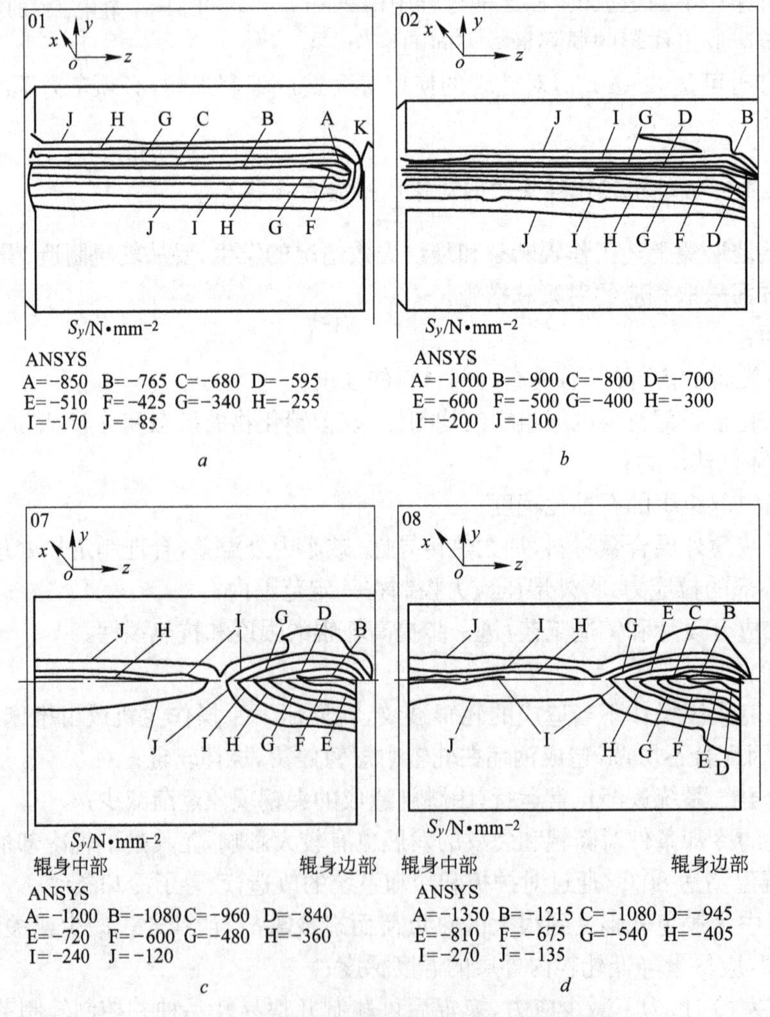

图1-7　常规辊型轧辊轧制期间辊间载荷分布

a、*b*—分别为工况01、02的结果，代表轧辊服役前期状况；
c、*d*—分别为工况07、08的结果，代表轧辊服役后期状况

由图 1-7 可见常规轧辊的 U 形磨损形式使得轧辊边部的辊间载荷显著增大，而在辊身中部辊间载荷变化小，未能利用适量磨损的推动作用，来消除或减轻轧辊的剥落，故轧辊边部的剥落时有发生。有鉴于此，采用改进的支撑辊新辊型，改善辊间载荷的分布，使得沿辊身全长的磨损较均匀。

图 1-8 为改进的新辊型支撑辊轧辊辊间载荷分布，对比图 1-7 不难发现，辊身中部辊间载荷分布明显提高，边部载荷分布明显降低；在施加弯辊力后，辊间载荷分布较均匀，边部受力部位明显加长并内移，这非常有利于消除轧辊的剥落。

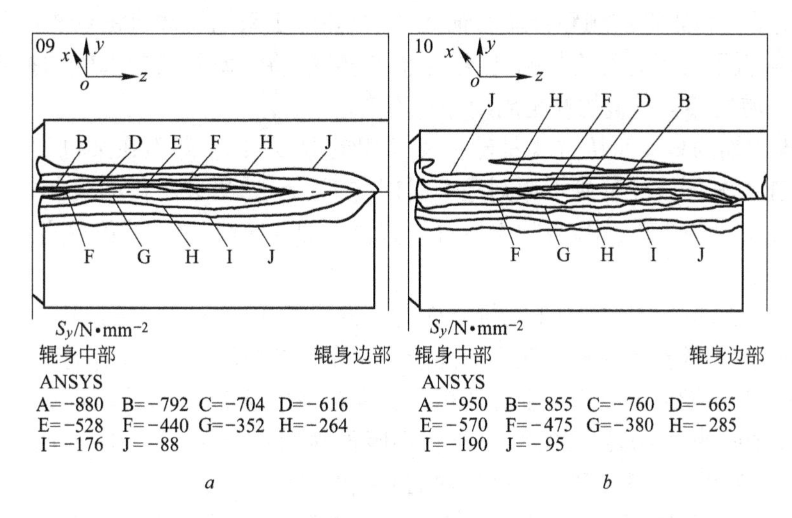

图 1-8　改进的新辊型支撑辊轧辊辊间载荷分布

a—工况 09(弯辊力:0t/侧)；*b*—工况 10(弯辊力:200t/侧)

(2) 配套优化工作辊辊型。在调查支撑辊辊型的同时，测量了大量的不同架次、不同轧制单位的工作辊在服役期前后的辊型情况，发现自 F_1～F_7 架次中以 F_4 架的磨损量最大；同一架次工作辊轧制硅钢、普钢等普通轧制单位带钢，其辊型变化显著相异，磨损量可以相差 3～4 倍。

通过三维有限元的分析和计算，可以发现施加弯辊力明显改变了辊间载荷的分布，尤其是在轧辊磨损的情况下，施加弯辊力显著加剧了轧辊边部的载荷，为均匀分布的 1.5 倍以上。同时从图 1-8、图 1-9 不难看出，磨损时，弯辊力只能改善轧辊边部非常有限的区域，其板形控制能力受到明显限制，这就是生产实践中出现急剧增大弯辊力，轧机没有反应，相应

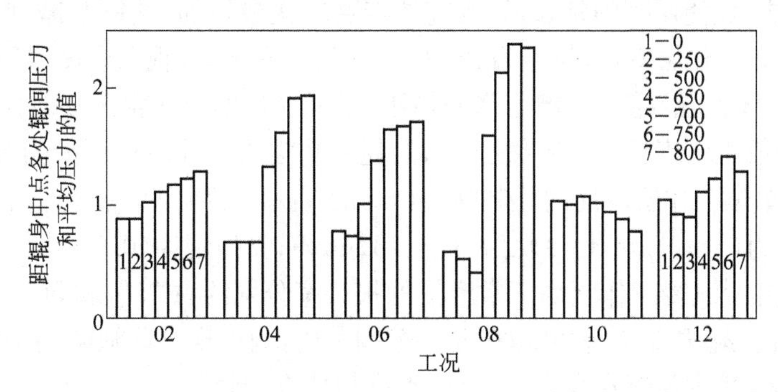

图1-9　施加弯辊力时轧辊辊身距辊身中点各处辊间压力和平均压力的比值

地无法改善带钢板形的症结所在。另外，过大的弯辊力也会减小设备的寿命。有鉴于此，必须在采用新支撑辊后，配套优化工作辊的辊型，合理增强弯辊力的板形控制能力，降低弯辊力的施加幅度。这将有利于缓和轧辊边部载荷的加剧程度，减轻轧辊的剥落。

(3) 调整轧辊换辊周期。轧辊接触造成的距辊面一定深度的交变剪切应力是支撑辊表层剥落的致因，而下游机架轧制速度随轧件规格虽有所变化，一般为10～24m/s，总是上游的近6倍，故轧辊转速高，交变剪切次数多，轧辊易于达到疲劳极限，出现裂纹，发生剥落，故可自然想到调整轧辊的换辊周期。

通过大量的轧辊辊型实测和合理的辊型评估，并由于采用了改进的新支撑辊和配套优化的工作辊，降低了弯辊力的施加幅度，结合生产实践，将上游机架支撑辊的换辊周期延长了100%，而下游机架支撑辊的换辊周期保持不变。

调整换辊周期的另一间接方式是轮换支撑辊的服役架次，即不在某机架，尤其下游机架，固定使用某套轧辊。轮换基本原则是本周期在下(上)游机架服役的支撑辊在下周期用于上(下)游机架。生产实际中，各架支撑辊具有很好的互换性，该方式简单实用。

应用效果如下：

将控制轧辊剥落的措施应用于轧辊剥落时有发生的1700mm宽带钢热轧机，从生产实践中可以发现，改进的新支撑辊在服役期间沿辊身全长磨损较均匀，磨削辊型和磨损辊型基本吻合，在整个服役期内可以稳定发挥作用。支撑辊采用新辊型后，轧辊辊身中部的压力分布比常规支撑辊时的大20%～80%，即使轧辊服役周期延长50%～100%，甚至150%，均未发生剥落，这说明其较好地利用了适量均匀磨损的推动作用。

对轧制产品大纲进行研究，根据实测工作辊的辊型，把轧制单位分为四类，并对相应的工作辊辊型进行了配套优化，轧制生产中弯辊力的板形控制能力得到了增强，其平均值则由约120t/侧下降到约80t/侧。

该宽带钢热轧机轧辊剥落时有发生，一个服役周期内14根支撑辊甚至会出现多达3根剥落辊。采取措施后的8个多月生产实践中未再发生不正常的剥落现象，措施仍在继续实施中，效果显著。

41. 铝板带轧机轧辊磨损情况如何？

作者自20世纪80年代初至今对几个铝轧制厂共96根报废轧辊的调查结果见表1-20。轧辊损坏分为正常磨损、特殊损坏两大类。

(1) 正常磨损。随使用时间延长，轧制吨位与磨辊次数增加，轧制与磨削时轧辊金属微粒不断与辊身分离，工作层变薄，辊身直径D变小，耐磨性下降，辊面硬度(HS值)与表面粗糙度(R_a)值发生变化。当D值与HS值降至最小允许值时，即使轧辊无其他报废缺陷也将停用，这叫自然磨损或正常磨损，可用单位产品消耗的轧辊质量(kg/t)、单位产品消耗的工作层厚度(μm/t)或单位工作层厚度的轧制吨数(t/μm)表示。经计算，铝板带轧制时工作辊的平均耐磨性，热轧为(1～2)μm/t，冷轧为(1.5～3)μm/t；支撑辊为(0.2～0.5)μm/t。

由表1-20可知，热、冷工作辊因正常磨损的报废率分别约占25%和50%。

(2) 特殊损坏。轧辊直径、硬度均在允许范围之内，因出现某些缺陷甚至断裂而导致轧辊报废叫特殊损坏，其主要形式有表面裂纹、重皮与掉皮、断辊。

表 1-20　轧辊损坏调查表

损坏类型	热轧工作辊(500～700)mm×(1300～2000)mm		冷轧工作辊(300～500)mm×(1200～1700)mm	
	报废数	占报废总数比例/%	报废数	占报废总数比例/%
正常磨损	9	23.6	28	48.3
裂　纹	23	60.5	13	22.4
掉(重)皮	4	10.6	11	19.0
整体断裂	2	5.3	6	10.3
合　计	38	100	58	100

热、冷轧工作辊的裂纹报废率分别约为 60%和 20%(见表 1-20)。ϕ700mm 热轧工作辊较深裂纹多发生于 D 值较大时：$D>690$mm，$h\leqslant 50$mm；$D=(680\sim690)$mm，$h\leqslant 20$mm；$D<680$mm，$h\leqslant 10$mm。

裂纹发生区域均在接触区域内，以轧辊中部最多。冷轧工作辊也有类似现象，但 $h\leqslant$ 10mm。裂纹形态见图 1-10，各种裂纹发生的几率大体接近。

轧辊制造质量对裂纹形成、扩展有重要影响，尤其是由于轧辊金属不均匀性、不致密性缺陷(夹杂、粗晶、偏析、微裂纹等)导致的缺口敏感效应，会在工作应力、热应力、组织应力和淬火残余应力复合作用下促进裂纹的传播与增值，最终导致裂纹损坏。工作层内不同的硬度径向分布(见图 1-11)明显影响裂纹发生率，A 种硬度分布裂纹发生率为 37.7%，B 种为 56.8%。因此，应选用工作层硬度梯度较小的 A 型轧辊。

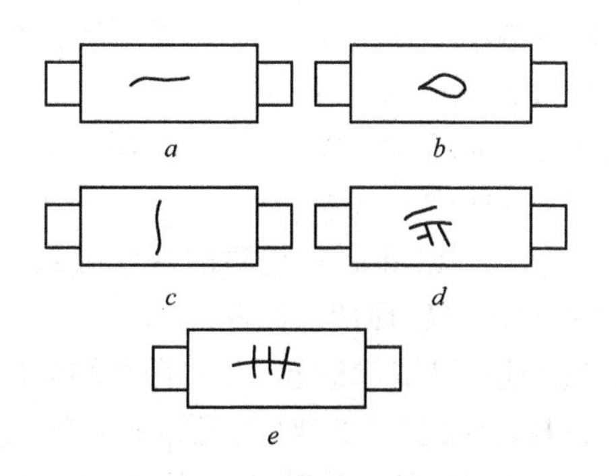

图 1-10　轧辊表面裂纹形态

a—轴向；*b*—环状；*c*—周向；*d*—龟裂；*e*—网状

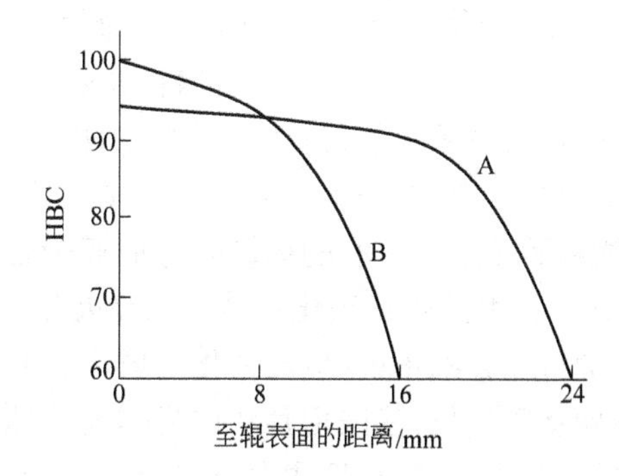

图 1-11　两种不同径向硬度分布的工作层

重皮是辊面较薄层的鱼鳞状剥落，多发生于工作辊；掉片是辊面上较大面积、较深的片状剥落，多发生于支撑辊。它们都是在 D 值较大时发生于工作层内。由表 1-20 可知，热、冷轧工作辊掉、重皮的报废率分别约为 10%～20%。重(掉)皮是辊面上的网状、环状裂纹、局部冶金缺陷、局部过热与机械损伤在交变机械应力与热应力作用下逐步扩展形成的崩落。

热、冷工作辊断辊报废率分别约占 5%和 10%。根据日本对 186 根轧辊断辊的统计分类，断辊共有7种形式，见图1-12。辊身中部正断最多，占85%，对角线断裂占8%，其他断裂各占1%～1.5%。

断辊多发生于非传动端，是由于该端独立承受轴向应力。轧辊原始质量低劣（例如辊内严重偏析、疏松与裂纹、残余奥氏体、网状碳化物与粗大晶粒的片状珠光体过多），表面硬度和残余应力过大等都将导致断辊，包括淬火断辊、未经使用的自然存放断辊和使用时的过早断辊。不正确使用也将断辊，包括磨削时因局部过热而引起的磨削开裂。

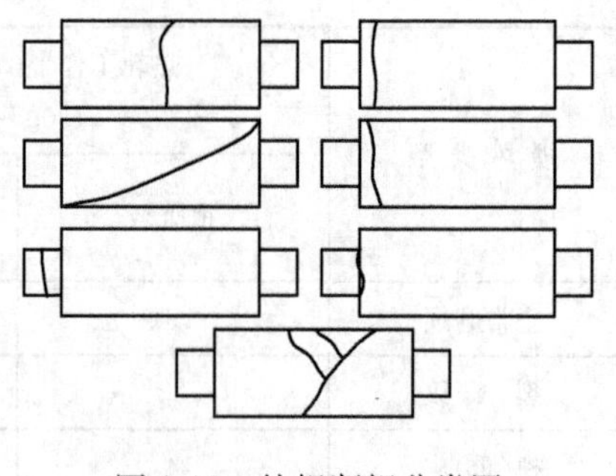

图1-12 轧辊断辊分类图

42. 铝板轧机轧辊钢种如何选择？

铝板轧机用轧辊多采用添加Mo、W等合金元素的高碳铬钢（如9Cr2MoV、9Cr2Mo等），一些厂家选用中碳铬锰钢（如60CrMnMo）、铬镍钢（如50CrNiMo）和硅锰钢（如60SiMnMo）。大直径（ϕ500mm以上）轧辊采用高碳钢，其心部易出现片状珠光体和网状碳化物，降低轧辊的塑性、韧性和疲劳强度，尤其当含氢量与残余应力较大时，易发生断辊，采用中碳钢将明显改善这种情况。

43. 轧辊的冶炼与重熔、锻压及锻后热处理要达到的技术要求是什么？

钢熔体精炼后、铸造前经真空除气处理（除氢率约60%）和铸造后电渣重熔处理（ESR法）等净化手段，充分去磷、脱硫和除气除渣，使轧辊钢中总夹杂质量分数小于5×10^{-4}，其中磷的质量分数小于1.5×10^{-4}，非金属夹杂质量分数不大于1.5×10^{-5}，可明显减少轧辊工作层微裂纹。为提高轧辊可磨性，辊面工作层中硬性夹杂应少于100个/cm^2。

合理的镦粗工艺（包括较低的终锻温度与较大的变形程度）可细化晶粒、消除网状碳化物、锻合内部裂纹、缩松、孔隙，改善心部组织与性能，使中心疏松不大于1.5级。对9Cr2钢，镦粗后表层与中心的纵横向弯曲疲劳强度差不大于20MPa，碳化物的网状级别不大于1.5级。粗大的网状碳化物易导致淬火开裂和使用时过早出现疲劳破坏。

通过充分的正火（奥氏体化）、球化退火和去氢处理，可消除锻造应力，得到均匀的奥氏体和网状碳化物；使锻后片状珠光体充分球化，球化级别达2～3级；珠光体晶粒度达6～8级；进一步去氢，防止形成白点，提高轧辊抗断裂性。对于9Cr2系钢，球化后HBC为230～280，$\sigma_b=800\sim900$MPa，$a_K=20\sim30$J/cm^2。

44. 轧辊粗磨后的调制热处理应注意什么问题？

淬火与高温回火后，得到细针状的马氏体与少量碳化物，辊面下约100mm深度内的碳化物充分溶入奥氏体，又不引起粗晶和残余奥氏体增加，残余奥氏体数量小于10%，表面脱碳层深度小于2mm。残余奥氏体转变为马氏体时，产生的局部组织应力将引起掉皮与重皮。热处理之后，轧辊钢的显微组织、工作层结构与残余应力之间的关系，应得到最佳调整，处于优化状态。根据原始HS值与工作层结构，选择淬火工艺与设备，使有效加热层深度为工作层深度的1.3～1.5倍，残余应力小于900MPa，淬火过热是降低轧辊钢抗剥落性与耐表面缺陷性的重要原因之一。

采用整体淬火，辊身径向硬度分布平缓（见图1-13），但残余应力较大；而工频淬火则相反，径向硬度梯度大，残余应力较小。

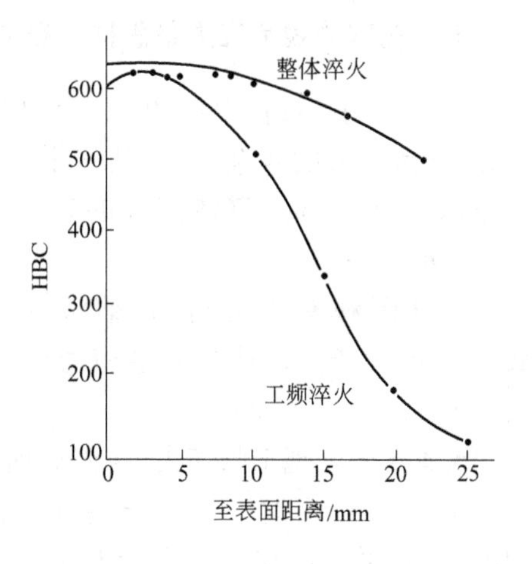

图1-13　不同淬火方法辊身径向硬度分布

45. 轧辊精磨及最终热处理后的硬度分布如何？

经1～2次低温回火，消除部分淬火应力，将残余奥氏体转变为马氏体，稳定淬火组织得到所要求的硬度与工作层。采用先进的工艺与设备，可得到均匀的硬度分布与深的工作层（见图1-14）。辊身硬度不均匀性小于HS±2，同一母线上硬度不均匀性小于HS±1，辊身两端的低硬度区（软带区）小于20mm，辊颈工作层厚度大于5mm。我国机械行业采用双感应器工频淬火，辊面原始硬度不均匀性可达HS±1.5，工作层深度接近20mm，但多数轧辊制造厂分别为HS±2.5和约10mm（0.03～0.04R，R为辊身半径），且工作层仅占总淬硬层的15%～20%，其余80%～85%为不能使用的过渡区，工作辊的工作层硬度梯度高达HS2/mm，为进口轧辊的10～20倍。自然磨损报废的ϕ500mm冷轧辊中，辊径达到最小值470mm的仅占4%，其余均因辊面硬度低而提前报废，其平均辊径为479.6mm，尚有4.8mm的辊半径未被利用，相当于每根轧辊少轧制2500t产品。

在相同的冷却、润滑条件下随辊面硬度增加，轧辊耐磨性提高，但抗剥落、抗弯曲、抗热裂的能力下降。图1-15为日本几家大型铝轧制厂所用轧辊的硬度比较图。其工作辊与支撑辊辊身的硬度：热粗轧机分别为HS70～75和HS45～50；热精轧机分别为HS75～80和HS60～65；冷轧机分别为HS95～100和HS65～70。工作层结构：工作层深度，对工作辊达到0.1R；支撑辊达到0.08R；硬度梯度，工作辊小于HS0.2/mm；支撑辊小于HS0.05/mm，这样可延长轧辊寿命。

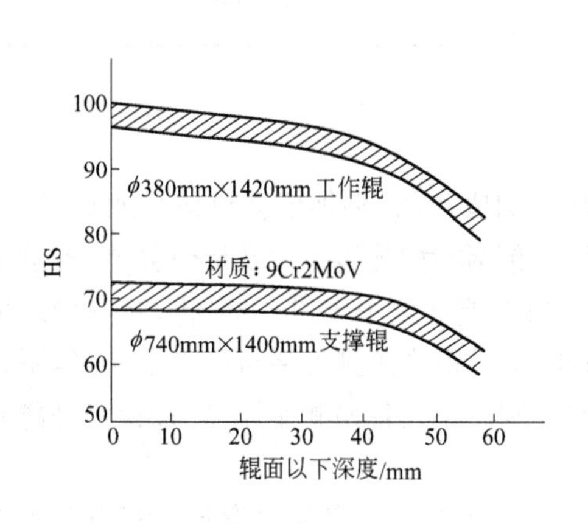

图1-14　进口轧辊径向硬度分布

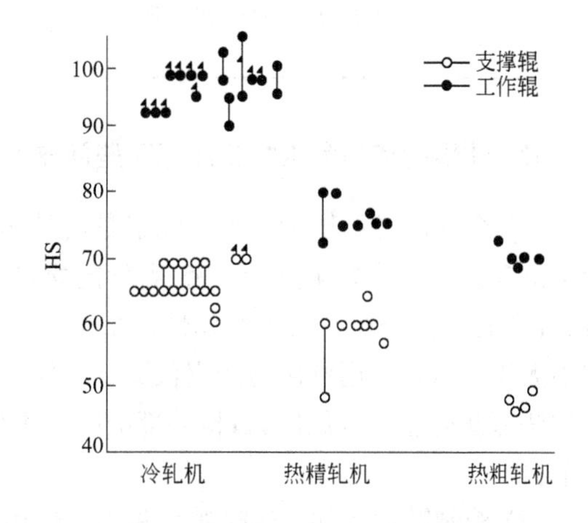

图1-15　日本热、冷轧机辊身硬度分布

46. 轧辊的残余应力是怎样分布的？

轧辊的制造过程中，发生一系列相变和温度变化，导致较大的残余应力，其水平与分布因制造方法不同而异。整体淬火的残余应力如图1-16所示。

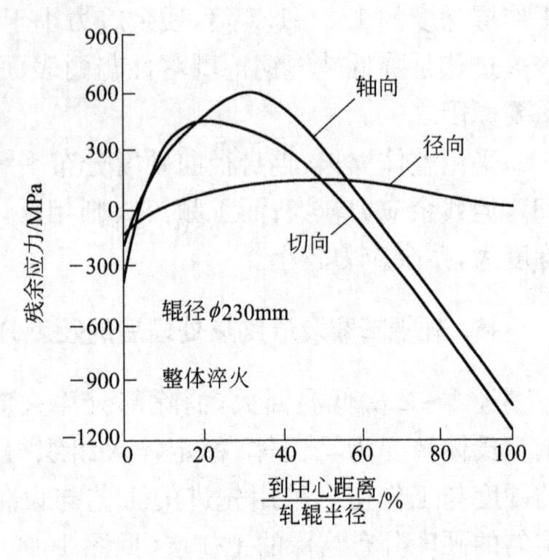

图 1-16 冷轧工作辊断面残余应力分布

根据图和有关资料，归纳整理出ϕ250～400mm 整体淬火轧辊的残余应力分布情况，见表1-21。

ϕ500mm 轧辊工频淬火，当淬火前预热温度为 650～750℃ 时，表层残余压应力增至1400MPa，而残余拉应力移至辊面下约10mm处，峰值下降为100MPa，工作层大部分处于残余压应力区，可见工频淬火降低了拉、压残余应力的峰值，且表面至中心的应力梯度有所缓和。双频淬火（工频＋中频）使残余应力分布更加趋于合理，但硬化层中过渡区变窄，过渡区与工作区界面处存在较大拉应力，易导致局部剥落。

表 1-21 250～400mm 整体淬火轧辊的残余应力

类　型	轴向残余应力 $\sigma_{轴}$	切向残余应力 $\sigma_{切}$	径向残余应力 $\sigma_{径}$
有中心冷却孔	辊身表层为残余压应力，最大达 700～1000MPa，最大残余拉应力在靠近内孔的半径1/3 处，达 600～800MPa，内孔壁压应力达 300MPa	同 $\sigma_{轴}$ 的分布规律相近，最大拉应力更接近内孔，内孔壁残余压力增至 400～600MPa，表层 $\sigma_{轴}+\sigma_{切}\approx$2000MPa	辊表层与内孔壁残余应力为 0，最大拉应力约在半径1/2 处达 150MPa
无中心冷却孔	辊表层为残余压应力，达900～1200MPa，孔内壁残余拉应力 900～1200MPa	分布规律与数值基本同 $\sigma_{轴}$	分布规律接近有中心孔自然冷却时，但最大残余拉应力达 500～600MPa，且更靠近内孔壁

47. 轧辊的使用和维护应注意哪些问题？

(1) 全面的进厂质量验收。轧辊是高技术、高附加值产品，必须依据机械行业标准、企业标准和订货技术要求进行严密、科学的质量复检。包括检测轧辊尺寸及形位公差；检测辊身、辊颈的硬度分布及其不均匀性。整个辊身 HS 值偏差不大于±(1～2) HS；同一母线偏差不大于±1HS。用顽磁力测定仪测定工作层深度；用磁粉法探测表层与近表层缺陷，用超声波法探测轧辊内部缺陷；目检外部缺陷。不少铝轧制厂不具备检测手段，轧辊验收是薄弱环节。

(2) 控制贮运条件。运时避免碰撞。贮运温度应大于0℃，严禁室外存放。存放时不得发生较大的温度变化，并要有防锈措施。我国北方，若必须在冬季室外运输轧辊时，需用数层毛毡将轧辊包紧，运输时间不大于1h。

(3) 自然时效。自出厂日起，工作辊需存放6个月，支撑辊存放一年后方可使用，以降低残余应力。

(4) 定期重磨。即使轧辊辊面无影响使用的缺陷，也应进行保护性换辊。工作辊一般工作50～100h，支撑辊工作2000～3000h便重磨一次，除去疲劳裂纹，防止其扩展成深裂纹。重磨时可用双液法或探伤法检测裂纹深度。磨削量应大于裂纹深度。

(5) 正确使用轧辊。严格按照有关规定使用轧辊。新换轧辊应先预热辊面至70～80℃并保温1～2h；冷轧工作辊则应预热至30～50℃，保温0.5h后方可正常使用。轧辊应有足够的冷却与润滑。乳液量：热轧应大于10L/(min・cm)，冷轧应大于5L/(min・cm)；冷轧轧制油量大于20L/(min・cm)。乳液温度：热轧为40～60℃，中温轧制为30～40℃，冷轧为20～40℃；轧制油温度为30～50℃。轧制时防止误操作，尤其是事故性操作。

(6) 定期回火或自然时效。工作辊一般工作2000h，支撑辊工作约4000h，即将其重磨后进行低温回火或自然时效，松弛残余应力，延长使用寿命。

(7) 轧辊的修复。辊面硬度过高时，可回火使之降低；反之可重新淬火使之升高。一根轧辊可进行1～2次这种重淬处理。但重淬也可能导致淬火裂纹甚至开裂，需慎重。对辊身裂纹，哈尔滨铝加工厂应用堆焊法取得了较好的效果。

48. 铝板带坯的铸轧辊的结构与其使用寿命的关系是什么?

用液体金属连续直接生产出不同宽度铝板带坯的双辊式连铸连轧法，在铝加工行业得到了广泛的应用。但是作为轧制"心脏"的铸轧辊，其性能的优劣将直接影响到铸轧板质量的好坏及其自身寿命。根据所使用的ϕ940mm×1340mm铸轧机的工况，从辊套辊芯的热装配过程和铸轧生产工艺两方面作一些技术上的探讨，合理地选择装配工艺和轧制工艺参数可以提高铸轧辊的使用寿命。

铸轧辊通常由开有水槽的辊芯和辊套两部分组成。辊套与辊芯通过一定的过盈量实现紧密配合，在轧制过程中，传递扭矩，保证轧制过程稳定可靠。

铸轧辊使用一段时间后，由于热龟裂、塑性变形、铝液浸蚀等因素，导致板坯质量缺陷而失效，这种情况称为可修复性失效。一般情况下，铸轧辊的失效多为辊套失效。正常有效失效时，$\sigma_{有效厚度}=(D_{max}-D_{min})/2$(式中$D_{max}$、$D_{min}$分别为铸轧辊的最大外径和维持正常轧制的最小外径)，每次修复量视具体情况而定，直至$\sigma_{有效厚度}$接近于零，此时称为不可修复性报废，须重新更换。从可修复性失效到不可修复性报废，就是该铸轧辊(辊套)的使用寿命。前苏联选用20Cr3MoV或35CrMnMo合金工具钢作辊套，使用寿命为1500～4000h，法国3C辊套厚度50～20mm，使用寿命为2500h。我们在生产中，合理确定装配工艺、生产工艺参数，使国产32Cr3Mo1V或PCrNi3MoV辊套在亨特铸轧机上提高了轧辊寿命，使用寿命达3500h左右，辊套从ϕ940mm使用到ϕ915mm，最终产量为3500～4500t。

49. 铸轧辊热装配工艺参数如何确定?

铸轧机的装配采用配作原则，即新辊套达到加工要求后，以基孔制配磨辊芯，进行热装配。

辊套与辊芯配合时过盈量的选择与计算十分重要，过盈量小了，在轧制力矩的作用下，辊套与辊芯将发生切向滑动；过盈量大了辊套承受的径向力增加，加之在吊、装、夹、运过程中所造成的局部变形，导致应力集中，在热冷交变状态下，容易产生表面裂纹，甚至辊套发生突发性爆裂。

我们在前几年的热装中，根据机械零件设计手册中热装配的建议，对 ϕ836mm 辊芯采用 H7/U6 公差配合，即辊套 $\phi 836^{+0.096}_{+0.000}$ mm，辊芯 $\phi 836^{+0.996}_{+0.940}$ mm，其最大过盈量为 $\Delta=0.996$mm，最小过盈量为 $\Delta=0.844$mm，装配后使用效果不好，经过几年的探索，计算过盈量时，在满足使用条件的前提下，过盈量尽可能的小，一般为 $\Delta=0.76\sim0.85$mm。

过盈量的计算也可由下式求得：

高强度钢　　$$\Delta=\left(\frac{1}{1000}-\frac{1}{1300}\right)D_{内}$$

中低强度钢　　$$\Delta=\frac{1}{650}D_{内}$$

式中　$D_{内}$——辊套内径，mm。

若加热温度过低，不利于辊套的热装及其在高温下的使用，即使辊套使用初期强度较高，但在热循环下工作，微观组织发生变化，使材料的耐热性能降低。加热温度可由下式计算：

$$T=\frac{(2\sim3)\Delta_{max}}{ad}+T_0$$

式中　T——加热温度，℃；

Δ_{max}——最大过盈量，mm；

a——辊套材料线膨胀系数，10^{-6}/℃；

d——配合基本直径，mm；

T_0——室温，℃。

加热温度一般为 250～300℃，在加热炉内逐级升温并保温，升温速率一般取 50℃/h，以免温升过快而导致辊套组织转化不均匀，PCrNi3MoV 和 32CrMo1V 辊套的加热曲线如图 1-17、图 1-18 所示。

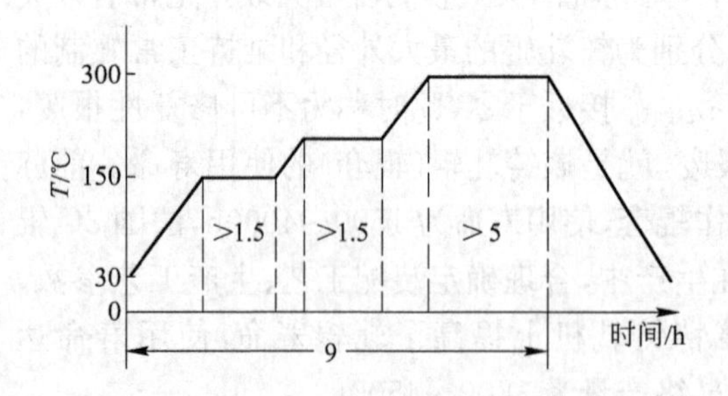

图 1-17　PCrNi3MoV 辊套加热曲线

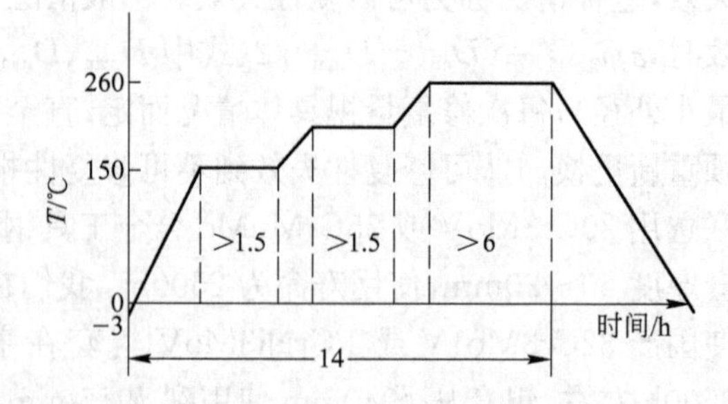

图 1-18　32CrMo1V 辊套加热曲线

在装配过程中，固定辊套吊装辊芯还是固定辊芯吊装加热的辊套？亨特公司推荐了后者，但这种吊装方法，一旦在装配过程中受到阻碍，便有可能引起加热的辊套急剧受冷收缩，造成装配过程中的卡脖现象，加热炉如果采用感应式加热方法，加热速度过快，从而引起辊套的内外温差大，容易造成力学、物理性能变化。

近几年，我们一直采用在井式红外线辐射加热炉内加热辊套，固定辊套吊装辊芯进行装配 ϕ940mm×1340mm 铸轧辊，其优点是：由于辊芯的重力远大于辊套，不会造成热装中的卡脖现象；红外辐射加热炉可以保证辊套在装配过程中的温度波动小，因而受外界的温度变化的影响较小，辊芯与辊套在装配前已准确定位，既缩短了热装配时间，也更安全可靠。

50. 合理的铸轧生产工艺参数如何确定？

在满足铸轧工艺的前提下，降低前箱铝液温度可降低辊套周向热应力的大小。轧辊表面圆周方向温度分布如图 1-19 所示，在实践中，采取增大前箱容积的办法来降低前箱及铝液温度。温度由以前的 730℃降至 700℃，甚至 680℃。在铸轧温度降低后，铸轧速度由 1m/min 升至 1.1m/min，立板过程由揭板 10min 立板缩短到近似直接出板。这不但提高了生产率，且使 O 位至 A 位的温差减小，龟裂减轻。

辊套保护层是降低轧制时摩擦力及铝液对辊套浸蚀的有效办法。在亨特轧机上，我们采用了胶体石墨溶液作保护层，用真空抽吸喷枪使其成雾状喷向轧辊，较好地达到了保护辊面的目的，提高轧辊的寿命。

辊套在使用一段时间后，会产生一些缺陷，影响到板坯的表面质量。这时需要经过车磨后，才能重新使用。两次车磨之间运转时间取决于工艺上允许的裂纹扩张深度（纵坐标）和原始裂纹深度 Q_0（如图 1-20 所示）。先测出 Q_0，再根据允许的裂纹扩展层深度，就可以在横坐标上找出两次车磨之间轧辊运转时间，用够时间就下机去车磨，或者再观察板面质量作为辅助条件确定下机时间。

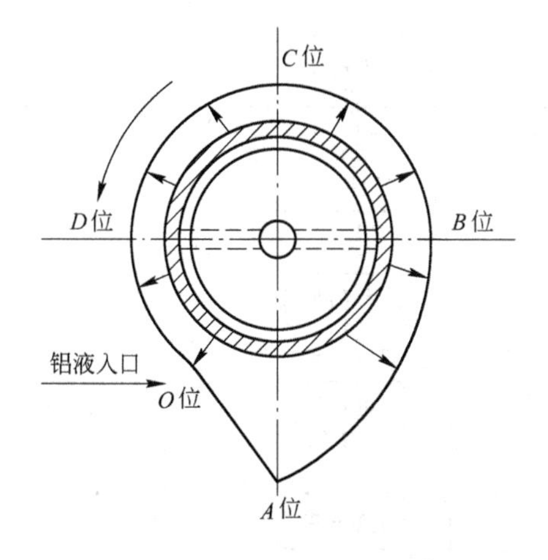

图 1-19 轧辊表面圆周方向温度分布示意图

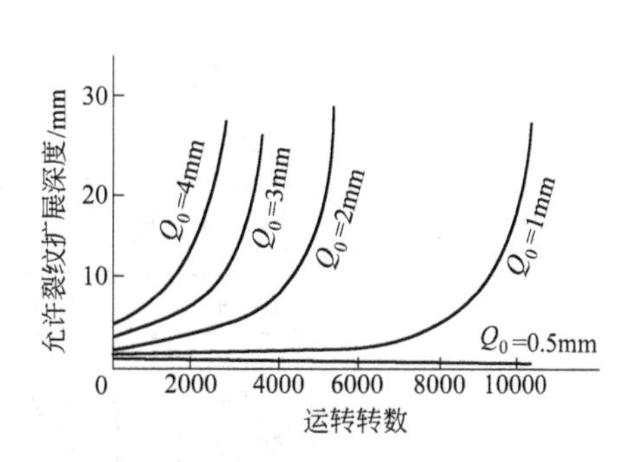

图 1-20 原始裂纹深度 Q_0 与铸轧辊寿命的关系

车磨周期：新辊第一次上机使用 500t 左右下机车磨，以后每生产 300～400t 修复一次。

车磨量：据资料介绍，辊套车磨应以消除裂纹为准，即车磨量大于（或等于）裂纹深度后，再加磨 0.2～0.5mm。在这几年的生产中，我们根据金属疲劳破坏理论，所确定的车磨量并不一定全部消除裂纹；采用多磨少车或板坯有黑点压入较明显时必车磨相结合的原则，每次车磨量在 1.5～2mm 左右，并不一定要全部消除裂纹。这种修复方法，在满足板坯质量的情况下，对延长铸轧辊使用寿命有一定的好处。

51. 轧辊疲劳断裂分析专家系统的设计思想、主要功能、总体结构和工作流程是什么?

轧辊在工作过程中除了产生磨损、表面剥落和热裂等造成轧辊消耗以外,还常常发生突然断辊(辊身断裂和辊颈断裂)事故。据有关资料统计,保持轧辊正常工作所花维修费用以及由于断辊事故产生的停机损失在钢材成本中所占比例很大。通过对轧辊断裂事故分析表明,如果采用对轧辊进行“跟踪”监测、判断其是否正常、预测和分析轧辊的故障、预测轧辊的使用寿命等技术后可节省 10%的费用。我们把人工智能理论引入了轧辊疲劳断裂分析中,建立分析轧辊疲劳断裂的专家系统,为预测和减少轧辊发生突然断裂提供了理论方法。

本系统的设计思想可简述为:(1)归纳总结出断裂力学领域知识、专家经验和设计方法,分析实际使用中轧辊断裂的原因;(2)建立关于轧辊断裂的数据库和知识库;(3)建立推理机;(4)建造解释机;(5)设计系统接口等。但是,这些工作决不可孤立进行,必须综合研究分析,考虑相互关系和全局观念进行设计。

系统的主要功能是运用断裂力学知识对含裂纹的轧辊进行 K 准则评定。通过理论计算和吸取专家经验再结合定期对轧辊进行超声波探伤检测,对轧辊的工作状态进行分析判断,以避免由于轧辊突然断裂而带来损失。

本专家系统由 7 大部分组成:知识库(包括元知识库和普通知识库)、数据库(包括综合数据库和前提事实库)、推理机、解释模块、用户接口模块、计算模块和在线帮助。关于本系统框架见图 1-21。

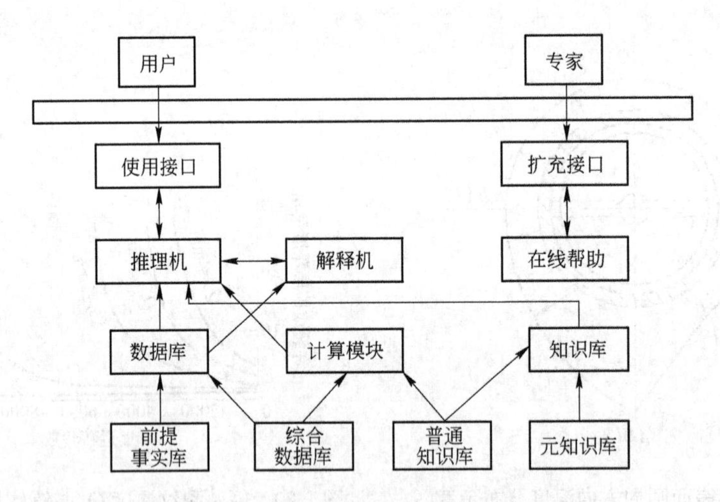

图 1-21 本专家系统的组成框架与层次结构

本系统工作流程如下:

启动系统后,系统首先要做的工作是要求用户登录。如登录成功,系统进入主窗口界面,此时用户除了可以直接设计外,还可以启动“在线帮助”或进入“休闲时光”。

用户选择“输入原始数据”按钮后,系统进入初态数据输入窗口(图 1-22)。此时用户可输入初态数据,也可通过解释文本的路径及文件名了解每个数据项的相关情况。若用户对解释不满意或有更高的见解,可以对解释进行编辑。

first

前提事实			
	知识前提码	前提描述	前提项
▶	23	裂纹半长 a 已知	0
	18	裂纹半长<容限尺寸已知	1
	19	裂纹半长≥容限尺寸已知	1
	16	裂纹韧度已知	0
	2	最大工作应力已知	1
	17	工作应力已知	1
	1	裂纹容限尺寸已知	1
	21	最大工作应力>工作应力已知	1
	22	最大工作应力<工作应力已知	1
	15	材料屈服极限已知	1
	24	应力强度因子已知	1
		⋮	

综合数据					
	目标项描述	目标项数据	目标项单位	目标项属性	目标项
▶	裂纹原始长 a	3	mm	0	D:\ZH
	裂纹深度 c	3	mm	0	D:\ZH
	轧辊材料的屈服极限		MPa	0	D:\ZH
	垂直干裂纹面的应力		MPa		D:\ZH
	裂纹容限尺寸		mm		D:\ZH
	轧辊材料断裂韧度	13.6	$MPa(m)^{1/2}$	0	D:\ZH
	弹性模量		MPa	0	D:\ZH
	轧辊上裂纹的形状	表面裂纹		3	D:\ZH
	深埋椭圆片状裂纹				D:\ZH
	深埋圆片状裂纹				D:\ZH
	表面裂纹				
		⋮			

Adodc2　Adodc1　计算应力　解释　退出

图1-22　本专家系统初态数据输入窗口

当用户输完初态数据以后,系统把初态数据存入综合数据库,并对初态数据进行相应的预处理,最后把预处理的结果存入相应的前提事实库。这时用户便可以启动推理机进行推理了。推理时,推理机查询综合数据库中的初态数据以及前提事实库中的初态条件事实,并在元知识库中相应的元知识的控制下,运用普通知识库中的普通知识进行推理,推理机把推理过程中产生的中间数据及结论存入前提事实库中,并在此基础上不断前进,直到推理过程结束。推理过程结束后,系统询问用户是否需要跟踪推理过程,若用户回答"跟踪",则系统便把推理过程中所有使用成功的知识显示出来,让用户浏览。如果浏览过程中,用户对其中某一条知识不理解,则可以启动解释功能,让系统对该知识作出解释,浏览结束后,系统自动显示推理的最终结果;如果用户回答"不跟踪",则系统便仅仅直接显示推理的最终结果。本系统的详细工作流程见图1-23。

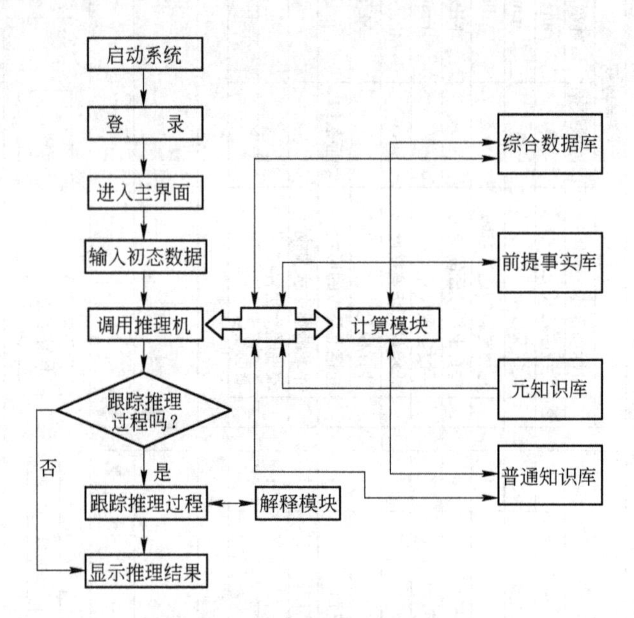

图1-23　本专家系统的工作流程图

52. 日本用于焊管轧辊的新材料有哪些?

焊管时成形和定径是在常温下对钢带进行变形,因此要求轧辊具有高而均匀的硬度、高的耐磨性、足够的强度和韧性、良好的冷热加工性能(锻造性能、热处理性能、切削性能),挤压辊又要求有一定的红硬性和热强性。

国内焊管轧辊大多选用GCr15材料,因此具有良好的淬透性、耐磨性、高的硬度和强度、良好的切削加工性能、资源丰富、价格较其他合金钢低廉而得到较为普遍的应用,但硬度和耐磨性能不够理想,轧辊使用寿命较短、辊耗较高。国内使用较好的材料是Cr12MoV,因此具有很高的硬度和疲劳强度、良好的耐磨性和韧性,因而使用寿命较长,但由于资源较少、价格较贵而未能普遍采用。

挤压辊材料国内较多采用40Cr和3Cr2W8V,具有较高的韧性、红硬性和热强性,但耐磨性和使用寿命均不理想。

近年来在从日本引进焊管机组的同时,也进口了各种规格的成套轧辊,其材质为

SKD11，材质和加工质量优良，轧辊使用寿命较长，且焊管质量稳定。近年来日本高周波钢业株式会社又开发了新的焊管轧辊材料，微细钢 KD11V 替代原 SKD11 用作焊管轧辊，并开发了微细钢 KDA 用作挤压辊材料，其材质和性能又有较大提高。

53. SKD11 轧辊材质的性能怎样？

SKD11 是日本工业标准 JISG4404 合金工具钢中的钢号，相当于美国 AISI D2、英国 BS BD2、法国 NF Z160CDV12 钢号，和我国钢号 Cr12MoV 接近。

SKD11 的化学成分(质量分数/%)如下：

C	Si	Mn	P
1.40～1.60	≤0.40	≤0.60	≤0.030
S	Cr	Mo	V
≤0.030	11.0～13.0	0.80～1.20	0.20～0.50

SKD11 的热处理工艺曲线如图 1-24 所示。加热到 750～800℃预热保温一段时间，然后再加热到 1010～1040℃均热保温一段时间，空冷淬火，然后连续两次淬火，低温回火时温度为 180～200℃，高温回火时温度为 480～550℃。

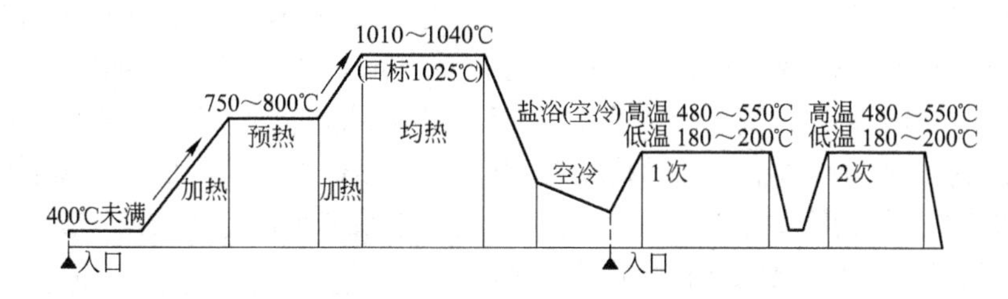

图 1-24 SKD11 的热处理曲线

热加工时的锻造温度为 1100～900℃，退火温度为 830～880℃。

不同淬火温度时的硬度曲线(图 1-25 中的小图)和在 980℃、1030℃、1080℃时淬火，不同回火温度时的硬度曲线，如图 2-33 所示。由图可见，当淬火温度为 1010～1040℃时硬度最高，目标温度为 1025℃。当低温回火时，硬度 HRC 在 61 以上；当高温回火时，硬度 HRC 在 58 以上。完全退火时，硬度在 HB 255 以下。

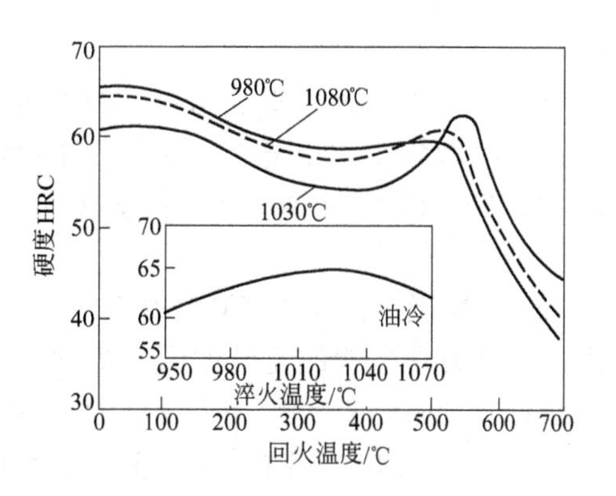

图 1-25 SKD11 硬度曲线

SKD11 具有良好的热处理性能和冷热加工性能，具有较高的硬度和耐磨性能，与 GCr15 相比，轧辊寿命延长，但在钢质纯净度、韧性、方向性、显微组织等方面还不够理想。

54. KD11V 轧辊材质的性能怎样？

KD11V 被命名为微细钢(MICROFINE STEEL)，是日本高周波钢业株式会社的企业钢号，它仍相当于JIS G 4404中的SKD11和AISI的D2。它在制造工艺上更严格一些：原材料经过严格配比；采用最现代化的炼钢工艺：电炉冶炼、ASEA-SKF炉外精炼、真空脱气、真空脱碳；采用先进的锻造和轧钢工艺；独特控制的热处理工艺，因而钢质纯净，非金属夹杂总量在0.10%以下，显微组织精细和均匀。KD11V具有很高的强度和韧性，横向力学性能比常规高出10%～20%，旋转弯曲疲劳强度比常规高出200MPa，耐磨性能好，使用寿命比常规高出3倍，是焊管轧辊的理想材料。

KD11V在不同温度范围时的线膨胀系数如下所示：

温度/℃	20～100	20～200	20～300	20～400
系数/$℃^{-1}$	7.902×10^{-6}	9.172×10^{-6}	10.699×10^{-6}	11.423×10^{-6}
温度/℃	20～500	20～600	20～700	20～800
系数/$℃^{-1}$	11.897×10^{-6}	12.146×10^{-6}	12.235×10^{-6}	12.478×10^{-6}

KD11V的密度为7.70。

KD11V的相变温度：A_1点加热时为800～830℃，冷却时为740～680℃；奥氏体化温度为1020℃；马氏体相变温度M_a点为195℃，M_f点为17℃。

KD11V的热处理工艺如下：

预热温度800～850℃，保温时间每25mm厚度为30min，再加热到淬火温度1000～1050℃，目标温度1025℃，保温时间每25mm厚度为20min，然后空冷或油冷淬火。回火温度：低温回火为150～250℃，高温回火为500～530℃，保温时间每25mm厚度为60min。低温回火后硬度为HRC60，高温回火后硬度为HRC58。热处理曲线与图1-24相似。回火温度的选择根据期望的硬度和韧性来决定，但回火工艺必须连续进行两次或三次。

KD11V的淬火、回火硬度曲线如图1-26所示。由图可见，淬火温度为1025℃时硬度最高，低温回火时温度超过250℃，将使硬度有较大下降；高温回火时温度超过530℃，将使硬度急剧下降。

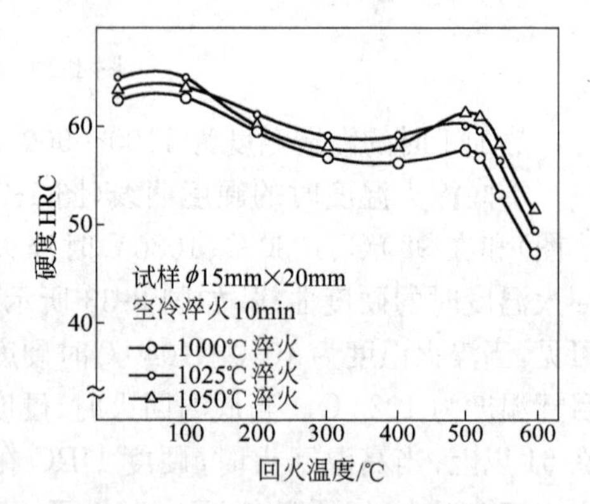

图1-26 KD11V的硬度曲线
（保温60min，空冷两次回火）

KD11V微细钢的非金属夹杂物分布及含量（质量分数）为硫化物含量在0.05%以下，氧化铝含量在0.025%以下，非金属夹杂物总量在0.10%以下。

KD11V微细钢与常规同等级钢在不同回火温度时，各种力学性能的比较如图1-27所示。图中以在150℃回火的常规同等级钢的性能参数为100，然后与之比较。图中阴影部分代表常规同等级钢，空白部分代表KD11V微细钢。由图可见，回火温度为210℃的各项性能最好，而微细钢比常规钢各项性能又高出许多。

旋转弯曲疲劳强度曲线如图1-28所示。由图可见，KD11V微细钢的弯曲疲劳强度比常规同等级钢高出许多。

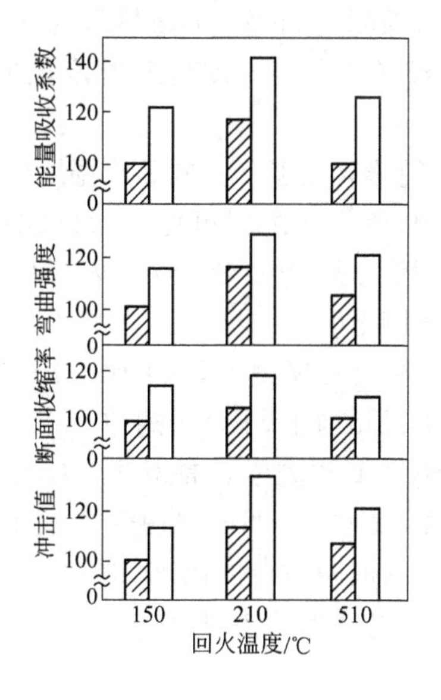

图 1-27　KD11V 的力学性能比较

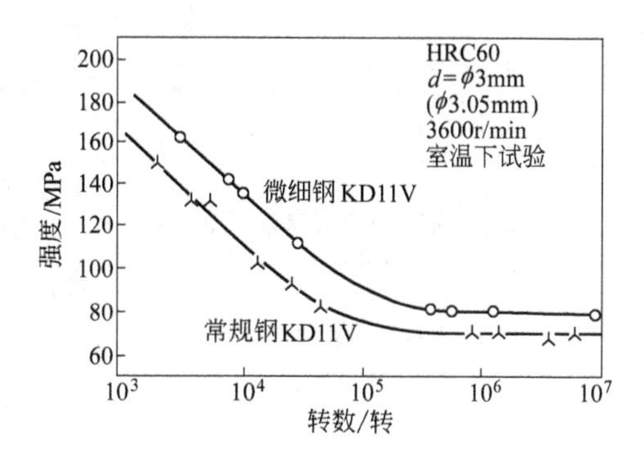

图 1-28　旋转弯曲疲劳强度

55. KDA 轧辊材质的性能怎样?

KDA 也是日本高周波钢业株式会社的企业钢号，它也是微细钢。它相当于日本标准 JISG4404 中的 SKD61、美国标准 AISI 的 H13、英国标准 BS 的 BH13、德国标准 DIN 的 X40CrMoV51。它在炼钢、热加工、热处理等制造工艺上与 KD11V 一样。由于其钢质纯净、显微组织精细、匀质，所以具有良好的力学性能：横向韧性比常规钢高两倍左右、横向与纵向冲击值的比率超过 80%，并有良好的热强性和高温硬度，所以适合用作轧管机组的挤压辊。

KDA 在不同温度范围时的线膨胀系数如下：

温度/℃	20～100	20～200	20～300	20～400
系数/$℃^{-1}$	8.389×10^{-6}	9.778×10^{-6}	10.350×10^{-6}	11.094×10^{-6}
温度/℃	20～500	20～600	20～700	20～800
系数/$℃^{-1}$	11.480×10^{-6}	11.916×10^{-6}	12.114×10^{-6}	12.315×10^{-6}

KDA 的相变温度：A_1 点加热时为 830～881℃，冷却时为 750～700℃；奥氏体化温度 1010℃；马氏体相变温度 M_s 点为 288℃，M_f 点为 82℃。

KDA 的化学成分(质量分数/%)如下：

C	Si	Mn	P
0.32～0.42	0.80～1.20	≤0.50	≤0.025
S	Cr	Mo	V
≤0.020	4.5～5.5	1.0～1.5	0.5～1.2

KDA 的热处理工艺如下：

预热温度 800～850℃，保温时间每 25mm 厚度为 30min，再加热到淬火温度 1000～1050℃，目标温度 1025℃，保温时间每 25mm 厚度为 20min，然后空冷或油冷淬火。回火温

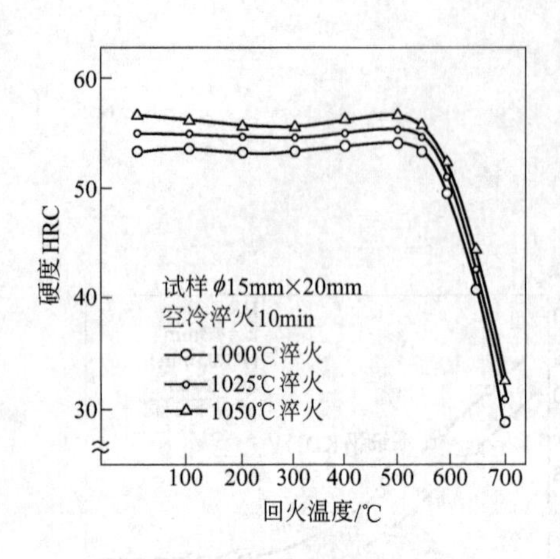

图1-29 KDA的硬度曲线
（保温60min，两次回火）

度：550～650℃，保温时间每25mm厚度为60min。回火后硬度为HRC38～53。回火工艺必须进行两次以上。

KDA在不同淬火温度下不同回火温度时的硬度曲线如图1-29所示。由图可见，当回火温度低于550℃时，硬度无显著变化；当回火温度大于550℃时，硬度急剧下降。

微细钢KDA与常规钢SKD61比较，KDA的非金属夹杂总量只相当于SKD61的30%。

KDA与SKD61的力学性能比较，如图1-30所示。图中阴影代表SKD61，空白带代表KDA。由图可见，KDA的横向冲击值比SKD61高了近两倍，其断面收缩率均高出两倍以上。

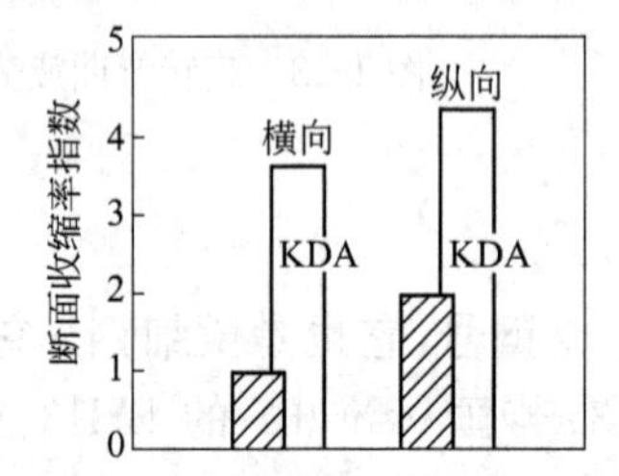

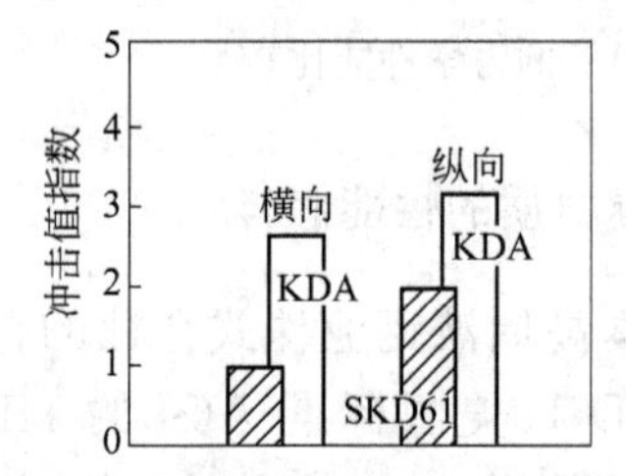

图1-30 KDA与SKD61力学性能的比较

旋转弯曲疲劳强度曲线如图1-31所示。由图可见，在同样的实验条件下，KDA的强度大约比SKD61高出200MPa。

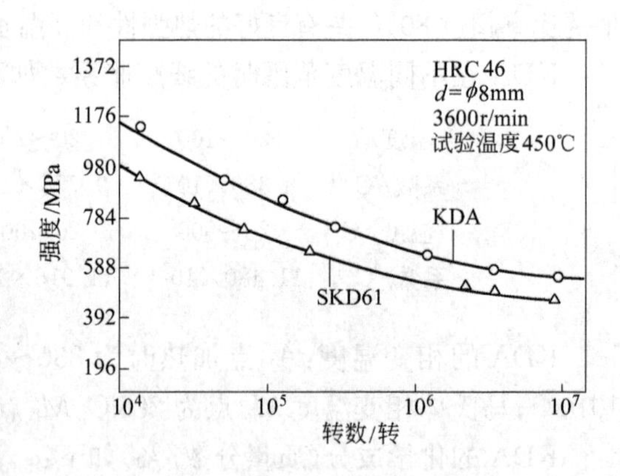

图1-31 KDA与SKD61旋转弯曲疲劳强度的比较

56. 轧辊自动堆焊的原理是什么？

为了充分利用现有轧辊，提高轧辊使用寿命，对轧辊进行修旧利废，以降低生产成本，早在20世纪70年代，我国上钢八厂就实行了轧辊自动堆焊，不仅解决了一般碳钢的自动堆焊问题，而且解决了不锈钢、耐热钢和耐腐蚀钢的自动堆焊问题。

其实自动堆焊的原理是很简单的，对轧辊的自动堆焊，就好比车床车削原理和自动电弧焊工作原理的两部分的综合。由于轧辊的旋转运动，堆焊时使轧辊表面能堆上金属，焊丝的纵向运动，即进刀运动，就在堆焊时使轧辊在长轴方向上堆敷着一条并列的焊缝形成。这两种运动的同时作用，互相配合的结果，就使轧辊的表面被堆敷上一定尺寸和形状的金属。

电弧焊的基本要素就是电弧。所谓电弧焊，即在焊丝和工件间的气体介质中，长期地、强烈地放电。电弧焊可以分为手工电弧焊和自动电弧焊。自动电弧焊又可分为明弧自动电弧焊和熔剂层下(埋弧)自动电弧焊两种。在轧辊中都是采用自动埋弧焊的方法。

自动埋弧焊的实质,即在焊接开始时,电弧在固体颗粒状的熔剂层下引燃;焊丝和工件以及部分靠近电弧的熔剂就受到电弧热(约6000~8000℃)的作用开始熔化。熔剂熔化时,不断地放出气体和水蒸气,形成泡沫,电弧就在泡沫下继续燃烧;而熔融的焊丝金属也就一滴一滴地落在工件表面上,这样互相融合,待冷却后就形成一道平稳而美观的焊缝。自动堆焊就是依据这样一个原理把金属堆敷在轧辊或其他堆焊工件的表面上。

57. 轧辊自动堆焊设备、堆焊材料以及工艺流程是怎样的?

轧辊自动堆焊设备包括:轧辊自动堆焊的电气设备,轧辊堆焊机床,熔剂回收装置,焊丝除锈设备和轧辊的预热设备。

堆焊材料实际指堆焊时用的焊接材料,主要有焊丝和熔剂,按其化学成分和力学性能划分,其种类很多。为了使堆焊层得到需要的化学成分、内部组织和力学性能,就必须对焊丝和熔剂进行选择。

自动堆焊的焊丝是直接影响堆焊层金属质量的一个最主要的因素。根据生产的需要,轧辊自动堆焊主要目的,就是修复轧辊尺寸和提高耐热、耐磨性能。这两个方面,提高耐热、耐磨性能又是最主要的。我们只要抓住了如何提高轧辊耐磨、耐热性能来选择焊丝就可以了。上钢八厂选择了30CrMnSi、2Cr13、3Cr13、3Cr2W8等几种焊丝。

熔剂在堆焊过程中能完成双重的作用,它能使熔融金属的熔池与空气隔开,并使熔融的熔剂与液态的熔融金属在电弧热的作用下起化学作用。所以,在自动堆焊中,对熔剂的要求,同其他埋弧焊是一样的。表1-22为"上焊"熔剂的化学成分。

表1-22 "上焊"熔剂的化学成分

熔剂名称	成分(质量分数)/%								
	SiO_2	Al_2O_3	MgO	CaF_2	GaO	MnO	FeO	S	P
"上焊"-102	40~44	≤4	5~7.5	4~6.5	5.5	34.5~38	≤1.5	≤0.1	≤0.12
"上焊"-108	29~32	20~24	15~18	20~25	4~6.5	2.5~4	≤1.0	≤0.07	≤0.07
"上焊"-107	21~23	28~32	9~13	25~33	3~7	(R_2O_3) 2~3	≤1.0	≤0.08	≤0.08

轧辊自动堆焊工艺流程为:轧辊表面清理→轧辊预热→轧辊堆焊→轧辊缓冷→堆焊层外观检测→轧辊车削。

58. 轧辊堆焊时容易产生的缺陷及预防措施有哪些?

轧辊堆焊时容易产生的缺陷有:气孔、裂缝、夹渣、焊瘤和脱落。

防止产生气孔的措施为:

(1) 清除轧辊表面的铁锈或油污杂物;

(2) 堆焊前熔剂在150~200℃的恒温箱上烘熔2h;

(3) 根据轧辊直径,适当调整堆焊速度;

(4) 根据焊丝直径和堆焊形式,或堆焊工件的预热温度,恰当地调整电流和电压;

(5) 堆焊前把轧辊表面上存有裂纹或疏松的地方进行车削加工，或手工补焊；

(6) 为了防止熔剂埋弧不好，必须改进熔剂杯的大小，或调整熔剂杯和堆焊工件的距离；

(7) 根据堆焊的具体情况和工艺要求进行及时调整。

防止产生裂纹的相应措施为：

(1) 必须要求制造单位把轧辊及焊丝的硫、磷含量控制在一定的范围内；

(2) 堆焊前应将轧辊上的裂纹全部清除掉；

(3) 合理安排堆焊顺序，正确掌握堆焊工艺中的预热和冷却制度；

(4) 在堆焊过程中，切勿使电风扇或其他风源对着吹。

防止产生夹渣的相应措施为：

(1) 轧辊预热时一定要严格执行预热规范，不能使轧辊表面温度过高，另一方面就是要合理选择熔剂；

(2) 调整导电嘴角度和改变堆焊工件的位置，减少熔剂和液态的流失，与此同时要及时清除熔渣；

(3) 适当地加快焊机机头小车的行走速度；

(4) 清除重叠熔渣后再进行焊接；

(5) 调整焊机机头的角度，调整电流、电压以便得到理想的光滑平整的成形。

防止焊瘤产生的相应措施为：

(1) 调整电流大小、电弧长短；

(2) 检查和调换导电嘴；

(3) 把焊机机头调整到适当的理想角度。

焊瘤产生以后，就应立即将其铲除，否则对下道加工工序造成困难。脱落主要是堆焊层金属从堆焊工件的母材上部分地成块状地掉下，防止脱落的措施就是保证轧辊的预热温度。

59. 上钢一厂二辊轧机轧辊堆焊工艺试验的基本情况是什么？

二辊轧机工作辊堆焊工艺参数见表1-23。

表1-23 二辊轧机工作辊技术参数

材 质	化学成分(质量分数)/%								辊径/mm	辊身长度/mm	轧辊单重/t	表面硬度HB
	C	Si	Mn	Mo	P	S	Cr	Ni				
60CrMnMo	0.55～0.65	0.25～0.40	0.75～1.00	0.20～0.30	≤0.04	≤0.04	0.80～1.20	≤0.25	1100～980	2350	26.5	34～42

根据上海司太立有限公司生产的管状焊丝(见表1-24)和上钢一厂二辊轧机工作辊技术条件的要求，选择Delstain 423焊丝为辊面堆焊焊丝，焊丝直径ϕ3.2mm，焊剂为SSD。该焊丝具有很好的耐磨性，强度良好。堆焊金属经不同的热处理工艺后，硬度为HRC35～55，可以满足二辊轧机的使用要求。

表 1-24 焊丝的成分与性能状况

材料牌号	堆焊金属的化学成分(质量分数)/%						抗热震性能	耐磨性能	焊接性能	耐腐蚀性能	可加工性能
	C	Cr	Mn	Mo	Si	其他					
Stoody 104	0.1		2.3	0.7	0.7		A	B	A	C	A
Stoody 102	0.2	5	1.2	1	0.9		A	A	A	B	B
Stoody 224	0.26	5	0.89	1.05	0.88	W:1.65,V:0.7	A	A	B	B	C
Delstain 420	0.2	12.0	1.2		0.5		B	A	A	A	B
Delstain 423	0.13	12.5	1.07	1.26	0.38	Ni:2.12	A	A	B	A	C

焊前准备工作有:(1)辊坯退火热处理;(2)待堆焊辊机加工,去除表面裂纹、砂眼、凹坑及疲劳层等;(3)对机加工后的待堆焊辊进行着色或超声波探伤。

然后进行焊前预热,将堆焊辊缓慢加热至550℃后,保温30h以去除焊前应力。

堆焊参数为:电流500～600A;电弧电压30V;焊接速度750mm/min;焊缝搭接量约为焊道宽度的40%。

焊后处理主要包括:(1)堆焊后的轧辊缓慢冷至室温;(2)去应力热处理;(3)成品机加工;(4)超声波探伤;(5)硬度检验。

为了防止母材金属和堆焊层在堆焊过程中发生相变,导致开裂,要求将堆焊辊进行焊前预热,并在焊接过程中保持一定的层间温度。

焊前预热温度应根据轧辊母材碳含量和合金元素确定,见图 1-32。

Delstain 423 焊丝 M_s 点温度依据经验公式计算为320℃。

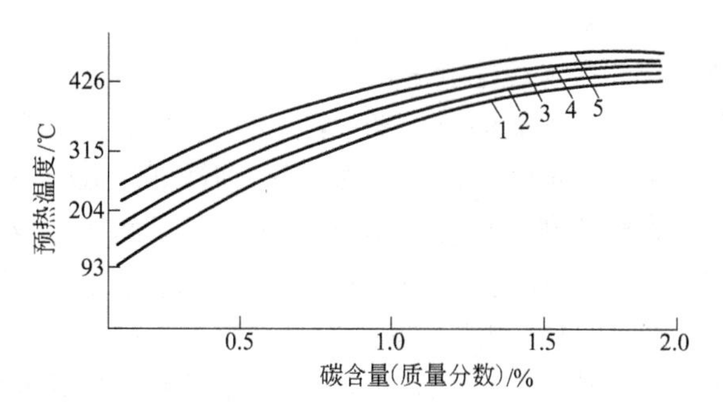

图 1-32 焊前轧辊预热温度
合金元素总含量(质量分数):1—2%;2—3%;3—4%;4—5%;5—6%

60. 上钢一厂使用堆焊轧辊的经济效益如何?

(1) 减少换辊次数、提高作业时间。二辊轧机工作辊堆焊后,轧辊的磨损由非堆焊辊的3.5～6.0mm(中部)降至0.5～1.0mm(堆焊),使轧制单元可从原每周更换2次减少至每周1次。扣除每月1次船板生产周期,实际每年减少换辊次数36次。减少停工时间90h。每年可增利132.3万元。

(2) 减少轧辊消耗和降低轧辊成本。按每支新辊(非堆焊)每次车削7mm计算,1支新辊可使用17个周期。每支轧辊价格为29.15万元。而堆焊辊每次车削2mm,1支堆焊辊可使用20个周期。

61. 鞍钢二辊轧机轧辊工况条件及轧辊报废的原因是什么?

轧制温度一般为1150℃以上。由于经常喷水冷却,故辊身表面处于交变状态,温差较大。二辊材质为60CrMnMo(HB229～302),ϕ180～2800mm,化学成分见表1-25。

表 1-25 二辊化学成分(质量分数/%)

C	Si	Mn	P	S	Cr	Mo	Ni
0.55～0.65	0.25～0.40	0.70～1.00	≤0.03	≤0.03	0.80～1.20	0.20～0.30	≤0.25

二辊产生损坏的原因为：

(1) 二辊与钢坯间产生金属磨损和氧化皮造成的磨粒磨损；

(2) 由于交变热循环作用,经过一段时间使用后,二辊表面产生热疲劳裂纹；

(3) 冷却水在辊面和钢坯接触处产生高的蒸汽压后,造成冲蚀和气蚀,促进非磨损消耗；

(4) 辊面接触热钢坯处,组织和性能发生变化,性能降低,加剧磨损和热疲劳。

总之,二辊报废的根本原因是磨损和热疲劳。

62. 鞍钢二辊轧机轧辊堆焊材料如何选择？

根据以上分析,应选择耐热疲劳性能和耐磨损性能均较好的合金系统作为二辊堆焊金属的合金系统。影响热疲劳性能的因素很多,从材料本身来看,影响因素主要有力学性能、热稳定性和物理性能等,而这些因素最终是由材料的成分和组织决定的。从材料的物理性能对热疲劳性能的影响来看,采用单一组织要比多相组织有利,可以减少热应力。因此,将堆焊金属基本组织设计为强度高、韧性好的低碳马氏体是合理的。试验研究表明,不管什么类型材料的磨粒磨损,耐磨性与硬度都呈间接的线性关系,但过多提高硬度势必降低材料的韧性,对抗热疲劳性能不利,所以应控制碳的质量分数为0.2%～0.35%,以控制组织和硬度。此外,基体组织及第二相对材料耐磨性也有重要影响。在马氏体基体上分布着均匀细小的合金碳化物,比单一的马氏体组织具有更高的耐磨性。因此,采用热稳定性好的耐热合金系统Cr-Mo-V,Cr-W-Mo-V比较合理。这类合金系统比较典型的堆焊材料是H25Cr3Mo2MnVA和司太立Multipass 224管丝,它们的堆焊金属在高温回火过程中均能弥散析出钒的碳化物,起到弥散强化作用。两种焊丝的化学成分见表1-26。

表 1-26 焊丝的化学成分(质量分数/%)

堆焊材料	C	Si	Mn	S	P	Cr	Mo	W	V
Multipass 224	0.42～0.52	0.45～0.85	1.20～1.65	≤0.04	≤0.04	5.00～6.00	0.90～1.30	1.00～2.00	0.70～1.20
H25Cr3Mo2MnVA	0.22～0.27	0.20～0.40	1.10～1.30	≤0.04	≤0.04	3.20～3.50	1.40～1.50		0.40～0.60

以往二辊的堆焊修复试验结果表明,用H25Cr3Mo2MnVA配用国产HJ260、HJ107、SJ301等焊剂的堆焊金属耐热疲劳性能较好,但耐磨性不足。焊后硬度为HR38～42,而Multipass 224管丝由于w(C)及合金总量提高,配用HJ107焊剂后堆焊金属硬度达到HR44～49,耐磨性有所提高。

试验表明,Cr-Mo-V和Cr-W-Mo-V系合金焊丝配用通用焊剂SJ101、SJ301、HJ260等进行轧辊堆焊时,由于Cr、V的氧化,形成尖晶石型化合物与α-Fe相连,造成粘渣困难,不能保证焊剂的工艺性能。HJ107是HJ260的改进型,通过加入Cr_2O_3、Nb_2O_5等抑制了Cr、

V的氧化，脱渣性能得到改善，但大型轧辊堆焊时均要保持较高的道间温度，其高温脱渣性能仍不理想，加上焊剂本身不能脱氧及过渡合金，因此，为获得预定成分和高质量的轧辊表面堆焊金属，研制焊接工艺性能和冶金性能优良的烧结焊剂十分必要。

众所周知，提高焊剂碱度可以降低焊缝金属的$w(O_2)$，提高其韧性和抗裂能力。按照GB 12470—90规定要求，确定碱性烧结焊剂的渣系为MgO-Al_2O_3-CaF_2-SiO_2，为解决高温脱渣问题，应降低焊剂的化学成分活性并加强脱氧，而不采用加入相应氧化物以抑制合金氧化物的方法，也可避免成本提高。

焊剂中主要成分作用如下：

MgO是主要碱性造渣氧化物，可提高熔渣熔点；CaF_2降低熔渣熔点，起稀渣作用；SiO_2是酸性氧化物，它由高温冷却至室温可发生4个相变，其晶格改变时伴随着体积的变化，对脱渣有利，但SiO_2化学活性较高，应采用热稳定性较高的Al_2O_3来部分替代。焊剂采用Si，Ti联合脱氧，其产物是酸性的，有利于脱氧反应的进行。采用高模钾钠水玻璃作黏结剂，焊剂经干湿混、造粒、低温烘干及高温烧结而成。在基础配方的基础上，经多次调整试验，研制出了SF110烧结焊剂，其化学成分分析结果如表1-27所示。

表1-27　研制的烧结焊剂SF110化学成分(质量分数/%)

CaO+MnO	Al_2O_3+MnO	SiO_2+TiO_2	CaF_2+FeO	S	P	脱氧剂
32～36	22～28	14～28	15～19	≤0.03	≤0.04	余量

根据国际焊接学会推荐的碱度计算公式计算出SF110烧结焊剂的碱度$B_{IIw}\approx1.8$。焊剂的相对化学活性系数公式为：

$$A_f=f[C]B=[SiO_2+0.5(TiO_2)+0.4(Al_2O_3)+0.33(ZrO_2)+0.4B^2(MnO)]/100B$$

式中，$[C]$为氧化物的质量分数(%)；B为碱度，按B_{IIw}计算，得出$A_f=0.15$。对比HJ260的化学活性系数$A_f\approx0.46$，可知，研制的烧结焊剂氧化性较低。经与H25Cr3Mo2MnVA和Multipass 224管丝配合使用，进行实际堆焊试验表明，研制的SF110碱性烧结焊剂对比HJ260、SJ301、HJ107等焊剂具有更优良的工艺性能，尤其是具有优良的高温脱渣性能，完全满足了二辊堆焊要求。堆焊金属化学成分见表1-28。

表1-28　堆焊金属化学成分(质量分数/%)

堆焊金属	C	Si	Mn	S	P	Cr	Mo	W	V
Multipass 224+SF110	0.32	1.34	2.49	0.01	0.03	5.03	1.10	1.86	1.05
Multipass 224+HJ107	0.26	0.88	0.89			4.99	1.05	1.65	0.70
H25Cr3Mo2MnVA+SF110	0.16	0.97	1.91	0.01	0.03	3.31	1.47		0.51
H25Cr3Mo2MnVA+HJ260	0.11	1.10	0.65	0.01	0.03	2.85	1.32		0.44

由表1-28可见，对比HJ107、HJ260焊剂，使用SF110焊剂获得的堆焊金属，其合金元素烧损少(注：SF110焊剂除脱氧剂外没加额外的合金元素)，也说明该焊剂的氧化性小。

63. 鞍钢二辊轧机轧辊堆焊工艺及使用情况如何？

由低合金钢的$w(C)_{eq}$公式计算二辊的$w(C)_{eq}=1.15\%$。可见，堆焊时母材热影响区的催硬倾向及焊接裂纹敏感性较大，焊接性较差。同时，二辊的尺寸较大，堆焊层厚度一般均在50mm以上，堆焊时的焊接应力较高，因此，要完全避免裂纹的产生除提高热温度和道间温度外，还要堆焊过滤层，经过试验验证，选用H08A配合SF110堆焊过滤层完全可行。

预热及保证道间温度的目的是降低堆焊金属及热影响区的冷速，降低淬硬倾向并减少焊接应力，w(C)和w(合金元素)决定C曲线的位置和M_s点温度，因此，预热及道间温度应据此进行选择。根据公式：

$$M_s(℃)=538-317w(C)(\%)-33w(Mn)(\%)-28w(Cr)(\%)-17w(Ni)(\%)-11w(Si)(\%)-11w(Mo)(\%)-11w(W)(\%)$$

可计算出过滤层堆焊时母材热影响区的$M_s=253.4$℃，用Multipass 224堆焊工作层时，熔敷金属的$M_s=166.25$℃。堆焊过程中应控制预热及道间温度高于M_s点，才能避免发生马氏体相变及回火效应。据此，过滤层道间温度定为300℃，对于工作层堆焊，由于二辊尺寸及堆焊厚度较大，焊接应力大，故应尽量提高道间温度，考虑到操作上的允许程度，将工作道间温度定为280～450℃。预热温度较道间温度高出20～50℃即可。

为改善焊后组织和消除焊接应力，对焊后二辊进行热处理十分必要。升温过程中，为保证温度均匀，升温速度要缓慢；降温过程中，为防止产生新的应力，也应缓慢冷却。为充分发挥材料的性能，选择550～565℃；进行高温回火，以产生充分的弥散强化效应，热处理工艺如图1-33所示。

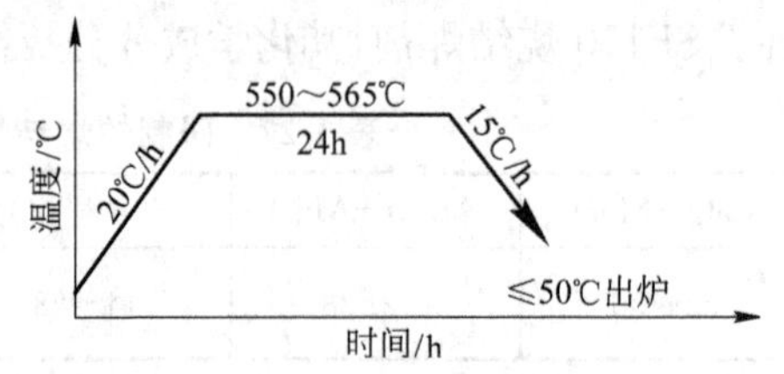

图1-33　二辊焊后热处理工艺

采用下述工艺流程对二辊进行堆焊修复：

机加 → 超声波探伤检查 —合格→ 预热 → 堆焊过渡层 → 堆焊工作层 → 缓冷 → 焊后热处理（不合格 → 返回机加）

→ 粗车 → 渗透及超声波探伤 → 磨成品 → 成品检验及硬度测试

利用大型自动埋弧堆焊焊床，电源为MZ-1000，并配备加温保温罩、手测及自动测温装置和焊剂自动送给装置对5支二辊进行了堆焊修复。工艺参数见表1-29。

表1-29　二辊堆焊工艺参数

堆焊材料	焊丝直径 /mm	电流 /A	电压 /V	焊丝伸出长 /mm	机头导前距 /mm	搭接量 /%	转速 /r·min^{-1}	道温 /℃
H08A+SF110	4	420～450	28～30	30	0	40～50	10	300
Multipass 224+SF110	4	450～480	29～31	30	30	40～50	10	380～450

堆焊过程中各参数稳定，Multipass 224管丝配合SF110烧结焊剂焊接工艺性良好，尤其是SF110烧结焊剂能自动脱渣，无任何粘渣现象，焊道成形美观、光洁、无气孔、夹渣、压痕，焊接工艺性能明显优于以往配用焊剂。经过热处理后的硬度测试结果为HRC55.3～56.6，平均HRC55.9，ΔHRC<1.5，分布均匀。经着色和超声波探伤，未发现缺陷，堆焊质量较高。

堆焊修复的5支二辊先后在热轧钢厂1700mm生产线可逆式二辊轧机上标定使用，轧制品种包括65Mn、Q235B、12CrMoV、45钢，使用结果表明，5支二辊抗热疲劳性能良好，没出现明显的疲劳裂纹，耐磨性得到较大提高，平均轧钢量为6771.8t/mm，而国产新辊平均轧钢量为3945t/mm，堆焊二辊的使用寿命是新辊的1.72倍，同时平均使用周期延长，平均每次磨损量减小，提高了轧机作业率，明显降低了辊耗和成本。

64. 型材轧辊的工况如何？

型钢生产首先是将钢坯加热到1150～1250℃，再出炉输送到轧机，通过型材轧辊的转动，将钢坯挤压成形，依靠与钢坯的摩擦力输送钢坯，依靠孔形尺寸保证型材的尺寸。因此，型材轧辊的轧制过程实质上是一个碾压成形过程，主要是钢材在高温条件下，承受轧制压力，发生高温塑性变形，达到所需要的型钢形状的一个变形过程。

为增强钢坯与轧辊间的润滑作用，冷却轧辊，防止粘钢、过热，型材轧辊在轧制过程中通常采用喷水冷却。此时，轧辊的温度仍很高，有300～400℃，局部可达700～800℃；同时，轧辊在轧制过程中，还要承受大于9.8×10^3kN(1000多吨)的轧制力，甚至更高。这就要求轧辊一方面要有良好的高温性能；另一方面轧辊要有很好的热强性、耐热疲劳性、红硬性及耐磨性。

60CrMnMo、70Mn2等材料虽然可满足型材轧辊的使用要求，但是，在轧制过程中要受到冷、热的交替作用和周期性的应力，在使用过程中还存在一些问题，主要表现为：一是轧辊表面龟裂特别严重，且裂纹扩展严重，一般返修1～2次后裂纹就扩展至30～50mm深，个别可达100mm，再继续向心部扩展，易整个断面开裂而发生断辊，危害设备；二是孔形磨损严重，轧制型材尺寸不稳定，造成轧制钢坯表面质量差。基体的高温性能好，考虑在其表面堆焊一种强韧性很好的金属材料，以保证耐磨层有更高的热强性、耐疲劳性、红硬性和耐磨性。为此对型材轧辊的堆焊工艺、材料进行了认真的研究和探索，对攀钢ϕ50mm初轧机轧辊进行埋弧焊堆焊，取得了良好的效果。

65. 型材轧辊堆焊的焊接性能如何？

钢材的焊接性能主要决定于它的化学成分。焊接性能通常表现为两方面的问题：一是焊接过程中产生的各种冶金缺陷，其中以裂纹的危害尤甚；二是焊接热影响区内母材性能的变化。对于以60CrMnMo、70Mn2为材质的型材轧辊而言，它属高碳合金钢材料，焊后易出现硬脆的高碳马氏体，淬硬倾向和裂纹敏感倾向大，焊接性能很差，在堆焊时主要注意以下问题：

(1) 热裂纹。在焊接生产过程中所遇到的热裂纹主要是结晶裂纹。当焊缝凝固时，如果在枝晶间存在富集杂质元素的低熔点相薄膜，在焊接内应力的作用下就会发生结晶裂纹w(C、S、P)较高的金属在焊接时容易产生热裂纹。S和P是最容易形成低熔点的元素，其作用会因w(C)的增加而提高，而型材轧辊的平均w(C)多在0.6%以上，在焊接时要考虑到出现热裂纹问题。为了消除它们的有害作用，在选用焊接材料时，要选用碱性焊剂，焊丝的w(C、S、P)要低，且选用含Mn的焊丝加强脱硫；在焊接工艺上应重点从以下几个方面去控制：1)选择合理的堆焊工艺参数，减小熔合比；2)改变焊缝形状，由深熔焊缝改成浅熔焊缝；3)提高预热温度。

(2) 冷裂纹 w(C)高，并含 Cr、Mn、Mo 等合金元素，淬硬倾向严重，在堆焊时极易产生冷裂纹。冷裂纹的起源多发生在具有缺口效应的焊接热影响区或物理化学不均匀的氢聚集的局部地带；它一般都在 M_s 点以下产生，而在较高的温度下大部分扩散氢均已逸出金属，实际上不会起致裂作用，只有在较低温度下的扩散，氢才具有致裂作用。因此，焊前在确保清除氢源(烘干焊剂、清除焊丝及工件表面的油锈等)的前提下，通过在堆焊前对轧辊进行预热，在堆焊过程中保持一定的道间温度，焊后再进行去应力退火，就可以避免冷裂纹的出现。因为：

1) 堆焊时保持有高于 M_s 点的道间温度和埋弧焊周期性的热输入，大大地降低了轧辊的冷却速度，产生马氏体淬硬组织的倾向很小。

2) 埋弧焊的焊道采用螺旋形多层多道堆焊，次一层焊道对前一层可进行一次回火处理，改善前一层焊道的淬硬组织，并对前一层焊道起消氢作用；而前一层焊道的余热又相当于对后一层焊道预热。因此，在工艺上创造了一个“自回火”处理的条件，大大改善了下层焊道的淬硬组织。

3) 堆焊过程中，轧辊质量由托架支撑，主要受焊接热应力的作用，受拘束应力的影响小，而且由于冷却速度缓慢，组织转变均匀，组织应力较小，焊后去应力处理即可消除。

(3) 热影响区和焊缝金属性能的变化。优良的韧性要求焊缝金属中形成细晶粒的组织，而热输入大往往会形成粗晶粒组织。由于埋弧焊的热输入较大，近缝区加热温度很高，使奥氏体晶粒发生严重长大。一方面，底层焊道会导致基体热影响区金属晶粒粗大；另一方面，采用多层多道焊，前层焊缝金属为后层焊缝的近缝区，后层焊缝又导致前层焊缝金属晶粒的粗化，这样会造成热影响区和前层焊缝金属晶粒的粗化。因此，在堆焊时原始熔敷金属的韧性要与后续焊道再热细化的焊缝金属的韧性匹配，尽量减少焊接时的热输入，以便最大程度地获得再热细化的焊缝组织。

66. 攀钢轨梁厂 ϕ1150mm 初轧机轧辊的堆焊工艺如何？

现以堆焊攀钢轨梁厂 ϕ1150mm 初轧机轧辊为例介绍型材轧辊的堆焊加工工艺。

ϕ1150mm 初轧机轧辊技术参数见表 1-30。

表 1-30 ϕ1150mm 初轧机轧辊技术参数

材　质	化学成分(质量分数)/%								辊径/mm	表面硬度 HB
	C	Si	Mn	Mo	P	S	Cr	Ni		
60CrMnMo	0.55～0.65	0.25～0.40	0.75～1.00	0.20～0.30	≤0.04	≤0.04	0.40～1.2	≤0.25	1070～1150	269～325

由于型材轧辊要承受很大的载荷，同时还要受到高温磨损、热疲劳等因素的影响，要求有高的耐金属间磨损的能力，并能承受一定的冲击。为改善母材(基体)熔合区的韧性，以防止工件断裂或耐磨层剥落，要焊过渡层，选用 H08A(ϕ4.0mm)配 SJ101 焊剂进行焊接；有效工作层采用弥散钢强化型 H25Cr3Mo2MnVA 焊丝(ϕ4.0mm)，配 SJ101 焊剂进行堆焊。因焊丝 w(C)低、强韧性好，能较好地防止微裂纹的扩展，从而避免了断辊事故的发生。

为了防止堆焊过程中出现裂纹，同时保证堆焊金属再回火热处理后形成均匀的组织，堆焊前应将轧辊预热适当温度，该温度不低于 ϕ1150mm 轧辊材质和 H25Cr3Mo2MnVA 堆焊

的 M_s 点。根据 60CrMnMo 及 H25Cr3Mo2MnVA 堆焊后的化学成分，按照文献给出的 M_s 公式，计算二者的 M_s 点分别为 300℃和 312℃，因此堆焊前的预热温度应不低于 310℃，并放入保温炉中保温，保温时间为 1h/100mm；同时，在堆焊时，要严格控制道间温度不低于预热温度，这主要是防止堆焊金属在焊接时发生马氏体转变，由此对堆焊层产生不利的影响。

焊前准备工作有：

(1) 待堆焊辊机加工，去除表面裂纹、砂眼、凹坑及疲劳层等缺陷；

(2) 对机加工后的待堆焊辊进行磁粉探伤和超声波探伤；

(3) 正确领用焊材，并按要求烘干。

焊前预热是将堆焊辊缓慢加热至 310～330℃，恒温 16h 以上。

堆焊参数为：焊接电流 450～550A，电弧电压 30～32V，焊接速度 400～500mm/min，焊丝伸出长度 30～35mm，焊丝偏心距 30～40mm，焊道搭接量 40%～50%，道间温度 320～350℃。

当轧辊各孔底堆焊均达到 25mm(单边)时，缓慢升温至 480℃，保温 12h 以上，进行中间热处理，之后再继续堆焊至规定要求。

焊后处理包括：

(1) 堆焊后的轧辊立即缓慢升温至 580℃，保温 24h 进行去应力退火处理；

(2) 成品机加工，按新辊图纸尺寸及给定表面粗糙度进行机加工；

(3) 对轧辊进行磁粉探伤、超声波探伤，检验合格；

(4) 硬度检测：HRC36～40 为合适(此硬度适合样板刀加工)。

注意事项如下：

(1) 堆焊工作一旦开始就应该连续堆焊直至完成，中途不能停止作业；

(2) 堆焊尺寸要满足孔型加工，预留合适的加工余量；

(3) 随时测温，严格控制道间温度。

经济效益分析如下：

(1) 攀钢轨梁厂全年消耗 ϕ1150mm 初轧机轧辊 4 对，每对费用为 116.16 万元，年轧制量 150 万 t，库房储备 2 对，报废辊 3 对，报废尺寸为 ϕ1070mm，每对轧辊的上机使用次数为 6 次。目前攀钢正在进行三期工程，预计两三年后将取消初轧工序，已决定不再购置新辊，将现废辊及陆续下机的废辊进行堆焊修复。

(2) 新辊与堆焊辊使用情况(表 1-31)对比。

表 1-31　新辊与堆焊辊使用情况

项　　目	新　　辊	堆　焊　辊	备　　注
一次装机平均轧制量/t	62500	78570	
上机次数	6	4	
单工作周期/d	12	15	含检修时间
单周期车削量/mm	15	10	直径方向

(3) 堆焊辊需求量：以堆焊尺寸为 ϕ1120mm 为例，每年按 360d 计算，堆焊辊年需求量为：360÷(5×4)＝6(对)。

(4) 新辊与堆焊辊费用情况(对)。一对新辊费用为 116.16 万元，一对堆焊辊的修复结算费用为53万元(说明:因新辊与堆焊辊均有加工费用及报废钢,故未列入计算)。

攀钢三期工程完成前,在不买新辊的情况下通过报废辊进行堆焊修复,轨梁厂每年生产的直接经济效益为:116.16×4－53×6＝146.64万元。

(5) 提高作业率,增加产量。由于堆焊辊的单周期工作时间比新辊增加了3d,平均提高产量1675.5t,则全年可减少换辊6次,增加了轧辊的作业时间近18d,每年增加轧制钢坯量可达12.6万t。

(6)可以充分使报废旧辊得以修复使用,社会效益巨大。

67. 冷轧辊失效的形式及其原因是什么?

郑州第二钢厂高精度薄带钢生产线于1999年4月正式投产。主要生产设备为:CJK650全液压四辊可逆式轧机1套,意大利MINO公司四辊可逆式轧机1套及配套的原料纵剪、酸洗机组、罩式退火炉机组及2条纵横剪机组。

生产线投产1年后,生产钢带10457t,共使用轧辊74支,其中自然报废8支,剥落掉块44支,失效较为严重。

冷轧工作辊一般使用合金钢锻钢辊,材质有80CrMoV、85CrMoV、9Cr2Mo、9Cr2W、9Cr2MoV、9Cr3Mo。目前较常用的是9Cr2Mo。

冷轧支撑辊所用材质有9Cr2、9Cr2Mo、9CrV、75CrMo、85CrMoV7等

常见轧辊失效形式有划伤、粘辊和剥落。

(1) 划伤:在轧制过程中,由于润滑冷却不良而造成上下工作辊辊径差大,或是由于张力设定不合理等都会使轧辊与轧件间发生相对滑移。一般划伤不会造成轧辊报废,修复后可继续使用。

(2) 粘辊:如果轧制过程中出现钢带漂移、堆钢、波浪折叠,且由于高压出现瞬间高温时,极易形成钢带与轧辊粘接,致使轧辊出现小面积损伤。通过修磨,轧辊表面裂纹消除后可以继续使用,但其使用寿命明显降低,并在以后的使用中易出现剥落现象。

(3) 剥落:轧制过程中,因轧辊大面积脱落而造成轧辊报废。目前深层淬硬层深度为8～12mm左右,而剥落深度一般达15mm,裂纹深至30mm,因此出现大面积剥落后无法再加工使用。

划伤和粘辊两种失效形式主要与现场操作、原料质量等因素有关,通过提高操作水平,改善供料情况即可大大减少事故发生几率,而轧辊剥落主要与轧辊质量、轧辊使用制度密切相关。

剥落有两种形式:轧制事故剥落和无明显外部原因剥落。

轧制过程中,工作辊处于复杂的应力状态,当这些应力叠加并超过轧辊的抗拉强度时,即会出现事故性剥落。一般发生断带或粘辊时,会出现轧辊局部剥落,正常轧制时也偶有发生。

无明显外部原因剥落产生的原因是:

(1) 轧辊内部质量不均匀,含有夹杂物或辊内晶粒错位。当长时间轧制窄带钢时,在轧辊与钢带边缘接触部位会产生较大的切应力,出现疲劳现象。此种情况下剥落的断口形状,围绕夹杂物或疲劳应力集中区出现机械损伤中称之为“海滩状”的疲劳纹,剥落深度基本达到淬硬层的深度。

产生轧辊内部晶粒错位变异的原因有三：其一由轧制事故引起。此种现象在支撑辊上出现较多，支撑辊硬度较低(HS65～75)，当出现工作辊粘带时，瞬时出现的高压会使支撑辊面上出现凹坑、边缘凸起，在交变应力的作用下，极易产生小面积剥落。其二由加工事故引起。轧辊磨削时由于大进给量或操作失误，会造成轧辊烧伤。虽经再次磨削后轧辊表面没有烧痕，但在磨削液冷却后，轧辊内部区域相当于二次淬火，从而引起晶体变异。其三由于轧制力过大，轧辊长时间在超过许用应力状态下工作，产生疲劳损伤。

(2) 上次未修磨尽的微裂纹在辊面下扩展，形成一个较窄的光亮带，上有许多疲劳纹并沿辊轴向发展，两侧是明显的瞬时断裂区。

(3) 表面裂纹一般是热冲击或加工硬化所致。如果轧辊使用时间过长或两次使用时间的修磨量过小，上一次修磨后未完全消除的裂纹在轧辊深部按疲劳方式扩展，发展到一定程度就会导致瞬时断裂。

68. 冷轧辊失效的预防措施有哪些？

(1) 选用适宜的冶炼方法。制造冷轧辊，应采用炉外精炼、电渣重熔技术，经锻造后可获得较细密的奥氏体晶粒，以提高轧辊的疲劳强度。由此得到的细而均匀的马氏体组织可使轧辊具有较高的抗剥落能力。

(2) 合理选择轧辊硬度。郑州第二钢厂原使用的冷轧辊，辊身硬度达 HSD94～97，使用一段时间后，轧辊全部因剥落而报废。一般工作辊推荐硬度为 HSD90～96。为此，在生产 0.15mm 以上冷轧带钢时，较合理的辊身硬度为 HSD90～94。

(3) 建立合理的使用和磨削制度。新辊使用前必须进行预热；轧制结束后应进行均匀冷却；轧辊使用一段时间后，必须将表面裂纹修磨掉，并消除内应力。郑州第二钢厂的轧辊使用制度为：工作辊上机 8h，支撑辊上机 1 个月后必须换辊。放置 8h 后再进行修磨，修磨量为：工作辊 0.05～0.08mm，支撑辊 0.2～0.3mm，并经磁粉探伤悬浮液进行检查，以彻底消除裂纹；上下工作辊的辊径差应不大于 0.05mm；如出现粘辊等事故，工作辊和支撑辊同时换辊并修磨；生产中工作辊循环量为 5 副，支撑辊循环量为 2 副。对于新加工的轧辊必须进行自然时效或人工时效后再投入使用。

(4) 合理选择轧制力和压下率。合金钢轧辊的抗拉强度一般为 700～750MPa，许用应力一般为 140～150MPa。在轧制带钢时，轧制力应得到有效控制，适当减少压下率，使轧制力适中，可防止轧辊与带钢边缘接触处应力集中造成疲劳损伤。

69. 轧辊失效后如何修复？

(1) 小面积剥落的修复。轧制过程中，粘辊事故时有发生，有时会造成支撑辊小面积剥落。在剥落块直径小于 50mm 时，为减少修复费用及修磨量，可进行手工修磨，局部处理，直至消除微小裂纹，并对损坏处边缘进行修磨、倒角，防止应力集中而出现新的剥落。如果使用一段时间后，该处不再出现新的裂纹和剥落，轧辊可以继续使用。

(2) 大面积剥落的修复。当轧辊出现大面积剥落时，为了减少损失，采取补救的方式。首先把车削后的轧辊辊径部分刷上保护层，然后装炉预热并控制在规定的温度，保温均热后用轧辊堆焊机床进行自动埋弧焊接。在焊接过程中继续保温。使用特殊合金钢焊丝焊后进行去应力退火，随炉自然冷却至 100℃ 时出炉，并进行超声波检查。轧辊焊前硬度为

HRC52.6,焊后硬度为 HRC49.8。重新修磨后进行上机试用。由于焊丝与轧辊材质不同,焊接时辊温低,因此在辊面补焊处与未焊接部分结合处出现高硬度环,车削时出现让刀,轧制时在轧件上出现亮痕(重新修磨后亮痕消失)。为此,再次进行补焊,采用先去掉轧辊剥落部分,同时车去其周围未加工部分,最终补焊至原尺寸,使整个辊面硬度均匀一致,可彻底消除亮痕。目前修补后的轧辊仍在使用,此次冷轧辊的补焊成功,节约资金 20 余万元,为轧辊循环使用开辟了新途径。

70. 什么是用喷镀法改善轧辊表面质量的技术?

在钢铁企业设备中,使用着具有各种性能要求的辊子,这些辊子与钢板直接接触,因此对钢板的表面质量影响很大,特别是在冷轧的表面处理和不锈钢生产设备中的轧辊。为了提高辊子的可靠性,以适应钢板品质的高要求和生产工艺的多变性,引发了辊子表面改质技术的开发,其中多数是喷镀技术,如今已广泛应用于各种钢铁材料。

所谓喷镀法就是将处于半熔融状态下的粉末或线材进行高速喷射附着于辊子表面形成薄膜,从而达到表面改质的一种办法。与 VCD(化学气体沉积法)法,PVD(物理气相沉积法)法表面改质方法相比,其薄膜形成速度明显加快,几乎不受被喷物体材质的影响,且具有使用多种材料喷镀的特征。此外,由于喷镀中,基材温度可控制在 150℃以下,因此不会发生诸如硬化堆焊时的热变形,具有再生补修费用比较省的优点。但是由于薄膜与基材呈机械粘合,担心撞击时易发生剥离现象,为此,开发了与此相适应的封孔技术、复合技术及热处理(熔化)技术。本文概述采用已开发的喷镀法对各种轧辊表面进行的改质技术,同时阐明在轧制高强度钢板时,于退火生产线的炉底表面形成的突起物(堆积物)的形成原因及其减少、防止产生的技术。

71. 如何改善张紧辊、导电辊、张力辊及导辊的表面质量?

(1) 张紧辊。具有张力控制功能的张紧辊,由于长期运行会发生打滑现象,为此张紧辊必须具有良好的耐磨性能。以前对轧辊表面采用镀铬的办法,但经不起磨损,而且寿命缩短。为此,选定即使在金属陶瓷中也能获得硬度很高的 WC 系金属陶瓷进行喷镀。但是,由于喷镀表面出现了与喷铬表面不一的针状连体,因此在钢板表面也发生了压痕。为了使粗糙的突起部分变成与喷铬相同的圆形形状,开发了用补粉研磨方法使其具有同等摩擦因数的粗糙度调整技术,即用 JISB0601 规定的负荷长度率表示。若从粗糙针状部分中取最大高度的 1/2 的负荷长度率与喷铬同等值的话,则可得同样的表面粗糙度,以此确立补粉研磨调整技术。图1-34表示了表面粗糙度 R_a 为 6~7μm 情况下的负荷增长率与摩擦因数的调查结果,这种情况下,进行二次补粉研磨,可获取与喷铬同等的摩擦系数,能获得同样的粗糙形状,这一点是很清楚的。据此不仅防止了钢板的压

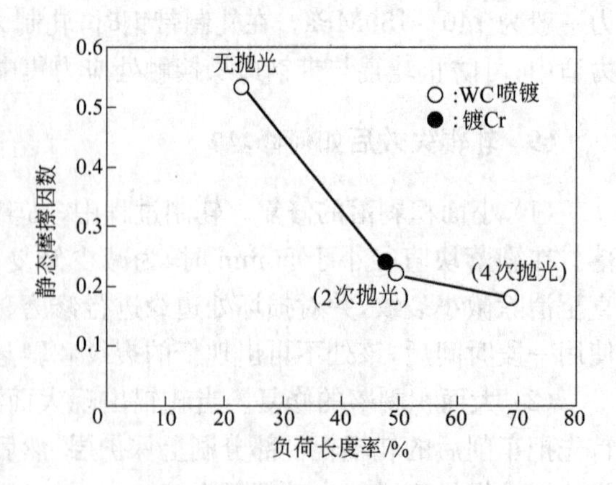

图 1-34 张紧辊静态摩擦因数和负荷长度率之间的关系

痕发生，还可获得比原来喷铬方法 5 倍以上的寿命。

在腐蚀条件下，若使用喷镀 WC-Co 金属陶瓷形成的薄膜时，因为 WC 粘了 Co，而粘接剂容易被腐蚀，为此采用添加 Cr 的 WC-Co-Cr 或 Ni 的 WC-Cr_3C_2-Ni 的金属陶瓷喷镀薄膜，依据腐蚀性选用适当的材料。特别是在潮湿环境下施工时，同封孔技术合并使用，寿命可达原高碳钢硬化堆焊辊 3 倍以上。另外由于喷镀技术的进步，薄膜也得到了改良。由于高速火焰喷射装置的使用，使粉末喷射速度超高速化，喷射量均匀化及薄膜形成速度的加快，喷枪横向发射精度提高。结果随着薄膜致密度的提高，其粘结力也提高，可使喷镀时的波动尽量减少。同时对喷射粉末结晶构造的分析，得知用 WC 金属陶瓷熔化粉碎粉相比较，结球烧结粉可获得少量 WC_2 薄膜。有关这方面的改良技术，既可定量评价钢板与适用性，又能实现钢板的高品质化、高生产率和辊子的长寿化。

(2) 导电辊。镀锡区域电极上具有通电功能的导电辊，对盐酸、氢氟酸等混合后的强酸性溶液要求有耐腐蚀性。为此，以前是采用喷镀铬，然而耐腐蚀寿命短。为了既兼顾导电性，又要有耐腐蚀性耐磨性，决定采用 JIS-H8303 优质 $SFWC_2$ 系自溶性合金。通过图 1-35的浸渍试验，获得了腐蚀量减少到仅为喷铬时的约 1/10 以下结果。但是由于 WC 析出脱落而产生了脱落痕迹，因而预测到会产生钢板压痕的情况。针对这个问题，开发了用气体等离子法喷镀，使金属陶瓷成扁平状喷层以防止 WC 的脱落，从而达到减少脱落痕迹的理想喷镀层薄膜。试验结果未出现压痕，使寿命比喷铬延长 5 倍以上。

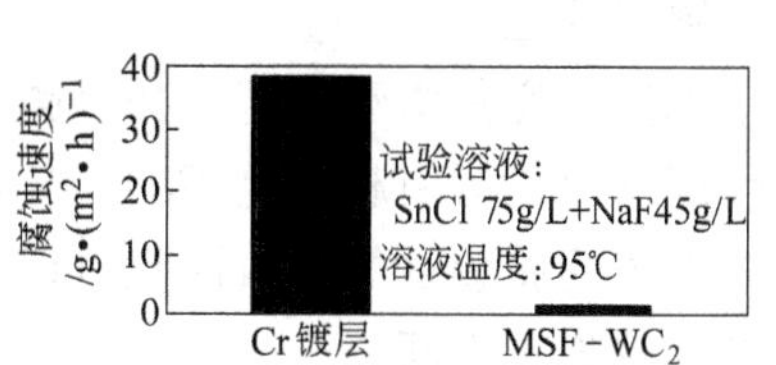

图 1-35　采用 MSF-WC_2 与采用喷镀铬的导电辊腐蚀速率比较

(3) 导辊和张力辊。在要求有耐磨损性、耐腐蚀性的导辊、张力辊方面开发了耐腐蚀性优良的 Ni 基自溶性合金及可大幅度提高耐磨性的薄膜改良技术，即开发了将难以从合金基体中脱落的金属碳化物（有延展性的金属碳化物）添加到 Ni 基自溶性合金中，添加量为 50%，并使其致密化的技术。其结果，寿命比原来的 SUJ 辊提高 3 倍以上。

72. 采用轧辊表面涡流检验技术有何意义？

轧辊表面缺陷对带钢生产和轧辊寿命可产生有害的、有时是严重的影响。正确采用涡流检验技术，由于可优化轧辊修整操作而最大限度地利用轧辊以及改善了轧辊质量和可靠性；因此可以使热轧和冷轧厂节省大量费用。

轧辊维修厂仅采用肉眼检验，不能使轧辊寿命达到最佳值。仅用肉眼检验不能保证有害的轧辊表面缺陷不进入轧机。

增设了涡流检验以后，100%的轧辊表面得到扫描，因此可以检测出表面缺陷的位置和大小，例如剥落、压折/碰伤（软点）、裂纹和磁点。轧辊车间可适当地运用缺陷检验和轧辊修整技术，使轧辊寿命提高 33%，同时使轧辊修整时间缩短，使轧辊质量提高。

73. 涡流检验的原理是什么？

为简化费用评估过程，沃辛顿公司的涡流检测系统仅以一个指标即轧辊的使用寿命作为评估的依据。这一指标的回报为 1.2 年。除提高轧辊的使用寿命以外，已证明该系统在人力、库存和其他经济利益方面都有效益。

涡流装置安装以前,轧辊表面质量检验是采用肉眼进行的。为尽量减少冷轧机工作辊重磨次数,磨辊操作是将辊体去除0.508～0.762mm。由于喷丸时发现缺陷,使重磨次数增加,因此辊体的去除量增加到每支辊一次去除0.762～1.016mm。

为减少辊体去除量和提高轧辊寿命,将涡流装置的研究重点放在原有轧辊辊体去除上。同轧辊车间人员、工厂的技术人员和涡流检验制造厂一道努力,使得安装涡流检验装置以前轧辊辊体去除量又回到0.508～0.762mm。

当交流电流加到通线圈探头中时,在轧辊中形成一个交替磁场,因此在轧辊表面便形成一个涡流场,从而可进行涡流检验。在轧辊表面感应出来的这个涡流场,还能感应出第二个涡流场。一次和二次涡流场方向相反,并且二者产生电流变化的强度有一个合成差,从而为监控提供了一个信号。通过被检验的轧辊表面条件所引起的涡流场的变化便可测量和确定所有缺陷的位置。

涡流相变是由于涡流场必经路径长度增大引起的。因此可检测剥落、划伤和裂纹。材料硬度的变化可引起导电率的变化,因此可以通过监测导电率变化而检测出压后折/碰伤。这样涡流检验装置的有效性就可以根据其是否能检测、识别、警告和提供轧辊中存在的这些类型的缺陷来判断。

涡流检测法用来检测轧制操作中产生的缺陷(或者叫做服役缺陷)是非常有效的。一个可见缺陷是很明显的,而多数缺陷是不引人注意的,甚至是难以发现的。

涡流检验主要是用来检测表面缺陷,因为涡流场的穿透深度仅有25.4mm的千分之几。穿透深度随频率的增加、电导率的增加以及透磁性的增加而减少。

74. 涡流检测装置由哪几部分组成?

沃辛顿公司与涡流检测装置的制造厂交换意见之后,认为再减小轧件去除量是可能的,因此目标每支辊去除量为0.254～0.508mm。

安装在沃辛顿公司的涡流检测装置由以下几个部分构成:

(1) 密封的多探头传感器头。传感器头包含有涡流线圈,用来识别传感器头与轧辊表面之间缝隙,是否适当的控制装置用的缝隙传感器以及两个用来测量干扰磁场的霍尔效应发生器。

(2) 自动运输系统。自动运输系统或ATS(传感器头定位系统)是一个这样的系统,即在进行检验时确定传感器头的位置和在不需检验时撤出传感器头。

(3) 电子控制装置。该装置用来产生涡流、接受监控信号和识别缺陷。用它来监控可能干扰涡流测量的磁场。该装置向磨辊操作工提供有效的"是、否"信号。

(4) 数据获取系统。数据获取软件安装在一个个人计算机系统上。轧辊管理软件可在检验期间,以易理解的格式,提供和储存所需要的数据。操作人员和用户人员可以确定轧辊研磨前、轧辊研磨期间和研磨之后的条件(注:该软件与轧辊测量和仿形软件共用PC机)。

(5) 打印机。储存和显示在荧光屏上的信息可以打印出来,供评估和记录用。

第二章　轧辊轴承的寿命

75. 轧辊轴承的类型及工作特点是什么？

轧辊轴承的主要类型是滚动轴承与滑动轴承。

轧辊上使用的滚动轴承主要是双列球面滚子轴承、四列圆锥滚子轴承及多列圆柱滚子轴承。滚子轴承仅在个别情况下用于工作辊。滚动轴承的刚性大，摩擦系数较小，但抗冲击性能差，外形尺寸较大。它们多用在各种板带轧机和钢坯连轧机上。

滑动轴承有半干摩擦与液体摩擦两种。半干摩擦滑动轴承主要是开式酚醛类布树脂轴承(夹布胶木轴承)，它广泛用于各种型钢轧机、钢坯轧机及初轧机。在现有的小型轧机上还使用铜瓦或尼龙轴承。

液体摩擦轴承有动压、静压和静-动压三种形式。它们的特点是摩擦系数小、工作速度高、刚性较好，使用这种轴承的轧机能轧出高精度的轧件。这种轴承广泛用在现代轧机的冷、热带钢连轧机支撑辊及其他高速轧机。

液体摩擦轴承的允许速度只受散热条件的限制，在适当冷却条件下，当速度提高时，承载能力不是降低，而是提高。

目前，液体摩擦轴承已经在连轧机上成功地工作着，并且从实践中已证明，可以用在可逆式轧机上。一般来说，对于经常启动和可逆的轧机，由于液体摩擦轴承负荷启动时摩擦力矩大，因此是不希望采用的。但在制造精确及启动很迅速的情况下，轴承很快进入液体摩擦区域，故有采用的可能。

动压轴承的制造是精度要求高、成本高、安装、维护要求严格，与一般用途的轴承相比，轧辊轴承有以下特点：

(1) 工作负荷大。由于轧辊的轴身直径应保证强度，而轴承座外形尺寸不应大于辊身最小直径，辊颈长度又较短，所以辊颈上能承受的单位载荷大。通常轧辊轴承所承受的单位压力，比一般用途的轴承高 2～4 倍，甚至更高，而 pv 值(轴承单位压力和线速度的乘积)是普通轴承的 3～20 倍。

(2) 运转速度差别大。不同轧机的运转速度差别很大，例如，现代化的六机架冷连轧机出口速度已达 42m/s。45°线材轧机出口速度达 120m/s。而有的低速轧机速度只有 0.2m/s，甚至更低。显然，对速度不同的轧机，应使用不同形式的轴承。

(3) 工作环境恶劣。各种轧机在轧制时，轧辊都要用水冷却，且有氧化铁皮飞溅；冷轧机在轧制时要采用工艺润滑剂来润滑，冷却轧辊与轧件，在多数情况下，它们是不能与轴承润滑剂相混的。因此，对轴承的密封提出了较高的要求。

76. 液体摩擦轴承的工作原理是什么？

液体摩擦轴承又称油膜轴承，1934 年始用于轧钢机。在运转中轴颈和轴衬之间被一层油膜完全隔离开来，形成所谓液体摩擦状态。由于精细的加工，良好的结构，液体摩擦轴承能在高达 25MPa 的压力下处于液体摩擦状态，摩擦系数仅为 0.001～0.008。

按其油膜形成的条件，液体摩擦轴承可分为动压油膜轴承、静压油膜轴承和静-动压油膜轴承。

77. 动压油膜轴承的工作原理是什么？

液体动压轴承润滑油膜的形成可分成三个阶段。当轴开始转动时，轴颈与轴承直接接触，相应的摩擦属半干摩擦，轴在摩擦力的作用下偏移（图 2-1*a*、*b*）。如果轴承附有静压启动装置，使轴承在启动时在高压油的作用下抬起，则可避免这种现象。当轴的转速增大，吸入轴颈轴承间的油量也增加，具有一定精度的油被轴颈带入油楔，油膜的压力逐渐形成。转动中，动压力与轴承径向载荷相平衡（图 2-1*c*），轴颈中心向下，向左偏移并达到一个稳定的位置，这时轴承和轴之间建立了一层很薄的楔形油膜。当轴的转速继续增大，轴颈中心向轴承中心方向移动。理论上，当轴转速达到无穷大时，轴颈中心与轴承中心重合（图 2-1*d*）。

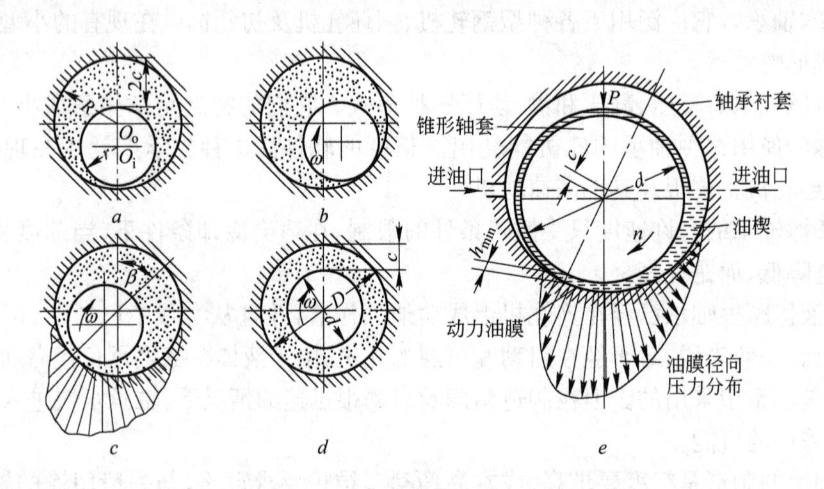

图 2-1 动压轴承工作原理

轧辊用动压轴承的油膜是在带锥形内孔的轴套（锥度 1∶5 的锥形内孔用键与轧辊辊颈相连接）与轴承外套（固定在轴承座内）工作面之间形成的（图 2-1*e*）。

动压轴承油膜的形成与轴承表面的线速度、油的黏度、径向载荷等外界条件有密切关系，可用雷诺方程表示：

$$\frac{\mathrm{d}p}{\mathrm{d}x}=60\eta u\,\frac{h-h_{\min}}{h^{3}}$$

式中 p—— 轴承摩擦区内各点的油压，MPa；

x—— 沿轴承圆周方向的坐标，m；

η—— 油的绝对黏度，Pa·s；

u—— 轴套表面线速度，m/s；

h—— 摩擦面各点的油膜厚度，m；

$h_{\min}$—— 摩擦面中最小的油膜厚度，m。

78. 动压轴承保持液体摩擦的条件是什么?

(1) $h-h_{min}\neq$常数,即轴套与轴承衬套间各点的间隙必须是不相等的,以便使润滑油进入楔缝的狭窄部分。

(2) 轴套应有足够的旋转速度,线速度愈高,轴承的承载能力愈大。

(3) 要连续供给足够、黏度适当的纯净润滑油,油的黏度愈高,轴承的承载能力愈大。

(4) 轴承间隙不能过大,间隙愈大即 h 愈大,则$\frac{h-h_{min}}{h^3}$值愈小,建立油压困难。此外,轴承载荷愈大,相应的油膜厚度愈小。

(5) 轴套外表面和轴承衬的内表面应有很高的加工精度和光亮度,以保证表面不平度不超过油膜厚度。为此,动压轴承的尺寸精度为 1 级,表面粗糙度为 0.1~0.25μm。

79. 动压轴承的分类及结构特点是什么?

动压轴承的结构按其轴向力的止推方式可分为两种:一种是轴承的轴向力由本身的止推法兰承受,这种结构的锥套加工复杂,且当轴向力较大时,止推法兰易折断。目前,这种结构形式已被淘汰。另一种结构是轴向力由单独的止推轴承承受。它的典型代表是美国 Morgoil 动压轴承。目前,这种结构的轴承被世界各国广泛采用。图 2-2 是热连轧精轧机支撑辊的轴承结构简图。在轧辊的左端装有双列推力向心滚子轴承,它可以承受两个方向的轴向力。这种轴承装拆方便,易于交换。

为了防止灰尘、水、氧化铁皮进入轴承,在轧辊辊身端部采用了迷宫式密封(图 2-2,放大部分),它同时可以防止轴承内的润滑油流出。密封环是铝制的,通过橡胶缓冲垫,固定在轴身上;密封圈 6 由塑性制成,它被密封环 4 和锥套 5 夹紧,密封圈 6 内部有两个紧固弹簧,可防止轧辊高速旋转时产生的离心力使密封圈松开。轴承外面的水被 4 和 6 挡住,轴承内的油由 6 挡住并导入油槽,经轴承回油孔回流。轴承衬套内表面浇铸一层巴氏合金,其硬度

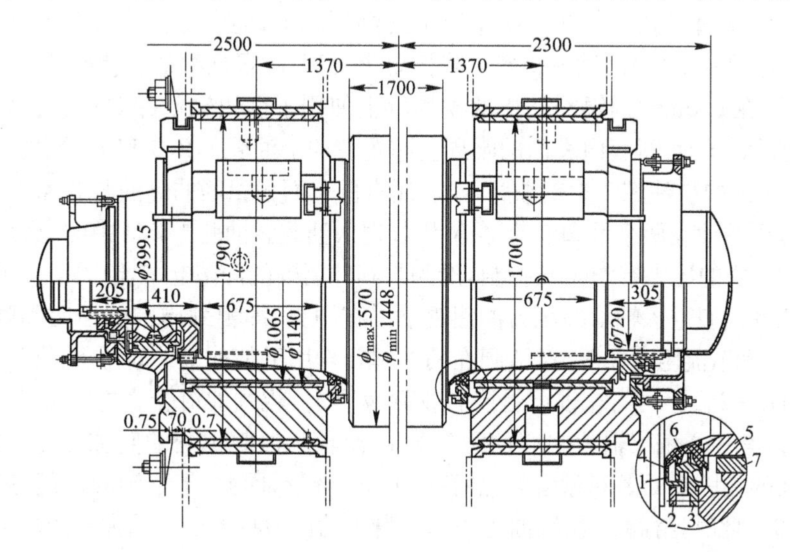

图 2-2 1700mm 热连轧精轧机支撑辊轴承结构示意图

1—缓冲垫;2—挡环;3—密封端板;4—内密封环;5—锥套;6—密封圈;7—衬套

不小于HB170。在圆锥滚子轴承外围和端面装有预紧缓冲弹簧组件,从而有效地吸收冲击载荷。

我国某重机厂设计的动压轴承,在直径大于400mm时采用推力向心轴面滚子轴承承受轴向力;当直径等于或小于400mm时,采用推力球轴承承受轴向力。

动压轴承一般均采用锥形套和锥形辊颈配合。这样虽然加工较困难,但给换辊时拆装轴承带来很大方便,同时还提高了辊颈强度。

80. 静压轴承出现的原因是什么?

由于动压轴承的液体摩擦条件只在轧辊具有一定转速情况下才能形成,因此,当轧辊经常启动、制动和反转时不易保持液体摩擦状态。而且,动压轴承在启动之前,不允许承受很大载荷,这就使动压轴承的使用受到限制。一般它只在转速变化不大的不可逆轧机上才具有良好的效果。在轧制薄带钢的轧辊上,由于轧辊有很大的预压力,造成有载启动,将使动压轴承寿命大为降低,甚至可能由于轴承中的巨大摩擦力矩而引起主电机跳闸,或使工作辊和支撑辊之间打滑(工作辊驱动时),造成轧辊破坏或其他生产事故。此外,如前所述,动压轴承的油膜厚度将随轧制速度的改变而变化,而中心距的相应变化则是油膜厚度变化的两倍,因而对轧制精度有很大影响。

基于上述原因,新型液体摩擦轴承的研究已引起广泛注意。1962年出现了静压液体摩擦轴承。

81. 静压轴承的工作原理是什么?

静压轴承的高压油膜是靠一个专门的液压系统供给高压油产生的,即靠油的静压力使轴颈悬浮在轴承中。因此,这种高压油膜的形成与轴颈的运动状态无关,无论是启动、制动、反转甚至静止状态,都能保持液体摩擦条件,这是它区别于一般动压轴承的主要特点。

静压轴承有较高的承载能力,寿命比动压轴承更大(主要取决于供油系统的寿命),应用范围广,可设计成直径几十至几千毫米以上的静压轴承,能满足任何载荷条件和速度的要求,而且轴承刚度高。此外,轴衬材料可降低要求,只要此辊颈材料软就行了。

我国某厂在600mm四辊冷轧机的支撑辊上使用了静压轴承并取得了良好效果,其原理如图2-3所示。轴承衬套内表面的圆周上布置着四个油腔1、2、3和4,受载方向的大油腔1为主油腔,对面的小油腔3为副油腔,左右还有两个面积相等的侧油腔2和4。用油泵(图中未示出)将压力油经两个滑阀节流器A和B送入油腔。油腔1和3中的压力由滑阀A控制,油腔2和4中的压力有滑阀B控制,滑阀与阀体周围的间隙起节流作用。当轧辊未受径向载荷时,从各油腔进入轴承的压力油使辊颈浮在中央,即辊颈周围的径向间隙相等,各油腔的液力阻力和节流阻力相等,两滑阀在两端弹簧作用下都处于中间位置,即滑阀两边的节流长度相等($l_c=l'_c$)。而当轧辊承受径向载荷为P时,辊颈即沿受力方向发生位移(图2-3中所示状态),其中心偏离轴承中心的距离为e,使轴承油腔1处的间隙减小,油腔压力P_1升高,而对面的油腔3处的间隙增大,油腔压力P_3降低,因此,上下油腔之间形成压力差为$\Delta P=P_1-P_3$。此时,滑阀A左端油腔作用于滑阀的压力将大于右端弹簧的压力,这就迫使滑阀向右移动一个距离x,于是右边的节流长度增大到l'_c+x,节流阻力增加;而左边的节流长度则减小到$l_c—x$,其节流阻力减小。因而,流入油腔1油量增加,流入油腔3的油量减小，结果使压力差进一步增大，直到与外载平衡，从而使轧辊中心的位置有些减小，达到一个新的平衡位置。如果轴承与滑阀的有关参数选择得当，完全有可能使轧辊恢复到受载荷前的位置，即轴承具有很大的刚度，直到∞。这个特点是采用反馈滑阀节流器的结果。反馈滑阀是依靠载荷方向两油腔的压力变化来驱动的，通过调节节流阻力，形成较小载平衡的压力差，因此，受载后的辊颈可以稳定地保持很小的位移，这一特性对提高轧制精度十分有利。

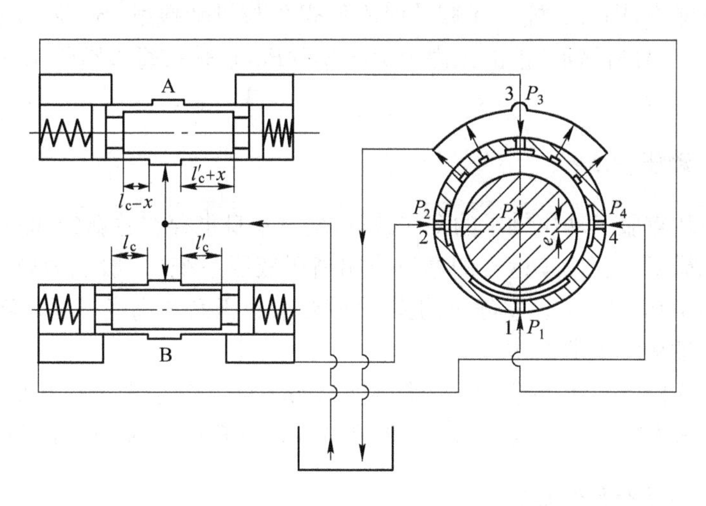

图 2-3　600mm 四辊冷轧机支撑辊用的静压轴承原理图

1—主油腔；2、4—侧油腔；3—副油腔

82. 600mm 冷轧机支撑辊静压轴承的结构如何？

600mm 冷轧机支撑辊静压轴承结构如图 2-4 所示。在受径向载荷的衬套内表面上，沿轴向布置着双列油腔（有利于轴承的自位性）。衬套外侧装有一个固定块和两个推块，专门承受轴向载荷（每个支撑辊只在换辊端装设有止推轴承），衬套和上推块用螺母轴向固定，为了使轴承能够自动调位，下支撑辊轴承座下部设有自位垫板，上支撑辊轴承座与压下螺丝之间装设有球面垫。

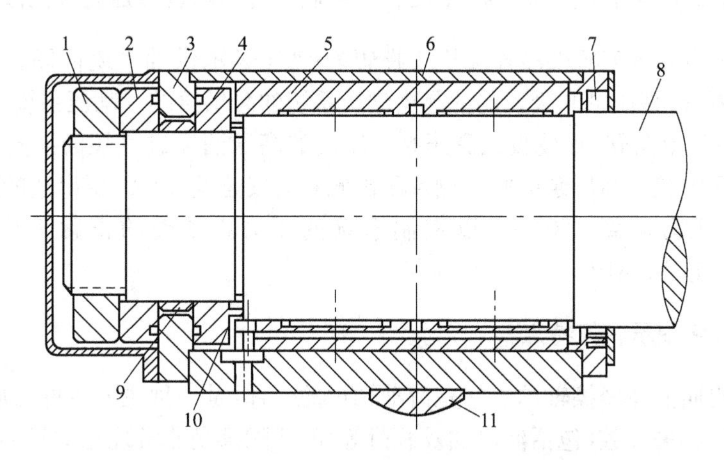

图 2-4　600mm 冷轧机支撑辊用的轴承结构图

1—螺母；2、4—止推块；3—固定块；5—衬套；6—轴承座；7—密封圈；8—轧辊；9—调整垫；10—自位板；11—垫块

83. 轴承承载能力如何计算?

轴承的承载能力按下式计算:

$$P = P_1S_1 - P_3S_3$$

式中 S_1 及 S_3 分别为油腔1(图2-4)和油腔3(图2-4)沿载荷 P 方向的投影面积。为保证轴承有较大的承载能力,同时又能在无载荷时不使辊颈与衬套接触,S_1 及 S_3 有适当的比例。该静压轴承使用50号机械油,油的压力为10~21MPa,这是按每边承受1.50MN压力设计的。

84. 何谓静-动压轴承?

静压轴承虽然克服了动压轴承的某些缺点,但它本身也存在着新的问题,主要是重载轧钢机的静压轴承需要一套连续运转的高压或超高压液压系统(一般压力要大于40MPa,有的短期压力达到140MPa)来建立静压油膜,这就要求静压系统高度可靠。液压系统的任何故障都可能破坏轴承的正常工作。

采用静-动压轴承,就可以把动压和静压轴承的优点结合起来。在轧机上使用静-动压轴承,是近20年来发展的一项新技术。新制造的现代化轧机有的已采用了这种轴承。

85. 静-动压轴承有何特点?

静-动压轴承的特点是:仅在低于极限速度(1.6m/s)、启动、制动的情况下,静压系统投入工作;而在高速、稳定运转时,轴承呈动压工作状态。这样,高压系统不需要连续地满负荷工作,而只是在很短时间内起作用,这就大大减轻了高压系统的负担并提高了轴承工作的可靠性。动压和静压制度是根据轧机转速自动切换的。

静-动轴承设计中应注意的一个问题是:既要满足静压承载能力所需的油腔尺寸,又要保证动压承载能力要求的支撑面积(过大的静压油腔面积会影响动压承载能力)。为解决这一矛盾,往往采用较小的油腔,因而,不得不采用压力高达70~140MPa的静压系统。

86. 1700mm冷连轧机支撑辊静-动压轴承供油系统由哪些液压元件组成?

图2-5是1700mm五机架冷连轧机支撑辊静-动压轴承供油系统简图。五架轧机每架有单独的静压系统:高压泵9吸入的油是由动压系统的泵供给的。动压系统0.25MPa的压力油经截止阀11、单向阀10被吸入高压泵。压出的高压油经过气控转换阀及单向阀6输入到轴承的静压油腔。高压泵的吸入侧及压出侧装有安全阀12、8,压出侧的高压管路上设高压安全阀8,压力调到150MPa以控制系统的压力。系统的正常工作压力为70~100MPa,短时可达140MPa。

87. 轧机油膜轴承有何特点?

油膜轴承也叫液体摩擦轴承。它是滑动轴承的一种,是一种主要零件的加工精度、表面粗糙度以及各种相关参数(包括润滑油及载荷等)的匹配都是非常理想的滑动轴承,因此,在工作时其轴与轴承的工作区域形成一个完整的压力油膜,使金属脱离接触,造成纯液体摩擦,轧机油膜轴承,有的叫轧辊轴承(轧辊支撑)、辊颈支撑。它的主要特点如下:

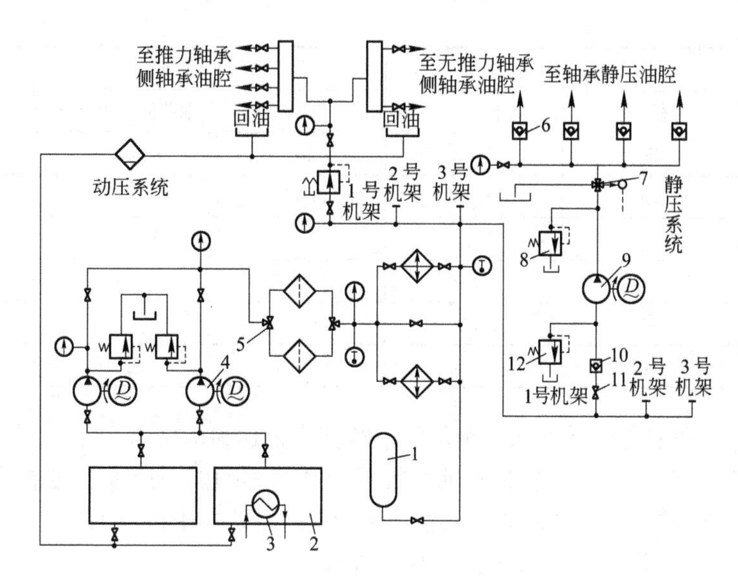

图 2-5　1700mm冷连轧机支撑辊静-动压轴承供油系统

1—蓄能器；2—油箱；3—加热器；4—低压泵；5—换向阀；6、10—单向阀 7—气控换向阀；8—高压安全阀；9—高压泵；11—截止阀；12—低压安全阀

(1) 承载能力大；
(2) 使用寿命长；
(3) 速度范围广；
(4) 结构尺寸小；
(5) 摩擦系数低；
(6) 抗冲击能力强；
(7) 抗污染能力强；
(8) 润滑系数复杂，一次投资大。

88. 油膜轴承为什么承载能力大？

承载能力的大小，是与滚动轴承相比较而言的。相比的条件是轴承的外径尺寸相同，或者说，与轴承相配合的轴承座内孔直径尺寸相同。具体地说，是指油膜轴承衬套外径与滚动轴承的外径尺寸相同。为便于说明，引用前苏联的一个资料(见表 2-1)。

表 2-1　油膜轴承与滚动轴承承载能力比较表

轧辊直径/mm	油膜轴承		滚柱轴承		$\frac{P_1}{P_2}$
	直径/mm	承载能力 P_1/MN	型　号	承载能力 P_2/MN	
270～290	180	0.51	2077128	0.17	3
270～290	180	0.51	2097726	0.11	4.64
270～290	180	0.51	3524	0.07	7.3
350～370	250	1.03	2077136	0.30	3.44

续表 2-1

轧辊直径/mm	油膜轴承		滚柱轴承		$\frac{P_1}{P_2}$
	直径/mm	承载能力 P_1/MN	型　号	承载能力 P_2/MN	
350～370	250	1.03	2097736	0.25	4.12
350～370	250	1.03	2097734	0.20	5.15
480～530	350	1.91	77752	0.42	4.55
1300	900	11.60	777/650	4.60	2.52
1400	1000	11.00	777/750		
1400	1000	11.00	777/660	4.10	2.68

从这个表里，我们可以看到油膜轴承的承载能力远比滚动轴承大。

承载能力大的另一个含义是：带有油膜轴承的轧辊辊颈的强度要比带有滚动轴承的辊颈强度高37%～50%。其原因是带有油膜轴承的辊颈是圆锥形的，而带有滚动轴承的辊颈是圆柱形的。显然，辊颈根部的强弱是大不相同的。

89. 为什么说油膜轴承使用寿命长？

从原理上说，油膜轴承是液体摩擦，它是不会发生磨损的。实际上，即使是正确地使用和妥善地维修，也是要发生磨损的，只是很轻微而已。理论寿命为15～20年，实际寿命要比理论的短些，但国内一架轧机上的ϕ600mm油膜轴承，衬套的一个工作面用了六七年还未损坏。滚动轴承在轧机上的使用寿命，与油膜轴承比起来，就短得多了。国内有一套轧机，原来使用的滚动轴承经常损坏，几个月就坏了的并非少见，而几个班就坏了的也并非绝无仅有。该套轧机仅滚动轴承损坏，每年耗资以千万元计，所以厂家决心投巨资，将滚动轴承改造成油膜轴承。

90. 为什么说油膜轴承的速度范围宽？

我们要着重讨论的是大型轧机的油膜轴承，但在中、小型及线材轧机上也成功地应用着相同结构的油膜轴承。线材轧机的轧制速度，以前是四五十米（每秒钟的轧制速度），现在已经设计出120m/s的高速线材轧机，这在轧机上，算是最高速度了。对于板、带材连轧机，当今的速度范围是20～40m/s。而对于单机架的可逆轧机，正向轧制之后，轧辊要停转，接着要反向启动，速度是由正变到零，再由零变到负。而有的操作，又常出现"带钢压下"，是指在轧件尾部还没有抛出时即停转，并在零转速下（即加载），之后再反向启动。也有的轧机，由于辊身粗，轧件短（发生在可逆轧机的最初几个道次），致使轧辊在尚未转到一转时即停下来，再反向轧制，轧制速度之低是可以想像的。

基于以上所述，可见轧机油膜轴承可以在很低的速度下工作，也可以在很高的速度下工作，还可以由正到零、由零到负的可逆（正、反转）状况下工作，所以说，它的速度范围是很宽的。

91. 为什么说油膜轴承的结构尺寸小？

结构尺寸小，是指在相同承载能力下，油膜轴承轮廓尺寸要比滚动轴承小，这一优点，一直未被重视，但这却是一个很大的优点。一般地说，当辊身直径相同时，轧机牌坊的窗口尺寸也相同，但油膜轴承的尺寸小，轴承座上的余地大，这样，就可以在轴承座的空余地方设置轧辊平衡缸、弯辊装置、牌坊预应力装置等，这对于应用电子计算机对板形、板厚进行自动控制的现代大型板、带材连轧机十分重要。

92. 油膜轴承摩擦系数低有何意义？

油膜轴承的摩擦系数，大致与滚动轴承的相仿，一般在0.002～0.005(0.008)之间。摩擦系数低，意味着摩擦损耗低，就是能源消耗低。一台不算很大的轧机，它的轧制力为20～30MN，主电机功率为7.35MW(10000马力)。从这个数据，我们会发现，摩擦系数的增高与降低，将关系到很多能量的浪费与节省，这对整个世界能源紧张的现状来说，意义是很重大的。

93. 为什么说油膜轴承抗冲击能力强？

轴承的负载主要是轧制力。轧制力就是轧件的变形抗力乘以接触面积的水平投影。一般地说，轧件是在被咬入时进行轧制的，即载荷是突然建立起来的，所以说冲击载荷是轴承的受载特点。前面说，滚动轴承寿命短，实际上是它承受不了冲击载荷。为什么油膜轴承的抗冲击能力比滚动轴承的强？主要是在轴与轴承之间的一层油膜垫起到了缓冲的作用。当轴受到冲击时，将被迫向轴承靠近，这就势必要排挤掉轴与轴承之间的油；可是，这时轴与轴承之间的间隙已经很小了(比如十几个微米到几十个微米)，油又黏，要想迅速将油挤走，必须要花费非常大的力。此力可以平衡突加的载荷，使轴承免于受损。

所谓轴与轴承间膜垫的缓冲效应，即是油膜轴承中所产生的挤压效应。挤压效应以损失油膜轴承厚度为代价，抵抗外加的冲击载荷。

94. 为什么说油膜轴承抗污染能力强？

就当前的实际情况看，钢铁厂的环境仍然不如机械加工厂。而轧机特别是热轧机，其环境条件就更差了。除了有大量的烟雾、粉尘之外，还有喷溅起来的大量的冷却水和氧化铁皮。一般的轴承在这样的环境下工作是很容易受到污染的，而轴承一旦具有良好的固定密封和回转密封，使它能长期在尘埃、水、氧化铁皮等存在的极差的环境下正常工作，说明了它的抗环境污染的能力是很强的。

95. 为什么说油膜轴承一次投资大？

油膜轴承的润滑系统，要比滚动轴承的润滑系统庞大、复杂很多。油膜轴承的膜厚是以10μm级计的，所以要求过滤精度高；油膜轴承是以循环油润滑、冷却的，所以要求润滑油流量很大；油膜轴承随转速的变化，润滑油量也将发生变化，所以要求系统有高度灵敏的自调节能力；此外，还要求有过滤器的压差报警，油压、油温、油面的控制与报警，以及油的检测与分离等，所以润滑系统是庞大而复杂的。以摩戈伊尔(MORGOLL)轴承为例，对于五机架冷连轧机，就设置了53m^{3}的大油箱4个(两个工作，两个净化、备用)，其他设施就可想而知了。

96. 可逆轧机采用动压油膜轴承应注意什么问题？

纯动压油膜轴承在可逆轧机上，还应注意以下两个方面：

(1) 在轧机处于换向停转时，轴承本身已经在停转前的运转中建立起压力油膜，即最小油膜厚度 $h_{min} \geqslant 0$。一般情况下，停转时，轴承的载荷即为轧辊的自重，轧辊自重与轧制力比起来是很小的，因而油膜还能继续维持。就是带钢压下，油膜也不会马上破裂。图 2-6 是在一架 850mm 板轧机上测得的数据。$P_{(1)}$ 曲线是正常轧制时的加载情况，就是轧机运转中咬入轧件轧制力在 0.8s 即达到稳态值，可以近似地理解为是阶跃载荷，轧件咬入时，油膜厚度为 70μm，经 0.24s 之后，油膜厚度趋于稳定，降到 33μm；$P_{(2)}$ 曲线是带钢压下的轧制力曲线，载荷是靠压下螺杆推动轧辊去压迫轧件来实现的。带钢压下的轧制力大约经过0.52s达到稳定值。可见，它的加载时间是正常轧制的 6.5 倍。油膜厚度大约也经历相同的时间而达到稳定，它是正常轧制时的 2.0 倍。油膜厚度由原来的 50μm 减小到 25μm。当然，这两种情况是不同的，包括轧制力相同，初始膜厚不同(即轴的偏心率不同、油膜刚度不同)及轧辊转速不同(动压效应不同)等，故不可视为相同条件。上面的讨论，说明在停转时轴承中仍有相当厚度的完整的压力油膜存在，转速为零，但油膜厚度不为零。

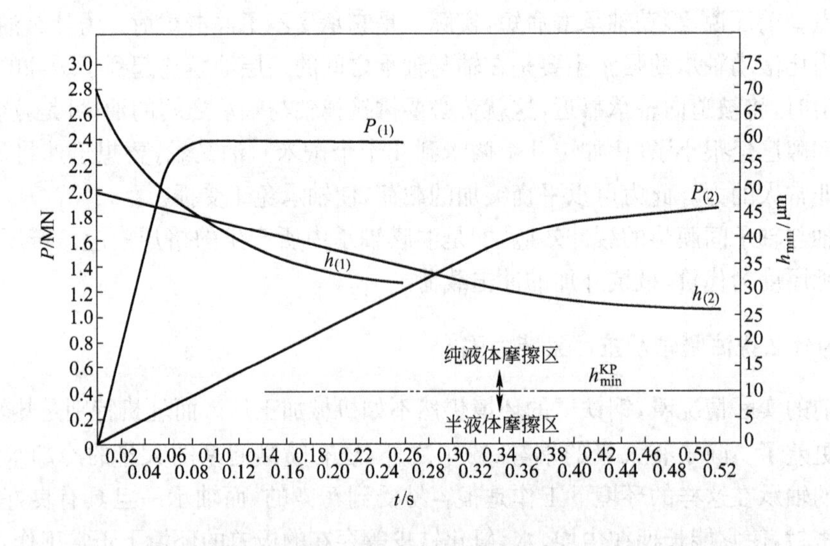

图 2-6　在咬入过程中轧制力与最小油膜厚度的变化曲线

$P_{(1)}$、$h_{(1)}$ 为正常咬入时的情形；$P_{(2)}$、$h_{(2)}$ 为带钢压下时的情形

(2) 停转时，由于油膜轴承的挤压效应，油膜可保持一段时间而不破裂。有人曾做过测定：从停转计起，轴承在轧辊自重的作用下，动压油膜大约维持 15～300s，而后破裂。当然，这个时间可利用有关公式进行理论计算，其偏心率 ε 从停机的值 ε_1 变到油膜破裂时的 $\varepsilon_2 = 1$。停转后(短期内)仍有油膜存在，这时反向启动是非常有利的，因为轴承仍处在纯液体摩擦状态。有人曾对一台可逆轧机做过测定：该轧机从正向每分钟 50 转(+50r/min)连续地变到反向每分钟 50 转(−50r/min)，大约费时 2.5s。而他们认为转速区间 12.5～−12.5r/min 为危险区间，理由是在这个速度区间中动压油膜的形式是不完全的。如果事实果真如此，那就不必担忧了，因为在速度带+12.5～−12.5r/min 之间，运动的时间肯定不超过 2.5s，但动压油膜却能保持 15～300s，因此轴承始终处于液体摩擦状态。就图 2-6 中的 $P_{(2)}$、

$h_{(2)}$曲线来看，就是带钢压下启动时，经 0.52s 后，因转速上来了，其油膜厚度也就不再继续减小而趋于稳定。但这里应强调：从维护油膜轴承的正常运转出发，是不同意在操作上搞带钢压下的。因为那样做，很容易将轴承压死（即破坏了油膜），导致轴承过早失效，轧机启动力矩过大，也将导致其他受力件损坏等。

本题讨论的是低速及可逆轧机对油膜轴承的要求，简单地说，就是油膜轴承要始终都有油膜。从我们的讨论中可以得出，只要从正转到反转是连续进行了，轴承中的油膜是会始终存在的，即轴承始终处于液体摩擦状态。低速情况，只要速度不是特别低，动压轴承也是能胜任的。如果不行，即可选用静-动压油膜轴承，那是在任何情况下都能满足要求的。

97. 大型热连轧机对油膜轴承有何要求？

现代大型热连轧机组，由粗轧机组和精轧机组两部分组成。粗轧机组一般由四架或五架轧机组成。对四架粗轧机组，第一架（R_1）为二辊不可逆轧机，第二架（R_2）为四辊可逆轧机，第三、第四架（R_3、R_4）为四辊连轧机；而五架粗轧机组：R_1 为二辊轧机，R_2 为带立辊的二辊轧机，R_3 为带立辊的四辊轧机，R_4、R_5 为四辊连轧机；也有六机架式的：R_1～R_3 为二辊轧机，R_4～R_6 为四辊连轧机，不管是几架式，粗轧机组的后两个机架都是连轧。而精轧机组，一般为六架（F_1～F_6）、七架（F_1～F_7）式，但皆为连轧机式。我们所讨论的系指连轧机组。

热连轧机组轧制制度是：轧机空载启动，轧速在正常轧制速度的 60％左右时，第一机架（F_1）咬入轧件即所谓穿带。当轧件头部穿过最后一个机架（F_7）时（此时穿带结束），轧机即升速达到正常轧制速度，轧制整条板、带，但当板、带材尾部轧制时，轧制速度又降下来，直至轧完。整个过程如图 2-7 所示。

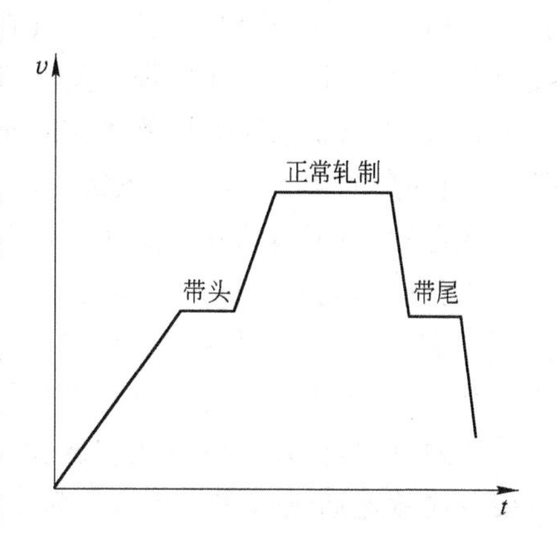

图 2-7　热连轧机轧制速度图

从热连轧机的轧制过程看，对使用动压油膜轴承也是较为适宜的。热连轧机与前述低速及可逆连轧机比较，一个显著的特点是转速高了，高速轧制时，一般可达 20～30m/s。如果说，对低速及可逆轧机油膜轴承的主要指标是最小油膜厚度（它标志着轴承是否处于纯液体摩擦状态），那么，对热连轧机油膜轴承的主要指标是最小油膜厚度加上轴承发热，特别是后者，最容易是轴承损坏，严重时可将锥、衬套烧熔在一起，使整个轧线的生产被迫停下来。轴承的烧毁是热量逐步积累和油温逐渐上升造成的。润滑油温上升得慢，导致润滑油黏度的急剧下降，承载能力降低，油膜厚度变薄，摩擦状态变坏。这些又加剧了轴承的发热，这种恶性循环的结果，导致轴承烧毁。有人将使用中的连轧机轴承三次烧毁绘制出载荷-速度曲线，有趣的是，三次烧毁均发生在同一温度下，因此确定了轴承临界温度。人们认为，增大润滑油流量，会使轴承温度降低，以达到一个平衡位置，实践也证明了这是一个很有效的办法。

从上述分析看，对于大型热连轧机，采用纯动压油膜轴承是很合适的。但在轴承设计时各参数的正确选择与合理匹配，以及动压润滑的主要参数确定及系统设计，则是非常重要的。

98. 大型冷连轧机对油膜轴承有何要求?

冷连轧机组一般由3～6个机架组成。对于冷轧汽车板,一般由三机架冷连轧机组来生产,但也有采用四机架生产的。在薄镀锡板的生产线上,一般采用五机架连轧机来生产;对于更薄镀锡板的生产,则采用六机架连轧机组。

随着轧机生产率的不断提高,冷连轧机组的轧制速度也不断提高。当前,五机架冷连轧机组出口速度(末架的轧制速度)已达到35m/s,而六机架的轧制速度则提高到42m/s以上。

冷连轧机组的另一个要求是:成品板厚偏差控制严格稳速轧制时,板厚偏差通常小于±4μm,加、减速段的板厚偏差也小于±12μm,要达到这样的轧制精度,当然不是单独靠轴承来完成的,需要采用一系列自动化措施,特别是采用各种自动厚控系统,加、减速阶段厚度补偿,以及计算机控制等等。但是,如果轴承的运转精度不高,它的周期性误差是各种自动厚度控制系统无法予以纠正(补偿)而直接带给成品板的。可见,这也包含了对油膜轴承的要求。

冷连轧机组的再一个要求是:成品板的成材率要求高。这样的要求,对于轧制速度很快的冷连轧机是非常重要,但也是有很多困难的。提高成材率,首先着眼板卷头、尾的成品合格率。但在穿带时轧制速度低,一般在2～3m/s,而轧制压力却要提高20%～30%。这主要是在穿带时,各机架间的张力没有建立起来。正常轧制时,各机架间带钢的张力为100～180MPa。折旧要求油膜轴承适应的速度范围很宽,高速重载能持续稳定地工作,而速度很低、载荷提高的情况下,也能正常工作。

在正常(稳定)轧制中,如遇到焊缝通过轧机时,为了避免损伤轧辊表面和防止断带,需将轧制速度降至60%～70%,如发现板、带的边缘有裂纹时,张力减到最小,而轧制速度此时甚至要降到1m/s。待焊缝等通过后,再升至稳定轧制速度。当快轧完时,也要及时减速通过带尾。图2-8为冷连轧机的轧制速度图。

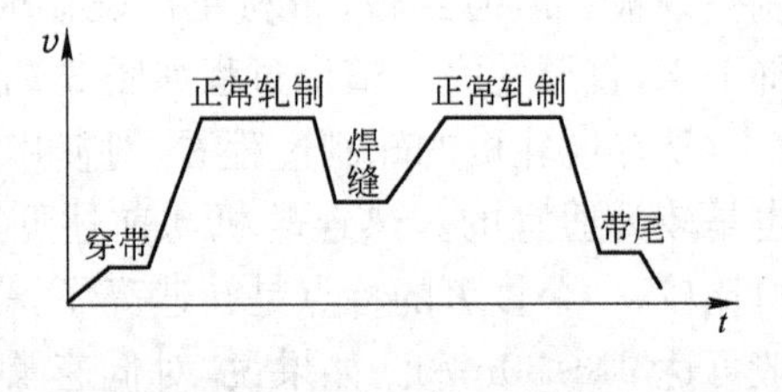

图2-8　冷连轧机轧制速度图

为了更好地控制板形、板厚,除采用各种板形、板厚自动控制外,还要设置弯辊装置来直接控制板形。对于五机架连轧机组,一般在第5机架上设置正、负弯辊装置,而在其余机架上只设正弯辊装置。为了提高板形的控制效果,有的也在后三个机架上设正、负弯辊装置。这些装置是设在轴承座上的,这就要求轴承座上有很充裕的空余地方,并加工出油缸等。

综观上述三类轧机对油膜轴承的要求,虽各有特点,但对油膜轴承都提出了很严格的要求。综合比较,尤以冷连轧机对油膜轴承的要求更为严格。它要求轴承在高速重载的情况下能较长时间地连续运转(稳定轧制),同时也能在低速“超”载(比正常轧制提高20%～30%的轧制力)的情况下正常运转等。这就要求冷连轧机的油膜轴承,具有比纯动压油膜轴承更优越的性能。为适应这一要求,静-动压油膜轴承就应运而生了。它完全满足了冷连轧机的工艺要求。

为了进一步提高冷连轧机组的生产率，正在研究带钢不离开轧机即可更换工作辊的快速换辊装置，进行所谓全连续轧制。这就要求油膜轴承（作为支撑辊轴承）结构能满足方便地从主轧机中抽出及再装入工作辊的要求。

99. 滚动轴承的主要失效形式有哪几种？

滚动轴承的主要失效形式有以下几种：

（1）疲劳点蚀。滚动轴承在载荷作用下，滚动体与内、外滚道之间将产生接触应力。轴承转动时，接触应力是循环变化的，当工作若干时间以后，滚动体或滚道的局部表层金属脱落，使轴承产生振动和噪声而失效。

（2）塑性变形。当轴承的转速很低或间歇摆动时，轴承不会发生疲劳点蚀，此时轴承失效是因受过大的载荷（称为静载荷）或冲击载荷，使滚动体或内、外圈滚道上出现大的塑性变形，形成不均匀的凹坑，从而加大轴承的摩擦力矩，振动和噪声增加，运动精度降低。

（3）磨粒磨损、粘着磨损。在轴承组合设计时，轴承处均设有密封装置。但在多尘条件下工作的轴承，外界的尘土、杂质仍会侵入到轴承内，使滚动体与滚道表面产生磨粒磨损。如果润滑不良，滚动轴承内有滑动的摩擦表面，还会产生粘着磨损，轴承转速越高，粘着磨损越严重。经磨损后，轴承游隙加大，运动精度降低，振动和噪声增加。

针对上述三种失效形式，滚动轴承应进行相应的计算。对于转速较高（$n \geqslant 10\mathrm{r/min}$）的轴承，疲劳点蚀是其主要的失效形式，轴承应进行寿命计算，即疲劳强度计算；对于转速很低（$n < 10\mathrm{r/min}$）或摆动的轴承，轴承承载能力取决于所允许的塑性变形，按静强度进行计算。对高转速轴承会发生粘着磨损，除应进行寿命计算外，还应校核极限转速。

100. 何谓轴承的疲劳寿命？

疲劳寿命是指轴承工作到滚动工作表面出现疲劳剥落为止的累计工作小时或运转的总转数，以 10^6 转计，是指单个轴承而言。

轴承的疲劳寿命，即使是同样尺寸、结构、材料、热处理、加工方法的同一批轴承，在同一条件下运转，也是非常离散的，最长与最短的寿命可能相差数十倍甚至百倍。试验研究得出，寿命分布服从一定的统计规律，要用数理统计方法处理数据，以计算在一定的损坏概率下的轴承寿命。

额定疲劳寿命，是指同一型号的一批轴承，在同一条件下运转，其中90%的轴承能够不出现疲劳剥落的运转总次数，以 10^6 转计，或在一定旋转速度下的工作小时数，记作 L_{10}。

101. 滚动轴承额定疲劳寿命如何计算？

按照GB/T6391－94（等同国际标准ISO 281—1990）的规定，滚动轴承额定疲劳寿命，依据工况条件的不同可以分别用以下各式计算：

$$L_{10} = (C/P)^{\varepsilon} \text{ 或 } C/P = L_{10}^{1/\varepsilon}$$

式中　L_{10}——基本额定寿命，10^6 r；

C——基本额定动负荷，N；

P——当量动负荷，N；

ε——寿命指数，球轴承 $\varepsilon = 3$，滚子轴承 $\varepsilon = 10/3$。

对于转速恒定的轴承寿命，用工作小时数表示，其计算公式为：

$$L_h = \frac{10^6}{60n}\left(\frac{C}{P}\right)^{\varepsilon} \text{ 或 } L_h = \frac{10^6}{60n}L_{10}$$

式中 L_h—— 基本额定寿命，h；

n—— 轴承工作转速，r/min。

在车辆用轴承中，有时用公里数表示轴承寿命，这时上式可改写成：

$$L_k = \pi D\left(\frac{C}{P}\right)^{\varepsilon}$$

式中 L_k—— 以公里数表示的轴承寿命，km；

D—— 车轮直径，mm。

需要提及的是，以上公式只有满足下列使用条件时才是有效的：

(1) 轴承具有刚性支承，轴承座刚性足够高，轴是实心的；

(2) 轴承不受力矩负荷作用；

(3) 转速不很高，惯性力可以忽略不计；

(4) 润滑适当，油膜润滑参数在1.5左右。

102. 滚动轴承的工况监视与故障诊断有何重要意义？

滚动轴承是各种轧钢机械和旋转机械中应用最广泛的一种通用机械部件，它的运行状态是否正常往往直接影响到整台机器的性能(包括精度、可靠性及寿命等)。与别的机械零部件相比，滚动轴承有一个很大的特点，这就是其寿命离散性很大，即用同样的材料、同样的加工工艺、同样的生产设备、同样的工人加工出一批轴承，其寿命相差也很大。由于轴承的这个特点，在实际使用中就出现这样一种情况，即有的轴承已大大超过设计寿命而依然完好地工作，而有的轴承远未达到设计寿命就出现各种故障。所以，如果按照设计寿命对轴承进行定时维修，则势必出现以下情形：一方面，对超过设计寿命而完好工作的轴承拆下来作为报废处理，造成浪费；另一方面，未达到设计寿命而出现故障的轴承或者坚持到定时维修时拆下来报废，使得机械在轴承出现故障后和拆下前这段时间内工作精度下降，或者未到维修时间就出现严重故障，导致整个机械出现严重事故。由此看来，对重要用途的轴承来说定时维修是很不科学的，要进行工况监视与故障诊断，改传统的定期维修为视情况维修或预知维修，这不但可以防止机械工作精度下降，减少或杜绝事故发生，而且可以最大限度地发挥轴承的工作潜力，节约开支，具有重要意义。因此，滚动轴承的工况监视与故障诊断引起了国内外有关部门的重视。

103. 滚动轴承工况监视与故障诊断技术的发展过程是怎样的？

滚动轴承的工况监视与故障诊断在国外大概开始于20世纪60年代。在其后20多年的时间里，随着科学技术的不断发展，各种方法和技巧不断产生、发展和完善，应用的领域不断扩大，监视与诊断的有效性不断提高。滚动轴承工况监测与故障诊断技术的发展可以分为4个阶段。

第一阶段：利用通用的频谱分析仪诊断轴承故障。20世纪60年代中期，由于快速傅里叶变换技术的出现和发展，振动信号的频谱分析技术得到了很大的发展，各种通用的频谱仪纷纷问世。人们根据对滚动轴承元件有损伤时产生的振动信号特征频率的计算和采用频谱分析仪实际分析得到的结果的比较来判断滚动轴承是否有故障。但是,把传感器拾取的振动信号经过放大器放大后直接进行频谱分析得到的频谱图由于背景噪声的影响而很复杂,轴承故障的特征频率很不明显,在故障较小的时候不容易把它们诊断出来。另外,当时的频谱分析仪都比较昂贵,并且需要比较熟练的技术人员来操作,所以,这时的轴承振动监测与诊断远未走向实用。

第二阶段:利用冲击脉冲技术诊断轴承故障。20 世纪 60 年代末,瑞典 SPM 仪器公司根据各个钢制轴承元件表面损伤后在受载情况下接触时要产生冲击,而冲击要引起高频压缩波的现象开发了一种称为冲击脉冲计(Shock Pulse Meter)的仪器来监测轴承的故障。由于这种方法能比较有效地检测到轴承的早期损伤类故障,并且不需要进行频谱分析,所以它一经发明便很快被美国、英国等工业发达国家所采用。早期的冲击脉冲计只用来检测轴承的局部损伤类故障,后来,随着这一技术的不断发展和完善,SPM 公司及世界上其他一些国家的公司和厂家相继开发了各种更新换代产品,这些仪器不但用于监测轴承局部损伤类故障,而且用来监测轴承的润滑情况甚至油膜厚度等。目前,SPM 技术仍然在广泛使用,这是因为 SPM 是一系列便携式测量仪器,用起来非常灵活和方便。

第三阶段:利用共振解调技术诊断轴承故障。1974 年,美国波音公司的 D. R. Harting 发明了一项叫做“共振解调分析系统”的专利技术,这就是我国现在统称的“共振解调技术”的雏型。采用共振解调技术由于放大(谐振)和分离(带通滤波)了故障特征信号,极大地提高了信噪比,所以能比较容易地诊断出故障来。

由于共振解调技术对诊断滚动轴承早期损伤类故障效果很好,并且它根据包络频谱分析的结果可以精确地诊断出到底是哪个元件发生了故障,所以该技术问世后得到了非常广泛的应用。比较冲击脉冲技术和共振解调技术可以看出,这两者有类似之处,但 SPM 法只监测滚动轴承损伤引起的冲击信号的幅值,通过对幅值的处理判断轴承的故障,而共振解调技术不但要把冲击引起的高频谐振的幅值监测出来,而且要进行幅值包络信号的频谱分析,所以共振解调技术比冲击脉冲技术前进了一步,多了一个包络信号的频谱处理环节,使得此法不但能够诊断出轴承是否有故障,而且可以判断出故障发生在哪个轴承元件上以及故障的大致严重程度,所以该方法适用于滚动轴承损伤类故障的早期精密诊断。

第四阶段:开发以微机为中心的滚动轴承工况监视与故障诊断系统。20 世纪 80 年代以后,随着微机技术突飞猛进的发展,开发以微机为中心的滚动轴承工况监视与故障诊断系统引起了国外研究者的重视。

伴随着滚动轴承工况监视与故障诊断发展的 4 个阶段,由于设备故障诊断理论的发展和新的信号测试与处理方法的出现,人们还使用了多种其他有效的方法和技巧来诊断滚动轴承的故障。例如,根据幅域信号对滚动轴承进行工况监视,刚开始人们用均方根值和峰值等受轴承转速、载荷和工作条件等影响的有量纲参数指标,随后又用峰值因子(峰值/均方根值)这一无量纲参数,再后来英国南安普斯敦大学与英国钢铁公司首次采用无量纲参数——峭度来判断轴承的工况。使用表明,利用峭度指标对滚动轴承进行工况监视是一种比较简单而有效的方法。

104. 滚动轴承发生异常的基本形式是什么?

(1) 疲劳剥落。在滚动轴承中,滚道和滚动体表面既承受载荷,又相对滚动。由于交变载荷的作用,首先在表面一定深度处形成裂纹,继而扩展到使表层形成剥落坑,最后发展到大片剥落。这种疲劳剥落现象造成了运行时的冲击载荷,使振动和噪声加剧。

(2) 磨损。滚道和滚动体间的相对运动及杂质异物的侵入都引起表面磨损,润滑不良加剧了磨损。磨损导致轴承游隙增大,表面粗糙,降低了机器运行精度,增大了振动和噪声。

(3) 压痕。轴承因受到过大的冲击载荷、静载荷、落入硬质异物等在滚道表面上形成凹痕或划痕,而且一旦有了压痕,压痕引起的冲击载荷会进一步使邻近表面剥落。由载荷的累积作用或短时超载会引起轴承的塑性变形。

(4) 腐蚀。润滑油、水或空气中水分引起表面锈蚀,轴承内部有较大电流通过造成的电腐蚀,以及轴承套圈在座孔中或轴颈上微小相对运动造成的微振腐蚀。

(5) 裂纹或断裂。常因载荷过大或疲劳引起轴承零件破裂。热处理、装配引起的残余应力,运行时的热应力过大也会引起断裂。

(6) 金属粘着。在润滑不良,高速重载下,由于摩擦发热,轴承零件可以在极短时间内达到很高的温度,导致表面烧伤,或某处表面上的金属粘附到另一表面上。

105. 何谓滚动轴承简易诊断法?

滚动轴承的振动信号分析故障诊断方法可分为简易诊断法和精密诊断法两种。简易诊断的目的是初步判断被列为诊断对象的滚动轴承是否出现了故障;精密诊断的目的是要判断在简易诊断中被认为是出现了故障的轴承的故障类别及原因。

滚动轴承故障的简易诊断法在利用振动对滚动轴承进行简易诊断的过程中,通常是要将测得的振值(峰值、有效值等)与预先给定的某种判定标准进行比较,根据实测的振值是否超出了标准给出的界限来判断轴承是否出现了故障,以决定是否需要进一步进行精密诊断。因此,判定标准就显得十分重要。

106. 用于滚动轴承简易诊断的判定标准是什么?

用于滚动轴承简易诊断的判定标准可大致分为三种:

(1) 绝对判定标准是用于判断实测振值是否超限的绝对量值。

(2) 相对判定标准是对轴承的同一部位定期进行振动检测,并按时间先后进行比较,以轴承无故障情况下的振值为基准,根据实测振值与该基准振值之比来进行判断的标准。

(3) 类比判定标准是对若干同一型号的轴承在相同的条件下在同一部位进行振动检测,并将振值相互比较进行判断的标准。

需要注意的是,绝对判定标准是在规定的检测方法的基础上制定的标准,因此必须注意其适用频率范围,并且必须按规定的方法进行振动检测。适用于所有轴承的绝对判定标准是不存在的,因此一般都是兼用绝对判定标准、相对判定标准和类比判定标准,这样才能获得准确、可靠的诊断结果。

107. 何谓谱图特征参数诊断法？

振动信号简易诊断法分为谱图特征参数诊断法、冲击脉冲法和共振解调法。

谱图特征参数诊断法主要是指振幅值诊断法，这里所说的振幅值指峰值、均值以及均方根值。这是一种最简单、最常用的诊断法，它是通过将实测的振幅值与判定标准中给定的值进行比较来诊断的。峰值反映的是某时刻振幅的最大值，因而它适用于像表面点蚀损伤之类的具有瞬时冲击的故障诊断。另外，对于转速较低的情况（如 300r/min 以下），也常采用峰值进行诊断。均值用于诊断的效果与峰值基本一样，其优点是检测值较峰值稳定，但一般用于转速较高的情况（如 300r/min 以上）。均方根值是对时间平均的，因而它适用于像磨损之类的振幅值随时间缓慢变化的故障诊断。

108. 冲击脉冲技术的诊断原理是什么？

另一种比较常用的轴承故障诊断技术是冲击脉冲技术（Shock Pulse Meter）。其诊断原理是：当一个钢球落到一根金属棒上时，在棒内要产生压缩波，压缩波的最大幅值与钢球的冲击速度直接相关。根据这个道理可以自然联想到，在一个滚动轴承内，当内圈、外圈或滚动体损伤时，其受载相接触时要产生冲击，该冲击同钢球落在金属棒上引起的冲击一样要在轴承内外圈滚道产生压缩波，尽管冲击的时间非常短，但产生的压缩波的最大幅值却很大。因为压缩波的频率很高，所以用一个具有高频响应特性的压电加速度计来检测这一冲击引起的压缩波，然后应用压缩波的最大幅值来判断轴承的工况。后来，人们习惯称此压缩波为冲击脉冲。而把据此原理进行滚动轴承监测与诊断的方法称为冲击脉冲法。由于这种方法能比较有效地检测到轴承的早期损伤类故障，并且不需要进行频谱分析，所以它一经发明便很快被美国、英国等工业发达国家所采用。

109. 共振解调技术的工作原理是什么？

共振解调技术的工作原理是：当轴承元件表面有局部损伤类故障时，要对轴承系统产生周期性的脉冲激励，由于脉冲力是一宽带信号，其中必有一部分能量落在压电加速度计的谐振范围之内，也就是说该脉冲力的频带宽度必然包含了加速度计的谐振频率，这就必然引起加速度计的谐振（共振）。把传感器拾取的信号经过放大，然后经过中心频率等于加速度计谐振频率的带通滤波器滤波，再经解调器进行包络检波，就得到了与脉冲冲击发生频率（也就是轴承元件的故障特征频率）相同的低频信号，对此信号进行频谱分析，可以很容易地诊断出轴承中哪个元件发生了故障。这种技术尤其适用于轴承故障的早期诊断。因为早期故障非常轻微，它引起的冲击脉冲强度非常小，所以其振动响应信号的故障特征很不明显，用一般方法很难辨别出来。采用共振解调技术由于放大（谐振）和分离（带通滤波）了故障信号，极大地提高了信噪比，所以能比较容易地诊断出故障来。

由于共振解调技术对诊断滚动轴承早期损伤类故障效果很好，并且它根据包络频谱分析的结果可以精确地诊断出到底是哪个元件发生了故障，所以该技术问世后得到了非常广泛的应用。由于这一技术包含了高频共振（或谐振）、带通滤波、解调（或包络检波）和频谱分析等基本环节，并且由于不同的人对这一技术的各个环节重视的程度有所不同，所以这一技术除共振解调技术（Demodulated Resonance Technique DRT）这一名称外，又名高频共振技术(High Frequency Resonance Technique HFRT)或包络分析技术(Envelope Analysis Technique EAD)。关于共振解调技术的高频共振环节可以有多种实现方法,可以用加速度计的谐振,也可以利用轴承外圈的谐振,还利用电谐振器实现高频谐振。

110. 常用的精密诊断法有哪些?

滚动轴承的振动频率成分十分丰富,每一种特定的故障都对应有特定的频率成分。精密诊断的任务,就是要通过适当的信号处理方法将特定的频率成分分离出来,从而指示特定故障的存在。常用的精密诊断方法有低频信号分析法和中、高频信号绝对值分析法。

低频信号是指频率低于1kHz的振动。一般测量滚动轴承振动时都采用加速度传感器,但对低频信号都分析振动速度。因此,加速度信号要经过电荷放大器后由积分器转换成速度信号,然后再经过上限截止频率为1kHz的低通滤波器去除高频信号,最后对其进行频率分析,以找出信号的特征频率,进行诊断。由于在这个频率范围内易受机械及电源干扰,并且在故障初期反映的故障频率能量很小,信噪比低,故障检测灵敏度差,因此目前已很少使用。

中频信号的频率范围为1~20kHz,高频信号的频率范围为20~80kHz。由于对高频信号可直接分析加速度,因而由加速度传感器获得的加速度信号经过电荷放大器后,可直接通过下限截止频率为1kHz的高通滤波器去除低频信号,然后对其进行绝对值处理,最后进行频率分析,以找出信号的特征频率。

111. 用声发射法进行故障诊断的主要优点有哪些?

由于滚动轴承的故障信息较微弱,而背景噪声强,因此与振动信号分析法比较,用声发射法进行故障监测诊断有以下主要优点:

(1) 特征频率明显。分别用振动加速度计和声发射传感器在机器同一部位进行检测轴承故障后进行频谱分析时,振动信号频谱图比较复杂,不易识别故障;而声发射频谱图清晰明了,易于识别故障。

(2) 预报故障时间早在机器的载荷和工作转速等完全相同的条件下,同时用声发射和振动信号监测轴承工作状态时,由于轴承微裂纹扩展要经过一个慢扩展阶段,这个阶段还不足以引起轴承明显振动,而声发射信号已经比较明显了,因而声发射法能早期预报和诊断故障。

由于声发射诊断方法对滚动轴承的故障信息能有效地进行识别,近年来在生产中有了很大发展,但它需要较昂贵的专用设备,在生产中应用受到一定影响。

112. 何谓油液分析诊断法?

滚动轴承失效的主要方式是磨损、断裂和腐蚀等,其原因主要是润滑不当,因此对正在运行时使用的润滑油进行系统分析,即可了解轴承的润滑与磨损状态,并对各种故障隐患进行早预报,查明产生故障的原因和部位,及时采取措施扼制恶性事故的发生。

油液分析应采用系统方法,只用单一手段往往由于其局限性而导致不全面的诊断结论,并易产生漏报或误报。实践证明,由以下5方面,即理化分析、污染度测试、发射光谱分析、红外光谱分析、铁谱分析构成的油液分析系统在设备状态监测中可以发挥重要作用,其诊断结论与现场实际基本吻合，具有显著的经济效益与社会效益。

这几种手段分别是从不同的角度对轴承用油进行监测的。为提高轴承故障诊断的准确性，应该对油液实施全面的检测，只使用一种或两种手段虽然可以得到一些重要信息，但毕竟不够全面，有时会错过最佳预报时机而带来不必要的损失。

113. 双列圆锥滚子轴承内圈断裂事故的原因是什么？

大型初轧厂连轧 V_3 垂直轧机的传动系统如图 2-9 所示。

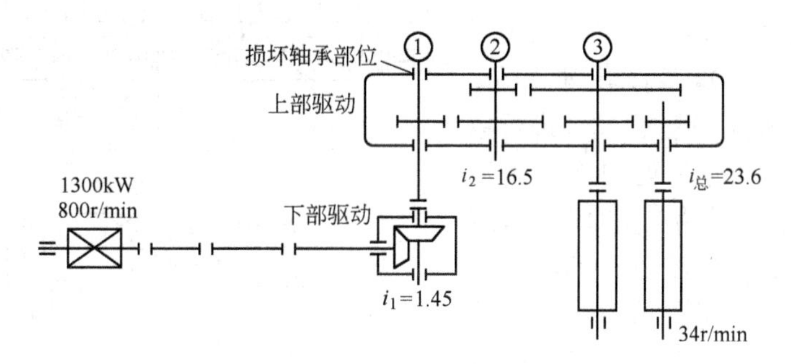

图 2-9　垂直连轧机传动图

V_3 垂直轧机在空负荷、转速由低到高进行试车时，图 2-10 中垂直输入轴上部支承突然发出啸叫，并产生焦油味。立即停车，经解体检查发现输入轴上部双列圆锥滚子轴承 240KBE＋L＋C3 彻底损坏。

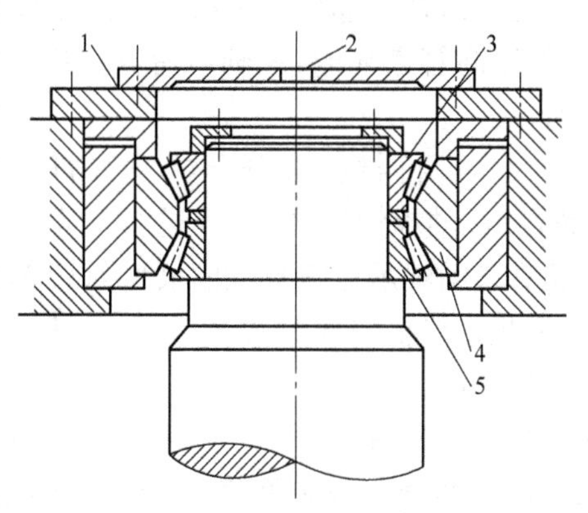

图 2-10　损坏轴承的安装部位

1—温度测点；2—喷油孔；3—上内圈Ⅰ；4—240KBE＋L＋C3；5—下内圈Ⅱ

损坏情况是：(1)轴承的上内圈已开裂，裂缝与轴向平行，裂口宽度不断扩大，至 10 天左右稳定在 8.2mm；(2)圆锥滚子严重变形，滚子的工作表面及端部严重烧粘损伤，筐形冲压保持架歪扭和断裂；(3)电气系统工作正常；(4)同类结构轧机 V_1 和 V_5 机组空负荷试运转一切正常，V_3 的负荷和转速均处于中间状态，说明设备结构设计合理；(5)润滑系统工作正常，轴承安装正确，间隙符合要求。

对其进行断口裂源分析、力学性能测试、光学金相分析、表面着色探伤、润滑油量计算、配合分析和应力分析。结果表明：轴承自身内部正应力(拉应力)过大，在相对转速较高时，或外界诱发因素下，由拉应力最大处的应力集中点——内圈小侧面油沟处首先开裂，因内圈开裂而使轴承内部游隙突然消失，轴承在极短时间内咬死，滚道工作表面温度升高，则使表面出现了折叠、变形、磨损、磨削烧伤层(二次淬火层)、磨削裂纹，个别处的温度大于 1000℃而出现材料熔融现象。

由于轴承事故是由轴承本身的原因所致，因此同类设备 V_1、V_5 垂直轧机结构不做修改，V_3 垂直轧机更换新轴承后再进行空负荷试车。经使用后 V_1、V_3、V_5 轧机工作正常，并进入负荷工作阶段投入生产。

114. 双列球面滚子轴承的外圈破碎和内圈断裂事故的原因是什么？

大型初轧厂的热钢坯输送辊道采用长轴集中驱动、双列球面滚子轴承的支承。在使用过程中发生轴承的外圈全部破碎及内圈断裂的恶性事故。损坏轴承的安装部位见图 2-11。轴颈部位采用喷水冷却。轴承型号是 23144W33C3(相当于中国 3G3003744Y)，工作转速 115r/min，使用硫磷型极压锂基脂 N02 进行集中给脂润滑。损坏轴承所处的 A14 辊道已接近轧钢机，工作时冲击负荷很大，所输送的钢坯的最大质量约 28000kg。

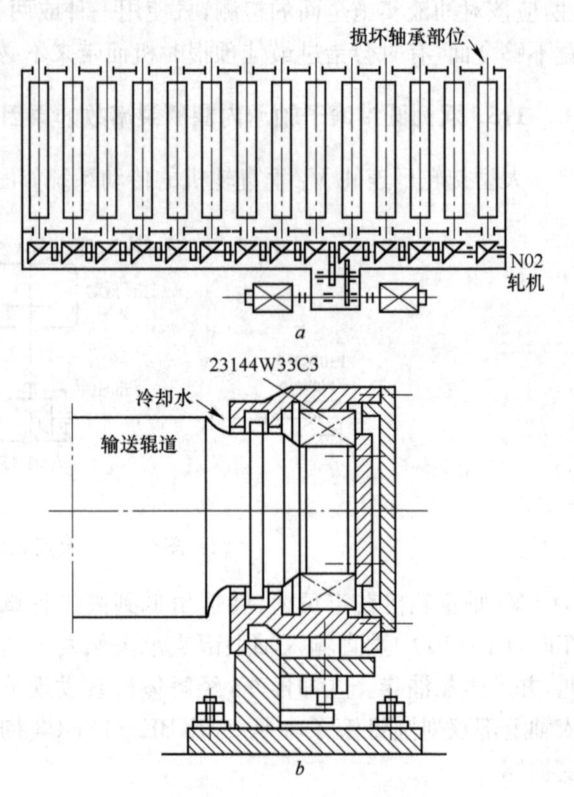

图 2-11 轴承的安装部位

a—热钢坯输送辊道；*b*—轴承安装示意图

对轴承损坏情况进行检查：(1)轴承外圈全部破碎，内圈磨损十分严重，轴向已开裂，保持架断裂变形，圆锥滚动体严重扭曲；(2)轴承部位集中给脂系统工作正常，给脂管道畅通，该轴承总共运行 6 个月。

对其进行材料成分分析发现符合 JISG4805 轴承钢标准；对其进行宏观硬度检查表明轴承正常部位的硬度符合标准，而损伤严重的部位硬度下降；对其进行了损坏面表层材料分析，结果，表层边缘是一层白壳层，该区由淬火细小结晶状马氏体和粒状碳化物及少量残余奥氏体组成。在白亮层下面是一层颜色较深的过渡区，它由回火屈氏体、粒状碳化物和少量残余奥氏体组成。过渡区下面是回火隐晶马氏体、颗粒状碳化物和少量残余奥氏体，但也有少量回火屈氏体。经显微硬度和扫描电镜高倍检验，表面是高温回火组织。外圈有大量的表面龟裂，微裂纹是从表面淬火层开始，有的微裂纹已穿过过渡区，并汇合成一条较大的裂纹，显而易见，这种二次淬火裂纹是断裂的起源。二次淬硬层厚度不均匀，大约从 0.05～0.2mm，说明表面受热不均，二次淬硬层质脆，在冲击负荷和高接触应力下容易剥落。经检查在外滚道中部的非负荷区发现材料表面有类似疲劳剥落的凹坑，在该区并不会发生滑动和滚动的摩擦，不存在金属的疲劳剥落，进一步检查，在这些凹坑中有氯离子和金属钠离子，根据现场使用条件判断，是属冷却水进入轴颈部位而形成的腐蚀孔。

该轴承的破坏原因是由于轴承在运转过程中出现过热现象而导致工作表面温度升高，表层出现不完全的二次淬火层，次表层出现高温回火组织，二次淬火层质硬而脆，在高接触应力下形成龟裂和剥落坑，同时轴承支承部位受冷却水的入侵，润滑脂理化性能下降，长时期后在材料表面发生腐蚀作用，形成腐蚀坑，这些应力集中点在外界冲击负荷下发生材料的微裂纹的扩散，导致轴承断裂。由于已断裂的内圈其内应力基本正常，因此可判断断裂和轴承原始内应力及热处理工艺无关，仅属轴承使用原因而致。

初轧钢坯输送辊道轴承部位常受冷却水的入侵，这将有害于轴承的正常使用，为此应在轴承支承内侧增强密封，添置甩水环等辅助装置。

115. 冷轧机工作辊轴承的失效和损坏的原因是什么？

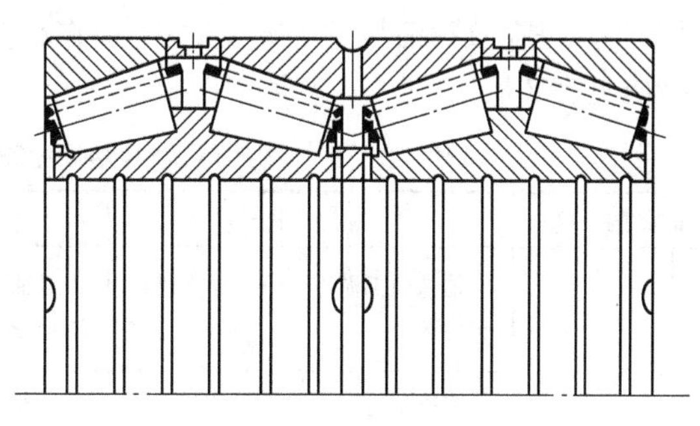

图 2-12 冷轧机工作辊轴承

大型冷轧机工作辊轴承均使用高精度的四列圆锥滚子轴承作支承，如图 2-12 所示。按照设计规范，冷轧机工作辊轴承的使用寿命应该为 3000～5000h。但在实际生产中，工作辊轴承的实际使用寿命远达不到这一目标值，普遍存在着工作辊轴承过早疲劳剥落而失效，甚至多次发生轴承烧熔，并与轧辊辊颈焊烧成一体，以致无法拆卸，造成轴承、轴承座及轧辊同时报废事故。据资料表明，一大型冷轧钢厂近几年来因工作辊轴承损坏所造成的损失已达几千万元，给生产带来很大影响，引起了有关部门的重视。

轴承损坏情况，从已损坏的轴承分析调查可得：轴承的早期疲劳破坏是轴承损坏的主要表现形式，仅经过 310h 工作的轴承在其外圈滚道的负荷区内已出现较严重的疲劳剥落；经检查运行 489.5h 而损坏轴承的外圈滚道的表面材料的剥落点的低倍放大照片发现，工作辊轴承在很短的工作时间内(500h)普遍发生不同程度的滚道、滚动体的工作表面的材料疲劳剥落。如上述轴承工作表面的疲劳损坏未能及时地发现，则轴承在继续运行中，将造成滚动体的卡阻，进而引起轴承内径和轧辊辊颈配合表面间的剧烈相对转动，其摩擦温升所产生的巨大热量导致了轴颈粘结。

根据冷轧工作辊轴承使用寿命计算可知，轴承只要将所承受的轴向附加负荷控制在一定范围之内时，轴承的使用寿命是可以满足 3000h 的目标值。从损坏轴承的早期材料剥落分析可以认为，工作辊轴承失效和损坏原因是：(1)径向负荷过大；(2)附加轴向负荷过大；(3)工作辊轴承支承部位的密封及润滑不良；(4)工作辊轴承的制造质量问题。

结论是工作辊轴承使用寿命短和损坏频繁的原因，主要是受轴承的自身质量的影响，但更主要是轴承的维护和使用的不当，以及与轴承相配的轴承座、机架牌坊的失修有关。可以采取如下措施避免故障的发生。在生产工艺中严格控制弯辊力；改善工作辊轴承的密封装置；改进轴承座的设计；改善轴承的润滑条件；正确使用和维护工作辊轴承和轴承座；提高工作辊轴承的承载能力。

116. 轴承故障预防措施有哪些？

预防轴承早期损坏的有力措施，除了严格执行轴承的正确安装工艺及合理的操作维护规程外，应对重要部位轴承的故障进行早期预防诊断。轴承损坏的前期是轴承的故障，而轴承的故障往往可以通过轴承的旋转灵活性、温升、噪声、噪声的类型、振动、振动频率的变化和振幅的大小，以及人们所不能感觉的高频脉冲波等先兆信号反映出来，这些故障信号一般在轴承故障的初期至轴承的最终损坏阶段有着一个发展和剧变的过程，通过对这些信号的捕捉和分析，可以有效和及时地排除故障，防止和避免轴承突发事故的发生。

轴承故障是轴承损坏前的标志，当已发现轴承故障时，一般可以在不停车（机）的情况下加强观察和对故障信号的监测，诊断出故障的原因和确定排除故障的措施。当轴承故障被排除，也即故障信号消失后，轴承仍可继续使用。如故障无法排除，故障信号仍存在并有所发展，特别是在故障信号发生突变时，则要在相应的时间内更换轴承。常见的轴承故障及预防措施见表2-2。

表2-2　轴承故障和预防措施

故障的现象		原　因	措　施
音响	高频的连续音响	轴承内部游隙太小，内负荷过大	对轴承的内部游隙、预紧负荷及配合过盈量进行修正，对自由侧轴承的移动量进行调整，防止额外轴向负荷的产生
		润滑不良	一般情况下应增大润滑剂的黏度和润滑剂的用量
		安装误差	检查轴和轴承座壳的形位误差及安装精度，并采用正确的安装方法
		回转件的相互接触和摩擦	检查轴承本身或端盖密封件的接触情况，有必要时可更换密封件
	低频的连续音响	轴承滚道工作表面已出现的伤痕、缺陷或润滑剂不清洁	清洗轴承，使用清洁的润滑剂，检查轴承的工作表面，必要时应更换轴承
	低频的不规则的音响	游隙过大	调整游隙，修正配合等级，加大预紧负荷
		异物进入	清洗轴承、检查密封装置是否失效，原设计是否合理，必要时更换润滑剂或密封圈
		机械振动	增强轴承箱体的强度，增大轴承的支承面积
		回转部件的松动	紧固轴承端盖
		滚动体工作表面已出现表面伤痕	更换轴承
振动及轴向跳动	发生在急加减速度时（启动或停车时）	机械共振	增大轴的刚性
	转动时的振动	回转体的不平衡	对回转体的动平衡进行修正
		安装误差	提高轴承箱体的精度及安装方法的修正
		异物进入	清洗轴承，提高密封效果，必要时更换润滑剂
		机械变形	增大机械本身及支承部位的刚性

续表 2-2

<table>
<tr><th colspan="2">故障的现象</th><th>原　因</th><th>措　施</th></tr>
<tr><td rowspan="8">温升</td><td>试运转时的温升</td><td>润滑油脂太多</td><td>排出过多的润滑油脂后再进行运转</td></tr>
<tr><td rowspan="7">正常运转时的温升</td><td>润滑剂的黏度太大</td><td>选用低黏度的润滑油或减少润滑剂的用量</td></tr>
<tr><td>润滑剂用量不足</td><td>补充润滑剂用量</td></tr>
<tr><td>轴承内部游隙太小，内负荷太大</td><td>对轴承内部游隙，预紧负荷和配合过盈量进行修正，对自由侧轴承的移动量进行调正，防止额外负荷的发生</td></tr>
<tr><td>安装误差</td><td>检查轴及轴承座形位误差及安装精度，并采用正确的安装方法</td></tr>
<tr><td>密封部位的摩擦</td><td>改进密封形式或适当减小密封接触处的结合力</td></tr>
<tr><td>配合部位的松动</td><td>修正配合等级，必要时应更换轴承，如配合部位松动时，可涂少量厌氧胶以增加结合力</td></tr>
</table>

117. 四辊轧机工作辊轴承的使用现状如何？

四辊轧机是最通用的板带轧机，它广泛用于钢铁、有色金属的压力加工中。近年来受市场竞争及用户对产品质量要求的影响，相继开发成功一系列旨在提高产品质量、降低生产成本的新技术，极大地促进了生产。工作辊弯辊技术就是其中之一，它提出于 20 世纪 30 年代。在轧机上弯曲工作辊已成为获得理想板形和保证表面质量的重要手段之一。因此，目前几乎所有的四辊轧机均安装了工作辊弯辊装置，结果使轴承的载荷增加，承载环境恶化，但轧机的结构却未做任何的变化，轴承的几何尺寸几乎没有增大，因而轴承的工作寿命大幅度降低，经常发生异常烧损事故，成为轧机重要的大型易损件。频繁发生轴承事故使轧机开工率降低。生产成本增加，产品质量下降。

20 世纪 70 年代，武汉钢铁公司冷轧薄板厂从施罗曼-西马克公司引进的 1700mm 带钢五机架冷连轧机，是我国当时唯一的现代化宽带钢冷连轧机，设计年产量 100 万 t。投产后，频繁发生工作辊滚动轴承被烧熔与轧辊辊颈焊成一体，以致无法拆卸，使工作辊与轴承和轴承座同时报废的事故。投产后的 5 年间共报废轧辊 146 根，经济损失在千万元以上。仅 1983 年至 1985 年 7 月轴承烧熔后发生辊颈粘结事故达 100 次之多。

按照常规设计，轧钢机工作辊轴承的平均寿命为 3000～5000h，而实际使用中，该轧机工作辊轴承的平均寿命仅 500～600h。轴承失效报废有两种情况：(1)轴承元件的滚动接触表面出现严重疲劳剥落；(2)辊颈与轴承内环发生粘结而报废。从 1983 年 1 月至 1985 年 5 月总计报废 204 套轴承，从统计数字看，工作辊操作侧轴承失效的几率比传动侧高得多，服役寿命也较短。

118. 中德双方对武钢冷轧厂工作辊轴承短寿命采取了什么措施?

为探明问题所在及与供货商谈判的需要，由原北京钢铁学院牵头，组成攻关组，对武钢冷轧厂轧机工作辊轴承短寿命及频发烧熔事故进行研究，该项目列入国家“六五”重大科技攻关计划。期间组织了大规模的在线测试，测试项目包括：工作辊轴向力、轧制力、传动侧和操作侧压下力差、轧制速度和前后张力、弯辊力、轴承温度和轴承振动等。离线测量了轴承几何尺寸和工作间隙，轴承座镗孔的圆柱度，轴承座与牌坊窗口的间隙，工作辊的原始辊形和下机后的热辊形等。测试显示该轧机工作辊轴向力一般在100～200kN之间，最大可达200～300kN，轧制力为1000～12000kN，最大压下力差为1000kN，最大前后张力差为200kN。

中方专家组认为：轴承负荷过重是造成轴承过早失效、辊颈粘结的主要原因。同时指出：(1)负荷在四列轴承各列不均匀分配，而轴向力、轴承的制造和装配精度、轴承间隙、轴承座变形等会加剧这种行为；(2)轴承材料的原始缺陷；(3)轴承自身的不可靠性；(4)密封不良。上述4点也对轴承的运转产生不良作用。

根据测试结果，中德双方提出如下解决措施：

(1) 修改轴承座结构，在止推凸耳两侧贴装滑板，用于调整轴向间隙，减少轴向负荷；改变止推凸耳与止推挡板的设计，使挡板中线尽量与轴承中线对齐，以消除作用于轴承上的附加力矩；修改轴承座座端设计及密封结构，在弯辊缸柱塞与轴承座接触处加装淬硬垫块，避免该部分产生过大变形，以保证二者之间形成高副。

(2) 轴承润滑由原脂润滑改为油汽润滑，减少轴承内部发热。此项措施既为了保证达到1800m/min的轧制速度，也为提高轴承的使用寿命。

(3) 定期调换轴承外环的承载区，避免轴承局部过度磨损。

(4) 设置轴承温度检测报警装置。

(5) 改善轴承清洗及装备工作条件，加强轴承维护工作，严格按照要求检查各部位的公差尺寸，对超过许可标准予以报废。

全部采用上述措施后，工作辊轴承的寿命得到较大的提高，但仍低于设计寿命，轴承异常损坏现象时有发生。

119. 宝钢2050mm四辊轧机工作辊轴承使用情况如何?

宝钢热轧厂的2050mm连续可变凸度热连轧机组(CVC)也是从德国SMS公司引进的，该机组由于加装了工作辊轴承移动装置，工作辊操作侧轴承采用了一种特殊设计的圆柱滚子和圆锥滚子组合轴承。该轴承的使用情况也不能令人满意。从轴承使用情况的部分现场记录，可以看出因异常损坏导致轴承报废的比例是不容忽视的，且组合轴承中靠近辊身一侧的圆柱滚子出现烧熔事故及该列轴承的外圈辊道的内侧发生大面积的疲劳剥落的几率明显多余其他位置。该公司邀请湖南大学、西北轴承厂、瓦房店轴承厂等多家单位联合攻关，进行圆柱滚子和圆锥滚子组合轴承国产化及延寿技术和方法研究，由西北轴承厂和瓦房店轴承厂制造的代用轴承首先用于精轧机F_1、F_2、F_3机架，使用寿命可以达到1500h以上，但F_4～F_7机架国产轴承使用寿命则不足1000h。因此F_1～F_3机架在实际生产中使用了部分国产轴承，F_4～F_7机架则全部使用由SKF提供的轴承，即便如此，该机组工作辊轴承仍时有发生轴承过早破损的现象，成为制约生产的瓶颈之一。

为了进一步提高产量，在该机组上拟采用自由轧制技术，该技术的关键之一就是增加弯辊力。现有生产工艺的弯辊力大部分时间设定在800kN以内，实际使用小于700kN，而采用自由轧制技术则要求弯辊力达到1000kN以上。在增大弯辊力的情况下如何保证轴承能可靠工作，并达到生产许可的寿命，是亟待解决的问题。

120. 国内其他三台四辊轧机工作辊轴承使用情况如何？

渤海铝业有限公司20世纪90年代由英国DAVY公司引进的2350铝箔轧机，其支撑辊和工作辊径向均采用四列圆柱滚子轴承，支撑辊的操作侧加装双列止推轴承，工作辊的操作侧加装双列角接触球轴承。全部轴承由SKF轴承公司提供，采用油汽循环润滑。该轧机(中轧机)设计的最高轧制速度可达2000m/min，保证轧制速度为1800m/min，而实际生产中只能在低于1000m/min的速度下维持生产，其最大的制约因素是支撑辊四列短圆柱滚子轴承和工作辊上的双列角接触球轴承年损耗30套。关于支撑辊四列圆柱滚子轴承供应商SKF公司曾多次派专家来厂调研，并组织了三次改造试验，包括在轴承座承载区布设9个轴向穿水冷却通道，增加轴承的轴向间隙，加大润滑剂的流量等措施，效果并不显著。国内的一些轴承制造商和研究单位也曾来现场考察，均未提出行之有效的解决方案。

本钢的1700mm冷连轧机是我国自行设计制造的大型轧钢设备，其工作辊操作侧的轴承寿命(四列圆柱滚子轴承)极低，频繁出现异常烧熔轴承现象，有时轴向固定挡板的锁紧螺栓被拉断。据现场反映，轧机经过大修后，在一段时间内轧机工作辊轴承运转情况好转，但随着时间的延长，事故率逐渐增加。另外，还观察到这样的现象，轴承座的止推凸耳与机架和挡板之间间隙大小对轴承的运行情况也有明显影响。

鞍钢的1200mm、1700mm冷轧板机及1700mm冷连轧机的工作辊轴承均采用了四列圆锥滚子轴承，轴承的寿命低并频繁发生烧损事故，其中1200mm、1700mm冷连轧机工作辊轴承平均寿命只有300～400h，且大多数事故发生在操作侧。为此，该公司曾采购了国内外各轴承制造商提供的同型号轴承，比较了它们的使用情况。结果表明，轴承寿命差别不大，这就意味着轴承载体的行为对轴承的寿命有重要影响，单纯追求轴承本身的高质量并不能收到预期效果。

121. 延长大型轧机轴承寿命研究有什么新的突破？

该项目由太原重型机械学院黄庆学教授主持，2003年获得国家科技进步二等奖，在5个方面取得突破性进展：

(1) 用三维弹性有摩擦接触边界元法专用程序分析弯辊力作用下的轴承的负荷特性，用边界元法或有限元法分析轴承的热变形，在此基础上，研究并发现了工作辊多列轴承偏载及各列偏载状况；(2)用轧机综合自位理论发明出新型轴承座约束杆系机构，在弯辊力和轴向力联合作用下，既能轴向固定轧辊又能保证自位性能；(3)研制出轴承座与弯辊柱塞间的连接副代替原高速机构，即可保证轴承座自位又可增强承受弯辊力能力；(4)优化轴承座镗孔曲线，使其在高速下受热变形后各列轴承间隙相同，保证均载；(5)给出了轴承各列滚子径向载荷、工作辊轴向力，轴承座及轴承温度等测量技术。该研究为从根本上解决大型轧机轴承寿命短的问题奠定了理论基础，成果已用于宝钢2050mm热连轧机上，有效地解决了轧机组合轴承长期困扰的短寿命烧损问题。经现场在线对比测试显示，本装置将组合轴承原偏载系数1.47降低至1.04；原偏载率下降80%以上，将进口SKF组合轴承寿命由3209h提高至10670h，国产瓦房店组合轴承寿命由1300h提高到4120h，已取得了显著的经济效益，并对我国实现大型板带轧机成套设备国产化具有重要意义。

122. 重载机构的综合特点是什么?

近年来，随着科学技术的飞速发展，各种自动化计算机系统的大量应用以及不同领域科技创造性成果的融合，对机械工程学产生了巨大的影响，正在使这门古老的学科发生广泛而深入的变化。给它的分支机构学提出了大量新的课题，诸如高精度、高速、重载、大型与微型化等各类机构研制中的课题。回顾以前的研究工作，在机器人机构、柔体机构、微型机构等方面的研究深入而广泛，但对重载机构分析与综合中所固有的种种特点的重视程度远不及其他方面。高速、重载、高精度条件下，应考虑到构件变形、不均匀温度场、间隙冲击、摩擦与润滑等因素的影响，特别是重载机构，强度和刚度是第一位的，设计中花大量的时间和精力来进行理论和实验分析，但对机构的合理性研究几乎未作更多的工作。

结构机构学所研究的基本问题是机构分析与综合，它揭示了机构的结构组成规律、机构的拓扑结构特征以及它们与机构运动学、机构动力学特性之间的关系。为了揭示机构的拓扑特征，可在不同层次上将机械系统划分为基本结构单元，通过研究单元的约束特性及单元之间的约束特征揭示机械系统的整体特征。

123. 构件的变形对机器承载特征的影响是什么?

列罗(F. Reuleaux)曾对机构下过这样的定义："机构是由刚体或有承载能力的物体连接而成的组合，连接时应使它们在运动中彼此具有确定的相对运动"。

机构是形成许多机械设备的基本几何单元，它主要为了使一刚体相对于某一参考构件具有所需要的相对运动而设计的。机构设计常常是设计机器的第一步，当机构承受力的作用时，另外还得考虑动力学、轴承负荷、应力、润滑、温度场等问题，这样便成为一个机器设计问题。因此，机构的运动分析与综合是基于刚性构件假设，以实现要求的运动规律为目的，这样获得的结果对刚性构件是正确的。但实际中任何一部机器均要完成一定的功能，并承受相应的工作载荷，由组成机器的各机构中的构件来完成运动、载荷的传递、转化。刚体是相对变形体而言的，现实世界中不存在绝对的刚体，因而以刚性构件假设完成的设计用于可变形体组成的机构，就会引发许多意外的问题。一般而论，在中、低载荷下，构件的刚性相对较大，设计时作为刚体考虑所获得的结果是令人满意的，实际机构设计皆以此为前提。但在一些重载机构或构件刚性相对较小的机构中，构件的变形将显著影响机器的运行行为。因此，设计这类机构时，必须纳入构件变形的影响，以使所设计的机构在负载状态仍能保持刚性构件假设下所具有的运动、承载特征。具有调心功能的各种球面轴承即是在这种背景下诞生的，应用于受大的横向载荷的细长轴系的支撑，应自动适应轴弯曲变形引起的轴颈倾斜。

举简单的例子，一个承受横向载荷的一端固定、另一端游动的采用双列短圆柱滚子轴承支撑的轴系，轴在横向载荷作用下弯曲引起轴颈倾斜，由于轴承的外圈固定在轴承座中，而其内圈固定在轴颈上随轴颈一起倾斜，滚动体夹在中间，必然会出现图2-13所示的情形，使

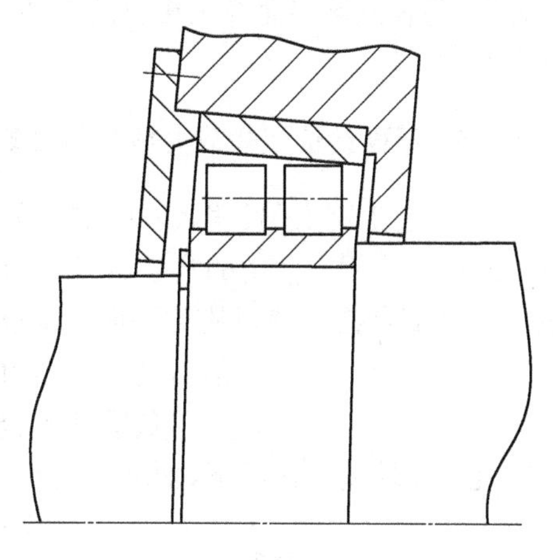

图 2-13　轴颈倾斜后轴承中径向间隙的分配

轴承列间偏载，严重降低轴承的使用寿命和工作可靠性，所以实际中这样的结构大多采用球面调心轴承作为支撑，由于该轴承的内外圈允许存在一定量（球面球轴承 2°～3°，球面滚子轴承 0.5°～2°）的相对倾斜，从而保证轴承列间均载。这种支撑的机构简图如图 2-14 所示，自由状态该机构具有两个活动构件、两个转动副和一个移动副（轴的转动为局部活动度不影响机构的整体活动度），其平面活动度为 $F=2\times3-3\times2=0$；当 A 点作用一横向载荷 W 时，轴发生弯曲。考虑这种变形，可认为在最大挠度点处存在一个有轴弯曲刚度的弹性铰链，所获得等效机构（图 2-14 虚线所示）仍可使用刚性构件机构的活动度分析方法。该等效机构中有三个活动构件、三个转动副、一个移动副，其平面活动度为：

$$F'=3\times3-4\times2=1$$

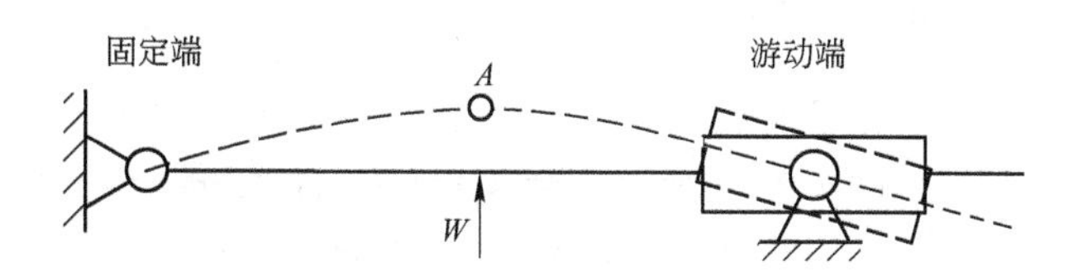

图 2-14　球面调心轴承支撑的轴系的机构简图

由于 A 处的弹性铰链是虚拟的，具有很大的刚度，不会影响机构原有的运动规律和位置关系，但却可以改善轴承中的载荷分布。

重载机构中转动副的转动元件只能采用多列滚子轴承，如四辊轧机的工作辊轴承采用四列圆柱滚子轴承、四列圆锥滚子轴承、圆柱和圆锥组合轴承等，由于轧辊为弹性体，受载弯曲是不可避免的，因而传统四辊轧机的工作辊轴承中存在严重的偏载行为。这一问题长期以来一直没有引起人们的足够重视，对由此引发的轴承低寿命、异常烧损和疲劳剥落等均归结为轴承材料、结构、润滑、密封或装配等影响。为此，国内外各大轴承制造商、设备制造商投入了大量人力、物力进行相关研究，寻找可行的延寿技术和方法，并开发出各种高质量的轴承及先进的润滑方法，但轧辊轴承的使 用寿命仍没有获得预期的改善。

124. 从球面调心轴承工作原理可受到的启发是什么？

前面讨论了球面轴承自动适应轴颈倾斜的原理，这主要归结为轴承内圈及滚动体与外圈之间形成球铰。这种特殊结构使轴承外径明显增大，因而限制其在一些径向尺寸较小场合的应用。各类轧机受辊颈强度和最小可轧厚度的影响，工作辊轴承只能选用小径向尺寸大宽度的四列滚子轴承，这类轴承对轴颈的偏斜十分敏感，而其自身又不具备相应的适应能力，轧辊受载弯曲时引起辊颈偏斜是不可避免的，因而轴承中的偏载行为成为一种必然。受球面调心轴承工作原理的启发（参考图 2-14），可否设想将起调心作用的球形铰链移至轴承座上，通过合理地设计轴承座的约束，在保证原有定位要求不变的前提下，使轴承座（连同轴承外圈）随辊颈倾斜而发生相应的摆动，保证各列滚动体的径向工作间隙相等，实现轴承中列间均载。

125. 平面自位型短应力线高刚度轧机的机构图是怎样的？

专利文献介绍了发明人发明的一种平面自位型短应力线高刚度轧机（二辊轧机），它实现了轧制力作用平面内的自位性能。该轧机的机构简图如图 2-15 所示，图中 a 是自由状态，b 为负载状态。该机构的平面活动度为：

$$\begin{cases}\text{自由状态}: F = 6\times 3 - 9\times 2 = 0 \\ \text{负载状态}: F' = 7\times 3 - 10\times 2 = 1\end{cases}$$

轧机在轧制力作用下，轴承座具有一个在轧制力平面内的摆动活动度。

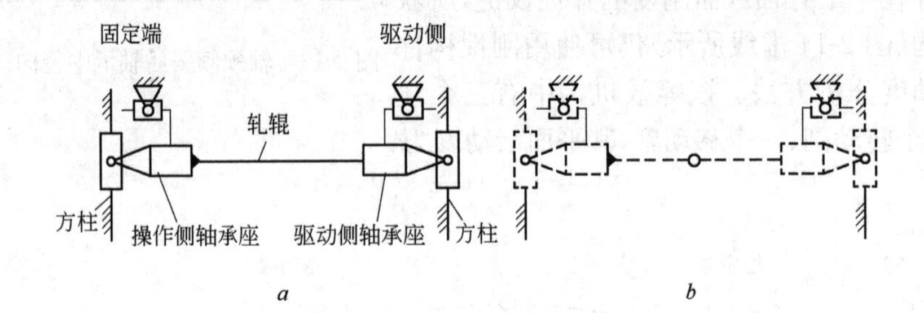

图 2-15　三铰拉杆方柱型高刚度轧机机构图

a—自由状态；b—负载状态

126. 空间自位型高刚度轧机的辊式约束机构图是怎样的？

图 2-16 示出一种空间自位型高刚度轧机的辊系约束机构图，它可实现轧辊轴承在轧制力平面和水平力作用平面（轧制方向）自位。

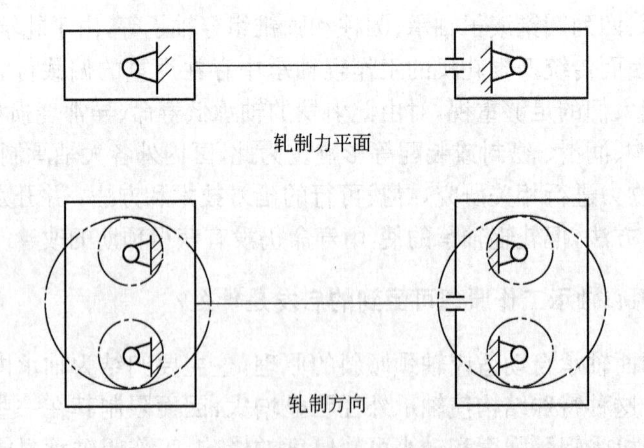

图 2-16　空间自位型高刚度轧机辊系约束机构

127. 2050mmCVC 热连轧精轧机工作辊操作侧轴承座的机构图是怎样的？

四辊轧机是板带轧制生产中应用最普通的轧机，它由安装在两架轧机牌坊之间的两个工作辊和两个支撑辊组成，每个轧辊部件由一个轧辊、两个轴承、两个轴承座组成，安装在轧辊辊颈处的轴承被固定在轴承座中，而轴承座安装在牌坊的窗口中，限制了轴承座在轧制方向上的运动。考虑到实际中存在的轴向力作用，操作侧轴承座的轴向固定凸耳受到轴向固定挡板与牌坊的限制，从而该轴承座在轧制平面内的运动受到限制，但传动侧的轴承座沿轧辊轴线方向的运动未被限制。在弯曲工作辊技术出现之前，工作辊轴承只承受平衡力、轴向力和不大的水平张力，因而轴承的运行行为尚令人满意。出于对产品质量，尤其是板形控制的需要，原有的旧轧机和新建造的轧机均逐渐采用了弯曲工作辊技术，该项技术已成为获得理想板形和保证表面质量的重要手段。弯辊力是由安装在轧机牌坊中的液压缸通过轴承座、轴承向工作辊辊颈施加的，由此达到弯曲工作辊控制板形的目的。对于这个特殊的轴承座设计，液压缸向轴承座两端的凸缘底部施加载荷，在一些轧机中弯辊力可达 2000kN。这一载荷的介入严重影响工作辊轴承的运行行为，一方面增加轴承的载荷，而原有的结构未作多少改进；另一方面，使轴承中的载荷分布严重不均。二者综合作用的结果使工作辊轴承的寿命和工作可靠性大幅度降低，引发轴承异常损坏。图 2-17 示出 2050mmCVC 热轧精轧机 F_4 机座工作辊操作侧组合轴承座的约束机构（2 杆 3 低副 1 高副）杆系图。机构简化时，考虑到工作辊被支撑辊和轧件夹持，有足够大的摩擦力，它们之间只有克服摩擦力才能出现相对移动，从机构分析的角度出发，该夹持位置（正弯辊时取支撑辊的辊端）可视为固定端。该机构弯辊力作用平面的活动度为：

空载状态　　　$F=2\times3-3\times2-1=-1$

负载状态　　　$F'=3\times3-4\times2-1=0$

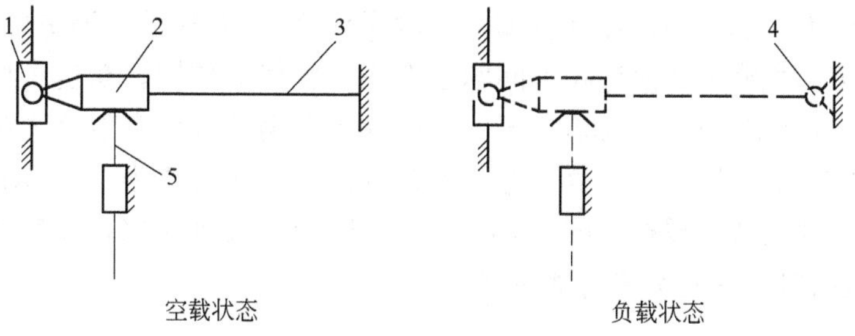

图 2-17　2050mmCVC 热连轧精轧机工作辊操作侧轴承座约束的机构图

1—轴向固定凸耳；2—轴承座；3—轧辊；4—等效弹性铰链；5—液压弯辊柱塞

可见该机构不具备随轧辊弯曲时辊颈倾斜相应的活动度，另外轧辊弯曲时轴承座的轴向位移受到限制，产生轴承上的附加轴向载荷。

轴向固定凸耳如有些设计中即使设计成圆弧形状，也由于不能补偿轴承座绕轧辊固定端转动时的轴向移动，使其失去作用。另外，凸耳和机架-固定挡板之间留间隙，但因轴向力作用使凸耳靠向挡板侧或机架侧，被挤压面积足以阻止凸耳的滑动，例如组合轴承座耳轮与挡板侧的被挤压接触弧长达 10～40mm。

128. 改造后的四辊轧机工作辊操作侧机构简图是怎样的？

为实现轴承中列间均载，轴承座必须存在一个能随着辊颈倾斜而发生相应摆动的活动度，因此，必须重新设计轴承座的约束。本项目开发设计的 2050mmCVC 热轧精轧机轴承座新约束机构如图2-18所示，为4杆6低副杆系，新的约束机构将图2-17中构件1和2之间的铰链轴设计成偏心轴，另外考虑到弯辊缸的柱塞与轴承座凸缘接触处常因过度塑性变形形成凹坑，使该处不能像设计时考虑的那样形成高副，新约束机构中通过高/低副替代的方法将原来的高副接触变成低副。图2-18所示机构的平面活动度为：

空载状态下　　$F=4\times3-6\times2=0$

负载状态下　　$F'=5\times3-7\times2=1$

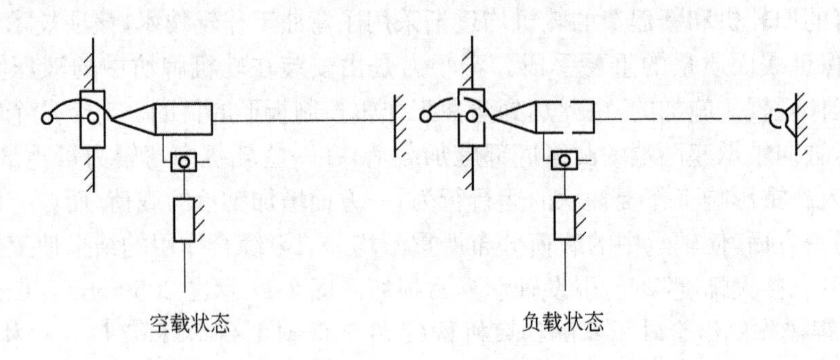

图2-18　改造后的四辊轧机工作辊操作侧机构简图

可以看出新的约束机构中，轴承座具备了随辊颈一起倾斜所需的活动度，因而实现了四列轴承中列间均载，获得了较长的使用寿命和高的工作可靠性。

通过轴承载体的约束机构实现多列滚子轴承列间均载的原理称为多列滚动轴承自适应均载原理，而实现这种自适应均载特性的约束机构称为自适应均载机构。这时一种全新的设计思想，对承受重载的机构设计具有重大学术指导意义，尤其是在解决轧辊轴承短寿命、异常烧损、局部大面积疲劳剥落等技术问题上有不可替代的作用。在这个原理指导下开发成功两种全新的自位型高刚度轧机，已分别应用到唐山钢铁股份有限公司第一轧钢厂和新兴铸管有限公司轧钢厂，取得了显著的经济效益，这两个机型及其相关技术已分别申报中国发明专利，其中一项已获得授权。图2-18中用于四辊轧机工作辊操作侧轴承座的新型约束机构及实施例也已申报中国实用新型专利。

129. 四辊轧机工作辊的受力情况如何？

完整约束可表示为坐标(也可能还有时间)方程的约束，任何其他形式的约束称为非完整约束。一种常见的非完整约束是单侧约束或单边约束，例如销轴能在磨损的销孔中颤动。这种约束可表示为不等式，$x_{\min}\leqslant x\leqslant x_{\max}$，它们也可作为分段完整约束，即在不同时间间隔内起作用的不同的完整约束。具有双侧约束的运动副称为闭式运动副，而依靠保守力保持运动副闭合的称为力闭合运动副。

一般四辊轧机工作辊轴承座与牌坊窗口间存在间隙，主要是为了换辊时辊系能方便地推入机架。在轧机运转中为保证工作辊稳定，四辊轧机工作辊中心相对支撑辊中心向出口侧偏移一小段距离(5～10mm)，使工作辊的侧向在任何时候都不失去约束，即保证有作用力使轧辊始终紧靠一侧，因此，四辊轧机工作辊系的横向约束属于力闭合约束。图2-19所示为工作辊传动的四辊轧机在正向轧制时工作辊的受力情况。

作用在工作辊上的力有轧制力 P_r、支撑辊的支反力 Q_s、工作辊轴承座的支反力 F_s。当

前张力 T_1 大于后张力 T_0 时，根据静力平衡条件可得：

$$F_s = P_r m\sin\varphi + Q_s\sin(\theta+\gamma)$$

$$F_s\cos\varphi = Q_s\cos(\theta+\gamma)$$

因 φ、θ、γ 都较小，近似取：

$$F_s = P_r[\sin\varphi + \cos\varphi\tan(\theta+\gamma)] \approx P_r(\varphi+\theta+\gamma)$$

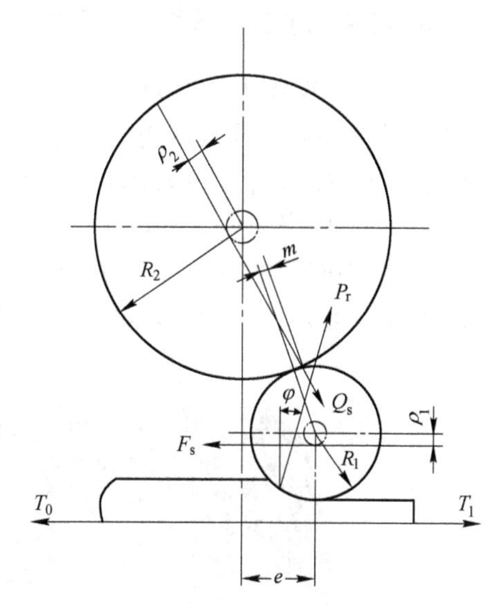

图 2-19　四辊轧机工作辊的受力分析

式中　φ——轧制力与垂直面的夹角，$\sin\varphi = \dfrac{T_1 - T_0}{2P_r}$；

θ——工作辊与支撑辊中心连线与垂直面的夹角，$\sin\theta = \dfrac{e}{R_1 + R_2}$；

γ——轧辊连心线与辊间压力方向的夹角，$\sin\gamma \approx \dfrac{m+\rho_2}{R_2}$；

R_1、R_2——工作辊、支撑辊的半径；

m——工作辊与支撑辊之间的滚动摩擦系数；

ρ_2——支撑辊轴承的摩擦圆半径。

保证有作用力使轧辊始终紧靠一侧，只要

$$\varphi+\theta+\gamma > 0$$

上式即为工作辊传动，并正向轧制时的工作辊稳定条件。将计算出的 φ、θ、γ 带入上式，可求得工作辊的临界偏移值：

$$e_c = (R_1 + R_2)\left(\frac{T_1 - T_0}{2P} + \frac{m+\rho_2}{R_2}\right)$$

实际上所选用的偏移值应大于 e_c 才能保证工作辊的稳定性。

这样的设计在稳态下是合理的，可以保证工作辊稳定运转。但传动轴的陀螺效应产生一个作用在工作辊传动端的附加力矩，其水平分量将导致两侧轴承座的水平力不等，传动侧的水平支反力为 $F_D = 0.5F + F_A$，而操作侧轴承座的水平支反力为 $F_O = 0.5F - F_A$，如图 2-20 所示。轧制过程中，咬入和甩尾时存在严重冲击，这种情况下，力闭合约束表现出不稳定性，因而这种趋势以及轧机牌坊窗口两侧的不均匀磨损将造成工作辊稳定性降低，甚至失稳，最终形成轧辊交叉，在工作辊轴承上产生附加轴向力及引起工作辊系的振动等，影响轧件的表面质量和轧辊轴承的运行行为。随着轧制速度和产品质量要求的提高，这一问题已引起行业人士的关注，并着手研究将原有的力闭合约束改为双侧可调整几何约束，并仍能方便换辊操作的解决措施。

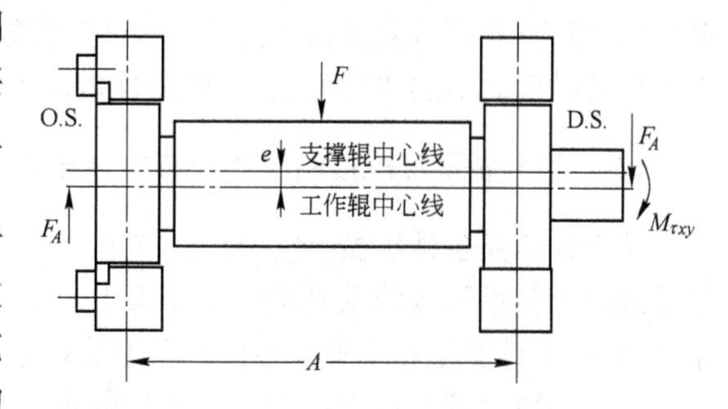

图 2-20　作用于工作辊上的水平附加力

130. 组合轴承载荷是如何分布的?

20世纪80年代末,宝山钢铁公司从德国施罗曼-西马克公司(Sehloenmann Siemag AG)引进的2050mm连续可变工作辊凸度(CVC)热连轧机,其精轧机工作辊传动侧采用四列圆锥滚子轴承,而操作侧采用专门设计的组合轴承带动CVC机构(由SKF公司设计制造,2×28个圆柱滚子$\phi45.0$mm×85.0mm,2×51个圆锥滚子$\phi32.0$mm×55.0mm,如图2-21所示)。中间圆锥滚子轴承的内圈与辊颈间留有足够的间隙(1mm),使得径向载荷由两侧的圆柱滚子轴承承受,轴向载荷由圆锥滚子轴承承受。

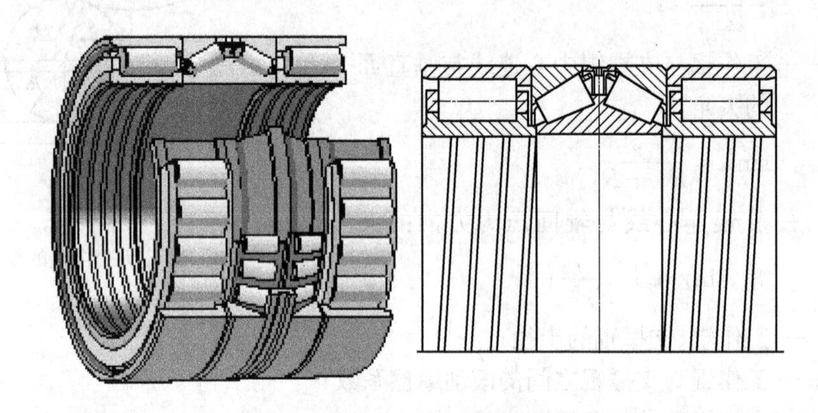

图2-21　SKF组合轴承

滚动轴承承受的载荷通过滚动体由一个套圈传递到另一个套圈,各个滚动体承受载荷的大小取决于轴承内部的几何尺寸及作用在轴承上的载荷类型。除了外载荷,滚动体还要承受转速效应引起的动载荷,如滚动体旋转惯性力、离心力、陀螺力矩、摩擦力等,轴承的几何形状及其载体的变形(重载及热效应作用下)将显著影响轴承内部的载荷分布。

滚动轴承中,滚动体与滚道间的载荷仅仅作用在相互接触体之间很小的接触面积上。因此,尽管滚动体上的载荷不太大,但它在滚动体与辊道接触表面上产生的应力很大。对滚动轴承来说,滚动表面上作用1380MPa以上的压应力而连续工作的情况并不少见。在某些应用场合以及耐久实验中,滚动表面上的压应力会超过上述应力水平。由于承受载荷的有效面积沿表面下的深度迅速增加,这种表面上高压应力不会出现在整个滚动体中。因此,在滚动轴承设计中,滚动零件断裂通常不是主要考虑的因素,而主要考虑的因素是滚动表面的破坏(包括磨损、疲劳剥落、烧伤、过度塑性变形等),所以精确计算表面及表面附近的应力状态和由接触应力引起的接触变形对评估轴承的疲劳寿命有重要意义。

131. 组合轴承三维接触压力分布的边界元法解析的意义是什么?

滚动轴承是各种机械装置中广泛应用的基础元件,轴承中各滚动接触表面的疲劳破坏是导致滚动轴承失效的主要原因,而接触压力的大小及其分布则是出现疲劳破坏的直接因素,因此精确计算轴承中的接触压力大小及其分布对设计更为合理轴承结构形式及寻求更有效的滚动轴承延寿技术和方法有重要的意义。在传统文献中给出的解析法将轴承载体(轴、轴承座,下同)视为刚性构件,计算轴承内部接触压力分布时,当轴承载体的刚性较大、载荷相对较小的场合，计算结果可以满足工程要求。当轴承载体的弹性变形对其载荷分布产生显著影响场合，如采用薄壁轴承座或轴的刚性较低及采用多列滚动轴承的支撑且载荷相对较大的场合。显然解析法已无能为力。近年来随着计算机技术的进步，各种数值计算方法如有限元法、边界元法成功地应用于接触问题的求解中。但大多仅获得二维解答（即在垂直轴线的平面内），有些建立了三维计算模型，但获得的结果仍是二维的。

132. 四列滚子轴承三维弹性接触边界元法计算程序框图是什么？

四列滚子轴承三维弹性接触边界元法计算程序框图如图 2-22 所示。

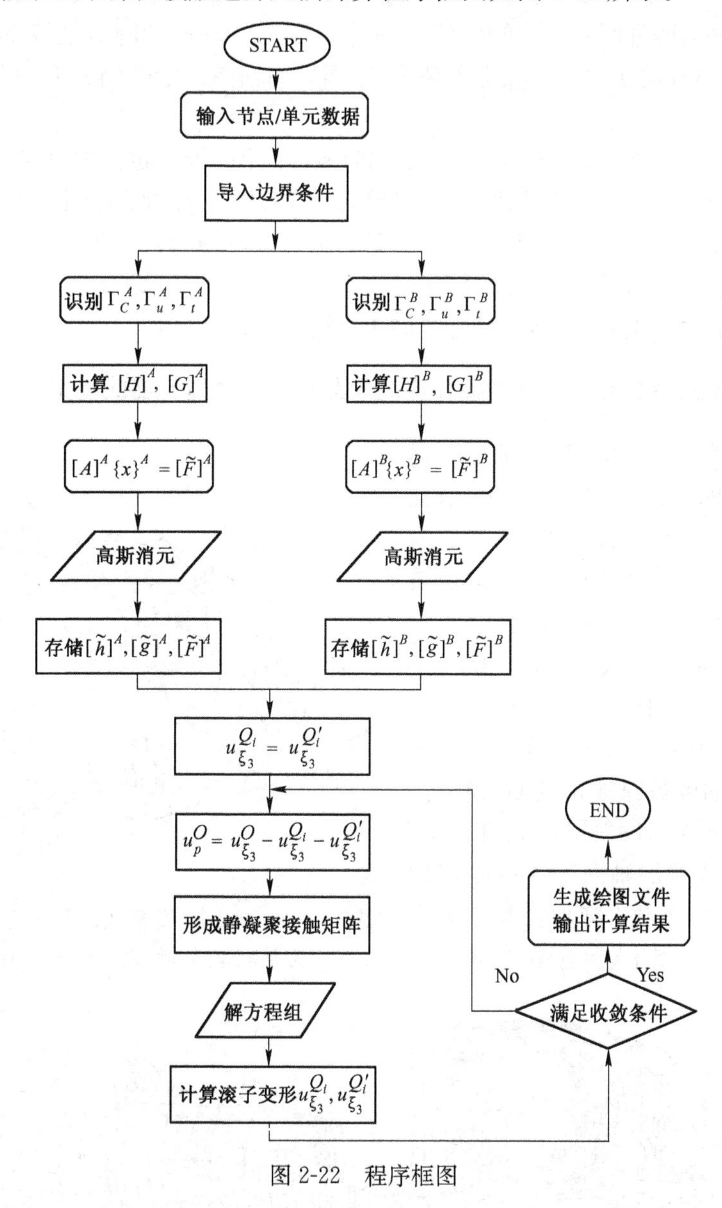

图 2-22　程序框图

133. F_4 机座组合轴承接触压力计算模型做了哪些结构和几何简化？

用滚动轴承接触压力分布专用计算机程序计算组合轴承的接触压力分布，所用的计算模型为轴承座轴承/轧辊的两个物体接触模型，模型做如下的结构和几何简化：

(1) 轴承的内圈与辊颈和外圈与轴承座镗孔之间弹性紧密贴合，模型中分别作为整体处理。

(2) 中间滚动体被简化成具有无穷大弯曲刚度的板单元，板单元的接触变形用 Hertz 公式计算。

(3) 该轴承 1 周有 28 个滚动体，为迭代判别简便起见，模型中圆周节点的间隙和位置被设置成与轴承中相应滚子的位置一致。

(4) 考虑到中间两列圆锥滚子轴承，当轴向力方向一定时只可能有一列起作用，且设计中组合轴承中间的两列圆锥滚子的内环，与轴颈间留有 1mm 的间隙，使该轴承单纯承受轴向载荷，模型中将其简化为单列纯推力轴承，这不影响轴向力沿圆周方向的分布，对轴承座的变形有影响。

(5) 圆柱轴承的径向间隙连同板单元的接触变形用一种自定义的间隙单元来模拟，计算中认为各板单元与轴承的内圈固结，间隙单元加在板单元与轴承外圈之间。

(6) 轧辊被简化为悬臂梁，固定端的位置当施加正弯辊力时选为与支撑辊端部接触的部位；当施加负弯辊力时选为轧件边部接触的位置。考虑到实际轧制时可能出现的轴向力，固定端沿轴向的位移没有被限制，而是施加相应轴向力。

134. 2050mmCVC 轧机工作辊操作侧轴承装配及其边界元离散模型是什么？

根据所用计算设备的容量，轴承座模型被分割成 1480 个节点、1484 个单元；轧辊被分割成 1234 个节点、1232 个单元；为模拟滚动体的边部接触效应，每个滚子被分成 3 个板单元，因此，整个接触模型中共有 280 个预接触节点、196 个预接触单元。边界元离散模型如图 2-23 和图 2-24 所示，计算中在轴承座两侧凸耳上受液压缸弯辊力作用的区域施加相应的弯辊力、在轴承座的侧面施加水平反力、在 CVC 轮上相应的位置施加轴向（z 向）固定约束，轴向力作为均布面力施加在轧辊的大端截面的每一个节点上（参看图 2-25）。

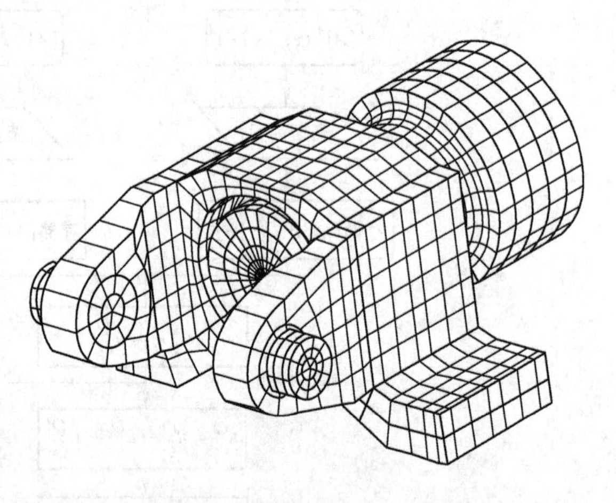

图 2-23　2050mmCVC 精轧机 F_4 机座下工作辊操作侧轴承座/轴承/轧辊边界元离散模型

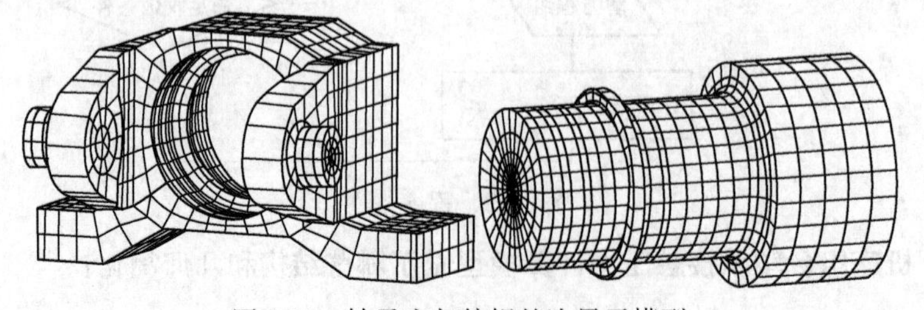

图 2-24　轴承座与轧辊的边界元模型

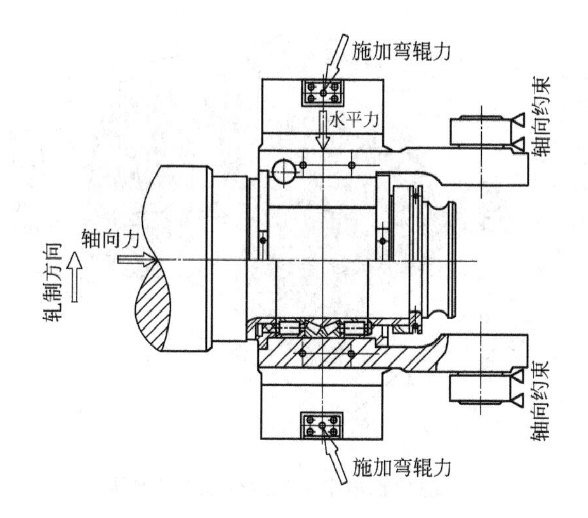

图 2-25　2050mmCVC 轧机工作辊操作侧轴承装配

135. 轴承座是如何变形的？

轴承座变形模拟如图 2-26 所示。

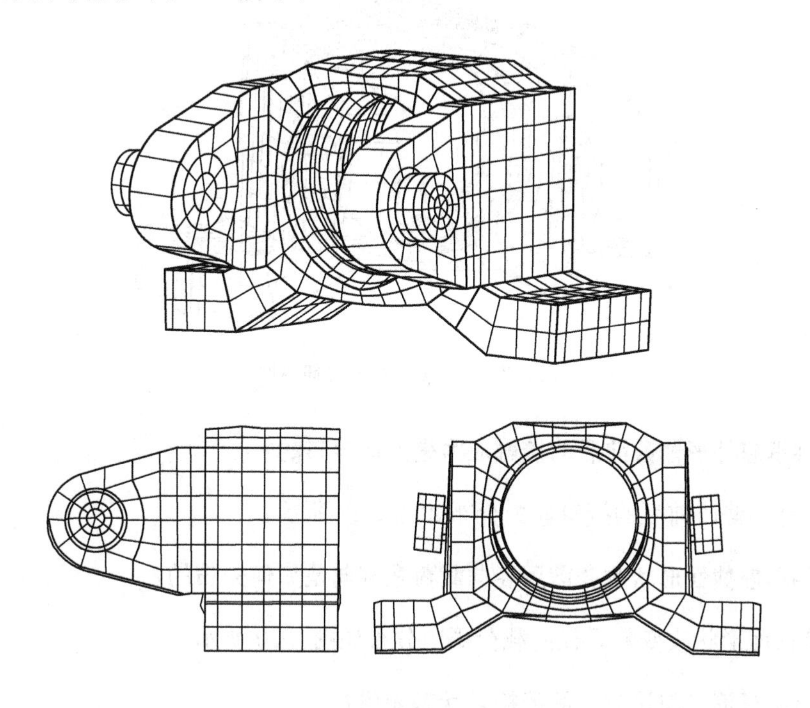

图 2-26　轴承座的变形

136. 组合轴承中两列圆柱滚子的载荷是如何分布的？

组合轴承中两列圆柱滚子的载荷分布如图 2-27 所示。

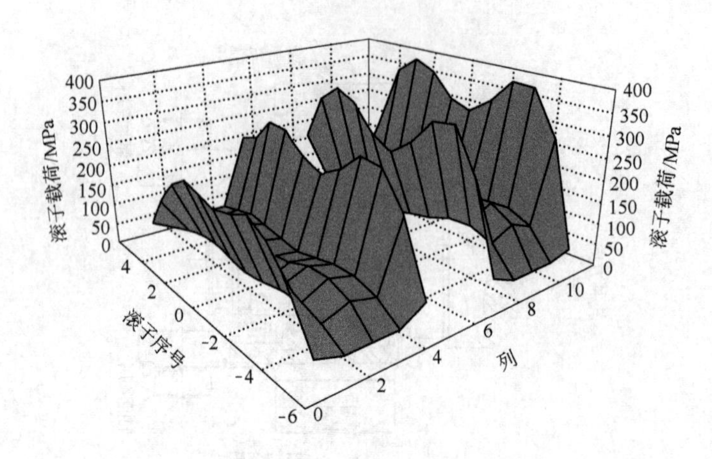

图 2-27　组合轴承中两列圆柱滚子的载荷分布

137. 轴承座修改后的外形图是什么样子的？

轴承座修改后的外形如图 2-28 所示。

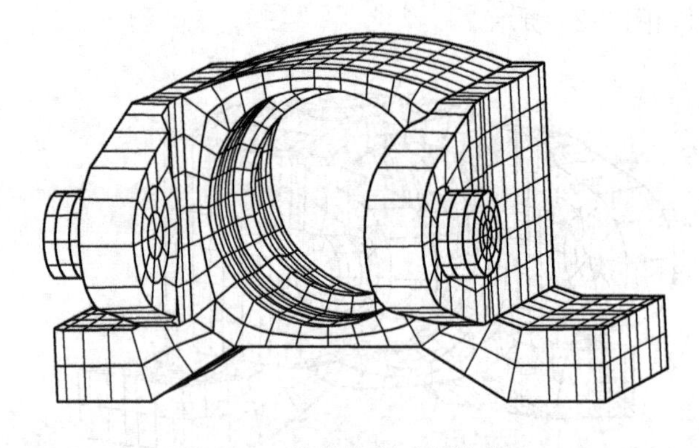

图 2-28　修改外形后的轴承座

138. 轴承座外形修改前后的接触应力是如何分布的？

轴承座外形修改前后的接触应力分布如图 2-29 所示。

139. 轴承座截面形状改变前后径向载荷在周向是如何分布的？

轴承座截面形状改变前后径向载荷周向分布如图 2-30 所示。

140. 有限长滚子与滚道之间的接触状态如何？

有限长滚子与滚道之间的接触状态如图 2-31 所示。

141. 不同弯辊力作用下组合轴承中的径向接触载荷是如何分布的？

不同弯辊力作用下组合轴承中的径向接触载荷分布如图 2-32 所示。

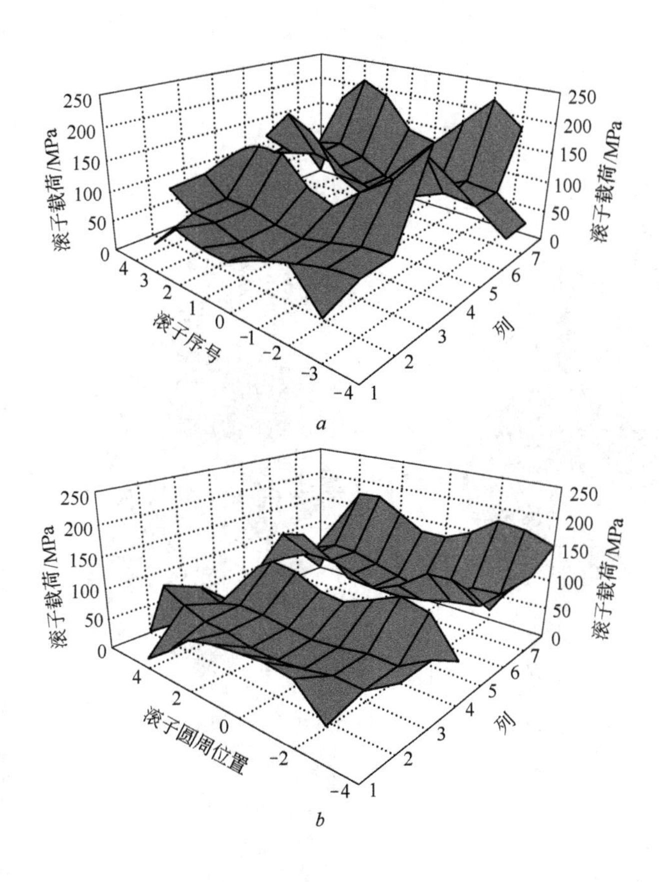

图 2-29　修改轴承座外形前后的接触压力分布

a—修改前；*b*—修改后

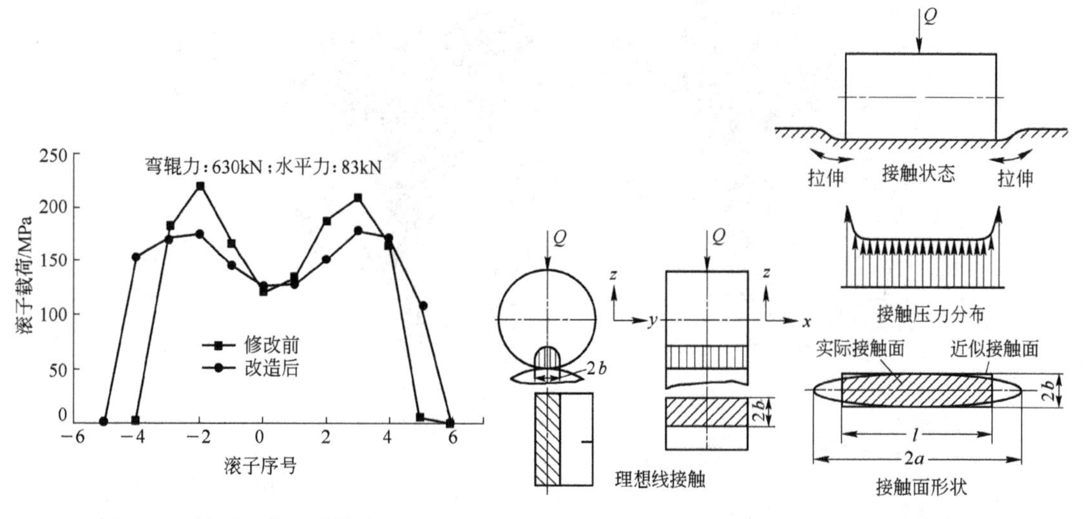

图 2-30　轴承座截面形状改变前后径向载荷周向分布

图 2-31　有限长滚子与滚道之间的接触状态

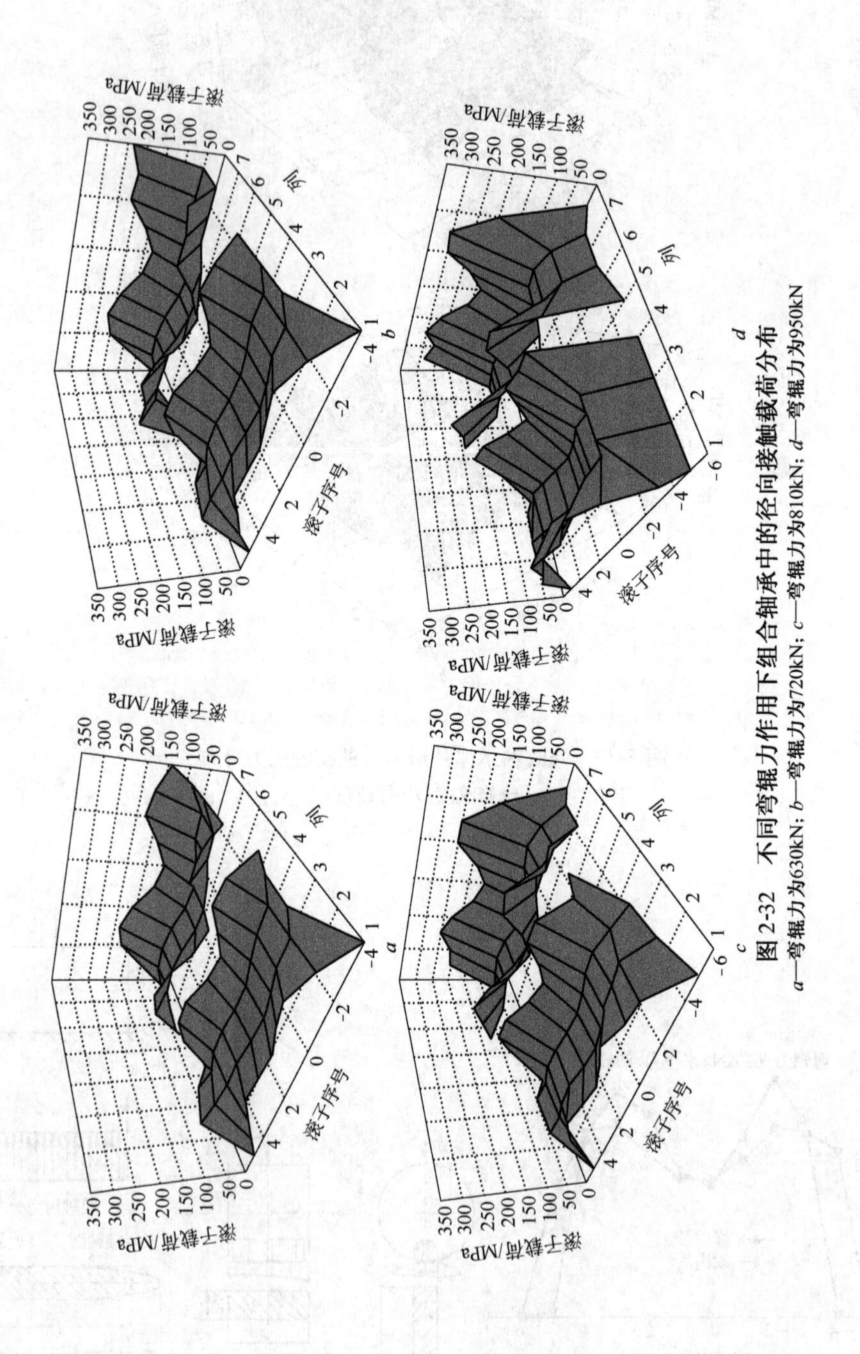

图 2-32　不同弯辊力作用下组合轴承中的径向接触载荷分布

a—弯辊力为630kN; *b*—弯辊力为720kN; *c*—弯辊力为810kN; *d*—弯辊力为950kN

142. 不同弯辊力作用下组合轴承中轴向载荷是怎样分布的？

不同弯辊力作用下组合轴承中轴向载荷分布如图 2-33 所示。

143. 不同弯辊力作用下两列圆柱滚子轴承中的偏载系数是多少？

不同弯辊力作用下两列圆柱滚子轴承中的偏载系数如图 2-34 所示。

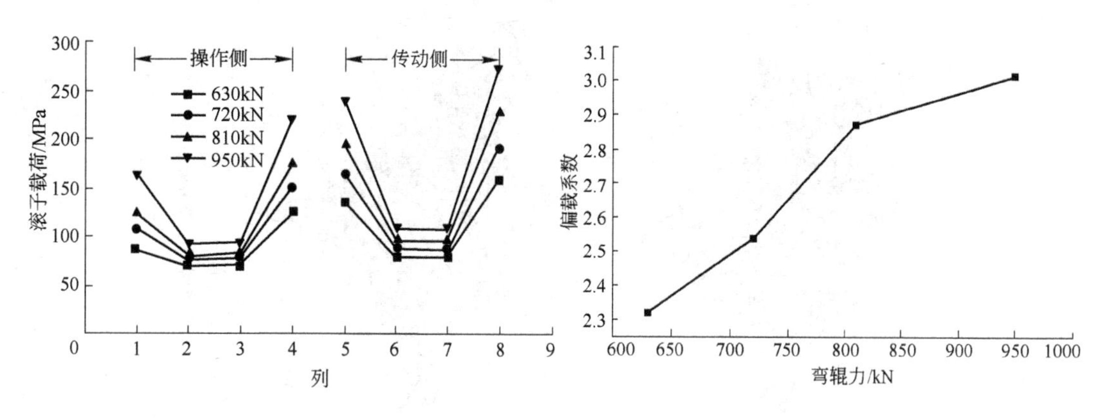

图 2-33　不同弯辊力作用下组合轴承中载荷的轴向分布

图 2-34　不同弯辊力作用下两列圆柱滚子轴承中的偏载系数

144. 弯辊力对径向载荷圆周分布有何影响？

弯辊力对径向载荷圆周分布的影响如图 2-35 所示。

145. 水平力对径向载荷在圆周上是如何分布的？

水平力对径向载荷圆周分布如图 2-36 所示。

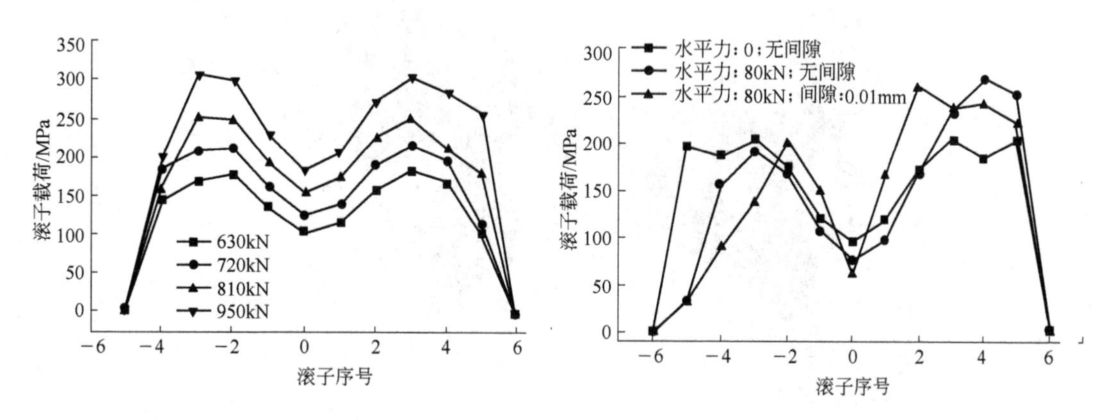

图 2-35　弯辊力对径向载荷圆周分布的影响

图 2-36　水平力对径向载荷圆周分布

146. 不同水平力作用下组合轴承中接触压力是如何分布的？

不同水平力作用下组合轴承中接触压力的分布如图 2-37 所示。

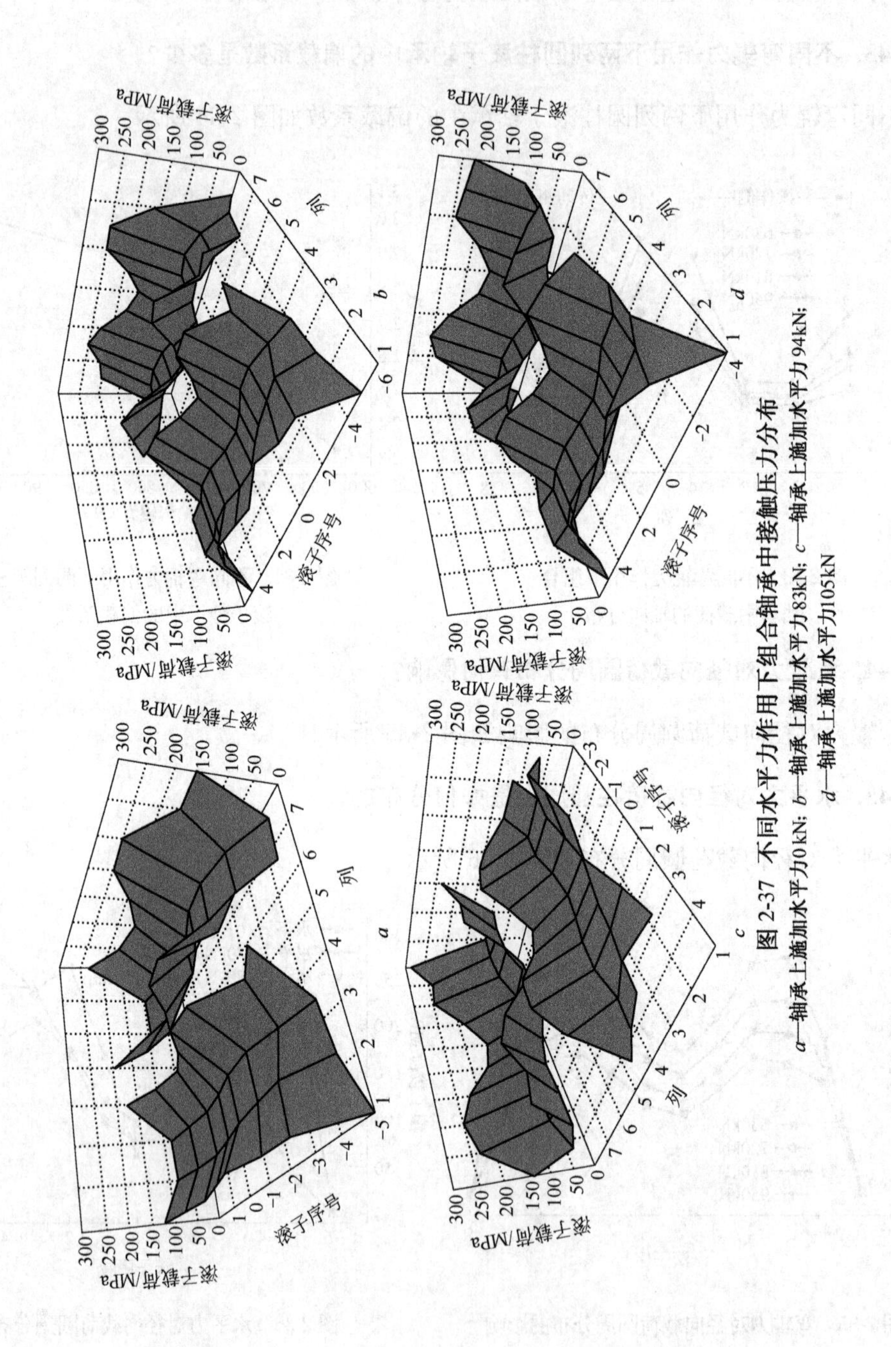

图 2-37 不同水平力作用下组合轴承中接触压力分布

a—轴承上施加水平力0 kN；b—轴承上施加水平力83kN；c—轴承上施加水平力94kN；d—轴承上施加水平力105kN

147. 不同滚子凸度下组合轴承中的径向接触压力是如何分布的?

不同滚子凸度下组合轴承中的径向接触压力分布如图 2-38 所示。

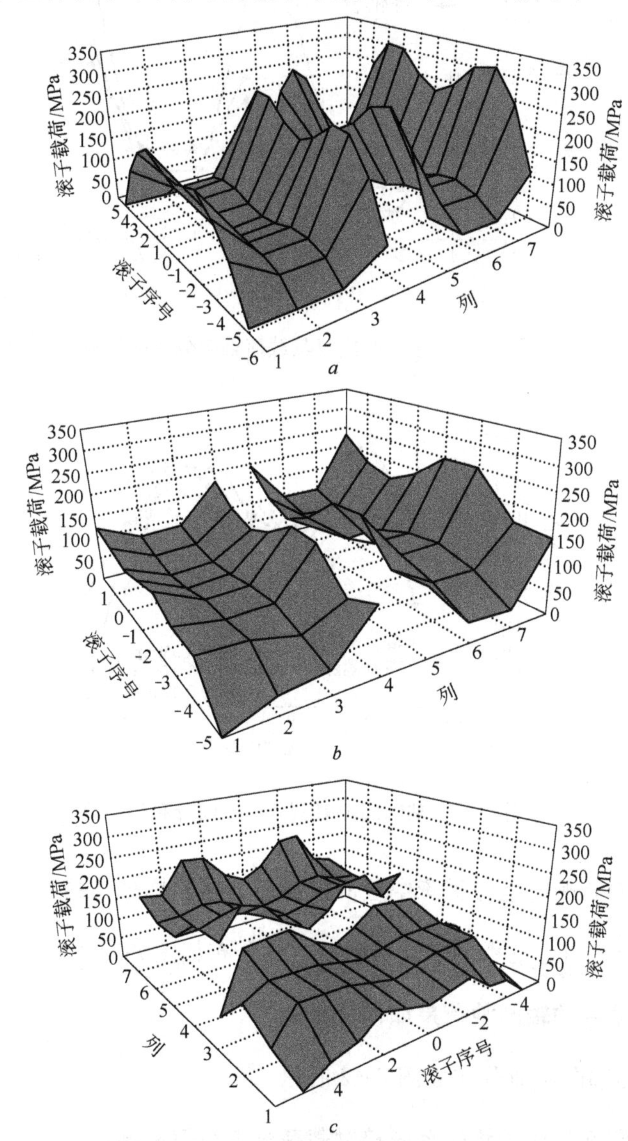

图 2-38　不同滚子凸度下组合轴承中的径向接触压力分布

a—滚子凸度为 0mm;*b*—滚子凸度为 0.003mm;

c—滚子凸度为 0.005mm

148. 滚子凸度对其载荷轴向分布有何影响?

滚子凸度对其载荷轴向分布的影响如图 2-39 所示。

149. 轴向间隙对其载荷周向分布有何影响?

轴向间隙对其载荷周向分布的影响如图 2-40 所示。

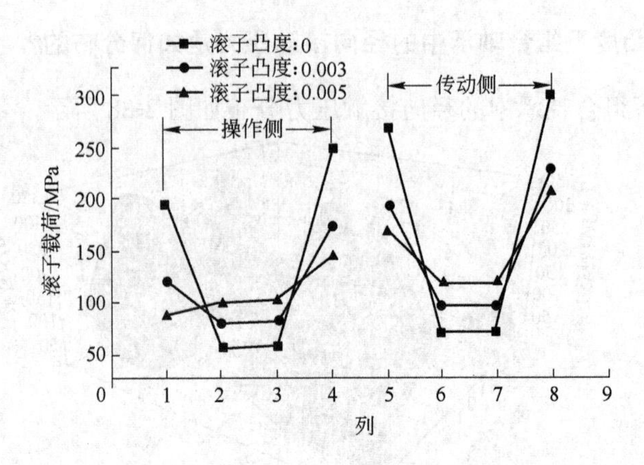

图2-39　滚子凸度对其载荷轴向分布的影响

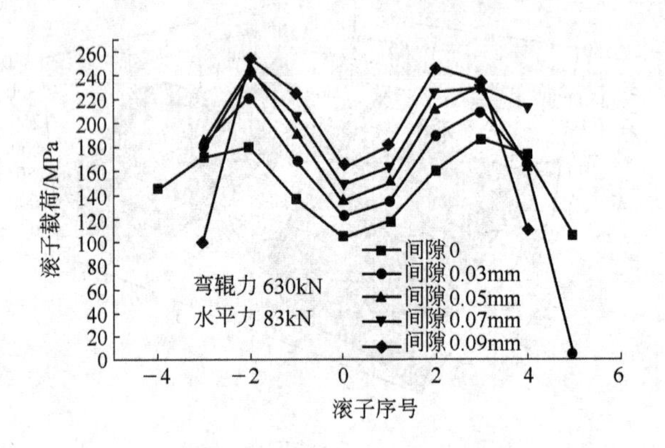

图2-40　轴向间隙对其载荷周向分布的影响

150. 不同径向游隙时组合轴承中径向接触压力是怎样分布的?

不同径向游隙时组合轴承中径向接触压力的分布如图2-41所示。

151. 组合轴承中的轴向载荷是如何分布的?

组合轴承中的轴向载荷分布如图2-42所示。

152. 水平力和间隙对轴承中径向接触载荷分布有何影响?

水平力和间隙对轴承中径向接触载荷分布的影响如图2-43所示。

153. 轴承的温升与温度分布状态对轴承的性能有何影响?

轴承系统的温升来自两个方面:一是轴承自身摩擦生热;二是外来异热传入轴承中。当轴承与外界温度有差异时就会发生热交换,轴承中的温度随着这种生热和热交换而不断变化,当两者之间达到平衡时,轴承的温度就达到了稳定状态。轴承的温升与温度分布状态对轴承的性能有较大的影响,它会影响轴承的安装配合、工作游隙及润滑剂的性能,温度升高会使轴承润滑状态恶化,导致轴承提前失效。

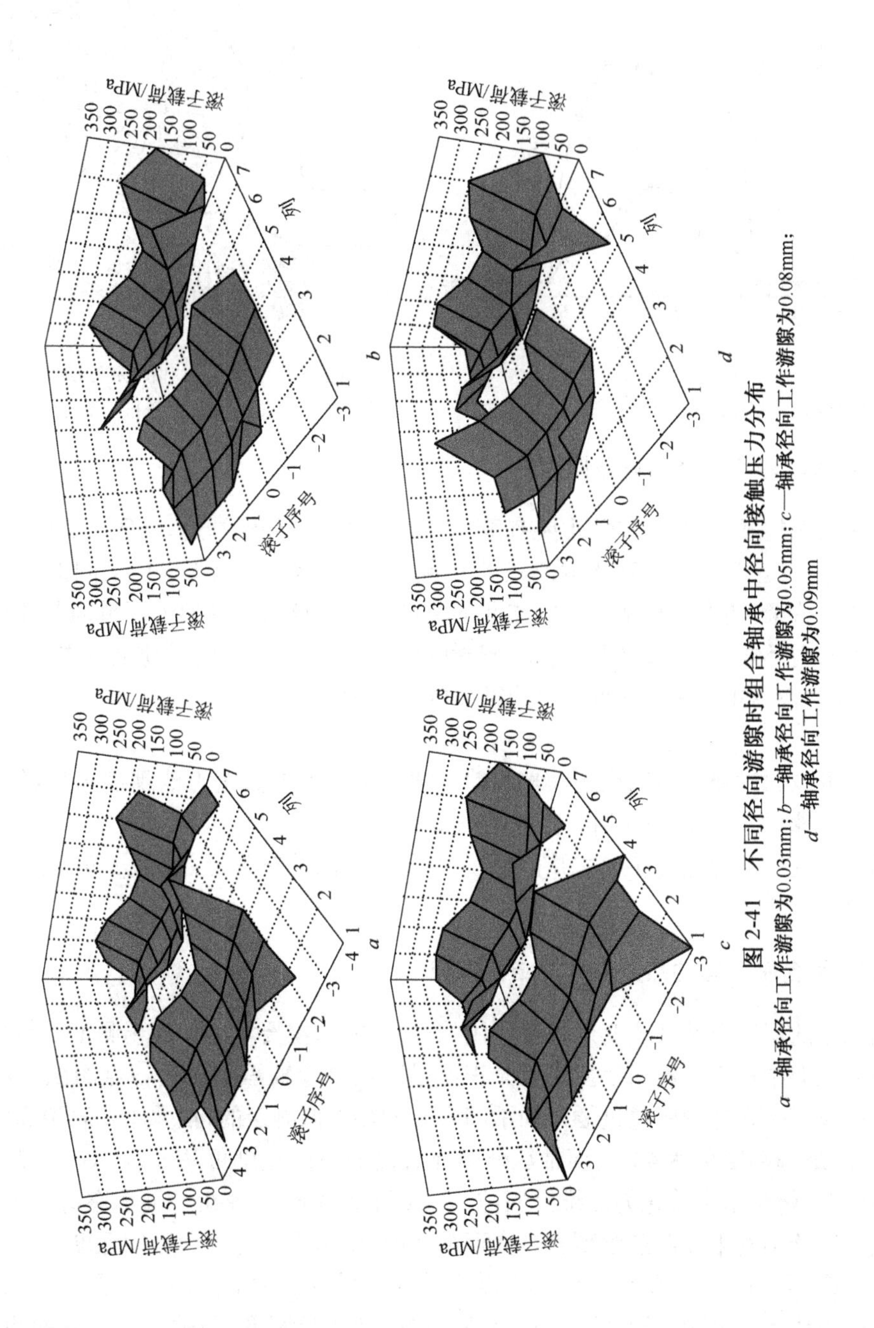

图 2-41 不同径向游隙时组合轴承中径向接触压力分布

a—轴承径向工作游隙为0.03mm；b—轴承径向工作游隙为0.05mm；c—轴承径向工作游隙为0.08mm；d—轴承径向工作游隙为0.09mm

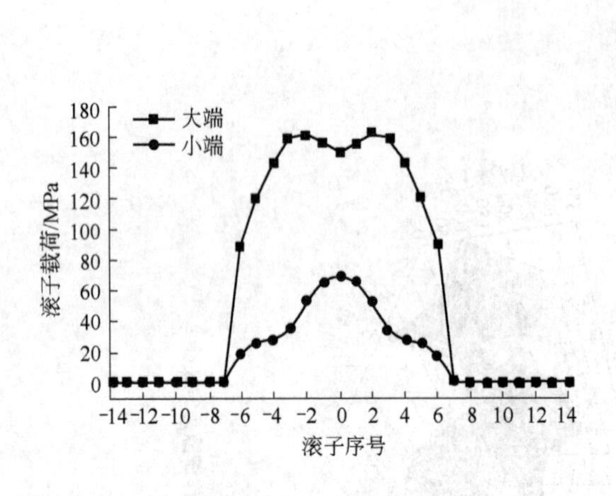

图2-42　组合轴承中的轴向载荷分布

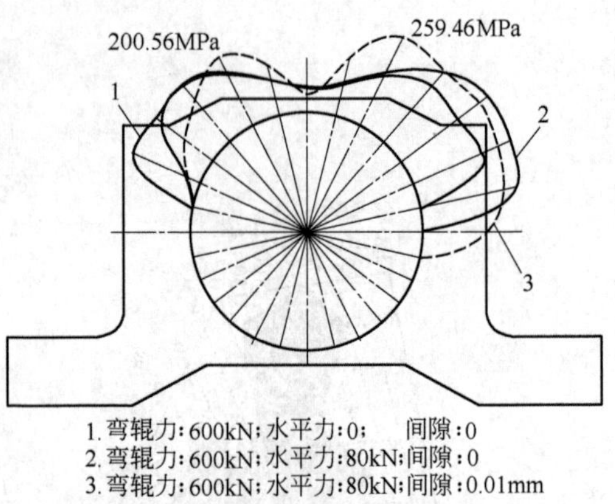

图2-43　水平力和间隙对轴承中径向接触载荷分布的影响

154. 滚动轴承中产生哪些摩擦?

滚动轴承的摩擦起因很多，主要有滚动中的滚动体的弹性滞后、接触表面的几何形状引起的滚动体-滚道接触的滑动、接触体变形引起的滑动、保持架与滚动体之间的滑动（对于挡边引导的保持架，还有保持架与套圈之间的滑动）、滚动体与保持架上润滑剂黏性拖动摩擦、滚子端面与内环或和外环之间的滑动、密封的摩擦、润滑油过多时的搅油损失等。总的摩擦力矩、黏性摩擦力矩及滚子端面与挡边摩擦的总和为：

$$M = M_1 + M_v + M_f$$

摩擦力矩可以通过建立在轴承运动学和动力学基础之上的分析方法精确求出，然而一般用经验公式计算，如Palmgrem用实验方法确定的公式。

轴承系统中几种热交换形式并存，是一个很复杂的传热系统，温度分布与热变形计算大多采用数值方法。

155. 组合轴承座的热变形计算结果如何?

轴承座的温度场及其热变形计算所用的边界条件，主要取之于现场测定。每次换辊时，轧辊刚从机架中抽出立即用手持式激光表面温度仪测量轴承座表面各点的温度，轴承外圈外表面的温度是在轧制中通过插入轴承座内部的热电偶测定的，轴承座外表顶面（与承载区对应）上的最高温度可达48℃，而轴承外圈外表面的最高温度可达65～70℃。假设轴承座轴向不传热，将轴承座简化为二维模型，图2-44所示为F_4机座组合轴承座对应测温点处的横截面二维传热有限元离散模型和热变形图，计算中边界条件均为已知温度。为便于比较，图中叠放模型变形后的网络。图2-45示出轴承座横截面内的热应力。图中绘出轴承镗孔变形后轮廓线的内外包络圆。可以看出轴承镗孔变成长圆形，与轴承受载时的弹性变形趋势相同。这种变形后结果将增大轴承径向载荷沿圆周方向分布的不均匀性，使“猫耳”处的尖峰值更大，对轴承的服役寿命产生不利影响。由此，提出轴承非圆镗孔曲线的解决方案，以缓解或消除热变形造成的不利影响，如图2-46所示。图中对称的两个标注70°角的区域被削去$\delta(\theta)$厚度，而顶部20°的对称区域仍保持圆形，以使轴承在孔内能很好定位。

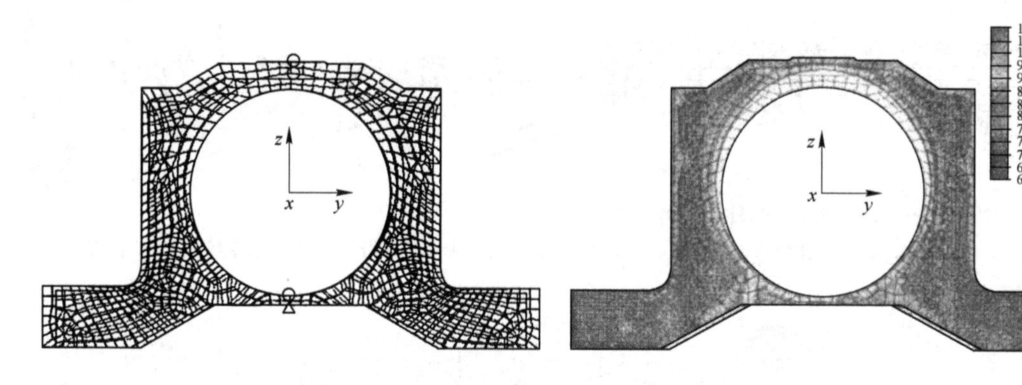

图 2-44 轴承座横截面的二维传热有限元模型

图 2-45 轴承座横截面内的热应力

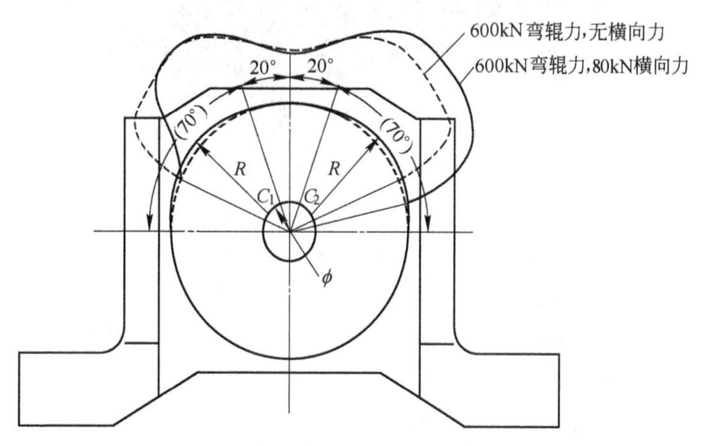

图 2-46 非圆截面孔中轴承载荷周向分布

图中标注角度 70°和半径 R 的两段圆弧的圆心分别位于

C_1 和 C_2,为表示清楚起见画图时放大了 100 倍

156. 组合轴承中圆柱滚子外圈的热变形计算结果如何?

用有限元法计算组合轴承靠近辊身侧圆柱滚子外圈的热变形,图 2-47 为其有限元分析模型,模型上叠放变形后的网格。由于轴承座的刚性比轴承外圈的刚性大得多,因而计算模型中外圈图 2-47 组合轴承中辊身侧圆柱滚子外圈的有限元模型及其热变形图上表面的节点径向位移被约束,而两端面上的节点用具有一定弹簧刚度的边界单元来模拟支撑弹性的影响。从图中看出,整个内滚道向内凸出,且靠近挡边的部分凸出的大一些,因此,热变形的结果使轴承原有的径向工作游隙减小,且各处的间隙不等,间隙小的部分先接触,从而造成热偏载。图 2-48 为相应的热应力分布。图 2-49a 为组合轴承中两列圆柱滚子在热力耦合作用下的载荷分布,图 2-49b 为组合轴承小的同一母线方向上(接触压力最大位置)圆柱滚子的载荷分布。从图中看出,最大接触压力位于辊身侧列圆柱滚子远离辊身的一端,计算结果中最大接触压力位置与轴承出现疲劳剥落及过热的位置基本一致。

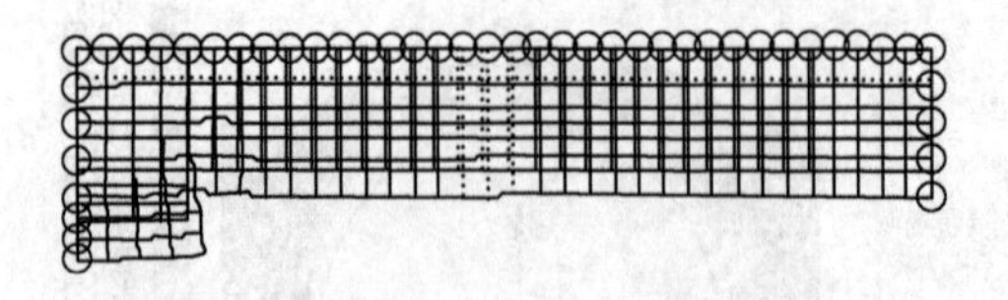

图 2-47 组合轴承中辊身侧圆柱滚子外圈的有限元模型及其热变形图

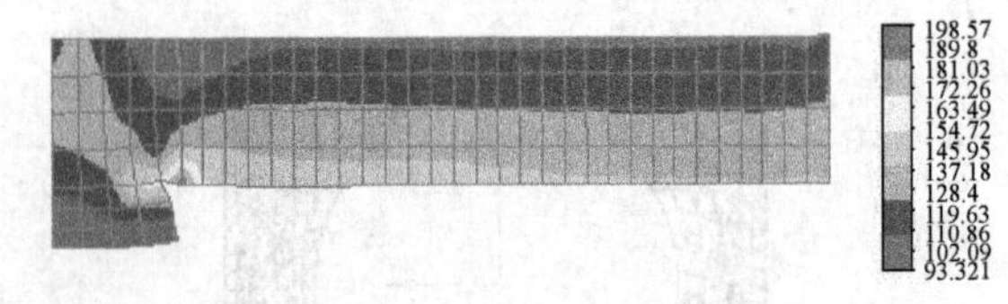

图 2-48 外圈的有限元计算热变形和应力

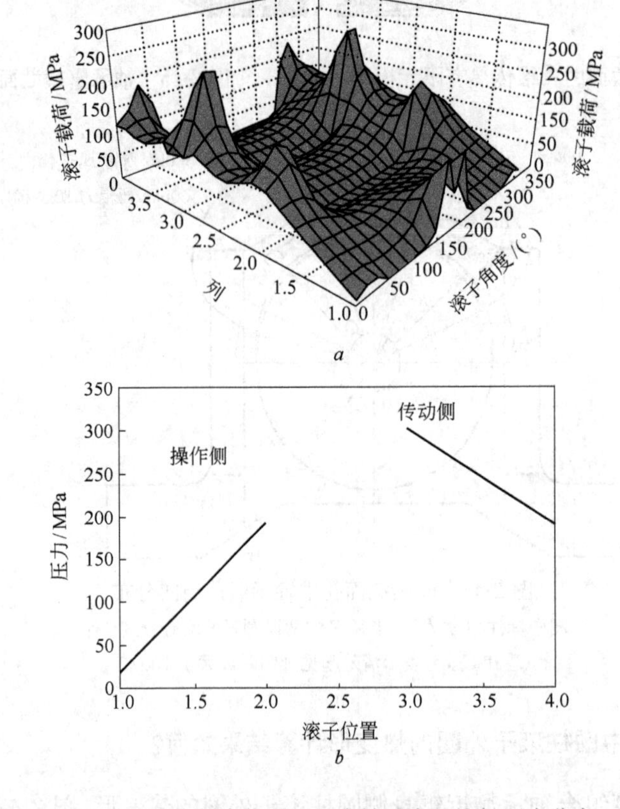

图 2-49 热力耦合作用下组合轴承中的接触压力分布

157. 组合轴承动态运行行为的实验研究的意义是什么?

前面从机构学和三维多物体接触问题边界元法程序阐明组合轴承偏载的机理,均是在静态或准静态下进行的。考虑到轧机的恶劣工况,获得工作辊轴承的动态负荷特性对全面了解工作辊轴承的运行行为,开展轧机组合轴承负荷特性的动态实验研究,还可验证理论与计算分析的有效性。实验是在宝山钢铁公司热轧厂2050mmCVC(工作辊连续可变凸度)热轧精轧机 F_4 机座上进行的。

158. 径向偏载的测试方案是什么?

关于组合轴承接触载荷的动态测试,采用两种间接测试方案,其一是借助于埋入轴承座中的压力传感器(如图 2-50 所示,太原重型机械学院课题组提出)测量轴承外围与轴承座镗孔面之间的接触压力,因为滚动体和外圈之间的接触压力与外围和轴承座镗孔之间的接触压力有一定的对应关系,其变化趋势是一致的,但外圈和轴承座镗孔之间的接触压力比滚动体和外围之间的接触压力小。另外,传感器的固定刚度应比传感器的压缩刚度大得多,这样才能使传感器的灵敏度高、信号强,但结构原因无法保证较大的固定刚度。基于本次测试的目的是测量组合轴承的偏载,所以上述径向压力传感器装配测试方案是直观且可行的。其二是通过测量承载区轴承座外表面指定位置的表面应变(应力)来间接反映轴承内部接触压力的大小。数值计算结果表明:轴承座表面应变(应力)与内部接触压力之间存在确定的对应关系。不足是测试中所用的电阻应变片的输出信号所反映的力参数难以标定。但表面应变是容易测量的,只需在指定位置上粘贴电阻应变片,无需在被测轴承座上进行任何破坏性加工,因而很容易用于现场工业测试。如果想得到轴承中的真实接触压力,只要利用相应的数值计算结果进行换算即可。现场实验同时采用上述两种测试方案,以利互相比较。必须说明的是,由于一些技术上的原因,4 个径向载荷传感器的输出只具有相对意义,与测量点的真实值存在有一定的差距。

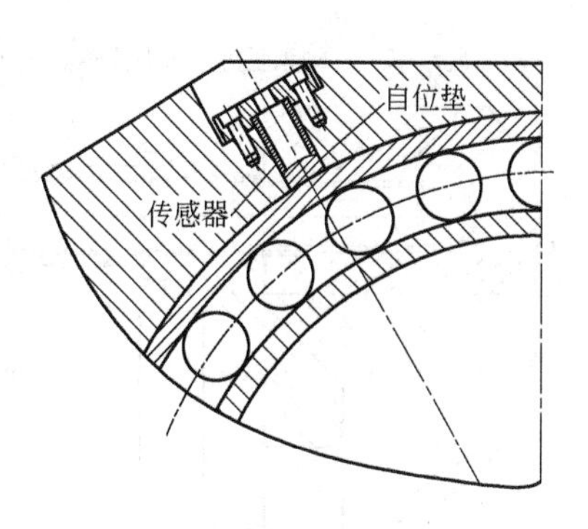

图 2-50　径向压力传感器装配

159. 轴向力测试方案是什么?

传统的轴向力测定方案是把轴承座左右轴向固定凸耳两侧的铜滑板拆下,换上板式传感器进行测量,如图 2-51 所示。这种方法有两点不足:一是由于轧机工作时弯辊缸柱塞紧压在轴承座上,动态测试中受它们之间摩擦力的影响,测出的值不是作用在工作辊上的真实轴向力;其二,这种方法只能测出总轴向力,理论分析和现场观察已证实,轴向力在止推轴承整个圆周各滚动体上的分布是不均匀的,这是弯辊力作用下轧辊弯曲或轧辊交叉偏移所致。因而该方法不能测出轴向力沿全圆周的分布。本次测试中,采用燕大课题组提出的新方案,该方案的正确性和可靠性已在不久前完成的“2350mm 铝箔中轧机轴向力测试研究”(企业合作项目)项目中得到验证。在操作侧轴承座两侧轴承压盖和它的每一个压紧螺钉之间串入压力传感器,这时轴向力通过轧辊、组合轴承、轴承压盖、压力传感器、螺钉、轴承座、CVC 抽辊缸、机架(轧机牌坊)形成一个串联的力封闭链(如图 2-52 所示),压力传感器是其中的一个环节,因而能够反映真实轴向力的大小,而轴承压盖上的螺钉

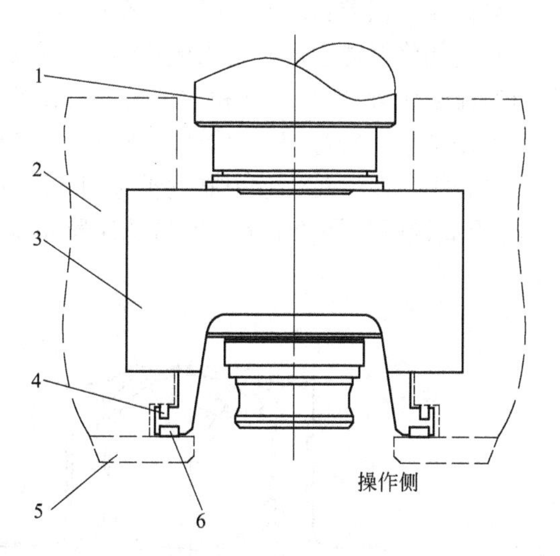

图 2-51　轴向力的传统测试方法
1—轧辊;2—牌坊;3—轴承座;4—测力传感器 A;5—轴向固定挡板;6—测力传感器 B

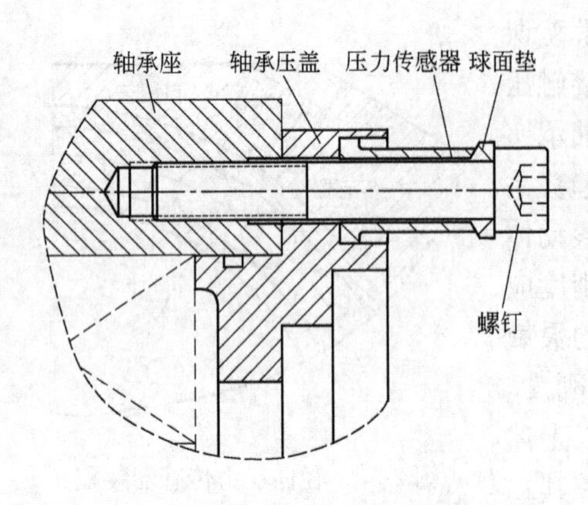

图 2-52　轴向压力传感器装配

共有16个，分布在整个圆周上，所以各个传感器的值就反映出轴向力的分布情况，而全部传感器构成一个并联系统，所有传感器压力的总和即为总的轴向力。采用这种方法时应注意，各螺栓的初始预紧力根据实际许可尽可能小，总的初始预紧力一般不应大于辊系中的轴向力的20%，以便准确获得测试结果。

160. 轴承的温度如何测量？

轴承的温度及其变化趋势反映轴承载荷、冷却、润滑等工况，因此，整个实验期间在轴承座中安放了温度传感器，实时监测轴承温度的变化，以保证实验期间轴承的安全性。同时，还借用一种手持式激光表面温度测量仪测量了轴承座、轧辊的表面温度分布，所获得的数据为轴承系统的热分析及轴承维护提供依据。

实验选用铜-康铜（T形）铠装工业热电偶作为温度传感器，由上海仪表三厂定制（产品型号：WZC－270，规格355mm×300mm），保护壳材料为不锈钢。主要参数如下：

测温范围：－270～350℃；

塞克系数（μν/℃）－200～0℃为16～39；

时间常数：0.2s

稳定性：－170～200℃优级；

允许测量误差：在－40～125℃范围内±0.5℃。

热电偶将被测温度转化为电势信号，可以通过各种电测仪表测量电势以指示温度，常用的有直流毫伏表、电位差计和数字式电压表等。

滚动轴承运转过程中，轴承内外圈辊道表面的温度最高，但此处无法测量。偏载分析认为工作辊操作侧滚动轴承中靠近辊身侧列滚动体远离辊身的一端受载最大，因此，实际测试中，热电偶接触的是轴承承载区与受载最大位置相对应的轴承外圈的外表面，如图2-53所示。

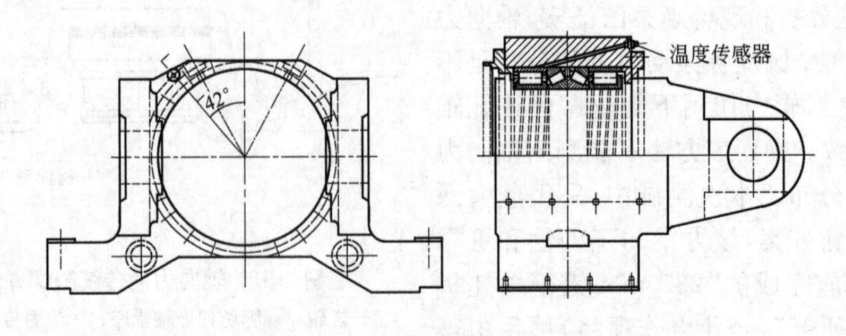

图 2-53　温度传感器的安装位置

161. 2050mm热轧精轧机组基本情况是什么？

现场测试是在宝山钢铁公司热轧厂协助下进行的。依据要求，在线测试2050mmCVC

热连轧精轧机组 F_4 机座下，工作辊操作侧组合轴承两列圆柱滚子轴承中径向载荷的分布、轴向力及轴承温度，同时观察了轧机轴承的运行行为。

宝钢热轧带钢厂是 20 世纪 80 年代末我国从德国 SMS 公司引进的大型现代成套装备，其精轧机组设有全液压厚度自动控制、液压弯辊自动控制及连续可变凸度系统（CVC）。CVC 技术于 80 年代初最先应用在冷轧机上，80 年代中期开始推广到热连轧机。CVC 轧机的主要特点是将工作辊整体磨成“S”形，上、下工作辊形状相同且互相成对地成 180°放置，使上工作辊和下工作辊构成等距离的辊缝轮廓形状，但工作辊移动到某一位置，可使辊身全长方向上具有相同的高度。这时工作辊的等效凸度等于零，如果工作辊轴向移动一个距离，则工作辊的等效凸度要发生变化，因为辊凸度正好与板凸度概念相反，工作辊凸度与轴移动量成线性关系。正抽辊时，工作辊凸度随抽动量增大而增大；负抽辊时，工作辊凸度随抽动量增大而减小。CVC 工作辊通过轴向无级移动，使工作辊凸度能在一个最大和最小之间无级调节，达到工作辊凸度可连续变化的效果。在各种温度分布的情况下，连续可变凸度的工作辊对轧制各种宽度和各种厚度的带钢，都能顺利进行平直度控制。

根据热轧连续可变凸度轧机的轧制工艺要求，轧机的机械结构必须满足下列条件：

(1) 正常轧制时，必须保证上下工作辊能轴向对向移动；

(2) 工作辊在作轴向移动时，正弯辊力必须投入使用，即保证正弯辊缸与工作辊轴承座之间能相对移动；

(3) 轧辊主传动轴必须能实现与轧辊的同步轴向补偿；

(4)工作辊轴承座与工作辊之间的间隙必须消除，以提高系统的位置控制精度。

162. 2050mm 连续可变凸度热连轧机工作辊系的结构组成如何？

图 2-54 为宝钢 2050mm 热轧连续可变凸度（CVC）精轧机辊系结构图。固定凸台 6 安

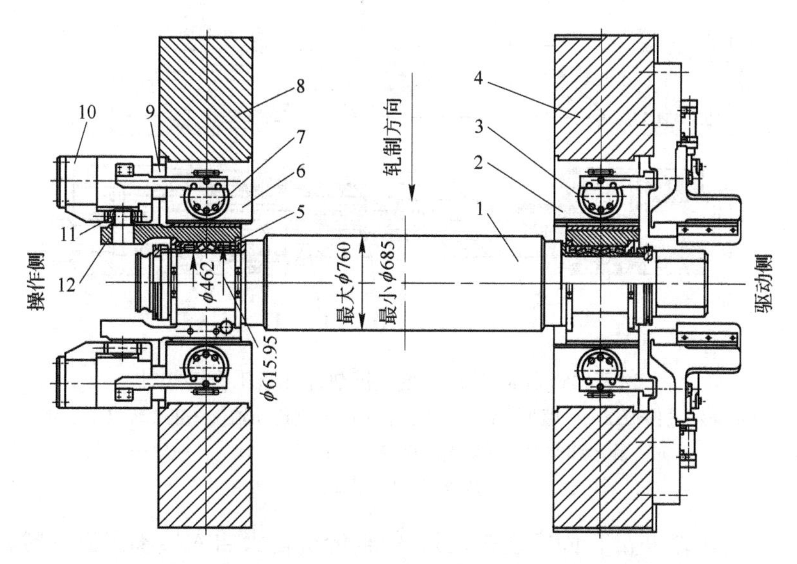

图 2-54　2050mm 连续可变凸度热连轧机工作辊辊系装配图

1—工作辊；2—传动固定凸台；3—传动侧弯辊缸；4—机架；5—组合轴承；6—操作侧固定凸台；7—操作侧弯辊缸；8—机架；9—轴向移动缸；10—旋转挡板；11—CVC 轮；12—工作辊轴承座

装在机架牌坊的内侧，弯辊缸7和轴向移动缸9安装在固定凸台6中，轴向移动缸活塞杆头部安装固定轴向限位挡板和旋转挡板10（通过液压缸驱动，图中未画出），将轴承座上的CVC轮11锁定。当轴向移动缸移动时，即可拉动轴承座12，而轴承座12通过组合轴承5与轧辊相连，从而带动工作辊作轴向移动。传动侧轧辊和轴承座是通过四列圆锥轴承连接在一起的，轧机牌坊窗口只限制其横向位移，轴向处于自由状态。由于弯辊缸7是固定不动的，因而当轴承座连同轧辊轴向移动时，弯辊缸的柱塞顶面与轴承座凸缘上安装的垫块之间存在相对滑动。为保证轴向移动时二者之间始终能保持良好接触以传递弯辊力，弯辊缸柱塞的顶端面设计有足够大的直径，以使在规定的轴向抽动位移10mm范围内，轴承座凸缘上的垫块不会脱出。轴向抽动距离是通过安装在轴向移动缸内的位移传感器（磁尺）来控制的。上、下工作辊的轴向布置形式相同，且每个工作辊轴向移动缸均为两只对称布置，只要上下两对液压缸相对轴向移动，即可实现工作辊辊型的连续变化。设计时保证两只液压缸同步运动，如果同一轴承座两侧液压缸的相对位移误差超过4mm，则系统自动进入保护锁定状态。

163. 2050mm连续可变凸度热连轧机工作辊接轴结构组成如何？

连续可变凸度轧机的工作辊在进行轧制时要在线轴向移动，因此，主传动轴的设计不但要满足轧制力矩的传递和便于快速换辊，而且在工作辊轴向移动时，必须能进行轴向同步补偿。

图2-55为连续可变凸度（CVC）精轧机的传动接轴示意图。减速箱输出轴1通过圆弧齿套2带动圆弧齿3，圆弧齿3的内孔为滑键孔，且滑键传动轴可在圆弧齿3的内孔中滑动。滑键传动轴4通过圆弧齿5将动力传递给工作辊接轴齿套6，以带动工作辊转动。

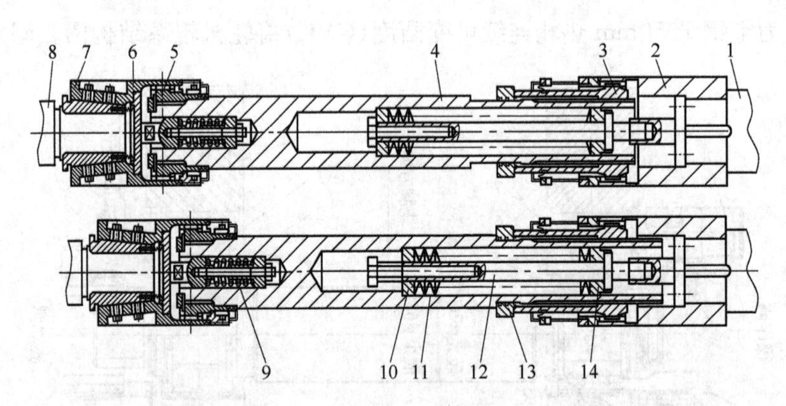

图2-55 2050mm连续可变凸度热连轧机工作辊接轴
1—减速箱输出轴；2—圆弧齿套；3、5—圆弧齿；4—滑键传动轴；6—工作辊接轴齿套；
7、11—蝶形弹簧组；8—斜楔压板；9—弹簧；10—压块；12—导杆；
13—定位环；14—滑动压板

工作辊与传动轴之间没有固定连接，当工作辊传动扁头插入接轴齿套6时，斜楔压板8在工作辊推进过程中，将工作扁头楔紧在接轴齿套内，实现了快速换辊。

蝶形弹簧组11通过压块10压在滑键传动轴4上，另一端通过滑动压板14及导杆12压在减速箱输出轴1上，这样，只要蝶形弹簧组7有预紧力存在，即能保证滑键传动轴始终有一个轴向力，方向始终指向工作辊侧。当工作辊向操作侧移动时，蝶形弹簧组将释放预紧力，使滑键传动轴也向操作侧移动，只要蝶形弹簧的预紧力大于斜楔压板 8 对工作辊传动扁头的锁紧摩擦力，那么，轧辊与传动轴就不会分离，保证传动的顺利进行。反之，当轧辊向传动侧移动时，蝶形弹簧被压缩，从而使预紧力增加，这就实现了传动轴的轴向补偿。

为了保证在换辊状态下主传动轴在轴向能准确定位，并使其在自由状态下有一定的轴向刚度(即保证蝶形弹簧的预紧力不完全释放)，通过定位环 13 即可实现上述要求。

图 2-55 中上下传动轴的轴向位置即为工作辊轴向移动的两个极限位置。定位环 13 与圆弧齿 3 固定在一起，且安装在滑键传动轴的凹槽内。当工作辊抽出时，蝶形弹簧预紧力释放，滑键传动轴向工作辊方向移动，此时工作辊即可顺利抽出，且传动轴仍保持一定的预紧力；反之，当工作辊向传动侧移动时，在一定的范围内.定位环将阻止工作辊的进一步推进，定位环相对于传动轴的移动距离即为可变凸度轧机的轴向移动范围。

弹簧 9 的作用是：传动轴处于自由状态时，能保证工作辊接轴齿套与整个传动轴在一条直线上，便于工作辊扁头的准确插入。因为弹簧 9 的刚度远比蝶形弹簧组的刚度小，因此，在工作辊进入时，主要起缓冲作用。

根据连续可变凸度精轧机的轧辊辊面形状的特点，在正常轧制过程中，轧辊的轴向力比普通轧机要高，且当轧辊进行轴向移动时，轴向力将达到轧制力的 20%左右。因此，这种轧机的轴承座设计时必须使其能承受较大的轴向力。另外，必须消除轧辊与轴承座之间的间隙。从图 2-54 中看到，在轴承两侧的固定端盖与轴承座之间加入了一种特制的软木垫片，这种低刚度的软木垫起到了一定的缓冲作用。

164. 现场实测组合轴承动态偏载行为概况如何？

1999 年 8 月 5 日至 9 月 2 日，在宝山钢铁公司热轧厂对 2050mm 连续可变凸度热轧精轧机组 F_4 机座下工作辊操作侧组合轴承的动态偏载行为进行在线测试。在实验期间，分别于 1999 年 8 月 10 日、8 月 12 日、8 月 31 日和 9 月 2 日进行 4 次测试，其中 1999 年 8 月 10 日和 8 月 31 日进行径向偏载测试，1999 年 8 月 12 日和 9 月 2 日进行轴向力测试。在 4 次测试中均记录轴承温度及工作辊的轴向位置等，所有测试使用相同的轴承座和轴承，而配用的轧辊则是由生产调度安排的。为取得理想测试结果，每次测试前会同工艺、设备、磨辊、电气、自控等部门的相关人员，制定尽可能满足测试要求的轧制表，确定记录范围，并通知机组总控制台和主控计算机中心通力协作。测试中由主控制台负责实时记录 CVC 位置、弯辊力、轧制力等的变化(表 2-3)。测试结束后，由计算机控制中心提供实际轧制的各轧件的规格及轧制的相关参数表。8 月 10 日的轧制表有 71 块板坯，编号为 3217001～3217030 和 3211031～3211071，测试中记录 3217001～3217006、3217019～3217021、3211048～3211056、3211069～3211071 共计 21 块钢坯的轧制过程；8 月 12 日的轧制表安排 57 块板坯，编号为 3236001～3236057，测试中记录 3236001～3236020 共计 20 块板坯的轧制过程；8 月 31 日的轧制表有 46 块板坯，编号为 3528001～3528046，测试中记录 3528001～3528006、3528014～3528023、3528031～3528036、3528044～3528046 共计 25 块板坯的轧制过程；9 月 2 日的轧制表中有 48 块钢坯，编号为 93548001～93548048，测试中记录了 93548001～93548006、93548014～93548023、93548031～93548033、93548043～93548048 共计 25 块钢坯的轧制过程。

表 2-3　1999 年 8 月 31 日测试期间部分带钢的设定参数

带钢号	宽度 /mm	厚度/mm	轧制力/kN	弯 辊 力 /kN	CVC 设定点 /mm
3528001	1370	7.14	17470	600(588—608—648—612—648)	—52
3528002	1370	7.16	17020	600(573—616—635—573—653)	—34
3528003	1370	7.14	17060	600(620—608—617—589—671)	—16
3528004	1370	7.16	17180	600(603—603—614—588—685)	1
3528005	1370	7.16	16920	600(584—613—657—605—688)	—4
3528021	1370	7.13	17330	599(593—606—641—592—658)	21
3528022	1370	7.14	17230	600(577—585—602—564—686)	17
3528023	1370	7.14	17330	600(618—630—688—646—728)	16
3528024	1370	7.14	17980	317(317—301—278—249—347)	42
3528025	1355	7.13	18620	440(436—441—435—371—494)	42

活套张力/MPa：9←F_4→10

由于所采用的轴向力测试方法，要求传感器上的压紧螺钉的预紧力尽可能小，并使各螺钉的预紧力一致，安装时采用力矩扳手拧紧各螺钉。

165. 空转—咬钢—轧制—甩尾过程的径向载荷有何变化？

空转-咬钢-轧制-甩尾过程的径向载荷变化如图 2-56 所示。

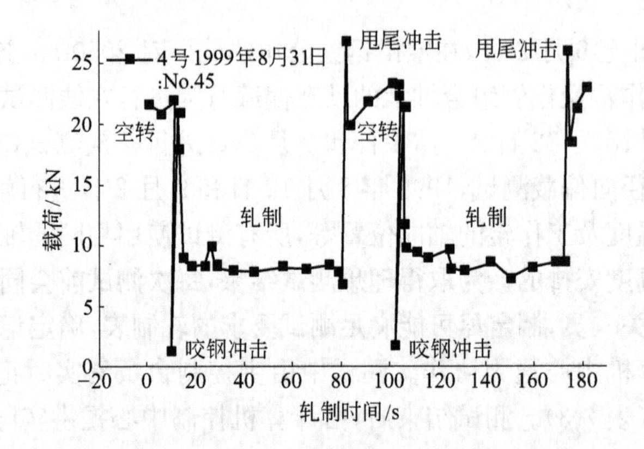

图 2-56　空转—咬钢—轧制—甩尾过程的径向载荷变化

166. 实测得到的径向压力的动态响应结果如何？

实测得到的径向压力动态响应结果如图 2-57 所示。

167. 轴承座表面主应力是如何变化的？

轴承座表面主应力的变化如图 2-58 所示。

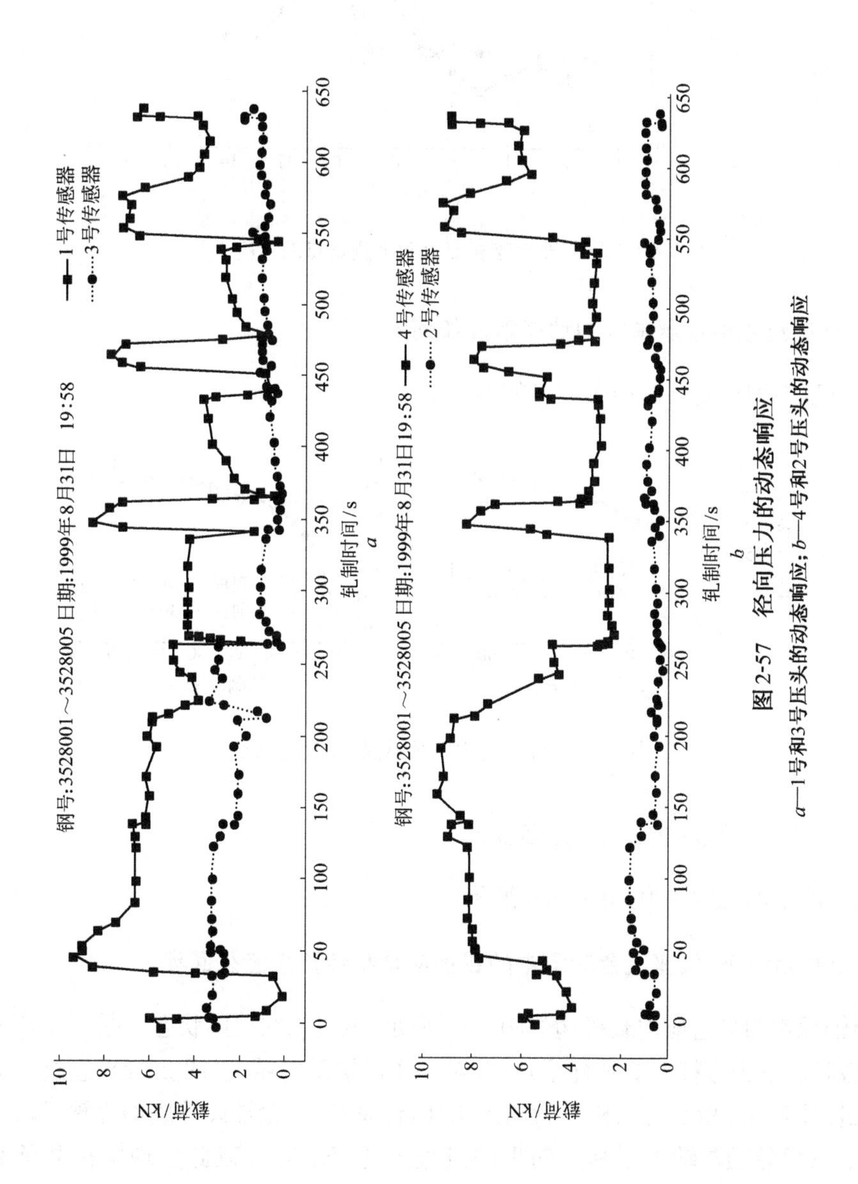

图2-57　径向压力的动态响应

a—1号和3号压头的动态响应；*b*—4号和2号压头的动态响应

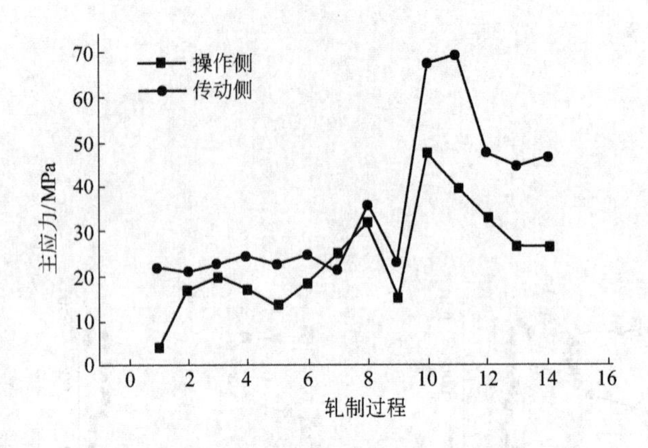

图 2-58　轴承座表面上两个测量点的主应力

168. 轧制过程中轴承温度的动态响应如何?

轧制过程中轴承温度的动态响应如图 2-59 所示。

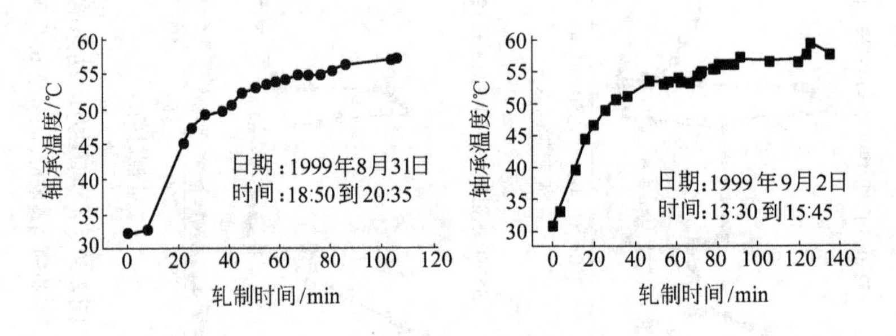

图 2-59　轧制过程中轴承温度的动态响应

169. 不同工况下的总轴向力是多少?

不同工况下的总轴向力如图 2-60 所示。

170. 2050mm F_4 机座组合轴承中的自适应均载装置是怎么回事?

组合轴承座的自适应均载机构如图 2-61 所示,该机构在空载状态下是一个四杆六低副机构(负载状态下为五杆七低副杆系)。针对工作辊辊系的结构(图 2-62),经机构分析与综合,设计出如图 2-63 所示的结构。为加入构件,将原 CVC 轮轴设计成偏心轴,偏心距为 $e=5$mm。原 CVC 轮轴与轴承座耳之间采用过盈配合(H_6/r_5),以此实现定位并承受轴向载荷,新设计中要求该轴与轴承座耳之间形成转动副(铰链),因而必须增加轴向限位装置;另一方面,为实现预期的自位性能,要求偏心方向必须保持在某一规定的方位,由于自重和振动引起的松动,自由状态下偏心方向总是位于垂直方向上,因此必须设置限位机构,且该机构在实现定位的同时,当作用外力时允许其发生相应的转动,而卸去弯辊力后偏心方位靠轧辊辊颈的弹复自动恢复原始状态。图 2-63 中轴向限位挡板 1 用螺钉与偏心轴 2 固定在一起,装配时轴向应留有一定的间隙以保证偏心轴 2 灵活转动,还应注意螺孔的对应关系,因

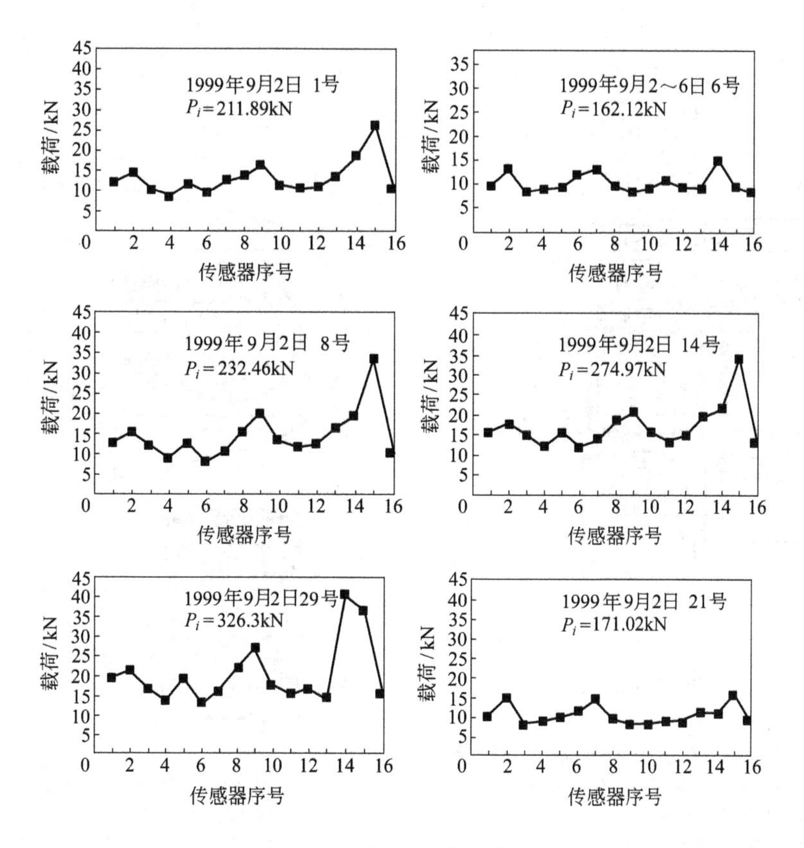

图 2-60　不同工况的总轴向力

为它影响偏心方位。轴向限位挡板 1 经过特殊设计，在其径向凸缘两侧安放了弹性定位元件 4，由于是对称放置，可保证 CVC 轮轴处于一定的位置。当轧辊辊颈发生弯曲变形时，轴承座靠均载机构出现相应的摆动，同时弹性定位元件被压缩。由于弹性定位元件只是用于平衡偏心引起的力矩，为防止出现异常，轴承座耳部放置轴向限位挡板，径向凸缘的凹槽宽度根据轧辊可能出现的最大弯曲(作用最大弯辊力时)相随凸缘转动的极限位置确定，超量的转动视为异常，被凹槽刚性限制。

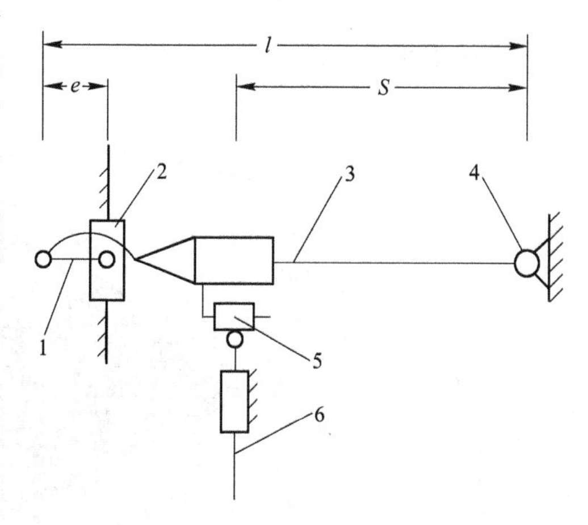

图 2-61　五杆七低副机构

1—构件；2—轴向固定凸耳；3—工作辊；4—等效弹性铰链；5—自位垫块；6—液压弯辊柱塞

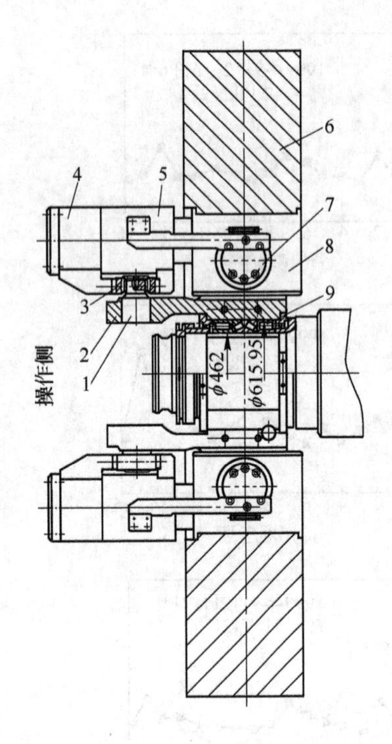

图 2-62　2050mm CVC 轧机工作辊操作侧辊系
1—偏心轴；2—轴承座；3—弹性定位元件；
4—旋转挡板；5—轴向移动缸；6—机架；
7—弯辊缸；8—固定凸台；9—组合轴承

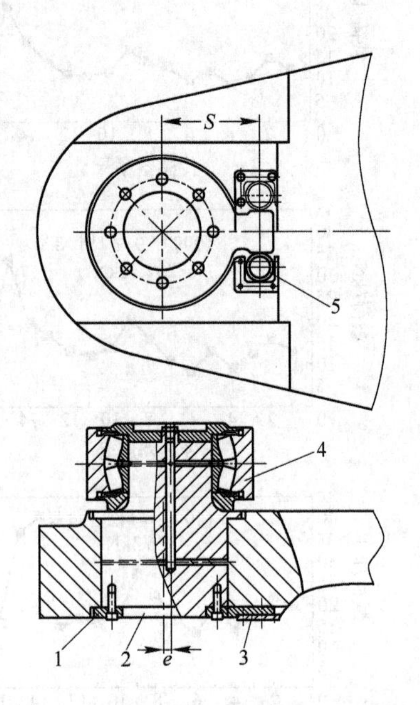

图 2-63　自适应均载机构
1—轴向限位挡板；2—偏心轴；3—盖板
4—弹性定位元件；5—弹簧圈

171. 不自位下组合轴承中径向接触压力是如何分布的?

不自位下组合轴承中径向接触压力分布如图 2-64 所示。

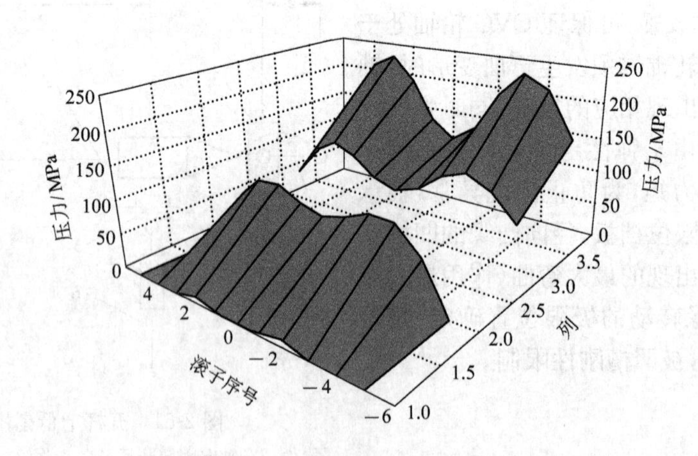

图 2-64　不自位下组合轴承中的径向接触压力分布

172. 自位情况下组合轴承中径向接触压力是怎样分布的?

自位情况下组合轴承中径向接触压力分布如图 2-65 所示。

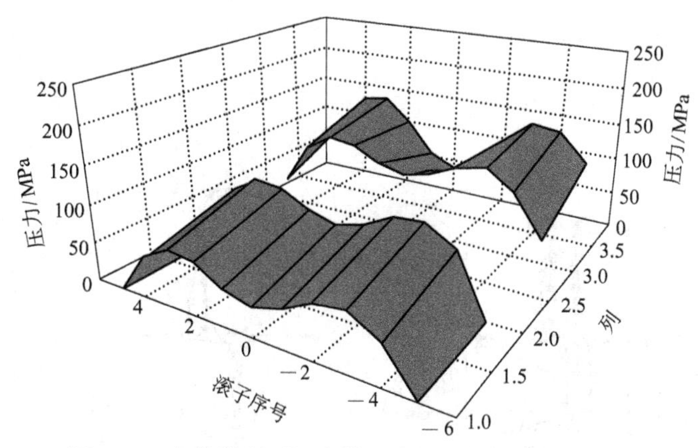

图 2-65　自位情况下组合轴承中的径向接触压力分布

173. 不自位下组合轴承中轴向载荷是如何分布的?

不自位下组合轴承中轴向载荷分布如图 2-66 所示。

174. 自位下组合轴承中轴向载荷是如何分布的?

自位下组合轴承中轴向载荷分布如图 2-67 所示。

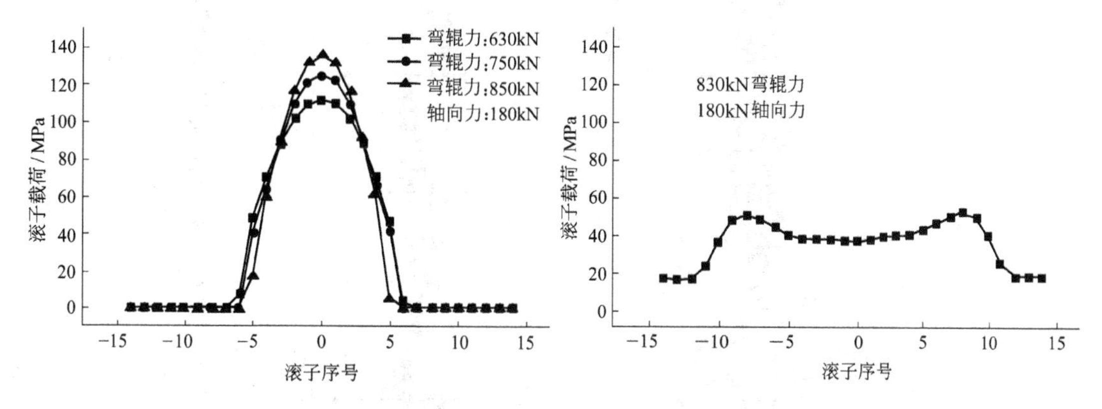

图 2-66　不自位下组合轴承中轴向载荷分布　　图 2-67　自位下组合轴承中轴向载荷分布

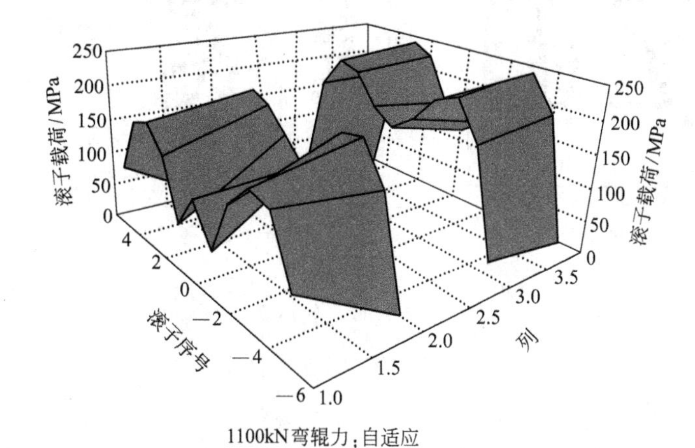

图 2-68　自位状态下施加 1100kN 弯辊力时组合轴承中的径向接触压力分布

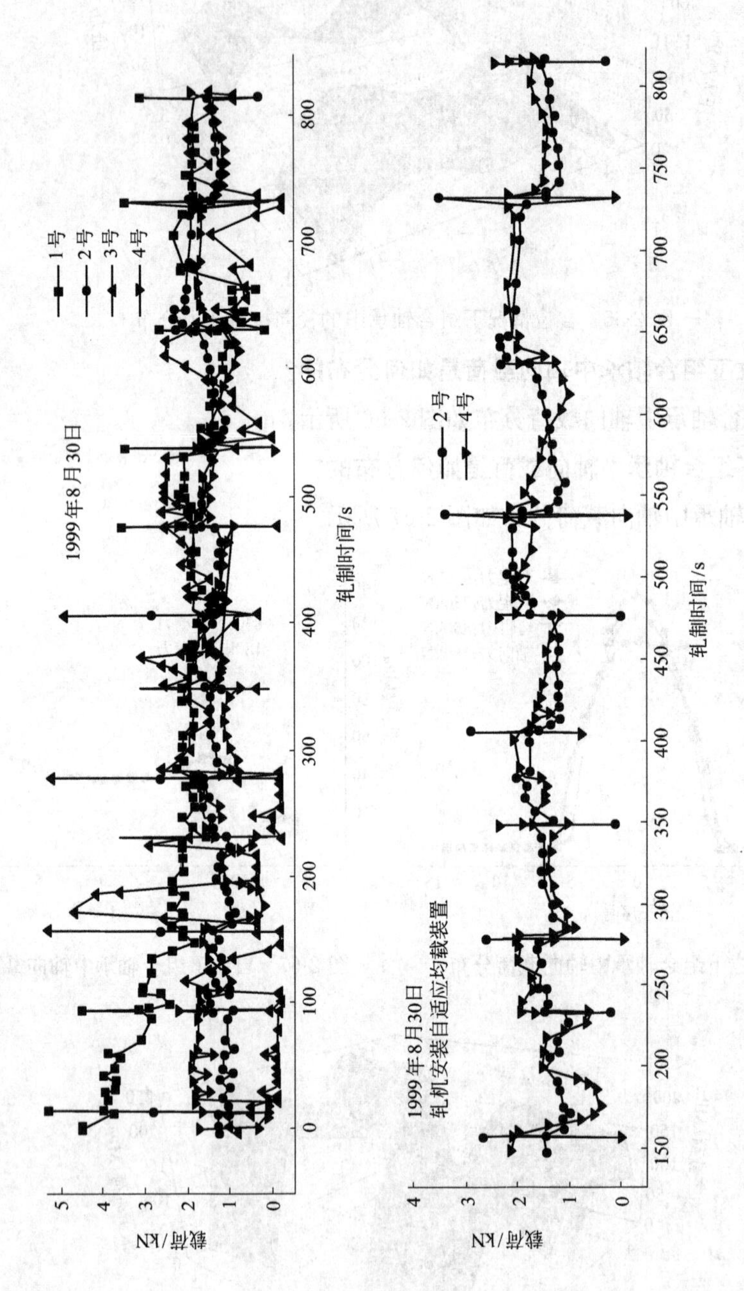

图2-69　安装自位装置后径向压力的动态响应

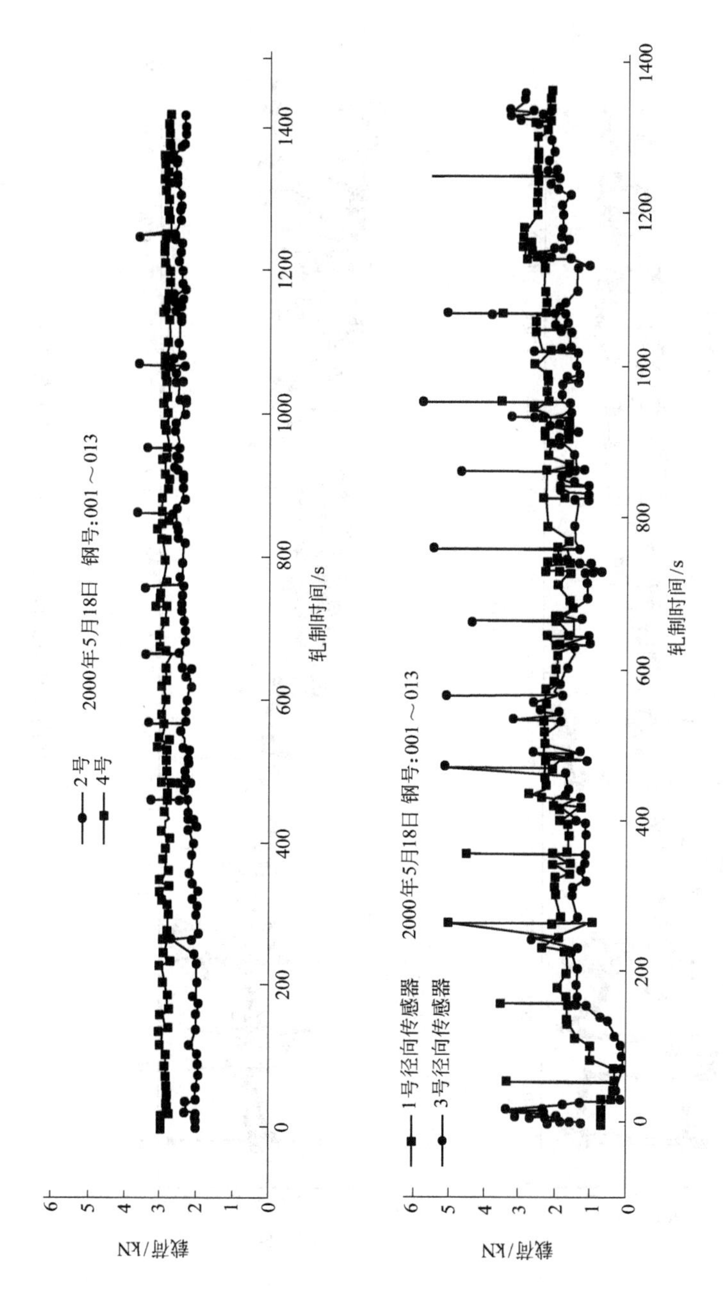

图 2-70 安装自位装置和自位垫块及采用非圆截面镗孔后径向压力的动态响应

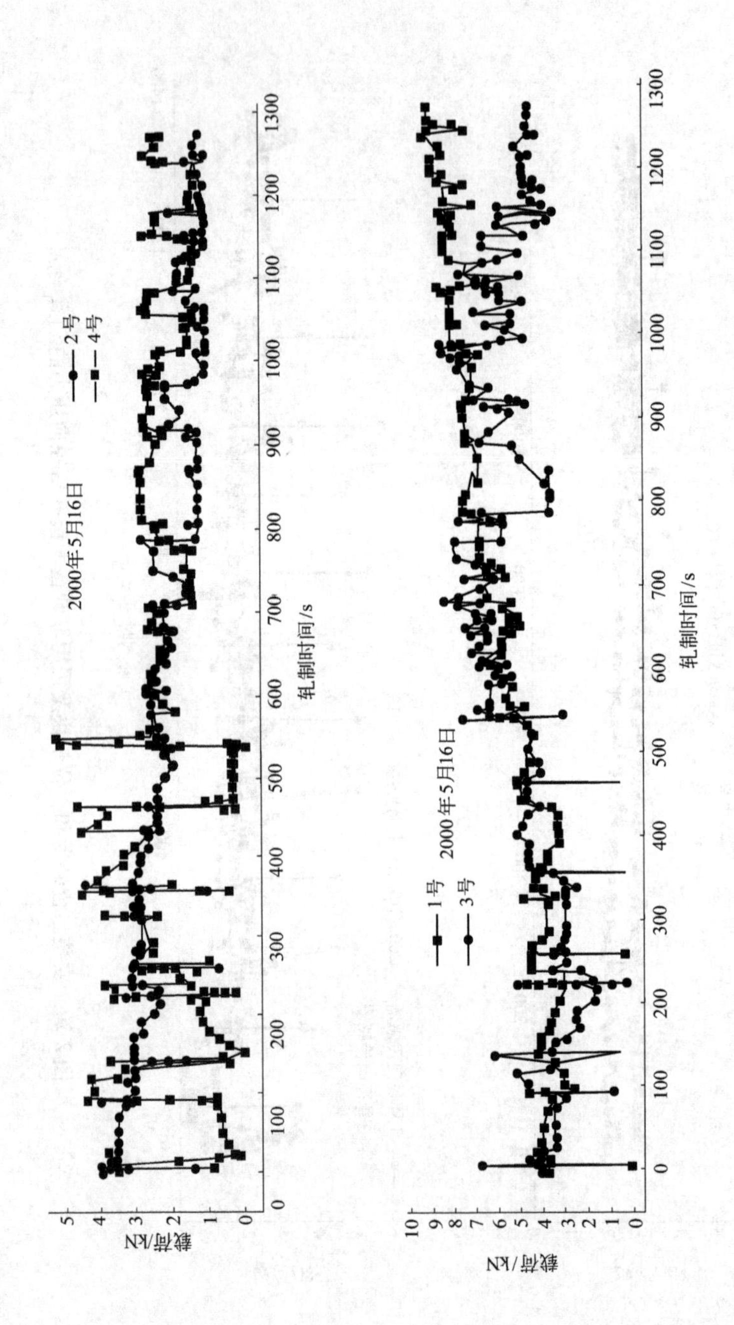

图2-71 采用非圆截面镗孔后径向压力的动态响应

175. 自位状态下施加 1100kN 弯辊力时组合轴承中的径向接触应力是怎样分布的?

自位状态下施加 1100 kN 弯辊力时组合轴承中的径向接触应力分布如图 2-68 所示。

176. 安装自位装置后轴承径向压力的动态响应如何?

安装自位装置后轴承径向压力的动态响应如图 2-69 所示。

177. 安装自位装置和自位垫块及采用非圆截面镗孔后轴承径向压力动态响应如何?

安装自位装置和自位垫块及采用非圆截面镗孔后轴承径向压力动态响应如图 2-70 所示。

178. 采用非圆截面镗孔后径向压力的动态响应如何?

采用非圆截面镗孔后径向压力的动态响应如图 2-71 所示。

179. 径向压力的动态响应过程如何?

径向压力的动态响应过程如图 2-72 所示。

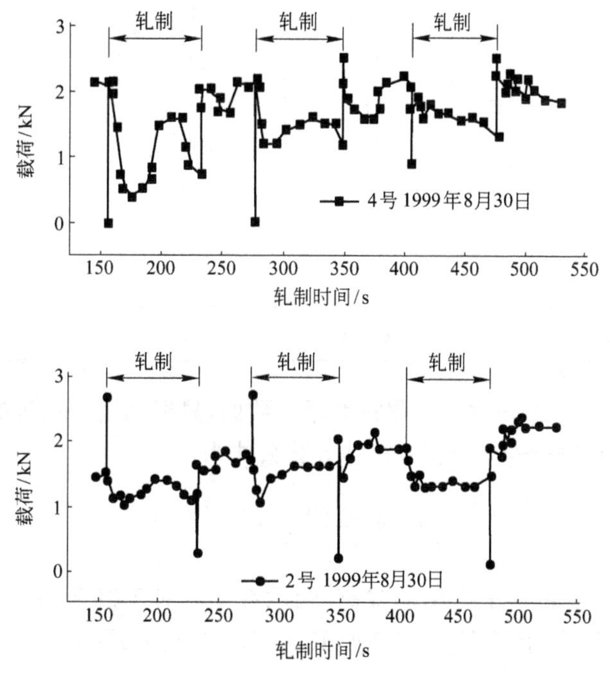

图 2-72　径向压力的动态响应过程

180. 组合轴承均载的效果如何?

自适应均载原理及技术,主要降低组合轴承两列间径向载荷的偏载系数,还降低双列止推圆锥轴承轴向载荷沿圆周不均匀分布的偏载系数,防止轴承异常载荷的产生。组合轴承有或无自适应均载装置的偏载效果分析，依据现场测试数据，理论计算结果和模拟试验数据只作参考。由于组合轴承(非标准件)的承载能力原始数据不全和测试方案所限，只能用检测点载荷之间的相对比较法进行均载效果分析。作为衡量均载效果的参数，引入绝对偏载系数和相对偏载系数。

(1) 偏载系数的定义及其对比。为客观地反映组合轴承偏载状况的变化，引入两种偏载系数，即绝对偏载系数 λ 和相对偏载系数 λ_c，分别定义为：

$$\left.\begin{aligned}\lambda &= \frac{P_{max}}{P_{min}} \\ \lambda_c &= \frac{2P_{max}}{P_{max}+P_{min}}\end{aligned}\right\}$$

式中，P_{max} 和 P_{min} 为1号和3号、2号和4号传感器输出径向压力中的最大或最小值。共进行7次测试，围绕自适应均载装置效果对比的偏载系数数据列于表2-4。

表2-4 偏载系数变化

测　试	无均载机构		有均载机构	
	λ_1	λ_{c1}	λ_2	λ_{c2}
模拟实验(1996年6月11日)	4	1.6	1	1
宝钢现场测试(1999年8月16～31日)	1.875	1.3		
	2	1.33		
	2.7	1.5	1	1
	4	1.6	1.1	1.09
	4	1.6	1.1	1.09
	2	1.33	1	1
	3.5	1.35	1.05	1.03
宝钢现场测试(2000年5月16～18日)	2.5	1.428	1.2	1.09
平　均　值	2.673	1.47	1.06	1.04

(2) 寿命分析。由于组合轴承承载特性原始数据，只根据用户提供的SKF轴承及国产轴承的实际寿命数值，进行寿命分析。寿命计算公式为：

$$L = \frac{16670}{n}\left(\frac{C}{P}\right)^{10/3}$$

式中，n、C、P 分别为转速、轴承许用动载荷、轴承载荷。对于组合轴承的某一列滚子为单位，分开计算工作寿命，则上式不变，只替换 P 为 $P_c/(1+\Delta\lambda_c)$ 即可：

$$\begin{aligned}L &= \frac{16670}{n}\left(\frac{C}{P}\right)^{10/3}(1+\Delta\lambda_c)^{10/3} \\ &= L_0(1+\Delta\lambda_c)^{10/3}\end{aligned}$$

式中，L_0 为改造前实际寿命，$\Delta\lambda_c = \lambda_{c1} - \lambda_{c2}$。

自适应均载装置的延寿效果列于表2-5。

表 2-5 自适应均载装置延寿效果

制造商	目标寿命/h	实际寿命/h	延长寿命/h
SKF	6000	2000～3000	6000 以上
瓦房店	5000	1600	5000

181. 延长四辊轧机工作辊滚动轴承寿命研究的结论是什么?

通过机构学、边界元法、热变形理论分析、研制和试用自适应均载装置以及 7 次现场测试(1 次模拟实验)研究,获得如下成果:

(1) 2050mm 热轧精轧机组 F_4 机座组合轴承的列间平均相对偏载系数为 1.47;轴向力作用方向指向操作侧,其大小在 120～320kN 范围内变化,并沿周向偏载。

(2) 用 4 杆 6 低副自适应均载机构更新原 2 杆 3 低副 1 高副辊系,使组合轴承原平均相对偏载系数 1.47 的降为 1.04,降低偏载率达 80%,该机构运行可靠且稳定。在现有组合轴承条件下,可将弯辊力增加至 1000kN,适应自由轧制技术的应用。

(3) 空轧(轧制间歇期间)时偏载系数大于轧制时的偏载系数,自适应均载装置可以减小两者之差。

(4) 组合轴承外环(对应圆柱滚子)和轴承座不均匀时变热变形改变轴承三维接触压力分布,将辊身侧滚子上的径向压力的轴线分布峰值从滚子辊身端移至另一端,同时增大径向压力周线分布的峰值。为消除组合轴承不均匀热变形对轴承偏载的影响,需加强对组合轴承中间部位(止推轴承处)的冷却和降温,或者建议去掉组合轴承外环的边部一侧凸缘部分,以降低摩擦发热升温。

(5) 组合轴承温度在开轧后 40min 以内上升较快,达到 55℃左右,往后轧制和间歇期间以锯齿形缓慢上升,最高达 65℃。对于每一批量生产都呈现相似的升温现象,具有一定规律性。为控制组合轴承慢速升温或控制升温,轧制间歇时间不得小于 20s。,

(6) 精轧机组 F_4～F_7 机座组合轴承受的轴向力朝向操作侧,由轧辊模拟抽动凹形挡板里侧表面支撑。由于轴承座耳轮(CVC 轮)和凹形挡板接触面宽在 120～320kN 下达到 10～40mm,故耳轮圆弧不能再保持圆弧状态而不起自位作用。

(7) 组合轴承伴随咬钢及甩钢冲击的增载系数达 2 左右,但作用时间极短,需加强控制相关构件的配合间隙,减少冲击影响。

(8) 通过计算证实在轴承座不均匀热变形条件下优化非圆轴承座镗孔曲线可削去热凸度而减少周向径向压力峰值,但测试实验结果未能定量说明其有效性。

182. 轧辊油膜轴承的磨损及预防措施是什么?

油膜轴承工作时有一层完整的压力油膜,脱离金属接触,因而,从理论上说,它是不会磨损的。但实际上,轴承在启动、制动阶段,以及在线运行阶段,都不会达到理想的润滑状态,即不是纯液体摩擦状态,因而将发生锥套和衬套互相磨削的机械加工现象——磨损。由于这种磨损不是在工作的全过程中自始至终都在发生,因而磨损程度是轻微的。尽管如此,长期的运转,会使磨损的积累达到使轴承失效的程度。

油膜轴承失效的主要特征是将轴承衬套的内孔磨大,使轴承的锥套之间间隙变大,以至使轴承失去了油膜润滑工作状态。磨损失效可分为两种情况：一种是正常磨损，在轧制制度基本不变的情况下，磨损失效的规律相似，工作寿命也是基本相同的；另一种是非正常磨损，主要是由于轧制压力轧制速度润滑油黏度以及衬套减磨材料耐磨性能等原因，出现了单一的磨损，而未出现其他失效形式。如果属正常磨损，应认为是自然的，若想延长其使用寿命，可以采用提高锥套与衬套耐磨性能，改善工作条件等一系列措施。若属非正常磨损，则要进一步寻找原因，采取相应的措施。

183. 轧辊油膜轴承的划伤及预防措施是什么？

当油膜轴承使用一段时间后，在锥套、衬套，特别是衬套的表面上留下肉眼可见的沟痕，称之为划伤。划伤有两种形式，一种是具有轴向沟槽的划伤，另一种是具有周向沟槽的划伤。这两种形式的划伤，都是锥套与衬套之间侵入了比较坚硬的异物所造成。

轴向划伤，是在锥套装拆于衬套时发生的。如果划沟很少，应同时检查锥套外法兰侧是否有毛刺等缺陷。周向划伤，是发生在轴承运行过程中。坚硬的异物侵入，通常是先被压入衬套的减磨层，并同时划伤锥套的表面，但因锥套表面很硬，在其划伤的同时，却将异物向运动方向推动，这就在衬套上犁出道道的沟痕。

侵入轴承的异物，通常因供油系统过滤器过滤精度不够所造成的。大多数是在轴承组装时将杂质带到轴承中去的；也有的是油管生锈、清洁不净，异物随进油带入轴承的；还有的是轴承供油管路中的机加工铁屑未清理净，被带入轴承；还有的是过滤器失效，油中杂质较多并侵入轴承等。这些，我们都可以称做是轴承被污染。现场使用中，这种情况也是多见的。

184. 轧辊油膜轴承的锈蚀及预防措施是什么？

油膜轴承工作一段时间后，锥套的工作表面，衬套的内外表面产生氧化层，并出现严重的锈斑，称之为锈蚀。一般来说，锈蚀的原因是由于润滑油的化学作用引起的。润滑油在较长一段时间循环使用之后，脱水度下降，这是使轴承元件锈蚀的主要原因。但有的使用现场，大量冷却水及乳化液浸入润滑系统。以及使用低档的合成油、再生油而造成了锥套和衬套大量锈蚀报废。如某一使用现场，因轴承回转密封效果不好，冷却水大量渗入，轴承运行3～4天后，润滑油中含水达到30％，7～8天后，含水达到50％，最高含水达到65％，此外，所采用的油不是轧机油膜轴承所要求的润滑油——高级直接矿物油，而是采用低档次的合成油，进水极易乳化，遇水后，由墨绿色变为酱黄色，并出现胶状悬浮物，极难脱水，油的运动黏度也发生了很大变化，致使在一年内，支撑辊啃辊14次，停产139h，两年时间内，共锈蚀报废锥套36个，衬套22个，造成了巨大的经济损失。

为了防止轧机油膜轴承产生锈蚀，在轧机工作运行中，要不断对润滑油的品质进行检验，对油要适当地进行净化处理，把水分离出去，同时对油膜轴承的密封要加强，防止水的渗入。生产实践证明，对于一套润滑供油系统，采用两个油箱，其中一个工作，另一个先加热保温后充分沉淀，两个油箱调换使用，这种设计是合理的。发生问题较多，均系采用一个油箱，无法做净化处理。润滑系统中进水，多数是轴承的密封不好，尤其是回转密封处进水，但也有可能在油箱的蒸汽加热管路或冷却水的管路中进水。

185. 轧辊油膜轴承的片状剥落及预防措施是什么?

油膜轴承在运行一段时间后，衬套的工作区域的巴氏合金成一片一片或一大片一大片地从钢衬上剥落下来，它们有的发生了位置移动，发生在整个区域上的剥落，但更多的是依然镶嵌在钢套上。

油膜轴承发生片状剥落的原因主要有三个：一是轴承载荷较大；二是巴氏合金较厚；三是巴氏合金与钢衬套的结合不牢。载荷大，轴承工作区域的分布压力高，切向应力也大，容易使巴氏合金脱落。巴氏合金层厚，当衬套在分布压力作用下产生变形时，发生在结合层处的切力就大，容易造成脱落。巴氏合金与钢套结合不牢，抗脱离的能力就弱。巴氏合金结合不牢，有这么几方面的原因：一是双金属层的结合力弱；二是涂层与两种金属的结合力弱；三是离心浇铸前钢衬套表面处理的不干净，留有油污氧化层等；四是离心浇铸时，离心机转速偏低，液态巴氏合金对钢衬套的离心压力小，有杂质；五是与钢套结合的表面积小；六是结合表面光滑，抗减摩层移动的能力弱。一般应在钢衬套内表面加工出螺纹槽、燕尾槽等，使巴氏合金层的根部扎入这种槽内，增强结合能力。钢衬套内表面加工好之后，应即刻进行离心浇铸，放置时间不能过长，并最好将两端封住，以保证表面洁净，而不被氧化。

186. 轧辊油膜轴承塑性流动的主要原因是什么?

塑性流动是指巴氏合金在常温下被碾压位移的现象。塑性流动沿两个方向进行：一是沿周向塑性流动，巴氏合金被挤入油槽；二是沿轴向塑性流动，巴氏合金压出衬套端面，甚至刺破回转密封。沿周向的流动主要是向轴表面滑动的方向流动；对于不可逆轧机，将出现衬套巴氏合金向一侧油槽流动，对于可逆轧机则出现巴氏合金两侧油槽流动。衬套巴氏合金向衬套两端流动，都有发生，但最主要的形式是向辊身侧流动。

发生塑性流动的主要原因有两条：一是轴承载荷过高即轧制压力太大；二是巴氏合金层太厚。轴承载荷大，分布压力高，就挤压巴氏合金向外延伸。工作时巴氏合金相当于油膜动压力下被轧制，它越厚，就越容易变形。对于只发生靠近辊身侧的衬套巴氏合金塑性流动的，其主要原因是辊径与衬套的调角受力，端部接触。出现这种情况的原因不外乎两个：一是轧辊在工作过程中轴线挠曲过大；二是轴承的自位装置不灵，不能实现油膜厚度(或称油膜压力)沿轴向的自动调整。

187. 轧辊油膜轴承产生龟裂的主要途径是什么?

龟裂现象，发生在油膜轴承工作一段时间之后，衬套的巴氏合金表面出现像冬天的柏油马路走过重载汽车后的路面一样，有纵横交错的裂纹。实际上巴氏合金已成了好多碎块，但它们依然镶嵌在衬套上。巴氏合金层出现龟裂的实质是材料的疲劳裂纹。工作时，在衬套的工作区域，作用着分布的油膜动压力，由于轧件本身的误差，机架间的张力变化，轧制速度以及轧辊锥套等主要回转受力件的制造安装误差等都会造成分布压力大小和形状的变化，而分布压力的梯度又会造成巴氏合金层的切向拉应力，当这种交应力超过巴氏合金材料的疲劳强度时，就会出现疲劳裂纹——龟裂。

解决油膜轴承衬套巴氏合金产生龟裂的途径主要有：(1)轧制压力不要太大，以降低交变应力值；(2)提高轧辊辊身及整体的制造精度，提高锥套内外表面的同轴度，以便工作时回转精度高,降低动负荷;(3)选取疲劳强度高的巴氏合金或其他材料。

188. 轧辊油膜轴承产生烧熔的原因及防止措施是什么?

轧制在运行中,衬套巴氏合金被熔化的现象称之为烧熔。烧熔主要有两种:一种是在轴承拆开时,发现巴氏合金被熔化;另一种是巴氏合金被烧化后,又与锥套凝固在一起。前者轧机照常运行,发现异常才操纵停车;后者是因锥套与衬套熔铸成一体,电机无力拖动或传动环节损坏而被迫停机。有个生产现场,曾发生过第二种情况,并将锥套剪成两片。造成烧熔事故的原因可能是:

(1) 违反操作规程,未先使润滑油循环,再启动轧机。

(2) 在轧机工作中润滑油系统中突然停止供油,诸如管路、液压阀等堵塞,油管接头处拔脱等。

(3) 轧机正常轧制时,润滑油供应严重不足

(4) 轧制压力过大,轧速过高。

(5) 油膜轴承相对间隙过小或过大。

(6) 油黏度过小,或者润滑油乳化严重,含水量过高。从摩擦状态来说,肯定不是液体摩擦,而是边界摩擦,发热后热量难以导出,从而造成巴氏合金的熔化。

防止油膜轴承熔化的措施,除了加强维护,避免润滑系统事故外,一定要保证润滑油量充足,而轧制速度升高时,供油量也要相应增加。若轴承间隙过大时,更要更换,否则分布压力峰值升高,润滑油黏度变小,这就是促进了一个恶性循环,若导热不良,即可烧毁轴承。防止轴承烧毁,首先是把润滑油系统设计好,要有可靠的自监自控、自调性能;其次是使用高级直接矿物油,切不要使用再生油、合生油、合成油,否则很可能造成轴承烧损,油不能用了,生产也停顿了的结果。

189. 轧辊油膜轴承防止产生规则裂纹有何措施?

有时在轴承使用不久,会发现衬套巴氏合金出现很规则的周向裂纹,而将锥套抽出轴承箱后,会发现钢套在相同位置上出现了向外凸出的带状永久变形。这种情况是属轴承箱设计不合理造成的。在前苏联的老式结构中:轴承箱内孔表面加工出两条周向环形沟槽,作为沟通轴承箱与衬套间两侧润滑油的通道。对于轻载轴承,这没有什么弊病;但对于重载轴承,在很高的分布压力作用下,沟槽部分的衬套被压入沟槽,并产生塑性变形。由于在沟槽部分衬套下陷,巴氏合金被弯剪而发生裂纹。解决这个问题的办法很简单,即将轴承箱中属于轴承受力区域的沟槽填平。这样做,既填平了受力区域的沟槽,不再发生由此产生的衬套塑性变形,同时也保护了非受力区域的沟槽,保证了衬套两侧进油槽的沟通。

190. 轧辊油膜轴承产生边缘磨损的原因及预防措施是什么?

边缘磨损,一般发生在轴承靠近辊身侧的承载区边缘,但有时在外侧的非工作区域也相伴发生。首先这种边缘磨损的最主要原因是轴承的自动调位性能差。在轴承设计时,轴承底座上有弧形板,以保证轴承可在轧辊轴线的竖直平面内的转动。但当工作一段时间后,弧面即被压成了窄平面,因而失去了应有的自动调位性能。解决这个问题的办法是经常修整弧面。轴承不能自动转动,除了上述原因之外,还有一个原因是牌坊架上的止动插板对轴承

限制太死，使它不能转动，这也是在设计与维修中应注意的问题。

191. 何谓静-动压轴承套全域磨损？

当静-动压轴承套发生工作区域的区域磨损时，即表明静压油腔失效。正常状态下，静-动压轴承的工作表面发生如图 2-73 所示的研磨情况，该图为双静压油腔的实际使用情况。由于静压效应，保证了它周围的工作表面。按压力分布情况看，在轴的转速低时，其压力分布如图 2-74 所示，在轴承的中央压力小，压陷变形小，因而磨损首先发生在中央。像这种双油腔的轴承，如果发生一侧磨损则表明磨损的一侧油腔失效。

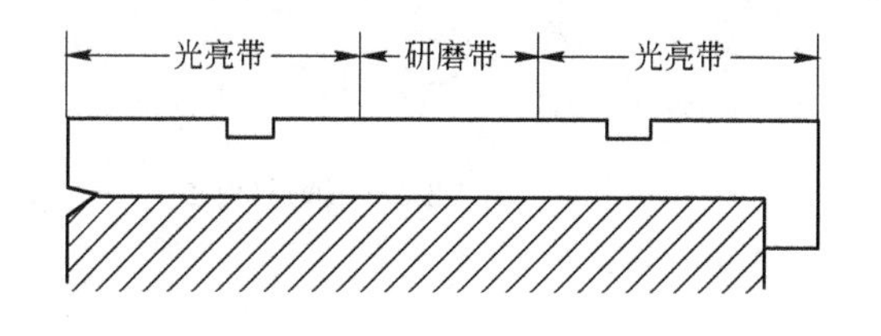

图 2-73　静-动压轴承研磨情况

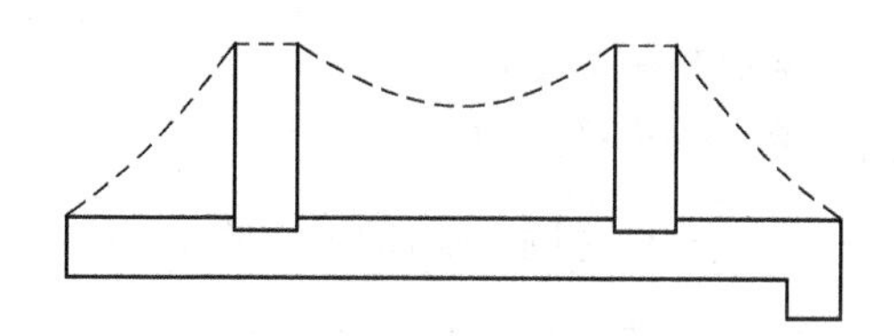

图 2-74　低转速下的压力分布

192. 一维雷诺方程式的推导做了哪些假设？

如图 2-75 所示，两刚体被润滑油隔开，移动件以速度 v 沿 x 方向滑动，另一刚体静止不动。一维雷诺方程式的推导建立在以下假设的基础上：(1)忽略压力对润滑油黏度的影响；(2)润滑油沿 z 向没有流动，即油膜压力沿 z 方向无变化，在微元体上垂直于 z 轴的前后两面压力相平衡；(3)润滑油是层流流动；(4)油与工作表面吸附牢固，表面油分子随工作表面一同运动或静止，因此在微元体上下两面有沿 x 的剪切力；(5)不计油的惯性力和重力的影响，后者表明油膜中压力沿 y 向无变化，微元体上下两面压力相互平衡；(6)润滑油不可压缩等。

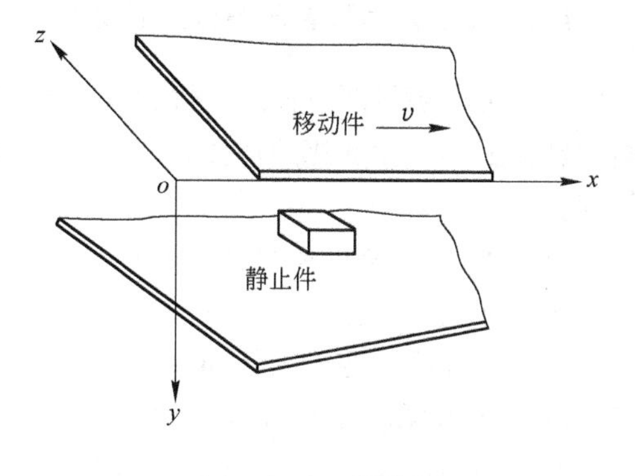

图 2-75　流体模型

193. 轴承间隙如何计算？

在求解雷诺方程时需要知道方程中的变量 h，因此要研究轴承间隙(油膜厚度)h 的表达式，即间隙函数。

轴颈旋转将润滑油带入收敛间隙而产生流体动压，油膜压力的合力与轴颈上的载荷相平衡，其平衡位置偏于一侧，轴颈的相对位置用偏心率 ε 来表示。

对于圆柱轴承，油膜厚度沿圆周方向变化，轴心的平衡位置通过两个参数可以完全确定，即偏位角和偏心率 ε。偏位角为轴承与轴颈中心的连心线与载荷作用线的夹角。

油膜厚度，这里是指轴承锥套与衬套之间的楔形间隙，系指皆无弹性变形情况下的间隙表达式，是在进行弹性计算时的重要几何参数。

如图 2-76 所示，轴和轴承的半径分别为 r、R，在衬套上任取一点 P，并将 P、衬套中心 O_1 及锥套中心 O_2 三点连成三角形。其偏心距线段 $\overline{O_1O_2}=e$，$O_1P=R$，$O_1P=r+h$。在 $\triangle O_1O_2P$ 中应用余弦定理，则有：

$$R^2=(r+h)^2+e^2-2e(r+h)\cos(\pi-\alpha)$$

上式可以表达成 h 的一元二次方程，并忽略 $e^2\sin^2\alpha$，即得到：

$$h\approx(R-r)-e\cos\alpha=(R-r)\left(1-\frac{e}{R-r}\cos\alpha\right)$$

$$=\delta(1-\varepsilon\cos\alpha)$$

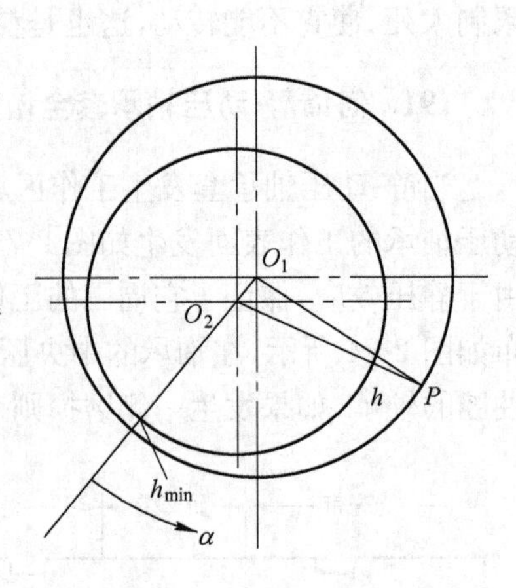

图 2-76　轴承间隙

式中　δ—— 半径间隙；

ε—— 相对偏心率，即 $\varepsilon=\dfrac{e}{\delta}$。

有时，也可将 h 的表达式写成：

$$h=\delta(1+\varepsilon\cos\alpha)$$

此两式均正确，但计算时 α 的起始位置不同：当 α 角自最小油膜厚度处算起时，则采用前式；而当 α 角自最大油膜厚度处算起时，则采用后式。

194. 黏压方程和黏压系数是什么？

黏度可以衡量润滑油的黏性大小，正是由于润滑油具有黏性，在弹流计算时考虑了润滑油的黏度随压力而变化的特性，才可能在接触面内建立起弹流油膜，从而奠定了弹流理论的基础。

研究表明，通常的矿物油所受压力超过 0.02GPa 时，黏度随压力的变化开始显著。压力继续增加，黏度的变化率也增加。当压力为几个吉帕时，黏度升高几个数量级，最后润滑油丧失流体性质而变成蜡状固体。由此可知，对于重载流体动力润滑，特别是弹性流体动力润滑，润滑油的黏压特性是十分重要的。

对于弹性流体动压润滑问题，需要在润滑油的黏度与压力之间建立起一定的数学关系，即有一定的数学表达式精确地表明黏度随压力变化的情况。但是当前人们还不能完全应用分子理论定量地描述润滑油的黏压关系。现有的黏压关系都是以实验为根据而得到的经验公式。下面介绍我们所采用的经验公式——Barus 指数关系式。

根据实验结果，Barus 提出以下黏压关系式：

$$\eta=\eta_0 e^{\alpha p}$$

式中　η—— 压力为 p 时的黏度；

η_0—— 大气压下的黏度；

α—— Barus 黏压系数。

Barus 黏压公式形式简单，便于数据处理，在压力不很高时（$p\leqslant 0.3\sim5$GPa）与实验数据吻合较好，它在弹流润滑研究中得到广泛应用。

表 2-6 给出了矿物油的黏压系数，均为概略值，有时应以实验数据为准。

表 2-6　精制矿物油的黏压系数 $\alpha(m^2/N)$

温度/℃	环烷基			石蜡基		
	锭子油	轻机油	重机油	轻机油	重机油	汽缸油
30	2.1×10^{-8}	2.6×10^{-8}	2.8×10^{-8}	2.2×10^{-8}	2.4×10^{-8}	3.4×10^{-8}
60	1.6×10^{-8}	2.0×10^{-8}	2.3×10^{-8}	1.9×10^{-8}	2.1×10^{-8}	2.8×10^{-8}
100	1.3×10^{-8}	1.6×10^{-8}	1.8×10^{-8}	1.4×10^{-8}	1.6×10^{-8}	2.2×10^{-8}

195. 轧辊油膜轴承弹流的计算方法是什么?

我们所计算的轧机油膜轴承是在重载条件下工作的轴承,结构形式采用摩根型油膜轴承。为了加强油的循环,补充足够的油量以争取较好的散热条件,轴承的进油口设计为左右两侧同时进油的形式,轴承承载区相应减少到 120°,但根据润滑理论,这样的部分弧轴承的承载能力损失不大,轴承的承载区内没有油槽和油腔,把承载区沿周向展开成一个矩形区域,因此压力的边界条件很简单,取周边的压力值为零即可。

用有限差分法离散雷诺方程有三种途径:全微分差分、积分差分和变分差分。全微分差分是用二阶差商和一阶差商代替方程中相应的偏导数,它适用于连续膜润滑问题,我们即采用该种方法。变分差分和积分差分法所要求的条件相同,但前者计算量略大些。积分差分法由于采用积分法离散,只要求解函数一阶导数可积,克服了要求润滑膜连续的问题,故能适用于各种膜的润滑情况。

196. 油膜轴承弹流计算步骤是什么?

(1) 输入数据:

1) 轴承的主要参数:长径比、直径、转速、相对间隙及油的初始黏度;

2) 单元划分的主要数据:网格数、单元数、节点数;

3) 根据所取初始偏心给出偏位角的初值。

(2) 求出计算压陷变形的系数阵 $Q_{i,j}$。

(3) 将轴承各点赋初值,用超松弛迭代法求解雷诺方程以得到压力分布,要求精度 0.001。

(4) 用辛卜生积分法求水平及垂直方向的合力。

(5) 求出压陷变形及弯曲变形并叠加到轴承间隙中,形成新的膜厚分布。

(6) 将新的膜厚值代入弹流雷诺方程中,再次求出压力分布。

(7) 如此循环,直到连续两次计算所得压力的相对误差不超过 0.001 时结束。

(8) 输出运算结果,包括承载能力、偏位角、压力分布、弹性变形量及总的膜厚分布。

(9) 转入下一个偏心率的计算。

(10) 完成预定运算后结束。

197. 油膜轴承弹流计算框图是什么?

计算流程框图如图 2-77 所示。

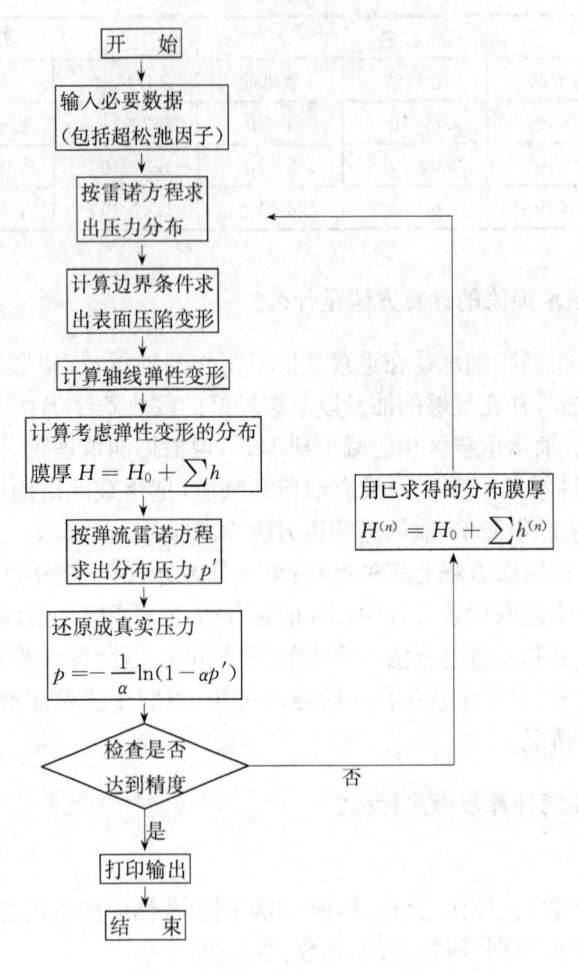

图 2-77 油膜轴承弹流计算流程框图

198. 油膜轴承的压力与油膜形状是什么?

通过数据解法得到的弹流润滑的压力分布和油膜形状如图 2-78 所示。由图可知,在入口区压力随着液体的动压作用而逐渐增加,在接触区内的大部分地方与 Hertz 接触压力十分接近,在到达压力峰值(8.7MPa)后,随后下降至环境压力。在以轴承中心为中心的较大长度内压力变化平缓且流体压力集中,表明当油膜轴承受载时,在轴向上的压力分布较均匀。图中的油膜形状与压力分布是对应的,可以看出,最小油膜厚度 h_{min}(35μm)位置靠近出口区。周向最大压力峰位于轴承的最小间隙所在的工作面上。在计算中还发现,随着载荷增加,油膜破裂处向承载区内部移动,承载区逐渐缩小。

199. 油膜轴承的弹性变形对压力分布有何影响?

刚性轴承和弹性轴承压力分布情况有很大的差别。图 2-79 和图 2-80 分别为周向和轴向压力分布,曲线 1～4 分别是偏心率为 0.8 时,相对间隙分别取 0.0008、0.001 和 0.002 的三种弹性轴承和刚性轴承的压力分布的对比。从图中可看到,在同一偏心率下刚性轴承具

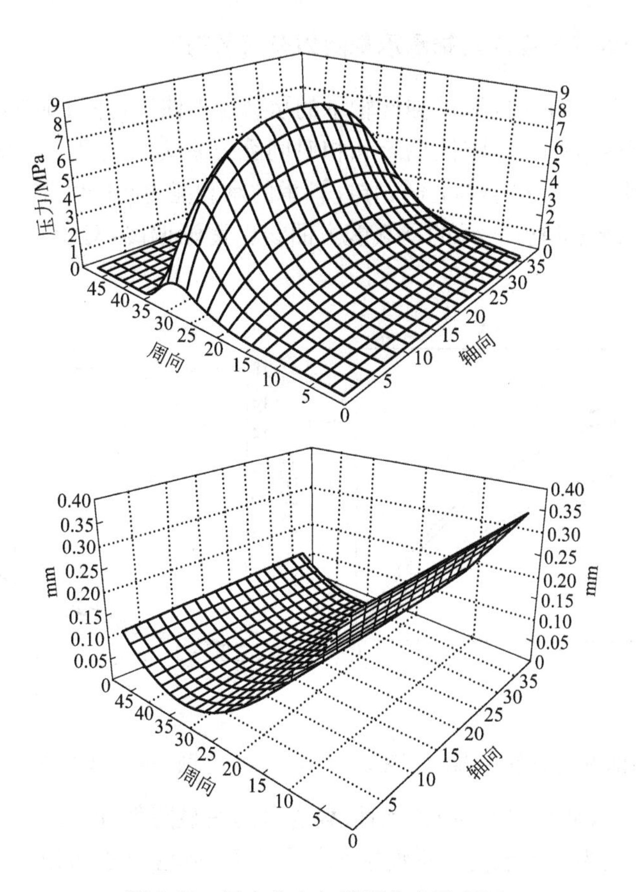

图 2-78 压力分布与膜厚分布示意图

有最大的压力峰值，而弹性轴承随着弹性的变化表现出不同的压力分布，弹性越强，则压力峰值越小，压力分布趋于平缓。这是因为轴承中部油膜厚度受弹性变形影响较大，而在油的进口和出口处油膜厚度受的影响相对来说要小一些。

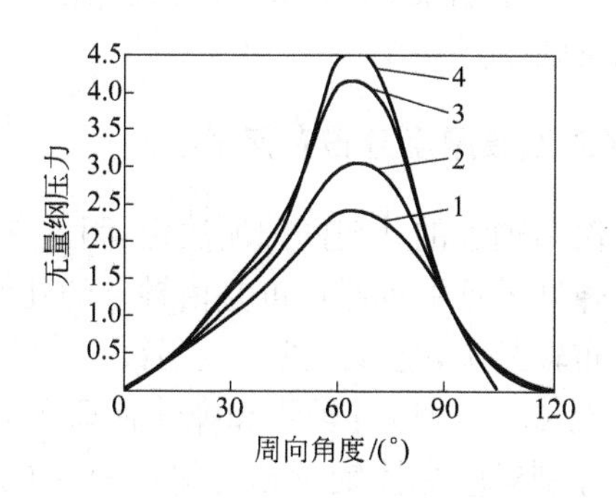

图 2-79 轴承沿周向压力分布图(中间剖面)

由此可知，弹性轴承的压力分布于较大的范围，相对刚性轴承而言，压力分布比较均匀。因此，弹性轴承的承载情况比刚性轴承有利。

200. 油膜轴承的弹性变形对轴承承载能力有何影响？

图2-81给出了不同相对间隙的弹性轴承的承载能力曲线，并与刚性轴承做出比较。曲线1～4对应于偏心率为0.95，刚性轴承和相对间隙分别为0.002、0.001、0.0008。计算偏心率已超过1，达到1.07。在小偏心时，弹性轴承的承载能力与刚性轴承相接近。当偏心率逐渐增加时，弹性轴承和刚性轴承的承载能力曲线已逐渐偏离，对于不同的相对间隙，偏离程度很大。

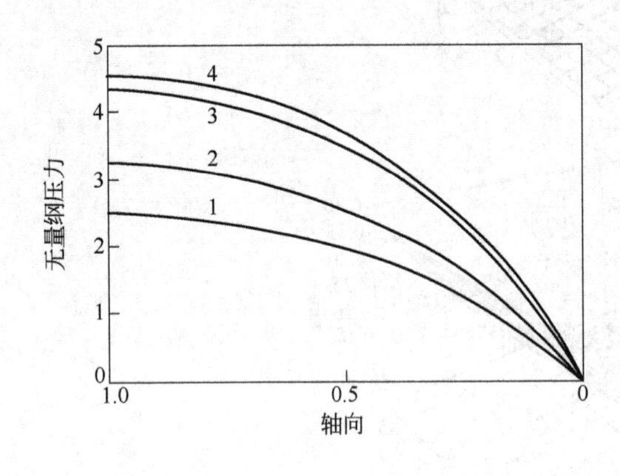

图2-80　轴承沿轴向压力分布图(轴向剖面)

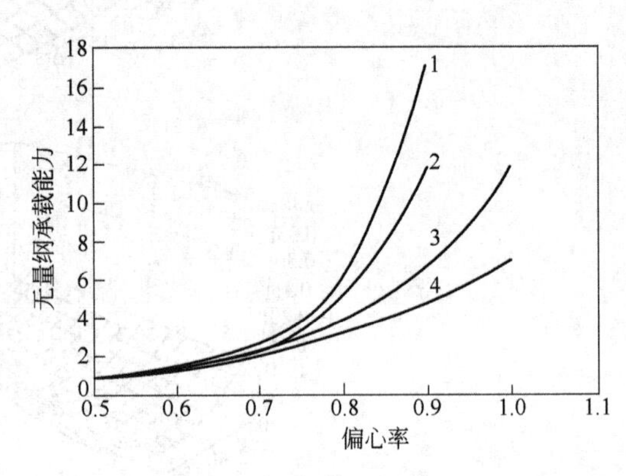

图2-81　无量纲承载能力图

在同一偏心率下，弹性轴承的无量纲承载能力的明显降低并不意味着弹性变形对轴承承载有不利影响。因为对于承受和刚性轴承等同载荷，弹性轴承可以在较高的偏心率下工作。

由于轴承弹性变形的作用，在偏心率$\varepsilon>1$的情况下，弹性轴承还有足够的油膜来维持润滑状态，而且随着载荷的增加，轴承偏心率还可继续增加。

事实上，无量纲承载能力是压力分布函数在整个承载区域上的积分值。因此参见图2-81就可明白在相同的偏心率下，弹性轴承的承载能力比刚性轴承的要小，其实这正是弹性变形对轴承压力分布影响的反映。

201. 油膜轴承弹性变形对油膜厚度分布有何影响？

刚性轴承的油膜厚度仅仅由轴承的几何间隙所决定，因此它是关于φ的一元函数，沿轴向的油膜厚度视为常数。而弹性轴承的油膜厚度是由轴承的几何间隙和轴承的弹性变形共同影响构成。因此其膜厚分布较复杂，是φ、λ的二元函数。

图2-82给出了偏心率ε为0.85时刚性轴承和弹性轴承在轴承中间剖面上的无量纲油膜厚度对比情况，曲线1～3分别对应弹性轴承相对间隙为0.0008、0.001和刚性轴承。为了清楚，这里不计弯曲变形，因而图形具有对称性，且在轴承的中间剖面上($\lambda=1$)保持有同一坐标下的油膜厚度的最大值。这样，我们就可以通过对中间剖面的讨论来对油膜轴承做大体分析。在这个剖面上，弹性轴承所具有的油膜厚度要比刚性轴承大得多，弹性越强，则差别越大。另一方面，相对间隙对膜厚的影响是明显的，从图中可看到其规律为：间隙变大，膜厚减薄；反之，则变厚。

图 2-83 给出了偏心率为 0.97 时，轴承无量纲压力分布和无量纲膜厚曲线的对照。在大偏心率的情况下，在出油口附近由于压力锐减而引起油膜厚度的缩小，即所谓的“颈缩”现象。

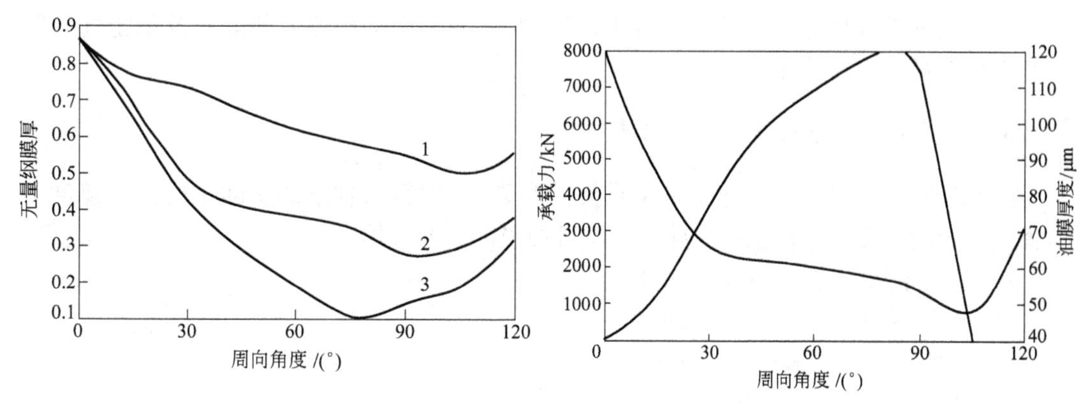

图 2-82　油膜厚度在中间剖面上的对照

1—相对间隙为 0.0008；2—相对间隙为 0.001；3—刚性轴承

图 2-83　膜厚变化和压力分布的对照

以上的现象说明，对于处于重载工况下的轧机油膜轴承而言，在主要承载区已经出现了类似高副接触时的润滑特征，所以将其视为刚性轴承会和实际情况相差很大，需要应用弹流润滑理论来对轴承进行研究。同时，考虑轴承弹性变形使轴承的压力分布和膜厚分布对承载更加有利。

202. 相对间隙 ψ 对轴承承载能力有何影响？

对于刚性轴承，由于承载能力曲线是唯一的，因而相对间隙 ψ 和轴承的承载能力有一定联系。为了承受大的载荷，只有在油膜厚度允许的范围内尽量选取较小的 ψ 值。如果考虑弹性变形对承载能力的影响，情况则复杂一些。

图 2-84 给出了三种不同相对间隙的弹性轴承的承载曲线，曲线 1～3 分别对应相对间隙为 0.002、0.001、0.0008。在偏心率较低时，小的相对间隙确实具有较大的承载能力，但

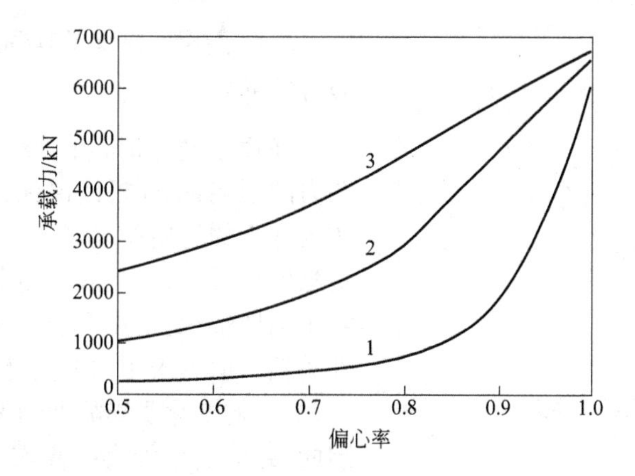

图 2-84　不同相对间隙的实际承载能力曲线

1—相对间隙为 0.002；2—相对间隙为 0.001；3—相对间隙为 0.0008

是随着偏心率的提高，承载能力增加缓慢。与此相反，相对间隙较大的轴承虽然在小偏心时承载能力较低，但随偏心率的增加提高的很快。同时，计算结果表明，最大承载力在其他条件不变的情况下随轴承间隙的增大而减小，随间隙的变小而增大，但并不是说油膜轴承的间隙可以无限增大或减小，超出一定范围就会破坏液体动力润滑状态。

因此，在轴承设计的一些主要参数确定后，要充分考虑油膜厚发热问题及稳定性等问题，来合理选择相对间隙 ψ。

203. 速度对轴承承载能力有何影响？

在油膜轴承的设计当中，速度是很重要的参数，一般都由轴承的实际工况提出速度要求，而且一定的速度也是油膜轴承建立起润滑油膜的必要条件。

图 2-85 中曲线分别代表相对间隙 ψ ＝0.0008 的油膜轴承在 100r/s、200r/s、300r/s 三种速度下的承载能力与最小油膜厚度曲线。可以看到，在相对间隙等参数给定的条件下，速度较高的轴承由于径向的接触弹性变形比较显著，因此在一定范围内性能较好。

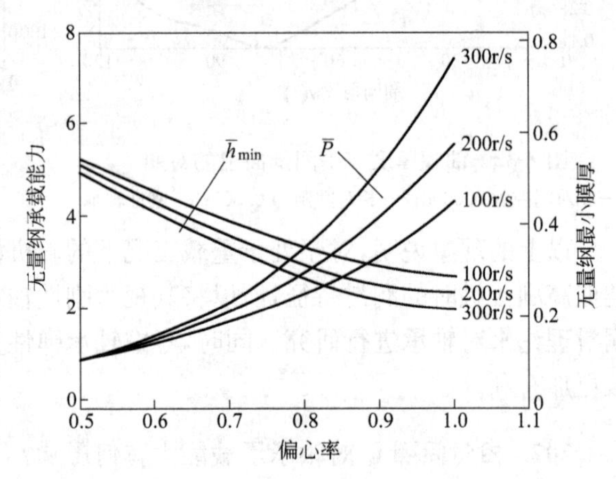

图 2-85　不同偏心率下速度与承载能力和最小油膜厚度之间的关系

但是在实际工况中速度较高的轴承由于考虑热效应等因素的影响，往往相对间隙较大，这时弹性变形对承载能力的影响相对减小。如果轴承速度很高而载荷相对较小时，轴承的弹性变形很小，因此可以用刚性假定的经典润滑理论来研究。

由此可见，这里对速度的讨论是很局限的。在实际进行设计计算时，轧制力和轧制速度往往是作为工艺条件事先给出的，对于轧机油膜轴承而言，工况多为低速重载的条件下，因此应用弹性动压润滑理论来考虑。

204. 润滑油黏度及其黏压效应对承载能力有何影响？

在模型建立时，由于未考虑温度对承载能力的影响，把轧机润滑油在 50℃下的黏度作为计算的初始黏度，并假定了两种情况：一是黏度是常数；二是假定黏度是压力的函数。对于刚性轴承，黏度和轴承的承载能力成线性关系。但对于考虑弹性变形的油膜轴承来讲，黏度的变化要影响到轴承的弹性变形量，因此，黏度的增加会提高实际承载能力。一般情况下，可认为油的黏度与轴承的承载能力成正比。可是二者之间的关系较复杂，不

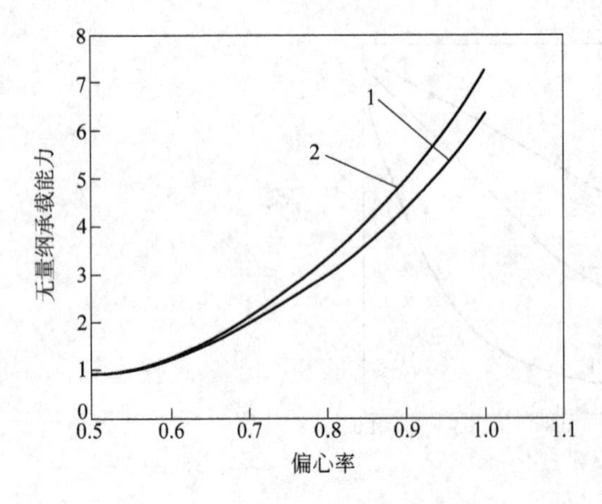

图 2-86　黏压效应对承载能力的影响

1—不考虑黏压效应；2—考虑黏压效应

能用解析式加以表示。

如图 2-86 所示，曲线 1 和曲线 2 分别代表不考虑和考虑黏压效应的无量纲承载能力曲线。从图上可看出，和一般弹性解相比，考虑黏压效应的弹性解具有较高的承载能力。

205. 轧制速度对承载能力和最小油膜厚度有何影响?

油膜轴承影响板厚的直接原因是油膜厚度的变化。由于上下两个轧辊轴承的膜厚变化规律数值可以认为是相同的，所以，轴承将以两倍的膜厚变化值施加于轧件上，影响是显著的。

在重载油膜轴承中，最小油膜厚度往往是衡量轴承可靠性的重要指标。机器在启动和停车时，当转速降低到某一临界值，轴承在最小油膜厚度区域开始变成混合摩擦，这时摩擦阻力显著增加。由于在轴承中不能实现等厚度油膜，由完全流体润滑向部分流体润滑的转变，总是先发生在最小油膜厚度 h_{min} 的位置上。从弹性流体动力润滑理论可知，当油膜厚度很小时，在这一位置附近油膜的承载能力受油膜厚度影响极大。控制最小油膜厚度是阻止流体润滑失效的重要因素之一。

随着轧制速度的增加，油液的动压效应逐渐加强，在载荷不变的情况下，出现轴颈中心逐渐上浮，使油膜厚度增加；反之，膜厚减薄。从图 2-85 和图 2-87 中的油膜轴承最小膜厚随轧速的变化曲线上能清楚地反映这一动态变化。在速度从 100r/min 增加到 300r/min 时，最小油膜厚度的变化量为 40/μm。

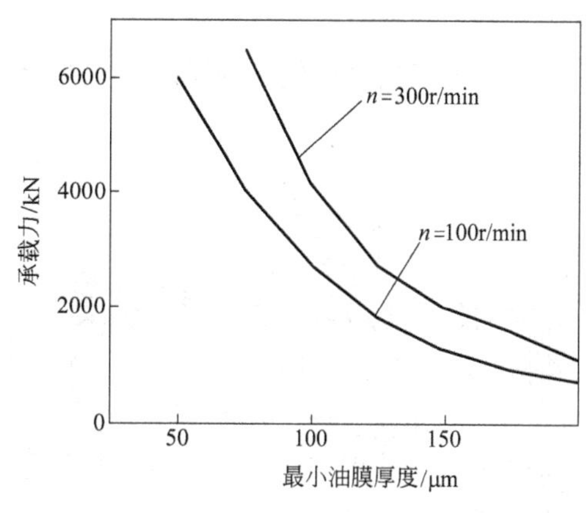

图 2-87　速度对承载力和最小油膜的影响

通过计算还发现：对于一般情况，相对间隙对油膜厚度的影响是明显的，其规律是间隙变大，膜厚减薄；反之，则变厚。同时，计入弹性变形使得最小油膜间隙比不计入弹性变形时要大一点，这是因为轴承的接触变形使油膜厚度增加。但在相同载荷下，计入弹性变形后，偏心率要比不计入时要大一些，偏心率的增加使油膜厚度减少，从而在一定程度上弥补了由弹性变形而增加的油膜厚度，这时对油膜厚度的分析就变得复杂起来。

206. 润滑油流量与载荷和速度的关系是什么?

润滑油的流量关系到油膜轴承的供油是否充分。以某轧机油膜轴承为例，计算不同载荷和速度下轴承的润滑油流量。轴承具体参数如下：半径 $R=0.493$m；宽度 $L=0.716$m；半径间隙 $\delta=0.475$mm；润滑油黏度 $\eta=0.288$Pa・s，供油压力 $p=0.1$MPa。

从图 2-88 可看到，当速度增加时，油膜轴承润滑油的流量也随之增加，反之，则减小。这是因为当载荷增加时，润滑油的压力也将迅速增大，油的流动加快，故流量增加。

目前，所做的计算工作是非常有限的，还很不完善。对油膜轴承的结构、承载条件和所选择的主要参数在不影响研究内容的情况下，做了一定程度的简化或限于一定范围，以便于模型建立和数值计算。因此,仅仅以这些初步的计算结果分析弹性变形对轴承承载能力的影响还只能作为初步探讨性的结果,还应在这个基础上进行深入分析和计算。

在本计算过程中,由于都建立在轴承处于稳态运行的条件下,并假设轴承的滑动速度已经足够建立起流体动压润滑,所以使用本计算方法时对轴承的转速范围有一定限制。

最后,为了使计算更接近轴承的实际工况,考虑轴承的热效应影响是十分必要的。但我们的重点在于弹性流体动压润滑理论的研究,没有涉及热效应问题。若用于实际的设计计算还应考虑热效应,对计算结果做出适当的修正,或者在本文的基础上进行热弹流润滑理论的研究。

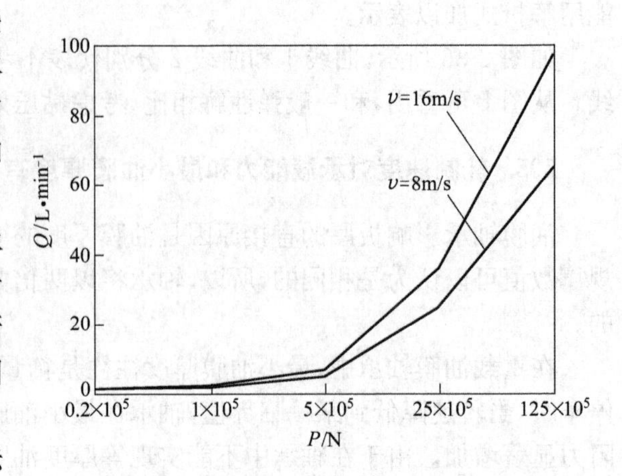

图 2-88 流量与载荷和速度的关系

207. 太钢高线精轧机的基本结构是什么?

太钢高线精轧机为德马克(DEMAG)紧凑悬臂辊环式轧机,15°/75°侧交型。德马克型精轧机为独特的摇臂结构——悬臂式辊环机架,如图 2-89 所示,换辊和处理事故方便;辊轴由摇臂上的油膜轴承支撑,轧机的刚度和强度都很高,辊缝大小由上摇臂通过楔铁-螺旋列-蜗轮杆调整机构调节开合程度对称调整,辊缝锁定可靠调整精度高。该轧机轧辊端部采用动压油膜轴承承受轧制力,是精轧机的关键部位,其工作特性是在高转速、高冲击状态下能够连续稳定工作,具备较长的使用寿命。它的性能好坏,直接影响高速线材轧机的正常生产。

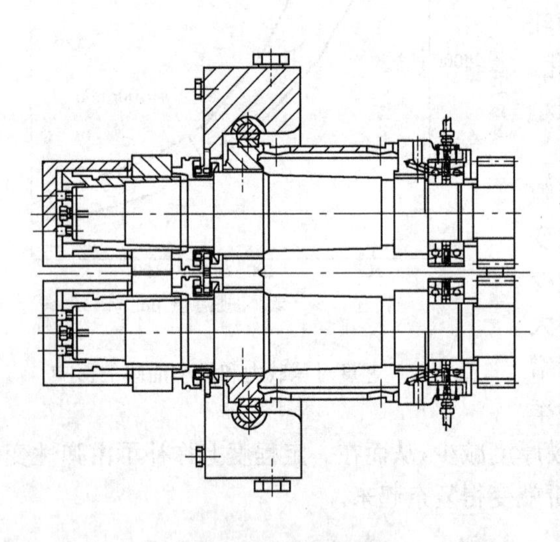

图 2-89 精轧机结构示意图

208. 太钢高线精轧机的油膜轴承烧损的主要原因是什么?

太钢高线精轧机轧辊工作侧采用的是油膜轴承,如图 2-90 所示,目前烧损现象突出,烧损部位和程度如图 2-91 所示。其烧损原因的判断是一个复杂的问题,这不仅是由于结构特点(尺寸限制)、压强大、发热高等因素,决定了油膜轴承的繁重而恶劣的工作条件,同时由于轧制条件(不同速度与载荷的组合)及辊缝调整等几何条件诱发的附加载荷(如轴向力),造成了轧辊轴承载荷的加重及受力状态的不确定性。所以,工作辊轴承处于非正常的运转状态,对生产有严重的影响,迫切需要解决。但对轧辊油膜轴承的研究涉及整机以至机组,运行状态十分复杂,不仅从彼此混杂互相淹没的大量因素中捕捉未知已难实现,要获得举一反

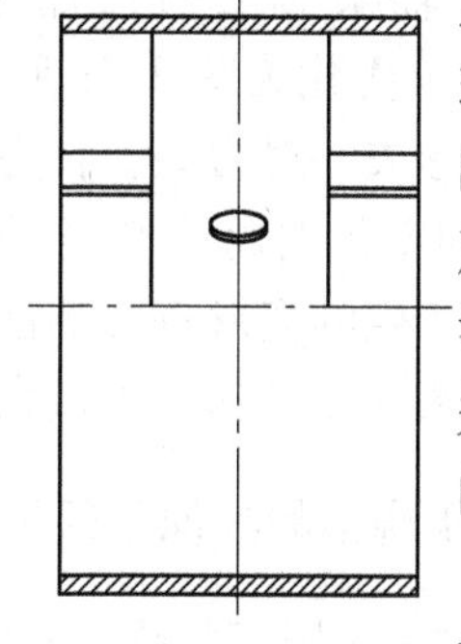

图 2-90　德马克型轴承

三的典型效果将更为困难。针对现场的生产工艺与设备特征等实际情况，初步分析认为超、偏载是产生烧损的主要原因，制定了通过油膜轴承运行状态在线监测和相关因素的核查分析，查明故障原因的技术方案。

精轧机组轧辊工作侧油膜轴承受力状态如图 2-92 所示。在运转过程中，轴承在垂直方向受工作辊平衡力 F_H 的作用；在水平方向受机座侧向水平 F_V 的影响（图中未标出）；在工作辊轴线方向，受到轧辊轴向力 F_A 的作用。工作辊在三维复合力系的联合作用下，其实际使用寿命取决于轧辊轴承的负荷特性，即辊子的负荷大小及偏载程度。

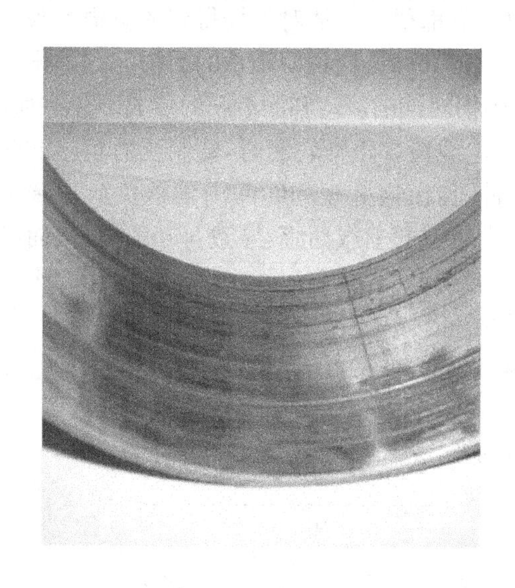

图 2-91　轴承烧损局部放大图

图 2-92　轧机油膜轴承受力图

1—油膜轴承；2—摇臂；3—压下垫块

209. 太钢高线精轧机轧辊杆系的受力情况如何？

机构学认为：机构是具有确定相对运动的运动链，自由度必须与原动件数相等。如果机构分析时遵守刚性构件的约定，重载下部分构件的弹性变形（如受力弯曲）将改变机构的运动规律，从而导致运动副的受特性发生改变，轴承就出现疲劳破坏甚至烧损。

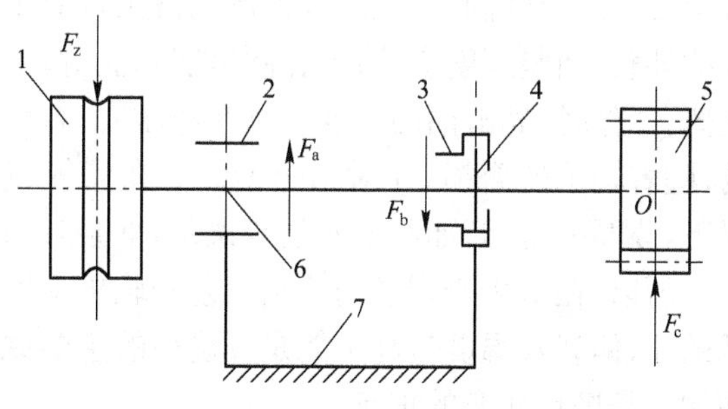

图 2-93　轧辊杆系

1—工作辊；2—油膜轴承 1；3—油膜轴承 2；4—止推轴承；5—齿轮；6—接触区；7—摇架；F_z —轧件对轧辊的制反力；F_c—齿轮圆周力；F_a—轴承 1 外载荷；F_b—轴承 2 外载荷

在轧制过程当中，外载荷的大小、方

向及其作用点都是计算支反力——轴承径向载荷的依据。根据轧机结构，工作辊辊系受载后可视轧机摇架固定，其杆系机构可简化为图 2-93 所示。从图上可看到，作用在辊轴两端的悬伸外力 F_z 与 F_c 的方向相反，形成一对力偶。在力偶的作用下，轧辊辊颈将在轴承中偏斜。在轧辊和轧辊受力后发生弯曲变形时将不具备随轧辊辊系受力弯曲时的相应的活动度。由于轴承轴向位移受到限制，产生的变形将影响油膜轴承初始间隙的均匀性，不利于油膜的形成和压力的合理分布，会导致油膜局部压力过大，产生偏载，压破油膜。

210. 太钢高线精轧机油膜轴承烧损的其他原因是什么？

从另一角度来看，该轧机油膜轴承采用了非铰接式自位装置，一般用于轧制压力很高的轧机上，通常称为小平面。这种小平面自位装置，对轴承的工作是很不利的，实际上是没有自位性能的"自位装置"。所以，造成了轴承厚度分布不均，轴承承载区域中轴向分布间隙发生变化，动压油膜的分布压力随之改变，降低了油膜轴承的承载能力；这同时也意味着在较小的偏心率下两表面就会接触，即在轴承靠近辊身侧的承载区发生边缘磨损，导致油膜轴承过早失效。而在大负荷的轧机上，在工作时轧辊及辊颈的变形都很大。从对现场得到的烧损油膜轴承进行实物测量后，我们发现油膜轴承磨损两端相差 0.16mm，这说明轴承的磨损问题是很严重的。德马克轴承采用的是端部泄油的方式，端部磨损对油的流动和润滑膜的形成十分不利。

就油膜轴承而言，轧机在咬入时产生很大的冲击载荷。正常轧制时，轧制压力建立的时间大约是 0.1s，即轴承所承受的阶跃载荷的加载时间，在这么短的时间内轴承负荷达到最大，冲击是很大的，油膜轴承在短时间内也很难形成稳定的承载油膜，导致衬套磨损，从而将改变油膜厚度的大小。

由于润滑油温度的升高，造成了油膜中不均匀分布的温度场。图 2-94 表示轴承中沿圆周方向的温度分布。由图可见，在左右两个供油处，由于较冷的油供入，使此处温度最低，沿着旋转方向，温度不断升高，直到大约最小膜厚附近，此后由于越来越接近油源而使导热加强，温度降低。

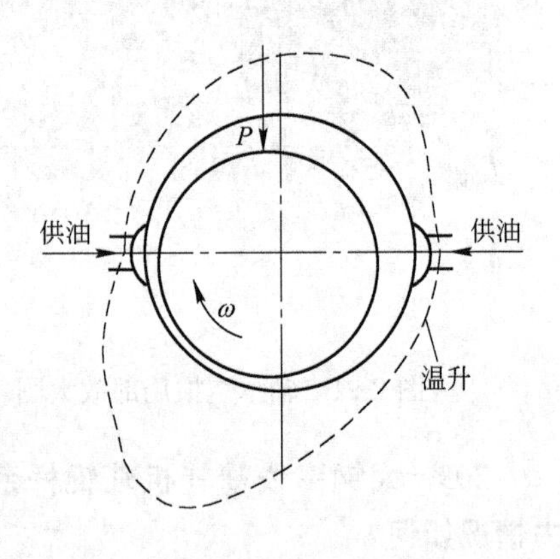

图 2-94 润滑油温度沿周向的分布

油膜厚度的变化对轴承的使用性能有重要的影响。润滑油温度沿周向的分布对油膜厚度的影响因素，涉及因素较多。当轧制力增加时，轴承以挤压效应来平衡增加的外载，油膜厚度变薄；当轧制速度降低时，油膜厚度变薄；工作时，润滑油的黏度也是在随压力、温度变化着的；随着轴承的磨损，相对间隙增大。在同等载荷的情况下，膜厚减薄；诸如制造安装等误差，都会对油膜厚度产生影响。

所以，在对生产现场的轧制工艺和轧机使用情况的初步分析基础上，我们认为：油膜轴承的超、偏载及温度过高可能是其烧损的主要原因，因此轧机所受的载荷、轧制速度和润滑油油温是进行研究的重点。

211. 太钢高线轧机油膜轴承压力分布和膜厚曲线实测的结果是什么？

太钢高线轧机油膜轴承压力分布和膜厚曲线实测结果如图 2-95 所示。

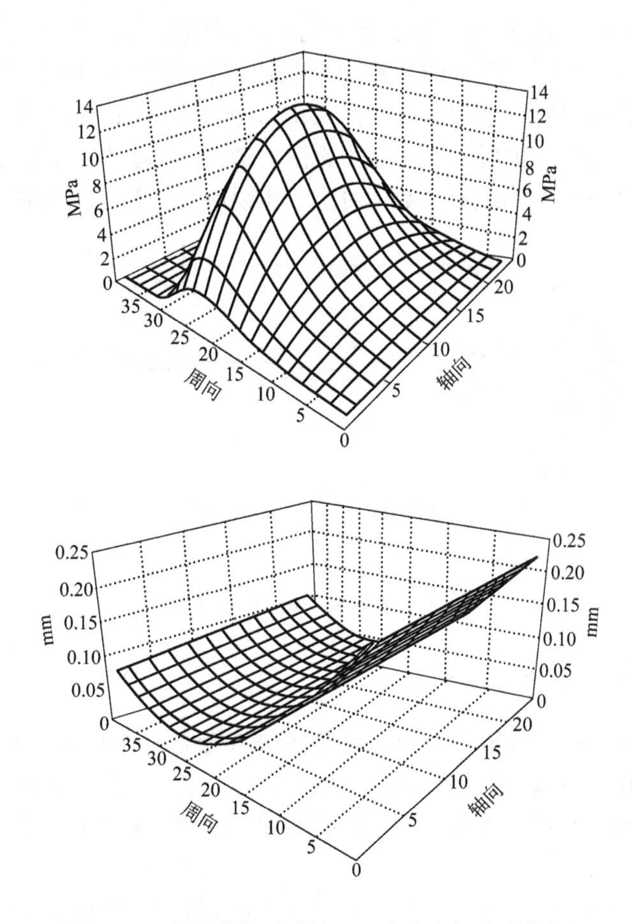

图 2-95　高线轧机油膜轴承压力分布与膜厚曲线

212. 线材生产从咬入到轧制稳定过程中载荷如何变化？

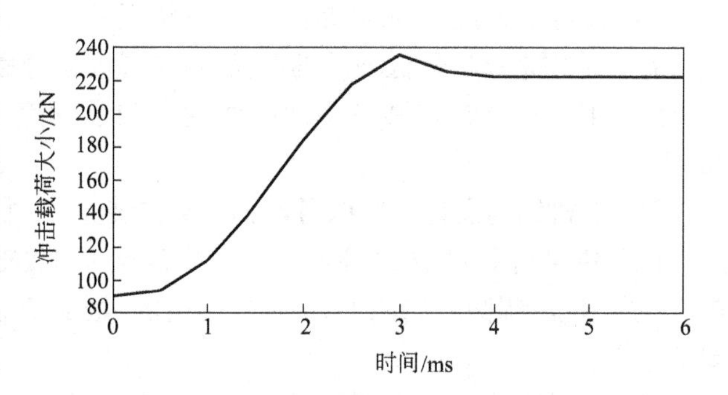

图 2-96　线材从咬入到轧制稳定过程中载荷值的变化图

图 2-96 为生产过程中线材规格为合金钢 40Cr(ϕ11mm)时，对 F_{15} 精轧机(压下量为 0.7mm，轧辊转速为 1066r/min)上所得到的测试一组数据(测试号为 TGC15，时间间隔 0.2ms)，进行处理后绘制的轴承从咬入到轧制平稳过程载荷值变化图。从测试结果可以看到，从咬入到稳定轧制的过程中，油膜轴承负载变化较大，最高可达到 236.9kN，与理论计算相比，尚未接近轴承最大承载力。这说明轧件咬入时对轴承的确存在着冲击，其原因在于轧辊没有平衡力(其平衡力是加到摇臂上的，轧辊的初始间隙有 0.28～0.39mm，轧辊在中间可任意浮动)，进钢时冲击效应比较明显。经实际测算，最大冲击力甚至超出稳定轧制状态下轧制力的 25%以上，但未过载。根据轧机油膜轴承设计的最大许可承载力值可认为，轧机

油膜轴承进钢后虽然存在冲撞，会影响到油膜的形成，但不是油膜轴承烧损的主要原因。

图2-97为同等轧制条件下，通过对稳定轧制状态下连续10次记录得到的轴承载荷变化曲线。从图中可看到，稳定轧制时，轧制力大小、方向基本是不变的，但从整个轧制过程来看，虽然冲击负荷重复出现，油膜轴承承载力也随之改变，但总体上都在油膜轴承的许用范围内的。从现场测试得到的多组测试数据可进一步说明高线轧机的烧损问题与超载无关。

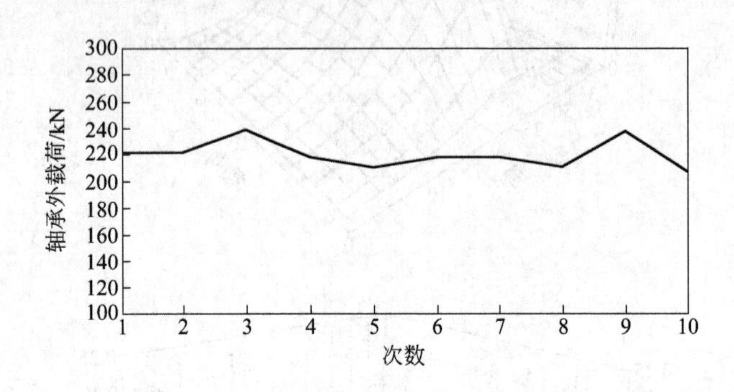

图2-97 连续轧制时轴承负荷图

213. 测试结论和改进措施是什么？

(1) 通过对轧机工作辊辊轴的机构活动度、轴承接触区处的载荷分布情况进行分析，认为精轧机结构不合理，造成较大的弯曲变形；同时，在连续工作条件下轴承发热未能有效控制，温度较高，将导致轴承局部偏载和接触磨损问题。轴承偏载是造成轴承短寿问题的一个主要原因。

(2) 测试结果与理论分析有较好的一致性。考虑到轧件的材质、变形抗力及轧制过程中的温度变化等因素对油膜轴承承载特性的影响，经与理论计算的轧制特性参数比较分析认为，上述实验测试数据是可靠的，达到了实验测试的目的，可为轴承寿命预测及设备安全运行提供参考依据。

(3) 改进措施：轴承偏载是造成轴承烧损的主要原因，从解决偏载入手，主要通过改进轧机轴承结构来设法降低轴承的载荷，这是提高其寿命的有效途径；同时要注意改善供油条件，保持润滑油清洁，控制最小油膜厚度及轴承发热等问题，这样也可以提高轴承使用寿命。

(4) 轧机结构设计中应该考虑轴承自位装置，一个好的自动调位性能，可发挥轴承的整体功能避免对角受力，边缘接触。它直接影响到油膜轴承的运转精度和轧材质量，而且对提高轧机的性能（提高轧制能力、扩大速度范围、增加产品规格等），延长使用寿命都有十分重要的意义。

(5) 由于测试手段的局限，本次未能对偏载程度进行测试。在连续轧制过程中，对轧机油膜轴承磨损监测的理论尚在研究之中，目前无法做到预测和自动补偿来延长轴承的使用寿命。总之，预测和提高轧机油膜轴承的使用寿命需采用系统论的方法来进行研究，有待于进一步完善。

214. 宝钢1580mm热连轧机精轧机组支撑辊油膜轴承的基本情况是什么?

宝钢1580mm热连轧机精轧机组支撑辊的大型麦塔斯型油膜轴承为日本三菱重工的专利产品。该油膜轴承已在日本、韩国的轧机机组上应用,在国内仅有宝钢的机组上使用。自投入使用三年多来,尽管三菱油膜轴承显示出了无键连接带来的轧制力不波动的突出使用特点,但也同时暴露出一些设计缺陷,造成部件损伤、锥套与轧辊辊颈之间卡死等事故,无法发挥其突出的设计性能。由于事故经常出现(年锥套卡死量为20个),表明此类油膜轴承的现状已经影响了生产的正常进行,从而对企业生产造成了很大的经济损失。

三菱油膜轴承的锥套为弹性结合(亦即过盈联结)结构,采用液压胀型方式实现装拆。锥套(包容件)为变厚度圆柱壳,锥套内表面与轧辊辊颈(被包容件)的表面锥度为1∶30。锥套推至工作位置处,与辊颈实现过盈量为1.6～1.8mm。在锥套内腔带有3mm宽的螺旋状油槽,以保证轴承座装拆时胀型高压油在腔面有部分存储,以及高压油压力在锥套内迅速传递使锥套均匀变形。距锥套两端面47 mm处有17mm宽的环形槽,用于安装U-PARKING密封,以保证在装拆时锥套轴向两端实施对高压油的密封。

215. 锥套在装拆过程与使用过程中出现的表面损伤情况如何?

划伤是锥套内表面和轧辊辊颈表面最普遍的损伤形式,一般在周向出现无明显分布规律的划痕,深度为1～3mm,长度为5～50mm不等。而在锥套两端部10mm左右区域一般无此类损伤。锥套内表面的轴向出现深浅不一的条状划痕,一般的深度不足1mm,严重的可达3～41mm,划痕长度一般为100mm左右,缺陷呈由浅至深状发展,拆卸后损伤表面有堆砌状金属损伤颗粒,用力可将其剥离表面,一般分布在锥套两端200mm范围内,轧辊辊颈相应区域有同样的损伤形式发生。但是在中间区域无明显划痕现象,表明锥套具有特定的变形场和应力场。

对于划伤与划痕现象,除液压油所含杂质、锥套内表面和轧辊辊颈表面清洁度等因素外,由于过盈联结装拆而出现轴向拉毛损伤,必然与锥套装配和拆卸过程的应力状态有关;出现周向划伤,将与锥套工作过程中与辊颈产生相对滑移有关。在锥套不均匀变形情况下,接触界面形成较大的压应力区,且工作状态下形成交变应力场,局部产生屈服区域,锥套材质在该区域的局部应力状态下,杂质作用造成划伤、剥落等现象,如图2-98所示。

216. 锥套在装拆过程与使用过程中出现的断裂与强化带情况如何?

锥套在使用过程中,其辊身端部曾出现穿透性裂纹(尺寸为17～20mm),通过微观组织观察,可明显判别为微裂纹扩展,且表现出疲劳断裂的几何形貌特征(海湾边痕迹)。在辊身端部的螺钉连接处,裂纹亦有疲劳破坏的特征,如图2-99所示。

在锥套外表面的部分区域可以发现强化带,且与衬套内表面强化带及损伤位置相吻合,如图2-100所示。

217. 锥套在装拆过程与使用过程中出现的滑移与粘着的情况如何?

在锥套的U形密封槽区域有多处出现表面微裂纹、加热状组织磨损和点蚀现象,如图2-101所示。

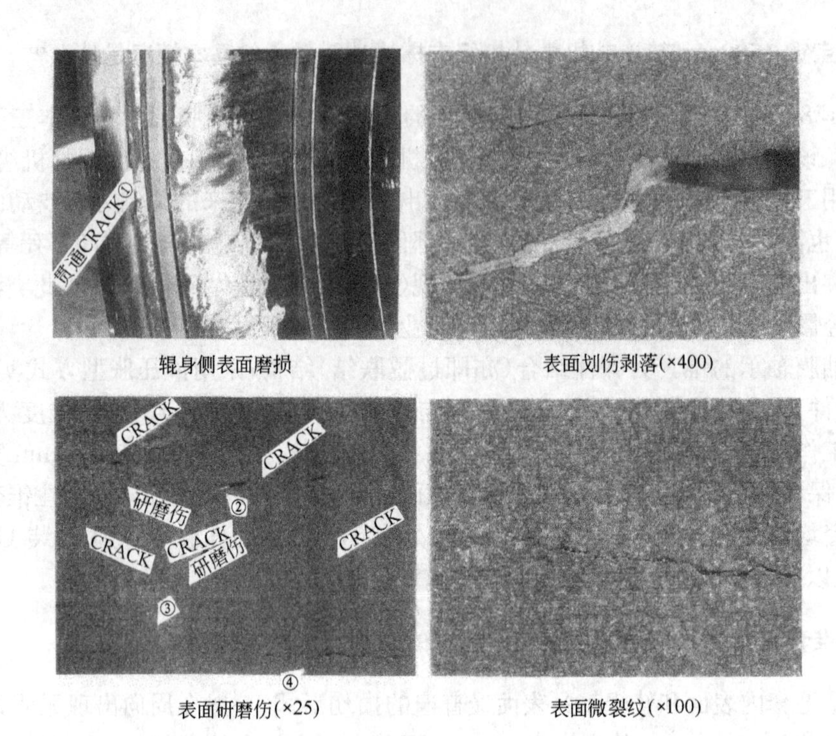

辊身侧表面磨损　表面划伤剥落(×400)

表面研磨伤(×25)　表面微裂纹(×100)

图 2-98 锥套内表面的损伤金相图

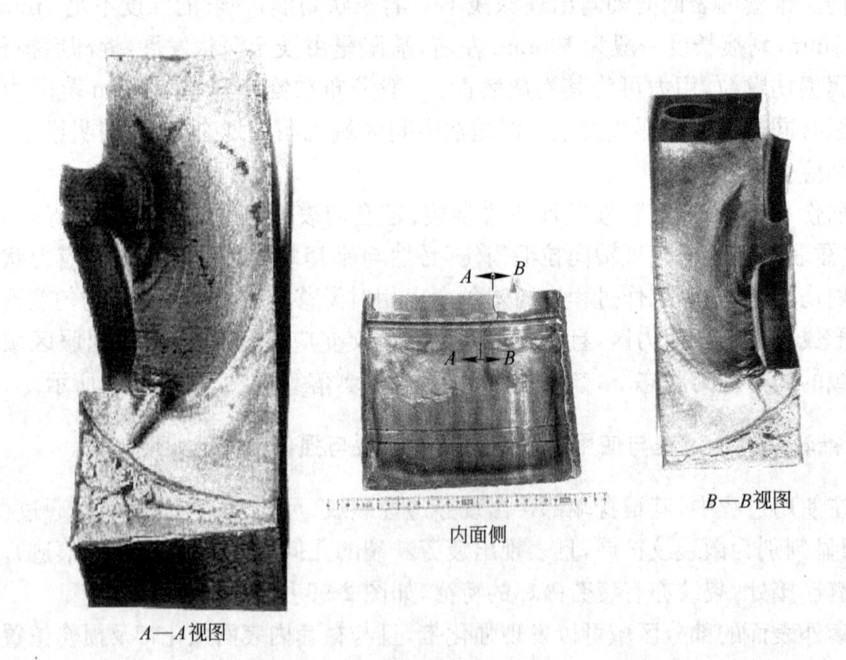

A—A视图　内面侧　B—B视图

图 2-99 锥套端部疲劳裂纹

锥套与轧辊辊颈所发生的黏结现象，在辊颈辊身侧尤为显著，这与其弹性结合及油膜轴承的载荷工况有关，也将是造成锥套卡死无法拆卸的主要原因之一。

由于锥套的多次装拆使用，其装配方式导致周期性残余塑性变形，这一点已为表面出现

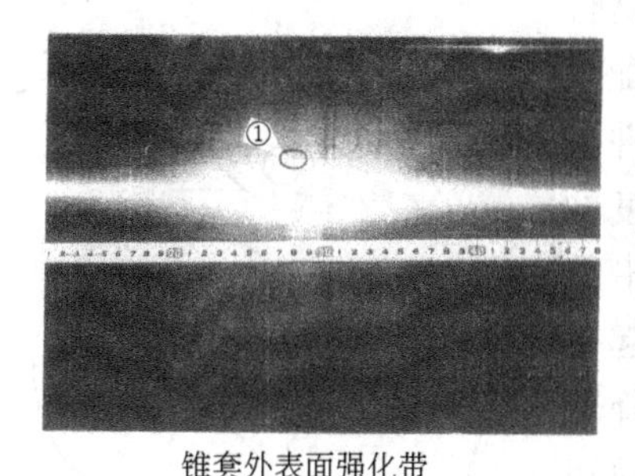

锥套外表面强化带

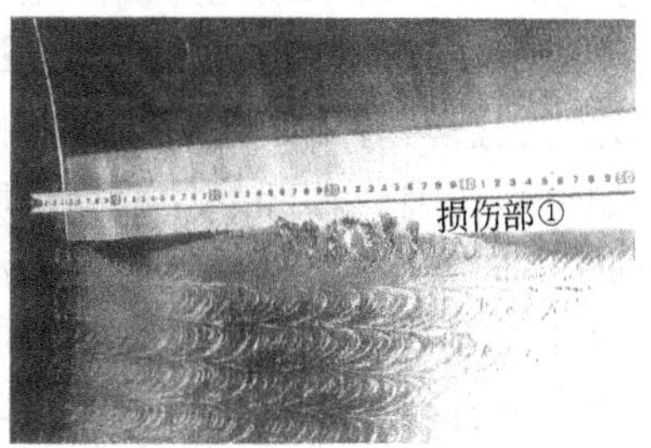

衬套内表面对应强化带及损伤

图 2-100 锥套与衬套表面强化带

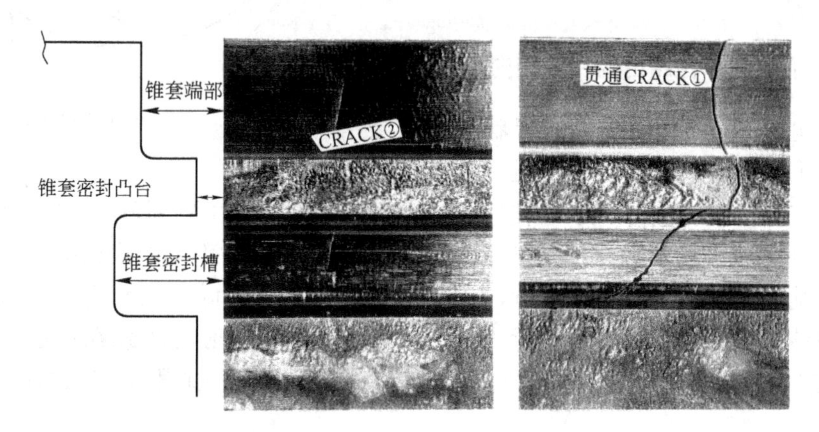

图 2-101 锥套密封槽区域表面损伤

强化带所证实。其结果是锥套与辊颈间的过盈量减小，致使弹性结合固持力下降，锥套在承受轧制载荷时会出现周期性跟转（微动），加剧相对滑移引起的组织变化及塑性变形。

218. 何谓弹性结合？

利用接触面间弹性力的平衡实现一对包容件和被包容件的联结（装配），定义为弹性结合，亦称为过盈配合。接触面的弹性力（即接触压力）相伴而生的摩擦力或力矩称为固持力，以传递工作载荷。

对于重载、过盈量大、要求可靠度高的圆锥形弹性结合件，可采用液压胀型的装配方式。装配时将高压油（20MPa 以上）注入联结件的结合面间，由弹性变形胀大包容件和压小被包容件的相关尺寸，同时加以一定的轴向力将两结合件推至预定的相互位置，卸掉高压油后，两结合件即构成过盈联结。拆卸时，注入高压油后，两结合件即可分离。

弹性结合的优点是构造简单、定心性好、承载能力高，且在振动情况下不影响工作载荷的稳定而可靠地工作。其主要缺点是装拆困难和对配合尺寸的精度要求较高。

弹性结合及技术的发展历史悠久，但在深度和广度方面尚不能给出解决如宝钢 1580mm 热连轧机大型油膜锥套“拉毛”及“黏结”损伤难题的方法。

在弹性结合的力学理论方面，据文献能查到的分析模型有基于厚壁筒应力及变形的二维场公式和解析结果，如图 2-102 所示。但缺少同时描述沿锥套轴线方向应力和变形场的三维解析法，因而不能揭示锥套两端边部应力集中的因果规律。

关于提高弹性结合件的承载能力及防止结合表面损伤问题方面，除结合件材质、尺寸和装配过盈量外，结合形式、制造与装配工艺和工作条件也有很大影响。如辊颈在锥套端部外伸部分刚度的限制，锥套沿轴线方向壁厚变化，使径向压力沿锥套轴线接触区域上非均匀分布，并在端部引起接触面的应力集中。只有合理的结构形式方可降低应力集中现象；而锥套与辊颈表面的加工表面粗糙度及液压胀型装拆的压力配合方案直接影响锥套的承载能力。

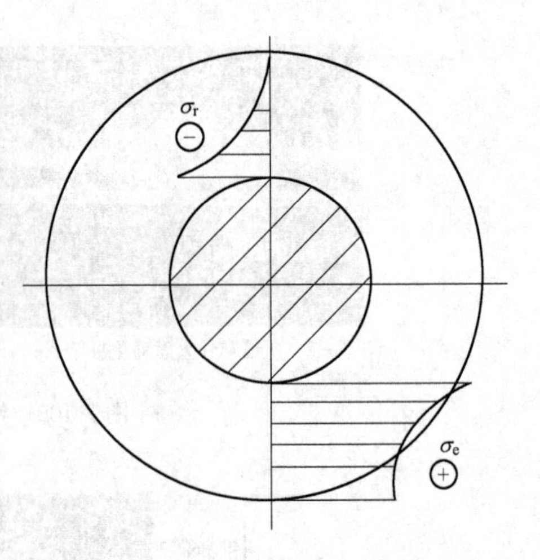

图 2-102　二维弹性结合应力场分布

219. 我们研究弹性结合的目标和内容是什么？

根据弹性结合理论及技术的现状和项目要求，我们的研究任务是对油膜轴承锥套在弹性结合方式下，探究锥套与轧辊辊颈不同损伤形式发生的机理，采用数值模拟方法确定锥套接触表面的应力场和位移场的特征，并通过模拟试验及模拟样机对不同的表面损伤形式与不同载荷工况的定性和定量关系进行分析，为将现有锥套卡死率降低50%奠定理论基础。

(1) 弹性结合锥套的三维力学行为分析。为分析确定锥套与辊颈在特定区域发生划伤、粘着磨损和点蚀等表面损伤的力学原因，必须对锥套在装配过程和工作过程中的力学行为进行研究。

1) 液压胀型过程中锥套腔室的油压分布规律。锥套内表面的螺旋油槽使得液压胀型高压油快速充盈，在一定压力下使锥套变形，从而在锥套与辊颈间形成油膜腔室。在油压保持不变的前提下，由于液体不可压缩，油膜腔室体积不变，但其位置(沿轴线方向)和形状可能发生改变。

锥套为变厚度圆柱壳，其沿轴线方向的法向位移不对称；而锥套装入过程中，随着过盈量的增加，壳体抵抗变形的能力与壳体的厚度有关，从而构成压力分布与壳体变形耦合的弹性力学问题。为此，要准确地计算锥套的变形和装配与拆卸过程的接触面的应力分布规律，以及采用弹塑性理论分析锥套的残余变形，必须对锥套的胀型油压加以确定；合理模拟胀型油压的分布规律曲线；合理确定胀型油压、液压螺母的压力与锥套轴向压入量的关系；试验验证锥套注入高压油后腔室内沿轴线方向的油压分布规律。

2) 确定锥套装配过程的变形廓线。锥套在高压油胀型推入辊颈过程中，其变形廓线由于过盈量的不断增加将发生改变，从而对锥套装配过程的力学行为分析带来两个方面的影响：油压作用区域Δ的减小对锥套装配过程中变形状态计算的加载影响；套与辊颈的接触区域δ_1、δ_2的不断改变对接触应力的影响，如图2-103所示。

这样，载荷与变形的关系在锥套装配过程中呈现动态形式且Δ、δ_1和δ_2均为过盈量δ的函数，即：

$$u_{ij} = u_{ij}(p,\Delta,\delta_1,\delta_2)$$

$$\Delta = \Delta(\delta),\delta_1 = \delta_1(\delta),\delta_2 = \delta_2(\delta)$$

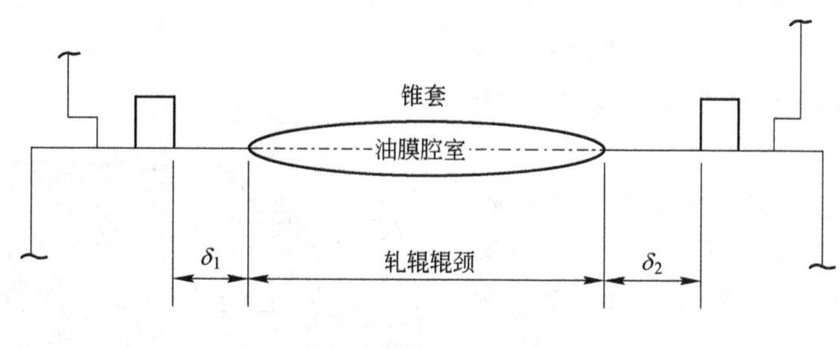

图 2-103　胀型油膜腔室示意图

3) 确定锥套与辊颈装配过程的接触应力。锥套在过盈装配过程中与辊颈接触区域 δ_1 和 δ_2 的变化，造成接触应力的变化，过大的局部接触应力是锥套两端及辊颈相应部位产生划伤与表面磨损的主要原因，为此，通过解析法或有限元法计算接触区域的接触应力。需重点解决的问题是：锥套装配、拆卸过程中两端密封槽附近区域接触应力的三维分布规律；油膜压力对过盈接触应力分布规律的影响。锥套在装配过程中，可能发生锥套与轧辊轴线倾斜，这将造成锥套局部应力场更加复杂，引起局部发生损伤，因此，必须对锥套与辊颈的偏心影响加以分析，并对轧辊与锥套的弹性接触应力场进行评估。

(2) 弹性结合面磨损的损伤机理。锥套与辊颈在过盈配合状态下装配过程和工作过程中，具有局部高应力区和特定的损伤区域出现，而且损伤的形式不同，为此，必须对以下问题进行分析：不同损伤形式与锥套的力学行为之间的关系；试验研究损伤的机理，确定描述损伤形式的方法；不同载荷工况下损伤表面形貌的几何特征描述；试验研究工作载荷下的接触疲劳损伤机理。基于以上问题的分析与讨论，对油膜轴承弹性结合锥套的应力场和变形场、不同形式损伤的力学机理进行了理论与试验研究。

220. 锥套装配过程中力学模型怎样，载荷如何处理？

(1) 锥套装配过程的力学模型。油膜轴承锥套与辊颈弹塑性结合的计算结构如图 2-104 所示。锥套为变厚度圆柱壳，锥套内表面与轧辊辊颈的表面锥度为 1∶30。锥套推至工作位置处与辊颈实现过盈量。锥套内腔的螺旋状油槽保证油膜轴承座在装拆时胀型高压油在腔面有部分存储，同时保证高压油压力能在锥套内迅速传递以使锥套均匀变形。锥套两端设有环形槽，用于安装密封，保证在装拆时锥套轴向两端对高压油的密封。

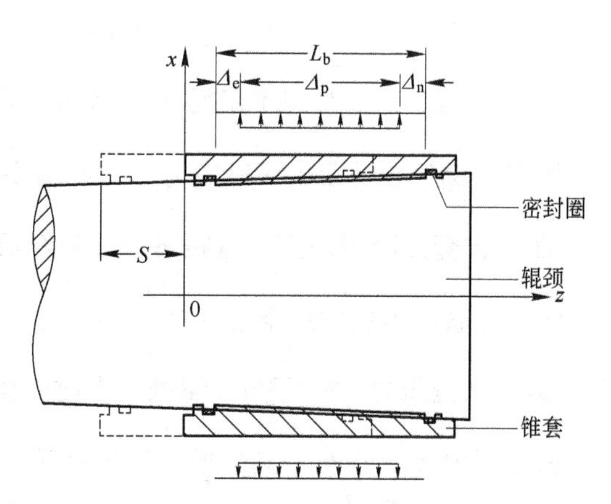

图 2-104　轧机油膜轴承锥套与轧辊装配图

锥套的过盈装配采用油压胀型的方式实现，因此，锥套在辊颈中的装配是一个复杂的三维弹塑性接触变形过程。随着过盈量的增加和油压大小及分布的改变，接触状态发生不断的变化。

边界元法计算过程为：将锥套共划分为 800 个 8 节点面单元，180 个 20 节点体单元；将轧辊划分为 1368 个 8 节点面单元。计算采用增量加载，加载 22 次后，锥套推到预定位置。轧辊和油膜轴承锥套网格划分如图 2-105所示。

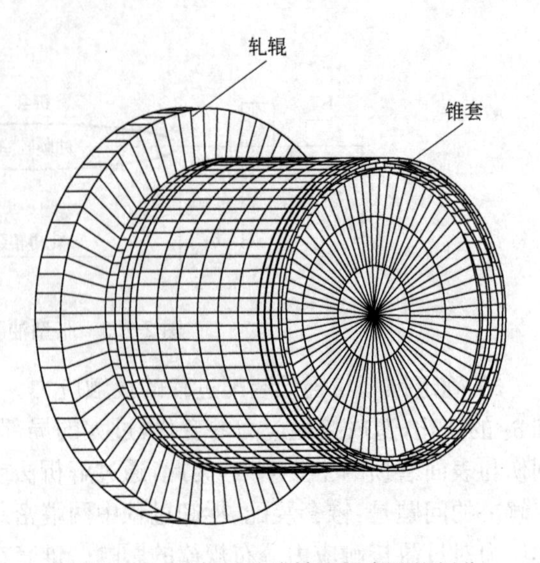

图 2-105　轧辊和油膜轴承锥套网格划分

(2) 载荷处理。锥套装配时高压油经油槽在锥套的内表面形成胀型油腔，对锥套形成均匀分布的压力 P，胀型油压的分布与该腔室的宽度 Δ_p 有关，如图 2-104 所示，即有：

$$\Delta_p = L_b - \Delta_e - \Delta_n$$

式中　L_b——锥套两密封槽间距；

Δ_e、Δ_n——分别为锥套辊端和辊身侧与辊颈接触宽度。

由于过盈量的不断增加，且锥套为变厚度圆柱壳，所以不同油压下锥套与辊颈间弹性结合力的分布不是恒定的，同时锥套与辊颈的接触区域宽度 Δ_e、Δ_n 会发生变化。根据最大过盈量下锥套与辊颈弹性结合力的分布，图 2-104 给出了胀型油压腔室宽度 Δ_p 与胀型油压 p 的关系。在封闭腔室内，胀型油压保持常量。但在边界元分析时，胀型油压的作用位置随锥套的推进而不断地改变：

$$p = (z, \Delta_p) = p_0$$

式中　z——锥套轴向坐标

p_0——给定油压。

221. 锥套内表面主应力与相当应力是如何分布的?

锥套内表面主应力与相当应力分布如图 2-106 所示。

222. 锥套与辊颈接触面的接触应力如何分布?

锥套与辊颈接触面的接触应力分布如图 2-107 所示。

223. 锥套无胀型内压偏载推进时的接触压力如何分布?

锥套无胀型内压偏载推进时的接触压力分布如图 2-108 所示。

224. 胀型压力 p=35MPa 偏载推进时的接触压力如何分布?

胀型压力 p=35MPa 偏载推进时的接触压力分布如图 2-109 所示。

225. 胀型压力 p=50MPa 偏载推进时的接触压力如何分布?

胀型压力 p=50MPa 偏载推进时的接触压力分布如图 2-110 所示。

226. 油膜轴承锥套损伤问题边界元法研究的结论是什么?

油膜轴承的锥套采用液压胀型安装方式是一个复杂的力学过程，关系到油膜轴承工作

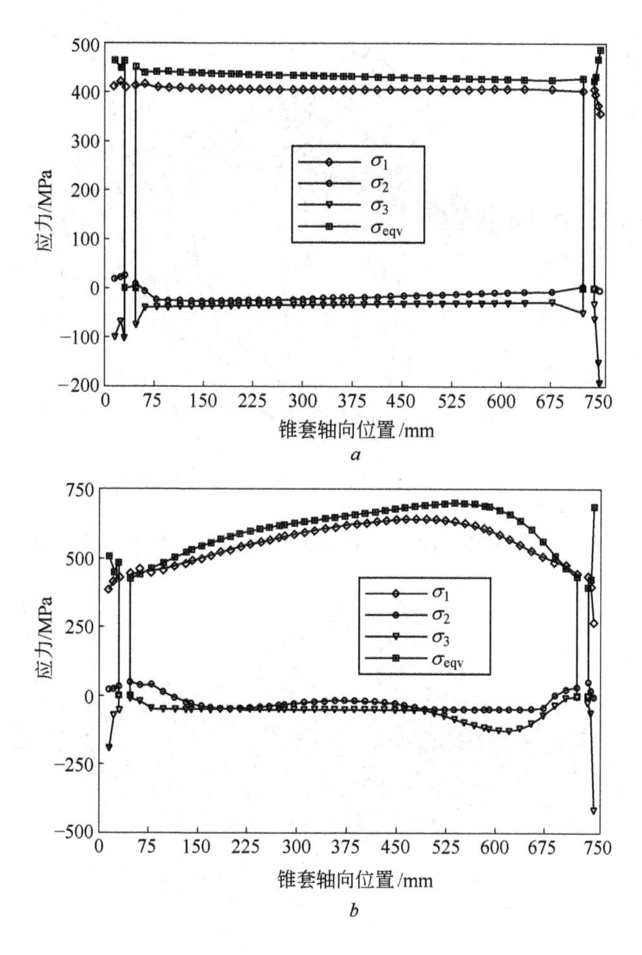

图 2-106 锥套内表面主应力与相当应力

$a-p=0$；$b-p=50$MPa

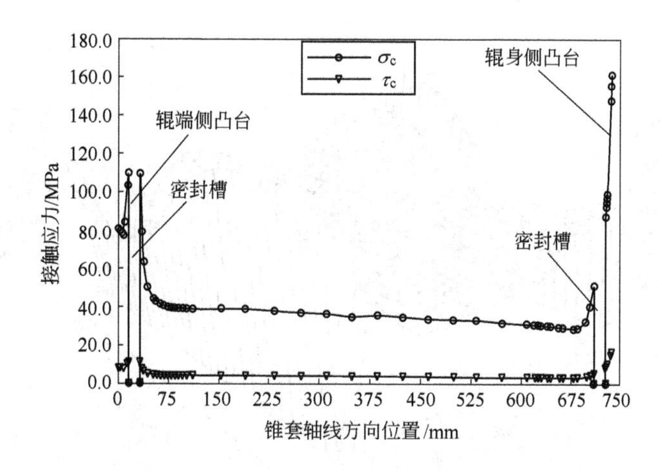

图 2-107 锥套与辊颈接触面的接触应力分布

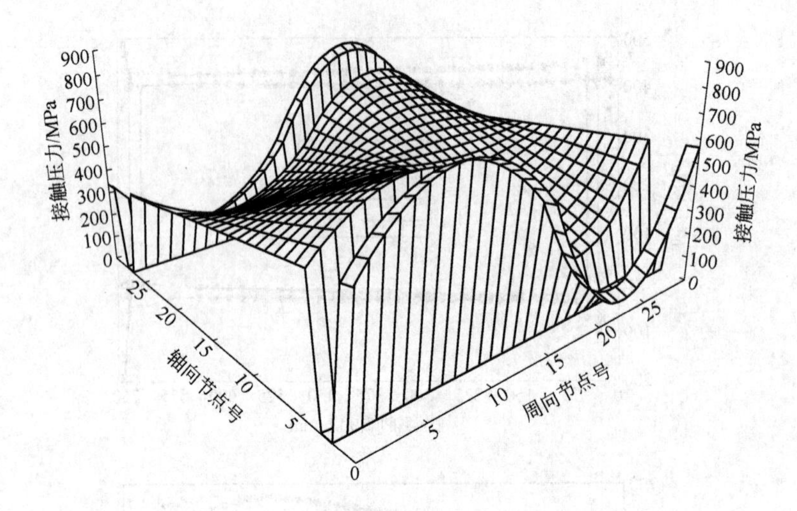

图 2-108 锥套无胀型内压偏载推进时的接触压力分布图

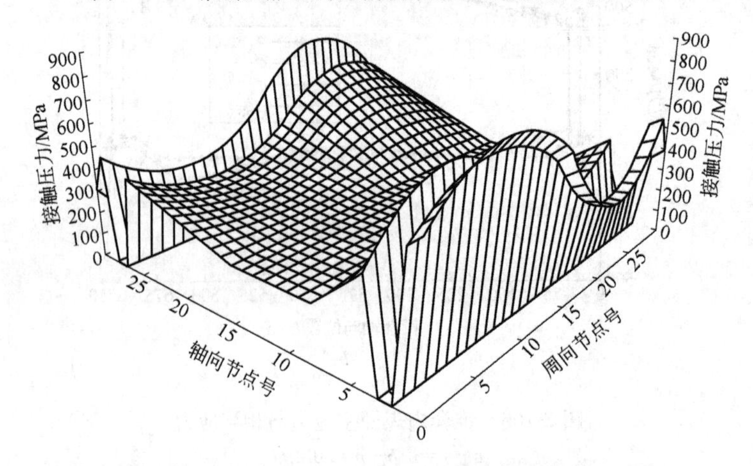

图 2-109 胀型压力 p=35MPa 偏载推进时的接触压力分布图

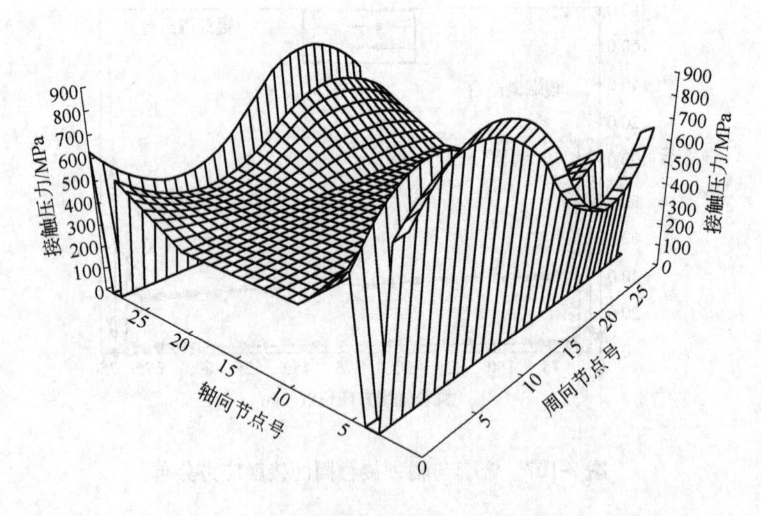

图 2-110 胀型压力 p=50MPa 偏载推进时的接触压力分布图

性能和各结构件损伤机理的力学行为分析。三维非线性边界元数值分析表明，在装配过程中，锥套与辊颈间的变形场和接触压力分布规律是一个动态的非均匀分布场。弹塑性结合过盈量的大小、壳体的厚度变化和边界效应对高应力区的分布有很大的影响，指明了锥套两端高压带的异常行为是该区域所出现的轴向和周向划伤的力学原因。试验结果充分证明了理论分析结果的正确性。建议通过对锥套过盈量进行优化设计、选择正确的胀型压力和轴向推进力、给出恰当的接触表面粗糙度、合理锥套壁厚以及要求装配过程中一定要对中等途径，可大大减少划伤事故的发生。

227. 锥套与辊颈的表面粘着磨损的机理是什么?

对于金属表面出现的磨损破坏，基于磨损破坏的机制，一般有粘着磨损、磨料磨损、腐蚀磨损、微动磨损和表面接触疲劳磨损等类型。在不同的接触摩擦形式、接触表面相对运动速度、接触压力大小等外部条件下，磨损的类型会发生改变，或数种磨损类型同时出现。金属表面磨损是十分复杂的物理、化学和力学现象，确定锥套与辊颈的表面磨损机理，对于采取减小表面损伤的策略具有重要的实际意义。

228. 锥套表面粘着磨损的机理是什么?

考察油膜轴承工作状态的力学行为和实际损伤形式，锥套与轧辊辊颈在装拆过程中接触面间产生滑动摩擦，且这种过程反复进行。随着过盈量不断增加，接触压力不断加大，局部区域形成高应力区。以上力学行为必然使得锥套和辊颈的表面损伤出现粘着磨损形式。

按加工工艺要求，锥套与辊颈的接触表面具有较高的加工精度，但从微观尺度而言，其表面不可能是完全平整的，总是存在一定的粗糙度。当锥套推入辊颈时，随着过盈量的增加，接触面间的接触应力不断增加，特别是在锥套两端密封槽两侧出现很高的接触应力分布，以及相应的摩擦力 τ。然而，由于锥套与辊颈的实际有效接触面积 A^* 要比理想计算几何接触面积 A 小得多，形成有限微凸体上的微观局部接触，因此，在有效接触面上将产生远远大于计算应力的有效局部接触应力 σ^*，导致接触表面发生塑性变形，从而将接触表面的胀型油膜与氧化膜挤破，锥套与辊颈的金属面直接接触，产生粘着(冷焊)。在装配推力作用下，接触面间相对运动，会使粘着点被剪断。粘着—剪断—再粘着—再剪断的循环出现，导致锥套与辊颈接触表面的划伤，而锥套又是在其特有的应力场状态下工作的，从而诱发表面微裂纹的出现。

在锥套与辊颈的材料力学性能相差不大的情况下，这种磨损形态是最常见的，且出现的影响因素比较复杂，因此，必须找出锥套出现粘着磨损的主要影响因素。导致锥套与辊颈出现粘着磨损，除了其工作方式不可避免的因素外，特殊的应力场分布加剧了粘着磨损的程度。为此，必须深入分析应力状态与表面磨损的因果关系，找出减少表面损伤的途径。

对于任何金属表面，采取不同的表面加工方式后，使其具有一定的形貌(表面粗糙度)特征。这些表面在一定的条件下发生磨损，虽然引起表面形貌的改变，但仍然具有一些特定的形貌特征，如采用传统的评价参数进行描述是难以客观地描述其表面所具有的表面形貌特征的，接触表面特征对表面磨损机理的影响就难以确定。特别是锥套与辊颈间的特殊受力状态必定与其磨损形式存在特定的内在关系，因此，必须更多地揭示表面磨损所隐含的信息，获得规律性的结果。

229. 磨损机理试验装置与加载条件是什么？

为了分析接触表面的磨损特征，根据锥套与轧辊辊颈装拆过程的载荷工况，特设计图2-111所示的三向加载装置进行磨损机理试验。

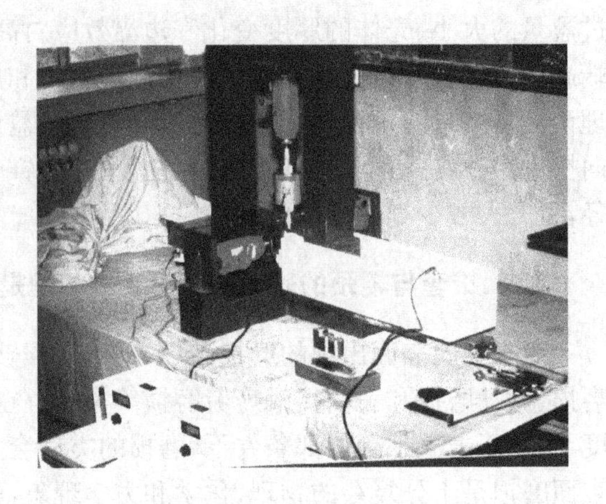

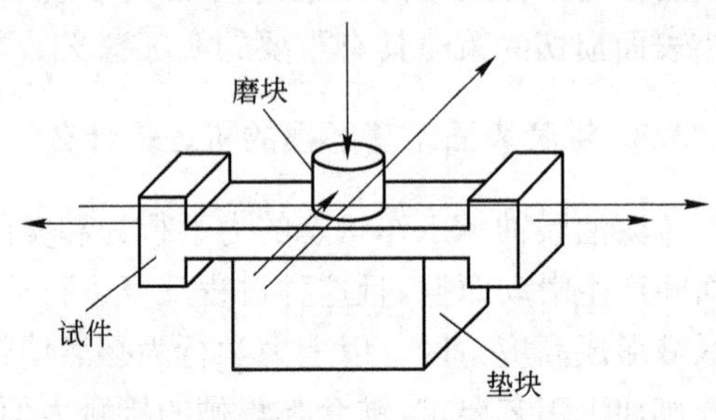

图2-111　实验装置与试件受力状态图

试验中以摩擦主动试件模拟辊颈，选择材料为T10，试件表面的洛氏硬度均值为50；以摩擦被动试件模拟锥套，选择材料为60CrMn，试件表面的洛氏硬度均值为45优质钢。通过加载装置的1号液压油缸对被动试件施以拉力，模拟锥套过盈配合应力场分布状态下的周向应力。在不同拉力下，2号液压油缸对主动试件施以不同的压力，模拟锥套与辊颈过盈配合的接触压力，3号液压油缸（或4号液压油缸）分别对试件施加水平推力，实现锥套装配过程中的摩擦力，依此按照锥套的工作应力状态考察试件的表面损伤情况。表2-7给出反复接触摩擦试验的三种典型的加载条件。其中，1号试件组为一般无横向力作用下的情况，3号试件组为有横向拉应力且接近材料屈服应力的状态。

表2-7　试件加载条件

试件组	1号		2号		3号	
	主动试件	被动试件	主动试件	被动试件	主动试件	被动试件
横向拉应力/MPa		0		390.0		780.0
接触压应力/MPa	40.0～20.0	40.0～20.0	80.0～50.0	80.0～50.0	180.0～120.0	180.0～120.0

按照接触问题有限元分析结果，1号试件组的接触压力未考虑胀型油压的作用，在等过盈量下，接触压力变化值为变厚度圆柱壳的边界效应所致；3号试件组的接触压力值及变化范围为胀型油压与过盈量共同作用下，锥套与辊颈间的接触压力分布。

230. 试件表面磨损的特征是什么？

将试件表面研磨处理后，进行数次往复接触摩擦试验，利用YAYA2000扫描电镜，给出了典型的三种加载条件下主动试件和被动试件表面磨损状态的放大图像，实验结果清晰地反映了不同加载条件下试件表面磨损状态的差别，且有以下特征：

（1）由于被动试件的硬度小于主动试件的硬度，因此，接触摩擦过程中其表面出现的损伤程度要更严重。

（2）在接触压力相对较小时，由于局部有效接触面积要小于理想接触面积，试件表面的三维采样面强度充分说明了这一点，因此，试件表面的“峰”面上实际碾压力还是要大于计算应力，使得试件表面加工“峰”产生塑性变形而被碾压平缓。同时，较大的塑性变形也造成“峰”的根部形成如图 2-112 所示的拉压应力区，并在横向拉力的共同作用下形成双向拉应力区。

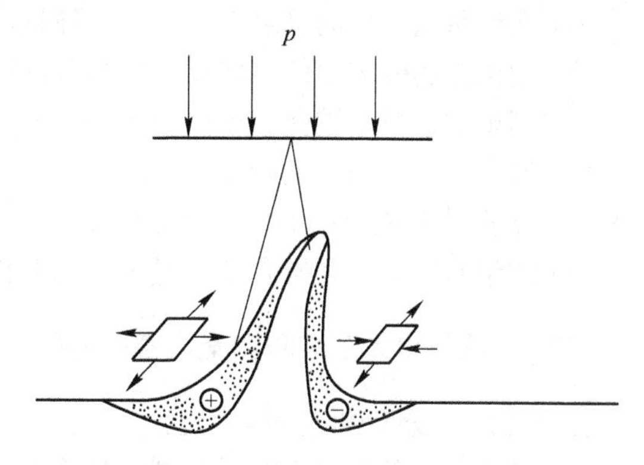

图 2-112 凸峰变形的应力状态示意图

（3）接触表面的凸凹状态是决定各种损伤形式的主要因素，两接触面间凸峰相互嵌入，当凸峰前移时，使表面“峰谷”根部的应力值成为非周期的随机变量，且伴随着锥套在辊颈上的推进过程不断变化。因此，接触表面的受力状态和形貌成为表面微裂纹形成并发展成宏观损伤的直接原因。

（4）当试件作用的接触压力和横向拉力继续增大时，加剧了表面“峰谷”根部微裂纹的扩展，特别是横向切力（接触摩擦力）对粘着点的撕拉导致表面材料微粒脱落，形成损伤初始点或区域。

（5）脱落的材料微粒形成磨粒存在于接触面间，在接触压力的作用下，特别是锥套两端的高度的接触应力集中峰值作用下，材料表面形成拉伤（划伤），当接触压力超过磨粒的破碎强度时，对于锥套和辊颈类高强合金材料，会导致表面出现碎裂和剥落，这些损伤现象在模拟试验和油膜轴承锥套的实际使用过程中均有发生。

231. 弹性结合锥套接触损伤的模拟试验研究的结论是什么？

（1）与理论分析的相关试验研究表明，油膜轴承的锥套和轧辊辊颈弹性结合装拆过程导致接触表面出现不同程度的表面划伤、拉毛以及点蚀等损伤现象，其直接原因是锥套局部异常的接触应力分布集中及装拆变形状态。

（2）采用频谱分析的方法，可将扫描电镜给出的表面磨损直观形貌在频率域中给出其几何的特征。通过量化处理，可对锥套的损伤失效形式作定量分析，建立接触应力与实际接触表面面积的数量关系。

（3）损伤表面形貌的几何描述利用分形理论具有良好的稳定性。表面形貌维数反映了不同加载方式下，应力场分布形式对磨损状态的影响。

（4）接触表面形貌的分形维数可以从几何方面反映表面的损伤程度。

232. 锥套损伤机理的实验目的是什么？

实验的目的是为了验证锥套损伤理论分析的结果，验证所要计算的结果与实验数据的吻合程度，具体的实验目的如下：

（1）测试过盈变形中辊颈与锥套间的接触压力及分布；

（2）测试锥套装拆时的轴向推力；

（3）测试锥套胀型油压沿轧辊轴线方向的压力分布；

(4) 测试重点部位的接触压力(密封槽附近的接触压力);

(5) 测试锥套改进后的接触压力(两端锥度与中间不一样);

(6) 测试偏载时沿轴向和周向的接触压力;

(7) 锥套就位后高压油卸压,测量凸台对辊颈的接触压力分布,特别应考察锥套首次装配和经数次拆装后该处接触压力分布的变化;

(8) 测量胀型油压在锥套装拆过程中的变化规律。

233. 传感器设计安装和测量内容有哪些?

传感器设计安装和测量内容包括:

(1) 沿锥套三条互成120°的轴线方向布置36个测点,测量周向、轴向变形和受力的分布状况;

(2) 在轴套两端面各布置6个测点(均匀分布),利用应变片测定应力状态;

(3) 在锥套两端内壁密封槽外侧凸台上布置6个压力传感器(探针式,均匀分布),测量接触压力;

(4) 在锥套上端均匀加6个压力传感器,测量轴向压力及其分布情况;

(5) 在高压泵出口处加高压表,测量胀型油压。

234. 锥套损伤机理实验的方法是什么?

(1) 第一个测试内容:均匀受压(均匀安装6个);第二个测试内容:一次偏载(非均匀安装3个,均在180°以内)。

(2) 锥套推进过程分4次打压:第一次打压(200MPa)是在小端密封刚进入轧辊,锥套推进6mm;第二次打压(300MPa);第三次打压(400MPa)锥套推进到12mm,是在锥套推进18mm时到极限位置;第四次打压(600MPa)是将锥套从极限位置上卸下。

(3) 锥套回退过程分3步:第一步锥套回退到12mm处;第二步锥套回退到6mm处;第三步锥套回退到初始位置。

(4) 在锥套推进和锥套回退过程中,测量锥套外径的变化信息。

(5) 记录锥套变形、应力、轴向推力和胀型油压的信息。

(6) 每次实验结束都要将轧辊和锥套全部拆开,观察损伤情况。

235. 锥套损伤机理实验装置的组成是什么?

实验装置由油膜轴承锥套、轧辊、压力辊、压力传感器、位移传感器、计算机数据采集系统等组成,见图2-113、图2-114。

236. 1580mm麦斯塔油膜轴承锥套理论分析与模拟试验结果相比如何?

在锥套推进和锥套回退过程中,测量锥套外径的变化信息,连续记录锥套变形、应力、轴向推力和胀型油压变化的信息,每次实验结束都要将轧辊和锥套全部拆开,观察损伤情况。锥套变形测量位置见图2-115,锥套轴向压力传感安装位置见图2-116。试验结果与理论分析结果比较见表2-8和表2-9。

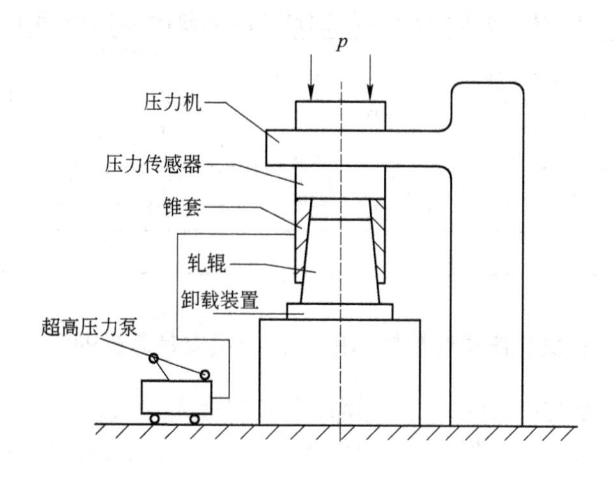

图 2-113　实验装置示意图

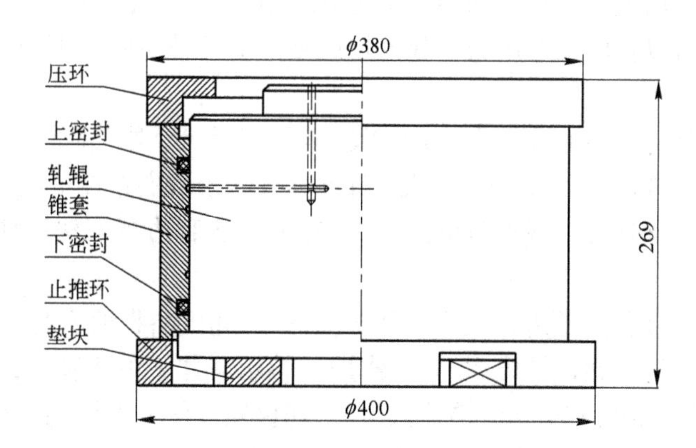

图 2-114　实验装置中锥套与辊颈部件示意图

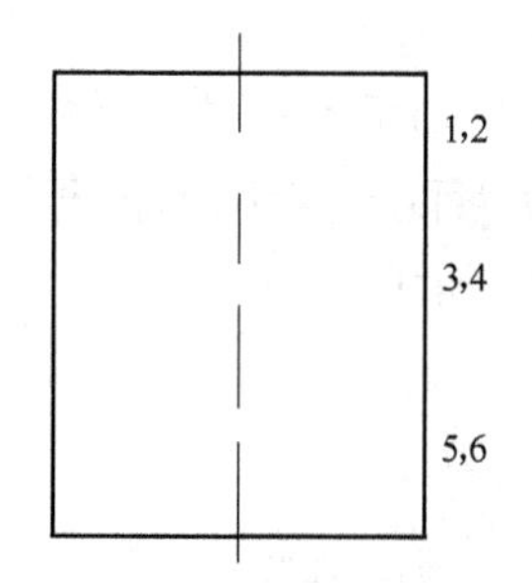

图 2-115　锥套变形测量位置

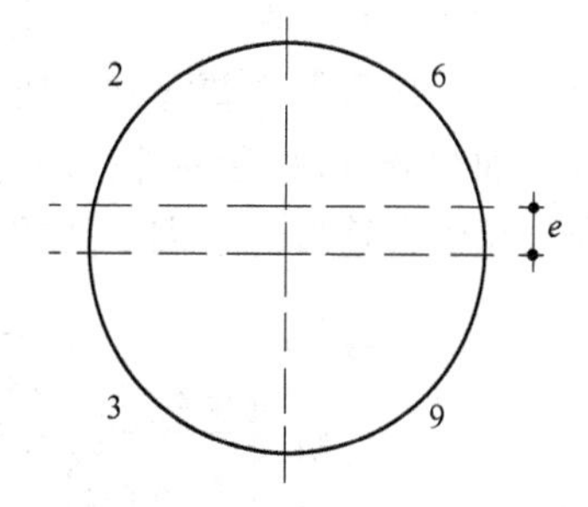

图 2-116　锥套轴向压力传感器安装位置

表 2-8　均载时试验结果与理论分析结果比较

项　　目	锥套下部总压力	锥套上部总压力	2 位置锥套外径变形增量	3 位置锥套外径变形增量
计算结果	$P_{1e}=P_3+P_9=105\text{kN}$	$P_2=P_2+P_6=105\text{kN}$	$\Delta D_{2e}=0.77\text{mm}$	$\Delta D_{3e}=1.01\text{mm}$
实验结果	$P_{1t}=98\text{kN}$	$P_{2t}=104\text{kN}$	$\Delta D_{2t}=0.75\text{mm}$	$\Delta D_{3t}=1.00\text{mm}$
计算误差	3.1%		2.1%	

表 2-9 偏载时试验结果与理论分析结果比较(偏移距 e=50mm)

项　目	锥套下部总压力	锥套上部总压力	2位置锥套外径变形增量	3位置锥套外径变形增量
计算结果	$P_1=P_3+P_9$ =64kN	$P_2=P_2+P_6$ =248kN	$\Delta D_2^1=0.66$mm	$\Delta D_2^2=0.90$mm
实验结果	$P_{1t}=50$kN	$P_{2t}=270$kN	$\Delta D_2^1=0.69$mm	$\Delta D_2^2=0.89$mm
计算误差	2.5%		5.1%	

237. 2050mmF₃ 轧机支撑辊油膜轴承的结构与组成是怎样的?

轧机油膜轴承由于约束条件、工作环境以及安装等人为因素的影响其寿命缩短。油膜轴承的破坏常伴有巴氏合金剥落、锥套划伤、锥衬套锈蚀等损伤形式,此外轧机轴承座衬板也因经常发生磨损致使间隙增大,造成油膜轴承的受力不均和轧机的偏载以及轴向力增加等不利影响。为了全面地探讨轴承的损伤机理,以及轴承的破坏与接触压力分布的关系,所以精确计算接触压力以及由接触应力引起的接触变形对评估油膜轴承的疲劳寿命有着重要的意义。

关于轧机轴承负荷特性的计算方法,由于轴承几何形状及外载荷情况复杂等,单纯依靠解析手段无法进行计算,必须借助于各种数值计算方法,求解的精度取决于分析结构网格划分的密度及模型的简化程度。各种数值方法中,有限元法和边界元法已成功地应用于滚动轴承载荷分析。

我们在三维弹性接触问题边界元法的基础上,针对轧机油膜轴承的特点进行分析简化,建立油膜轴承的力学模型和计算模型,并把作用于轴承载体上的载荷和约束真实地引入到计算中,成功地计算出宝钢2050mm精轧机组 F_3 轧机操作侧上支撑辊油膜轴承的三维接触压力分布以及轴承座变形情况,为进一步分析宝钢2050mm、1580mm精轧机组支撑辊油膜轴承的疲劳损坏以及开发延寿技术奠定了基础。

油膜轴承主要由轴承座、衬套、锥套、锥套环、带止推轴承的外回流盖、内回流盖、转回环、密封以及螺丝、螺母等主要零件组成。衬套与锥套是油膜轴承工作的重要部分,它们之间被一层薄的油膜分开,衬套的外径面与轴承座的内径面为紧配合连接,而锥套的内径面与轧辊辊颈为过盈配合连接。它们之间的装配结构如图2-117所示。

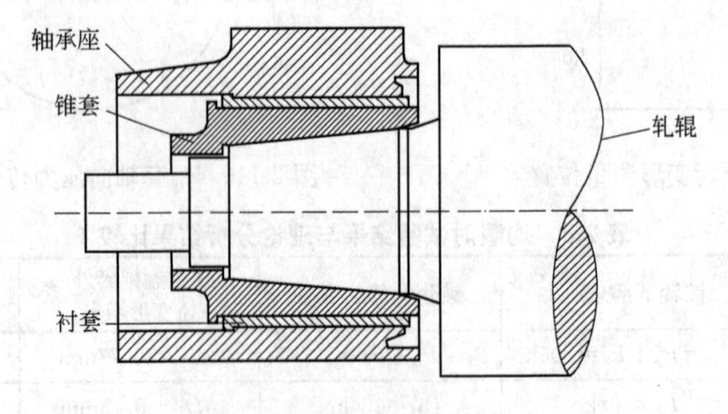

图 2-117　油膜轴承结构关系

238. 计算中对模型进行了哪些结构与几何简化?

(1) 轴承座内表面与衬套之间、轧辊辊径与锥套之间为弹性紧密贴合,在模型中分别作为整体处理。

(2) 由于轧机油膜轴承是全封闭式液体动压润滑的精密轴承,所以在接触问题的计算中不计摩擦力。

(3) 轧辊被简化为悬臂梁,固定端的位置选为支撑辊的中间位置,考虑到实际轧制工况,不考虑轴向力。

(4) 工作时支撑辊承受轧制力,轴承座两侧给予侧向约束,端部给予轴向约束,分自位与不自位两种情况进行讨论。

239. 油膜轴承中的载荷计算结果如何?

图 2-118 所示为油膜轴承在承受 10 MN 的轧制力,径向间隙为 0.05mm 不自位的情况下所获得的计算结果,轴承座的变形如图 2-119 所示。

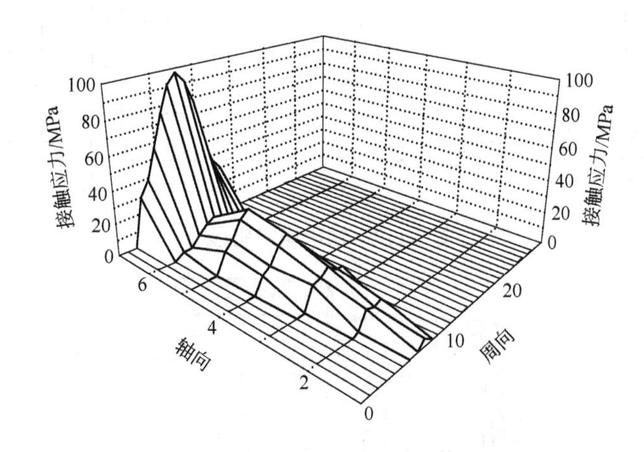

图 2-118 油膜轴承中的载荷分布关系

从图 2-118 中可以看出,载荷在接触区沿周向方向呈抛物线形分布,最大载荷值位于轴承座 y 方向的最顶端,即轧辊和轴承座接触的最小间隙处,随着间隙向两边逐渐增大,接触压力逐渐减小,直至最后接触压力为零,与工程实际情况相符。图中所示的水平部分,接触压力为零,处于非接触状态。载荷在轴向方向上出现明显的偏载现象,从轧辊端部,沿辊颈方向上接触压力逐渐增大,在靠近辊身一侧接触压力达到最大,应力值为 97.183MPa;接触包角也沿辊颈方向逐渐增大,靠近辊身一侧最大包角达到 129°。图 2-119 所示为放大 200 倍的轴承座变形图,由于轴承纵向承受载荷,在纵向方向上轴承座变形较大,且靠近端盖一侧轴承座的变形较靠近辊身一侧轴承座的变形大。图 2-120 所示为工作状况下,放大了 200 倍的轧辊的变形情况。从图中可以看出,由于辊身一侧为设定的固定端,辊端一侧被压下来,变形量逐渐增大。

240. 不同径向间隙对油膜轴承接触区径向载荷分布有何影响?

不同径向间隙对油膜轴承接触区径向载荷分布的影响如图 2-121 所示。

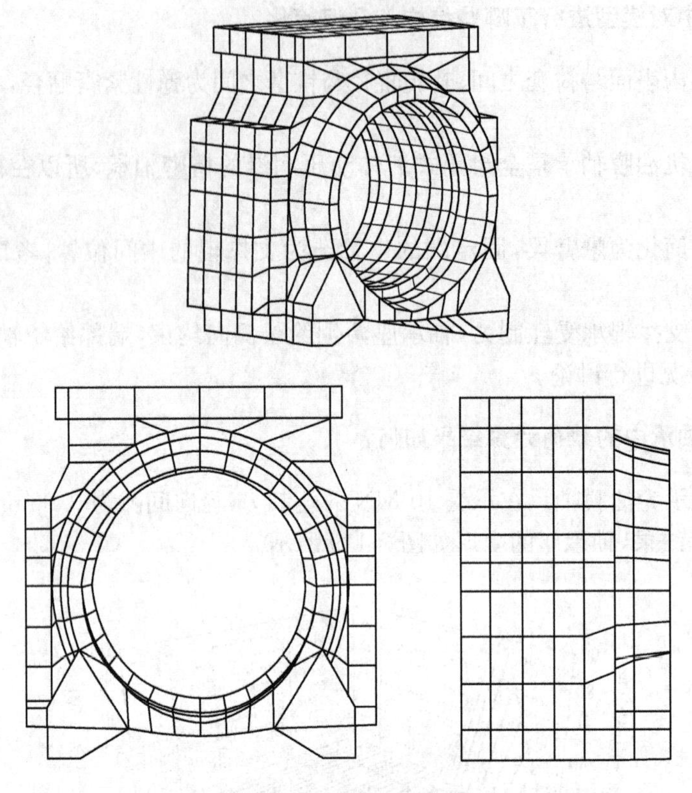

图 2-119　轴承座的变形

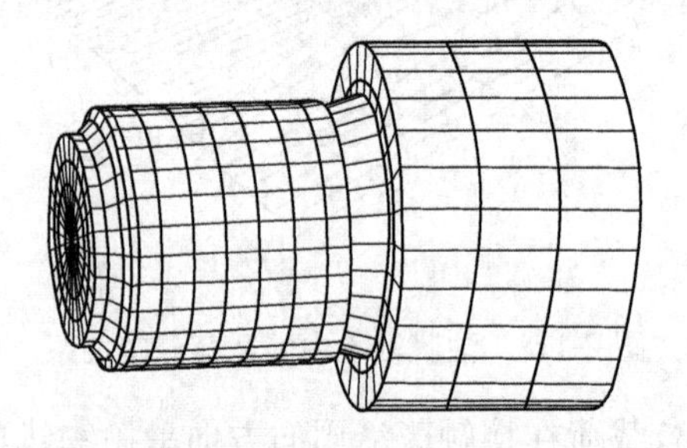

图 2-120　轧辊变形图

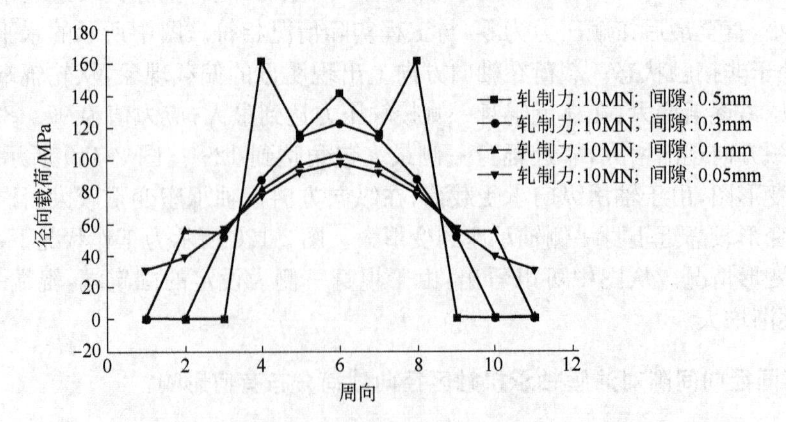

图 2-121　不同径向间隙对油膜轴承接触区径向载荷分布的影响

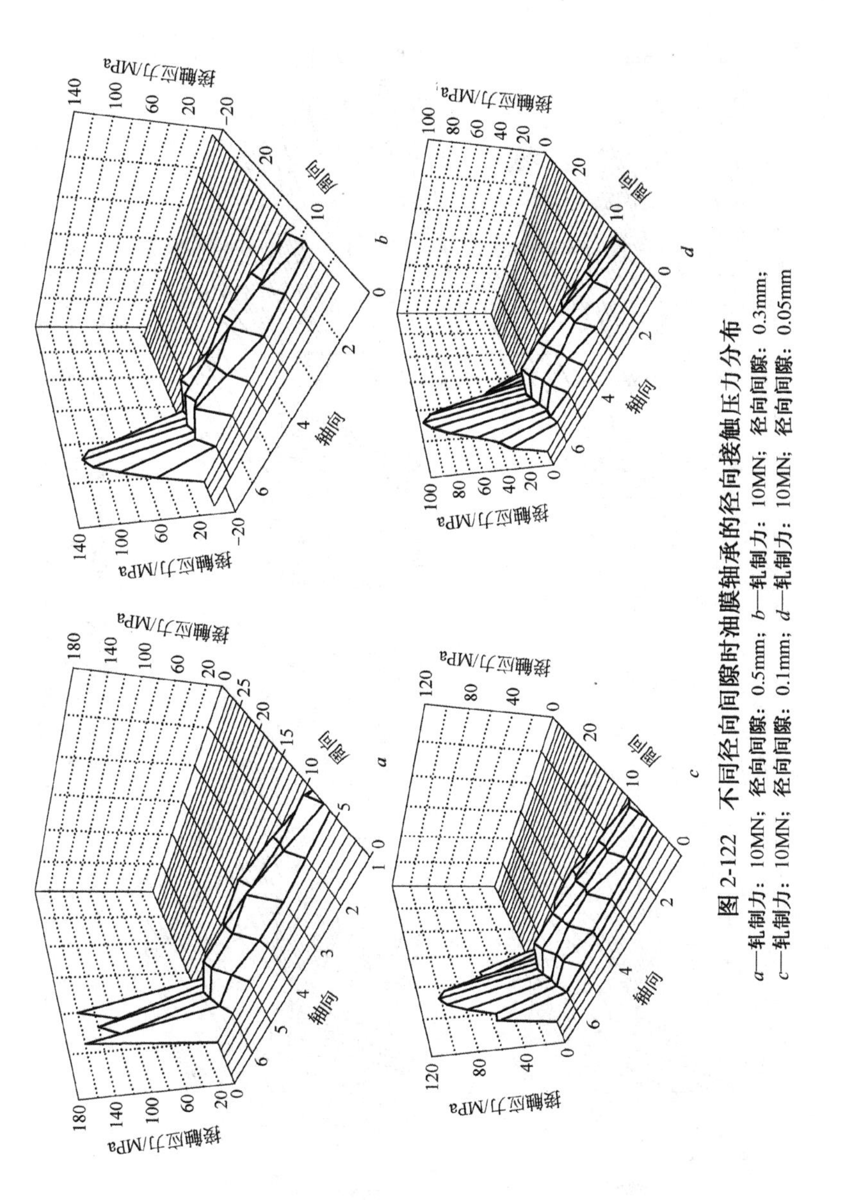

图 2-122　不同径向间隙时油膜轴承的径向接触压力分布

a—轧制力：10MN；径向间隙：0.5mm；*b*—轧制力：10MN；径向间隙：0.3mm；
c—轧制力：10MN；径向间隙：0.1mm；*d*—轧制力：10MN；径向间隙：0.05mm

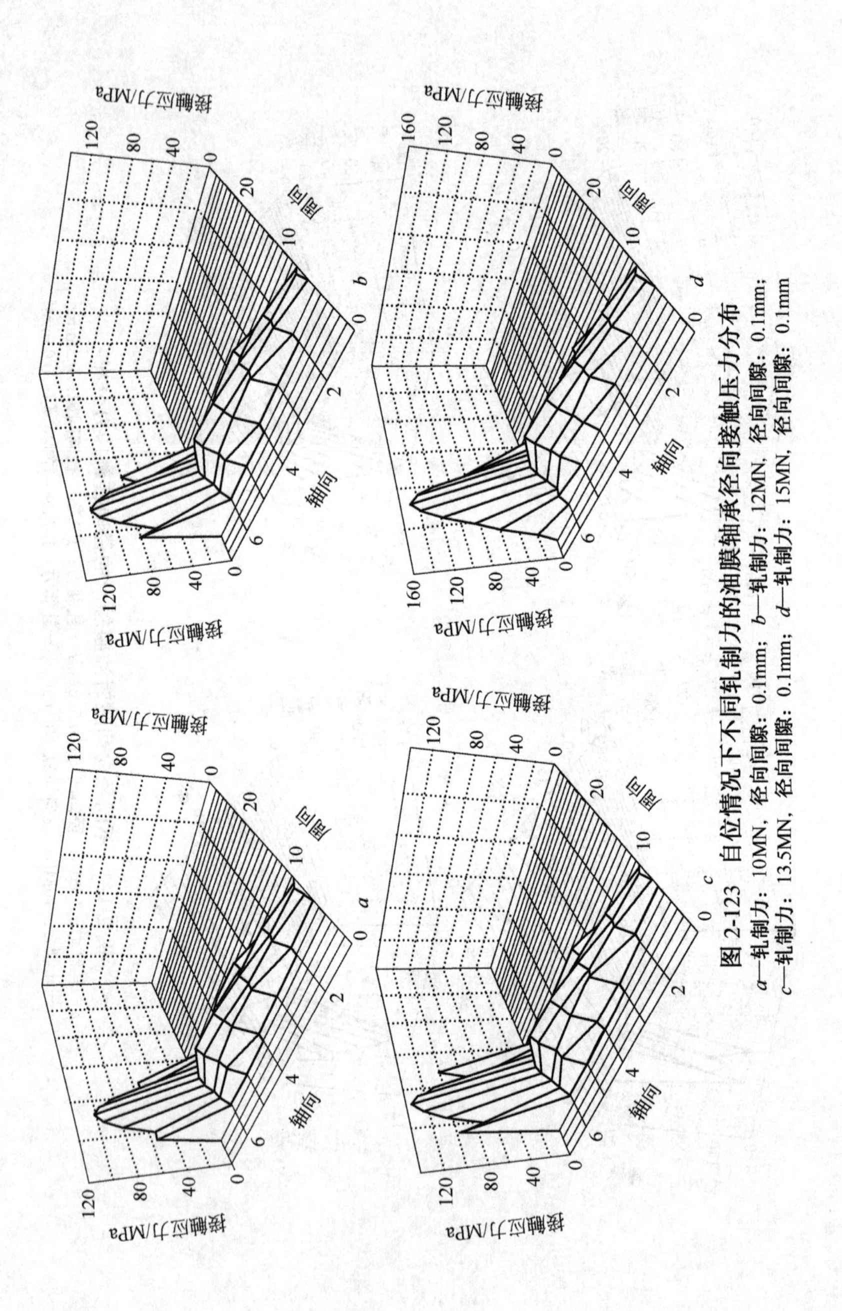

图 2-123　自位情况下不同轧制力的油膜轴承径向接触压力分布

a—轧制力：10MN，径向间隙：0.1mm；*b*—轧制力：12MN，径向间隙：0.1mm；
c—轧制力：13.5MN，径向间隙：0.1mm；*d*—轧制力：15MN，径向间隙：0.1mm

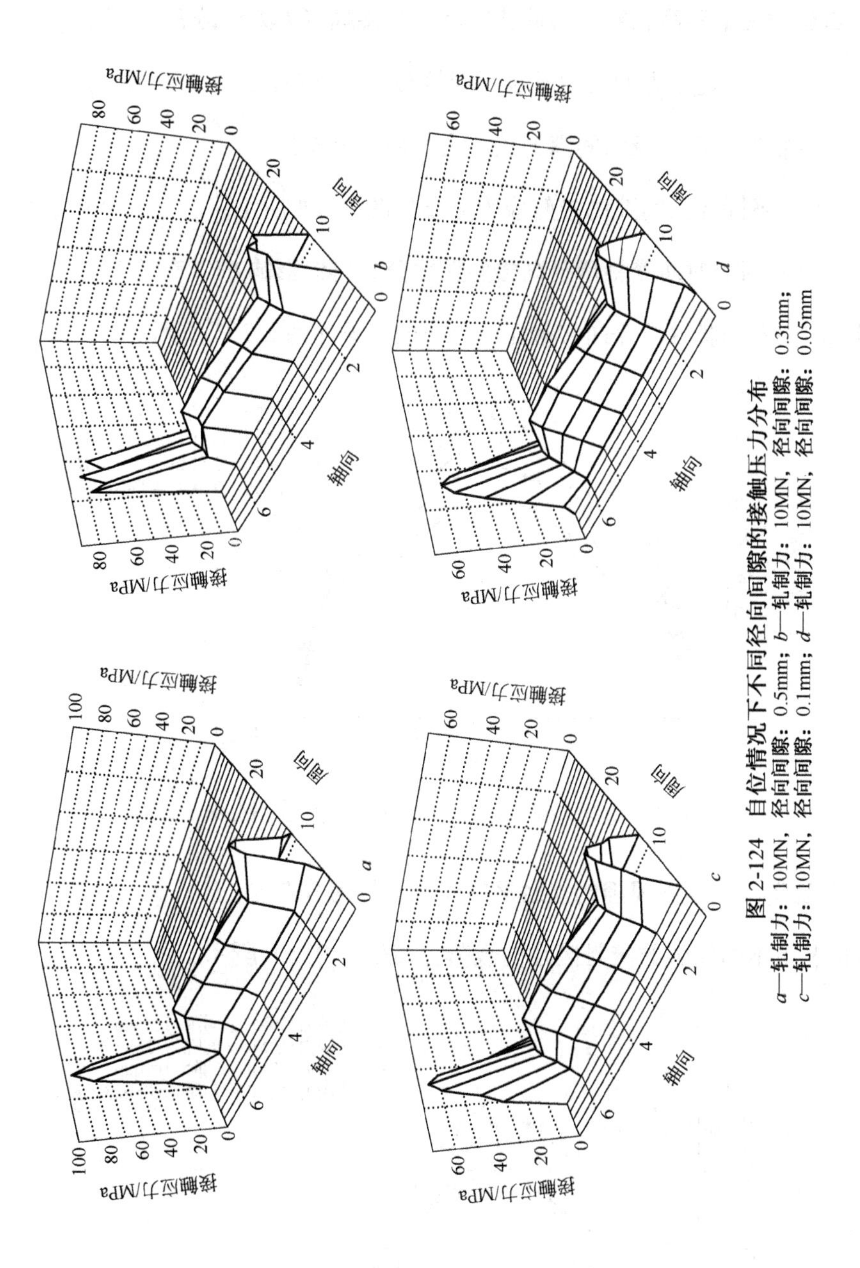

图 2-124　自位情况下不同径向间隙的接触压力分布

a—轧制力：10MN，径向间隙：0.5mm；*b*—轧制力：10MN，径向间隙：0.3mm；
c—轧制力：10MN，径向间隙：0.1mm；*d*—轧制力：10MN，径向间隙：0.05mm

241. 不同径向间隙时油膜轴承的径向接触如何压力?

不同径向间隙时油膜轴承的径向接触压力分布如图 2-122 所示。

242. 自位情况下不同轧制力的油膜轴承径向接触应力如何分布?

自位情况下不同轧制力的油膜轴承径向接触压力分布如图 2-123 所示。

243. 自位情况下不同径向间隙的接触应力如何分布?

自位情况下不同径向间隙的接触应力分布如图 1-124 所示。

244. 不同轧制力对油膜轴承径向接触压力分布有何影响?

不同轧制力对油膜轴承径向接触压力分布的影响如图 2-125 所示。

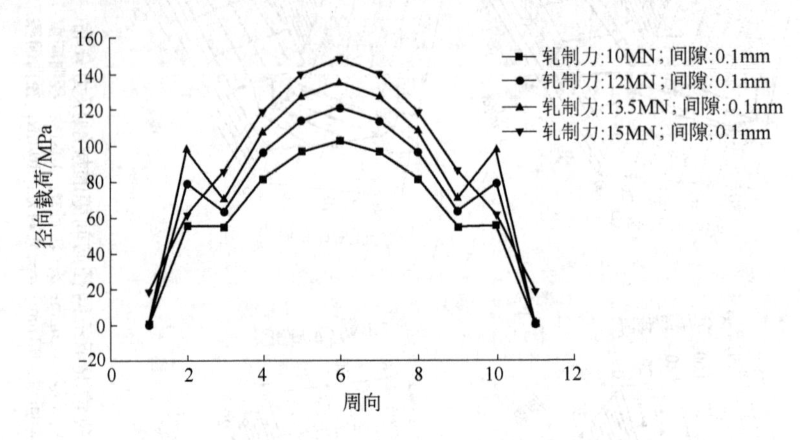

图 2-125 不同轧制力对油膜轴承径向接触压力分布的影响

245. 自位情况下不同间隙的接触区径向载荷如何分布?

自位情况下不同间隙的接触区径向载荷分布如图 2-126 所示。

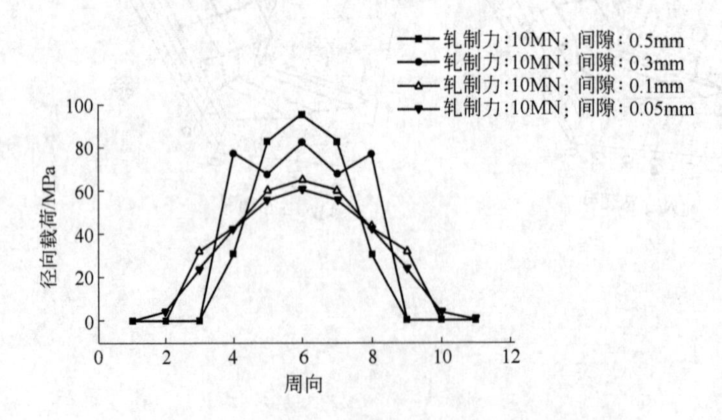

图 2-126 自位情况下不同间隙的接触区径向载荷分布

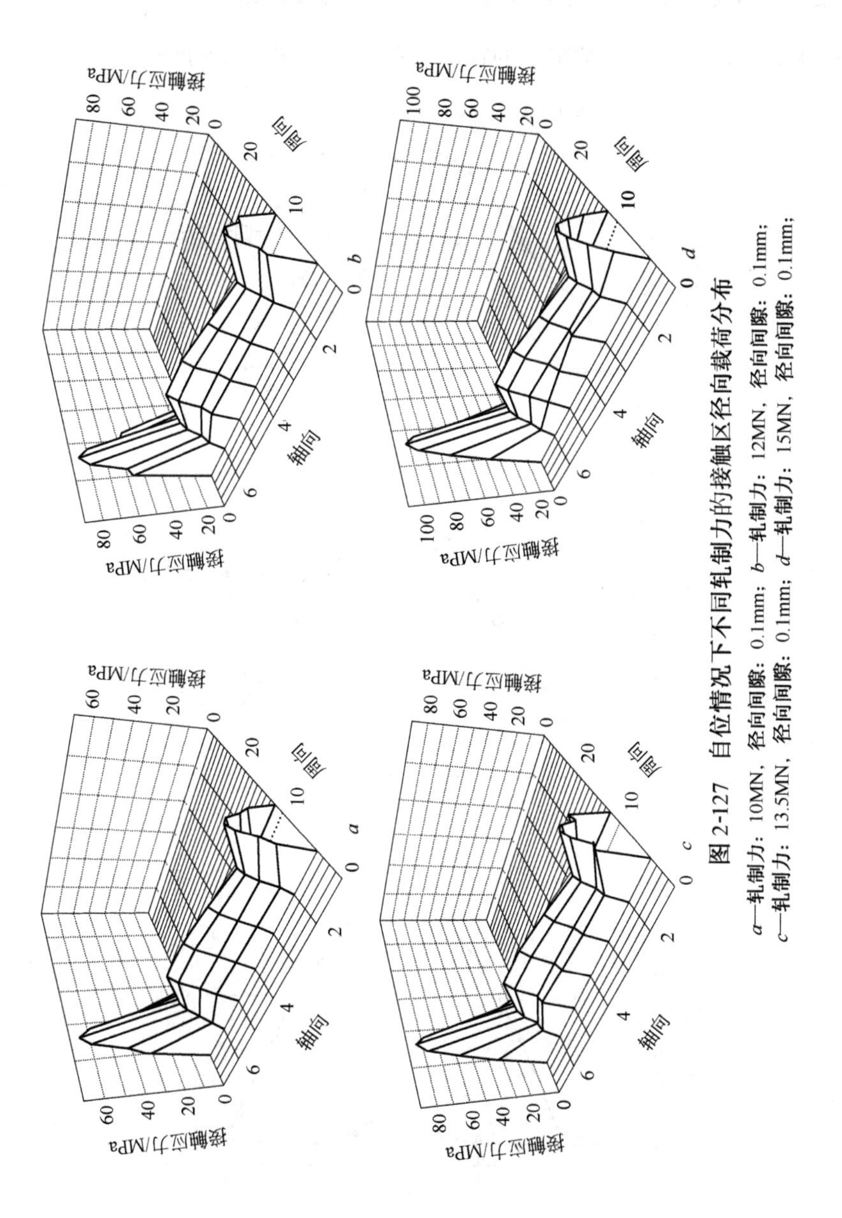

图 2-127　自位情况下不同轧制力的接触区径向载荷分布

a—轧制力：10MN，径向间隙：0.1mm；*b*—轧制力：12MN，径向间隙：0.1mm；
c—轧制力：13.5MN，径向间隙：0.1mm；*d*—轧制力：15MN，径向间隙：0.1mm；

246. 自位情况下不同轧制力的接触区径向载荷如何分布？

自位情况下不同轧制力的径向分布如图 2-127 所示。

247. 油膜轴承在自位与不自位情况下的径向载荷如何分布？

油膜轴承在自位与不自位情况下的径向载荷分布如图 2-128 所示。

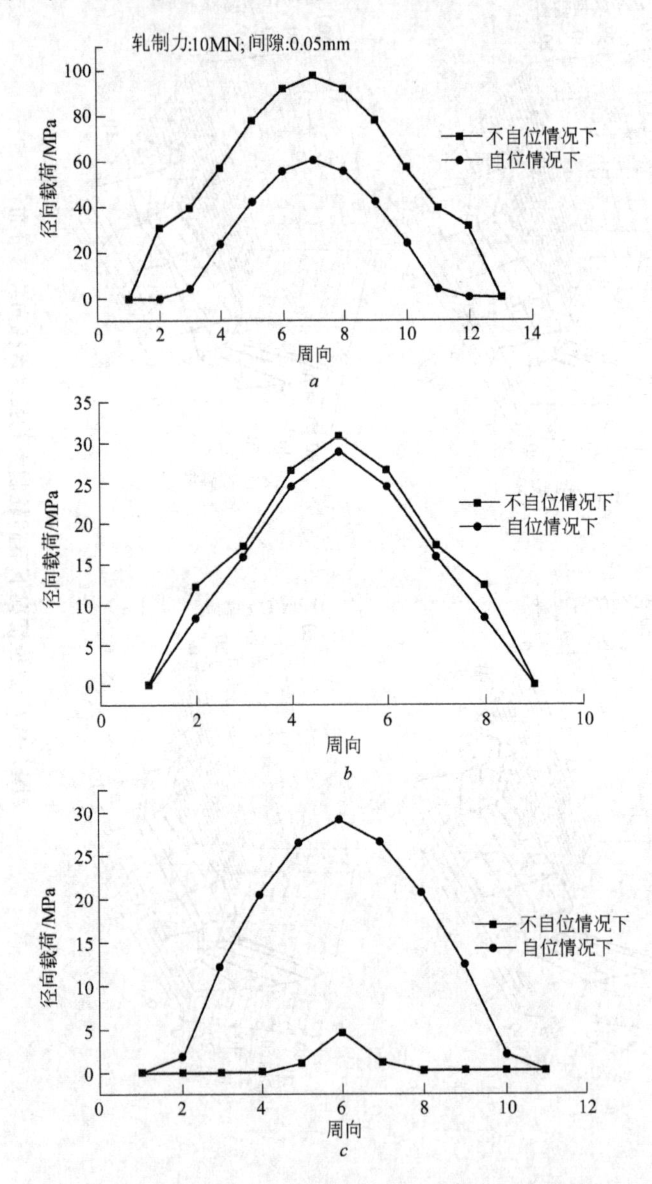

图 2-128　油膜轴承在自位与不自位情况下的径向载荷分布

a—油膜轴承靠近辊身一侧；*b*—油膜轴承靠近辊身一端第三列

c—油膜轴承靠近端盖一侧

248. 2050mm 轧机油膜轴承数据库的设计与实现的意义是什么？

油膜轴承可视为轧机的“心脏”，轴承是设备中摩擦学系统经历摩擦学行为的重要信息载体，油膜轴承检测技术可用来评价设备的运行状态。油膜轴承监测技术的实施过程大致分为：确定监测对象→分析被监测对象的故障类型及其特征→确定监测项目→选择监测方法和仪器→确定测量周期→采集测量数据→完成所确定的分析项目，获得分析数据→数据处理、综合评判、形成诊断结论→生成分析报告，给出指导意见→反馈现场。其中，油膜轴承监测中的测量、分析和诊断是最为重要的环节。在油膜轴承测量这一过程外，还需要获取与该时刻的设备运行有关状态的参数和数据，为后续的分析提供帮助。油膜轴承的分析可包括许多内容，所产生的数据可达 30～40 项，而在对这些原始数据进行分析的过程中，又会派生出一系列的中间结果数据和结论。

油膜轴承测量所获得的数据之多，给油膜轴承测量数据的管理带来了困难。此外，就数据类型而言，不仅有数值型、日期型、文字型，还有图像数据。在油膜轴承监测技术的分析过程中，常常需要对各类数据进行计算分析、统计汇总、绘制趋势图及打印报表，而这些重复性的事务工作占用了油膜轴承技术人员的大量时间。综上所述，油膜轴承管理存在着数据种类繁多、事务处理工作量大和分析速度受制于数据处理的特点。因此，开展计算机技术在油膜轴承管理中的应用研究，为油膜轴承管理设计一套方便实用的数据库及管理系统，是十分必要的开发研究工作。

当前，随着计算机技术的迅速发展，涌现出越来越多的软件开发工具，PowerBuilder 就是一个很好的数据库前端开发工具。它采用面向对象技术，基于 C/S 体系结构，将直观的图形界面和编程语言结合在一起，为目前流行的各种大型数据库提供专用接口或通用接口。PB 提供的数据窗口对象，是一种智能对象，它将数据库的管理方式简单化、直观化。用户无需编写 SQL 语句，便可以在数据窗口修改、删除、更改数据，又可以选择数据的不同显示风格，既可以将数据与图形报表结合显示，又可以用数据窗口直接管理数据库。为此本系统采用 PB 作为开发工具来实现系统的各种功能。

249. 油膜轴承数据库管理系统由哪几部分组成？

油膜轴承数据库管理系统的组成如图 2-129 所示。

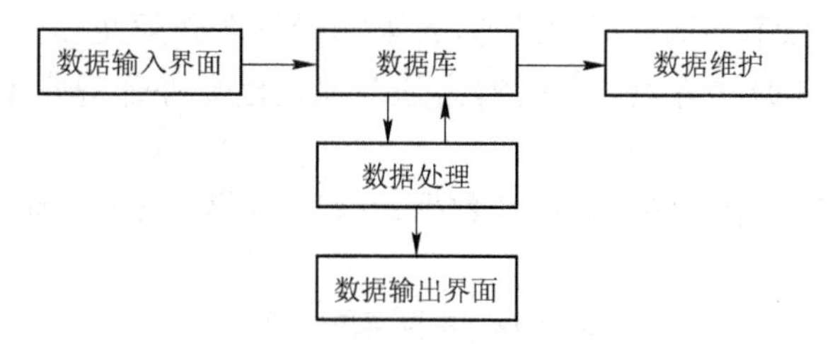

图 2-129　油膜轴承数据库管理系统的组成

250. 油膜轴承数据库设计的主要内容是什么？

油膜轴承数据库系统主要包括以下几部分内容：基本信息管理、轴承数据库查询以及轴承维护管理等。

在该系统中,需要存储大量的数据,而且要对大量的数据进行频繁查询处理,如果数据库设计不当,将会造成效率低下,而且影响数据的一致性。因此,数据库设计是油膜轴承管理的基础。利用PowerBuilder内置的Sybase SQLAnywhere数据库创建一数据测量库,命名为YMZC,在这个库中建立如下几个表(table):"衬套数据"、"锥套数据"、"图形录入"、"轴承座数据"、"轴承使用情况"等。主要表的结构如表2-10、表2-11所示。

表2-10 衬套类、锥套类表的结构

字段名	数据类型	字段宽度	是否为空	字段含义
零件编号	字符型	12	NO	零件管理编号
测量点	字符型	14	NO	在图纸标注处测量相应的内外直径
A	浮点型	8.3	YES	距法兰端面20mm处进行测量
B	浮点型	8.3	YES	距法兰端面200mm处进行测量
C	浮点型	8.3	YES	距法兰端面400mm处进行测量
D	浮点型	8.3	YES	距法兰端面600mm处进行测量

表2-11 轴承座表的结构

字段名	数据类型	字段宽度	是否为空	字段含义
轴承编号	字符型	12	NO	轴承座的编号
测量点	字符型	14	NO	按图纸标注进行测量
A	浮点型	8.3	YES	左端部
B	浮点型	8.3	YES	油槽附近
C	浮点型	8.3	YES	油槽附近
D	浮点型	8.3	YES	右端部

数据库的设计阶段还考虑到数据库的完整性。所谓完整性就是数据库中的一致性及有效性,通常的说法有实体(行)完整性、域完整性及参考完整性。实体完整性定义表中所有性能唯一的标识,一般用主键、唯一索引、关键字及IDENTITY属性,如轴承衬套编号可唯一标识一个衬套。域完整性通常指数据的有效性,限制数据类型、缺省值、规则、约束、是否可以为空,完整性可以确保不会输入无效的值,例如测量日期必须在2000年到2100年之间。参考完整性维护表间数据的有效性、完控性,通常通过建立外部键联系另一表的主键来实现。

应用程序主菜单有3个标题,分别为"数据录入"、"数据查询"、"轴承使用状况"等。表2-12为主要菜单介绍。

表2-12 主要菜单介绍

菜单标题	菜单项	功能
数据录入	锥套、衬套、轴承座数据录入	测量数据加入表中
	轧机工作状况信息录入	记录轧机设备使用情况
	轧机图形录入	输入测量设计图纸

续表 2-12

菜单标题	菜　单　项	功　　能
数据查询	锥套、衬套、轴承座数据查询	查询测量数据
	轧机工作状况查询	查询轧机的使用情况及清洗记录等
	轧机图纸查询	按图纸号浏览
轴承维护	锥套、衬套使用寿命预测	根据磨损量来判断轴承使用情况
	锥套、衬套在机时间统计	统计轴承累计在线时间
	轴承使用动态显示	动态显示轴承磨损量

251. 何谓油膜轴承数据的维护?

在本系统中,我们通过数据窗口对象对数据库数据进行操作。数据窗口是用户与数据库之间的一个界面,它类似于 MS－FOX－PRO 中的 Brower 窗口,Brower 窗口可以对打开的表进行各种维护操作,只是功能不很强大。PowerBuilder 中的数据窗口对象是 PB 提供的开发数据库应用的强有力的工具,数据窗口对象为数据录入、检索、表现和操作相关数据库或其他数据源中的数据提供了非常方便的手段。我们还可以通过定义数据窗口对象来指定数据的显示风格、表现风格以及其他数据属性。在本系统中,测量数据的显示风格采用 Grid 格式,其特点是直观明了,可一次显示多条记录及多个字段,需要时还可以进行左右和上下翻屏。其他相关信息输入则采用 Freeform 格式。

在数据输入窗口界面中,我们通过放置一些数据操作的命令按钮,如上移、下移、插入、删除、存盘等,对数据库的数据进行维护。对于表的数据输入是通过数据输入窗口中的菜单“数据录入”项进行的,首先单击“数据录入”菜单项,再从下拉式菜单中选择相应的对象进行数据录入,图 2-130 为衬套的测量数据录入界面。当然以上操作也可以通过主菜单下面的快捷工具栏上相应的按钮来实现。

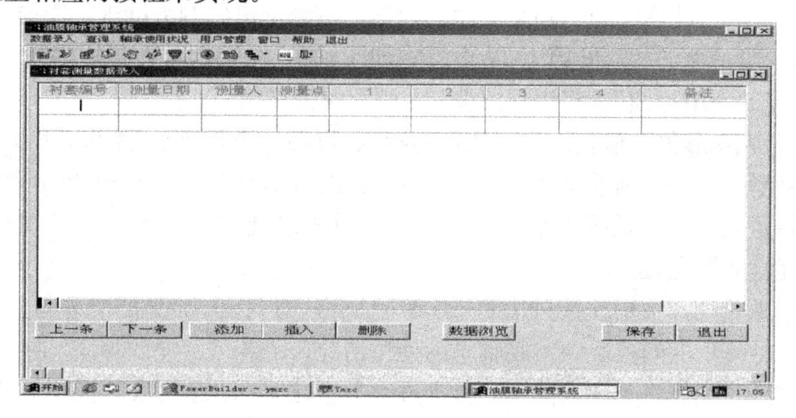

图 2-130　测量数据录入界面

对于油膜轴承的设计图纸和技术图纸,我们也采用了 SQL 数据库技术加以管理,图形录入界面如图 2-131 所示。图形文件的位置通过指定路径按钮来确定,这样该图形库只保存图形文件的存放位置而不是图形本身,以减少数据库的存储大小,查询时可通过调入来实现对图纸的浏览。

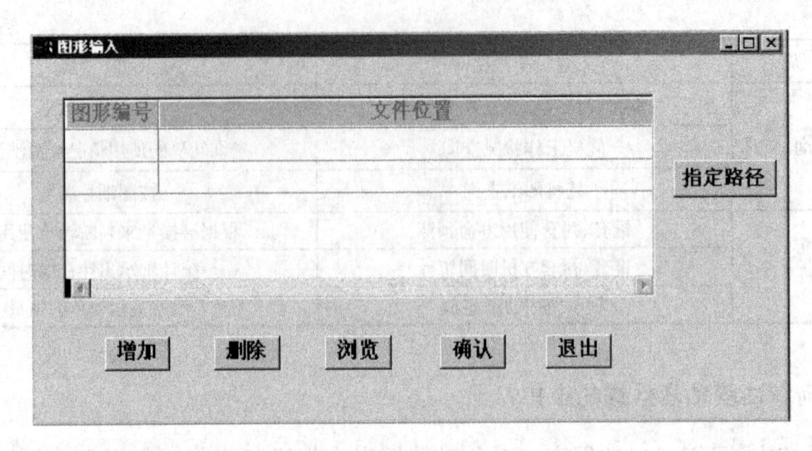

图 2-131 图形录入界面

252. 怎样进行数据的查询和使用?

将检测到的数据存储录入之后,就可以直接对数据窗口中的数据进行处理。我们通过对零件端面上检测到的几组数据(内、外直径)求平均值而得出零件磨损后的尺寸值,以便动态地反映出当前零件的工作状态,从而为轴承寿命预测提供计算数据。

在本系统中,通过单击主菜单中的查询子菜单和轴承使用状况子菜单中相应的菜单项 5 来实现对轴承工作情况的查询。图 2-132 为油膜轴承衬套测量尺寸查询窗口,在该数据窗口内输入想要查询衬套的编号和测量日期,即可得到所需要的测量数据,同时可完成报表的打印。衬套和轴承座查询功能与此基本一致。图形查询窗口用来实现对图形的浏览和打印。

对于轴承的使用情况,由上述的理论计算已得到了 2050mm 油膜轴承的衬套、锥套的使用尺寸的范围,由此建立油膜轴承使用的判据。由测量得到的数据进行磨损量计算,磨损数值反映到油膜轴承的相对间隙上,从而影响油膜轴承的承载特性和使用状况。当磨损量超过理论计算的许用范围后,将出现图 2-133 所示的警告窗口。

图形具有直观形象和概括地表现数据的特点,可使数据的变化趋势和重要特征一目了然,为了形象地显示油膜轴承衬套、锥套的磨损变化情况,使用 PowerBuilder 中提供的统计图(Graph)控件,在这里,数据不是通过行、列一个个孤立地显示出来,而是以图形的方式呈现在用户面前,数据直观。

如图 2-134 所示,采用交叉列表(Crosstab)风格,对衬套、锥套可按不同机架进行在线时间统计,从另一角度间接反映油膜轴承的使用情况。

在本系统中,我们将每次检测到的数据进行处理之后,动态生成磨损趋势变化图,如图 2-135 所示。从该图上,可以进行磨损情况的分析,判断其是正常磨损还是非正常磨损,对于不同的磨损情况,要进行分析研究,并采取相应的措施。

总之,本数据库的应用窗口设计简洁明了,使用方便,符合一般的操作习惯,具有限错、检错、容错的功能。

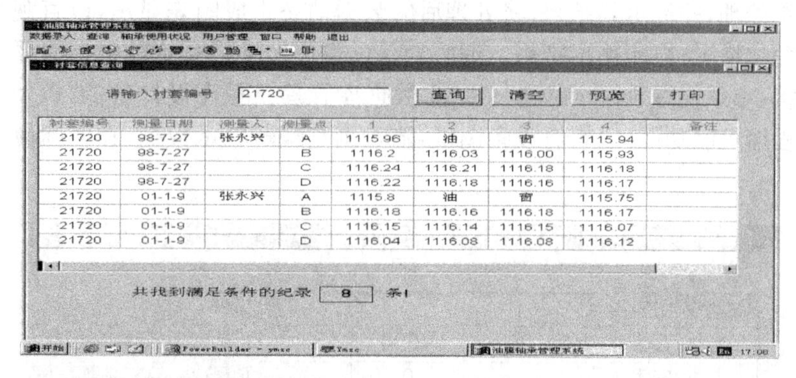

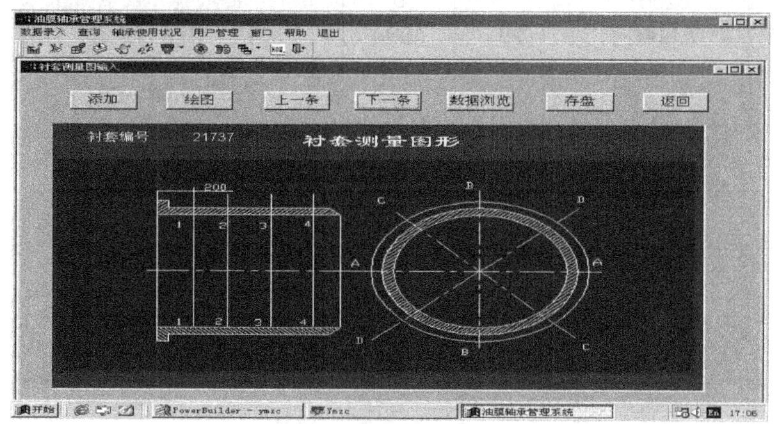

图 2-132 油膜轴承衬套测量尺寸查询窗口

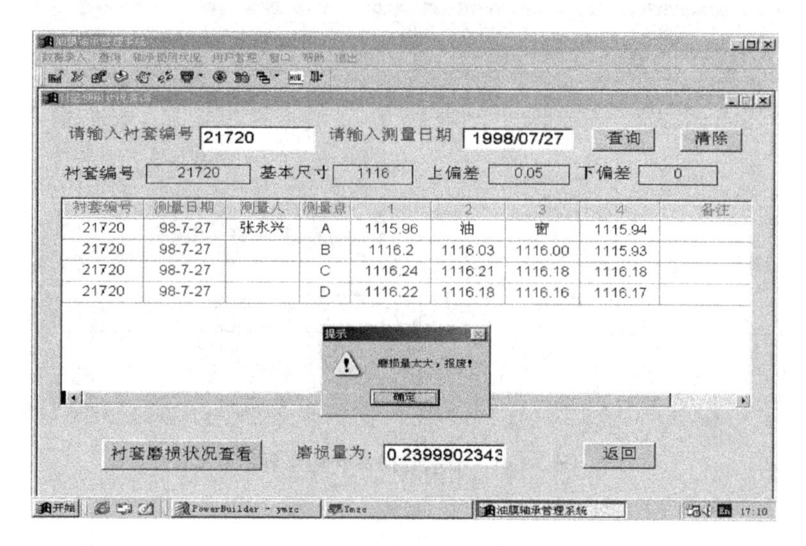

图 2-133 磨损过量警告窗口

253. 该油膜轴承数据库有何功能?

设计出一套数据完整、查询快捷方便的油膜轴承数据库系统,能实现对油膜轴承的测量管理功能。该系统的功能大致如下:对 6 个表的维护,包括增、删、改、数据录入等;对表中的数据进行动态处理，并显示其结果；将处理后的数据动态生成图表显示，以直观地反映油膜轴承尺寸的变化情况；打印输出结果。油膜轴承设备预知维护系统的数据库系统是一个十分复杂的系统，本系统综合了 PowerBuilder 数据库管理及程序设计功能，以及 VC 的界面设计功能和程序控制功能，可查看设备图纸，随意浏览编辑轴承数据，在实际应用中可发挥巨大的作用。

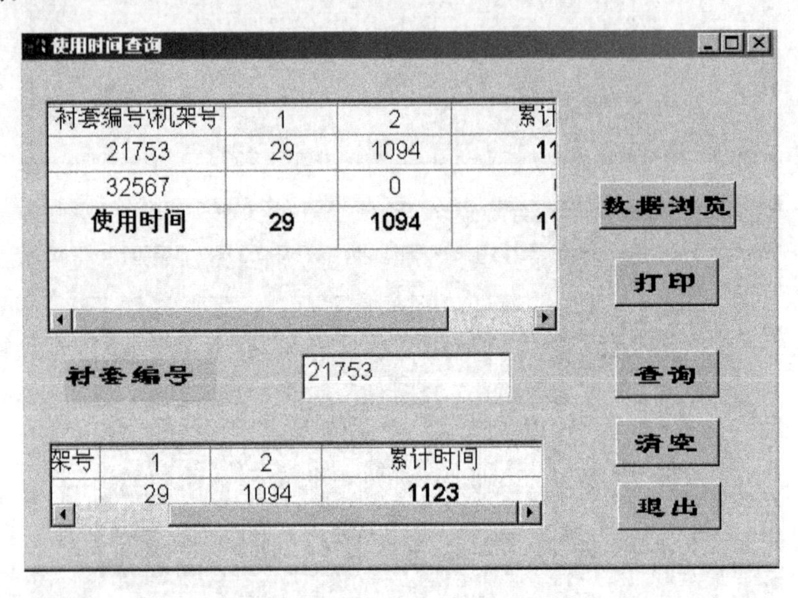

图 2-134　轴承累计上机时间统计

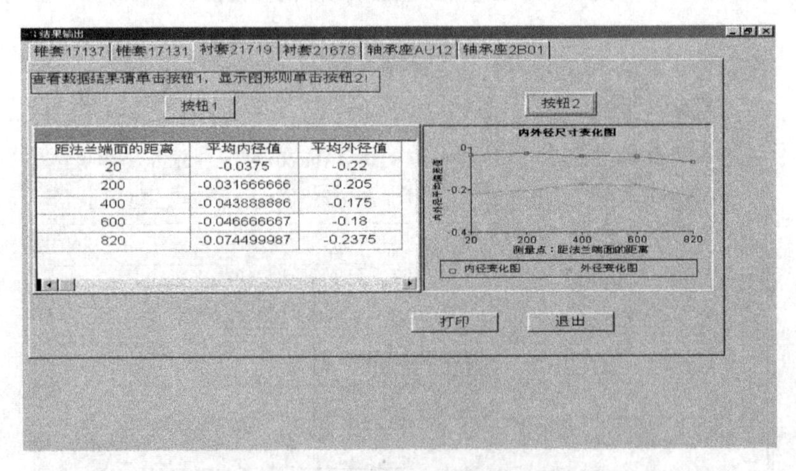

图 2-135　轴承磨损情况动态显示

第三章　高精度轧制技术

254. 为什么说轧制产品高精度比是轧钢技术发展的重要趋势之一?

21世纪世界钢铁工业发展的一个显著特点是钢材市场竞争愈演愈烈,竞争的焦点是钢材的质量高而成本低。钢材应用部门连续化自动化作业的迅猛发展,除要求钢材的性能均匀一致外,还要求钢材尺寸精度高。板带材主要用于冲制各种零部件,因此要求厚度精度高、板形好,以利于提高冲模寿命和冲压材的精度,高精度棒线材可减少加工件的切削量。因此,轧制产品高精度比是轧钢技术发展的重要趋势之一。

国外高精度轧制技术已经达到较高的水平,例如热轧板带材厚度差已达±30μm,冷轧板带厚度差已达±5～10μm,板形平直度为5～10I,棒材直径公差为±0.1mm。板带和棒材生产均采用液压厚度自动控制(AGC)技术,板形采用板形自动控制(AFC)技术,并相应出现了为提高钢材精度的新工艺、新设备和新技术。轧制产品尺寸精度提高会产生巨大效益,因此,高精度轧制技术将会成为21世纪钢铁工业发展的热门技术。

我国不少科研单位、高等院校和钢铁企业对高精度轧制技术做了大量的研究工作,并取得了一些成果,但我国钢铁工业由于整体工艺装备技术落后,高精度轧制技术同国外工业发达国家相比仍存在较大差距,我国尚有95%以上的轧机达不到世界先进水平。我国要想由一个钢铁生产大国尽快变成一个钢铁生产强国,必须依靠技术进步,抓住机遇,迎接挑战,在高精度轧制技术方面努力赶上世界先进水平。

255. 热轧板带的新技术主要有哪些?

传统热带轧机以其品种规格全、质量高的优势,仍占据汽车、家电、涂镀层、优质焊管等质量要求高的薄板市场,其新技术主要有:

(1) 连铸坯的直接热装(DHCR)和直接轧制(HDR),实现了两个工序间的连续化,具有节能、省投资、缩短交货期等一系列优点,效果显著;

(2) 在线调宽,采用重型立辊、定宽压力机实现大侧压,重型立辊每道次宽度压下量一般为150mm,定宽压力机每道次宽度压下量可达350mm以上;

(3) 宽度自动控制(AWC),宽度精度可达5mm以下;

(4) 液压厚度自动控制(AGC),带钢全长上的厚度精度已达到±30μm;

(5) 板形控制,研制开发了HC、CVC、PC等许多机型和板形仪,可实现板形的闭环控制;

(6) 控制轧制和控制冷却,使钢材具有所要求的金相组织和更好的力学性能;

(7) 卷板箱和保温罩,以减少温降,缩小带钢头尾温度差;

(8) 全液压卷取机,助卷辊、液压伸缩采用踏步控制,卷筒多级涨缩;

(9) 无头轧制,将粗轧后的带坯在中间辊道上焊接起来,在精轧机组实现全无头连续轧制。

256. 冷轧板带及涂镀层的新技术主要有哪些?

冷轧板带及其涂镀层产品广泛用于建筑、汽车、家电、交通等行业,特别是涂镀层板仍保持很旺的增长势头。其技术发展主要表现在:

(1) 酸洗一冷轧联合,可提高成材率1%～3%,提高机时产量30%～50%,减少中间仓库5000～1000m²,降低轧辊消耗40%～50%,降低了生产成本和建设投资;

(2) 连续退火,其产品质量高、板形好、表面光洁、性能均匀,可提高成材率1%～3%,钢种多样化,节能20%以上,生产周期由10天缩短到1天以内,设备占地面积小;

(3) 全氢罩式退火,比传统罩式炉效率高1倍,产品深冲性好,表面光洁,特别适合于生产批量小、品种多的冷轧带卷;

(4) 板形控制技术有很大发展,普遍采用了液压弯辊、工艺润滑与冷却、闭环控制,研制了一批能有效控制板形的新型轧机;

(5) 热镀锌、热镀锌铝及锌铁合金、电镀锌、电镀锌镍、耐指纹板、有机涂层板、减震板、电镀锡、低镍镀锡、电镀铬、热镀铅、热镀铅锡等涂镀层生产技术有很大发展。

257. 型钢轧机的新技术主要有哪些?

20世纪80年代以来,型钢生产装备相对板带轧机而言,发展较为缓慢。轧机结构虽有较大改进,如开发了悬臂式CL轧机、短应力线高刚度HS轧机、短应力线万能轧机等,但无完全新型的型钢轧机,轧速提高也不大。型钢生产装备的新发展主要在于:

(1) 连铸坯直接热装;

(2) 近终形连铸坯的应用;

(3) 柔性轧制设备的发展,目前已投产多种具有柔性轧制能力的新型型钢轧机机组,开发了H型钢自由尺寸轧制、延伸道次无孔型轧制、多辊万能孔型轧制等柔性轧制新技术;

(4) 切分轧制技术的推广应用,广泛采用切分辊和切分轮设备,具有提高产量、减少道次、降低能耗和轧辊消耗等优点;

(5) 紧公差精密轧制设备,其产品公差范围可控制在国际通用标准的1/4～1/10,采用小辊径、短辊身和单孔型轧辊,高刚度、紧凑式轧机,平立交替布置2～3个孔型,小压下量,这是精密轧制设备的基本特点;

(6) 低温轧制、温控轧制及在线热处理的应用,综合节能可达20%,并大大提高钢材性能;

(7) 现代化精整设备,精整设备实现连续化、自动化,如步进式齿条冷床、连续定尺剪切(CCL)机组、悬臂结构的单根矫直设备等;

(8) 设备状态诊断技术,监视设备运行状况,进行适时维护。

258. 线材轧机的新技术主要有哪些?

20世纪60年代中期摩根45°无扭精轧机与散卷控制冷却装置的开发和应用,使线材轧机的轧制速度突破了40m/s,目前最高设计速度达140m/s,保证值为115m/s,产品尺寸精度可达±0.1mm。其中新技术装备主要有:

(1) 大压下定径机(HRSM)作预精轧机,由3个机架组成,其压下率范围为6%～25%;

(2) 双模块高速精轧机(TMB),机架总数12架,这种可横移的双模块精轧机可大大节省换机架时间,其利用系数可达90%以上,而且产品精度高,表面质量好;

(3) V字形微型轧机,采用摩根第六代V字形精轧轧辊箱结构组成微型模块式轧机,可扩大产品规格范围,提高能力,其结构紧凑、换辊方便、利用率高;

(4) 减径定径机(RSM),可单独从轧线移出和移进,布置在无扭精轧机组后,增大终轧速度,提高生产率15%以上,提高轧机利用率5%~10%,产品精度高,公差达±0.1mm,椭圆度0.1,可实现自由尺寸轧制,自由定径范围±0.3mm,还可通过机前水冷提高冶金性能;

(5) 轧件外形测量仪和热态在线测径及涡流探伤;

(6) 回转式高速切头(尾)飞剪;

(7) 倾斜式吐丝机和装有线圈分配器的集卷系统;

(8) 控制轧制和控制冷却装置日臻完善。

259. 无缝管轧制的新技术主要有哪些?

无缝钢管在向高合金化、高精度、高质量方向发展,其生产装备技术的发展主要表现在:

(1) 连铸管坯的推广应用,其直径范围在ϕ80~ϕ560mm,内部质量和尺寸公差都优于轧制管坯,基本可不经修磨,直接进行轧制,金属收得率可提高10%~15%,节能40%~50%,管坯成本降低20%~25%;

(2) 锥形辊穿孔机,采用大喂入角和辗轧角穿孔,提高了穿孔效率,扩管比可达1.4~2;

(3) 限动(半限动)芯棒轧管机成为无缝管生产设备主流,适用于产量高、批量大的要求,其产品直径最大达ϕ426mm,长50m,单机产量最大达80~100万t/a,外径公差达0.2%~0.4%,壁厚偏差在3.0%~6.5%,内壁光滑,工具消耗低,钢管降温少,可取消定径前的再加热炉,最新开发的三辊可调限动芯棒连轧管机(PQF)可轧制高强度和壁厚更薄的钢管,对头尾可进行预压下,以减少管端增厚;

(4) 减径机采用在线壁厚检测仪,自动控制钢管长度方向的壁厚分布;

(5) 在线热处理(淬火和常化)已在生产中广泛应用;

(6) 在线检测手段和精整设备不断完善。

260. 板带材几何尺寸精度的表示方法是什么?

(1) 纵向厚度精度表示法。纵向厚度精度通常用纵向厚差δ_h表示,它是指以板宽中点为代表点,沿轧制方向的厚度之差。

(2) 横向厚度精度表示法。横向厚度精度通常用横向厚差或板凸度表示,它是指同一横断面上,中点厚度与边部点(除去边部减薄区后的边点)厚度之差,即

$$\Delta h_{0b} = h_{0z} - h_{0b}$$

$$\Delta h_{1b} = h_{1z} - h_{1b}$$

式中 Δh_{0b}、Δh_{1b}——分别为来料和轧后横向厚差或板凸度;

h_{0z}、h_{0b}——分别为来料中部和边部厚度;

h_{1z}、h_{1b}——分别为轧后中部和边部厚度。

(3) 板形表示法。所谓板形，直观地说，是指板材的翘曲程度，就其实质而言，是指带钢内部的残余应力分布。板形的表示方法有多种，其中最常用的有以下三种：

1) 相对长度差表示法。板带材产生翘曲，实质上是横向各点的不均匀延伸造成的，因而表示板形的一个简单方法是取横向不同位置的相对长度差表示板形，即

$$\varepsilon_0 = \Delta L_{0b} / L_{0p}$$

$$\varepsilon_1 = \Delta L_{1b} / L_{1p}$$

式中　ε_0、ε_1——分别为来料和轧后的相对长度差；

L_{0p}、L_{1p}——分别为来料和轧后平均长度；

ΔL_{0b}、ΔL_{1b}——分别为来料和轧后长度差，可用下式表示：

$$\Delta L_{0b} = L_{0z} - L_{0b}$$

$$\Delta L_{1b} = L_{1z} - L_{1b}$$

式中　L_{0z}、L_{0b}——分别为来料中部和边部长度；

L_{1z}、L_{1b}——分别为轧后中部和边部长度。

2) 波形表示法。在翘曲的钢板上测量相对长度来求出相对长度差是很不方便的，所以人们采用了更为直观的方法，即以翘曲波形来表示板形，称为翘曲度(或波浪度)。将板带材取一段置于平台上，如图 3-1 所示，如将其最短条视为一条直线，最长条视为正弦波，则可将板带材的翘曲度 λ 表示为：

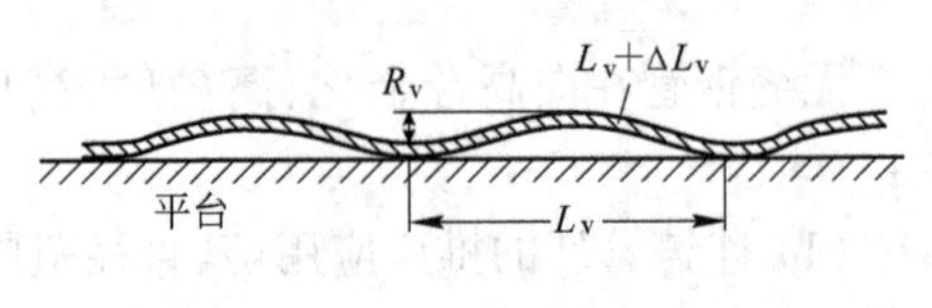

图 3-1　板带材波形图

$$\lambda = R_v / L_v \times 100\%$$

式中　R_v——波高；

L_v——波长。

这种方法直观，易于测量，是一种比较常用的方法。

波形被假设为正弦曲线，通过积分，可以求出翘曲度与相对长度差之间的关系为：

$$\varepsilon_0(\varepsilon_1) = \pi^2 \lambda^2 / 4$$

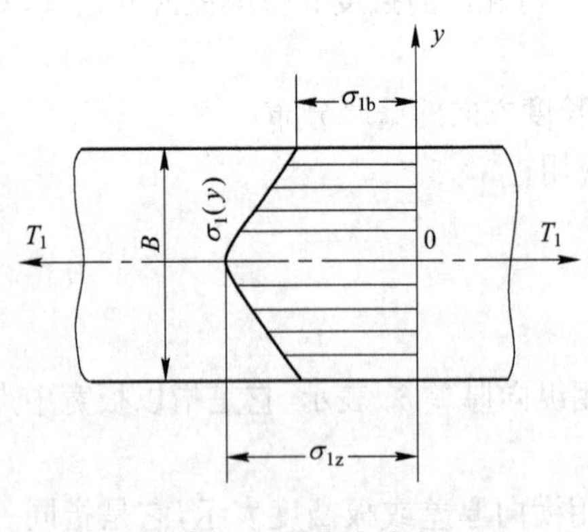

图 3-2　前张力分布

3) 残余应力表示法。由于带钢的板形实质上是指带钢内部残余应力沿横向的分布，因而可以用残余应力分布或残余应力差来表示板形。在带张力轧制时，残余应力的横向分布表现为前张力的横向分布，因而可以直接利用前张力差来表示(图 3-2)：

$$\Delta\delta_{1b} = \delta_{1z} - \delta_{1b}$$

式中　$\Delta\delta_{1b}$——横向前张力差；

δ_{1z}、δ_{1b}——分别为带材中部和边部前张力。

如果认为轧后带材由于张力作用而产生的弹性变形为平面形变变形，则前张力差与相对长度差的关系为：

$$\Delta\delta_{1b}=-E\varepsilon_1(1-\nu^2)$$

式中　E、ν——分别为带材弹性模量和泊松系数。

残余应力表示法由于揭示了板形的实质，并且前张力分布易于在线检测，因而这种表示方法也被广泛应用。

261. 横向厚差与板形是什么关系？

横向厚差和板形是两个不同的概念，但二者却有着密切的关系。如果不考虑辊缝中金属的横向流动，根据轧制前后体积不变条件可以得到下式：

$$\frac{\Delta L_{1b}}{\Delta L_{1p}}=\frac{\Delta L_{0b}}{L_{0p}}+\frac{\Delta h_{0b}}{h_{0p}}-\frac{\Delta h_{1b}}{h_{1p}}$$

式中　h_{0p}、h_{1p}——分别为来料和轧后的平均厚度。

从上式可以直接看出轧后板形（$\Delta L_{1b}/L_{1p}$）与轧制前后的横向相对厚差（$\Delta h_{0b}/h_{0p}$，$\Delta h_{1b}/h_{1p}$）之间的关系。

如果来料板形好，即 $\Delta L_{0b}/L_{0p}=0$，那么，保证轧后板形良好（即 $\Delta L_{1b}/L_{1p}=0$）的条件为：

$$\frac{\Delta h_{0b}}{h_{0p}}=\frac{\Delta h_{1b}}{h_{1p}}$$

换句话说，保证板形良好的条件是轧制前后板带材的横断面形状相似，即横向各部位的压下量相同。

如果考虑金属的横向流动，那么板形与横向厚差的关系为：

$$\frac{\Delta L_{1b}}{\Delta L_{1p}}=\frac{\Delta L_{0b}}{L_{0p}}+\frac{\Delta h_{0b}}{h_{0p}}-\frac{\Delta h_{1b}}{h_{1p}}-u'(0)+u'(B/2)$$

式中　u'——出口横向位移函数；

　　　B——带材宽度。

由上式可知，无论是否考虑横向流动，板形都在很大程度上决定于轧制前后的横向厚差，因此，实际上除了利用张力控制板形外，大部分板形控制方式都是通过控制辊缝形状，即控制出口横向厚差来实现的。尽管板形控制和横向厚差控制是两个不同的概念，但如果从控制方式的角度来研究，可以将二者统一起来。因而通常所说的板形控制一般都包括板形控制和出口横向厚差控制这两个方面，而所谓的板厚控制只是指纵向厚差的控制，不包含横向厚差的控制。

262. 平直度 I 与波浪度 λ 是何关系？

加拿大铝公司将横向上最长和最短纵条之间的相对延伸差作为板形单位，称为 I 单位，一个 I 单位相当长度差的 10^{-5}。所以板形 $\sum st$ 为：

$$\sum st=10^{-5}\left(\frac{\Delta L}{L}\right)$$

目前国际上对板带材平直度的表示方法已通用 I 单位。

在表示平直度的方法中，过去大多数用波浪或翘曲度表示，即将带材切取一段置于平台上，测量波高 R 和波幅 L，波浪度 $\lambda=(R/L)\times100\%$。

如果设波浪为正弦曲线，则可利用线积分求出曲线部分和直线部分的相对长度差，故与

L对应的曲线长度为：

$$L+\Delta L \approx L\left[1+\left(\frac{\pi R}{2L}\right)^2\right]$$

则相对长度差为：

$$\frac{\Delta L}{L}=\left(\frac{\pi R}{2L}\right)^2=\frac{\pi^2}{4}\lambda^2$$

此相对长度差乘以10^{-5}即为I值。由此可见，I值与λ值之间的关系是非线性的，所以一般不作为直线换算。I与λ近似换算见表3-1。

表3-1 I与λ换算表(近似值)

I	4	6	12	16	20	25	50	100	200
λ/%	0.40	0.50	0.70	0.80	0.90	1.0	1.43	2.00	2.85

263. 轧件厚度波动的原因是什么?

由轧机的弹跳方程式可知，轧后的轧件厚度主要取决于空载辊缝、轧制压力、轧机的纵向刚度模数和轴承油膜厚度这4个因素。因此，无论是分析造成轧件厚度波动的原因，还是阐明板厚控制的基本原理，都应从这4个因素的分析入手，现分析如下：

(1) 空载辊缝的变化。轧辊的偏心、磨损和热膨胀等都会使实际的空载辊缝S_0发生变化，从而使轧件的轧后厚度产生波动。如图3-3所示，当空载辊缝由S变化到S_{01}或S_{02}时，弹跳曲线位置将由A平移到A_1或A_2，轧件厚度由h变化到h_1或h_2。

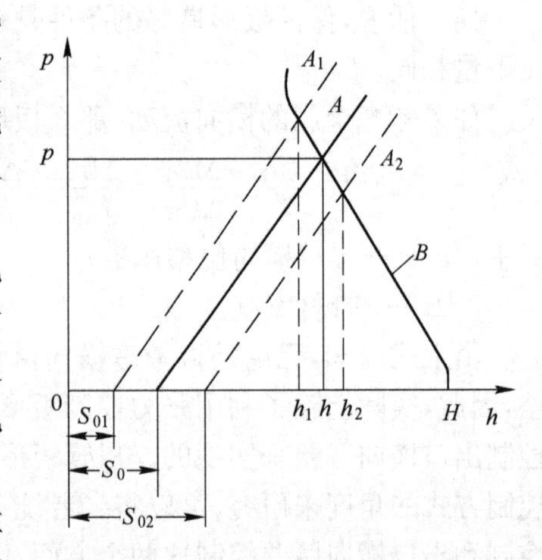

图3-3 空载辊缝变化对轧件厚度的影响

(2) 轧制压力的波动。轧制压力波动是造成轧件厚度波动的主要原因。所有影响轧制压力的因素都会影响轧件塑性变形曲线的相对位置和斜率，通过改变弹跳曲线和塑性曲线的支点位置，而影响轧件的实际轧出厚度，如图3-4所示。

当来料厚度H增大时，塑性曲线B的起始位置右移，轧制压力增大，使轧件厚度h增大；反之，轧件厚度就减小。所以，当来料厚度不均时，轧出的轧件厚度就会出现相应的波动。这种情况虽然通过厚度控制能够得到改善，但最终难以完全消除。因此，要得到高精度的轧件轧后厚度，来料厚度必须要求在一定的公差范围内。

当张力增大时，轧制压力减小，塑性曲线的斜率变小，轧件厚度变薄(图3-4b)。

当摩擦系数减小时，轧制压力会降低，塑性曲线的斜率变小，轧件厚度变薄(图3-4c)。轧制速度对实际轧出厚度的影响，也主要是通过对摩擦系数的影响而起作用的。

当变形抗力增大时，轧制压力增大，塑性曲线斜率增大，轧件厚度变厚(图3-4d)，所以，当来料力学性能不均或轧制温度、轧制速度发生变化时，由于造成轧件的变形抗力波动，轧出的轧件厚度将会产生相应的波动。

(3) 轧机纵向刚度模数的变化。在轧制过程中，由于轧辊的磨损和热膨胀沿辊身长度

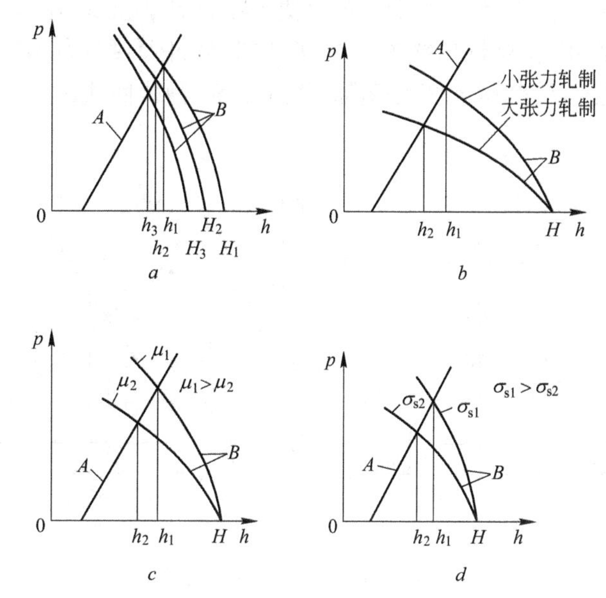

图 3-4 轧制压力波动对轧件厚度的影响

a—来料厚度变化；*b*—张力变化；*c*—摩擦系数变化；*d*—变形抗力变化

方向分布不均，辊间的接触状况将发生变化，造成辊系的弹性变形量波动，即轧机的纵向刚度模数发生变化。另外，轧件变形抗力的波动也会通过影响变形区工作辊弹性压扁，而使轧机的纵向刚度模数发生变化。当纵向刚度模数增加时，轧机的弹性变形量减小，实际的轧件轧出厚度减小，如图 3-5 所示。可见，提高轧机的纵向刚度模数，有利于轧出更薄的板带材。

(4) 轴承油膜厚度的变化。与空载辊缝变化对轧件厚度影响机理一样，随着轴承油膜厚度的增加轧件厚度变薄。

在实际轧制过程中，以上诸因素对轧件实际轧出厚度的影响不是孤立的，而往往是同时起作用。所以，在进行厚度控制时，必须综合考虑各因素的影响。

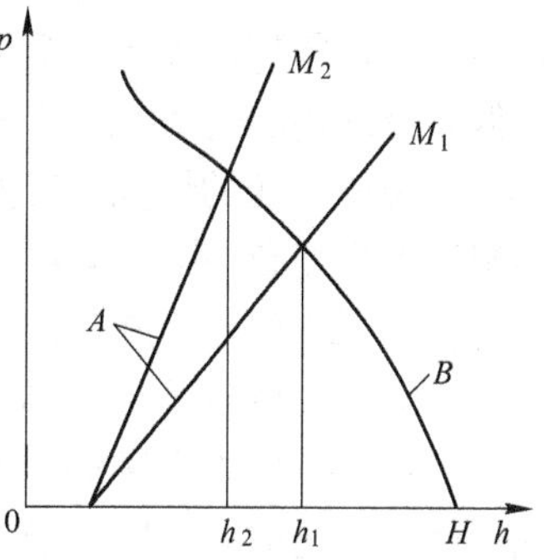

图 3-5 轧机纵向刚度模数变化对轧件厚度的影响

264. 厚度控制的基本原理是什么？

常用的厚度控制方式有调整压下、调整张力和调整轧制速度，其原理可通过 p-h 图加以阐明。

(1) 调整压下。调整压下是厚度控制的最主要和最有效的方式，它通过改变空载辊缝的大小来消除各种因素的变化对轧件厚度的影响。

图 3-6*a* 为消除来料板厚变化影响的厚控原理图。当来料厚度为 H 时，弹跳曲线为 A，塑性曲线为 B，轧后轧件厚度为 h。如果来料厚度有一个增量 ΔH，则塑性曲线由 B 移到 B'，轧后轧件厚度就有一个增量(偏差)Δh。为了消除这一偏差，就要调整压下量，使空载辊缝 S_0 减小一个调整量 ΔS_0，弹跳曲线由 A 变为 A'，A' 与 B' 交点的横坐标为 h，即轧后轧件的厚度不变。

图 3-6b 为消除张力、摩擦系数和变形抗力变化影响的厚控原理图。当由这些因素的影响(单独作用或同时作用)使塑性曲线由 B 变到 B' 时,轧件厚度 h 就有一个增量(偏差)Δh,为了消除这一厚度偏差,调整压下使空载辊缝减小 ΔS_0,弹跳曲线由 A 变到 A',就可使轧后轧件厚度恢复到 h。

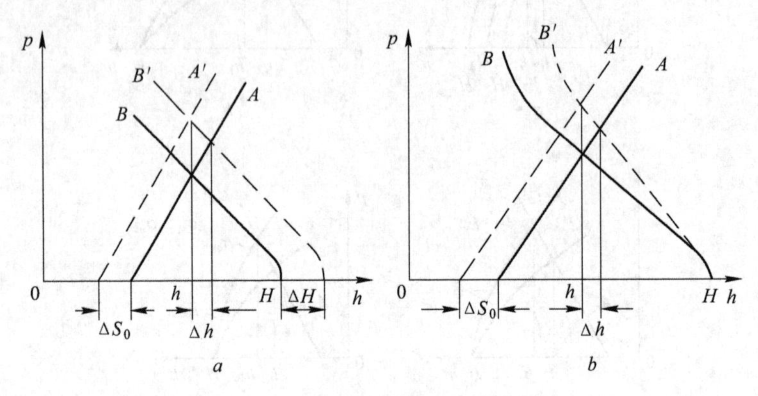

图 3-6　调整压下厚控原理图

a—消除来料厚度变化的影响;b—消除张力、摩擦系数和变形抗力变化的影响

(2) 调整张力。在连轧机或可逆式板带轧机上,除了调整压力进行厚控外,还可以通过改变前后张力来进行厚控。如图 3-7 所示,当来料厚度 H 有一偏差 ΔH 时,轧后轧件厚度 h 将产生偏差为 Δh。在空载辊缝不变的情况下,通过加大张力,塑性曲线的斜率发生变化,由曲线 B' 变为曲线 B'',从而消除厚度偏差 Δh,使轧后轧件厚度 h 保持不变。

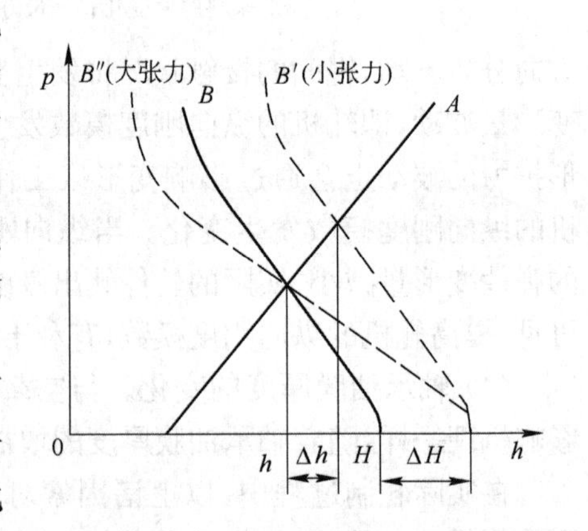

图 3-7　调整张力厚控原理图

张力厚控的优点是反应速度快(较之电动压下厚控)且稳定,厚控更准确。其缺点是热轧带材和冷轧较薄的带材时,为防止拉窄和拉断轧件,张力变化范围不能过大。这种方法在冷轧时用得较多,热轧一般不用,但有时在末架采用张力微调。冷轧时,往往把调压下厚控和张力厚控配合使用。当厚差较小时,在张力允许范围内采用张力微调;当厚差较大时,则采用压下进行厚控。

(3) 调整轧制速度。调整轧制速度可以起到调整轧制温度、张力和摩擦系数的作用,从而改变塑性曲线的斜率,达到厚度控制的目的。调速厚控原理与张力厚控原理类似。

265. 何谓平直度?

随着现代工业的发展,有关行业对钢、铝、铜等材质板带材的质量要求越来越高,最迫切的希望是提高板带材的平直度。

所谓平直度就是板带材实际形状与其理想的平直状态的偏差值,用平直度表示,这是衡量板带质量好坏的一个很直观、很重要的指标。

在生产过程中常会出现板带材的纵向纤维在宽度 b 或厚度 h 方向上长度不相等的现

象，即存在小的长度差，内部产生应力，形成弯矩。板带材截面的几何特点是厚度 h 远小于宽度 b 及长度 l。在图 3-8 中，剖取一个横截面 yoz，其形心轴惯性矩为 $I_y=\frac{bh^3}{12}$、$I_z=\frac{b^3h}{12}$；剖取一个截面 xoz，其形心轴惯性矩为 $I_x=\frac{lh^3}{12}$、$I_z=\frac{l^3h}{12}$。显然，$I_y \ll I_z$，$I_x \ll I_z$，也就是说以 xoy 为中性层弯曲时的弯曲刚度远小于以 xoz 或 yoz 中性层的弯曲刚度。所以，内应力产生的弯矩很容易导致板面沿纵向或横向弯曲，形成板带材的平直度缺陷。

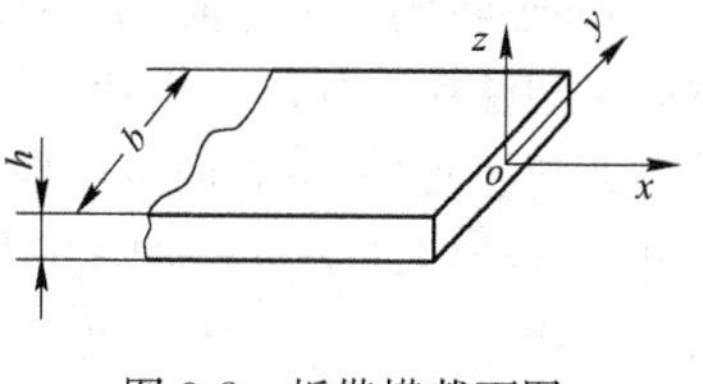

图 3-8　板带横截面图

266. 平直度缺陷如何分类?

常见的板带材平直度缺陷大体分为两类。第一类是板面瓢曲，包括长度方向瓢曲（L 瓢曲）和宽度方向瓢曲（C 瓢曲）两种。第二类是形状不良，包括中间波浪、边部波浪、侧弯等三种。我们通常所见到的缺陷要么是其中一种，要么是两种以上的组合。如长宽方向联合瓢曲又叫马鞍形瓢曲。另外，中间波浪又包括中波、中心波两种；边部波浪包括双边波、单边波、近边波等。以上各类缺陷形式如图 3-9 所示。

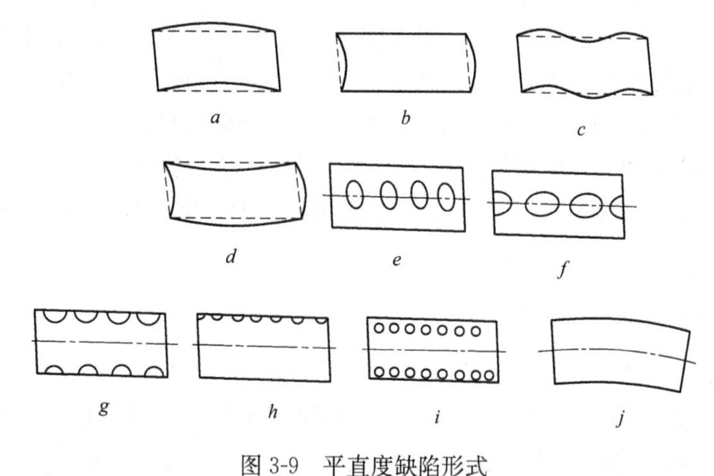

图 3-9　平直度缺陷形式

a—长度方向瓢曲；*b*—宽度方向瓢曲；*c*—纵向波浪；*d*—马鞍形瓢曲；
e—中浪；*f*—中心波；*g*—双边波；*h*—单边波；*i*—近边波；*j*—镰刀弯

267. 造成平直度缺陷的原因是什么?

（1）长度方向瓢曲。长度方向瓢曲是板带材以其横截面的 y 轴为中心轴的弯曲变形。带材经导向辊导向或经卷筒成卷时要发生弯曲变形，当弯曲曲率较大时，外层纤维弹性变形量超过该材质的允许最大弹性变形量，则发生塑性变形。并且，随变形程度增大，塑性变形层向中性层靠近。一般在生产中带材要承受纵向张力，带材内部各层纤维的张应力与弯曲应力叠加，更加容易超过屈服极限，且使中性层向受压侧偏移，受压侧不产生塑性变形而受拉侧塑性伸长较大。基于此变形特点，板带一定向受压侧弯曲，形成长度方向瓢曲。这种瓢曲在带材中常常是沿长度方向正反向交替出现，形成纵向波浪。作业线上设置转向辊，带材经连续转向便形成这种波浪。已具有单向纵向弯曲的带材，上表面塑性延伸，下表面弹性压缩，当通过转向辊反弯时，上表面开始呈弹性压缩变形，下表面本来具有弹性变形开始恢复，然后呈塑性拉伸变形。出转向辊后，带材弹性回弯，原上表面的弹性压缩变形恢复仍呈最初具有的塑性延伸，下表面也呈现转向弯曲产生的塑性延伸。而弯曲变形时中性层纤维不会随外层纤维塑性延伸。去除外力后沿厚度分布的内应力要形成弯矩，一般情况下正反向弯曲力矩相差不多，当两相反力矩大小相等时带材平直，大小不等时带材就按弯矩大的方向弯曲。这样势必存在一平直段，平直段前后呈现上弯和下弯，形成了连续的纵向波浪。

(2) 宽度方向翘曲。板带材以其纵截面的工轴为中心轴产生的弯曲变形，又称横向弯曲或 C 瓢曲。在轧制过程中，轧辊承受轧制力发生弹性变形，工作辊出现挠度，板带材会出现横向厚差。进行辊型设计时要确定合理的轧辊原始凸度。考虑到轧辊磨削方便，四辊轧机轧辊原始凸度设计应用较广泛的一种方法是一个工作辊有凸度，另一个工作辊及两个支撑辊都是圆柱形。只要凸度适当，并在轧制时通过调节辊温等措施来补偿轧辊的弹性变形和磨损，就不仅能获得高精度的轧材，还可利用轧辊凸度防止带材跑偏。但是，如果工作辊凸度过大或其他辊缝调节措施不当，将形成宽度方向瓢曲。

(3) 形状不良。沿板带宽度某个部位出现纵向局部延伸现象，在带材表面产生浪形，统称形状不良。浪形在板带中部出现的叫中间波，在边部的叫边波，纵向纤维长度沿板宽线形变化引起带材以其纵截面的 z 轴为中心轴的连续弯曲叫侧弯，统称镰刀弯。产生形状不良的原因有三：其一，工作辊及支撑辊辊型设计不当；其二，工作中轧制条件的突然变化；其三，工作中轧制板材来料形状突然变化。归结到一点就是这三个原因都可使辊缝形状偏离轧材形状。一旦偏离，沿板宽压下量变化，相应位置的纵向纤维延伸量不等，相邻纤维之间互相牵制，导致内部较短纤维受拉，较长纤维受压，当这个内应力大到一定数值时，受压的长纤维失稳，形成局部瓢曲，出现浪形。另外，当带材横向厚差较大时，张力卷取也可以产生形状不良。

268. 如何改善平直度的缺陷？

对于上述存在的平直度缺陷，我们只能依靠矫直手段予以改善。在世界范围内板带材矫直已有近百年历史，通过几代人的研究试验，已发现了矫直基本原理，创立了完整的矫直理论，并掌握了比较成熟的矫直工艺。

目前，主要采用的三种矫直方法是：辊式矫直、连续拉伸矫直、连续拉伸弯曲矫直，其中辊式矫直最先得到应用。带材通过辊式矫直机时，在上下两排矫直辊间进行往复弹塑性弯曲，使带材内应力逐渐减小到不足以引起残余变形，就达到了矫直的目的。对于一定形式的缺陷、厚度、材质的板带材，只要选用适当的辊径、辊距和辊数，正确调整矫直辊的咬合深度，就能获得满意的矫直效果。根据带材在辊子间的变形状况，辊式矫直机适合于较厚的板带材，我国生产的辊式矫直机所能矫直的钢板最小厚度为 0.2mm，它能完全消除 L 瓢曲和 C 瓢曲，但对形状不良矫直效果不甚明显。

为了能完全消除各种形状不良缺陷，宜采用连续拉伸矫直机技术。这种矫直方法是板带通过由若干个辊子组成的两组张力辊，在两个张力辊组之间建立一定的转速差，给带材施加纵向张力，而且张力要大到能使带材在整个板厚范围内塑性延伸，使原来长短不一的纵向纤维伸长到相同长度，从而消除形状不良。但这种方法的缺点是必须使板带材所需的纵向张应力超过屈服极限，能耗很大；张力辊面正应力很大，寿命缩短，增加了维修费用和时间；

对带材质量要求很高，绝对不允许边部有裂纹以免应力集中引起断带；仅适于塑性好的材料，适应材质范围窄。这些缺点使这种矫直方法的采用受到很多限制。

连续拉伸弯曲矫直方法是在辊式矫直机和连续拉伸矫直基础上发展起来的。在连续拉伸张力辊组之间设置一套不传动的矫直辊装置。板带材通过矫直辊时受到的弯曲应力和张应力叠加，即使张应力不超过材质的屈服极限也可使带材的很小一段中一部分断面处于塑性状态。经过好几个辊子的反复弯曲，带材沿整个宽度伸长，使各种缺陷都能得到矫正。使用这种矫直机需要的纵向张应力较低，一般为屈服极限的 1/5～1/2，可以避免纯拉伸矫直存在的所有缺点。因此，连续拉伸弯曲矫直技术有最好的生产可靠性和最大的适应性。

矫直过程实质就是弹塑性变形过程，塑性变形必会改变带材原来的内部平衡状态。所以上述三种矫直方法有一个共同的缺点，即改变了材料性能的均匀性，还会在带材表面产生某些影响粗糙度的缺陷。经过辊式矫直机的板带材屈服极限的各向异性变得突出，最初的大变形会使其横向产生密集的折裂线。连续拉伸弯曲矫直和纯拉伸矫直一样，首先，沿板宽各部分纵向纤维增长量不同，相应部位的材料性能变化也就不同；其次会改变带材的尺寸，宽度减小、厚度减薄；第三，在张力辊组，带材、矫直辊装置组成的耦合系统中，因刚性不足、安装不良、弹性打滑等因素引起振动，在带材表面横向形成细纹裂痕，即通常所说的振痕。

269. 板厚调节方式的发展过程是怎样的？

同其他各种技术的发展一样，板带轧机板厚调节技术的发展也经历了由粗到精的过程。

第一种是手动压下调节板厚。最早的轧机是靠手动调节压下螺丝来进行辊缝调节的。这种调节方式仅能设定原始辊缝，无法达到厚度控制精度的要求，因而在板带轧机上已基本不再采用。

第二种是电动压下调节板厚。手动压下的调节方式缺点很多，所以在电机出现之后，人们就将它用到轧机上，不但采用电机驱动，而且压下调节也采用电动方式，由电机通过减速装置驱动压下螺丝来设定原始辊缝。这种调节方式一般不能在线调节，无法保证严格的厚度精度，因而目前只在开坯和厚板轧机上使用，板带轧机上很少用。

第三种是电动双压下系统调节板厚。为了进一步控制板厚偏差，许多较为先进的轧机的板厚调节装置都被分为粗调和精调两个部分，其中粗调装置用来设定原始辊缝，而精调装置用来在轧制过程中，随各种轧制条件的变化而进行微量在线调整。电动双压下系统由高速和低速两套电动压下系统组成。其中高速电动压下系统用来设定原始辊缝，低速电动压下系统用作在线调整。这种压下系统虽然比单一的电动压下系统要好，但由于它的精调系统滞后比较严重，不能适应高速轧机的需要，因而，现代化的轧机上已基本不再采用。

第四种是电—液双压下系统调节板厚。电—液双压下系统也是由粗调和精调两部分组成的，其中粗调部分就是一般的电动压下装置，用它来设定原始辊缝。精调部分采用液压系统，其具体结构方式有多种，如用液压缸推动扇形齿轮以带动压下螺丝以及将液压缸直接放在轴承座与压下螺丝或压下横梁之间等方式。这种调节方式的精调系统较为灵活，调节精度高。特别是这种系统的粗调系统可以是一般的电动压下，因而这种方式特别适用于对原旧轧机的改造，目前仍在使用。

第五种是全液压压下调节装置。全液压压下的厚度调节系统取消了传统的压下螺丝，用液压缸直接压下，这种厚度调节方式结构简单，灵敏度高，能够满足很严格的厚度精度要求，并可根据需要，改变轧机的当量刚度，是现代化轧机上普遍采用的厚度调节方式。但这种方式也存在着一些缺点，如系统复杂、对系统各部分及各元件的精度要求严格、制造困难、成本高等。

第六种是弯曲支撑辊的厚度调节方式。尽管液压压下的厚度调节方式具有很多优点，目前被广泛采用，但这种方式绝不是厚度控制发展史上的终点，也不等于其他厚度调节方式绝对没有市场。1969 年，M. D. Stone 提出了一种新的厚度调节方式，即利用支撑辊弯曲进行板厚调节。新的支撑辊的弯曲方式有多种，其中之一是增加横梁式。如图 3-10 所示，在上支撑辊的上面和下支撑辊的下面都增加了专门的横梁。这种横梁的主要目的是使支撑辊弯曲力自成体系，而不传到压下装置和牌坊中去，与压下螺丝和牌坊不发生关系。由于支撑辊弯辊力不使压下装置和牌坊产生变形，因而，支撑辊弯曲就可以使辊身中点处的辊缝值产生明显的变化，从而达到控制板厚的目的。

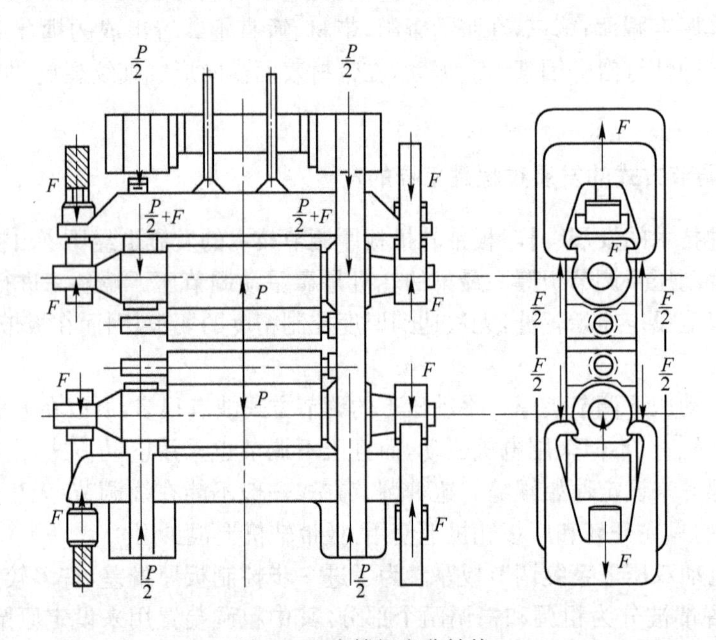

图 3-10 支撑辊弯曲结构

这种厚度调节方式的优点是响应速度快，可以在任何载荷下调整，特别是在一些用支撑辊弯曲来调节板形的轧机上，通过很少的改动即可直接用来调节板厚。

这种板厚调节方式可进一步发展成新的板厚板形综合调节系统。

第七种是工作辊偏移的厚度调节方式。针对液压压下厚度调节系统调节力大、对系统定位精度高，以及液压压下的厚度调节系统对改善板形毫无用处等特点，燕山大学刘玉礼博士提出了一种新的板厚调节方式，即通过改变工作辊偏移量来调节板厚的方式。利用液压缸，水平地调节工作辊，改变工作辊的偏移量。由于支撑辊是圆柱形的，因而，改变工作辊的偏移量，必将改变辊缝值，从而起到调节板厚的作用。与直接压下的厚度调节方式相比，这种调厚方式的优点主要有以下几方面：

(1) 调节系统所受的调节力仅仅是工作辊水平方向的作用力，它远远小于直接压下的厚度调节方式的调节力，这样也就可以减小液压缸和轧机尺寸以及液压系统的压力等，从而减少投资。

（2）厚度方向的精度要求由水平方向的定位精度来保证，这样就降低了控制系统定位精度的要求，从而给控制系统的设计和制造带来方便。

（3）可以较方便地改造那些原有的使用电动压下的轧机。

（4）最主要的优点是：这种厚度调节方式可以直接与工作辊交叉的板形调节方式相结合，仅需很少的改动就可以达到利用一套系统、一个执行机构同时调节板厚和板形这两个被调节量的目的，从而更充分地发挥控制的作用。

270. 何谓动态设定 AGC？

利用轧制压力信号间接测量厚度的自动控制系统（压力 AGC），是用改变轧机的机械辊缝值的方法消除轧制力变化引起的轧件厚度变化，实现了厚度恒定的目标。这种补偿轧制力变化引起厚度变化的头部锁定型压力 AGC，称之为相对值 AGC，或称 BISRA 法。压力 AGC 的基本原理是弹跳方程，弹跳方程是虎克定律在轧机上的基本应用，且引入了轧机刚度系数 M。这是 20 世纪 40 年代末由英国钢铁协会 Sims 等人首先引用的，是轧机理论和技术的一次飞跃性进展。

由于相对值 AGC 只能保证同板或同卷厚度差小，不能保证厚度命中设定值，所以又发展了绝对值 AGC。AGC 控制系统的参数应当与轧件特性有关。如何将轧件塑性系数 Q 引入厚控系统，使 AGC 技术进一步发展，主要有两种方法，其一是以日本为代表的由弹跳方程测厚值与厚度设定值之差调节辊缝的绝对值 AGC，称为测厚计方法；另一种是以德国西门子为代表的串联控制方法，内环为位置环，外环为厚度环，两环之间由积分环节连接或由比例积分环节连接。

分析 AGC 调节过程，实质上是解决外扰（入口厚度差和硬度差）、调节量（辊缝）和目标量（厚度）之间的相互影响关系。这种分析普遍采用“P-H”图法，这具有简明、直观等优点，但不能把复杂的轧制过程（动态、非线性、多交叉）描述出来，直接影响了厚控理论的发展。动态设定型变刚度厚控方法（简称动态设定 AGC）的发明，是由数学分析方法代替“P-H”图，深刻反映了厚度控制的本质规律，通过识别轧件扰动和厚度恒定目标要求，得到工艺控制模型。动态设定 AGC 已在多套大型板带轧机上应用，上海浦东钢铁公司（以下简称上海浦钢）3500mm 中厚板轧机和宝山钢铁（集团）公司（以下简称宝钢）2050mm 热连轧机上的厚控效果如下：3500mm 中厚板轧机异板均方差小于 40μm，达到世界先进水平；宝钢 2050mm 热连轧机同卷板差平均值从 130μm 减小到 51μm，，这些充分证明了这种方式的先进性和实用性。

271. 动态设定 AGC 测控模型是什么？

（1）用分析方法推导模型公式。弹跳方程和压力公式为：

$$h = S + \frac{P}{M} + A$$

$$P = f(H, h, K, T, R, \cdots)$$

式中　h——轧件出口厚度；

H——轧件入口厚度；

P——轧制力；

M——轧机刚度系数；

K——变形抗力；

T——张力；

A——调整辊缝；

R——轧辊半径；

S——辊缝。

假设扰动只有入口厚度 ΔH，将弹跳方程和压力公式用泰勒级数展开并取一次项得：

$$\Delta h=\frac{M}{M-\dfrac{\partial P}{\partial h}}\Delta S+\frac{\dfrac{\partial P}{\partial H}}{M-\dfrac{\partial P}{\partial h}}\Delta H$$

令 $\dfrac{\partial P}{\partial H}=Q$，根据工艺理论得：

$$\frac{\partial P}{\partial H}=-\frac{h}{H}\times\frac{\partial P}{\partial h}$$

代入上式得：

$$\Delta h=\frac{M}{M+Q}\Delta S+\frac{Q}{M+Q}\times\frac{h}{H}\Delta H$$

其他扰动，如水印、张力等，与 ΔH 扰动规律相似。厚度控制的目标为 $\Delta h\equiv 0$，由上式得出消除入口厚度差影响的控制模型为：

$$\Delta S=-\frac{h}{H}\times\frac{Q}{M}\Delta H$$

上式与一般前馈模型差异$\dfrac{h}{H}$，反映了塑性曲线非线性影响。

(2) 设定AGC控制模型。由分析方法或“P-H”图得到以下关系式：

$$\Delta S=\frac{M+Q}{M^2}\Delta P_a$$

$$\Delta P_s=\frac{MQ}{M+Q}\Delta S$$

式中 ΔP_a——轧件扰动轧制力；

ΔP_s——辊缝改变引起的轧制力变化。

应用上两式就可以推出动态设定AGC控制模型。实际生产中，轧件扰动是时刻变化的量，各时刻轧制力和辊缝是可以测量的。P_e、S_e 分别表示轧制力和辊缝的基准值，从而可以得到各时刻的轧制力和辊缝变化量：

$$\Delta P_k=P_k-P_e$$

$$\Delta S_k=S_k-S_e$$

式中 k——选择序号，$k=0,1,\cdots$。

当 $k=1$ 时，可以测得 ΔP_1，而 $\Delta S_0=0$，则 $\Delta P_{d1}=\Delta P_1$，引用前式得出轧件出口厚度恒定

辊缝调节量为：

$$\Delta S_1 = -\frac{M+Q}{M^2}\Delta P_1$$

当 $k=2$ 时，可以测得 ΔP_2，此刻的 ΔP_2 包含两部分，一部分为轧件扰动，另一部分是第一次调辊缝所引起的轧制力变化 ΔP_{s1}，即

$$\Delta P_2 = \Delta P_{d2} + \Delta P_{s1}$$

上式代入前式或计算出 ΔP_{d2}，整理得

$$\Delta S_2 = -\frac{Q}{M}\Delta S_1 - \frac{M+Q}{M^2}\Delta P_2$$

对于任意时刻，写出通式

$$\Delta S_k = -\frac{Q}{M}\Delta S_{k-1} - \frac{M+Q}{M^2}\Delta P_k$$

上式即为动态设定 AGC 控制模型，它保证轧件任意扰动下轧件厚度恒定。在阶跃扰动 ΔP_d 作用下，由分析法得到压力 AGC 参数方程为：

$$\Delta S_n = \sum_{i=1}^{n}(-1)^i \frac{M+Q}{M^2}K_\beta \Delta P_d \left(\frac{Q}{M}\right)^{i-1}(K_\beta - 1)^{i-1}$$

式中　ΔS_n——第 n 步采样的辊缝调节量；

K_β——控制系统参数。

由此式可推出动态设定型变刚度厚控模型：

$$\Delta S_k = -C\left[\frac{Q}{M}\Delta S_{k-1} + \frac{M+Q}{M^2}\Delta P_k\right]$$

$$C = \frac{M_c - M}{M_c - Q}$$

式中　M_c——当量刚度；

C——可变刚度系数。

实验证明，得出的新方法具有响应速度快（比 BISRA 快 2～3 倍）、可变刚度范围宽（$M_c = 0 \sim \infty$）、将平整机和轧钢机控制系统统一、可与其他厚控方法共用，而无相互干扰、稳定性好及实现简单等优点。

272. 动态设定 AGC 在上海浦钢中板轧机上的应用效果如何？

上海浦钢原来的 3500mm 四辊轧机设备陈旧，无测厚仪等检测装置，而轧制的产品规格很多。坯料为钢锭，用三台加热炉加热，由三辊劳特轧机开坯，四辊轧机精轧出成品，加热水印及横轧，扰动十分明显。从图 3-11 上可明显地看出动态设定 AGC 厚控消差的效果。

由于无测厚仪，无法用命中目标差来分析绝对 AGC 方式的效果，采用一批同规格异板差来反映它的效果，动态设定 AGC 实现绝对值方式比较容易，即 P_e、S_e 采用优化规程给出的设定值。由于该轧机采用了 AGC 和过程自动设定方式，故其产品精度达到国际先进水平，如表 3-2 所示。图 3-12 表明采用计算机控制系统后产品精度提高的程度。

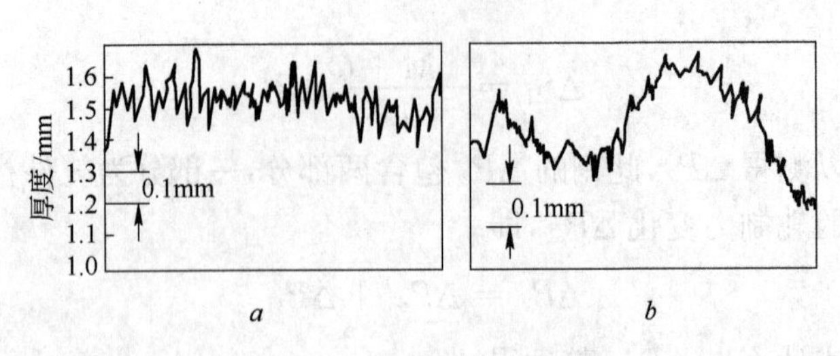

图3-11　AGC消差效果图示

a—动态设定AGC轧钢；*b*—人工轧钢

表3-2　异板差技术指标对比(上海浦钢3500mm中板轧机)

检测日期	钢种规格/mm×mm	生产条件	均方差/μm	块数	国际先进水平/μm
1994年5月14日	16Mn 14×1800	人工轧制	1073	18	上海浦钢3500mm厚板轧机(西门子系统) h=8mm σ=89 h<15mm σ=104
			120	27	
		计算机控制系统	33.7	17	
			31.0	23	
1994年5月16日	Q235 12×1800		31.2	27	
1994年5月17日	Q235 10×1800		27.7	33	

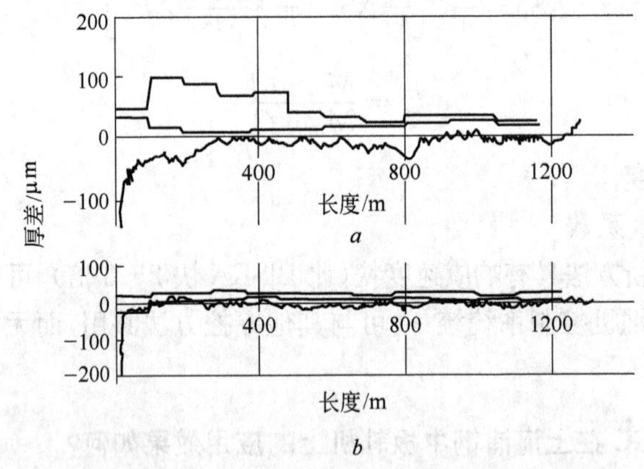

图3-12　动态设定AGC与西门子厚控模型厚控效果对比

a—原西门子厚控模型；*b*—动态设定模型

273. 动态设定AGC在宝钢2050mm热连轧机上的应用效果如何？

宝钢2050mm热连轧机是20世纪80年代从德国引进的全套设备，AGC及计算机控制系统是西门子公司的，属世界第一流的设备。该设备运行多年后厚控精度有所降低。从1996年7月起，全部7个机架动态设定AGC模型代替了西门子厚控模型。此后，运行一直正常，效果十分明显，如图3-13和表3-3所示。

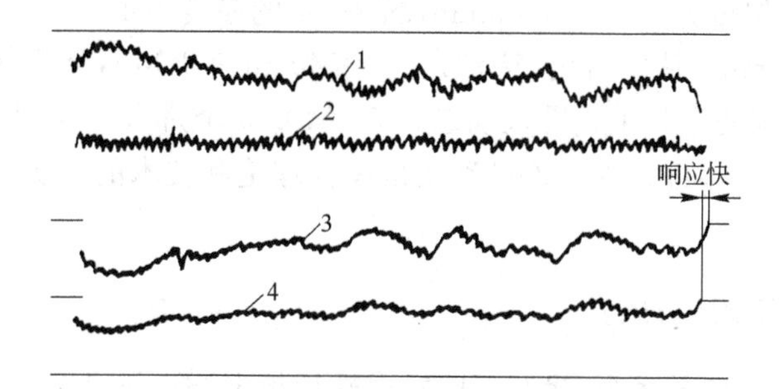

图 3-13　动态设定 AGC 与西门子厚控模型辊缝输出对比

1—压力；2—厚度；3—动态设定 AGC 的辊缝输出；
4—西门子厚控模型辊缝输出

从图 3-13 可以看出，动态设定 AGC 输出与压力变化曲线很对称，要求辊缝调节量比原 AGC 大得多，特别是响应速度十分明显。

表 3-3　动态设定 AGC 与西门子厚控模型精度比

检测日期	厚度规格/μm	AGC 模型	同卷板差/mm	卷　数
1996 年 6 月	4～8	西门模型	0.128	3
1995 年 4～8 月	3～6	西门模型	0.140	5
1996 年 6 月	4～8	动态设定 AGC	0.051	8

表 3-3 是动态设定 AGC 与西门子厚控模型的精度对比。西门子模型的同卷板差平均为 130μm，而动态设定 AGC 为 51μm，厚度精度提高一倍以上。

图 3-14 为依据 MS 报表统计作出的直方图，包括 1993～1996 年全部数据。1993～1995 年采用全年平均值，1996 年用每月平均值表示。图 3-14*a* 的厚度规格为 1.00～

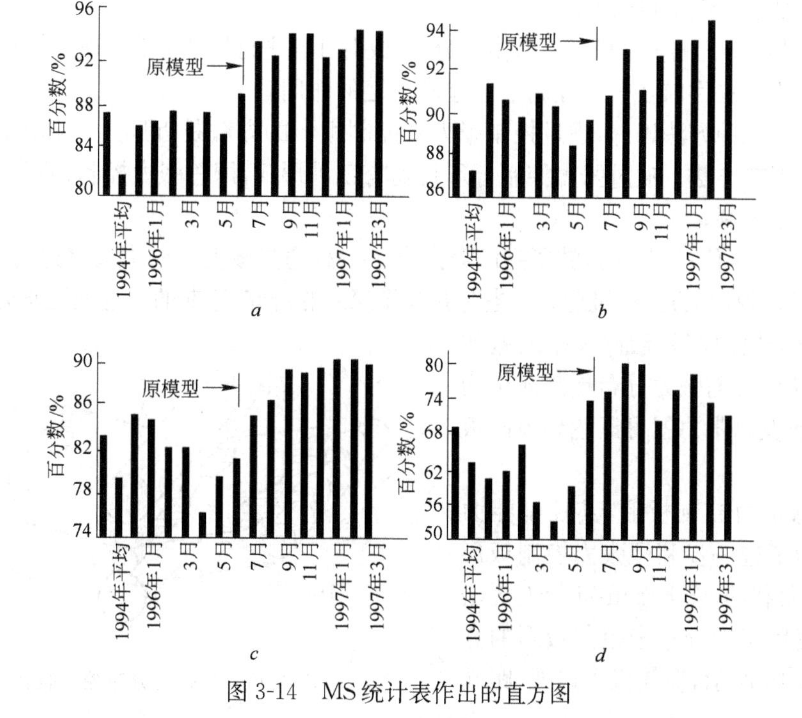

图 3-14　MS 统计表作出的直方图

2.50mm；图3-14b的厚度为2.51～4.00mm，图2-14c的厚度为4.01～8.00mm；图3-14d的厚度为8.01～25.40mm。从图看出，特别是图2-14a和图2-14d，从1996年7月份开始±50μm的百分数提高很明显。正式投入动态设定AGC 6个月数据表明，动态设定AGC已完全达到工业应用水平，动态设定AGC确实是厚控理论和技术的一次飞跃，完全可以在板带轧机上推广应用。

274. 板形控制有哪些方式？

从板形与横向厚差的关系中，我们可以看出轧后板形与以下几种因素有关：来料板形、来料横向厚差、出口横向厚差、金属横向流动状态。对于某一轧制道次而言，来料板形和来料横向厚差是不可改变的，因而从理论上讲，只能通过控制金属横向流动状态和控制出口横向厚差这两条途径来控制板形。由于板带材的出口横向厚度分布与轧辊辊缝形状有直接关系，因而控制出口横向厚差实质上就是控制轧辊辊缝形状。

尽管任何一种板形控制方式都只是以上述两种途径之一作为主要作用机理，但由于改变金属的横向流动状态也必然会影响轧制压力的横向分布，从而改变辊缝形状，同样，改变辊缝形状必然会影响金属横向流动，所以说，任何一个板形控制方式都包含着上述两种作用机理。因此，板形控制方式一般都不通过其理论上的两种作用机理进行分类，而只分为工艺方法和设备方法两大类。

275. 板形控制的工艺方法有哪些？

板形控制的工艺方法有多种，应用较早的方法有：

(1) 设定合理的轧辊凸度；

(2) 合理安排不同规格产品的轧制顺序；

(3) 合理地制定轧制规程；

(4) 调节冷却剂的供给量及其沿横向分布，或对轧辊进行局部加热以改变轧辊的热凸度。

上述这些方法目前在板形控制中仍起着一定的作用。

除了以上几种方法以外，通过控制张力来控制板形的方法是近期发展起来的比较重要的板形控制工艺方法。通过张力控制板形目前有三种形式，即总张力控制、后张力分布控制和前张力分布控制。

20世纪70年代初，英国钢铁研究协会提出了一种通过改变总张力值来进行板形控制的方案。对于这种控制方式的机理人们当时并未作深入的研究，近期的一些理论研究表明：总张力增大可使金属向着补偿伸长率之差的方向流动，从而使前张力分布更趋向于均匀。因而，改变总张力就可以达到控制板形的目的。

利用总张力控制板形，其控制能力很有限。为了进一步利用张力控制板形的能力，意大利的M. Borghesi等人提出了一种改变后张力分布来控制板形的方法。如图3-15所示，在轧机入口处，距轧

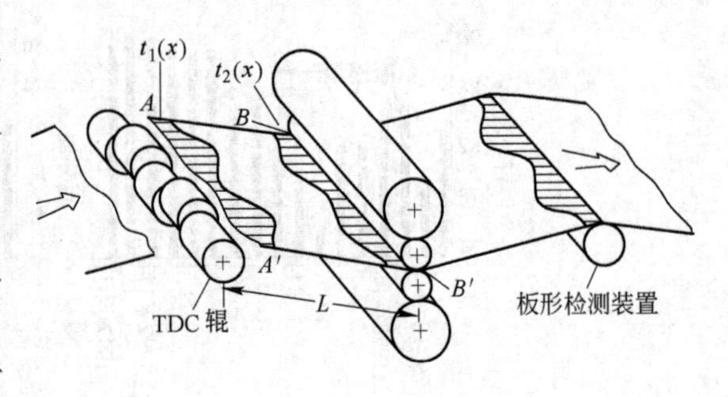

图3-15 后张力分布控制装置

机一定距离的位置上安装一个张力分布控制辊，该辊实际上是由几个短辊组成的，各辊可以单独升降，向带钢施加必要的压力，从而改变带钢的张力分布。这些辊被称为张力分布控制辊（TDC 辊）。在轧机出口处安装有普通的组合辊式板形检测装置，通过该检测装置的检测值控制 TDC 辊的升降，并改变张力的分布，直到检测出张力分布均匀为止。理论计算和实验检测都表明，这种控制方法是有效的。

利用前张力分布控制板形的方法是 M. okado 等人提出来的。他们研制的前张力控制装置的控制原理如图 3-16 所示。该装置主要由两个短辊及短辊的提升装置和倾斜调整装置构成。通过短辊的升降和倾斜角度的调整来改变总张力和前张力的分布达到调整板形的目的。实际的研究表明，无论是 TDC 辊的升降还是其倾角的变化都能明显地改善板形。

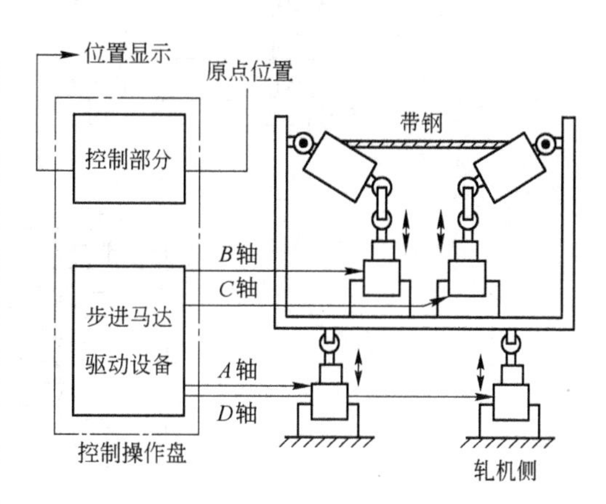

图 3-16　前张力分布调节装置

利用张力及其分布来控制板形的主要作用机理是，通过调节张力及其分布来改变金属的横向流动状态，从而实现板形调节。目前只有利用张力控制板形的方法是属于以影响金属横向流动状态为主的板形控制方法，其他板形控制方法均属于以改变辊缝形状为主的板形控制方法。

276. 板形控制的设备方法有哪些?

尽管板形控制可以通过一些工艺方法实现，但人们更多地是从设备入手，通过改进设备来获得或强化改善板形的手段。近年来，从设备入手的板形控制方法发展迅速，出现了许多很有成效的控制方法。如果从板形控制的专门方式上分，可将目前众多的可用于改进设备或加强设备控制能力的板形控制方式分为以下几种形式：铅垂方向弯曲轧辊技术、水平方向弯曲轧辊技术、阶梯形支撑辊技术、轴向移动圆柱形轧辊技术、轴向移动非圆柱形轧辊技术、轴向移动轴套或带有轴套轧辊的轧辊技术、轧辊整体胀形技术、轧辊端部胀形技术、变形自补偿技术、轧辊交叉技术。

277. 铅垂方向弯曲轧辊技术有哪几种方式?

20 世纪 60 年代初发展起来的液压弯辊技术是改善板形最有用、最基本的方法。其他一些改善板形的技术，如 HC 轧机、CVC 轧机等，往往要配合采用液压弯辊技术。

液压弯辊的基本原理是通过向工作辊或支撑辊辊颈施加液压弯辊力，使轧辊产生人为的附加弯曲来瞬时改变轧辊的有效凸度，从而调整轧件的横向厚度。

液压弯辊有两种基本方式：弯曲工作辊和弯曲支撑辊。

弯曲工作辊有正弯辊法和负弯辊法两种。

正弯辊法如图 3-17a 所示，在上下工作辊轴承座之间设置液压缸，对上下工作辊轴承座施加与轧制力方向相同的弯辊力 F_1（此力规定为正值，故称为正弯辊）。在弯辊力 F_1 作用下，轧制时的轧辊挠度将减小。负弯辊法如图3-17b所示，是在工作辊与支撑辊轴承座之间

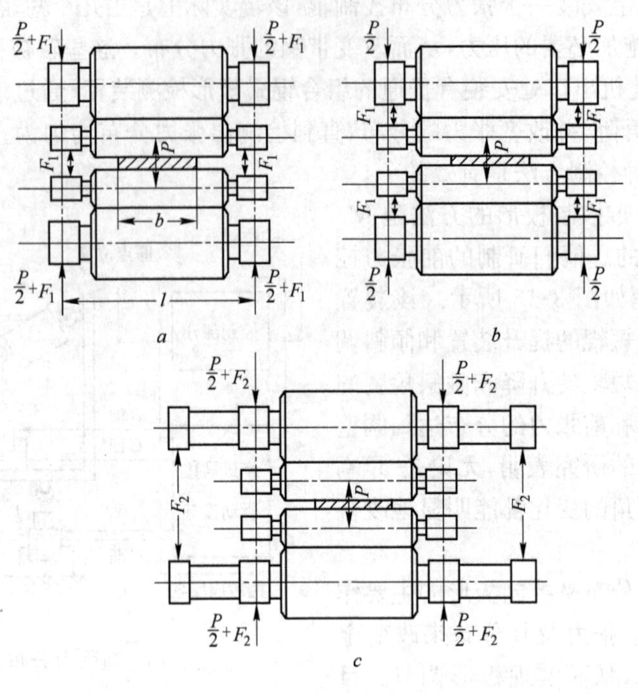

图 3-17 液压弯辊法

a—正弯辊;*b*—负弯辊;*c*—弯曲支撑辊

设置液压缸,对工作辊轴承座施加一个与轧制力方向相反的作用力 F_1(此力规定为负值,故称为负弯辊),它使工作辊挠度增加。

采用正弯辊时,工作辊原始辊型凸度 ΔD_0 应小一些,然后借助 F_1 来减小工作辊挠度,这相当于增加了工作辊原始凸度。来用负弯辊时,ΔD_0 应大些。若同时采用正负弯辊法,则可在更广泛的范围内调整辊型。

在辊身长度 L 与工作辊直径 D_1 的比值 $L/D_1<4\sim5$ 的板材轧机上,一般多采用弯曲工作辊法。正弯辊和负弯辊的实际效果基本相同,但正弯辊的设备简单,可与工作辊平衡缸合为一体,且当轧件咬入或抛出时,液压系统不需切换。正弯辊法的缺点是使支撑辊与工作辊辊身边缘的接触载荷增大,增加支撑辊辊身边缘部分的疲劳剥落。此外,弯辊力 F_1 也加大工作辊辊颈、轴承、压下装置和机架的负荷,特别是对工作辊轴承寿命影响较大。负弯辊法对工作辊轴颈和轴承的负荷增大是与正弯辊法相同的,但不增加压下装置和机架的负荷,而减小支撑辊与工作辊辊身边缘的接触载荷。

普通单轴承座工作辊弯曲装置存在着工作轴承座应力和变形不均的现象,为此日本石川岛播磨重工业公司开发了DCB轧机,即装有双轴承座工作辊弯曲装置的轧机。它的特点是将工作辊轴承座一分为二,两个轴承座分别由各自的液压缸施加弯辊力。其优点是:独立调整弯辊力,可以实现优化设计,充分利用轴承座、轴承及辊颈的强度,使整个装置可承受更大的弯辊负荷,从而提高设备的板形控制能力,延长零部件的使用寿命;由于外侧液压缸优先用于弯辊,加长了弯辊力臂,增大了弯曲力矩;容易实现现有轧机的改造。此轧机在日本分别用于热连轧、冷连轧带钢轧机及可逆式冷轧机。但由于轧辊轴承座结构复杂,目前DCB轧机还处在有选择的推广中。

弯曲支撑辊如图 3-17*c* 所示。采用弯曲支撑辊来调整轧辊辊型时，需要将支撑辊两端加长，在伸长的辊端上设置液压缸。目前常用的是支撑辊正弯辊法，即弯辊力 F_2 作用方向与轧制力方向相同，以减小支撑辊挠度。这种弯辊方法会增加支撑辊辊颈、轴承、压下装置和机架的负荷。在某些轧机上采用结构较为复杂的弯曲支撑辊装置时，也可以使压下装置和机架不承受弯辊力。

弯曲支撑辊装置一般用于宽度较大的中厚板轧机，即辊身长度 L 与工作辊直径 D_1 之比 $L/D_1>4\sim5$，或支撑辊辊身长度与直径之比大于 2 时。

278. 水平方向弯曲轧辊技术有哪几种方式？

水平方向弯曲轧辊也是一种比较有效的板形控制方式。这种弯曲方式主要是弯曲工作辊或中间辊。由于轧辊是水平弯曲，因而不能直接改变辊缝形状，而是通过水平弯曲改变工作辊各部位的偏心距。由于支撑辊（或中间支撑辊）是圆柱形的，因而偏心距的变化必然导致辊缝形状的变化。如图 3-18 所示，水平弯曲轧辊主要有以下几种方式：单辊弯曲、多辊弯曲和带有中间小辊的分段辊弯曲。这三种方式中，最后一种方式应用得较多，如五辊 FFC 轧机等，另外，NMC 轧机、非对称八辊轧机、NDW 轧机等的部分辊型调整方式的原理也与此相近。在某些轧机上，轧辊弯曲也采用上述方式，弯曲方向不一定是水平方向而可能是其他方向，如二十辊轧机、施罗曼二辊轧机等。

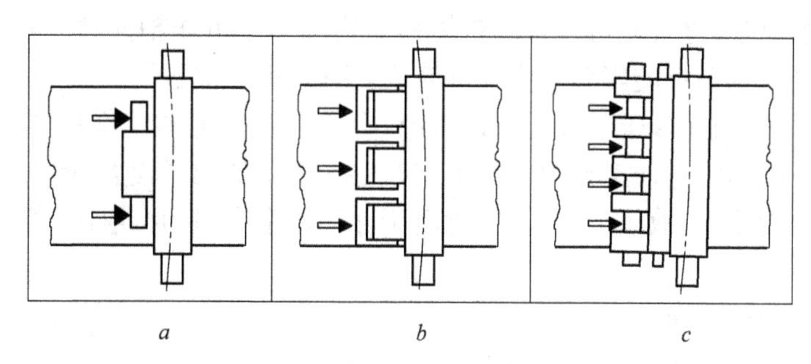

图 3-18　轧辊水平弯曲方式

a—单辊弯曲；*b*—多辊弯曲；*c*—带有中间小辊的分段辊弯曲

279. 阶梯形支撑辊技术有几种形式？

阶梯形支撑辊技术是对传统的四辊轧机进行分析后，为消除四辊轧机的辊间有害接触区而提出的。它可分为支撑辊挠度可调和不可调两类，主要有图 3-19 所示的 4 种形式；另外还有大凸度支撑辊，即 NBCM 轧辊也可以看作是一种支撑辊连续可变的阶梯形支撑辊。由于轧辊轴向移动技术的迅速发展，阶梯形支撑辊技术应用很少，基本上被轧辊轴向移动技术所代替。

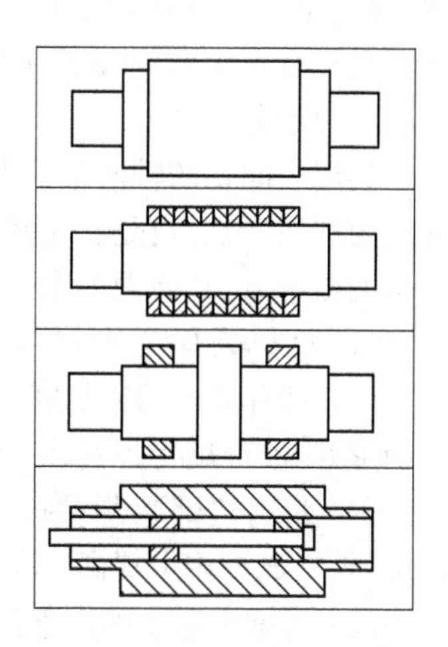

图 3-19　阶梯形支撑辊

280. 轴向移动圆柱形轧辊技术有哪几种形式？

轧辊轴向移动技术是继液压弯辊技术之后板形控制技术

史上的又一大突破。这种技术的板形控制原理与阶梯形支撑辊技术相似,但其控制效果更明显,且支撑宽度可以很方便地连续改变,因而得到了广泛的应用。图 3-20 给出了轧辊轴向移动技术的 4 种主要形式:四辊轧机的支撑辊做反向轴向移动(*a*);六辊轧机的中间辊做反向轴向移动(*b*);四辊轧机的工作辊做反向轴向移动(*c*);四辊轧机的工作辊做同向轴向移动(*d*)。其中以(*b*)、(*c*)两种形式应用较多,实例有 HC 轧机、UC 轧机以及 WRS 轧机等。另外,森吉米尔轧机也有类似的轴向移动方式。除了改善板形之外,轧辊轴向移动技术还具有改善边部减薄,使轧辊磨损均匀化等许多优点,所以这种技术是很有发展前途的。

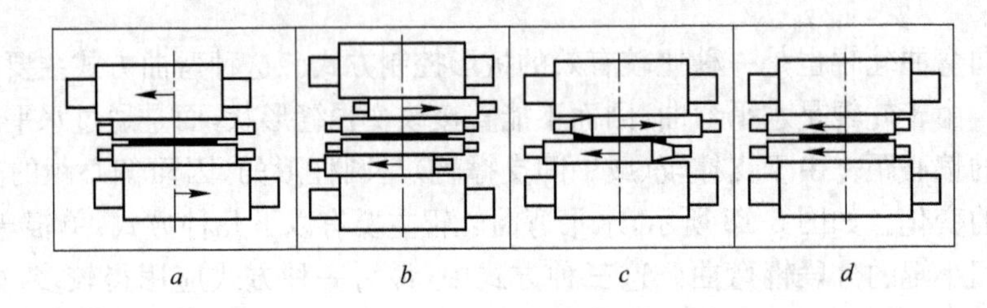

图 3-20 轴向移辊技术

为克服四辊轧机横向控制能力差和板形调整困难等缺点,日本日立公司于 1972 年开发了一种新型带钢轧机。这种轧机是在四辊辊系上增加两个可作轴向移动的中间辊,能很好地控制板形,被称之为高性能辊型凸度控制轧机,简称 HC 轧机。

通过分析四辊轧机工作辊的挠度可以看出,大于带材宽度的工作辊与支撑辊的接触区是一个有害的接触区,它迫使工作辊承受了支撑辊一个附加的弯辊力,增大了工作辊的弯曲力矩,使工作辊挠度变大,故板形变坏,同时由于存在这个有害的接触区,液压反向弯曲轧辊不能有效地发挥作用。

HC 轧机相当于在四辊轧机工作辊和支撑辊之间安装了一对中间辊,使之成为六辊轧机。中间辊可以随着带材宽度的变化而调整到最佳位置,使工作辊与支撑辊脱离有害接触区,同时工作辊又配有液压弯辊装置,所以 HC 轧机的板形控制能力十分理想。

利用中间辊的轴向移动进行板形控制是 HC 轧机的本质所在,也是在工作原理上区别于四辊轧机的根本点,其原理如图 3-21 所示。

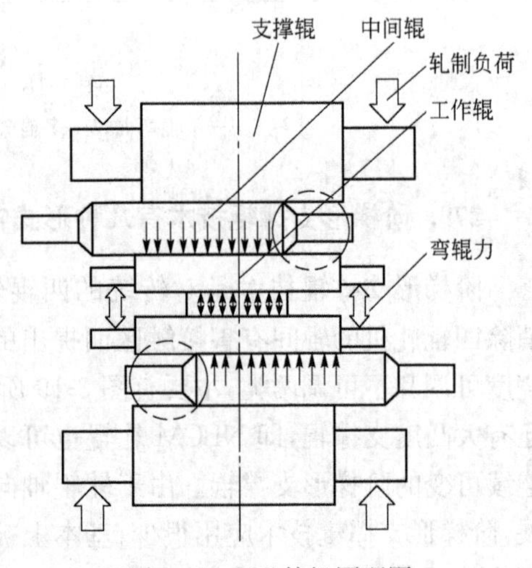

图 3-21 HC 轧机原理图

HC 轧机具有以下特性:

(1) 具有良好的板凸度和板形控制能力。产品板形好,波浪度可控制在 1%以下。

(2) 带材边部减薄量减少,减少了裂边和切边量,轧制成材率可提高 1%~2%。

(3) 可增大道次的压下量和减少轧制道次,可比同类四辊轧机提高产量 20%左右。对于冷轧而言,由于减少中间退火次数等原因,可节省能耗 15%左右。

由于轴向移动辊子的方案不同，HC 轧机又分为：具有中间调动系统的 HCM 六辊轧机，用于热轧、冷轧和平整；具有工作辊移动系统的 HCW 四辊轧机，用于热轧厚板材等；工作辊和中间辊都能移动的 HCMW 轧机，用于热轧带钢。近年来，为了轧制宽薄而硬度又高的产品，还出现了在 HC 六辊轧机基础上增设中间辊弯辊装置的轧机，称为 VCM 六辊轧机。HC 轧机的分类如图 3-22 所示。

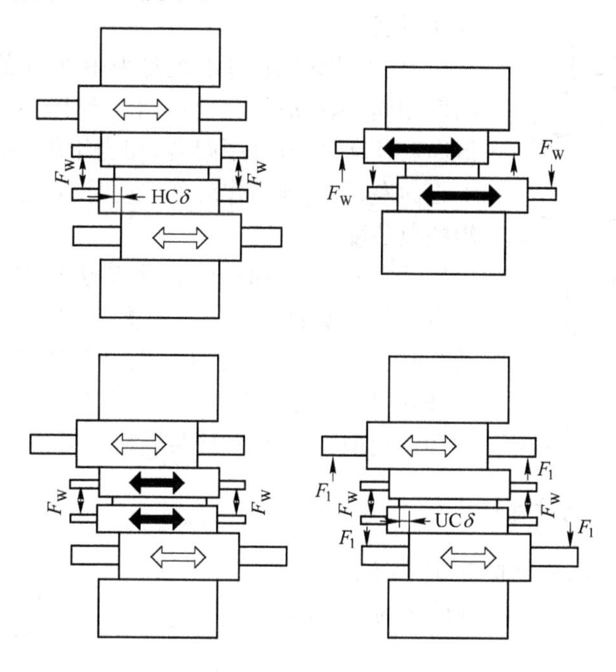

图 3-22　HC 轧机的分类

281. 非圆柱形轧辊轴向移动技术有哪几种形式？

轴向移动带有某种特定辊型的轧辊与轴向移动圆柱形轧辊相比具有更大的板凸度控制能力。这种技术主要有如图 3-23 所示的 4 种形式。其中轴向移动带有 S 形辊型的中间辊或工作辊是比较常用的，这方面的实例有受到普遍重视的 CVC 轧机。另外，设定更合理的轴向移动辊的辊型是这种技术的一个有效的发展方向，UPC 技术就是这方面的一个进展。

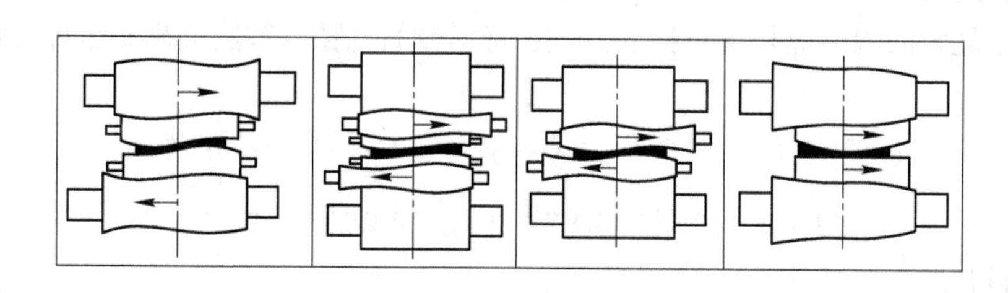

图 3-23　轴向移动非圆柱形轧辊

WRS 型四辊轧机上下工作辊左右相对轴向移动，可以分散轧辊的磨损和热凸度，但是对板带的凸度控制能力较低。而德国西马克公司将轧机的上下工作辊均磨成“S”形，上、下

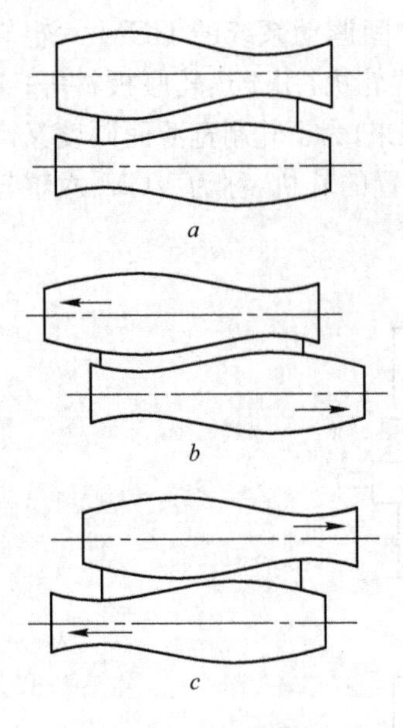

图 3-24 CVC各种辊缝轮廓形状
a—零凸度；b—正凸度；c—负凸度

辊形状完全相同，将其中一根辊子旋转180°布置，辊缝可以形成对称的厚度断面形状，图3-24为CVC轧机的各种辊缝轮廓形状简图。当上下轧辊沿轴向相对移动时，辊缝的凸度也是正反变化，辊缝轮廓也相应发生变化。因轧辊移动量是可以无级设定的，辊缝的凸度也是连续可变的，CVC轧机由此而得名。

上、下两轧辊在基准位置为中性凸度，辊缝两侧对应的高度相同，和一般的轧辊相同。当上辊向右移动，下辊对称地向左移动时，辊缝中间薄，相当于轧辊的正凸度；反之，当上辊向左、下辊向右作对称移动时，则辊缝中间厚，相当于轧辊的负凸度。

通常CVC轧机的设计是基于轧辊移动距离等于轧辊辊身支撑长度的±5%～7%，每一根辊子的凸度设定范围大致为0.5mm。CVC轧机可以是二辊式、四辊式或六辊式。这种轧机凸度调节范围大，可以预设定，也可以在轧制过程中调整辊型，在热带和冷带轧机中得到广泛的采用。

282. CVC辊型如何设计?

空载时上下工作辊之间的辊缝等于工作辊中心线距离 A 减去上下工作辊直径和的一半（图3-25），即

$$S(y) = A - \frac{D_s(y) + D_x(y)}{2}$$

式中 $D_s(y)$—— 上工作辊的直径函数；

$D_x(y)$—— 下工作辊的直径函数。

由辊缝的对称条件 $S(y) = S(-y)$ 可得：

$D_s(y) + D_x(y) = D_s(-y) + D_x(-y)$

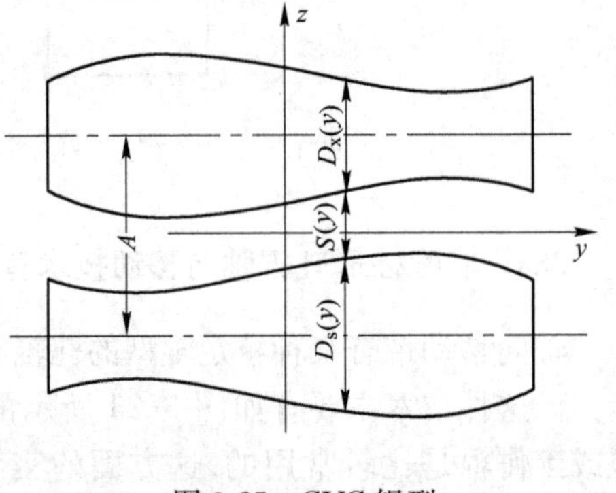

图 3-25 CVC辊型

根据上式可知，若上辊是对称辊型，下辊也应是对称辊型。若 $D_s(y) = D_x(-y)$，则必须 $D_x(-y) = D_x(y)$，即要保证辊缝 $S(y)$ 对称性，上下两个轧辊的辊型应是反对称的。自然，奇函数的直径函数能够满足这种反对称条件，如

$$D_s(y) = D + a_1(y - \delta) + a_3(y - \delta)^3 + \cdots$$
$$D_x(y) = D - a_1(y + \delta) - a_3(y - \delta)^3 + \cdots$$

整理可得

$$S(y) = A - D + a_1\delta + a_3\delta + a_3\delta(3y^2 + \delta^2) + a_5\delta(5y^4 + 10y^2\delta^2 + \delta^4) + \cdots$$

上式说明，$\delta = 0$ 时，$S(y) = A - D$，辊缝是均匀的，$\delta \neq 0$ 时，辊缝是对称的偶函数，δ 为

正值时为凹形，δ 取负值时为凸形。最简单的空载辊缝函数是二次函数，这相当于轧辊是三次的直径函数。上式对坐标求导可得决定最大直径和最小直径的坐标值 e 及直径差 ΔD 的方程如下（图3-26）：

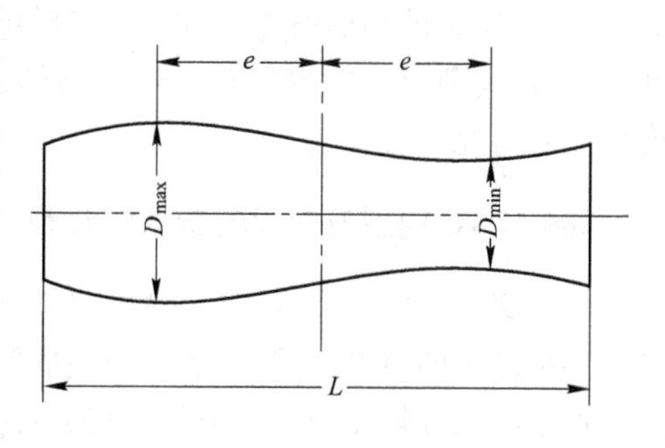

图 3-26　CVC 辊型的最大和最小直径

$$(y-\delta)^2 = e^2 = -\frac{a_1}{3a_3}$$

$$\Delta D = D_s(-e) - D_s(e) = 4a_3e^3$$

上面两式联立可得用 ΔD 和 e 表示的辊型曲线系数为：

$$a_1 = -\frac{3\Delta D}{4e}$$

$$a_3 = \frac{\Delta D}{4e^3}$$

所以

$$D(y) = D - \frac{3\Delta D}{4e}(y-\delta) + \frac{\Delta D}{4e^3}(y-\delta)^3$$

CVC 轧机是通过轴向移动轧辊改变 δ 值来改变辊缝 $S(y)$ 以控制板形的，故 δ 可看做是由决定辊型的初值 δ_0 和移动量 δ 组成的，于是可得：

$$\Delta S_B = S(0) - S\left(\frac{B}{2}\right) = -\frac{3\Delta D}{4e^3}(\delta+\delta_0)\left(\frac{B}{2}\right)^2$$

式中　B——辊缝有效工作段长度（$B<L$）。

工作辊轴向移动量在正负最大值之 δ_m 中间变化，即 $-\delta_m \leqslant \delta \leqslant \delta_m$，故对应的最大和最小辊缝凸度为：

$$\Delta S_{Bmax} = \frac{3\Delta D}{4e^3}(\delta_m - \delta_0)\left(\frac{B}{2}\right)^2$$

$$\Delta S_{Bmin} = -\frac{3\Delta D}{4e^3}(\delta_m + \delta_0)\left(\frac{B}{2}\right)^2$$

由上面两式可得确定 ΔD 和 δ_0 的计算公式为：

$$\Delta D = \frac{8e^3}{3B^2} \times \frac{\Delta S_{Bmax} - \Delta S_{Bmin}}{S_m}$$

$$\delta_0 = -\delta_m \frac{\Delta S_{Bmax} + \Delta S_{Bmin}}{\Delta S_{Bmax} - \Delta S_{Bmin}}$$

辊缝凸度值的调节范围是根据工艺要求确定的，因此，要减小 ΔD，必须相应地减小 e 值并适当地选择 B 值。B 值以外的辊身，一般不与轧件接触，可采用较为平直的曲线。

283. UPC 辊型的特点是什么？

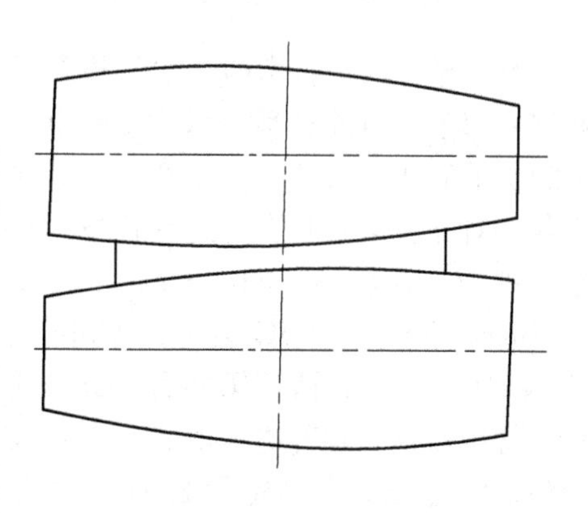

图 3-27　UPC 辊型

UPC 轧机的辊型虽然在外形上与 CVC 辊型不同（图 3-27），但辊型成形的原理是相同的，区别只是UPC辊型的初始值δ_0比较大，在辊身长度范围内没有CVC辊型的最小直径$D(e)$，因此，外形像雪茄形。由282题可知，δ_0越大，辊缝负凸度越大，故这种辊型适用于支撑辊挠度较大的情况。

284. CVC辊型与弯辊的最佳配合是什么？

CVC辊型和弯辊是CVC轧机控制板形的两种独立控制方法。一般地说，一种方法只能控制一种简单的板形缺陷(对称边浪或中间浪)，两种方法才能既控制第一种简单的板形缺陷又控制第二种较复杂的板形缺陷(四分之一浪或边中复合浪)。但如果两种方法使用不当，第二种板形则不能得到有效控制。因此，存在CVC辊型的调整与弯辊力调节两种方法最佳配合问题。理论上最佳配合的目标函数是出口带材的横向张力分布均匀，使总张力消失后带材平直度达到板形精度要求。

应该指出的是，上面介绍的CVC辊型设计方法只是关于空载辊缝的设计方法，而决定板形精度的并不是空载辊缝而是负载辊缝。因此，正确的辊型设计应针对负载辊缝和目标板形设计。以板形为目标函数进行CVC辊型曲线设计是CVC轧制技术进一步发展的重要课题。

285. 轴向移动轴套或带有轴套轧辊的轧辊技术有哪几种形式？

轴向移动轴套轧辊技术主要有图3-28所示的4种形式。应用这种技术的实例较少，主要应用第二种形式的SSM(Sleeve Shift Mill)轧机等。

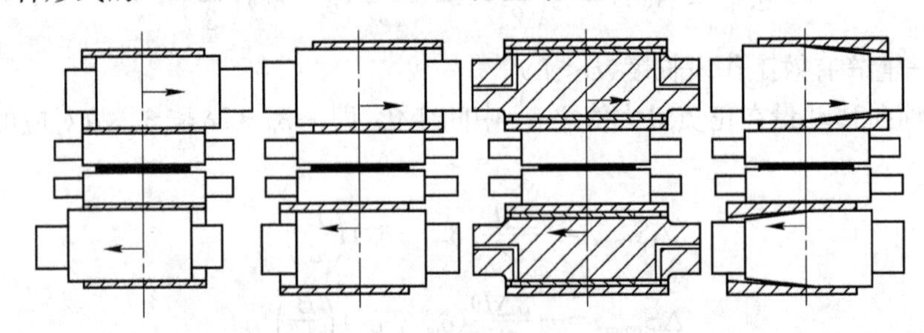

图3-28 轴向移动轴套或带轴套轧辊

286. 轧辊整体胀形技术有哪几种？

轧辊整体胀形技术的基本思想就是采用液压或机械的方式改变轧辊辊型以达到控制板形的目的。目前这种技术主要有如图3-29所示的4种方式。其中受到重视的有第一种形式，应用的实例有住友有限公司的VC轧机(Variable Crown Roll)和Blaw - Knox的IC轧机(Unfiable Crown Roll)。另外，用第四种形式胀形的支撑辊就是受到普遍重视的NPCO支撑辊。它是由一个固定的心轴、一个转动的轴套和一排装在心轴上的支撑活塞

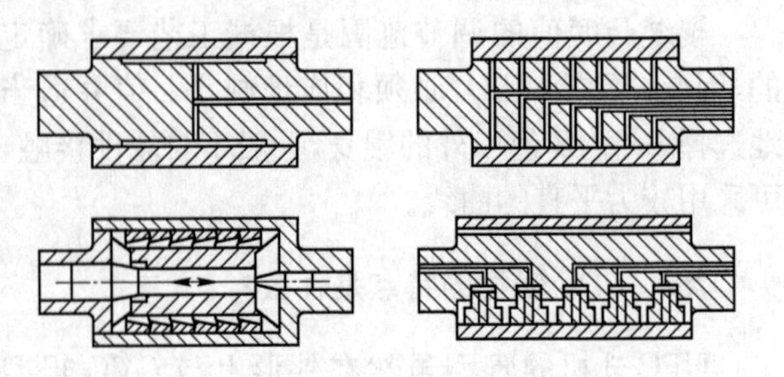

图3-29 轧辊整体胀形

组成的。其基本原理类似于沿支撑辊轴向排列着多个静压轴承。由于这种轧辊能够局部地改变辊形，因而，可以很灵活地控制板形，是一种较有发展前途的板形控制方式。

VC 轧机是 1979 年日本住友公司开发的技术，开始用于二辊平整机，后来用于四辊轧机的支撑辊。这种支撑辊由很硬的辊套和辊轴组成，辊套和辊轴之间有一定的缝隙，注入高压油，通过改变油的压力来改变轧辊凸度，达到控制板形的目的。当油压最大为 50MPa 时，轧辊半径方向的凸度可达 270μm，从而控制板带的边浪和中间浪。如再配上工作辊弯辊装置，则可扩大板带凸度的控制范围，一般为 −50～+50μm。VC 轧机的优点是轧机不需改装，并在轧制过程中可实现轧辊凸度的快速改变。但这类轧机也有其缺点，也是它的致命点，即油压达 50MPa 时，旋转接头与油腔密封困难，结构复杂，并且，在板形控制上尚不能有效地控制复合浪，它至今只在日本住友公司内部使用。

287. 轧辊端部胀形技术有哪几种？

轧辊端部胀形技术的基本思想与整体胀形相似，只是其胀形部位仅限于边部。这种技术主要有图 3-30 所示的 4 种形式，其应用实例很少。

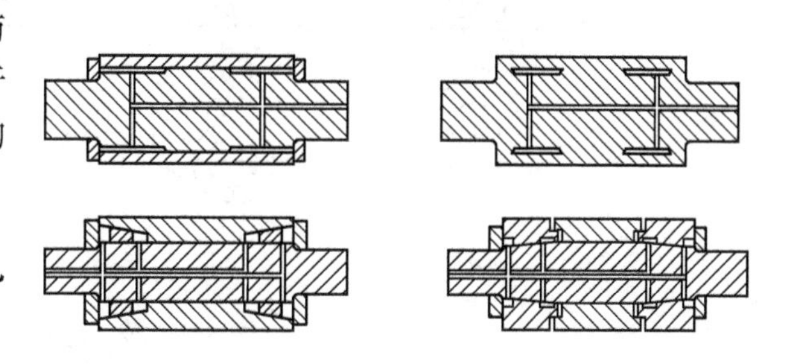

图 3-30　轧辊端部胀形

288. 轧辊变形自补偿技术有哪几种？

变形自补偿技术的基本原理是设法降低辊身端部的压扁刚度，以增加端部的压扁变形，从而补偿轧辊挠度。这种技术主要有图 3-31 所示的 4 种形式，其中第四种形式应用效果较好。

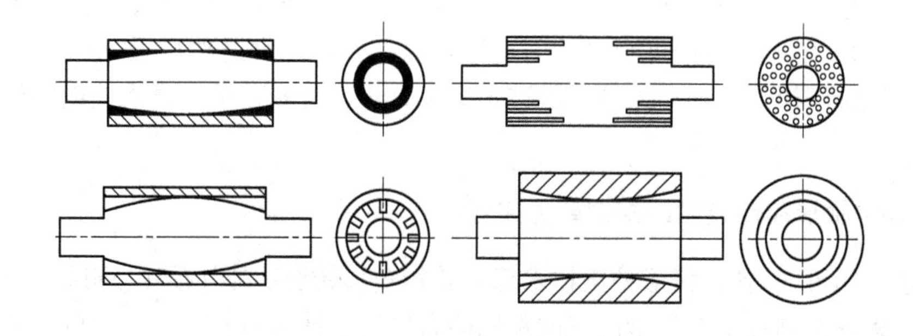

图 3-31　轧辊变形自补偿

289. 轧辊交叉技术有哪几种？

任何轧机的轧辊轴线之间都不可能是绝对平行的，工作辊轴线与带材运动方向也不可能绝对垂直，它们之间都会有交叉角存在。最早开始利用轧辊交叉现象来改变辊缝形状的是美国的 BETHLEHEM 公司，他们是利用支撑辊或工作辊的单独交叉来改变辊缝形状的。1981 年日本的河野辉雄等人对工作辊交叉的轧机进行了一些研究。之后日本的新日铁公司和三菱重工业公司又开发了工作辊与支撑辊同时交叉的PC轧机，并对这种轧机的各种特性进行了大量的理论和实验研究。除此之外，1982年安田建一在他的博士论文中还提出了六辊轧机的轧辊交叉方案。图3-32给出了以上4种交叉辊轧机的交叉形式。与现有的其他板形控制方式相比，轧辊交叉有一个突出的优点，就是其板形控制能力强，特别是在轧制宽带时，其凸度可控范围远远大于其他任何一种板形控制方式。

实际上在图3-32所示的4种交叉方式中，双交叉方式的凸度控制能力仅占第二位，凸度控制能力最大的是工作辊交叉方式，它的凸度控制能力是双交叉及支撑辊交叉二者之和。因此，工作辊交叉方式的凸度可控范围大这一优点比双交叉方式更明显。

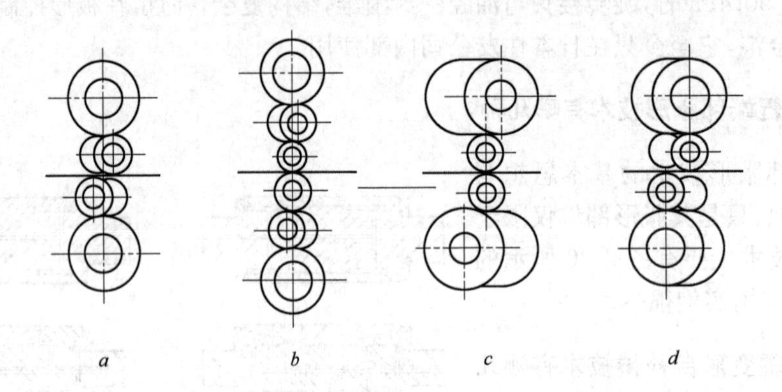

图3-32 轧辊交叉形式

a—工作辊交叉；*b*—中间辊交叉；*c*—支撑辊交叉；*d*—双交叉

在现有的4种轧辊交叉方案中，支撑辊交叉和中间辊交叉两种方案，由于其凸度可控范围比双交叉和工作辊交叉的凸度可控范围小，且有轧辊磨损和轧辊轴向力相对较大等缺点，所以，这两种交叉方式较难发展。尽管工作辊交叉方式也存在磨损和轴向力较大的缺点，但由于它具有板形控制能力最强、凸度可控范围最大这样一个突出的优点，同时，还可以通过减小最大交叉角（牺牲部分凸度控制能力）、给轧辊以合理的硬度值以及采用合理润滑等方式减小它的轧辊磨损量和轴向力，所以，这种交叉方式仍是一种很有发展前途的板形控制方式。

290. 各种板形控制技术的控制能力如何？

由上述介绍可知，各种板形控制技术都有其特色，最终还应当看其板形控制能力如何。国外对各种板形控制技术对带钢凸度的控制能力进行了计算，得出了一些结论，从中可以了解到不同控制方式的控制范围。图3-33是典型的带有板形控制手段的轧机。表3-4为进行计算的各种轧机设定的基本条件。

图3-34是研究的结果，反映出每种轧机带钢凸度的控制范围。图中圆圈中的数字代表带钢的宽度，其中：①指带钢宽度为914mm；②指带钢宽度为1219mm；③指带钢宽度为1524mm。由图可知：

(1) 用弯辊技术装备的四辊轧机的凸度控制功能较差，特别是轧制宽带钢时；

(2) VC轧机轧辊的效果与增加轧辊弯曲的效果是一致的，轧制宽带钢效果差，因此，VC轧机轧辊不适于弥补轧辊弯曲的薄弱位置；

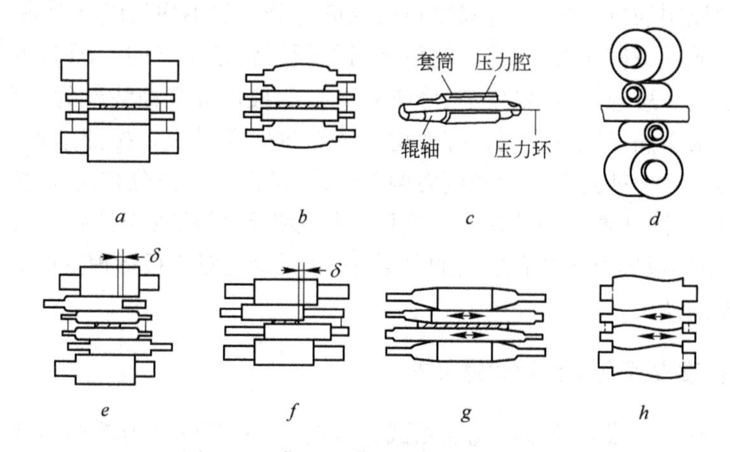

图 3-33　典型的带有板形控制的轧机

a—双轴承座弯曲轧机 DCB；*b*—新型支撑辊凸度轧机 NBCM；*c*—可调轧辊凸度 VC；
d—成对交叉轧机 PC；*e*—高凸度控制轧机 HC；*f*—工作辊移动轧机 WRS；
g—锥形工作辊移动轧机 T-WRS；*h*—连续变化凸度轧机 CVC

表 3-4　各种轧机设定的基本条件

轧　机	四　辊	DCB	HC	WRS	VC	PC
工作辊直径/mm	700	700	600	600	600	600
控 制 范 围	工作辊弯辊	大 弯 辊	中间辊移动	工作辊移动	支撑辊凸度	交 叉 辊
极 限 范 围	±95mm	±143mm −950kN	$\delta \geq 0$mm	$\delta \geq 45$mm	50μm	$\theta \leq 1.0°$

注：1. 轧辊弯曲的有效值是对每一个轧辊辊径而言，正负号表示弯曲的增加或减少；2. δ 为中间辊辊身末端或工作辊相对带钢末端宽度相对位置的差值；3. θ 为交叉角（上下辊交叉角的一半）。

(3) 工作辊横移轧机不能获得零凸度，这是因为工作辊横移范围有限（在平辊条件下），但是用于宽带钢上作用很明显；

(4) HC 轧机的带钢凸度值范围十分明显，并且在整个带钢宽度上，其数值都是符合要求的；

(5) 对各种类型轧机比较后，PC 轧机具有最大的凸度控制范围，然而在窄带钢条件下，最大交叉角必须大于 1°。

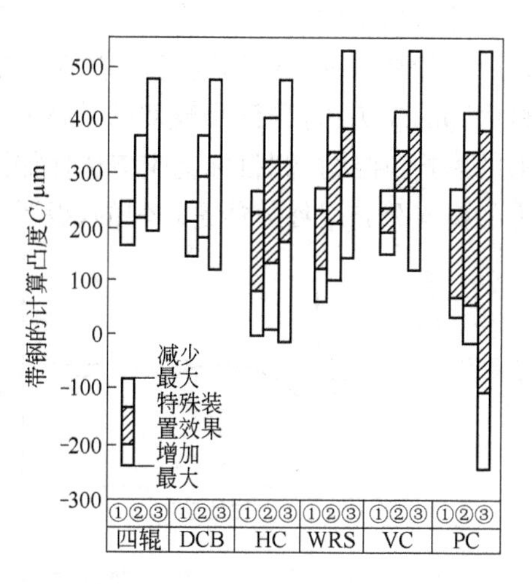

图 3-34　计算的带钢凸度控制范围

291. 什么是板形标准曲线？

板形标准曲线也称板形目标曲线或板形参考曲线，以它作为板形控制的目标，使轧制过程得到所要求板形精度的带材。所谓板形标准曲线，实质就是轧后带材内部残余应力沿宽度方向的分布曲线，它代表轧后带材的板形状况。因此，人们通过设定这条板形标准曲线，就可以得到具有所期望板形特征的带材。

在以往板形控制的概念中，认为只要将残余应力分布的不均匀成分消除掉，使其在线实测的张应力分布成一条横向直线，那么轧后带材的板形就是良好的。ABB的板形控制系统又进一步发展了这一思想，用可供设定、修改和选择的板形标准曲线作为板形控制的目标，而不仅仅将其局限于满足轧后实测张应力均匀分布这一条件上。按照这种控制思想，板形在线控制的过程实际上就是将实测张应力偏差曲线（即残余应力分布曲线）控制到板形标准曲线上来，尽可能消除两者之间的差距。这种将板形控制目标改为具有一般形式的板形标准曲线的方法，使得板形控制具有更大的灵活性，这无论是对于板形理论研究还是对于生产实践都具有重要的意义。

292. 板形标准曲线有何作用和意义？

根据板形理论研究成果及板形现场测试分析的结果，可以认为板形标准曲线在板形控制中的作用和意义主要有以下几个方面：

（1）补偿板形的测量误差。板形检测辊在进行带材张应力横向分布检测时，机械系统的误差，如卷取机与测长辊轴线不平行、测量辊挠曲变形等，会引起板形测量方面的误差。这种测量因素的误差可以在测差系统中进行补偿，但比较困难且不易调整，而在板形控制目标中进行补偿相对地要容易得多。这就是说将附加因素对板形测量产生的影响考虑到对板形控制目标的修正中去。板形标准曲线正好适应了这一要求，通过设定值的修正就可补偿测量误差的影响，消除其对板形测量的不良影响。

（2）补偿在线板形离线后发生变化。生产实践表明，在线板形与离线实际板形之间总有一定的差别，本来轧制时以为好的板形，卸卷、冷却、开卷后又变坏了。引起这种变化的因素主要是：轧后带材温度横向分布不均、带卷外廓的形状等。为了消除这些因素对带材板形的不良影响，必须在带材轧制时将带材板形有意控制的不好（即采用对应一定板形缺陷的板形标准曲线），这样的带材最终实际的板形才可能是良好的（如果这种补偿是正确的话）。

轧后的带材，其温度的横向分布大多是不均匀的，越是宽的带材，这种不均匀性也越明显。一般是带材中部温度高，两边温度低，也有相反情况。冷却至室温后，温差将转化成带材内部的应力差，导致出现双边浪的板形缺陷，如图3-35所示。为了消除此温度分布对板形的影响，在线控制目标就应该选择如图3-36所示的板形标准曲线，这样，带材内部残余应力的横向分布最终才能是均匀的，板形才是良好的。

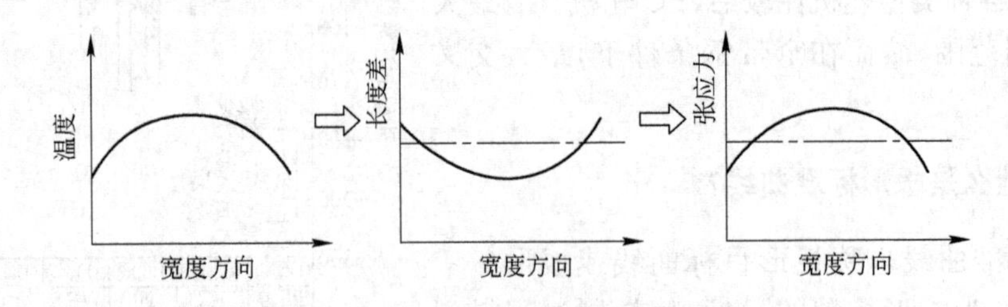

图3-35 温度分布对带材板形的影响

带卷的外廓往往存在一定的凸度，在卷取过程中随着外径的增大，它对轧后的带材张力分布也产生影响，也需要在标准曲线中予以补偿。

带材的温度和带卷的外径及凸度在轧制过程中是随时间变化的，因此，这种补偿应是动态的。也就是说，板形标准曲线应是一条动态曲线。

(3) 实现板凸度控制。板带材的板凸度也是衡量最终产品质量的一个重要指标。当来料和其他条件一定时，一定形式的板形标准曲线也就对应着一定形式的板凸度。由轧后带材前张力分布方程式可知，板形标准曲线实际上对应着方程中的张应力分布 $\delta_1(y)$，当来料板形 $L(y)$ 和来料断面形状 $H(y)$ 一定时，表示张力不同分布的板形标准曲线也就对应着不同的轧后带材断面形状 $h(y)$。因此，根据来料凸度的大小，采用相应的板形标准曲线进行轧制，不仅实现了带材平直度的控制，而且同时也实现了板凸度的控制。一般而言，在轧制的前一两道次进行板凸度控制比较有效，因为这时带材比较厚，不易出现轧后屈服变形，而且此时带材在辊缝中横向流动也相对明显些。因此，充分利用这一工艺特点，选用合适的板形标准曲线，既可达到控制板凸度的目的，又不至于产生明显的板形缺陷。

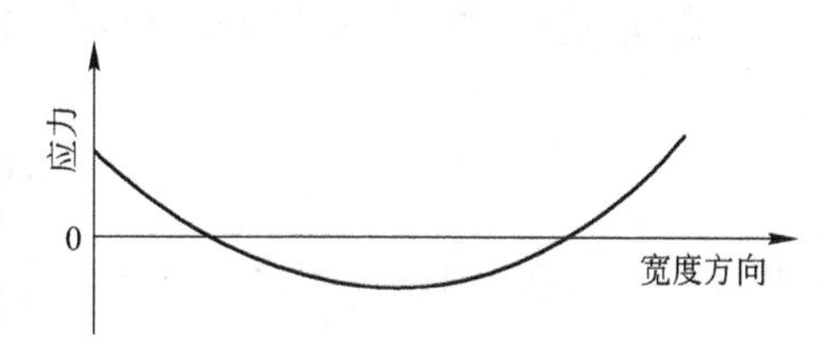

图 3-36　考虑温度差影响的板形控制目标曲线

(4) 满足轧制及后部工序对板形的要求。轧制过程本身对带材板形的要求是防止带材在线产生较大的翘曲变形。轧前波浪过大可能造成带材折叠进入辊缝，发生事故。轧后波浪过大又可能使带材与控制辊之间不能有效接触，无法给出正确的实测张力值。此外，在轧制薄带材时，为避免大多源于带材边部的断带现象，常要求轧后带材具有倾向于微双边浪形。例如，罩式退火炉希望来料带卷具有对应微双边浪的板形状态，主要是防止带卷黏结；连续退火线希望得到对应微中浪的板形应力状态。在轧制生产中，利用不同的板形标准曲线就可以满足对带材板形的不同要求。

293. 板形标准曲线的设定方法是什么?

板形控制系统在计算机中可存储若干条板形标准曲线，这些曲线分别有各自的编号，操作人员在主操作台上通过拨码开关可随时选择所要求的板形标准曲线，被选择的标准曲线和在线实测张力分布曲线一起显示在彩色屏幕上，便于进行监视。

原则上人们可以设定具有任意形式的板形标准曲线，但实际上为取得更好的控制效果以及控制更容易，板形标准曲线的形式一般要与轧机所具有的板形控制手段对应起来。ABB 板形控制系统采用了两种方式来设定板形标准曲线，它们都是在计算机终端通过板形对话系统来实现的，既可以设定也可以修改。

(1) 逐步设定法。操作人员可以按照一定的带材宽度 b，对测量辊上被带材覆盖的所有测量区段，依次给定张力数值 $\sigma_i(i=1,2,\cdots,n)$。由于残余应力是自相平衡的，各段应力的代数和为零，即

$$\sum_{i=1}^{n}\sigma_i = 0$$

这样设定的曲线可以具有任意的形式，但必须与带材宽度相对应，满足自相平衡条件，设定时需要逐段输入，比较麻烦。

(2) 参数设定法。根据板形标准曲线的作用，标准曲线可以表示为一次、二次、四次甚至更高次或叠加组合的函数形式。

斜直线一次式如图3-37所示，可用下式表示：

$$\sigma_1(\xi)=K\xi$$

式中，$\xi=\dfrac{2y}{b}$，在$-1\sim+1$之间变化。

抛物线的二次式如图3-38所示，可表示为：

$$\sigma_1=(R-M)\xi^2+M$$

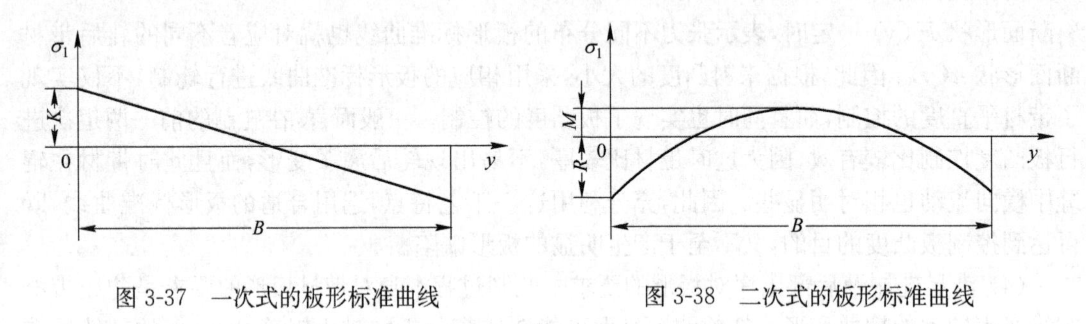

图3-37　一次式的板形标准曲线　　图3-38　二次式的板形标准曲线

由应力自相平衡的条件可得$R=-2M$。若$M>0$，则为对称双边浪状态；若$M<0$，则为中浪状态。

同理，对于四次式，相当于式中ξ为四次方，而R和M应满足$R=-4M$的条件。而对于八次式，ξ为八次方，$R=-8M$。其余类推。

按函数形式设定时，只需输入K、R、M等参数的数值，就可以确定板形控制目标，故称之为参数设定法。参数设定法具有设定简便、输入参数少的优点，是目前主要采用的方法。

294. 选择板形标准曲线的原则是什么？

选择板形标准曲线的原则如下：

（1）在开始道次时采用何种标准曲线进行轧制对成品板凸度有一定的影响，而对最终成品的板形好坏影响不大。开始道次主要是为了充分利用带材在变形区中横向流动较明显及带材较厚不易产生波浪这一特性尽快减小板凸度，使之尽快达到成品所要求的精度范围。

（2）在中间道次轧制时，一般地说，只要保证带材比例凸度相等就可以了。也可以在中间道次采取逐渐降低板凸度的方案，即逐道次降低板形标准曲线的张应力偏差值。同时在中间道次应注意不要造成过大的板形缺陷，特别是在成品道次之前，要保证有尽可能好的板形状况。因此，在中间道次轧制时，应综合板凸度和板形甲方面的要求，对板形标准曲线进行选择。

（3）板形测量方面的误差原则上应在所有道次中予以补偿。对于检测辊刚度良好的板形仪，如ASEA压磁式检测辊，只需要补偿卷取机卷筒与检测辊轴线不平行引起的误差，即采用倾斜直线的一次补偿函数。

（4）成品道次是板形控制的关键道次。成品道次中在线实测的张应力横向分布与最终实际板形有更直接的关系，因此，板形标准曲线的选择应主要考虑补偿在线板形离线后发生的变化，使最终板形变得良好。同时也要考虑轧制及后步工序对板形的要求。因此，成品道次需要采用一次、二次以及高次等多项函数的组合，并且要跟踪温度和卷径的变化，不断改变标准曲线设定值，以获得沿带材全长最终良好的板形。

295. 瑞典ABB公司生产的分段辊式自动板形控制系统组成有哪些？

瑞典ABB公司生产的分段辊式自动板形控制系统，已在世界范围内安装了130套，我国也有几家引进了该项技术。由于不断地改进，其测量辊的精度已达到0.1μm，相当于1个国际I单位的水平。现就其硬件组成及软件特征简要介绍如下。

(1) 系统的硬件组成。AFC(Automatic Flatness Control)系统是一个用张力测量辊来分段测量板形的自动板形控制系统，配合以计算机在线控制过程，对提高板带材平直度，提高成品率十分有效。

AFC系统的硬件组成包括：

1) 具有分段张力测量辊的板形测量和显示系统；

2) 信号发生和检测单元，其作用是不断地把力能信号变成带材张力变化信号；

3) 一个闭环控制系统，要通过程序目标控制，对各种轧机的辊缝进行调整(液压弯辊、轧辊倾斜、分段冷却等)；

4) 适应恶劣工业环境的具有高可靠信号的上、下位计算机。

(2) 系统的软件组成。信号发生和检测单元所提供信息的质量，对控制系统是至关重要的。因此，一个精确、可靠的信号处理单元是整个板形自动控制系统中最重要的部分。

信号的测量过程必须是适时而迅速的。此系统中张力测量辊和一个32位微机信息处理机之间内部相连有一高速运行数据总线，进行信号处理，其联结方式如下：

检测辊 ⇌ 信号发生单元 ⇌ 微　机
　　　　　　↕
　　　信号检测单元

分段辊各段输出信号的引出是通过滑环进行的，并在此处采用一套放大器，随着信号的不断过滤和集成进行信号的模拟处理。经计算机内部处理后，在屏幕上显示出一条反映实际张应力分布状态的曲线，即实际板形曲线。把此曲线与理想目标曲线相比较，并把二者的差值(即板形偏差)作为控制命令输入到板形控制系统中，以此来补偿带材和轧辊温度、轧辊凸度、卷曲凸度等对板形的影响。

板形控制的概念与环节组成(见图3-39)包括：

1) 通过测力计检测单元偏差信号的处理，建立偏差分布的数学模型，并在模型中对计算目标进行描述；

2) 用最小二乘法进行回归分析，使每一个调节手段都取得精确的控制命令；

3) 驱动各种辊缝调节控制器(PI或其他)，对板形进行调节。

这样即可使板形偏差自动地通过一些机械的辊缝调节手段(如倾斜辊、液压弯辊、轴向移动辊等方法)得到消除，其他一些随机的偏差，则通过工作辊分段冷却来消除。

现代轧机多数采用各种板形调节手段相互作用，对任何控制目标都可以采用一个简单的程序系统，例如：用直线来描述倾斜辊；用对称三角函数来描述快速弯辊；用微分函数来描述低速轴向移动辊处理二肋浪的情况。

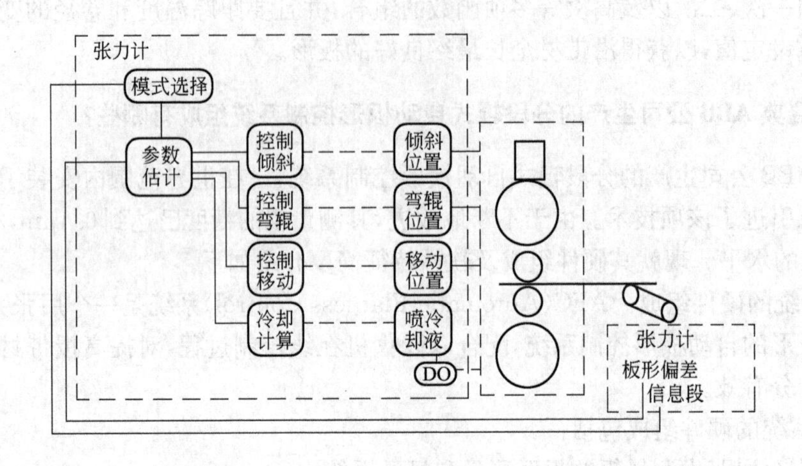

图 3-39　板形控制概念

板形的偏差可以用函数曲线来描述，每一函数的范围，至少在有限的区域内对调节手段来说是线形的。

使用最小二乘法，可以找到一个用于描述板形偏差值的综合调节函数 EF，有三个函数的情况如图 3-40 所示。EF 的表达式为：

$$EF = C_1(E-1) + C_2(E-2) + C_3(E-3)$$

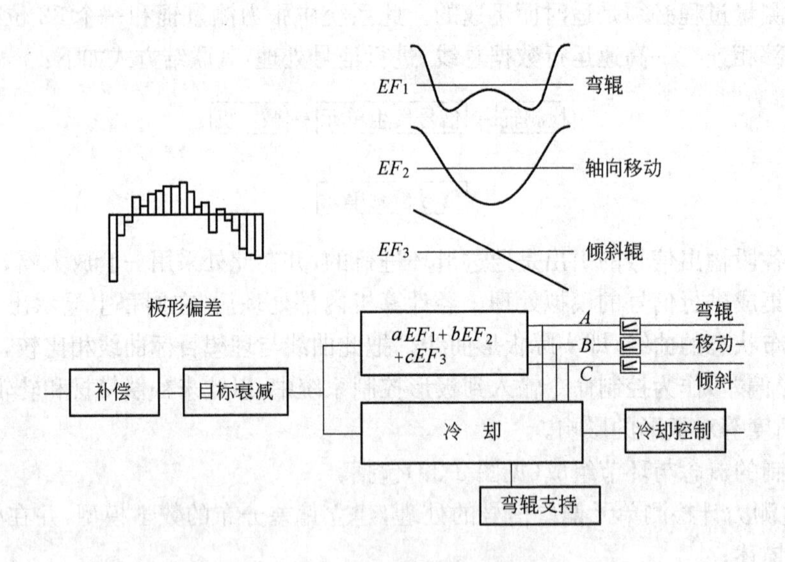

图 3-40　板形控制计算系统

实际上上式是一组方程，计算出的板形偏差 EF 对每一传感器结合一种板形曲线给出一个值，E—1、E—2、E—3 是依每一传感器位置而定的一组值，只有 C_1、C_2、C_3 是每一组方程中不变的参数。当然，等式右边函数不仅限于例子中的三个。

296. 对现行板形控制方法的基本评价如何？

美国最先采用弯辊装置进行板形控制，相应的板形控制理论得到大力发展。20 世纪 70

年代，国外开发了变负荷分配法控制板形技术，取得了明显效果。

合理的压下制度轧出平直的板带是轧钢工人最主要的操作经验，计算机控制为操作工总结经验和实现平直板带的轧制提供了方便。板凸度控制是比较困难的，而不同用途的板卷期望的凸度值也不同，所以计算机控制应在控制板凸度问题上发挥作用。1967 年 CRM 和荷兰霍戈文斯厂开始研究此技术，20 世纪 70 年代末，日本川崎千叶、水岛两套热连轧机上采用变负荷分配法控制板卷凸度值。

川崎采用表 3-5 所示的轧制程序，一个轧制周期内，带钢凸度从 60μm 变到 30μm，变化差为 30μm，最高达到了带钢凸度从 100μm 变到 20μm，变化差为 80μm。

表 3-5　一个换辊周期的压下率分配(%)

机架号	F_1	F_2	F_3	F_4	F_5	F_6	F_7	备　注
A	31.7	39.1	35.7	31.0	17.8	11.9	7.6	1～5 钢卷
B	32.1	33.0	29.5	26.5	19.8	14.5	10.2	6～25 钢卷
C	31.1	33.7	35.1	35.5	25.6	22.6	19.4	26～47 钢卷
D	32.8	30.3	28.7	29.7	31.5	23.7	20.9	48～71 钢卷

CRM 系统的效果是十分明显的，尤其是轧机运行条件偏离正常状态时更是如此。在轧制开始(冷辊)或是轧机长时间停机的情况下，操作工的经验难以找到正确的负荷分配，而计算机可以应用动态负荷分配方法进行处理。

图 3-41 表明，在自动轧制与测得成品机架的轧制力是卷数的函数时，轧制力增加补偿了轧辊的热凸度，保证了带钢的凸度和平直度要求。

图 3-42 反映了不同停机时间轧辊热凸度变化，开轧时，开始卷的轧制力不同，随轧辊热凸度增加(卷数增加)而增加轧制力值。

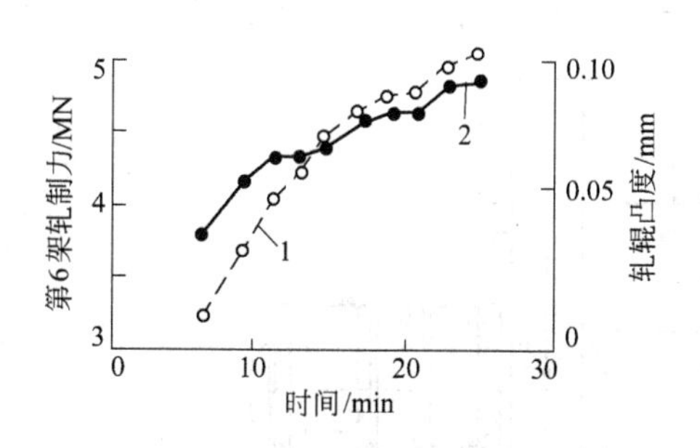

图 3-41　在线板形控制成品机架轧制力和轧辊凸度估计
1—轧辊凸度；2—轧制力

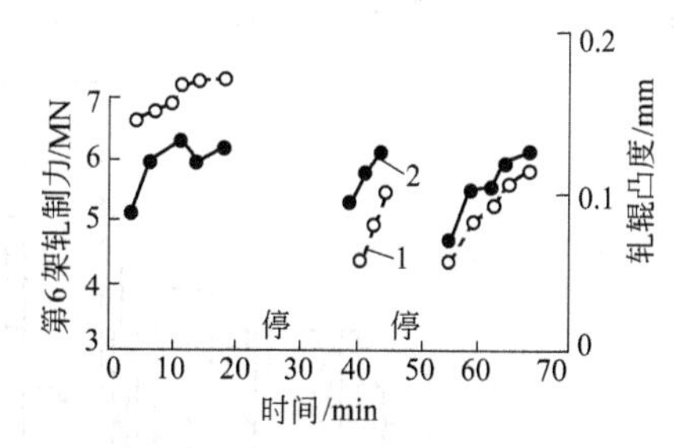

图 3-42　中间停机后，成品机架轧制力和轧辊凸度估计
1—轧辊凸度；2—轧制力

由于板形控制装备有很大发展，如 HC、PC、CVC、UPC、VC、DSR 等可以实现闭环控制，但是板形工艺控制理论相对落后，未能将负荷分配控制板形的方法数学模型化，所以欧洲和日本 20 世纪 70 年代末取得的经验未能得到进一步推广。此外，装备和控制技术也有它的不足，而且成本高，同样也受板形工艺理论的限制，所以 20 世纪 90 年代负荷分配方法控制板形技术又受到青睐。

国外情况表明，用负荷分配方法控制板形是可行的。我国发明的综合等储备负荷分配方法可以自由地进行板形平直度最佳优化轧制，并已在太原钢铁公司的MKW-1400型八辊可逆轧机，重庆钢铁公司、天津中板厂、邯郸钢铁公司、上海浦钢、新余钢铁公司的中板轧机上成功地得到应用，特别是应用协调推理网络，可以在线调整压下量分配，适应轧辊状态（热凸度和磨损）的实际变化。1996年以前，动态调整压下规程一般采用人工智能的办法，即模拟轧钢工操作。最近在板形控制理论上取得了突破性进展，得出动态板形矢量模型，简称新型板形测控方法。

297. 板厚和板形综合调节技术的发展情况如何？

板厚板形综合调节这一概念的萌芽可以追溯到20世纪60年代以前。当时，厚度控制的AGC系统迅速发展，板厚精度基本得到满足，但板形问题却日益突出。因此，当时有人曾设想利用厚度控制系统来解决板形问题。但是，他们的努力没有成功，而使这一设想成为“梦想”，被后人当作失败的典型实例，尽管采用直接液压压下的AGC系统也不可能达到控制板形的目的。但是，这个设想却包含了用一套系统、一个执行机构达到进行两种控制这一目的的内容，本质上也就是包含着板厚板形综合调节这一概念的萌芽。

板厚板形综合调节这一概念是1972年英国钢铁协会的M. Tarokh等人首先提出来的。他们所提出的板厚板形综合调节的途径是利用控制系统使压下、弯辊和改变总张力三个执行机构联合动作，同时完成板厚板形的调节。这个综合控制系统有三个子系统、三个执行机构，各执行机构分别在各自的子系统下完成各自的控制目的，而通过一个增加的控制环节使三个子系统协调动作，以便同时完成板厚和板形的控制。此后，多执行机构的综合调节系统得到了发展和应用。

20世纪80年代以后，燕山大学连家创等人提出了另外一条板厚板形综合调节的途径，即利用支撑辊弯曲和工作辊弯曲来实现板厚板形综合调节。为了使支撑辊弯曲能够控制板厚，有人设计了一种新的支撑辊弯曲机构，如图3-43所示。由于支撑辊靠纯力偶产生弯曲，

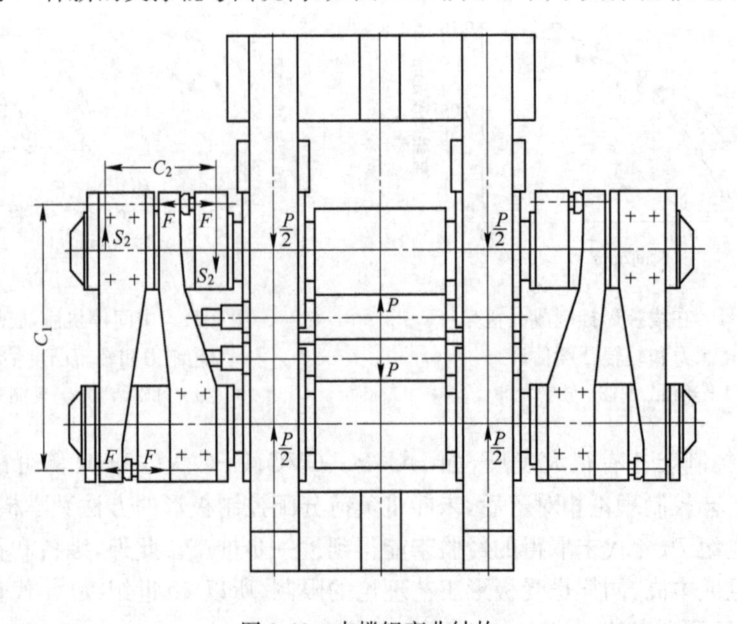

图3-43 支撑辊弯曲结构

弯辊力不使机架和压下系统产生变形，所以能够达到利用支撑辊弯曲来调节板厚的目的。

用上述结构的支撑辊弯曲，再配合以工作辊弯曲，就实现了板厚板形的综合调节。支撑辊弯曲不但可以调节板厚，同时还能够调节板形，也就是说，这种新的综合调节系统的板厚调节部分不但能调节板厚，同时还能调节板形，或有益于板形调节。从这一点上讲，上述的综合调节方式比以前的综合调节方式前进了一大步。特别是当满足轧机的纵横刚度之比与支撑辊弯曲的纵横刚度之比相等这特定条件时，可以不用工作辊弯曲这一执行机构，而只用支撑辊弯曲这一执行机构来同时完成板厚和板形的综合调节。有人称这一现象为最优自行综合调节，也有人称之为有条件自行综合调节。

最优自行综合调节这一现象给我们一个启示：支撑辊弯曲这一执行机构能够在特定的条件下同时完成板厚和板形的综合调节，那么，是否存在这样一个执行机构，它能够在不受任何条件限制的情况下，无条件地同时完成板厚和板形的综合调节呢？如果能够找到这样一个执行机构，那么，就可以收到一举两得的效果。基于上述考虑，刘云礼提出了一种新的板厚板形综合调节方式，即利用工作辊水平移动这一执行机构来综合调节板厚和板形。

由于轧辊交叉，特别是工作辊交叉具有极强的板形控制功能，同时由于支撑辊是圆柱形的，工作辊偏移量的变化必定能够起到调节板厚的作用，所以，工作辊水平位置的改变就可以同时调节板厚和板形，达到板厚板形综合调节的目的。在此基础上，研制出了板厚板形综合调节新型四辊轧机，简称 DC 轧机(Work Deviate and Cross Mill)。

298. DC 轧机的工作原理是什么？

DC 轧机能够用工作辊水平移动这一执行机构综合调节板厚板形的基本原理可以通过几何分析进行说明。

由于工作辊在水平面内移动，因而需要确定工作辊的水平位置。首先给出水平面上的坐标系，如图 3-44 所示，y 轴选在支撑辊的轴线上，x 轴与轧件运动方向平行，坐标原点选在支撑辊辊身的一个端点上。其次选择工作辊辊身中心处的偏移量 e_c(简称工作辊偏移量或偏移量）和工作辊轴线与支撑辊轴线水平方向的交角 θ(简称工作辊交叉角或交叉角）作为确定工作辊水平位置的参量。利用这两个参量可以确定工作辊任意断面的偏移量 e：

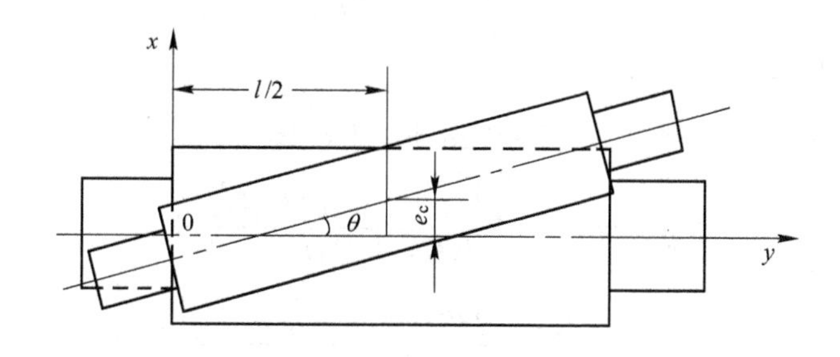

图 3-44　工作辊水平位置的确定

$$e=(y-l/2)\theta+e_c$$

式中　l——辊身长度；

y——任意断面的 y 坐标；

θ——工作辊轴线的水平投影与支撑辊轴线的交角，其正负号规定为：以 $y=0$ 为中心，向 x 正向旋转为正，反之为负；

e_c——辊身中心处工作辊中心相对于两支撑辊连心线的偏移量，规定工作辊偏向 x 正向为正，反之为负。

将上下轧辊分别考虑，那么，上下工作辊任意断面处的偏移量分别为：

$$e_u=(y-l/2)\theta_u+e_{cu}$$
$$e_d=(y-l/2)\theta_d+e_{cd}$$

下标 u、d 分别代表上、下工作辊。

任意工作断面的偏移量确定之后，可以选取某一断面作为研究对象。图3-45为辊系任意断面图示。截面垂直于支撑辊轴线选取，由于工作辊的交角很小(小于0.5°)，所以工作辊截面也可近似认为是圆形。通过几何关系可求出，该断面处由于工作辊中心与两支撑辊连心线之间偏移量而产生的辊缝增量 Δu 和 Δd，以及由于两工作辊连心线倾斜而产生的辊缝增量 Δw：

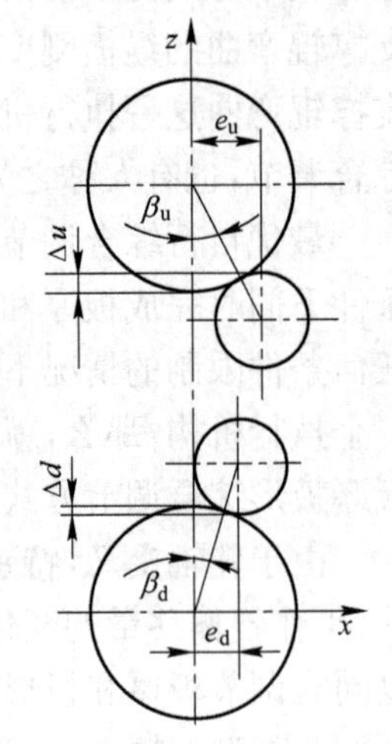

图3-45　辊系断面示意图

$$\Delta u=\frac{e_u^2}{2(R_B+R_W)},\Delta d=\frac{e_d^2}{2(R_B+R_W)}$$
$$\Delta w=\frac{(e_u-e_d)^2}{4R_W}$$

将 e_u、e_d 计算公式代入以上公式得：

$$\Delta u=\frac{[(y-l/2)\theta_u+e_{cy}]^2}{2(R_B+R_W)}$$
$$\Delta d=\frac{[(y-l/2)\theta_d+e_{cd}]^2}{2(R_B+R_W)}$$
$$\Delta w=\frac{[(y-l/2)(\theta_u-\theta_d)+e_{cu}-e_{cd}]^2}{4R_W}$$

辊缝增量差总值 $\Delta(y)$ 为：

$$\Delta(y)=\Delta u+\Delta d+\Delta w$$

整理得

$$\Delta(y)=\frac{(y-l/2)^2(\theta_u+\theta_d)^2+e_{cu}^2}{2(R_W+R_B)}+\frac{2(y-l/2)(e_{cu}\theta_u+e_{cd}\theta_d)+e_{cd}^2}{2(R_W+R_B)}+\frac{[(y-l/2)(\theta_u-\theta_d)+e_{cu}-e_{cd}]^2}{4R_W}$$

上式即为由四辊轧机水平移动而使辊缝产生变化的方程，称为辊缝增差方程。辊缝增差方程中，有轴向坐标 y 与辊身中心处 y 坐标值 $l/2$ 之差 $(y-l/2)$ 的零次项、1次项和2次项。分别改变各次项的系数，就可以达到调节中心板厚、单边板厚和对称板厚的目的。而各次

项的系数是随 e_{cu}、e_{cd}、e_u、e_d 等几个参数变化的。

在进行对称调节时，$e_{cu}=e_{cd}=e_c$；$\theta_u=\theta_d=\theta$，那么，辊缝增差方程将变为下式：

$$\Delta(y)=\frac{e_c^2}{R_B+R_W}+\left(\frac{1}{R_B+R_W}+\frac{1}{R_W}\right)\left(y-\frac{l}{2}\right)^2\theta^2$$

通过上式，可以更明显地看出工作辊水平位置参数 e_c、θ 对辊缝值和辊缝形状的影响。

辊身中点 $y=l/2$ 处的辊缝增量值为：

$$\Delta(l/2)=\frac{e_d^2}{(R_B+R_W)}$$

上式反映了工作辊偏移的板厚调节能力。图 3-46 是辊缝增量与工作辊偏移量的量值关系，由该图可以看出，工作辊偏移的板厚控制能力是很强的。

辊缝形状主要受工作辊平移的另一个参量——工作辊交叉角 θ 的影响。图 3-47 给出了三种不同交叉角时的辊缝增量的横向分布。由图可以看出，改变交叉角可以大幅度地改变辊缝横向分布，这一点反映了工作辊交叉可以非常有效地调节横向厚差和板形。

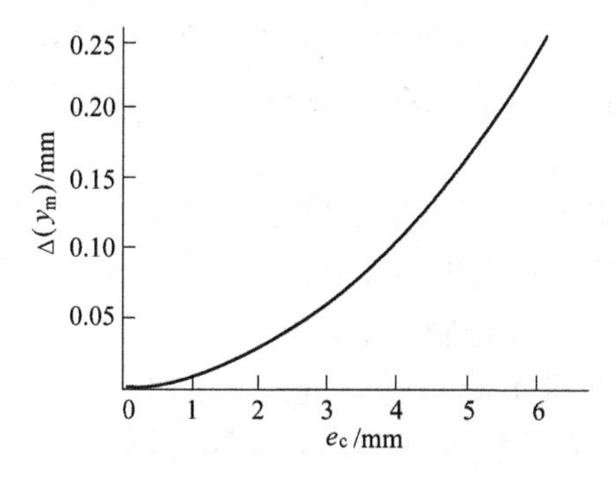

图 3-46 辊缝增量与偏移量的关系

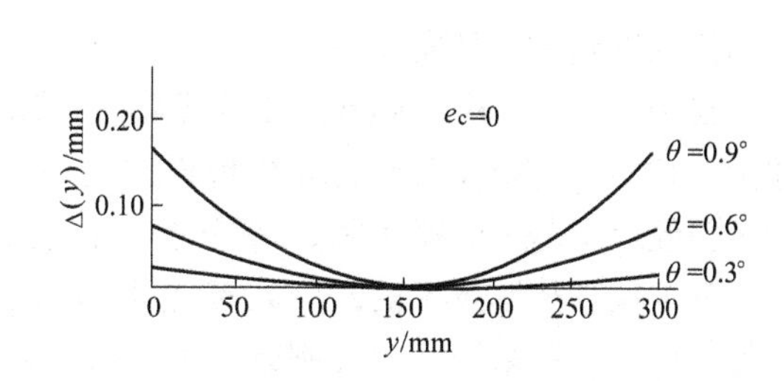

图 3-47 辊缝形状与交叉角的关系

通过以上的分析，我们可以知道 DC 轧机靠工作辊在水平面的移动来调节板厚和板形的基本原理。实质上，板厚主要靠工作辊辊身中点处的偏移量 e_c 调节，而板形主要靠工作辊的交叉角 θ 来调节。尽管工作辊水平移动可以分为偏移和交叉两个分运动，但这两个分运动靠一个液压系统实现，因而，它们是一个执行机构实现两个运动。

299. DC 轧机的主要特点是什么？

DC 轧机的主要特点是：

(1) 用一个执行机构、一套控制系统可以综合调节板厚板形。

(2) 板厚板形控制能力强。DC 轧机的板厚调节主要靠工作辊辊身中点偏移量的改变来实现。由图 3-46 可知，偏移量 e_c 可以大幅度地改变辊缝值，当 e_c 由 0 变到 6mm 时，辊缝值变化达 0.25mm，并且，偏移量越大、轧辊半径越小，偏移量对辊缝值的影响就越明显。从量值上看，这种调节方式的板厚调节能力要比支撑辊弯曲方式的板厚调节能力大得多。

DC 轧机的板形调节主要靠工作辊交叉来实现，这和 PC 轧机是相同的，因此，DC 轧机的板形控制能力是很强的。

(3) 调节力小。在液压压下的厚控方式中，液压缸需要克服量值很大的全部轧制压下调节，而DC轧机靠水平方向调节工作辊来调节板厚，工作辊水平方向的阻力远远小于轧制压力，因而DC轧机的调节力远远小于液压压下方式的厚度调节力。这样就可以减小液压缸的尺寸，降低液压系统的压力，从而可减少投资。

(4) 对控制系统的定位精度要求降低。板带材的厚度精度要求一般在微米的数量级上，如果用直接液压压下的方式调节板厚，那么，对控制系统的定位精度要求是很高的，这必将给控制系统的设计和制造带来困难。DC轧机是靠水平方向的定位精度来保证厚度精度要求的，厚度精度要求转换成水平定位精度要求会相差几十倍，因而这给控制系统的设计和制造带来了许多方便，可减少对控制系统的投资。

(5) 具有结构简单、易于实现的优点，特别适合于对现有轧机进行改造。

300. 板形模糊控制技术的发展情况如何?

板形控制通常建立在基于数学模型的现代控制理论基础上，但其具有的复杂非线性使得难以建立精确的控制模型。当模型不能很好地完成控制工作时，操作者必须手工干预。操作者的经验对于板形控制的稳定进行及精度提高具有重要意义。

随着知识处理技术的发展，智能控制日益实用。在智能控制中，无论是神经网络还是模糊逻辑都是以实际生产数据和操作者的经验为基础的。近年来，模糊逻辑在板形控制中的应用研究得到了迅猛发展。

自1965年L. A. Zadeh提出模糊集合论以来，逐渐发展产生了模糊控制这一新型控制理论。1974年，Mamdani首先将模糊控制用于锅炉和蒸汽机的控制。此后，模糊控制的发展主要经历了基本模糊控制、自组织模糊控制和智能模糊控制3个阶段。

随着模糊控制技术的发展完善，板形模糊控制的研究日益受到重视。早期研究工作主要是集中于一些采用常规控制方法不能获得较好控制品质的情况，如轧辊喷射冷却模糊控制、特殊形式轧机(森吉米尔轧机)的板形控制。自1995年以来，韩国科学与技术高等学院的Jong-Yeob、Jung等人就普通六辊轧机的板形控制进行了系统、详细的研究，探讨了利用模糊逻辑进行六辊轧机板形控制的可行性，研究了对称板形的动态及静态控制特性。近年来，Jong-Yeob、Jung等人已将模糊逻辑用于控制包括非对称板形在内的任意板形，取得了较大进展。我国对板形模糊控制的研究也进行了一定程度的探讨，但距国际先进水平尚有一定差距。

301. 模糊逻辑在轧机分段冷却控制中的应用效果如何?

实施冷却液轧辊分段控制时，不仅要考虑板形偏差大小，还要依据板形偏差随时间变化率及板宽方向的局部延伸，综合地加以判断：

(1) 板形偏差大小。如果板形偏差为正，则喷射冷却液使轧辊冷却而抑制膨胀，这样可减小板形偏差；如偏差为负，则停止喷射冷却液，轧辊因轧制产生热膨胀，可减小板形偏差。

(2) 板形偏差随时间变化率。如果板形偏差变化，喷射冷却液抑制其变化；板形偏差变小，则停止喷射冷却液。

(3) 板宽方向的局部延伸。如果板形偏差是局部突出，则通过在突出的部分喷射冷却液来抑制其突出。

分段冷却板形模糊控制结构图如图3-48所示。下面对分类、推理、评价分别加以说明。

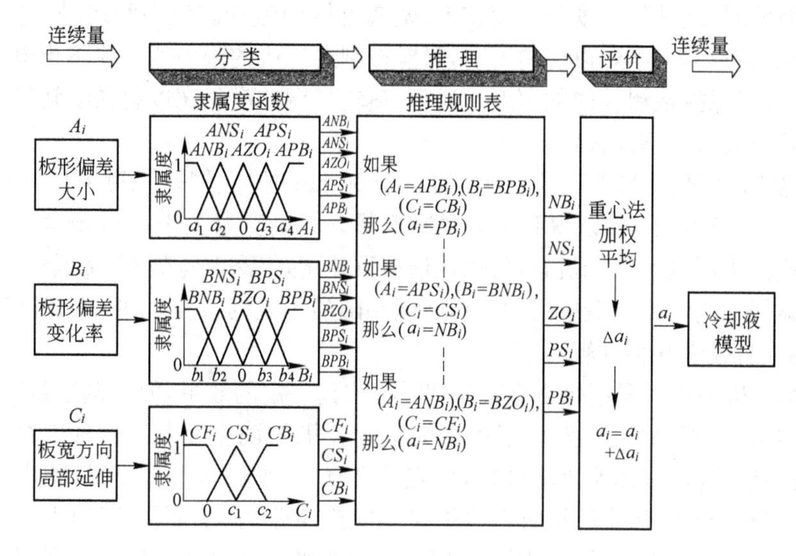

图 3-48　冷却液喷射板形模糊控制结构图

ANB_i—A_i 负大；ANS_i—A_i 负小；AZO_i—A_i 为零；APS_i—A_i 正小；
APB_i—A_i 正大；BNB_i—B_i 负大；BNS_i—B_i 负小；BZO_i—B_i 为零；
BPS_i—B_i 正大；BPB_i—B_i 正大；CF_i— 形状平；CS_i— 形状凸小；CB_i— 形状凸大

所谓模糊化(模糊分类)，就是把检测到的信息转换为模糊推理使用的知识，以便在推理部分利用熟练操作者的知识进行推理。对用板形仪检测出的伸长率偏差 $\Delta\xi$ 进行 $A_i \sim C_i$ 演算，见表 3-6。符号 t 表示时间，x 表示板宽方向的坐标；i 表示板形仪板宽方向的区域号。依据 $A_i \sim C_i$ 的值，根据图 3-48 所示的隶属函数求解隶属度。

表 3-6　板形评价项目

板形评价项目	计算式
板形偏差大小	$A_i = \Delta\varepsilon_i$
板形偏差随时间变化率	$B_i = \partial A_i/\partial t$
板宽方向的局部延伸	$C_i = \partial^2 A_i/\partial X^2$

推理，就是求解 Δa_i 在正大(PB)、正小(PS)、零(IE)、负小(NS)、负大(NB)上的隶属度。模糊评价，就是用重心法求解计算冷却液喷射程度，决定冷却喷嘴的开关。

冷却液板形模糊控制已应用于日本古河铝工业株式会社福井厂的第 2FCM。实际运行结果表明，采用模糊控制后，局部板形凸凹能减小一半，可实现高速轧制，生产率提高 20%。

302. 传统热轧带钢生产的宽度控制有哪几种方式?

20 世纪 70 年代以前，热轧带钢基本上是以初轧坯供料。它能够根据热轧带钢轧机的板宽要求供料。之后由于连铸技术的普及和应用，连铸坯逐渐取代初轧坯。但是，连铸和轧制过程中宽度的衔接是一个突出的问题。目前虽然已经开发了连铸在线调宽技术，但频繁改变连铸坯的宽度将导致连铸机生产率下降、质量降低，为此，应尽量减少连铸坯的宽度进级数。在这种情况下，很大一部分调整任务要由热轧带钢轧机粗轧机组来承担，以实现连铸和热轧之间宽度上的衔接和匹配。

板坯在粗轧时，轧件的厚度与宽度较大，金属可横向流动。但中间坯进入精轧机组时，轧件的厚宽比值较小，金属难以横向流动，只能控制连轧机的张力值。要防止由于张力过大而将带钢拉窄，以保持在粗轧时的宽度。通常，热轧带钢的产品宽度要在粗轧机组上控制。

轧制调宽方式有以下几种：

(1) 立辊轧机调整。当调宽量不大，如小于50mm时，立辊轧机可采用一道次轧制调宽，也可以采用多道次轧制，以得到较大的减宽量。当调宽量大于150mm时，则应采用张力立辊调宽机。采用这种独立机架，可以在低速下轧制，提高调宽效率，降低电机功率，节能降耗。为了减轻不均匀变形造成的狗骨形断面和随后平轧时发生回展，保证侧压时板坯稳定，一般采用大直径带孔型立辊。

(2) 定宽轧机调宽。采用张力立辊调宽时可收到一定的效果，但其调整量不大，同时易形成鱼尾，影响成材率，故又开发出了可称为定宽轧机的调宽设备。这种轧机有VHV和HVHVH两种形式(H表示水平辊轧机，V表示立辊)。采用紧凑式布置，相应的机架装在一个框架内。HVHVH形式轧钢时在水平机架间产生张力，从而提高了侧压能力。VHV是HVHVH的改进型，性能有些提高，采用可逆式轧机，如立辊配以孔型，则调宽效率将会更高，但定宽轧机设备复杂，结构庞大，投资高。

(3) 粗轧机调整。在采用连铸技术后，粗轧机作业率大大下降，为了充分发挥粗轧机的作用，可以利用其进行板坯调宽。尽管粗轧机轧辊直径较小、功率不高，但其轧制速度快，可多道次轧制，调宽量可达300～400mm。但这种方法板坯鱼尾大，成材率低。

(4) 粗轧机附属立辊调宽。现代热轧带钢轧机的粗轧机一般都装有附属立辊，它是控宽的手段，但在一定的条件下，也可进行50mm以内的调宽。

压力机调宽方式主要有以下几种：

(1) 全长压力机调整。全长压力机的锤头长度略长于板坯长度，在一个压缩行程中板坯边部同时受到侧压作用。全长压力机在操作过程中，先由与轧机压下螺丝相似的螺杆将两个锤头的间距调至略大于板坯原始宽度的位置上，然后按轧制规程要求，使用快速液压机构进行侧压。为防止侧压时板坯拱起，在板坯中间部位设置水平压下机构。与轧制调宽相比，全长压力机调宽可以改善板坯头尾及边部形状，避免头尾失宽，但其调宽量较小，且设备结构庞大，投资高，安装维护也不便。

(2) 短锤头压力机调宽。压力机锤头长度远比板坯长度小，它由头至尾依次快速地对板坯侧边进行压缩，以实现大侧压调宽。短锤头有两种方式。一种是间断式的，通过曲柄连杆机构将锤头分开后，板坯两锤头间定位，停止运动，然后锤头开始压缩，当压缩到既定宽度后，锤头分开，板坯快速向前运动，这样就完成了一个操作周期。之后再继续重复上述过程，直到板坯全长压缩完了为止。另一种短锤头压力机是连续式的，其操作过程中板坯在连续运动。因此，压力机的锤头有两种运动，一种是与板坯边部垂直的压下运动，另一种是与板坯一起沿轧制线方向运动。板坯的前进由夹送辊夹持向前送进，送进速度可以在设定的范围内任意选择。由于连续式压力机压下过程和板坯向前运动过程是同步进行的，所以作业周期时间可以缩短，从而提高压力机的工作效率。

与轧制调宽相比，压力机调宽具有以下一些优越性：

(1) 提高了热轧带钢的成材率。压力机调宽有控制头尾形状的功能，尽管采用了较大的侧压量，但板坯变形均匀，头尾形状得以优化，鱼尾大大减轻，切损大大减小。

（2）调整能力大。现代化的调宽压力机侧压值可达300～500mm。

（3）提高了调宽效率。压力机调宽变形均匀，变形可深入到板坯的内部，所以减轻了狗骨形断面，也减小了回展。

（4）提高了宽度精度。由于调宽时板坯宽度由压力机锤头间距严格控制，可提高最终带钢的宽度精度。

（5）降低了能耗。压力机调宽能力大，只需要生产几种规格的连铸坯就可以满足热轧带钢轧机的宽度需要，可大大提高连铸机生产效率，同时也提高了热装率和装炉温度。

303. 何谓轧制过程的宽度自动控制？

轧件在热轧时的宽度变化除了调宽过程中反复侧压和水平轧制造成头尾失宽外，在轧件定长部分也发生波动。对于这些问题，目前采用的宽度控制技术可以分为两部分，即宽度设定控制和宽度动态控制。

宽度设定控制主要是根据产品规格和原料情况，利用真实反映金属变形规律的模型，合理设定各立辊机架和水平机架的压下量，从而获得较高宽度精度的产品。轧制线上设置的测宽仪、测温仪、测压仪、测厚仪等是在线信息的来源。计算机根据这些信息利用合理的数学模型，在数十秒内设定立辊和水平辊的开口度。

宽度动态控制是针对热轧板坯本身各种因素的波动而影响轧制中的板厚，以及大侧压调宽造成的头尾失宽和连续变宽引起的板坯锥度等问题采取的对策。对这些问题，宽度设定控制是无能为力的。目前采取的板宽动态控制手段主要有以下三种：

（1）自动宽度控制（AWC）。粗轧时，沿轧件长度方向上轧件温度波动等原因会引起其变形抗力值不同，因而会造成宽度波动。AWC就是对这种变形抗力的变化进行补偿，它是一种反馈控制方式。

自动宽度控制系统根据立辊轧制力的变化得知轧件实际宽度的变化，根据此变化对立辊侧压加以适时的修正，以抵消宽度不均的影响。立轧后，轧件宽度表示为：

$$B = B_{SET} + \frac{F + \Delta F}{M}$$

式中　B_{SET}——立辊辊缝设定值；

F——预计的轧制力；

ΔF——轧制力的波动值；

M——立辊轧机的刚度系数。

轧制力的波动，是由于轧件纵向温度差、坯料化学成分不均、轧件的宽度、厚度等因素造成的。AWC系统的作用就是克服轧制力波动的影响。适时修正立辊辊缝设定值，可以保证轧件宽度均匀，保证恒辊缝轧制。

上述自动宽度控制是在粗轧机组中实现的，称为TAWC。近年来又开发了精轧自动控制，即FAWC。其工作原理是通过分析连轧张力对板宽的影响，建立板宽-张力数学模型，通过对连轧张力的调整来对板宽进行控制。

（2）连续宽度控制（PWC）。采用AWC可以进行有效的控制，以保证立轧后的宽度偏差，但是在水平轧制过程中，板坯水印等处水平轧制易发生较大的回展，因而造成新的宽度偏差。PWC技术在侧压时考虑了立轧后水平轧制中宽度量的波动并进行补偿，从而消除了水平轧制时的宽度偏差。从控制类型来看,PWC 属于前馈控制,即预先测出轧件长度上各点的温度、宽度、长度等,并适时调节立辊的辊缝。此控制系统的控制关键在于水印点的确认、控制时间与水印位置的匹配和侧压调节量计算。

(3) 短行程控制(SHST)。短行程控制也叫头尾校正,用于克服大侧压过程中产生的头尾失宽,从而控制鱼尾、舌头及减少切损,提高热轧带钢的成材率。短行程控制的基本思想是:根据大侧压造成的板坯头尾失宽的轮廓曲线,在轧制过程中不断改变立辊轧机的辊缝,使辊缝的改变恰好补偿头尾失宽量,从而使水平轧制后的头尾宽度接近于目标宽度。短行程控制是借助于立辊压力机的液压压下系统来完成的,所以也叫液压短行程控制。

热轧带钢轧机在控制宽度技术方面进展迅速,控制宽度精度已从 20 世纪 70 年代的 0~20mm提高到目前的 0~10mm,成材率提高 0.4%。近年来,国外热轧带钢宽度偏差目标值为 0~6mm,实际已达 2~6mm。

304. 薄带坯连铸连轧的宽度控制其压缩方式有哪些?

薄带连铸连轧技术在刚开始用于生产时,并没有采用宽度控制技术,当时认为,厚度只有 50mm 的板坯不可能采用宽度控制,在这种厚度下如果对板坯进行横向的压缩,容易使板坯起拱。但是随着技术的发展,特别是用户对板带宽度精度要求的不断提高,新建的薄板坯连铸连轧(如西马克公司 CSP 和达涅利公司的 FTSRQ)增加了立辊轧机,对板坯侧边进行了一定的压缩。其压缩方式是:

(1) 通过宽度的压缩,部分解决了连铸和连轧中变宽度的问题,与连铸的调宽相配合,使宽度系列可以满足用户的需要。

(2) 提高带卷全长的宽度精度。

(3) 解决在大压下的情况下边部容易开裂的问题,通过一定量的压缩,可以改善边部的铸态组织,使带钢的边部达到用户的要求。

(4) 改善连铸机在线调宽时的过渡区问题,因为连铸机在线调宽是渐进的过程,在板坯上会有从上一个宽度到下一个宽度的过渡区,这个区内的板坯宽度是不同的,在生产中必须切掉,从而增加了金属消耗。通过在线的宽度控制可以部分地解决这个问题,把消耗降到最低。

达涅利公司在美国北极星公司的薄板坯连铸连轧设备上采用了两个立辊轧边机,一架是位于粗轧机 R_1 之前的 E_1 机架,用于比较大的宽度修正;另一架是位于精轧机之前的轧边机 E_2,用于带钢的最终宽度调节。两个机架都有长冲程液压缸,用伺服阀进行位置控制;并且轧制线上提供了三套宽度测量装置:一套安装在 E_1 机架的前面,第二套安装在粗轧机的出口侧,第三套安装在精轧机的出口侧。轧边机 E_1 配有有槽轧辊,辊径为 900/1020mm,实际的轧边能力为 51mm;采用一个抗翘装置后,这种能力可以提高到 76mm。

实际生产表明,这种全液压自动宽度控制的槽式立辊轧边机对 70mm 板坯的总成材率起着非常有效的作用,因为在结晶器内板坯宽度调整变化过程中出现的达 25mm 的锥度,通过轧边机得到了改善,而且对板坯边部几何形状和力学性能的改善可以使粗轧机有更大的板坯厚度压下量。

西马克公司也在新建的薄板坯连铸连轧厂采用了轧边机架,但是由于 CSP 技术的板坯厚度只有 50mm,所以其调整能力有限。其中 F_1 机架前立辊轧机参数为:

轧辊直径	350/320mm(带槽孔型)
宽度调节速度	大约每侧 14mm/s
液压缸尺寸	ϕ250/200mm×470mm
工作压力	30MPa
轧制力	1700kN
压下量	30mm(两边总和)

305. 为什么说轧制理论的研究是实现高精度轧制技术的基础?

板厚精度和板形精度是板带材的两大质量指标,板厚控制和板形控制是板带轧制领域里的两大关键技术。近年来,国内外在板形和板厚控制技术方面,特别是在板形控制技术方面,取得了许多新的进展,大大提高了板带材的几何尺寸精度。我国近几年从国外引进的一些大型现代板带轧机,其关键技术也是高精度的板厚控制和板形控制。不管是板厚控制也好,还是板形控制也好,提高板带材精度的基础是建立正确的轧制理论。

新中国成立后为实现工业化,从前苏联引进了大型冶金设备和技术,我国技术人员经过10 年的学习和消化,于 20 世纪 60 年代自行设计制造了武汉钢铁公司(以下简称武钢)2800mm 中厚板轧机、舞阳钢铁公司 4200mm 宽板轧机、本溪钢铁公司 1700mm3/4 热带钢连轧机。这些轧机均无厚度自动控制系统 AGC。20 世纪 70 年代武钢从德国、日本引进1700mm 冷、热连轧机,这些轧机均有厚度自动控制和轧辊弯曲技术。到 20 世纪 80 年代宝钢从德国引进 2030mm 冷连轧机和 2050mm 热连轧机,该装备的水平在当时是世界上最先进的,但是,它虽然有先进的 CVC 板形控制装备,但由于板形理论上未突破,控制软件不完备,影响了板形控制效果。

20 世纪 50 年代板带材厚度控制技术处于研究阶段,经过 10 年的研究开发,厚度控制技术得到推广应用,使纵向厚度精度大幅度提高。厚度控制是压力的正反馈,厚度控制精度提高使板形质量变坏,所以从那时起对板形理论和技术的研究一直是轧制理论和技术的中心课题。以斯通的弹性基础梁、绍特为代表的影响函数法及有限元计算的板形理论形成了研究高潮,但板形理论一直未突破,达不到厚度控制的理论水平。由于板形理论落后,提高板形质量的主要方法转移到发明多种板形控制装备和复杂的控制系统上来,如 HC、PC 轧机,CVC、VC、DSR 轧辊等。国外多种板形控制装备的出现,是由于知识产权的原因,日立发明了 HC 轧机,别的公司只能发明别的板形控制装备。各种板形控制装备各有千秋。

国外解决板形控制是靠装备创新的,我国由于工业基础落后;所以跟踪国外的方法是难以成功的,走建立板形理论突破的方法是一条可行的技术路线。我国张进之已建立了新型板形理论,其内容主要有板形测控数学模型,解析板形刚度理论和板形板厚协调规律。该理论已形成了完整的实用技术,成功地应用在美国 Citisteel 4046mm 宽厚板轧机上,并已获得美国专利,目前正在宝钢 2050mmCVC、1580mmPC 热连轧机上推广应用,已完成该轧机板形控制模型的消化,板形计算方法的实验验证,正在用计算机模拟方法进行控制实验和在线控制实验,取得明显效果后代替原引进国外的板形控制模型。

AGC 数学模型,是英国钢铁协会(BISRA)最先发明的弹跳方程,只有轧机刚度一个参数。AGC 数学模型有两次重大进步,第一次是日本、德国分别用不同方法引进了轧件塑性系数,使厚控模型完备化;第二次是中国、日本、德国发明动态设定型 AGC。3 种动态设定型 AGC 是有本质区别的,日本、德国是从静态“P-H”图得到的,变刚度系数只有通过经验确定。中国发明的动态设定AGC是以分析法代替“P-H”图，得到轧件扰动可测和AGC参数方程（轧机、轧件、控制系统3参数方程），并得到动态设定型变刚度厚控方法。

压力AGC有3种水平，要达到相同厚控精度所要求的机电和控制系统的水平是不同的，模型反映规律越深刻，要求装备条件越低，这也就是我国的动态设定AGC在同样的装备响应速度下比BISRA的AGC快2～3倍的原因，宝钢2050mm热连轧机的厚控精度比西门子的厚控精度提高1倍。

下面讨论过程控制设定模型。从负荷分配原则来看，末3道次重点考虑板凸，以得到良好的板形，特别是对薄板规格更显得重要。这一原则是国外20世纪80年代前的基本思想，但之后已有明显的改变，是由全部负荷分配来保证板凸度和平直度达到目标要求，前面的道次控制板凸度，后面的道次控制平直度，这是因为有了HC、PC、CVC等板形控制设备。

以上两个问题都充分说明国内所引进的模型软件不是最先进的，但为什么还要引进推广呢？这与人们的认识水平有关，其一是迷信国外技术，而不是坚持掌握各国技术之关键和判断先进与否的原则；其二是不了解科学进化的标准，认为应用复杂多变的先进技术装备多的技术就先进，事实正相反，复杂正表明它在理论上落后。鉴于以上认识的原因，直接的后果是直到现在我国的轧钢设备和技术还未能国产化，还在大量成批引进，而造成我国轧机制造业的落后。下面举例说明近几年在导向上的失误：

（1）板形控制问题。国内轧钢界十分重视此问题，但在理论研究方面跟不上国外发展，主要有两点：其一是20世纪60年代，斯通、绍特等人提出了以轧辊变形为研究对象的板形理论，日本新日铁在这方面也做了许多工作，70年代末新日铁研究了实用的轧件变形的遗传板形理论，而国内对此没有反映；其二是欧洲60年代已提出机械板凸度的概念，新日铁引用了这一重要概念，在国内也没有反映。

20世纪70年代以前国外提出“高刚度高精度”的轧机主导方向，其原因是为解决板形质量，但到80年代以后，CVC、PC等板形控制装置成功应用以来，在轧机设备设计上不再强调“高刚度高精度”了，但目前主导方向上还在强调高精度的概念。

（2）连轧过程计算机控制数学模型。连轧过程控制极端复杂化与连轧理论一直假设“秒流量相等条件”相关。前苏联在20世纪40年代已注意此问题，但在建立张力微分方程及求解上有误，引起很大争议，未能建立正确的连轧动态理论，60年代我国解决了这一问题。张力理论提出了3个应用问题：热连轧无活套轧制；张力间接测厚度，张力与辊缝闭环的恒张力与厚度复合控制系数；变形抗力与摩擦系数的非线性估计（K_M估计）。K_M估计由武钢与有关专家合作研究成功了，并得到推广应用。冷连轧张力与厚度控制系统国外研究成功已推广使用，我国所引进的冷连轧均为此系统，称质量流AGC。热连轧无活套轧制正在宝钢2050mm热连轧机上开展工业性实验，如果当时就把连轧张力理论作为主导思想，我国已成为连轧技术上的领先国家，早就可以实现轧钢设备与技术的国产化了。

（3）轧制设定数学模型。在设定模型问题上，日本是有贡献的，当连轧装备和技术从美国引进之后，关于设定模型在日本引起争论，一种观点认为模型应按美国统计模型，而轧钢界认为用轧制理论为基础的数学模型。由此而使日本在连轧技术上取得了世界领先地位。一般认为，设定模型的精度主要取决于压力模型的精度，实践过程中，新日铁在20世纪80年代初提出了设定精度主要取决于弹跳方程。我国张进之就是从这一导向进行研究的，重点放在弹跳方程的研究上，已取得了3项发明专利权，从而取得了板形理论上的突破。这些都证明正确导向的重要性。

(4) 当前轧钢过程控制的导向问题。由于市场激烈的竞争，各公司都在无限制地提高产品精度。国外在板形控制、负荷分配及压力预报精度方面提出了应用人工智能来提高精度的方向。这方面德国、美国、日本报道较多，对我国轧制数学模型的研究影响比较大。典型提法是"21世纪人工智能将代替数学模型实现轧制过程控制"。国外在板形理论上没有获得突破，负荷分配未能从理论上解决，所以采用人工智能的方法会取得一定效果。但这两个问题我国已经解决了，所以在轧制控制上用人工智能代替数学模型的提法尚需深入讨论。

306. 当前轧制理论研究的进展情况如何？

轧制问题是一个多物体弹塑性的滚动接触问题。轧制力能参数的可计算多寡精度和速度直接关系到轧制产品的质量和产量。因此轧制理论的研究者们一直在努力探索精度更高且更有效的计算方法。

以往计算轧制力的方法很多，其中主要有：一般工程计算方法，滑移线法，上、下限法，有限差分法，有限条元法，有限单元法等。这些方法的产生和发展对轧制理论研究和轧制工业生产都起到了很大的推动作用。

一般工程计算方法是人们比较熟悉且在工程中使用最多的方法，大部分计算公式都是在卡尔曼和奥罗万平衡微分方程的基础上产生和发展起来的。轧制时接触弧上的平均单位压力的计算方法有采利柯夫方法、西姆斯方法和斯通方法等，并得到相应的平均单位压力的计算公式。由于每种方法都是在特定的假设条件下推导出来的，因此在工程设计计算中，需要根据实际的轧制条件选取相应的计算公式。

滑移线法是20世纪20年代发展起来的。该方法认为，金属在平面变形条件下的塑性变形是沿着最大剪应力的迹线进行的，并且认为在连续体内滑移线无限密集。在求解前要求事先给定相应的滑移线，这对一些复杂的问题是很难做到的。

上、下限方法是利用变分方法推导出的变形最大或最小功率原理，这两个定理只能给出解的区域，计算结果的精度决定于变形可能速度场的模拟，在有些问题中，速度场并非容易给出。上、下限法和滑移线方法尽管在使用上受到不少限制，但由于这两种方法理论严谨，方法简单，对一些典型问题能给出精度较高的近似解，经常用于检查和验证其他方法的正确性，因此，这两种方法仍较多地用于研究领域。

上述的计算方法都采用了相应的假设条件，因而使所得计算公式受到了限制。为了更好地研究轧制问题，人们已把注意力转移到数值方法上。

有限元方法是20世纪60年代发展起来的有效数值方法，它突破了解析方法不可逾越的障碍，使许多复杂问题得到了满意的解答。尤其是近10多年来，计算机技术的飞速发展使有限元方法更加广泛地应用于塑性加工领域。燕山大学刘才博士等用三维弹塑性有限元法模拟了轧制问题，在国际上处于领先地位。关于适应高精度轧制的轧件与轧辊变形的耦合解析方面，有柳本的刚塑性板带和弹性轧辊的复合模拟，B. Marek和Z. C. Lin给出的关于滚动接触问题的有限元法和轧制过程的模拟。但为了避免计算量过大，不得不在接触区中划分较少单元。K. Komori于1998年在国际力学学报上又发表了一篇关于刚塑性有限元法分析轧制问题的文章，该文章的重点是研究节约计算机内存的问题。因此，可以说目前有限元在模拟轧制问题方面尚存在许多技术问题有待解决和进一步加以完善。

307. 边界元法的主要特点是什么？

最先研究边界元法的是英国南安普敦大学的以C. A. Brebbia为首的一个研究小组，20世纪60年代他们就开始了这项研究工作，到70年代该方法才趋于成熟。边界元法也称之为边界积分方法，它的基本思想是利用Green公式或加权余量法，将控制方程转化为等价的边界差分方程，并吸收了有限元法的离散技术，把边界积分方程离散成代数方程，求得边界上的未知数之后，可以计算域内任一点的物理量。由于采用的基本解函数，误差仅仅来源于离散边界，因此精度较高。边界元法的特点如下：

(1) 由于仅在边界离散化，未知量大为减少；

(2) 对计算对象的域内仅求解任何需要的点和剖面物理量，不必像有限元法那样需要对所有单元进行计算；

(3) 由于边界上的面力(位势梯度)和位移(位势)一并计算，其计算精度较高；

(4) 计算准备工作大量减少；

(5) 可计算无限大连续体和半无限连续体问题，为研究海洋、航天及地下工程、基础工程等带来巨大的方便；

(6) 特别适合求解应力集中问题。

308. 用边界元法对板带轧制过程的高精度数值模拟可得出什么结论？

轧制问题属于滚动接触问题，并且包括材料非线性和几何非线性，求解难度很大。有限元法在轧制过程中解决复杂而难度大的实际问题和推动本学科理论现代化进程中发挥了重要作用。然而，对于同轧辊的弹性压扁相耦合的弹塑性有限形变(大变形、大旋转)的高精度轧制过程，有限元法显露出模拟精度低和效益差的不足，使其应用受到限制。

作者近年来研究开发了弹塑性接触问题的边界元法，并用其模拟板带高精度轧制过程。主要研究内容有：有摩擦的弹性接触问题边界元法、弹性接触问题的快速边界元法、接触问题的逆向边界元法、弹塑性问题的边界元法(小变形)、有摩擦弹塑性接触边界元法(小变形)、弹塑性有限形变边界元法(大变形)、弹塑性有限形变接触问题的边界元法等，最后用二维和三维边界元法模拟了板带高精度轧制过程，系统而全面地研究了弹塑性接触问题的边界元法的基本理论、计算规则和计算程序。该程序(SRBEM)已用在太原重型机械(集团)公司和西安重型机械研究所的新产品开发设计中，使用效果很好。

作者确定的弹塑性有限形变接触问题的边界元法，依据弹塑性体体积不变条件，把材料及几何非线性项合并为一个已知独立变量，不仅简化了公式，而且减少了收敛解迭代所受的干扰，并在此基础上推导出了弹塑性接触问题的边界元方法。通过对板带轧制过程的分析，获得了前后张力对轧制压力、摩擦力及金属流动的影响结果，并得出了以下结论：

(1) 该方法适合分析轧制问题，可以利用较少的假设，便能获得较高精度的解。

(2) 轧制问题包括了材料非线性、几何非线性及接触非线性等多重非线性，求解过程非常复杂。作者利用边界元方法成功地解决了非稳态轧制过程的模拟，并全面分析了摩擦系数和前后张力对轧制过程的影响。

(3) 板带冷轧过程压下率较小，考虑几何非线性时对计算结果影响不大，根据计算结果可知，当压下率小于20%时，轧制压力与不考虑几何非线性时的计算结果相差不超过5%，但计算量增加一倍以上。

(4) 无张力轧制时，前滑区非常小，很难建立稳定的轧制过程，因此没有分析单独施加后张力的情况。随着前张力的增加，前滑区变长，前滑区的摩擦力增大，而后张力的增加使后滑区的摩擦力增加。

(5) 压下率较小时，如前后张力足够大，则前后张力的分布相类似。

(6) 当增加前后张力时，金属横向流动减少，导致摩擦力减小。当增加前后张力时，带材的板形变好。

309. 当代宽厚板轧机各项技术指标如何?

宽厚板轧机从20世纪60年代末以来辊身长度从4064mm增大到4724mm以上。不仅轧制的钢板宽度增大，而且从技术经济意义上说，现代的4724mm以上的宽厚板轧机所达到的各项技术指标是以往的厚板轧机所不可比拟的，主要体现在以下几个方面：

(1) 钢板最大成品宽度。4724mm宽厚板轧机生产的钢板最大成品宽度为4500mm，5500mm宽厚板轧机生产的钢板成品宽度为5200～5350mm。

(2) 钢板最大轧制长度及定尺长度。厚板轧机轧制长度一般为50m，而日本川崎水岛厂最长达58m，新日铁大分厂最长达63m，成品钢板一般为25m，而大分厂达30m。

(3) 轧制钢板最大厚度。日本水岛厂5500mm宽厚板轧机轧制钢板的最大厚度为410mm，新日铁名古屋4800mm/4700mm宽厚板轧机生产钢板的最大厚度为700mm。

(4) 最大板坯单重。日本大分厚板轧机设计最大坯重为42.8t，实际最大坯重为29.9t，水岛厚板轧机最大坯重为28t。鹿岛厚板轧机设计最大锻制板坯重为50t，可轧制钢板最大单重为40t。

(5) 最大钢锭单重。日本钢管京滨厂最大钢锭单重为50t，德国迪林根厂为60t，日本名古屋为80t，水岛厂为110t，可生产最大单重为85t的特厚钢板。

(6) 钢板成材率(从板坯到成品)。水岛厂5500mm宽厚板轧机钢板成材率达94.9%，是当今世界上的最高水平。

310. 宽厚板高精度轧制技术的发展方向是什么?

近年来国外厚板轧机及其生产线技术装备方面的发展，主要是围绕提高产品尺寸精度及表面质量，提高产品力学性能及焊接性能，提高产品的成材率及直行率，提高自动化程度和操作可靠性等。

为满足上述各方面的工艺技术和操作要求，主要相关技术如下：

(1) 高尺寸精度轧制工艺技术，主要包括：厚度、宽度、板形控制技术。

(2) 为满足TMCP轧制工艺的低温大压下、大功率、高转矩和高刚度的四辊可逆式轧机和厚板轧后加速冷却技术。

(3) 提高产品成材率的平面形状控制技术。

(4) 提高产品直行率，即降低离线的表面修磨量和冷矫直量。在厚板生产中的关键工序为高压水除鳞、轧制、加速冷却、热矫直、冷床等。

(5) TMCP工艺的板坯加热温度为950～1150℃，出炉温度虽低于常规轧制，但对板坯温度的均匀性要求高，大量采用热装板坯对提高出炉温度均匀性有利。

(6) 厚钢板生产特点是品种多(钢种多,用途广)、规格范围大,因而板坯库、成品库由计算机管理更显得必要。

(7) 同热轧宽带轧机一样,厚板轧制工艺过程普遍由计算机进行设定控制。

(8) 厚板的轧制和精整特点为单张管理,由于品种、用途和规格多,对质量管理和质量保证要求严,因而需要配备各种完善的工艺检测仪表。

311. 宽厚板高尺寸精度技术是什么?

近年来用户对钢板厚度尺寸精度、板形、表面质量、材质性能提出了更高要求,如板厚公差要求为±0.2～0.4mm,板宽公差要求为4～6mm,钢板的旁弯要求全长小于5mm,从而推动了以厚度、宽度、板形控制为主的高精度轧制技术的进一步发展。

(1) 厚度控制。在靠近轧机(距轧机中心线2.0～2.1m)处设置γ射线测厚仪,使监控及反馈控制能快速应答从而提高钢板全长厚度精度,即在原有ACC基础上有效地利用FF-AGC和MON-AGC来保证厚度控制的高精度。

(2) 宽度控制。日本住友鹿岛厂、川崎水岛厂、新日铁大分厂等厚板轧机在投产多年后增设了立辊轧边机,既用于平面形状控制,也设置了液压AWC系统,具有ABS-AWC、FF-AWC、MON-AWC等功能,宽度控制精度已达5.7mm。

(3) 板形控制。以往厚板轧制以辊形和弯辊装置作为凸度和平坦度的基本控制方法;现在厚板轧机采用工作辊移动(WRS)+强力弯辊(WRB)、成对交叉辊轧机(PC)和连续可变凸度轧机(CVC)等方法,前两种形式的轧机已有应用,PC轧机对全宽度的板凸度控制值已达40μm水平,而正在建设的瑞典SSAB3700mmCVC形式厚板轧机已于1998年投产。

厚钢板在成形轧制和展宽轧制阶段的不均匀变形,使轧制后的钢板偏离距离因而增加切头、切尾和切边损失,此项金属损失在以往的常规轧制方法中占5%以上。

20世纪70年代末日本川崎水岛厂开发了MAS平面形状控制法,根据预测模型在成形和展宽轧制阶段,对板坯厚度断面给予变化的压下量进行形状控制,使钢板在轧制终了时的形状接近矩形,自1978年此项技术应用以来,可比传统方法提高成材率4.4%。

1982年左右又开发了与MAS法大体相同的“狗骨轧制法”,即轧制开始时将板坯厚度断面头尾部分轧成斜模形,然后展宽轧制和延伸轧制。

水岛厂在开发MAS基础上于1985年研制出TFP技术,轧制“免切边钢板”,即用铣削床铣边。

312. 宽厚板控制轧制和控制冷却技术应用情况如何?

厚钢板控制轧制技术是在轧制过程中的不同温度段给予规定的压下变形,以生产高强度、高低温韧性并有良好焊接性能的技术。采用控制轧制工艺的目的是通过细化晶粒来提高强度和韧性,而细化晶粒的关键是控制950～600℃时的变形量;同时增大道次压下量的效果更佳,因而要求厚钢板轧机的轧制力要很大,刚性要很好。

控制轧制的研究始于生产韧性和强度都好的造船钢板,以后发现在添加微量合金元素(Nb、V、Ti等)的钢材轧制中更需采用控制轧制技术。

厚钢板在控制轧制后进行快速喷水冷却,可使低碳当量(如$w(C_{eq})<0.30\%$)的钢板强度和韧性都得到提高,并可获得良好的焊接性能。低碳当量且强度和韧性都高的钢材,对于

具有广泛用途的焊接结构钢非常重要。这样，可以采用大热量输入的焊接工作，从而提高工效和降低成本。

将钢板的控制轧制和随后的加速冷却工艺过程统称为TMCP工艺。应用TMCP工艺技术可以生产综合力学性能和焊接性能均优良的高强度焊接结构钢板。因而该项技术已成为近20年来厚钢板生产领域最为发达的工艺技术。

TMCP技术已为世界各国普遍关注并予应用。前一个时期主要用于生产高强度造船钢板和长距离输送石油、天然气用管线钢板，以及其他用途的高强度焊接结构钢板。近年来TMCP工艺技术又被开发用于LPG储罐和运输船用钢板、高层建筑用厚壁钢板、海洋构造物等重要用途的钢板。以造船板、管线用板、焊接结构钢板等产品为主的厚钢板轧机，采用TMCP技术生产的钢板约占30%～50%，日本有约41%的厚钢板采用TMCP技术生产。

313. 宽厚板四辊可逆式轧机的特点是什么？

现代的四辊宽厚板轧机以高精度、高刚度、高功率、大转矩为显著特点。以1985年投产的迪林根公司5500mm轧机为例，支撑辊直径为ϕ2400mm，牌坊断面为10040cm^2，最大轧制力为108MN，轧机刚度模数为10400kN/mm，主电机功率为2×10900kW，最大轧制力矩为2×4500kN·m，最大轧制速度为6.95m/s。现代四辊轧机普遍设有液压弯辊系统，用于凸度和板形控制。

20世纪80年代以后附设立辊的厚板轧机增多，主要形式为附着在水平轧机入口或出口，如日本大分厂厚板轧机、韩国浦项2号、3号厚板轧机在四辊轧机入口侧设立辊；日本水岛厂则在四辊轧机出口侧设立辊，立辊普遍装有液压AWC系统。

314. 宽厚板轧机冷却装置有何特点？

厚板轧制后进入加速冷却阶段进行喷水冷却，1980年首先在NKK福山厂4700mm厚板轧机投产了在线冷却装置(OLAC)，钢板被送到冷却段下面，同时向其全长喷水。所以冷却段所需长度为44m，是现有各厚板厂冷却段中最长者。早期投产的钢板加速冷却装置多采用钢板全长同时进行喷水的方式，即称同时式，这种方式对于均匀冷却钢板既显著又简单。

不久，新日铁又开发了钢板连续通过喷水冷却装置的连续方式(CLC)，并应用于各厚板厂。

采用连续式喷水冷却方式的厂家较多，其突出的优点是占地面积小，尤其是在已有厚板厂建加速冷却装置(ACC)时，采用这种方式可在场地受限制时显示出其优点。采用连续式冷却方式钢板通过ACC时的速度范围一般在15～150m/min，冷却段的长度因各厂轧区条件的限制，一般为12～40m，多数在20～40m范围内。

对于厚度较厚而长度较短的钢板(如长度在20m以下)，连续式ACC可以在冷却段内以摆动方式进行冷却。

ACC冷却钢板的厚度设计范围为8～100mm。加速冷却终了的钢板温度为400～600℃，一般不低于450℃。钢板加速冷却技术的难点是实现均匀冷却和控制钢板不产生变形，这点对于较薄的钢板尤其重要。

加速冷却钢板的喷水方式，现有大多数厚板厂的ACC装置对于钢板上表面采用管状层流或水幕状层流水方式，下表面则采用喷射水方式。

1989年法国的敦刻尔克厚板厂(GTS)、韩国浦项2号厚板厂采用一种称为ADCD气雾式加速冷却装置。此装置在钢板上、下表面的喷口有6mm宽的连续缝隙，中间喷水，两壁喷空气，由4～5个喷口构成一组。这两个厚板厂的ADCD装置长度分别为17.8m及28m，钢板连续通过ADCD装置。从浦项2号厚板厂1997年10月的生产统计数据看，其利用率不高，对于ADCD的实际生产效果尚需进一步观察。

315. 宽厚板热矫直机有何特点？

厚钢板的热矫直决定着产品交货质量的高低，热矫直机是处于厚板轧制和精整之间的一个重要设备，较多的厚板厂采用四重十一辊式矫直机。早期矫直钢板的厚度一般为4.5～50mm，且矫直温度较高。

随着TMCP工艺技术的应用，终轧与加速冷却后的钢板温度偏低(450～600℃)，而钢板的屈服强度提高很多，因而对热矫直机的性能提出很高的要求，即在低温区对厚板能进行大应变量的矫直工作，从而促进了热矫直机向高负荷能力和高刚度结构发展。为提高矫直质量，而且要求矫直的板厚范围也扩大了许多。所以，出现了所谓第三代热矫直机，其主要特点是高刚度、全液压调节及先进的自动化系统。以MDS制造的热矫直机为例，由计算机控制的矫直辊缝调节系统可根据钢板厚度设定调节上辊组的开口度，入、出口方向和左右方向的倾斜调节，上辊组可以快速打开、关闭、上矫直辊的弯曲调节用以纠正钢板的中间浪和左右边浪，每个上辊和下辊组的入、出口辊可以单独调节。MDS为迪林根厚板厂制造的一台重型九辊式热矫直机，最大矫直力为30000kN，矫直钢板厚度为(5)12～110mm，据介绍，最大矫直厚度为300mm。

三菱重工为水岛厂制造并于1988年投产的十五辊矫直机，入、出口各4个小直径的矫直辊、中间立体部分为7个大直径的矫直辊，其矫直钢板厚度为4.5～80(265)mm，最大矫直力为41000kN。当矫直厚规格时，入、出口各2个小辊抬起，矫薄规格时15个矫直辊全部投入，此时轻型与重型矫直辊之间形成最大为1100kN的能力。

SMS设计的新型高性能九辊式厚板热矫直机(HPL)，最大特点是矫直辊数和辊距可变，从而可扩大矫直的板厚范围，如矫直辊从九辊式可改为五辊式，HPL矫直的板厚范围为5～120mm，最大宽度为4500mm。另一个特点是所有的矫直辊(上、下)为单独传动和单独调节。

316. 宽厚板冷床的主要形式有哪些？

现代设计用于厚钢板的冷床主要有3种形式：承载链式；辊(轮)盘式；步进梁式与步进格栅式或称承载格栅式。

一般选用承载链式用于特厚钢板，如日本NKK京滨厂厚板轧机、鹿岛厂厚板轧机，选用这种形式的冷床冷却钢板的最大厚度为150mm。

而轮盘式冷床在中厚板厂的应用也较多，冷却钢板厚度达80mm，当冷却钢板厚度不大于10mm的薄规格时，要求轮轴间距尽量靠近，以避免钢板变形。

现代化厚钢板厂普遍用步进梁式或步进格栅式冷床，这种形式的冷床适用的板厚范围较大。如日本水岛厂厚板轧机用于特厚板的步进格栅式冷床，可冷却钢板厚度为4.5～

110mm；德国迪林根厚板厂用于特厚板的步进梁式冷床，最大钢板厚度达 300mm。

步进格栅式冷床为 SMS 的技术专利，广为厚板厂应用。其中日本水岛厚板厂 2 号冷床（70.5m×54m）和原为墨西哥 4300mm 厚度轧机的 1 号冷床（66m×56m）为最大的冷床。步进格栅式冷床的优点是钢板冷却均匀，下表面不会划伤。步进梁式和步进格栅式冷床均有高的充满率（利用率）。

317. 宽厚板剪切线为什么要采用滚切剪？

中厚板厂的剪切线由切头剪、双边剪或圆盘剪、剖分剪、定尺剪以及钢板形状识别（检测），自动标志打印、自动检测厚度、宽度、平直度等设备组成，并应用过程控制的高度自动化系统，从而使剪切线生产能力和尺寸精度大为提高，一条线即可保证轧机月产量为 12～13 万 t。

传统的中厚板剪切线，切头和定尺剪用斜刃闸式剪切机，厚度不大于 26mm 钢板的双边用圆盘剪进行切边，厚度不小于 26mm 钢板的双边由两台斜刃剪分别剪切边或用双边斜刃剪同时进行切边。

采用圆盘剪剪切钢板两边可连续进行剪切，但对厚钢板无法进行剪切，仍需用斜刃剪进行剪切，使剪切线长度增加，设备质量增加。斜刃剪剪切钢板后，使钢板产生弯曲变形，降低了钢板的形状精度，不能满足用户的要求。

1971 年西德研制成功世界上第一台滚切剪，经过 20 多年的发展，生产实践证明，滚切剪具有显著的优点，是中厚板剪切线上的理想设备。用纵向双边滚切剪进行切边和剖分，用横向滚切剪进行切头、切定尺，这已成为今后的发展方向。因为滚切剪有如下优点：

（1）闸式斜刃剪由于上下剪刃之间有一个倾斜角度，虽然可大大减少剪切力，但带来沿板宽方向的剪刃重叠量不相同，致使剪切后的钢板产生弯曲和扭曲变形，严重影响了钢板的形状精度。采用滚切剪后，由于剪刃沿板宽方向的重叠量相等且可调，剪切后的钢板变形小，大大提高了钢板的形状精度，切下的板边扭曲度小，便于进入碎边剪和运输。

（2）滚切剪上剪刃相对于钢板做近似滚动剪切，相对滑动小，对剪刃的划伤和磨损小，提高刀片的使用寿命，同时钢板切口断面光滑。

（3）由于滚切剪剪刃的重叠量沿板宽方向相等，故其剪刃总行程比斜刃剪减少 30%～40%，在剪切力相同的情况下，曲柄半径和剪切力矩相应地减小，故电动机功率也大大减小，这不仅减少了能源消耗，同时也减轻了传动系统的设备重量。

（4）滚切剪上下剪刃在起始位置时，其开口度大致可达到被剪切钢板厚度的 3 倍，便于被剪钢板通过剪机，减少了操作事故。

（5）滚切剪剪切效率高，其剪切次数可达 30 次/min，这是斜刃剪所望尘莫及的，大大提高了剪切线的生产能力，使中厚板生产中主辅设备的生产能力相互匹配合理。

（6）由于滚切剪剪切钢板厚度范围大（5～50mm），故中厚板精整线上用一台双边滚切剪进行切边，用一台横向滚切剪切头、切定尺，大大减小了设备质量，缩短了作业线长度，减少了投资。这里需要特别指出的是，原来用圆盘剪进行切边时，其剪切下来的板边要用两台结构复杂摆式飞剪进行碎边，两台飞剪是共用的一套驱动装置，这使剪切设备大大简化。

（7）滚切剪的自动化程度高，一般滚切剪都能自动测厚和对中，剪刃侧向间隙可根据剪切钢板厚度的不同进行自动调节，刀片能快速更换，整个剪切线操作有计算机进行控制，提高了劳动生产率，减轻了工人的劳动强度。

我国对滚切剪的研究是从20世纪80年代开始的，第二重型机器厂首先为重钢设计制造了滚切剪，随后，沈阳重型机器厂为舞钢4200mm厚板轧机设计制造了滚切剪，从而填补了国内的空白。

太原重型机械学院于20世纪80年代开始研究滚切剪，并试制了一台6.5mm×1000mm组合式剪切机，这台组合剪是将闸式、摆式和滚式三种剪切方式融为一体，只要更换上刀架，便可分别实现闸式、摆式和滚式剪切方式，在这台组合式剪切机上进行了试验研究，试验证明，滚切式剪切方式比闸式、摆式剪切方式剪切钢板平直，弯曲变形小，而且在剪切相同板厚和相同材质时，滚切式比闸式、摆式斜刃剪的剪切力约小5%。滚切剪剪切力小的原因是由于钢板弯曲变形小的缘故。最近作者将邯钢中板厂的斜刃剪切机改造成滚切剪，改造后的滚切剪，剪切的钢板质量显著改善，由于改造时仅仅更换了曲轴和上刀架，传动系统、压板和机架不动，故改造费用很低。

318. 宽厚板采用什么热处理炉？

用于厚钢板热处理的热处理炉有辊底式热处理炉和步进式热处理炉。辊底式炉有辐射管加热和明火加热两种方式。现代化的厚板厂普遍采用辐射管加热的无氧化辊底式炉，用于对厚钢板进行常化、淬火并兼作回火处理。其处理的钢板无氧化(炉内通 N_2 保护气体)、表面质量好、温度均匀；用于厚钢板回火兼作常化处理时，采用明火加热的辊底式炉或用步进式热处理炉。

辐射管加热辊底式炉用作常化、淬火兼作回火时，热处理温度为500～950℃；而仅用作回火时，热处理温度为400～700℃；用作常化和回火的步进式热处理炉，炉温度为500～1100℃。

辐射管加热辊底式炉设计处理的最大板厚为200mm，最宽达5400mm，钢板最长为26m，炉最长为96m。

319. 宽厚板轧机的主传动、自动控制、自动检测系统如何？

随着电力电子技术、微电子技术的发展，现代控制理论特别是矢量控制技术以及近年来交流调速系统的数字化技术的应用，促进了交流调速系统的发展，目前交流调速的调速性能达到甚至优于直流调速。国外宽厚板轧机主传动电动机有一些由直流电动机改为交流同步电动机供电，新建的厚板轧机更是优先选用交流化的主传动系统。

1985年住友鹿岛厚板厂5450mm/4830mm厚板轧机更新精轧机时，主电动机增容并更新为2×7500kW交流电动机，后来又将粗轧机主电动机增容为2×5800kW交流电动机，并采用最新GTO电气元件供电。

1985年迪林根厚板厂增建5500mm粗轧机时，选用了同类轧机最大容量和最大转矩的2台10900kW同步主电动机。

在自动控制方面，国外现代化厚板轧机的计算机控制系统大多已配制了四级计算机系统，即基础自动化级、过程控制级、生产控制级和生产管理级。其系统结构合理，硬件设备新，应用软件功能完善，使整个厚板厂的设备控制、过程控制、生产控制、生产管理等都纳入到计算机系统的管理和控制范围内，从而有利于保证了工艺设备的最佳运转状态、轧机能力的充分发挥及高要求的产品质量。

现代化的厚板轧机生产控制计算机在板坯库、成品库管理控制方面已向更高阶段发展。

过程控制计算机的设定控制范围首先在轧制线，而现在对剪切线的控制也达到较高的自动化水平。

国外有的厚板厂已在开发和实现辅助生产工序的自动化操作。

轧制线的过程控制必须设置测温、测压、测厚、测宽、测平直度等检测仪表，有的厚板轧机还设有测旁弯用仪表。近年来的一大进步是靠近轧机（相距2.1m）布置的γ射线测厚仪，效果很好，大大提高了钢板的厚度精度。

剪切线为设定控制、管理和质量保证而设有PSG或ASM，集中设置测厚、测宽、平直度、矩形对角线等检测仪表室，自动标志、打印、贴纸带签等。

自动超声波探伤装置（UST）。最早用于探查钢板内部缺陷的UST多设置在剪切线尾部，而德国和日本大分厂的UST设在冷床或检查台出口辊道上。最近几年又开发应用了一种在剪切线收集区或钢板精整区旁布置的横向探查钢板内部缺陷的UST。

320. 奥钢联中厚板HYDROPLATE技术包的基本功能及其特点是什么？

HYDROPLATE技术包是HATE模型和HAGC系统的综合。

HATE模型是完全综合的中厚板机模型，目的是轧制最佳化：计算最佳的轧制规程和确定轧制道次；计算每一轧制道次的最佳参数；使产品达到厚度、宽度、板形、平直度和温度的目标要求；使整个轧机的生产最佳化及轧机调速最佳化。

综合各种情况以达到先进的最佳化和匹配性好的物理模型，可以使PLATE模型在质量和生产率之间达到尽可能的平衡。

对可逆轧制工艺的特别设计，使PLATE模型可以动态地跟踪轧制过程以及轧机状态，并且及时地以生产线的实际状况为基础提供最精确的轧制规程。

PLATE模型最初是由IRSID开发的，并且经过了不断的改进，以及融入新的特点、策略和最佳化算法。此外，还获益于最新的软件和工艺技术。

PLATE模型的主要特点如下：

(1) 各种情况的物理模型包括下列子模型：流变应力模型；轧制力和扭矩模型；温度模型；凸度和平直度模型；机架和轧辊弹性模型；轧辊热凸度和磨损模型；立辊轧机模型。

(2) 一个新的物理冶金和结构模型，即MESMO(R)，用于改进轧制力预测的精确性以及对材料的冶金性能有更好的了解。

(3) 用于轧制和工艺最佳化的先进方法，例如：在粗轧机和精轧机之间中间坯厚度最佳化；对薄的、宽的、低温的、以及高屈服应力中厚板特别设计的编制轧制规程的方法；温度控制轧制和热机械轧制；特定的立辊轧机编制轧制规程的方法；最佳的弯辊设定方法；利用成本职能确定高水平复杂的折中方法。

(4) 利用先进、充分、短期和长期的合适的算法以提高精确性，并使自学习的方法最佳化。

HAGC系统的目标是使中厚板的一致性最佳。为此，HAGC系统是将高水平、高性能的液压和机械技术与可以安装在轧机底部和顶部位置的液压缸相结合，以完成调整和控制功能。

HAGC机械技术包括：数字式位置检测；单点检测；中厚板轧机中的负载轴承；机械式超行程保护和长行程液压缸。

中厚板轧机液压缸的典型特点为：硬化磨损环；活塞表面经过处理减少摩擦；阻转装置；中心线位置检测；锻钢缸体；用于测量轧制力的压力传感器；数字式位置反馈装置和避免轧机环境污染。

液压系统的典型特点为：用于高速反应的伺服阀；确保供油的储油装置；必需的偏离和安全阀；靠近轧机安装的底装液压缸和安装在轧机立柱上的顶装液压缸。

液压动力装置的特点为：两台工作、一台热备的泵站；圆柱形两个间隔槽；液压缸用油调理装置；液位、过滤器液塞及油温传感器、MCC和PLC控制器。

HAGC控制技术概况：动态补偿控制中厚板厚度，这些补偿利用实时轧机检测数据修正引起中厚板厚度偏差的现象。高性能补偿包括下列4项：

(1) 轧机拉伸补偿。在每一道次轧制过程中，由于轧制力的变化，造成轧机拉伸变形改变，进而引起厚度偏差，因而需要进行补偿。根据轧机的拉伸曲线——其系数既可以由HATE模型来算，也可以由轧机拉伸曲线的获取顺序从内部确定，这种补偿必然要对液压缸的位置参数进行修正。

根据是否对轧机预设HATC模型，可以获取相对和绝对补偿方式。

(2) 油膜补偿。当轧制速度和轧制力发生变化时，经常出现油膜偏差，因而需要对其进行补偿。油膜补偿是通过一个自动程序获取的，采用了3个不同轧制力以3种不同速度驱动轧机，其输出是测量到的速度、轧制力及一个公式。其系数来自对油膜的采集，从而达到补偿油膜。

(3) 轧辊偏心补偿。在每一支撑辊上安装了偏心探测器。探测器探测每根轧辊旋转时的两个端部。所测的速度用于确定轧辊旋转时的倾斜角度位置。在轧制过程中相对轧辊倾斜角度位置的轧制力的变化被记录下来。这些数值可用于算出偏心率，然后归入液压缸位置基准变量中。

(4) 倾斜补偿。倾斜补偿用于修正从一侧到另一侧轧制过程中轧制力的差异。倾斜功能以所测轧制力和机架的拉伸特性为基础，可计算出修正量。修正量可以改变轧机的倾斜基准，并可控制中厚板的镰刀弯。

PVR(Plan View Rectangularity)模型的目标是改善所轧中厚板矩形度，由此提高成材率，它可以通过减少中厚板侧面的鼓肚和板头及板尾不规则部分来实现。

为此，在回转中厚板之前，在粗轧和宽展阶段的最后一个道次使中厚板的头部和尾部过厚。通过HGC系统可以实现中厚板头尾部过厚，并需要采用长行程、高速液压缸。PVR模型向在轧制道次中起作用的HGC系统提供基准数据。

系统能非常有效地使中厚板板头尾过厚，但需要精确应用该系统。由此对中厚板长度的跟踪需要高水平及高精度的控制，因而必须控制中厚板在轧机中的向前滑动。它可以通过下列作用来实现：

(1) 在导致中厚板前滑条件的特定的中厚板减薄之后，由道次程序的PLATE模型来形成。

(2) 在PVR作用之前，借助HGC并通过利用前一道次测量的中厚板长度来适应中厚板的前滑。

(3) 通过使用精确的启动补偿和金属弹性，使HGC动态控制最佳化。

在中厚板轧机上可以配制大型工作辊弯曲执行装置，其优点是：提高了中厚板板形和平直度的精度；由于提高了轧制规程的灵活性，因而扩大了可生产产品范围。

除了机械设备外，奥钢联还提供整套的工作辊弯曲自动化软件包。其功能由通过PLATE模型完成弯辊预置计算；以绝对和相对方式进行恒定板形调节；以实现工作辊弯曲力的反馈，或是板形或是平直度检测为基础。使每一个中厚板的板形和平直度相匹配。

为了提高成材率和对中厚板宽度进行高水平控制，奥钢联公司开发了立辊轧机模型和AWC控制系统。除了机械设备外，奥钢联还提供了全自动化软件包。它包括：含在PLATE模型中的立辊轧机模型（立轧效率、狗骨形模型、最佳化等）；立辊轧机轧制规程；为宽层和滑道黑印补偿的道次调整；短行程控制；提高中厚板宽度精度的立辊轧机模型使每一中厚板均匹配。

321. 奥钢联的预平整机有何特点？

为了提供具有合格入口平直度的中厚板，且无需改造轧机的控制及调整装置，伯利恒钢铁公司向奥钢联公司购买了一台预平整机。预平整机是在奥钢联公司从Bertin&Cie公司获取ADCO技术之后，为加速冷却而特别设计的。冷却工艺需要在加速冷却机入口处有相对水平的中厚板，以确保在中厚板表面有平稳的水滚动，其结果是有均匀一致的温度。该预平整机从设计上可以平整的中厚板厚度为5～25mm，温度为700～1000℃。预平整机也可以消除中厚板前沿高达0.5m的上翘。

预平整机的优点不仅仅反应在ADCO机的性能中，也可以用于热平整不用加速冷却的薄规格中厚板。这种预平整机可以降低对下步离精轧机几乎有130m远热平整机的平整需求，最终结果是提高了薄规格中厚板的平直度和生产率。

预平整是紧凑式设计，它有4根平整辊。在4根平整辊中，有2根上平整辊和2根下平整辊，它们是由一个电动机通过齿轮减速机、小齿轮箱和万向接轴驱动的。下面两根平整辊固定在下部的辊架上，而上面的两根平整辊安装在上部的辊架上。所有平整辊均是内冷式。

4个液压缸定位于上部结构上，这些液压缸不仅用于控制辊缝，而且用于控制左右和前后摇动。两根焊接钢柱组成框架，并带有隔板和地脚螺栓。

在平整机入口是进口导板盒，它可以通过上部辊架的定位改变高度。进口导板便于中厚板咬入预平整机平整辊辊缝，因为中厚板前端有较高的前翘。

预平整机的最大辊缝是609.6mm，最大矫平力是2500kN。

预平整机的控制是全液压式的。辊道驱动设置模型用于预置辊缝的设定和倾斜值，对于25mm厚的中厚板，预平整机可以提供80%的可塑性。

322. 伯利恒钢铁公司的ADCO机及其过程控制有何特点？

ADCO机一般紧接在预平整机后。在伯利恒钢铁公司的ADCO机是6个组件的装置，每个组件有5个喷头，上下部装置合计有60个喷头。在前4个组件中有上下屏蔽。

ADCO机利用低压、高速、恒定气流将均匀分布的、不定的水流激发成水滴。喷淋的水滴均匀地喷向钢板，然后冷却水通过一排矩形管流到喷头前缘形成水幕。此时，高速、均匀分布的气体从两侧冲击水幕，并沿着喷头长度产生三角喷淋。上下喷头的功能是相同的，下部喷嘴的气流将水滴喷射到钢板的下表面。

为了限制厂房内的湿气，安装了用于排出在冷却过程中产生的蒸汽的抽气系统。安装该系统的另一个目的是清除中厚板表面的水，在气流的帮助下，中厚板边缘的水可以排出。然而，蒸汽是中厚板冷却过程中产生的一种副产品，通过安装在收集装置上的抽风机，将蒸汽吸入排气管。

由喷头组成组件，上部和下部的组件是完全分开的。通过一系列的定位销，下部的组件固定在轧制线上，上部组件的定位与下部组件相同，也有一系列定位销。每一组件均是独立的上下控制。采用组装件的方法是使得维修迅速和简便。

ADCO技术其冷却速率范围较宽，这是由于它采用了ADCOPLUS，它是空气加上水的一种综合。ADCO技术采用低压、恒定的气流，在整个喷头区域均匀地喷洒低压水流，可以在中厚板的上下表面上精确地控制冷却介质，即使是低压水流，均匀冷却水分配可确保冷却速率均匀一致。

ADCO的每一组件配有流量控制阀，通过自动关闭阀，每个喷头均可单独控制。

ADCOLINE模型可以控制冷却过程的所有方面。它包括产品运行速度，上下组件的水流速度，中厚板头、尾的边缘的屏蔽位置。该模型也可以在部分中厚板仍处于冷却机外且处于气冷时，使冷却水流速降低。

产品温度的物理数学模型，包括沿着冷却机长度的转变能量，使我们可以改变水流速度以修正由于中厚板表面温度下降而引起传热机理的变化。

与应用恒定的水流概念不同，应用恒定的流通量概念则可通过预测一些现象，像在具有高冷却速率或较低目标温度的较厚中厚板上不可避免出现的蒸汽挡板破损，对中厚板温度进行高水平控制。为了补偿冷却效率的提高和维持预计的冷却速率，通过AODCLINE模型预测重新浇湿，从而降低冷却水速率。这会大幅度减少对温度均匀性的负面影响以及对中厚板力学性能的负面影响。

除了使温度均匀外，达到平稳地加速冷却中厚板是非常重要的。为了避免中厚板出现变形，上下冷却水的流量必须平衡。若上下冷却介质流量相差5%，则足以导致中厚板不可逆的变形。

由于喷头本身的设计和ADCO的基本原理，很容易达到上下冷却介质流量的平衡，而通过AODCLINE，可以提高对其控制。

由于在中厚板的两端会出现温度不均匀，因而可以探出中厚板头、尾处的变形。

ADCOPLUS提供一种独特的方法进行头尾屏蔽，即使喷头没有喷水时进到喷头的气流仍是恒定的。气流中含有一些水，这些水来自喷头区域运行中的喷头。喷头的水流随着中厚板穿过冷却机向前运动而顺序开关，以避免中厚板头尾冷却不均。

通过ADCOLINE模型对中厚板头尾屏蔽进行预设定。一级控制排定自动关闭阀程序，为了实现中厚板头尾有效的屏蔽，控制水流控制阀。中厚板头尾屏蔽对均匀中厚板性能以及对减少中厚板头尾变形的作用是不容否认的。

中厚板边缘缺少屏蔽，将会在中厚板宽度上出现温度不均匀性而导致中厚板产生波浪边或中心凸曲缺陷。此外，在中厚板宽度上力学性能均匀性降低，将对成材率有负面影响。

总之，中厚板边缘屏蔽的正确应用，对中厚板平直度和达到较高的成材率是非常重要的。

在中厚板上应用底屏蔽是ADCO的一个独特特点。与中厚板上部屏蔽不同，在中厚板下部屏蔽时，已证明其屏蔽效率更高。对每一块加速冷却的中厚板而言，ADCOLINE模型可以确定最佳的上下边缘屏蔽。

323. 何谓全辊缝热平整机?

在线冷却技术的发展需要更强大的平整系统，为此，设计了全辊缝控制平整机。为了保证平整精度目标，必须使用液压缸来控制平整辊的定位和弯、平整辊间的距离不能满足的空间安装传统圆柱形传动装置，以支承每根平整辊所需的平整力(一般为1000kN)。

奥钢联公司通过采用获得专利权的液压缸，即为我们的动态Sbaper011(R) DSR(R)特别设计的液压缸，解决了这一问题。这些特殊的液压缸是椭圆形的，有较大的横断面积。

根据FGC平整机的设计，它具有下列主要工艺特点：在负载改变情况下，当中厚板离开或进入平整机时。平整机的拉伸是动态补偿的；为了避免在中厚板中心和边缘间的平整效率发生变化，可对平整辊的弯曲进行修正；为了使平整能够达到最佳化，每根平整辊都是独立定位和独立弯曲控制；对于冷态平整，为了减少平整辊和中厚板的摩擦以及均享所需的力，为了实现连接辊的扭矩控制，以及为使平整辊能立即移去而增加厚规格中厚板的平整范围，每根平整辊是独立驱动的；容易去除对平整辊使用寿命造成影响的氧化铁皮。

FGC平整机的可靠性有了很大提高，其主要技术措施有：不可能过载；独立的液压缸作用于平整辊；没有过度的扭转力矩；在热平整时，独立的扭转力矩制动器作用在所有连接辊上；在冷平整时，带有扭转力矩控制的驱动装置作用于每根平整辊。

FGC平整机配有预设定模型，且控制是全自动化的。

PLANE模型是平整机的预设模型，它可计算出平整辊位置的预设值、平整辊的作用力、扭转力矩和塑性百分比，这是以平整最佳化所需的塑性百分比。PLANE模型是考虑了材料的屈服应力、杨氏模量、厚度、宽度以及平整辊直径的物理模型。以所测量的平整力和扭转力矩为基础，每块中厚板间的屈服应力和塑性变形是相应的。

FGC平整机的一级自动控制系统包括：在平整机内中厚板位置跟踪；每根平整辊的独立定位和液压缸定位、压力控制；排定出口顺序；拉伸补偿和弯曲补偿等。

324. 马钢2300mm中板轧机厚控系统的技术特点是什么?

马钢2300mm中板轧机厚控系统是吸收了国外的先进技术、分析了国内厚控系统不足的基础上实现的一种新的AGC厚控技术，其技术特点如下：

(1) 采用计算机分布式控制系统，由应用工程计算机、操作设定计算机和DDC计算机组成，形成模块式结构，灵活性与适应性强。既有可靠的I/O工作站完成实时控制功能，又通过工程计算机完成各种复杂的先进的控制策略与控制算法，采用操作计算机完成各种设定和显示功能；3台计算机之间既采用通讯网络交换数据又有并行I/O数据信息，采用冗余结构以提高可靠性并增加拨码控制功能。系统留有较大的扩展提高的余地，可进一步开发高性能的控制策略、算法与软件。

(2) 采用先进的控制思想与算法：如同步自适应控制、咬钢变速控制、学习规程与轧制规程数据库的在线修正、计算机自动预压靠拨零、自动测试轧机刚度系数、轧制规程最优化计算及轧制规程数据库、自动命中目标厚度、负偏差管理系统等。

(3) 根据热轧钢板厂现场的复杂和恶劣条件，在硬件设计中采用了保证系统的抗干扰性和稳定可靠性措施，诸如严格的接地屏蔽和隔离，对交流电源、直流电源和信号的滤波技术，以及较大电流传输多重抗干扰措施等。

(4) 在计算机的软件设计中考虑了辊缝变化的同步控制，从而改善了轧辊两侧的同步性能。实践证明，在轧辊大行程时两侧运行的辊缝差不大于 20μm，小行程的辊缝差不大于 5μm，操作时通过轨迹旋钮可快速准确地调节辊缝水平度，提高了带钢的轧制稳定性。

(5) 由于计算机控制 AGC 系统的压力限定和压力保护非常可靠，所以在任何钢种、任何条件下都可采用 AGC 系统轧钢。这是原控制系统所不能比拟的。

(6) 计算机系统可连续采集轧制过程的所有参数，并实时地存入上位机的硬盘中，这些数据为不断提高压下控制精度、为技术人员做好工艺分析提供了可靠的依据，并以数据库格式文件方式为工厂数据系统提供了原始工艺数据。

325. 厚控的基本控制方法是什么?

(1) 压下系统动态智能控制。在一定的条件下把对象简化为积分和一个大惯性环节，简化后的传递函数为：

$$W(s) = K/S(TS+1)$$

取 x_1 为误差，x_2 为误差变化率；根据极大值原理，对于上述所示模型，其控制机理为：在初始点处，先作用最大值控制量(当 $x_1(0)>0$ 时)，当对象获得足够大的目标点运动的趋势后(在开关点处)，再给对象以相反的最大控制量，当对象达到指定位置时，其运动趋势衰减为零，完成最速控制。

由于最速控制的实现强烈依靠系统的数学模型，模型稍后失配，使系统的控制效果急剧恶化，因此，这种方法是很难在实际中得到直接的应用；然而通过启发，我们研制的智能控制器就是以此为基础而构成的，即在误差很小时，进行模糊控制，系统总的控制量为两个控制器的控制量的完成。

(2) 压下系统的同步控制。同步分为动态同步与大行程同步两种，前者为了确保钢板不跑偏，后者保证轧辊运动时不倾斜并保证咬钢时的同步。

为缩小动态辊缝差，加入交叉负反馈动态同步控制，两侧辊缝值求差后经辊缝差控制器输出控制量，以正负方向分别作用于工作侧与传动侧。这样对整个控制系统来讲，是一个多输入多输出控制系统。对同步控制而言，形成了闭环控制系统。因此，它具有反馈控制系统所具有的一切优点。当大行程同步控制器工作时系统处于饱和状态，此时采用智能手段实时调整两侧的饱和值以确保同步性能指标。

实际测试表明，应用同步控制器后，完全可达到满意的同步运行状态，动态同步偏差不大于 0.02mm，大行程运动时偏差小于 0.05mm。

(3) 轧辊偏心补偿。压力反馈自动厚度控制(AGC)是减少同板差的主要手段之一。但惯用的算法具有操作复杂、稳定性差等缺点，AGC 运行率较低，压力反馈控制方法的另一个不足是它的补偿方向与轧辊偏心引起的压力波动方向恰恰相反。因此，较理想的做法是首先从压力信号中把轧辊偏心引起的分量分离出来，然后采取不同的控制压下系统，以获得好的效果。

采用与上下工作辊同轴安装的光电码盘(每转 200～5000 个脉冲)可精确测量出轧辊的偏心分布，通过上位机的分析计算分离偏心信号，采用预测控制技术控制同板差。由软件引起的压力波动采用 AGC 法控制，这样避免了大的压下或抬起，保证了钢板厚度的纵向均匀性，实际生产产品的统计结果表明，同板差在 0.08～0.15mm。

减少同板差的另一个措施是当轧制咬钢前实时测量记录轧辊的偏心信号与工作辊表面圆周单位长度（将工作辊周长分成 200 等份作为单位长度）的对应关系并存储，轧机咬钢后一方面由记录的表格根据轧辊表面圆周的单位长度和零位信号控制压下，另一方面自动记录钢板的同板差信号与工作辊圆周单位长度的对应关系并存储；在下一道控制压下时，根据体积不变原理，把上一道次存储的信号延长后乘以一个可调系数，并将超前系统压下的响应时间作用在压下系数中。

AGC 系统包含轧制过程数学模型、轧制规程最优化、轧制规程数据库、控制同板差的算法、命中目标厚度问题、温度自适应、专家系统应用等，均是针对马钢四辊中板轧机的工况提出的，比采用传统理论的控制更加灵活、可靠。

326. 中厚板板形控制的内容及指标是什么？

中厚钢板板形控制的内容如表 3-7 所示。一般划分为纵向、横向及平面板形 3 项控制内容。三者互相配合与影响，只有统一运筹板形控制技术，才能生产出最佳板形和最经济的钢板。

表 3-7　中厚钢板板形控制内容

序号	控制名称	控制原因	造成缺陷	控制方法	应用内容
1	纵向板形（长度）	1. 板长方向温度差 2. 黑印 3. 辊跳 4. 轧速变化 5. 轧制力变化 6. 轧辊偏心	1. 纵向板厚超差 2. 同条、同板、异板差大	1. HAGC 2. DAGC 3. 高刚度轧机	生产锥形板
2	横向板形（凸度）	1. 轧辊挠度 2. 轧辊偏心 3. 轧辊不均匀磨损 4. 轧辊辊型 5. 轧辊温度变化 6. 轧机刚度 7. 轧件温差 8. 压下精度及左右不均	1. 凸度板 2. 超差板 3. 浪形、瓢曲 4. 不平直 5. 部分板成梯形	1. PC 轧机 2. HCW 轧机 3. CVC 轧机 4. WRB、BURB 5. 辊型 6. 阶梯辊 7. 高刚度轧机 8. HAGC	生产梯形板
3	平面板形	1. 展宽 2. 原料形状、尺寸及黑印 3. 轧件温度不均	1. 两边桶形与凹形 2. 头尾舌头与鱼尾 3. 边部折叠	1. 合理的轧制程度 2. 规整、温均的原料 3. MAS 法	生产锥形、梯形、圆形、异宽、异厚、带肋及防挠等异形钢板

续表 3-7

序号	控制名称	控制原因	造成缺陷	控制方法	应用内容
3	平面板形	4. 轧辊辊型及挠度 5. 压下精度及左右不均	4. 镰刀弯	4. 立辊轧边 5. BDR 法 6. 差厚宽展法 7. ATLAS 法 8. HAGC 9. 高刚度轧机	生产锥形、梯形、圆形、异宽、异厚、带肋及防挠等异形钢板

板形控制后应当达到以下最佳指标：

(1) 纵向厚度偏差不大于±0.08mm；

(2) 横向厚度偏差不大于±0.05mm；

(3) 不平直度不大于0.04mm；

(4) 头尾异形总长不大于50mm；

(5) 边部裕量不大于20mm；

(6) 镰刀弯不大于1.5mm/全长；

(7) 宽度偏差为0～+2mm；

(8) 长度偏差不大于+0.02%全长；

(9) 平面识别不大于+2mm；

(10) 成材率达96%以上。

327. 热轧带钢除鳞的重要意义是什么?

板坯特别是薄板坯表面积大，容易出现二次氧化，生成氧化铁皮，如不及时清除，会与轧辊在高温下接触，不仅损坏轧辊，也常因轧制速度远远高于浇铸速度而将氧化铁皮轧入，严重地影响了板带材的表面质量。因此板带热轧生产中对除鳞过程给予高度重视。它已成为薄板坯连铸连轧生产中的一项关键技术。新的结构都将除鳞机布置在粗轧机前，进而在入加热炉前、精轧前再次除鳞。FTSRQ 生产线甚至在精轧机架 F_1、F_2 后仍进行了多道次除鳞，以确保氧化铁皮的清除。除鳞装置有高压水、旋转高压水等多种类型，其水压从10～20MPa 提高到40MPa。奥钢联还开发了圆环形和网状旋转水除鳞装置，均是想利用高压水以一定角度打到板坯上以便更有效地清除氧化铁皮。

328. 薄板坯连铸连轧中的除鳞技术有何特点?

现代化的传统厚板坯生产中除鳞技术已经比较成熟，均采用高压水除鳞系统，水压达到15～18MPa 即可比较彻底地清除氧化铁皮。在生产中，为了清除在轧制过程中产生的二次氧化铁皮，一般采用多次除鳞，即在出加热炉进入粗轧机前、进入精轧机前和在精轧过程中的精轧机架之间都进行除鳞，经过这样的多次处理，可以满足现代工业对薄板表面的苛刻要求。

薄板坯连铸连轧技术出现以后，因薄板坯的加工工艺路线与传统的生产方法有较大的不同，薄板坯出连铸轧机后，无需冷却到室温后再加热进行轧制，而且为了降低薄板坯的温度损失，板坯出连铸机后与空气接触的时间极短，马上进加热炉加热保温，加热时间也很短，一般为15～20min，出炉的薄板坯同样只经过板坯的输送辊道进入除鳞机除鳞。在这个过程中板坯处理的环境特点是：始终处于很高的温度下，没有传统板坯温度下降到室温的过程；加热时间很短，所以形成的氧化铁皮很薄；出加热炉后到进入除鳞机的时间很短，薄板坯温降很小。在实际生产中，人们发现薄板坯的氧化铁皮在板坯表面很薄很黏，氧化铁皮很难去除，因而用薄板坯生产的热带的表面质量一直是个比较大的问题。在初期又有依靠提高除鳞水压来消除表面氧化铁皮，最高水压曾经达到过55MPa，但是提高水压并不是解决这一问题的唯一办法，提高水压还会带来一系列问题，如随着高压水系统维修保养的工作量增加，事故率也将相应增加等。

针对除鳞困难的问题，国外公司开发了新型的除鳞设备，主要采取的措施是，进一步优化除鳞机喷嘴到板坯表面的距离和角度，以达到更高的除鳞效果；开发新型的高压小流量喷嘴，使水流压力提高，且只因冲击到板坯表面的水量小，还可减小板坯表面的温降。新型除鳞机的除鳞效果有了较大的提高，相应的水压也得到了降低。

329. 达涅利公司开发的薄板坯除鳞技术采取了什么措施？

达涅利公司的观点是，在隧道炉内形成的主要是由Fe_3O_4组成的一次氧化铁皮，可以由粗轧机前的立辊轧机入口侧的除鳞机消除。在立辊和粗轧机之间，在保温输送辊道内以及在该辊道与精轧机的除鳞机之间，仍会产生大量的二次氧化铁皮，主要是由Fe_3O_4和Fe_2O_3组成，可以由精轧机前的除鳞机清除。在精轧机除鳞箱至精轧终轧机架之间形成的三次氧化铁皮比较难于清除，特别是在除鳞和F_3机架之间产生的氧化铁皮中FeO含量高。在此区段，带钢的表面会被压入的氧化铁皮损坏，而且精轧机前的三架工作辊也会由它带来的磨损而被损坏。图3-49是达涅利公司分析氧化铁皮在轧钢过程的各个阶段的生长情况和数量，由图可知在不同的轧制阶段，氧化铁皮的组成比例和种类情况。为了避免压入氧化铁皮的缺陷，达涅利公司在其薄板坯连铸连轧项目中采用了如下措施：

（1）限制中间坯厚度。如果最后一个精轧机架的出口处条件（带钢温度、厚度、轧制速度）不变而中间坯越薄，在除鳞箱和F_1之间以及在精轧机架间用的时间就越少。因此，在达涅利公司的工艺技术中设置了粗轧机，其在美国的北极星钢厂甚至有两台粗轧机，这种两台粗轧的串列轧制一般可使板坯厚度从90mm减少到35mm。

作为一个实例，表3-8中列出了1.4mm厚的带钢在精轧机的停留时间（出口速度11.5%），计算用的中间坯厚度为50mm和32mm。

用32mm厚的中间坯代替50mm厚的中间坯有一个很大的优点就是在除鳞箱和机架F_1之间的停留时间大为缩短，可避免高温坯氧化铁皮的快速增长。

（2）高速轧制。按照输出辊道上带钢的输送极限，在精轧机上进行高速轧制能够减缓氧化铁皮的增大。

（3）精轧机机架间冷却。在头三个精轧机机架间设有带钢冷却系统，使温度在轧制结束时能够得到控制，从而避免了因轧制速度的变化而造成氧化铁皮的增加。机架间冷却对于减缓氧化铁皮的增大和去除都有良好的效果。

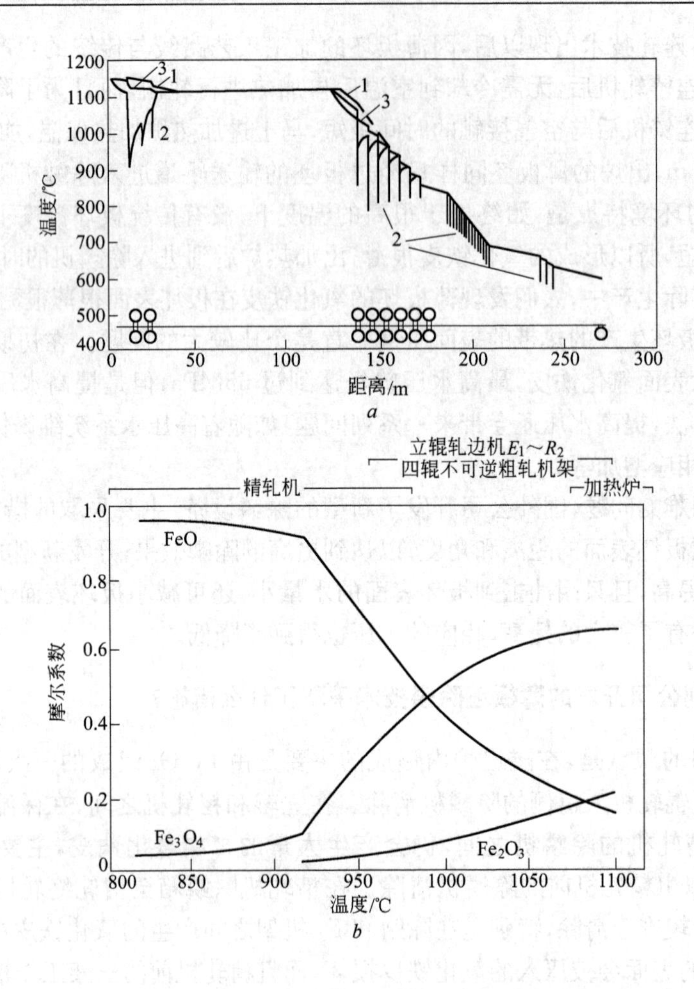

图 3-49　某薄板坯连铸连轧生产线上氧化铁皮的产生情况

a—从加热炉到卷取机的带钢温度(AISI1006 1.4mm×1500mm)；
b—沿着轧机氧化铁皮的分解及生长
1—内部；2—表面；3—平均

表 3-8　不同厚度的中间坯在精轧机不同位置的停留时间(s)

中间坯厚	除鳞机 F_1	F_1～F_2	F_2～F_3	F_3～F_4	F_4～F_5	F_5～F_6
32mm	12.7	5.29	2.53	1.40	0.87	0.59
50mm	20.77	8.07	3.61	1.78	1.02	0.68

(4) 设置除鳞系统和在线工作辊清洗系统。轧机配有下列系统：

1) 隧道式加热炉之前的旋转式除鳞机；

2) 粗轧机前的除鳞机；

3) 精轧机前的除鳞机；

4) 为精轧机工作辊清洗的抗粘辊系统。

第 2)个和第 3)个系统都是经过现代设计方法重新设计的传统设备，第 1)个和第

4)个系统是专门针对薄板坯连铸连轧的问题设计的。

旋转式除鳞机可使板坯在进入隧道炉之前，彻底清除原始氧化铁皮和残留的保护渣，这个系统已由达涅利公司获得专利，在实际安装的薄板坯连铸机上已获得较好的使用效果。该系统主要是由两个相对旋转的臂组成，一对用于薄板坯的上表面，一对用于薄板坯的下表面。在每个臂的端点装有一个扁除鳞喷嘴。喷淋水的宽度与臂的旋转速度相配合，形成连续不断的环形喷淋路径，使整个板坯表面被覆盖住(有适当的重叠)。喷淋水的轨迹见图3-50。旋转速度可根据连铸机的实际铸速来调节。达涅利公司的板坯旋转式除鳞机的主要工作参数见表3-9。

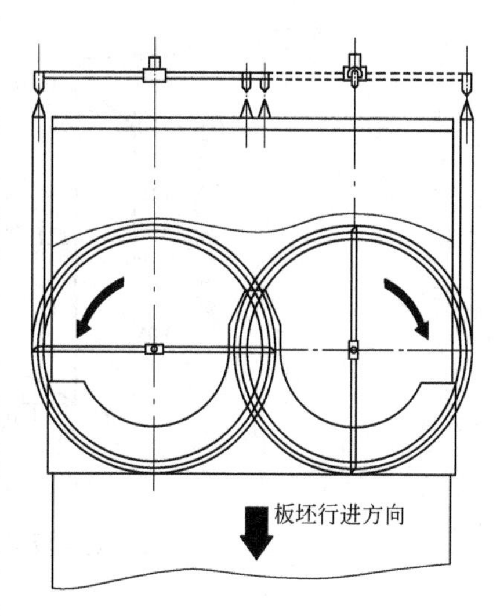

图 3-50　旋转式除鳞机喷淋水的轨迹

表 3-9　旋转除鳞机的主要工艺参数

项　　目	参　　数	项　　目	参　　数
板坯宽度/mm	1600	中心距离/mm	770
喷嘴至板坯的距离/mm	100	板坯最大速度/m·min^{-1}	6
喷淋角度/(°)	15	重叠量/mm	10
喷淋宽度/mm	55	喷嘴相对速度①/(r/min)·(m/min)$^{-1}$	11.0
横向公差/mm	28	水压/MPa	24
倾斜角度/(°)	15	冲击压力/MPa	0.87
喷嘴臂半径/mm	440	上述水压时喷嘴流量/L·min^{-1}	43.3

① 指板坯速度为 1m/min 时喷嘴的旋转速度。用板坯速度乘以该值，即可得到不同板坯速度下旋转臂的速度。

例如，以 5m/min 的浇铸速度生产的 90mm 厚的薄板坯在 1120℃的平均温度下进行旋转式除鳞时，其温度因辐射降低 28℃，因水冷却只降低 5℃。除鳞效果可以从图 3-51 看到，事实证明这种高水压低流量装置是有效的，对于薄板坯表面的清洁作用效果非常明显。

(5) 装备抗氧化铁皮粘辊系统 ROLLSTAR。该系统(辊面、温度控制和除鳞系统)是一种包括工作辊清洗系统在内的工作辊冷却装置。

采用高压水喷淋，既可延长精轧机工作辊的寿命，又可提高带钢表面的质量。

由于温度和机械疲劳同时造成的工作辊表面裂纹会导致氧化铁皮的积累，这些氧化铁皮粘在辊上然后传到并压在带钢表面上，这种现象叫做粘辊。因为氧化铁皮会扩大工作辊表面的裂纹，所以使工作辊寿命大为缩短。为了避免氧化铁皮在工作辊表面的积累，就要在轧机机架内装入除鳞头。这些除鳞头在两块坯之间的间隙时间内定期使用，用高压低流量喷淋清洗工作辊表面。通过工作辊移辊装置的轴向运动，可以改进清洗操作。

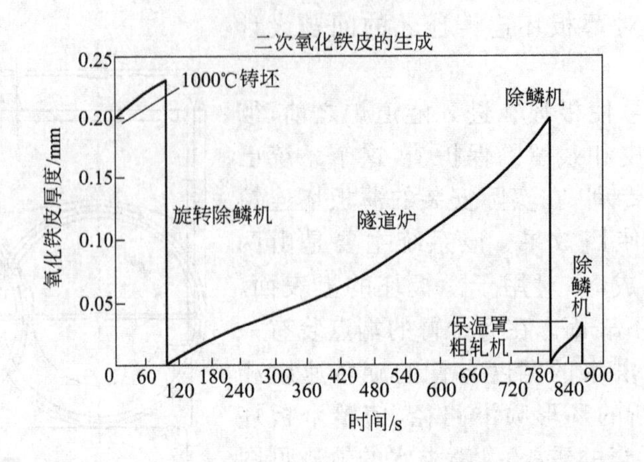

图3-51　某薄板坯连铸连轧生产线上氧化铁皮去除情况

330. 西马克公司开发的新型除鳞机是什么样的?

西马克公司针对薄板坯连铸连轧氧化铁皮难以清除的问题也开发研制了新型除鳞机,该型除鳞机的喷嘴是固定的,水流从一定的角度喷射到板坯表面。为了防止水在板坯表面残留,降低板坯温度,在除鳞机内部水流反射面的上方安装集水器,收集残留的水。除鳞水压较高,最高可达44MPa,通常使用35MPa。图3-52是该除鳞机的简图,图3-53是使用该除鳞机后板坯表面氧化铁皮的清除情况。

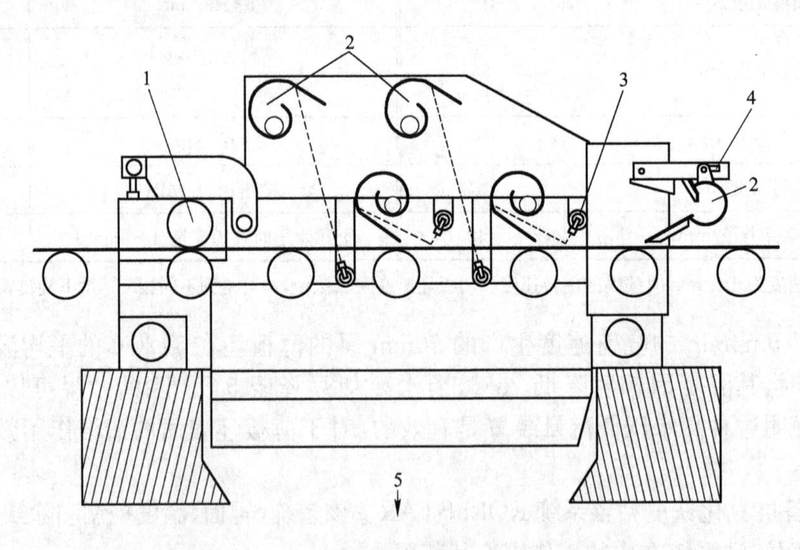

图3-52　西马克公司除鳞机结构简图
1—挤压辊;2—集水器;3—带喷嘴的喷水器;4—挡水板;5—铁皮坑

值得指出的是,尽管采用了各种除鳞技术,甚至在生产中多次除鳞,但是氧化铁皮的问题现在仍然是困扰薄板坯连铸连轧生产的主要问题之一,特别是用于汽车工业的冷轧深冲钢板(05表面钢板),用薄板坯连铸连轧技术生产仍有较大困难。

331. 无头轧制的目的是什么?

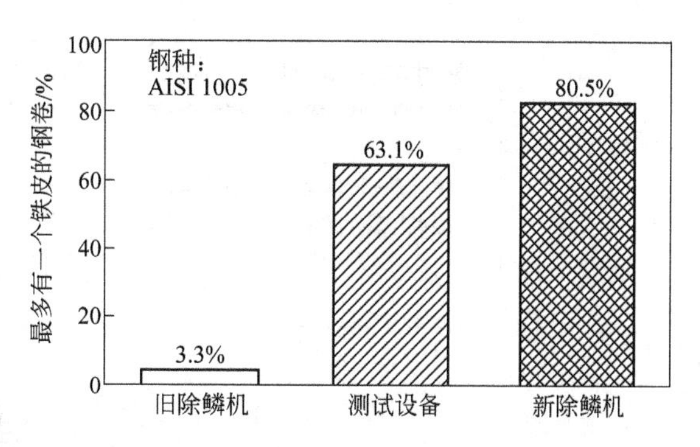

图 3-53　西马克公司除鳞机生产测试

无头轧制工艺的目的是在精轧机的入口侧,将中间坯连接在一起,然后进行连续轧制,一般来讲,可分为下面 4 个方面:

(1) 消除带钢轧制过程中的不稳定部分,使质量稳定,并提高收得率。在轧制带钢的头尾两端时,由于张力没有作用,因此在这种不稳定状态下,就会造成产品缺陷,如带厚、凸起变形和带钢波纹,从而导致质量和收得率下降。在无头轧制工艺中,将约 10 个中间坯连接在一起,并进行精轧,从而完成一个无头轧制过程。这意味着,除第一个轧制的头部和最后一个轧件的尾部以外,由于带钢一直受到拉伸载荷的作用,因此从精轧机到带卷箱没有任何类型的变形缺陷。

(2) 当轧制薄带材时,生产稳定,生产率提高。轧制薄带材时,当带钢尾端经过精轧机时容易产生褶皱,而褶皱又会造成轧辊损坏,这样就需要更换轧辊,因此就会减少生产时间,并增加轧辊加工费用。由于薄带钢在高速通过输出辊时极易产生剧烈跳动,很难保证适合的精轧机轧制速度,因此不能获得所期望的薄带材生产率。

相比之下,采用无头轧制时,由于张力作用在带钢的整个长度上,在无头轧制中,中间坯之间的轧制间距可定义为零。

(3) 超薄和宽薄产品的生产,其尺寸适用范围超过了采用传统技术生产的薄产品。

在间歇式轧制工艺中,由于经常发生尾端褶皱,而难以进行正常轧制,因此还不能生产厚度在 1.2mm 以下、宽度为 1250mm 以上的产品。

相比之下,由于轧件从头至尾一直保持着张力作用,因此在这种稳定状态下,无头轧制能够轧制出间歇式轧制所难以生产的带钢尺寸,即在轧制厚度为 1.2mm 的带材时,宽度可超过 1250mm,或轧制厚度为 0.8～1.2mm 带材时,没有什么问题。

(4) 采用润滑轧制和强冷轧制可获得更好的轧材性能。在间歇轧制工艺中,当进行润滑轧制时,为了防止带钢咬入困难,一般不对带钢头部进行润滑,这样就降低了收得率,并妨碍标准化操作。

在无头轧制中,由于从无头轧制组中第一个带卷的头端到最后一个带卷的尾端经过精轧机时,能够对其全长提供润滑,因此可以进行稳定的润滑。关于强冷轧机在精轧机出料侧的热输出辊道上的情况与润滑轧制相似。

332. 热带无头轧制的主要技术有哪些?

日本千叶厂 3 号热带钢轧机主要设备如图 3-54 所示。中间坯连接设备位于 R_3 机架的出口侧。开卷箱作为中间坯连接的起始点,可连续为无头轧制输送中间坯。切头剪位于开卷箱和连接设备之间,用于剪掉前一个轧件的尾端和后一个轧件的头端,以便在轧材宽度方向上能够均匀地连接。

中间坯连接设备安装有感应加热器,可自动运行。它与被连接的中间坯一起运行,并能

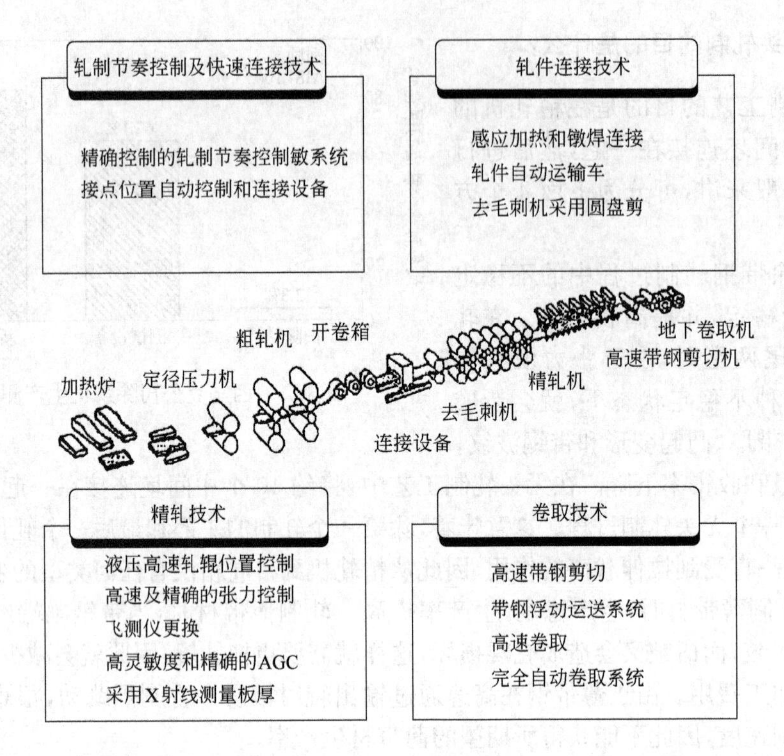

图 3-54 热带轧制的主要技术

在20m的行程内对轧件进行加热和镦焊。由连接设备出口侧的一台去毛刺机除掉镦焊所造成的毛刺。

地下卷取机安装有一台高速带钢剪切机，用于切断连续供给卷取的带钢，其主要设备的技术参数见表3-10。

表 3-10 热带无头轧制设备的主要技术参数

设备		技术参数
轧件	厚	20～40mm
	宽	800～1900mm
	供料周期	45m/min
粗轧机		最大输出速度340m/min(R_3处)
开卷箱		
轧件连接设备	类型	自定式
	行走速度	最大60m/min
	加热方式	感应加热器
去毛刺机类型		圆盘剪
精轧机	Paircross轧机，所有机架均带工作辊弯辊装置，所有机架均带有液压AGC，最大输出速度1600m/min(F_7)	
高速带钢剪切机	剪切速度	最大1200m/min
	剪切厚度	0.8～1.6mm

应该注意的是，虽然这些技术具有共同点，但要采用无头轧制，必须首先实现从加热炉到卷取机的完全自动化。换言之，热轧生产线的全部自动化技术构成了无头轧制的基础，并成为实现无头轧制工艺的基本技术。

333. 无头轧制工艺的应用效果如何？

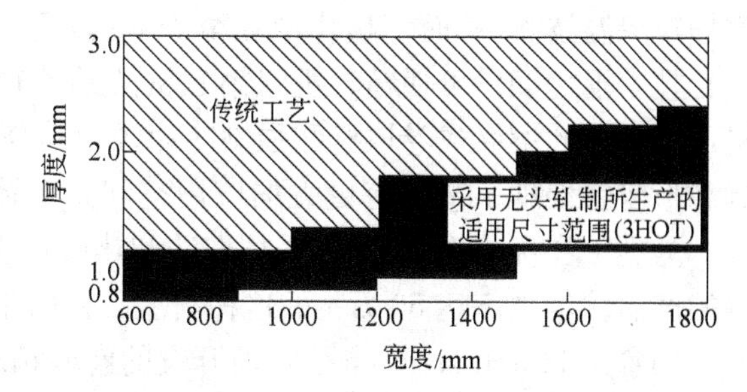

图 3-55　采用无头轧制 3 号热带轧机的尺寸适用范围

图 3-55 所示为采用无头轧制工艺所扩大了的尺寸使用范围。采用无头轧制工艺，能够生产出厚度在 1.2mm 以下的超薄带钢，以及厚度为 1.2mm，宽度超过 1250mm 的宽薄带钢。

除了能够生产厚度为 1.0mm 的带钢外，采用无头轧制工艺还能以标准化方式生产厚度为 1.2mm，宽为 1500mm 的产品，而没有丝毫问题。

此外，与传统产品相比，带钢具有极高的 *R* 值(Lankford 值)，因此可具有极好的深冲性能，还可以采用无头轧制工艺中的润滑轧制进行生产。

334. 超薄热轧带钢生产新技术的发展情况如何？

2000 年 5 月美国钢铁协会组成并举办了薄带钢热轧会议，会上重点讨论了目前世界各国超薄热轧带生产中所采用的新技术。

据会上的专家称，直接使用厚度低于 2mm 超薄热轧带钢的市场份额今后几年将增加一倍以上。1997 年超薄热轧带钢产量是 900 万 t，而到 2007 年，预测全世界超薄热轧带钢的市场份额将超过 1900 万 t。如此巨大的市场份额的增加将通过开发和采用最新技术和生产工艺加以实现。

意大利达涅利设备公司开发的 fTSR$^+$ 设备用于生产超薄热轧带钢。该生产线由电炉、用于连铸薄板坯轧制的单机架粗轧机，带有 f^2CR^{TM} 辊的六辊单架精轧机，输出辊道上强制冷却系统以及带有卷取机的高速剪切机组成。f^2CR 精轧机配有如下先进技术以对板形和平直度进行控制：(1)工作辊和支撑辊受力条件下的交叉系统；(2)工作辊移动技术；(3)正负工作辊弯辊系统。fTSR$^+$ 设备 2001 年初在埃及进行安装。

PonyMill^{TM} 技术可以在不降低生产率和产能条件下实现热带的铁素体轧制。该项技术由奥地利奥钢联工程技术公司进行开发，目前正处在实验阶段。连铸坯首先通过传统的七机架热带轧机在奥氏体区轧制 1.5mm 厚，然后立即卷取送至该生产线外的另一台轧机，因此带卷通过一道次轧制将其厚度降至成品带钢厚度 0.8mm。该轧制过程发生在铁素体区。PonyMill 轧机是单机架四辊轧机，并在入口处配备开卷机。12MW 电机功率可使轧制速度达 20m/s。轧辊之间的润滑可降低轧辊之间的分辊力并改善热轧带钢的组织性能，为优化中间坯表面温度及微观组织性能所进行的工艺控制目前正处于开发过程之中。该设备所需要的投资费用为 3500 万美元。投资回报期预计为 2.5 年。

德国西马克、德马克设备公司开发的紧凑热轧带钢生产技术与传统年产 200 万 t 热轧带钢厂相比，可节约资本费用 40%，该技术对钢水的热含量进行了优化利用，可使能源费用降至最低且使生产成本降低 20%。该技术由于在带钢宽度和长度上所具有的温度一致性，致使所生产的带钢质量优于传统热带生产线生产的带钢。该技术软件包包括:(1)带有自动导向的带钢跟踪控制系统;(2)精轧机架使用分段式活套进行平直度控制;(3)用于 CVC 辊重新设定的板型和平直度扩展模型;(4)辊缝润滑;(5)板厚和物流的高精度动态控制;(6)边部加罩保温技术,从而使热轧带轧至 1mm 以下。墨西哥希尔萨公司近两年使用了分段式活套技术辊缝润滑可使精轧机组第三机架的分辊力降低 30%。蒂森·克虏伯公司在其铸机厂所安装的滚筒式卷取机和强制冷却区为其今后的发展提供了潜力,特别是对铁素体轧制和形变热处理工艺具有更大的应用空间。上述技术均为热带替代冷轧产品创造了可能性。为进一步优化生产费用,采用酸洗和热镀锌生产线相结合,直接将热轧带钢加工至可销售的产品。年生产达 50 万 t 的这种新型厂目前正在荷兰 Wuppermann 公司进行建设。

加拿大 Hatch steltech 公司所开发的卷取箱对于短流程钢厂和采用无头轧制的钢厂实现超薄热带的生产是非常必要的。自 1978 年以来,全世界共有 41 个卷取箱在热轧带钢轧机上进行安装并使用。其中 20 世纪 90 年代安装的卷取箱占到 53%。卷取箱的优势在于其存储了中间坯的热量并将进入精轧机组前的热带进行温度均匀化。另外其可作为缓冲器以满足轧制过程中断或者无头轧制过程中中间坯的焊接过程。现代化卷取箱无滚筒且边部进行热屏蔽以降低成卷中间坯边部区域运输过程的能量损失。中间坯头部卷取速度达 4m/s,之后速度可达 4.5m/s。日本千叶钢铁公司和新日铁的无头轧制采用了此卷取箱,可轧制的带钢厚度为 0.8mm,但其投资和维修费用是无头轧制厂的一大劣势。

测量和控制系统已对超薄热轧带钢的生产率和经济性产生了重大影响。韩国浦项钢铁公司和德国蒂森·克虏伯公司对近几年该领域的发展进行了描述,浦项钢铁公司在其光阳厂 2 号热带轧机上安装了分段式活套以检测机架间的带钢张力分布,并对其进行了 15 个月的测试工作。所谓 Flatsil™活套系统由 5 个独立的段组成,相关的带钢张力可作为机架压下和轧辊弯曲的输入参数。蒂森·克虏伯公司在其杜伊斯堡厂和多特蒙德厂建成了新型光学测量系统以检测带钢平直度和表面质量。由 IMS 提供的三维平直度测量系统能同时分析精轧机组、冷却区和卷取张力对平直度造成的影响。Parsytec HTS2W 检测系统能实现带钢表面的在线连续测量,并能对有可能产生的缺陷进行早期预报,因而可提高带钢的质量和精度。

335. 超薄热带的轧制特征及设备与控制技术特点是什么?

(1) 超薄热带的特点。对于生产超薄热带,在生产过程中探测轧制力的性质是至关重要的。随着带钢厚度变薄,弹性模量上升,就超薄热带而言,带厚 0.9mm 时约为 1.2mm 的两倍。而且,在 0.8mm 时,弹性模量突然增加到 1.2mm 时的三倍。在冷轧过程中,形变阻力达到 1000MPa,约为热轧的 3 倍。然而,通过润滑轧辊减少摩擦系数的结果是,1.6mm 热轧材料的弹性模量与 0.8mm 冷轧材料相当,0.8mm 热轧材料与 0.15mm 冷却材料处在同一水平上。

另外,就带钢厚度变化 1%而言,轧制力的变化是冷轧的数倍。而且,轧制力的大幅度变化不仅是简单地使厚度控制效果变差,而且还引起带钢平整度下降,原因在于轧制力的变化致使轧辊发生弹性形变。基于这个原因,当生产超薄热带时有必要对热轧设备和控制技术给予特殊考虑。

(2) 厚度控制技术。自动厚度控制技术(AGC)是获得高精度带材的重要技术。虽然

AGC方法有很多种，但最常用的是监视AGC，在精轧机出料一侧使用测厚仪测量厚度公差，控制精轧机组后几个机架的压下装置位置。当多个机架间的反馈不正确时，辊缝控制就集中在特定的机架上，有时会使轧制力发生很大的变化。为实现超薄热带，千叶厂3号机组的后几个机架上都装配了测厚仪表；根据各机架的实际厚度，减少后几个机架的厚度公差，在没有安装测厚仪的前几个上采用绝对AGC，厚控系统能够实现目标厚度。这套厚控系统使实现精确控制成为可能，厚度控制不再集中在特定机架上。

无头轧制使整个带卷保持恒定张力，实现稳定轧制。因为恒定张力并不适用于第一条带的头部和最后一条带的尾部，因此它仍存在与传统轧制一样的穿料问题。出于这个原因，钢带的头尾部分仅轧到传统的最小厚度1.2mm，即使轧制超薄带也是如此。

轧制时，带钢厚度由1.2mm降至0.9mm，厚度变化为25%。据报道，普通热带轧机使用10%的小厚度变化。在超薄热带过程中快速改变厚度时，必须在厚度问题上对轧制表做大的改动，轧制表的改动不集中在某个机架上。因此，快速厚度调节系统问世，依据配置计算，设定最适合的轧制表，调整辊缝和轧辊速度。

为使调速与物流平衡，辊缝调整同步，快速响应液压压下装置和交流电机装在所有轧机上提供完整的辊缝与速度控制。另外，还开发了快速响应张力控制，用以修正物流差错。

(3) 板形控制技术。一旦将热轧材料用作冷轧的替代品，平整度在带钢质量中就显得尤为重要。保持满意的平整度，对于防止带钢头尾通过精轧机时出现折皱是极其重要的。在轧制超薄热带时，钢带的低刚性性质，很容易使平整度下降。还有，在无头轧制时，数个带卷连续通过轧机，轧辊过度热膨胀导致带钢平整度下降。

为防止带形变化，交叉角和弯曲力的设置依据辊形而定，弯曲装置的控制与轧制力的变化连锁。应用形状反馈技术有可能获得良好的平整度，它利用装在第七个机架后的斜度缺陷计控制弯曲力，使用中间机架凸度计和安装在精轧机出料一侧的斜度缺陷计控制形状和凸度。

(4) 高速穿带技术。轧制超薄材料时温度下降很快，因此需进行高速穿料。无头轧制解决了精轧机和热轧输出辊道上的高速穿料问题。高速穿料设备安装在输出辊道上方，装配有气室。利用来自气室的空气射流减少喷嘴与带钢间的压力。将钢带向上拉，使其悬浮。这种牵拉与悬浮作用降低了穿料阻力，带钢中心处向上拱起，提高了带钢的刚性，从而，实现了稳定穿料。

336. 超薄热带的质量如何？

无头轧制技术能生产比普通热轧带卷更薄的热带，将最小厚度从1.2mm扩展到0.8mm，而且还有可能生产宽带产品。

(1) 厚度精度。无头轧制包含4个焊接在一起的带卷，厚度从1.2mm降至0.9mm，在第一个和最后一个带卷上使用快速厚度控制，超薄热带的厚度精度可达±30μm。无头轧制使钢带头尾部分的误差大大减少，1.2m和1.0mm钢带厚度(厚度精度不超过±30μm)合格率超过99%，1.0mm带钢合格率甚至比1.2mm的还要高，表明在轧制超薄热带时能获得极高的精度。

(2) 凸起与平整度。在轧制开始时，斜度急剧升至1%，然后，反馈控制将其降至0.3%，随后，因为张力作用在带钢上，保持了轧制的稳定，所以在带钢的整个长度上保持令人满意的平整度。在距带钢边缘25mm处的凸起倾向逐渐减少。

(3) 超薄热带的力学性能。对1.0 mm超薄热带和1.2 mm热带的拉伸实验证明，1.0mm超薄热带抗拉强度和屈服点与1.2mm热带相似。与日本工业标准相比，1.0mm热带显示出极高的延展率。观察其断面微观结构，这种材料具有良好的热轧结构，没有发现不正常晶粒，证明它具备正常的微观结构。

(4) 超薄热带的涂覆性能。试验证实，1.0mm超薄热带显示出热轧厚带钢、酸洗带卷相同的涂覆性能，可用于涂覆产品。

总之，无头轧制技术与超薄带钢轧制技术的组合创建了生产1.0mm、0.9mm、0.8mm厚超薄热轧带钢的生产技术，它可获得优秀的产品质量，尺寸精度超过了传统热轧带钢，力学性能与传统材料相当，赢得了良好声誉。超薄热轧带钢是一种顺应节约能源减少CO_2排放等时代潮流的新产品。

337. 宽带钢冷轧机的类型有哪几种？

随着宽带钢冷轧机建设数量的增加，宽带钢冷轧工艺和设备技术有了很大的发展和突破。宽带钢冷轧机的主要类型有：

(1) 全连轧带钢生产线。过去传统的冷轧带钢工段都有若干工序，每个工序都有单独的生产线，酸洗线、冷轧线、退火线(或退火炉组)、平整线、检查线等。全连续冷轧带钢生产线是把5个工序连接在一条生产线上，取消了每个工序都具有的重复开卷、卷取设备、焊接设备、剪切设备、活套设备以及各工序间的中间仓库等，因而设备重量、厂房面积和基建投资少、占地少、用人少、消耗小、总生产时间大为缩短，因而劳动生产率高，成本低，经济效益好。

1987年世界上第一条全连续冷轧带钢生产线在日本新日铁广畑厂投入生产，并取得成功。其产品规格为：厚0.4～2.0mm，宽700～1650mm，最大卷重25t，能生产各种超深冲品级钢板，有CQ、DQ、DDQ、EDDQ、HSS、CRCQ等。酸洗机采用盐酸洗并带有张力拉伸除鳞设施(延伸5%)，轧机有四架六辊HCW轧机组成，最大轧速600m/min，具有纵向厚度自动控制和板形自动控制，轧机换辊时间为2min，退火采用连续退火，平整机也为六辊式。

美国内陆公司和日本新日铁公司合资经营的美国I/N TEK公司生产作业线和广畑厂基本相同，于1989年顺利投入生产。该厂产品规格为：厚0.4～2.0mm，宽710～1652mm，产品总量中60%～70%供汽车工业，30%～40%供器具业，建设总投资5.25亿美元。

全连续带钢冷轧生产线建成两条后没有继续建设，其主要原因是该种类型生产线比较适合品种单一、大量生产的产品，才能充分发挥优势达到高产低耗目的，如果机组生产品种多，产品规格变化范围大，各种参数频繁变化调整，就不能发挥全连续冷轧带钢生产线的优势，加之连续退火机组产量一般说低于连轧机甚多，成为限制全连续生产线的薄弱环节，因此全连续冷轧带钢生产线没有再建。但是带钢生产连续化的方向是正确的。随着技术(特别是带钢连续退火技术)的发展，生产品种又进一步合理化，全连续冷轧带钢生产线会在新的基础上得到进一步发展。

(2) 酸洗-冷轧联合机组得到了大量推广，新建的冷轧生产线中大约有60%采用酸洗—冷轧联合机组。

(3) 出现了紧凑式冷连轧机组(CCM)。

338. 酸洗-冷轧联合机组较传统方法有何优点？

在高效酸洗、无头轧制技术及计算机控制技术进一步发展的基础上，酸洗-冷轧联合机组得到广泛采用，它较传统方法的优点是：

(1) 提高成材率约1%～3%。由于酸洗-冷轧联合在一个机组完成，连轧机操作时，不再每卷穿带、升速、降速、停机、启动等，使轧机始终处于平稳速度轧制，断带率下降，轧废减少，每卷头尾超差长度减少，避免酸洗、冷轧间带钢储存、运输可能受到碰撞引起钢带损坏，这些都可以提高成材率。

(2) 提高了机时产量。由于联合机组轧制操作时不再停机缺卷，仅在分卷时轧机降低速度，因此可实现长时间高速运转从而提高机组的生产能力。

(3) 减少设备数量和厂房面积，从而节约基建投资。联合机组可减少传统酸洗机组出口侧和冷轧机入口侧的卷取、捆扎、钢卷准备、开卷等设备，以及两个工序之间的起重运输设备和中间仓库等。

(4) 减少劳动力、能源和轧辊消耗等，从而降低成本。

总之，酸洗-冷轧联合机组具有全连续冷轧带钢生产线的部分优点，而机组能力又可不受能力较低的连续退火机组的限制，所以生产品种较灵活，并得到大量推广。

339. 单机架可逆式冷轧机得到较大发展的原因是什么？

近年来世界上新建单机架可逆式冷轧机约95台，有较大发展。其发展的原因是：

(1) 应用了冷连轧机发展起来的各项先进技术（厚度自动控制、板形控制、大卷重、高轧速等），单机架可逆式冷轧机产品质量和产量都有很大提高，面貌一新，有的单机架可逆式冷轧机年产量可达60万t。

(2) 市场需求多品种小批量时，单机架轧机较能适应。

(3) 扁平材小型钢厂的出现和发展，带动了年产50万t左右规格的冷连轧机的建设和发展。

(4) 不锈钢、硅钢及其他特殊钢生产的发展，宜于采用单机架可逆式轧机，多数采用多辊轧机。

(5) 一些发展中国家由于资金及当前市场容量限制，导致选用单机架可逆式轧机。

340. 单机架可逆式冷轧机有几种类型？

单机架可逆式冷轧机有以下几种类型：

(1) 生产不锈钢、特殊钢、高硅钢等的专用轧机，一般为单机架多辊式轧机。

日本近年来新建的13台单机架可逆式冷轧机中有10台用于轧制不锈钢及特殊钢等，一般多采用三菱重工开发的CR-12辊冷轧机。

德国新建的4台单机架四辊可逆式冷轧机主要用于生产硅钢，另6台多辊式轧机用于生产不锈钢。

(2) 用于生产薄规格带钢，使连轧机更好地发挥生产能力。

日本神户公司加古川厂冷轧工段内增设1台HCM六辊冷轧机，住友公司和歌山厂冷轧工段内增设1台CVC6—MKW冷轧机均为此目的。我国武钢冷轧厂原有1台五机架冷连轧机，生产薄规格带钢(0.35～0.4mm以下)时，不仅产量小，且要更换润滑油，由于停产洗净原来油种后才能更换，轧厚规格时又要重新清洗、换油，操作非常麻烦，因此也于1989年投产一台HCM六辊可逆式轧机专业化生产薄规格带钢。

(3) 为了适应采用薄板坯连铸连轧工艺扁平材小钢厂发展的需要，美国开始在这类钢厂建设单机架可逆式冷轧机，如纽柯公司克劳福兹维尔厂建有年生产力为50万t的单机架冷轧机，伯克利厂建设的单机架冷连轧机年产能力为63.5万t，最大卷重为35.3t，轧速为1350m/min。

此外，在有些市场容量不大的发达国家也建有碳素厂冷轧带钢可逆式轧机，如卢森堡德朗日联合公司阿尔贝德厂冷轧机的生产能力为50万t，产品宽达1800mm。新西兰钢铁公司也建成2台单机架可逆式冷轧机。

(4) 为适应本国资源筹集及产品市场的状况，许多发展中国家建设了可逆式单机架冷轧机，如印度、印尼、马来西亚、泰国、土耳其、沙特、巴基斯坦、利比亚等。其中不少是现代化的高生产率冷轧机。

我国建设的7台单机架可逆式冷轧机，除武钢增建的六辊轧机外，技术装备水平普遍较低，其中4台是国外的二手设备，2台为国内自制。

341. 生产高精度冷轧带钢出现了什么样的新型轧机?

在生产碳素钢冷轧带钢方面，20世纪70年代试制成功的由日本日立公司开发的HC(日立高精度控制轧机)得到广泛应用，在此基础上日立公司于1981年开发出UC轧机(万能控制凸度轧机)。在冷连轧上往往作这样配制，即前几架用HC轧机，最后一个机架用UC轧机。德国西马克公司的CVC轧机(连续调节凸度轧机)也得到大量推广，并在技术上不断有所发展。1993年投产的日本住友金属公司鹿岛厂二冷轧机开始在五机架冷轧机前三架上采用了PC轧机(三菱重工开发的轧辊成对交叉的轧机)，效果良好。

生产特殊用途冷轧机除森吉米尔二十辊轧机继续广泛使用外，新轧机种类有：

(1) 日本三菱重工于1981年研制成功的CR轧机是新型十二辊轧机。专门用于轧制不锈钢和特殊钢。它的工作辊直径小，具有大压下的特点，同时它具有老式四辊轧机操作方便、生产率高的优点，特别是由于支撑辊凸度调控量大，可达1mm，而且在轧制过程中可自由地调整凸度形状，是在板形控制方面具有突出优点的新型轧机。它可生产薄到0.03mm不锈钢宽带钢，1985年以来日本新建CR轧机9台。

(2) Z-Hi轧机。美国森吉米尔公司于1979年研制成功的高精度轧机，中间辊传动，端头带锥度的中间辊可轴向移动，液压弯辊，用于冷轧碳素钢，不锈钢及其他难轧制薄带及极薄带，已比较广泛的使用，目前已投产的Z-Hi轧机已超过25台。

(3) CVC-HS轧机。该轧机具有S形工作辊，轴向移动工作辊，工作辊弯辊，工作辊有水平稳定机构等，由西马克公司开发成功。最近德国维克德尔、韦斯特法伦钢铁公司委托西马克公司为其供应1台新一代高技术CVC六辊轧机，用于生产彩色屏幕遮蔽用厚度最小为0.05mm、宽为400～1000nm的钢箔，保证最小厚度公差为0.1μm。

(4) TC轧机。日本川崎重工公司为以低的生产成本，生产出高精度的板带新型轧机——TC轧机(十辊轧机)，该轧机于1987年在我国台湾安峰钢铁公司投入生产，使用情况良好。其特点是具有CVC技术，且有小直径工作辊的优点，并有SSR侧向控制。

新研制成功的冷轧机还有 FF 轧机、SSM 轧机以及 HVC 轧机等。

342. 高精度冷轧带钢在电子产品中有何应用?

(1) 应用于彩色电视机。目前,我国整体引进彩色电视机装配线有 100 多条,总生产能力已在 1500 万台以上,是彩电生产大国。

彩电生产大量使用金属材料,其中高精度冷轧带钢占主要地位,基本分为:电子枪用不锈钢、玻壳屏蔽封接材料、管内其他冶金材料、管外冶金材料。

用于彩电的不锈钢高精度冷轧带钢主要用在 3 个部位:1)电子枪零件,有无磁、弹簧不锈钢,前者占 95%,牌号有 DCr16M14、OCr18Ni12 等 11 个规格共 20 个(0.13~0.5mm × 3.2~11.6mm);2)使用复合型热双金属片的彩管,用弹簧片与之配对,该定位弹簧片用 Cr18Ni9 系列不锈钢制作,规格有 0.13~1.0mm×6~54mm;3)偏转线圈紧围带或磁芯紧固弹簧夹,采用 SUS304、SUS301、CSP 不锈钢制作 14″、22″彩电使用的规格为 0.8mm×7mm、0.8mm×8mm、0.6mm×10mm。

与玻壳封接的金属材料有阳极帽和销钉两种。阳极帽材料牌号有 426、427,规格有 0.3~0.5mm×33~200mm 共 10 种。销钉材料牌号为 430Ti,由棒材冷锻或带材冷冲加工。带材规格为 0.75~0.8mm×42~42mm 共 3 种。

彩电彩管零件底板材料用热双金属片,有复合型及横拼型两种,其主动层、被动层分别为不锈钢和 FeNi36、FeNi42,牌号有 I46S、CIY-(F)、YSS,规格在 0.76~1.0mm× 32~40mm 内,有 4 种以上。

(2) 应用于集成电路框架。目前,国内有集成电路生产线几十条。集成电路框架的高精度、少量(<10%)与白陶瓷封装的用可代合金,绝大部分与塑料封装,采用 FeNi42、铜合金(CDA194、CDA195)等。集成度要求很高,必须解决材料共向性差和耐蚀性差问题。

(3) 应用于录放机磁头。随着影视音像业的发展,录放音像磁头需求迅猛增长。1990 年,全国磁头产量 1.2 亿只,其中 80%出口日本、韩国、香港及东南亚地区。目前我国引进的生产线所使用的高精度冷轧带钢主要靠进口。制作磁头的高精度冷轧带钢有两类,一类为软磁合金,制作磁头的芯片、外壳、隔磁盘;另一类为不锈钢,制作磁头的支架、导带叉。

对磁头用金属材料的质量要求很高:1)尺寸精度高,厚 0.1~0.2mm 的带,厚度偏差为 ±0.005mm,厚 0.4~1.0mm 的带,厚度偏差为±0.02mm;2)板形要求高,侧弯小于 2mm/m,波浪小于 1mm/m;3)带材卷重大,要求宽度质量大于 1kg/mm。其中,芯片要求更高,除要求材料的直流性能外,还要求交流磁导率和环氧灌封装前后性能及较小的应力敏感性。

(4) 应用于电子磁性器件。用于石英钟表制作方面的软磁合金一般采用 IJ85、IJ50,1990 年全国生产石英钟 1000 万台,石英表 1500 万只,需要高精度冷轧带 150t。近几年石英钟表用的高精度冷轧带有较大的增加。

用于漏电保护开关的磁性铁芯,除有的采用非晶材料外,一般采用 IJ85、IJ79 软磁合金。1990年全国漏电开关用铁芯 650 万只,需用软磁合金带材 130t,近几年又有大幅度的增加。

用于航空航天的磁性器件,如磁放器、变压器、调制器等铁心,都采用高磁感、低损耗的软磁合金。

343. 高精度冷轧带钢在机电行业和轿车工业有何应用?

(1) 继电器、控温用的高精度热双金属带。机电设备对热双金属需求量的增长速度发展很快。目前,全世界年产量达3000～5000t,品种100多个。我国1990年产量仅为200t。

目前,我国热双金属生产已成系列,有通用型、高灵敏型、温度型、耐蚀型、电阻型等。近年我国机床电器厂先后引进了高速自动冲床生产线和先进制造技术。传统的热轧复合热双金属在复合均匀性、性能稳定性、尺寸公差、板形、卷重等方面均无法满足要求。

(2) 电站焊管用高精度冷轧钛带。电厂冷凝器一般采用铜管。钛强度高于铜,而钛密度约为铜的1/2,即1t钛管可代替4～5t铜管。而且,钛的耐海水腐蚀性能优于铜,如B30白铜管的寿命一般为3年,而钛管寿命可超过30年,因此国内外滨海电站、核电站冷凝器已改用钛管。

目前我国钛冷凝器用的钛管中,无缝管占20.64%,焊接钛管占79.36%,后者全部依靠进口。无缝钛管将全部被焊接钛管取代,这是因为焊接钛管解决了焊接质量和等强度难题,而且焊接管长度可加长、尺寸精度高、价格便宜。宝鸡、上海、苏家屯等地区已引进先进的焊管机组,但还需要解决可焊接用高精度冷轧钛带的国产化问题。

(3) 轿车工业用高精度冷带。轿车工业用高精度冷带主要品种有变速箱调整垫片用钢带、离合器膜片用弹簧钢带、轿车轴瓦用铜钢复合钢带、减振器阀片用钢带、汽缸垫片用镀锌钢带、汽车喇叭专用钢带等。目前,这些钢带不少尚需从国外进口。

344. 高精度冷轧带钢在轻工方面有何应用?

(1) 刮脸刀片用高精度冷带。20世纪60年代,上海曾研究成功Cr03、Cr06刀片专用材料。随着刀片制造技术和工业装备的不断现代化,特别是引进国外的生产线后,原供应的冷轧带已无法满足要求。目前刀片使用的材质有Cr03、Cr05、6Cr13等,规格有0.25mm×19mm、0.1mm×22.4mm、0.1mm×17.6mm等。

刀片厂对刀片带钢有严格的要求:1)尺寸精度高,厚度偏差为0.25±0.01mm、0.1±0.005mm,宽度偏差为±0.03mm;2)表面质量好,粗糙度$R_a \leqslant 0.16$;3)带材卷重要求为22～25kg/卷。上海在研制成功的国产精密四辊轧机上,用日本进口带坯试验,已轧出符合要求的刀片用高精度冷带,尚需进一步解决热轧带坯的供应问题。

(2) 热交换器复合管用高精度镀铜钢带。冰箱、汽车等制冷装置上的热交换器,已由纯铜管逐步改用低碳钢带镀铜双层卷焊管复合管(又称邦迪管)制作。每台冰箱、每辆轿车用管1kg,每辆运输车平均用管6kg。目前国内生产高精度镀铜钢带的综合技术还存在问题,不少邦迪管引进线还需要进口原料。

镀铜钢带的材质为ST12～ST14低碳钢,要求含碳量(质量分数)0.02%～0.03%,厚度规格有0.35mm、0.50mm两种,长度在1000mm以上。厚度偏差为±0.4μm,镀铜层公差更严。用精密的带钢轧机生产可满足高精度要求,但成本偏高。用宽薄带卷纵剪虽可兼顾精度和价格两方面条件,但由于数量小而难以组织生产。

(3) 照相机用高精度不锈钢冷带。上海照相机总厂引进日本美达照相机生产技术,以制造国内最高档次的海鸥DF—300相机。为提高相机使用寿命和耐腐蚀能力,机内零件均采用不锈钢带制作。钢带品种达60多个,尺寸公差要求很严,厚0.05～0.07mm、0.8mm、

1.0～1.2mm 的钢带偏差分别为±0.01mm、±0.015mm、±0.02mm，宽 10～100mm 的钢带，偏差为±0.10mm。对性能要求也很严格，机械强度按 4 种不同状态，分别考核抗拉强度、伸长率和硬度值。

(4) 装饰、医疗用高精度不锈钢冷带。当前，用于装饰的不锈钢带及不锈钢和碳素钢复合的不锈复合管被广泛应用。该管制作需要高精度不锈钢冷带，规格为 49.4～119.25mm×0.3mm，厚度偏差为±0.10mm，宽度偏差为±0.05～±0.1mm，弯曲度小于 1μm/m，卷要求 200m 以上，目前均从日本、韩国进口。另外，自行车挡泥板也改用不锈钢带，并采用无缝或少镍不锈钢，规格为 0.38mm×74.86mm，厚度偏差控制在小于－0.02mm。在医疗卫生领域，国内已有 4 家工厂引进一次性注射针的生产设备，形成 100 万 kg/年生产能力。这些针头需要高精度不锈钢冷带制作，规格为 0.21mm×12.7mm，宽度偏差为±0.05mm，单重大于 10kg。

345. 带有组合式支撑辊的十二辊轧机的结构及特征是什么？

图 3-56 所示的冷轧机是一台十二辊多辊轧机。大压下量的小直径工作辊(WR)是通过一组中间辊(1MR)，由特殊的支撑辊(BUR)来支撑。工作辊属小直径辊(一般直径为 75～130mm)，并且无轴承座结构装置。

中间辊在左、右两侧从后面支撑着工作辊，以防止水平工作辊的变形。中间辊的传动轴由可伸缩的芯轴来驱动。

在轧机牌坊凸出模块里安有液压的外轴承座，将其上推可实现中间辊弯曲。由于在座架处中间辊不接触支撑辊，因而中间辊在纵向上易形成不同亮度区(称为分离式支撑辊印)。

采用分离式支撑辊存在这一问题。为防止出现辊印，采用中间辊震荡机构，在辊轴纵向上使中间辊轴产生缓慢的震荡，从而解决了问题。

两组大直径支撑辊的每个轴承上均有凸度调整装置。该装置是由离线电动机通过传动装置和连接轴驱动偏心套机构来实现操作的，如图 3-56 所示。它们可以改变凸度大小和调整凸度方式。

支撑辊凸度调整装置(图 3-57)是该冷轧机主要特征之一。通过调整每个偏心辊套的设定角度可调整支撑辊凸度，不用弯辊就可改变相对凸度。

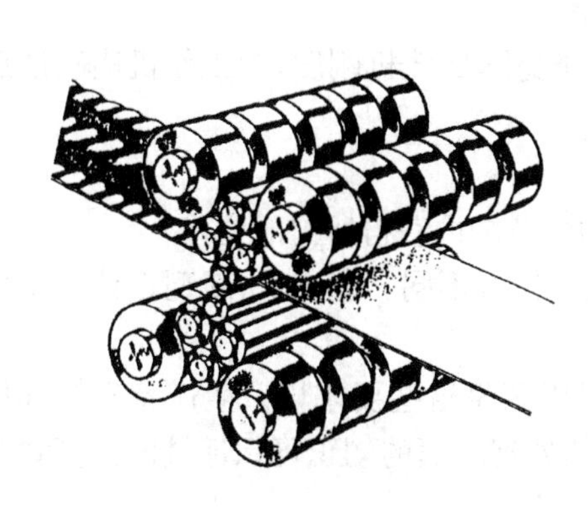

图 3-56　十二辊轧机轧辊布置简图

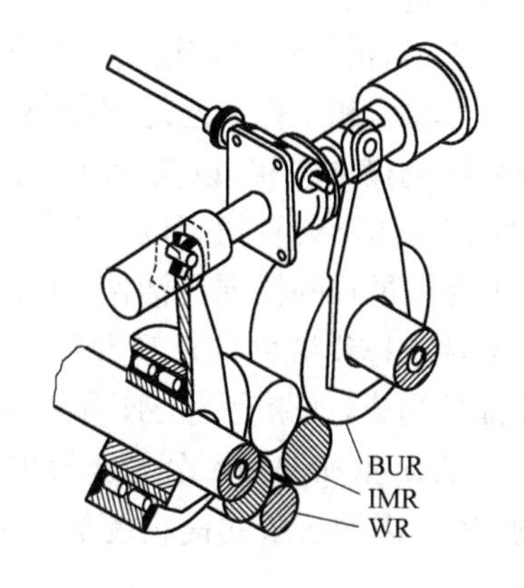

图 3-57　支撑辊凸度调整装置

凸度调整装置可产生各种凸度方式，但对于普通轧机仅可做抛物线型，很难处理四分之一处残留中央和边部的波皱。

346. 十二辊轧机板形控制的特点是什么？

(1) 采用分段形式的支撑辊，因此支撑辊的轴承不受弯辊的影响。每段各自独立调整，位移量大，特别适合具有较高修正复合伸长率的板形。

(2) 对于轧制中的干扰可以通过中间辊的弯曲解决，而对轧制材料的单面伸长的修正，可通过高灵敏的液压压下解决。

(3) 能够配合板形控制仪进行在线自动板形控制。

(4) 带钢表面质量控制在轧制过程中，中间辊的摆动效果好，同时分离形机架无前门，因此容易排除轧制油，轧辊清理效果好。

(5) 板形精度控制好，支撑辊由支撑辊架支撑，可集中测定轧制负荷，进行 BISRA 控制，计算最佳的道次计划和进行反馈控制。

此外，由于该轧机辊系结构的特点，因此具有轧辊冷却效果良好，换辊方便，事故处理容易，轧辊修磨工作量小等优点，从而有利于提高生产率，降低生产成本。

347. 二十辊森吉米尔式轧机板形控制能力如何？

二十辊轧机首次使用于20世纪30年代，目前全世界大约有400架森吉米尔轧机被使用。这种轧机适合于生产具有高精度的薄不锈钢和硬合金带钢，该轧机的U形凸度控制设计允许轧制过程中实现纠偏，且为轧制难加工材料提供了一种独特的解决办法。

像厚度自动控制这样重要的技术开发极大的提高了薄带钢质量，同时增加了轧机的速度和加速度。二十辊森吉米尔式轧机在提高生产率的同时，增加了对带钢平直度控制的要求。工作辊的支撑组装件以及带有平直度控制的凸度调整装置为带钢生产的平直度控制提供了保证。

1990年，市场对优质板形薄带钢的需求增加，为迎合市场即客户要求，开发出支撑组件并投入使用，其中包括预设定、双倍凸度调整和三倍凸度调整系统。

灵活性支撑组装件(FSBA)具有较好的弯曲能力和抗翘曲能力，这些能力通过安装灵活性闲置辊进一步增加。

具体来讲，灵活性支撑组装件可实现如下功能：

(1) 为轴承和工作机座之间提供坚实联结且避免降低轧机刚度；为工作机座和油道之间提供稳固的横向连接，以实现轴承润滑。

(2) 传递压下装置扭矩以实现轧机辊缝调整。

(3) 提供足够的横向灵活性，在不超过轴应力的范围内获得所需的位移。

灵活性支撑组装件的外观形貌与传统件并没有什么不同。事实上，新型设计主要由几个具体部件构成，如带有偏心座和轴承的轴。

T. 森吉米尔和 Reder 公司已找出所需的材料以满足这些要求以及生产特殊轴和偏心设备的方法。Reder 公司高精度加工工具以及在热处理方面的知识可保证轴的强度要求和灵活度。

Reder 公司灵活性支撑组装件的生产和安装在一个带有空调研磨区的专门加工车间进

行。

灵活性支撑组装件与传统的支撑组装件安装于轧机的同一位置。

1994 年 11 月，灵活性支撑组装件首次安装于 ASTTorino 厂的森吉米尔式 ZR22 轧机上，生产表明：平直度和板形结果良好。自此已有 13 架森吉米尔式轧机采用了这种新技术。

运行结果：ZR 轧机轧辊灵活度改进极为明显。这种新的灵活性支撑组装件的灵活度是传统组装件的 17 倍。通过凸度调整弯曲轴的能力大幅度增加。而且平直度控制效率的改进也大幅度提高。灵活性支撑组装件最主要的优势在于简化了轧制工艺，提高了带钢精度并消除了 1/4 中间浪。

灵活性支撑组装件的优点如下：

(1) 极大改进带钢板形的一致性，实际生产的带钢板形非常接近其参考值；

(2) 优化分辊力分布：轴和偏心装置的灵活度实现了轧机牌坊上分辊力的优化分布，降低了轧制过程中以及与平直度自动控制相关的加速和减速过程中干扰力的大小和轧辊牌坊的变形量；

(3) 降低对 U 形辊系统的响应时间：组装轴能对 U 形辊纠偏实现更快响应；

(4) 消除 1/4 中间浪：M 形和 W 形组装轴由于 U 形辊纠偏实现更好控制；

(5) 减少轧制道次：通过改进分辊力分布和平直度控制以及消除了 1/2 和 1/4 中间浪而极大地降低了轧制次数；

(6) 减少停产次数：轧制力分布偏差最小化；

(7) 保持同样的更换时间和运输方法：更换灵活性支撑组装件所需时间未变，运输设备和方法也很理想。

总的说来，这种设计对复杂的带钢板形实现了史无前例的控制能力。此种成功是几家公司共同合作的结果，包括美国 T. 森吉米尔公司、法国 Redex 公司和意大利 AST Torino 公司。

348. 西马克、德马克开发的冷轧新技术有何特色？

西马克、德马克为庆祝其开发设计的 5 机架六辊串行式冷轧机，特邀请其客户及嘉宾参加于 2000 年 2 月份在德国希尔兴巴赫厂举行的冷轧技术研讨会。会上有 4 位专家发言，其主要内容如下。

在轧机结构方面推出称为“AIO”新概念。AIO(All-in-one)的含义是：将轧机机架各个部分纳入唯一的模块总成，其中包括带排烟装置的机架顶罩、各机架顶上的维修平台以及预先装配好的液压管及电力电缆。这种轧机装备的轧辊、轴承及其他构件仍是标准型号，因而能节省制造成本及时间。

采用这种模块结构，可将机架预装成很大部件出厂向用户交货，仅此可减少现场服务中的安装时间达 80%，蒂森-克虏伯钢铁公司的这套 TKS 轧机是世界上第一套采用 AIO 构思的大型冷轧机。

另一项冷轧技术创新是因无间隙原子钢日益增长的需求引起的。这种钢要求的平整压下量极小(≤0.5%)。传统的平整机无法保证这么小的压下量，因为单是上部分支撑辊的质量就足以产生过大的压下量。因此该集团开发一种“加大弯曲”系统；当生产平整无间隙原子钢时，用此系统使上部支撑辊升起，脱离工作辊，只能用压下装置控制压下量。

六辊冷连轧机最后一座机架上控制辊隙用的伺服装置，经重新开发，其功能也远远超出简单的弯辊和窜辊。此新装置在控制辊隙方面可采用多种措施：工作辊和中间辊弯曲、连续可变凸度窜辊、圆锥辊轴向窜辊、边缘落差控制（简称EDC）、带钢边缘加热及支撑辊液压膨胀等。

为满足年产量通常在100万t以下的小钢厂的需要，该集团开发出紧凑式冷轧机——双机架可逆式冷连轧机。第1套此种轧机已于1998年在美国的动力钢铁公司投产。此紧凑式冷轧机填补了两台分离的可逆式冷轧机与4机架冷连轧机间的空白。它的建设投资比这两种轧机都低，每吨冷轧带的生产成本则与一般冷轧机相当，但与两台分离的可逆式冷轧机相比这一方案要低40%。

另一个新式冷轧机是六辊冷连轧机，它适合铁素体及奥氏体不锈钢以及碳素钢的连续轧制。这种新轧机已在美国罗克泊特的AK钢铁公司建成，每年的冷轧带钢产量达400万t，这是一种5机架轧机，其中四辊机架4座，六辊机架2座。

除轧制不锈钢外，还有用单机架六辊箔材轧机生产电视机彩色显像管钢荫罩用材之类的超薄冷轧带钢。这种新式冷轧机可轧制宽达1000mm、厚15μm的箔材。轧机的特殊部分是两根直径很小（ϕ140～240mm）的工作辊。这两个轧辊需要采取特殊驱动方式，即经过支撑辊用很小的摩擦力来驱动，以期防止电动机直接驱动造成工作辊挠曲。

带钢干燥装置是精密轧制方面的一项创新，在带材离开最后一座机架时，用此装置喷空气于带钢上，以吹掉带钢表面残余的轧辊冷却液。

对冷带的质检，该集团用磁力推床将从带钢上切下来冷带试样快速运送到质检间，质检间还能对带钢底表面质量进行检查。

349. 什么是TKS冷连轧机？

蒂森-克虏伯公司的这套全部冷连轧机于2000年12月正式投产，它将与比克尔茨厂现有的酸洗作业线配套运行。该酸洗线有能处理50t带卷的两台卷取机及1座备料装置，以保证连续轧制。

TKS轧机是第1套采用模块设计思想及AIO轧机结构的大型冷轧机，它吸取了前面所述的许多新技术。其最大轧制力达3.3万kN，总设备容量达32.4MW(AC)。设计年产能力40万t。可轧制低碳钢及HSLA等钢种。成品冷轧带钢宽1000～2040mm，厚0.3～4mm。

在部分机架上，工作辊和中间辊都采用CVC连续可变凸度，并在每根工作辊上另加EDC冷却。各机架上及各机架间布置有相应的检测点及伺服机构。带钢张力各测量点布置在1号机架前、各机架间及2号卷取机前。厚度在1号机架前及各机架间进行测量，并在5号机架后加设边缘落差测量。另外，在1号及5号机架后面监测带钢平直度。

工作辊及中间辊的换辊完全是自动操作，其中包括维修中消耗件的自动拆除及连接。一座机架换辊所用时间只不过3.5min，5座机架换辊用8min。支撑辊的换辊是半自动的，需将带钢甩到轧机以外处。整个支撑辊更换时间不超过5h。

轧机润滑采取“轧机洁净钢”带钢用乳化液，5号机座后面装带钢干燥相结合方式进行。这样既保证充分润滑，又能吹去多余的润滑液、冷却液，轧机及辅助设备的轴承润滑是：工作辊和中间辊上为油雾润滑，斜楔调整是干油强制润滑。

350. 什么是边部减薄控制法?

造成边部减薄是由于部分工作辊过度弯曲越出所轧带钢宽度引起的。可用两种方法来控制这种边部变薄:一种是在带钢边缘区增加工作辊的冷却.以此引入热凸度补偿;另一种办法是在辊身末端用机加工方法切槽,形成辊上带沟部分,以此减少其靠近带钢边缘处的轧辊刚度。EDC轧辊可在轴向窜动约20mm,保证使变弱断面精确地移到带钢边上。蒂森-克虏伯公司比克尔沃尔茨厂这套TKS冷轧机采用热凸度控制法,设计规定晚些时候配制EDC辊。

一般来说,在压下量很大的第一座机架上采用EDC冷却更为有效,因为压下量大时辊缝里的带钢变形引起的温升最高。

351. 什么是SDI紧凑式冷轧机?

动力钢铁公司SDI紧凑式冷轧机主要用于生产扁平材。为使年产量达100万t的冷轧机高效生产,动力钢铁公司和施罗曼-西马克公司(SMS)联合开发出一种新型紧凑式冷轧机。此轧机由具有两个轧入侧开卷机和一个出口卷取机的两机架可逆式轧机组成,通过实施不同的轧制策略,所生产的冷轧带钢宽度可达1600mm,厚度达2.2～0.4mm,且轧机配有新式直接传动高张力卷取机和带钢特殊干燥系统。

单机架可逆式轧机,年产量仅35～40万t,串行式冷轧机经济运行的年产量应高达100万t以上,这意味着必须开发新的轧机以满足年产量80～90万t的生产要求,而且能低投资高回报。

在这种情况下,SDI和SMS联合开发出紧凑式冷轧机——两机架可逆式冷轧机。1997年12月首次试轧成功。新的紧凑式冷轧机由以下设备组成:连续酸洗线、批量退火炉、大规格1号热镀锌生产线及小规格2号热镀锌生产线。

该紧凑式冷轧机由以下功能部件组成:轧机入口侧带卷运输设备、带有带卷准备站的开卷机、入口侧2号可逆式开卷机、具有相关窜动装置的两架轧机、出口侧可逆式卷取机和出口侧带卷运输设备。

带卷从步进梁运到开卷机以后,带钢头部输送到张力辊矫直机矫直以备快速、可靠地咬入冷轧机,前一卷出冷轧机后,此带卷即咬入1号机架且通过开卷机建立起后张力,带钢由1号机架进入2号机架,与2号机架间形成张力,通过带钢导向辊道,带钢头部送入出口侧可逆式卷取机,从而在2号机架和可逆式卷取机之间建立张力,且冷轧机可加速到轧制速度进行轧制。

带卷脱离开卷机之前,轧机通过自动停止系统降低轧制速度。带钢尾部则停止于1号轧机之前。轧机换向运转且相关带钢导向设备将带钢运向入口侧可逆式卷取机,带钢被卷取几卷之后,冷轧机再次加速到轧制速度。

依据带钢尺寸要求、材质以及所要求的力学性能,紧凑式冷轧机可实施不同的轧制策略。

与单机架可逆式轧机相比,此紧凑式冷轧机的优势在于提高产量和降低停产时间,且一次运转进行两道次轧制。

与串列式冷轧机相比,此紧凑式冷轧机具有轧制道次灵活的优势。

紧凑式冷轧机用于厚度和平直度控制的成品控制元件由以下几部分组成:液压压下装置、正负工作辊弯辊系统、CVC轴向移动技术和多段冷却。

为补偿带钢厚度偏差,带钢厚度控制装置作为具有控制活套的物流系统用于前反馈和检测控制,测量装置安装于1号和2号机架之前以及2号机架之后用于测量带钢厚度和带钢速度。

平直度偏差是由带钢宽度方向上长度差异所造成的,偏差在最后道次由安装在2号机架出口侧的带钢平直度测量装置加以测量,从而获得带钢平直度且消除平直度偏差。

紧凑式冷轧带钢的最后工序是卷取干燥无斑点带钢,这可通过使用带钢干燥系统加以完成,带钢干燥系统和改装后的带钢边部排烟设备可保证带钢在极高的速度下干燥储存,因而可省略最后退火工艺过程中附加的干燥过程,带钢干燥系统由新开发且证明性能良好的构件组成,且能无接触地干燥冷轧带钢。

352. ϕ160mm/ϕ550mm×600mm 高精度四辊液压精轧机的基本性能如何?

1997年广州有色集团公司为了扩大产品品种和产量,提高产品质量,更好适应市场,利用广州铜材厂搬迁改造的机会,要上高精度铜带工程。西安重型机械研究所在众多竞争对手中,利用自己的优势获得了ϕ160mm/ϕ550mm×600mm 液压精轧机组等三条机组的供货合同。

西安重型机械研究所将开发的多项先进技术应用于精轧机组中,使这条机组的整体性能和所轧产品精度达到了国内同类产品的最高水平,与国际水平相当。600mm四辊液压精轧机组,装机水平高,成品精度高,板形好,轧制速度高,除油效果好,操作方便,可生产各种牌号的高精度铜带。此机组于1999年11月底正式投入试生产。在调试过程中,机组各项技术指标完全达到了合同规定值。到目前为止,该机组一直在正常、稳定地运行。

600mm四辊可逆式液压精轧机组,可用于带套筒、无套筒轧制高精度带材和对带卷重卷。

机组的主要参数如下:

坯料规格:材质:T2、T3、H90、H68、H65、H62、HPb59-1、QSn6.5-0.1;

厚度:最大2.0mm;

宽度:300~490mm;

卷内径:ϕ500mm;

卷外径:ϕ850~1250mm;

卷重:最大3000kg;

成品规格 厚度:最小0.1±0.003mm,宽度:300~490mm;

轧制力:最大3000kN;

轧制速度　开卷:0~120m/min;

　　　　　卷取:0~300m/min,0~500m/min;

轧制张力　开卷:5~35kN,卷取:0.6~45kN;

张力精度　稳态:最大张力时:±1%,最小张力时±5%;

　　　　　动态:最大张力时:±3%,最小张力时±10%;

准确停车精度:≤40mm;

轧辊尺寸：ϕ160mm/ϕ550mm×600mm；

卷筒尺寸：ϕ500mm×600mm。

机组的工艺流程及设备组成如下：

卷径测量装置—上卷小车—上卷高度对中
↓
宽度对中—开卷机—CPC 装置
↓
开头矫直机
↓
（右卷取机）
↓
（右卸卷小车）
↓
左机前装置—主轧机—右机前装置
↓
左卷取机
↓
（助卷器）
↓
卸卷小车

在线设备及工艺流程：

机前装置包括：摆动导板、转向辊、液压剪、测厚仪、真空除油装置、对中装置、压紧装置、气动除油装置及分段冷却装置。

600mm 四辊轧机还设置了液压压下、液压传动、设备润滑、工艺润滑（含精密过滤装置）、轴承油雾润滑、油雾净化装置、CO_2 自动灭火装置及相应的立辊传动控制系统、直流传动控制系统、厚度控制系统、PLC 控制系统等。

353. ϕ160mm/ϕ550mm×600mm 高精度四辊液压精轧机组的主要技术特点是什么？

利用卷径测量装置能准确测量初始卷径，并根据初始卷径和带宽，自动进行高度和宽度对中；在开卷轧制时，开卷机浮动对中（CPC）装置根据来料错层情况保证出口带卷错层小于 1mm。轧机能自动进行圈数及卷径的动态计算以及轧制压痕的记忆，并实现带尾的自动减速和自动停车，自动停车定径精度不大于 40mm。

轧机开始预压靠（轧制压力清零、辊缝清零）可以自动或人工完成。轧机具有过载（电流、轧制压力）保护、断带保护和紧急停车等安全保护功能，确保设备安全正常运转。轧机具有工艺过程参数的设定、工艺过程参数和设备关键参数的检测、显示、故障诊断及报警系统。

轧机具有液压压下系统、液压正负弯辊系统、液压传动系统，工艺润滑系统和设备润滑系统。工艺润滑采用全油润滑冷却系统，并配备精密过滤机。全油润滑冷却系统具有润滑效果好，摩擦系数低，降低轧制力等优点。

由于轧制速度高（500m/min），支撑辊轴承采用油雾润滑，提高了轴承的润滑、冷却效果。

轧机的辊缝是通过主油缸上的位移传感器和西安重型机械研究所自行研制的辊缝仪来控制的，可相互切换。

轧机具有辊缝和压力调偏，工作辊弯曲系统和分段冷却等板形控制手段。可通过辊缝调偏来消除带材单边浪；可通过调节正、负弯辊力的大小，来消除带材的双边浪或中浪；调节分段冷却可消除带材对称中浪和非对称中浪。弯辊力和分段冷却可以通过机前、机后操作箱上的触摸屏进行调节，分段冷却可以关闭任意一个喷嘴。

工作辊 P_5 级的 SKF 滚针轴承；支撑辊采用 P_5 级的 FAG 四列短圆柱滚子轴承，轴承拆卸更加方便，可大大提高轧制精度和轧制强度。

左、右卷取机采用四斜楔式卷筒，在涨径状态下，卷筒表面无缝隙，可保证带卷内层无压痕，提高成材率。为了防止薄带材塌卷，增设了助卷器，当带材厚度不大于 0.5mm 时，可以带套筒轧制。

轧机可实现快速换辊，换辊时间：工作辊不大于 5min；支撑辊不大于 20min。有效地节省了时间，提高了生产率。

机组具有重卷功能（只对带材进行倒卷）。

354. 液压 AGC 计算机控制系统配置及功能怎样？

液压 AGC 系统采用两级计算机控制，不仅具有恒辊缝、恒轧制压力及速度监控功能，而且还具有张力 AGC 等系统配置和功能。

AGC 计算机控制系统配置如下：轧机计算机控制系统采用上、下位两级计算机控制方案，该系统是集轧机过程控制、过程管理、AGC 控制和故障报警诊断为一体的计算机系统。下位机由辊缝控制计算机、厚度控制计算机组成；上位机由轧制过程管理计算机组成；配置独立的人机界面计算机（MMI）。

AGC 控制系统功能如下：

(1) 辊缝控制（GAP CONTROL）。辊缝控制是 AGC 控制的基本内环，它与其他 AGC 模式一起使用。

(2) 压力控制（LOAD CONTROL）。压力控制是 AGC 控制的第二基本内环，它也需与其他 AGC 模式一起使用。压力控制主要用于压力-张力-速度 AGC 控制、轧机预靠调零、轧机调试及故障诊断。

(3) 压力 AGC 控制（GAUGE METER）。这种控制也被称为液压轧机的可变刚性。压力 AGC 控制可以有效的增加轧机刚度，使轧机的等效刚度远大于轧机的自然刚度。

(4) 工作辊弯辊控制（WORK ROLL BEND）。

(5) 辊缝和压力调偏控制（GAP/LORD TILT CONTROL）。通过分别调整工作侧、传动侧轧辊辊缝，使轧辊倾斜。弯辊控制和调偏控制用于控制轧机出口侧带材的板形。

(6) 厚度监控（GAUGE BACKWARD CONTROL）。通过出口侧测量仪检测轧机出口侧带材的厚度偏差，控制轧辊辊缝或轧制压力，使厚度偏差趋于零。

(7) 厚度预控（GAUGE FORWARD CONTROL）。通过入口侧测厚仪检测轧机入口带材厚度，存入一先入先出的厚度链表中，经过延时后，根据所存厚度值控制轧辊辊缝或轧制压力，使轧机出口侧带材的厚度偏差减少。

(8) 张力 AGC。通过调整带材的入口张力，使轧机出口侧带材厚度偏差趋于零。

(9) 轧制工艺选择（MILL SET UP）。AGC 系统配置有轧制工艺数据库，可以存储多达数百种轧制工艺。

(10) 数据显示及操作控制（DATA DISPLAY AND MILL OPERATION）。在过程管

理计算机 RCRT 显示操作结构有实时显示轧机的各种参数和厚度变化曲线，并可在轧制过程中修改这些参数。

(11) 自动报表(AUTOMATICAL REPORTS GENERATION)。每卷带材或每道次轧制结束后，系统可以自动产生带卷报表，记录此卷材每一道次的轧制情况。在每一班和每一天生产结束后，系统可以自动产生班报表和日报表将保存在生产报表数据库中。

(12) 故障诊断系统(FAULTDIGNSTCS)。

(13) 远程诊断(REMOTE TEST)。通过调制解调器 MODEM 使用户系统与西安重型机械研究所的计算机系统相连，可为用户提供远程系统测试。

(14) 系统维护(SYSTEM MAINTEANCE)。系统具有自动开发能力，无需借助于其他设备就可以进行编程，可在线调试、修改控制参数等，可使厚度系统始终保持最佳工作状态。

355. 精密镀铜钢带有何应用?

由于精密镀铜钢带采用连续镀铜机组生产，所以成品为盘卷状态，特别适于连续高效率生产机组。另外可根据用户的使用要求，随意选择镀层厚度，因此得到广泛应用。

(1) 用于双层卷焊管。精密镀铜钢带是生产双层卷焊管的主要原材料，它用铜作钎料，是由于铜有较好的液态流动性并在钢中可快速扩散。通过加热熔化，可以双层卷焊管坯沿层间 360°钎焊，制成疲劳强度高并耐高压的小口径精密钢管。

(2) 用于单层卷焊管。目前，镀铜钢带也大量应用于各类电焊冷减径管，如高频焊管、方波焊管等。这种管材只应用一套焊管工艺，只要更换拉拔模具就可生产任意尺寸的管材，生产成本远低于双层卷焊管，可代替铜管和双层卷焊管在使用压力较低的场合应用。实践表明，用镀铜钢带生产的单层卷焊管，拉拔速度快，拔制的管材表面光亮，尺寸精度高。

(3) 用于轴承及枪弹制造业。提高镀铜层厚度的镀铜钢带，可用来生产轴承衬套，使其既有钢的强度又利用了铜的耐磨性。也可用来代替覆铜带，在连续生产线上制造枪弹弹壳。

(4) 用于轻工行业。由于精密镀铜钢带表面有镀铜层，易于实现镀镉、镀锌、镀镍、镀铬和镀金等，可用来生产各类薄壁冷弯型钢，以代替铝型材。

356. 双阶梯支撑辊在四辊冷连轧机上的应用结果如何?

鞍钢冷轧厂四机架冷连轧机是 1989 年从德国蒂森公司引进的二手设备，经改造后，增加了液压 AGC 闭环控制系统等自动控制手段，但在板形控制和检测方面，仅有正负弯辊装置，没有板形检测装置，生产出的带钢板形精度不能满足高精度的要求，边部减薄严重。因此，结合现场实际情况，在第一机架采用了双阶梯支撑辊配合弯辊装置进一步提高板形精度，减少带钢边部减薄，取得了显著效果。

(1) 延长了工作辊换辊周期。由于改变了受力条件，轧制稳定，不易跑偏，减少穿带卡钢和降低磨损等原因，各机架换辊周期延长，尤其是第一机架，每次可多轧 849t 钢，换辊周期延长 30%以上。

(2) 各架工作辊硌、勒、黏辊次数减少，轧制吨数增加。扣除原料及操作等因素的影响，各机架轧制吨数分别提高 17.1%、16.3%、12.1%、14.3%以上。

(3) 各架辊耗降低，工作辊平均降低 2.36%，支撑辊降低 0.69%。

(4) 增加了第一机架轧制力。连轧机合理的压缩比是4∶3∶2∶1或3∶3∶2∶1,即第一机架尽量增大轧制力,消除原料缺陷,减轻后几架轧制力负担,从而有利于改善板形。采用双阶梯后,因改变了受力条件,增加了稳定性,故可增加第一机架轧制力。以Q235B 2.75mm×1000mm轧成1.0mm×1000mm板为例,采用双阶梯支撑辊后第一机架轧制力可增加22.46%。

(5) 带钢边部减薄量减少。由于减少了工作辊有害弯曲区,带钢边部减薄量也随之减少。以普板2.75mm×1000mm轧成1.2mm×1000mm板为例,若以距带钢边部60mm处带钢平均厚度为基准零点,其他各点厚度平均值与60mm处厚度相减,得带钢边部厚度差如图3-58所示。从图3-58看出,采用双阶梯支撑辊后,带钢边部减薄量降低1.94%。

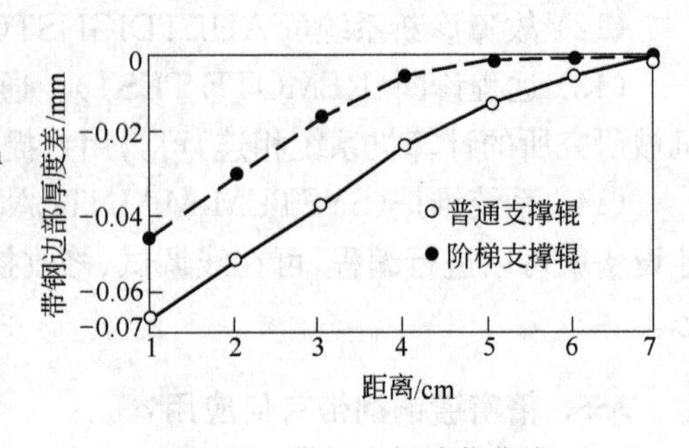

图3-58 带钢边部减薄曲线

(6) 降低了板形废次品率,由于增加第一机架压缩比,使各机架负荷分配趋于合理,有利于调整和改善板形。板形浪瓢废次品率降低0.41%。

总之,第一机架采用双阶梯支撑辊已取得较好效果,可以在第一机架试验的基础上,推广到后面各机架,将会取得更好的效果。

357. 什么是K-WRS轧机?

对薄板板厚精度的要求日益严格,特别是轧制中在板宽方向端部出现板厚急剧减小的边部变薄现象,已成为重要的研究课题。薄板板厚不均,会妨碍电磁钢板作电动机铁心材时积层作业的自动化,另外镀锡板和汽车用钢板在压力成形和剪断等的加工过程中会出现加工不良和发生裂纹等问题,冷轧后钢板端部板厚不均匀部分形成的裂纹需要切除。因此减少边部变薄有利于二次加工的自动化和节省材料,并可提高生产率和成材率。

日本川崎钢铁公司在热轧和冷轧方面,率先开发出W-WRS轧制法的板凸度和边部变薄的控制技术。

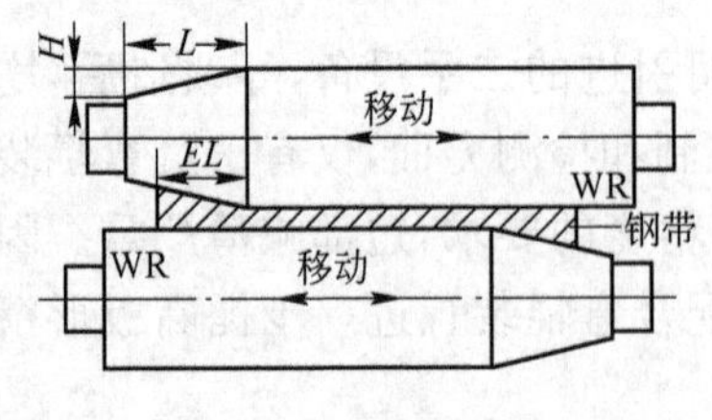

图3-59 K-WRS轧机
EL—移动位置;H/L—锥度;WR—工作辊

K-WRS轧机的原理如图3-59所示。该轧机的特点是,在轧辊一侧的端部呈锥形的工作辊沿轴向移动。采用K-WRS轧机可以发挥边部变薄减小的效果。将工作辊锥度移到轧材最合适的位置,可获得沿板宽方向均匀的板厚精度,基于该特点,在冷轧串列式轧机的许多机架上采用,确立了完全矩形断面的轧制技术。另外,确定了适应母板板厚形状和轧制条件控制工作辊移动位置的前馈控制和采用配置轧机出口侧的边部厚度仪的反馈控制,使轧材沿板宽方向的全长、全宽达到高精度控制。

另外,作为利用单机架多功能高效率的矩形断面钢板的轧制技术,开发了工作辊移动和交叉组合谋求高功能化的先进的K-WRS移动交叉轧机,现已在实际中应用。

K-WRS轧制法已用于水岛厂2号冷轧串列式轧机(4机架)的所有机架和千叶厂的2

号冷轧串列式轧机(6 机架)的第一机架上,同时向国内外广泛提供该项技术,该技术在许多轧机上采用后,均获得了良好效果。

358. 什么是动态形状轧辊?

动态形状轧辊可改善平整度控制,能够采用单一凸度辊型轧辊轧制全部产品,可补偿热不稳定性和减少振动,由此可获得质量和生产率方面的提高,可以应用到单机架或双机架可逆轧机上,使带钢轧机的投资减少。

在可逆轧机上轧制,就意味着生产率和产品质量不能兼得。在轧机上安装一个动态形状轧辊(DSR)做支撑辊,能使工作辊辊型在轧制时得到控制,这就可使生产率摆脱平整度问题的限制,从而为提高轧机性能和从最少投资获得较高利润打开了大门。

DSR 由一个在长度方向上安装了几个液压缸(一般 5～7 个)的不转动的轴向梁组成。这些液压缸推动靠在旋转套筒上的垫块,而旋转套筒构成轧辊的外表面,在垫块和套筒之间,由一个静液压系统和一个动液压系统造成一个油膜。动态形状轧辊调整器原理如图 3-60 所示。

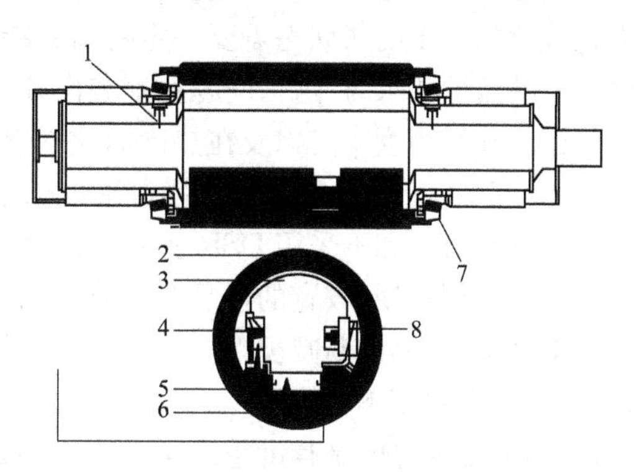

图 3-60　DSR 轧机调整器原理图
1—平衡油缸;2—旋转套筒;3—固定梁;4—含油控制阀及供油装置;5—垫块;6—液压缸;7—止推轴承;8—伺服控制阀

DSR 允许利用来自形状测量辊的可能的附加反馈,通过轧辊的位置和压力基本回路来对咬入轧件的轧辊辊型进行动态控制。辊型的控制范围,比现有的任何其他轧机调节都大。此外,还可以在 30ms 之内,在载荷下进行辊型的动态校正。闭合的压力和位置回路,每毫秒可适时地得到修正,这就使 DSR 成为能够有效防止 1/4 浪等缺陷的唯一调节器,同时还能保持同样的高轧制性能而不受轧机热状态的影响。

359. 动态形状轧辊的特点是什么?

可逆轧机的轧制制度一般建立在每个道次轧制力不变的基础上。其目的是以通过减少轧辊辊型偏差避免带钢平整度受到影响。

对两种布置形式轧机,即仅装有工作辊弯辊(WRB)的轧机以及装有 WRB 和 DSR 的轧机,在轧制 1676mm 宽带钢时保持辊型的情况进行了比较。比较结果表明,大的轧制力偏差不能仅由工作辊弯辊得到补偿。在同样轧机上增加一个 DSR 轧制同样产品,就能补偿大的轧制力偏差,DSR 在不同轧制力下的控制范围,涵盖了由这些不同轧制力所产生的轧辊辊型偏差。这就可以产生以下几种好处:

(1) 改善道次程序和提高生产率。由于消除了需要在道次之间保持小的轧制力偏差这一限制,因此轧机操作工能够利用全部可能的动力,因而道次仅受扭矩和速度的限制。这就可使生产率提高。

(2) 由于轧机对轧制压力的变化(带钢硬度和凸度)不敏感,因此速度可提高到最大,这样可获得高的生产率。

(3) 带有DSR和不带有DSR轧制的比较还表明,电动机可得到更好的利用。由于不必在不变轧制力下轧制而创造的灵活性,可消除极端作用点。

单一轧辊凸度。多数轧机的凸度操作,都需要两套或三套不同凸度值的轧辊来满足产品品种的要求。根据产品的形式和等级,为达到所需要的轧辊辊型因而获得优良的平整度,必须仍在加工范围内,用一只调节器对工作辊凸度进行调节。

DSR仅需要一种工作辊凸度。除了使操作费用节省和仅需要一只轧辊库存之外,还可使灵活性大大提高。例如,在法索拉克公司比阿舍厂,轧制制度要求每6h改变一次凸度;他们能够在48h满足整个产品品种的要求。在一个机架上采用DSR,这种限制不再存在,仅在报废程序、轧制事故及轧辊磨损时才更换工作辊。

换辊后无带卷损失。在更换工作辊之后,一般以降级的平整度轧制1个或2个带卷,因为轧辊达到稳定的热状态需要一定时间。特别是当产品品种要求多次更换工作辊才能满足整个产品品种要求时,这个问题特别突出,DSR可自动调节沿宽度方向的压力分布,可在轧制开始时补偿凸度不足以及在热剖面建立起来时动态地保持辊型不变。

在DSR轧机上,平整度性能得到大大改善。在美国Alcaa公司Lebanon厂,当轧制铝带时,采用DSR和不采用DSR所获得的结果表明,采用DSR的平整度性能大大改善。在传统轧机轧制较硬、较宽的产品时,平整度控制的改善更为明显。带钢的平整度改善后可带来如下优点:带钢破断减少以及下游生产线的生产率提高;在批量式退火后的钢板黏结次数减少;头尾平整度不合格减少。

此外,要求好的平整度越来越主要。例如,汽车制造厂对其加工的带钢的公差要求更加严格,以便在其压力机上保持相同的调定值因而达到高的生产率。

在产品宽度之外,支撑辊和工作辊之间的接触,会在产品边缘产生不希望有的压力,这种压力会造成带钢板形性能下降。

在DSR轧机中,仅让覆盖带钢宽度的垫块起作用,这就可有效地造一个可调宽度的支撑辊。因而,边缘质量下降可平均减少20%。

DSR轧机还对振动的敏感性较小,一台轧机在轧制大约3000km带钢之后,在支撑辊上就会发生振痕。但在安装DSR之后,甚至在轧制10000km带钢之后也未发现振痕。

360. 什么是超高张力轧制?

现行的张力轧制,一般附加的最大张力为轧材屈服应力的30%~40%。附加张力的原因各种各样,但主要目的包括降低轧制压力和轧制载荷,减少轧辊磨损,稳定轧材行走,使被轧板形控制容易等。

对轧材施加其屈服应力70%~80%以上的张力,即附加超高张力轧制,这会导致轧材缩颈和破断等不稳定变形及工艺稳定控制困难,因此长期以来人们认为是不可能的。近年来,由于计测技术、模拟技术、控制技术的急速进步,也可能实现这一技术。

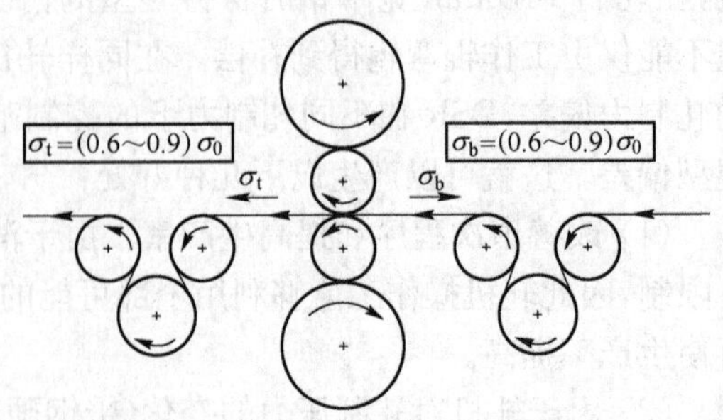

图3-61 超高张力轧机的基本构成

实现这种轧制的超高张力轧机的基本概念见图3-61。其一般结构是在轧机的入、出口侧设置张力的装置。考虑采用非对称轧机和极小直径轧机等和入、出口侧流入和流出角度等形成种种组合。

采用超高张力轧制技术的最大理由是，利用该技术，使传统的板厚方向压缩变形的优先轧制，向纵向延伸变形优先的大变形轧制的变形结构的转换成为可能。使在辊缝中轧材变形内容可发生大变化。即利用高张力下的延伸主导大变形，获得轧材内部组织的变化，特别集合组织发生的程度和形态与传统比发生大的变化。通过适当控制，可开发强度和变形界限优良的板材。另外，可望获得轧制效率大幅度提高、辊数削减等设备简单化的效果。

超高张力轧制技术成为目标突破现行技术界限的未来轧制的最主要课题之一。

361. 什么是复合矫直轧制和复合成形轧制？

复合矫直轧制如图 3-62 所示，是轧制和张力矫直的融合工艺。在轧机和卷取机及开卷机中间均设置 1 台张力矫直机；相对于轧机入口侧、出口侧都设置 1 台，有的两侧合计设置 2 台以上。

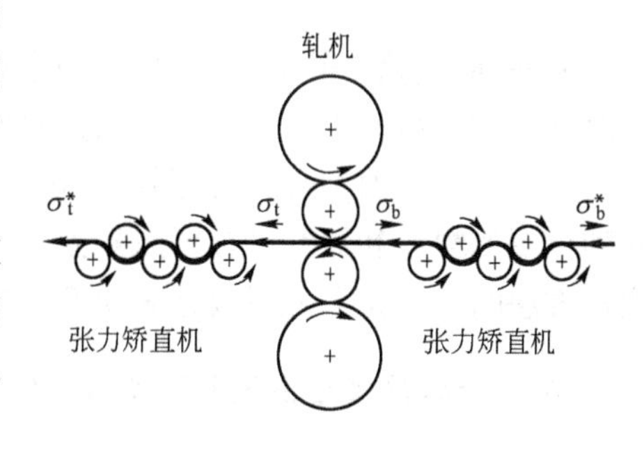

图 3-62　复合矫直轧制示意图

轧制薄板采用 1 道轧制，凸度比率难有大的改变。其理由是，如果凸度修正量增大，在宽方向的纵向延伸差增大，在出口侧板形恶化，向下游侧轧辊的行走和卷取出现困难。

因此，将轧制加工和张力矫直机串列组合，使轧机轧辊的板凸度修正功能和张力矫直机的板平坦度的改善功能同时执行，可望取得如下效果：

(1) 每道凸度修正量大幅度增加，道次规程设计自由度提高。

(2) 通过轧后修正轧制产生的缘波和中心翘曲，稳定轧制作业等。

(3) 复合矫直轧制提高板形控制功能，实现形状质量精度提高的同时，可大幅度提高轧制效率。

一般通过轧制生产宽度方向板厚不同的板材非常困难。其原因是，在板材轧制中，受轧辊辊缝摩擦力的约束，被轧轧件向宽度方向流动困难。另外，为高效制造宽度方向厚度不同的板材，必须导入促进宽度方向材料流动的机械装置。

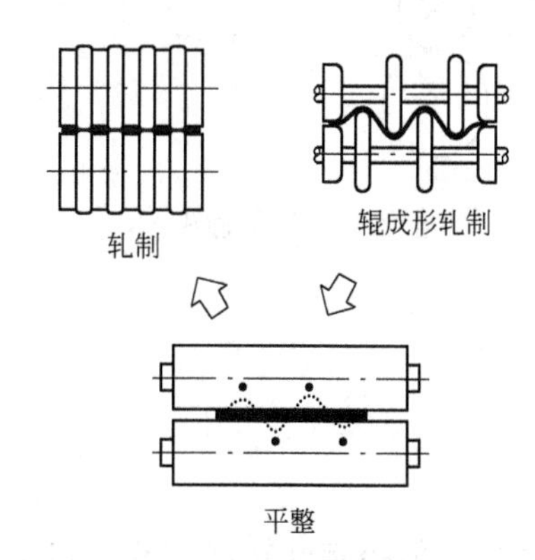

图 3-63　复合成形轧制概念

对此考虑采用辊轧成形工艺和板轧制融合的工艺。在利用辊轧成形波板(圆波、方波)时，由于被加工板材宽度方向强张力的作用，板坯各部位产生宽度方向延伸，即板厚减少不可避免。由于辊轧成形的组合和设定位置的不同，板厚减少分布形态不同。适合利用辊轧成形加工，在获得板坯沿宽度方向所希望的厚度分布后，利用具有目标形状辊轧制，可较容易制造出沿宽度方向厚度不同的板材。复合成形轧制的概念如图 3-63 所示。

362. 什么是改善表层的半熔融和熔融轧制？

利用高频加热法使板材、棒材、线材和管材表面加热到半熔融或熔融态用轧辊使表层部位急速冷却凝固，同时施加压下变形，由于急冷凝固和再结晶的效果，形成具有超微细结构的表层，该法称为改善表层半熔融轧制法，如图3-64所示。利用该法，薄板表层具有极微细的结晶结构、可形成强度高、变形能力高的第2相。由此制造的自动变层型倾斜功能材，可望大幅度提高强度和二次加工性能优良的最终制品质量。

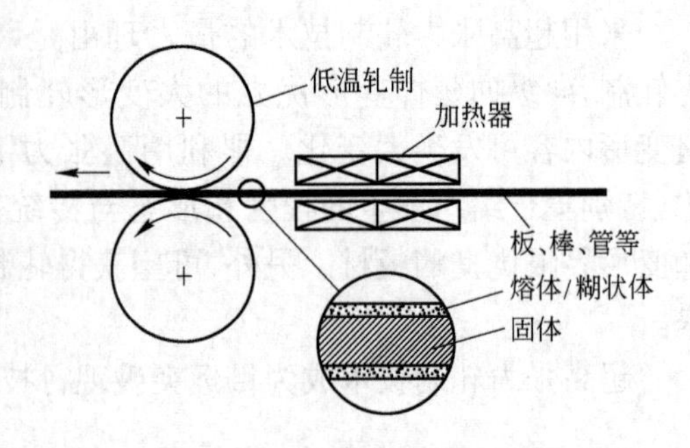

图3-64　改善表层的半熔融和熔融轧制法示意图

另外，应用这种轧制法，在加热的半熔融化或熔融化的表面上，散布或混入陶瓷粒子、陶瓷短纤维、石墨粉、碳化物粒子，或者异种金属粉末的粒子，然后用轧辊边压入边急冷凝固，或者给予适当的温度进行凝固轧制，可形成各种复合层。散布、混入和压入的陶瓷、石墨或异种金属的粉粒和短纤维被埋入和固定到半凝固层或熔融层，形成具有种种功能的复合层。这种方法的特点是可任意改善表层部位的质量。

363. 什么是多自由度非对称轧制？

多自由度非对称轧制和轧机（超灵活性轧机）的基本构想是：

(1) 具有不同的上下辊径；

(2) 上下辊速度、对轧制方向上下辊轴形成的角度、轧件流入和流出角度、轧材流入和流出时的宽度方向倾斜角度等具有用数值控制手段可变更的功能；

(3) 具有轧材上下面、宽度方向各位置的单独或部分的加热和冷却功能；

(4) 多根坯料插入和取出等功能，如图3-65所示。

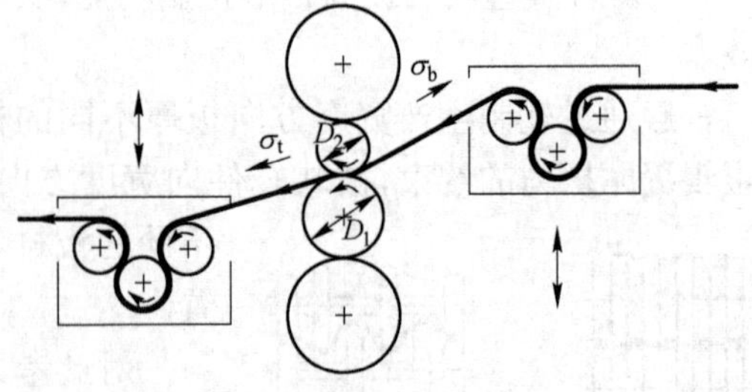

图3-65　多自由度轧机示意图

利用这种轧机和轧制技术使下列几项成为可能：

(1) 利用板表、里面的单侧大压下实现表层改善质量轧制；

(2) 复合板的稳定连续轧制；

(3) 不同材料的压合轧制生产多层复合板；

(4) 生产厚度方向内部组织不同的板材；

(5) 制造厚度方向残余应力不同的板材；

(6) 制造宽度方向厚度不同的板材；

(7) 制造宽度方向材质不同的板材。

图3-65示出仅控制轧材流入和流出角度的情况，如前述用数值控制被轧件的流入和流出时的宽度方向倾斜角度，并根据需要，上下辊轴和轧制方向形成的交叉角用数值控制手段

使其同时或分别变化，轧制宽度方向由不同材质构成的板材和进行要求宽度方向压下率不同的轧制等。

这种多自由度非对称轧制技术和超高张力轧制技术一样，将成为未来钢铁产业所需要的应用范围广泛的基础轧制技术之一。

364. 日本自动轧管机组是如何控制钢管尺寸精度的？

随着各种机械制造工业和建筑工业的发展，用户对高精度钢管的使用要求日益强烈。为了满足要求，占领国内外市场，各钢管生产厂一直都在精心研究提高钢管尺寸精度的对策。除按公认的国际先进标准组织生产外，许多钢厂还严于法定标准制定了内控标准，严格控制尺寸精度。加之自动控制及检测技术的引入，日本4家钢管公司在自动轧管机组和连续式轧管机组尺寸精度控制方面措施具体，目标明确，下面作简要介绍。

自动轧管机组主要工序对钢管尺寸精度的影响如表3-11所示。

表3-11　自动轧管机组主要工序对钢管尺寸精度的影响

工　　序	穿　孔（穿孔机）	延　　伸		均　整（均整机）	定　径（定径机）
		延 伸 机	自动轧管机		
壁　　厚			◎	○	
外径、内径					◎
椭 圆 度					◎
长　　度			◎	○	○
壁厚不均	◎（螺旋状）	◎（螺旋状）	○（对称性）		
弯 曲 度					◎

注：◎表示影响大；○表示影响小。

从主要工序上看，穿孔和延伸轧制时容易产生超出公差范围的螺旋形壁厚不均。当然，管坯加热不均匀、工具调整不当或磨损等也直接影响荒管质量。在自动轧管机上轧制时，荒管容易产生纵向壁厚不均和长度不足等缺陷；同一孔型两道次轧制还容易产生对称性壁厚不均。均整机对荒管是轻压下斜轧，因此荒管的长度和壁厚虽有变化，但其变化量小。定径机能够定钢管的外径和正圆度，但钢管前端容易弯曲。

为使成品管的精度达到要求，除确保管坯加热均匀、顶头形状和孔型设计合理及轧辊调整适当外，轧制控制技术是重要的保证条件。20世纪70年代后半期，日本就将自动控制技术应用到自动轧管机轧制线上，即采用计算机控制的AGC控制系统调整穿孔机和延伸机，控制自动轧管机的延伸长度，在均整机上则控制外径。通过对各轧机工序的合理控制，平均壁厚偏差得以控制，钢管纵向壁厚不均有所改善。此外，还在轧制线上引入了在线壁厚仪控制系统，用该系统进行作业管理也有助于钢管尺寸精度的提高。这一时期，由于控制技术的应用，使壁厚不均率降至1%，收得率提高3%。

定径机引入了外径控制系统，用其预测荒管温度和定径后冷状态的荒管外径，控制定径机轧制中的轧辊压下位置。

365. 日本连续式轧管机组是如何控制钢管尺寸精度的？

连续式轧管机主要工序对钢管尺寸精度影响见表3-12。

表 3-12 连续式轧管机组主要工序对钢管尺寸精度的影响

工　序	穿孔(穿孔机)	延伸(连续式轧管机)	减径(张力减径机)
壁　厚		○	◎
外径、内径			○
椭圆度			○
长　度		○	◎
壁厚不均	◎(螺旋状)	(对称性)	◎(内表面形成多边形)
弯曲度			
管端形状			◎(管端部壁厚增厚)

注：◎表示影响大；○表示影响小。

20世纪80年代前半期，连续式轧管机引入了延伸长度控制系统。与此同时，新建的连续式轧管机由芯棒浮动式改为芯棒限动式，壁厚控制技术也有相应的进展。特别是最近，随着检测系统的发展，作为直接检测钢管外径的控制监测技术，已能在连续式轧管机的各机架间通过测径仪直接测定钢管外径，如图3-66、图3-67所示。

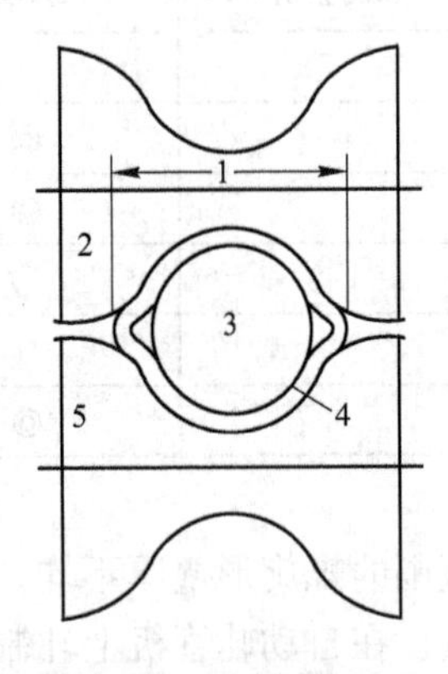

图 3-66 连续式轧管机轧制断面模式
1—凸出宽度；2—上轧辊；3—芯棒；
4—轧件；5—下轧辊

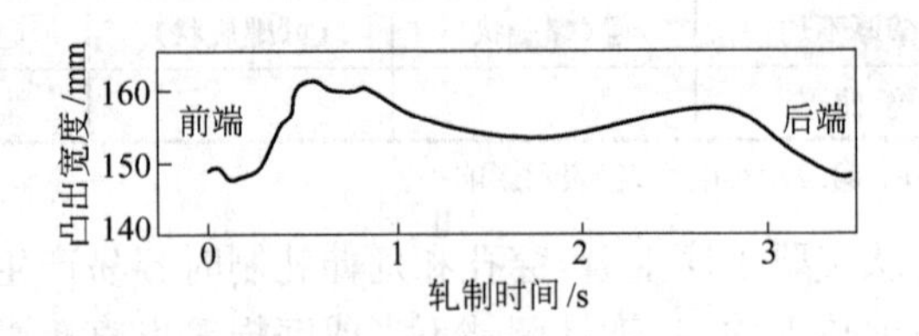

图 3-67 连续式轧管机轧制钢管达到外径变化
(ϕ146mm×5.5mm，No.4机架出口侧)

随着液压技术的进步，连续式轧管机选用了快速液压控制方式使荒管头、尾成形，到张力减径机上轧制时，其头、尾部增厚得以补偿，这就大幅度减少了管端增厚部分的长度，见图3-68、图3-69，这样既提高了钢管尺寸精度，又提高了成材率。

20世纪70年代前半期，延伸长度控制系统和管端壁厚控制系统被引入张力减径机，为现在的轧机控制技术奠定了基础。近年，作为控制监测用，又将炉焊管机组使用的小直径钢管γ射线测厚仪引入张力减径机的出口侧，如图3-70和图3-71所示。后来资料介绍，张力减径

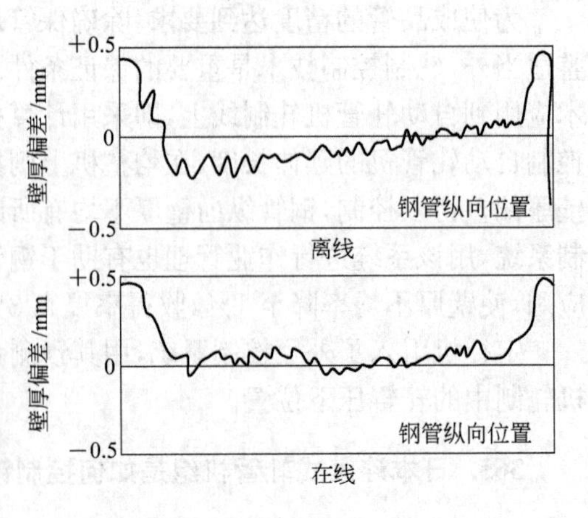

图 3-68 壁厚控制结果

机的入口侧也设置了γ射线测厚仪，测定结果直接反应在控制模型上，以便控制管中央部位纵向壁厚不均，见图 3-71、图 3-72。

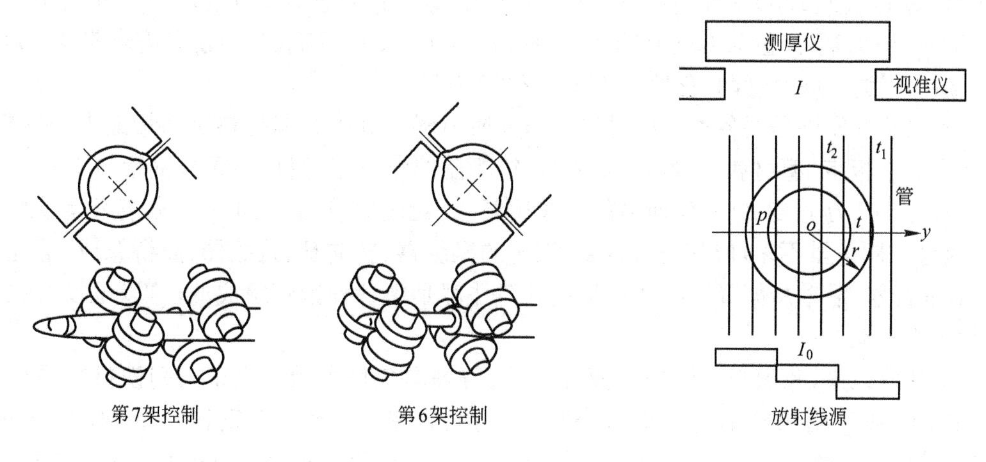

图 3-69　在连续式轧管机上管端预压成形模式

图 3-70　γ射线测厚仪的检测方法

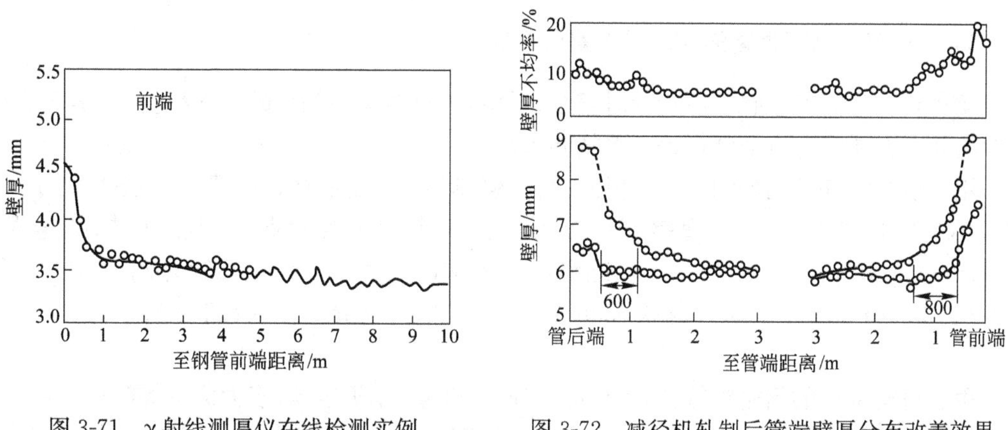

图 3-71　γ射线测厚仪在线检测实例

钢管尺寸：ϕ101.6mm×3.45mm

○—离线壁厚实测值；— —在线壁厚实测值

$\overline{X}$=0.01mm；σ=0.03mm

图 3-72　减径机轧制后管端壁厚分布改善效果

钢管尺寸：ϕ673mm×5.51mm

○—在线；— —离线

NKK 公司利用所研究的金属塑性变形机理做了模拟实验，查明了张力减径机 D/S、椭圆度及内表面形状的影响机理，利用该机理对张力减径施以控制，轧制效果良好，现已能生产过去无法生产的 D/S=30%的小直径厚壁管。

366. 精密钢管与汽车工业的关系如何？

在工业发达国家中，汽车工业已成为支柱产业之一，一般汽车工业的净产值占国民经济总产值的 3%～5%。我国对汽车工业也很重视，计划经过三个五年计划或更长时间，使汽车工业成为支柱产业，汽车工业总产值达到国民经济总产值的比例：2000 年为 1.7%～2.0%，2010 年为 2.6%～3.0%。

根据国民经济各部门对汽车需求量的预测和我国现有条件(资金、技术、油料、汽车材料和道路等),初步论证的汽车工业发展目标:2000年汽车需求量为250～300万辆,产量为270万辆,保有量为1800～2100万辆(其中轿车需求量为120～160万辆);2010年汽车需求量为550～650万辆,产量为600万辆,保有量为4400～5000万辆(其中轿车需求量为350～440万辆,产量为400万辆,保有量为2200～2700万辆)。

汽车工业的发展需要各种金属材料和非金属材料。其中金属材料是用量最大的材料,其品种主要是板带、型材和钢管等等。2000年所需的汽车用材料中,无缝钢管为1.5万t,焊接钢管为5.3万t;到2010年所需的汽车用材中,无缝钢管为18.1万t,焊接钢管为7.6万t。钢管的用量虽不多,但却非常重要,汽车的操纵器、转向轴、减振器、前桥总成、等速节传动轴、消音器、后轴悬架臂和冷却水装置等部件都是由各种钢管组成的,可以说没有钢管汽车就无法开动。

改革开放以来,我国先后引进了德、法、日、美等国多种车型。汽车用钢铁材料系列复杂,以桑塔纳轿车用精密钢管为例,钢种有10钢、20钢、35钢、45钢、16Mn钢、20Cr钢、15CrMo钢等,规格有ϕ9mm、ϕ12mm、ϕ14mm、ϕ16mm、ϕ20mm、ϕ22mm、ϕ25mm、ϕ28mm、ϕ33.6mm、ϕ38mm、ϕ43.6mm、ϕ50.8mm、ϕ60mm、ϕ68.9mm等20个。因此,为满足轿车工业大发展的需要,对所需求的各种钢管必须国产化。

367. 轿车用精密钢管的技术要求是什么?

轿车要求外观美、质量轻,行驶时安全、平稳,故对轿车用钢管的尺寸精度、力学性能、工艺性能及表面质量等方面都提出了严格要求。

用于轿车零件结构的钢管,对外径、内径、壁厚的公差都有严格的要求,如桑塔纳轿车用钢管SGG291-SGG2120(上海钢管厂标)等约30个专用管标准生产,这些标准是根据DIN2391,DIN2393,GB 3639—83标准和用户要求制定的。以减振器管为例,其尺寸精度为外径ϕ32.4mm±0.20mm,内径ϕ30mm±(0.039～0)mm,公差级别为H8,平直度为A级。

用于轿车部件的精密钢管,需进行冲压加工、焊接、阳极电泳、表面涂层等深加工,由此,要求钢管具有优良的内外表面质量,多数品种的钢管表面应无氧化膜,钢管的交货状态为光亮拔制—硬性(BK)、光亮拔制—软性(BKW)、光亮退火(GBK)、光亮正火(NBK)等。以减振管为例,内表面粗糙度必须达到C级,表面不允许有划伤、划痕等缺陷。

为了保证轿车长时间高速、安全、平稳可靠地行驶和满足零部件特殊深加工的需要,钢管必须具有稳定的工艺及力学性能,如减振器管的焊接性能、疲劳性能、强度性能等,并要达到用户的要求值。

368. 轿车用精密钢管的生产工艺特点是什么?

精密无缝钢管广泛用于制作减振器、冷却水管、排水管、轴承套、轴套等。对这类钢管的外径、内径、壁厚等精度和表面质量与平直度的要求较高,通常采用冷轧(拔)的方式生产,其工艺特点如下:

(1) 以质量为中心,进行专业化生产。从炼钢到成品出厂,均设有先进的专用生产线和专用设备,并进行优化管理。

(2) 精密钢管一般采用电炉或转炉加炉外精炼的工艺冶炼钢质纯净。

(3) 严格控制管坯质量(特别是壁厚公差和表面质量),严防裂纹、麻面与轧折等缺陷。管坯投料前先清除表面缺陷。

(4) 拔(轧)管机的主辅设备都应采取防划伤措施。

(5) 成品管热处理采用计算机控制的保护气氛热处理炉。

(6) 冷拔工艺采用液压挤头以及能保证表面质量的润滑工艺。

(7) 成品管采用高精度多辊矫直机矫直,矫直后的弯曲小于 0.8mm/m。

(8) 成品管涂油后用油纸或塑料布逐支包扎,用木箱包装后出厂。

一般的生产工艺流程为:管坯→加热→穿孔→轧管→锤头→检查→退火→酸洗→磁化→皂化→冷拔→退火→矫直→切断→倒棱→酸洗→防锈→冷轧→(或成品热处理)→检查→包装→入库。

精密焊接钢管主要用于制作汽车的传动轴、减振器、消音器等。这类钢管对壁厚精度及圆度有较高的要求,其生产特点如下:

(1) 选用化学成分均匀、纯净度高、性能稳定、尺寸精度高和板形良好的带钢成形。

(2) 选用刚度好的成形机组和合理的成形方式及孔型,保证焊接钢管的尺寸精度。

(3) 选择合理的焊接方式、焊接装置及参数控制手段,防止出现低温焊接、高温灼烧、回流夹杂、裂纹等缺陷,保证良好的焊缝质量。

(4) 用较少道次的冷加工,生产质优价廉的精密焊接钢管。

(5) 采用保护气氛热处理,保证钢管的优良性能和表面质量。

(6) 采用高精度的多辊矫直工艺,保证钢管的平直度。

这类钢管的生产工艺通常为:带钢→开卷→矫平→(切头尾、对焊、活套)→成形→焊接→去毛刺→冷却→定径→矫正→(无损探伤)→定尺切断→倒棱→无损探伤→检验→锤头→正火→酸洗→磷化→皂化→冷拔→热处理→矫直→切断→倒棱→(酸洗→防锈→冷轧→热处理)→检查→包装→入库。

369. 汽车减振器管的市场需求、品种规格及生产工艺如何?

减振器是汽车的一个重要部件,每辆汽车都有前、后减振器和转向减振器等。减振器由缸体、贮油筒、衬套、限位套和吊环等组成。目前我国缸体管分为冷轧精密无缝钢管,贮油筒管多为精密焊接钢管。

(1) 市场需求。根据我国汽车工业的发展情况,2000 年汽车减振器(生产配套及维修更新)的产量达到 5400 万只,其中轿车、轻型汽车及微型车的减振器 3800 万只,中型及重型车减振器 1600 万只;摩托车减振器的产量达到 9600 万只。减振器的主要组成部分是缸体和贮油筒,按相应的规格可推算出缸体用精密钢管的需求量约 6 万 t,贮油筒用管的需求量约为 3 万 t,2010 年汽车减振器的产量须达到 12000 万只。其中轿车、轻型、微型车的减振器 10200 万只;中型、重型车减振器 1800 万只;摩托车减振器的产量需达到 18000 万只。按相应规格可推算出缸体用精密钢管的需求量约为 10 万 t,贮油筒用精密焊接钢管的需求量约为 5 万 t。

(2) 品种规格。不同车型所需的减振器不同。大中型车辆的典型减振器为 50 型;轻型微型车及轿车的典型减振器为 30 型;摩托车的减振器为 20 型或更小的型号。所需钢管的典型规格为：

缸体管：ϕ32.4mm×1.2mm，ϕ54mm×2.0mm，ϕ18mm×1mm；

贮油筒管：ϕ45mm×1.0mm，ϕ65mm×1.5mm，ϕ24mm×1mm。

减振器用管的钢种主要有10钢、15钢、20钢和16Mn钢等。

(3) 生产工艺。目前，我国缸体管一般按前述工艺生产，采用的管坯为合格的热轧无缝钢管。上海钢管股份有限公司的减振器缸体用管的生产工艺为：热轧(ϕ72mm×4.0mm)→冷拔(ϕ62mm×3.5mm)→冷拔(ϕ51mm×2.9mm)→退火→酸洗→磷化→皂化→冷拔(ϕ43mm×2.4mm)→冷拔(ϕ35mm×2.0mm)→退火→酸洗→防锈→冷轧(ϕ32.4mm×1.2mm)+检查→包装。

近年来，该厂还开发了用高频焊接钢管为管坯的减振器缸体用冷轧管。其生产工艺为：焊接钢管(ϕ48mm×3.5mm)→正火→酸洗→磷化→皂化→冷拔(ϕ40mm×2.7mm)→冷拔(ϕ35mm×2.2mm)→退火→矫直→酸洗→防锈→冷轧(ϕ32.4mm×1.2mm)→检查→包装。这种工艺进一步降低了生产成本。

贮油筒管主要是去除内外毛刺的焊接钢管，山川机械厂批量生产过ϕ45mm×1.0mm的贮油筒管。总的来说，因钢管成形精度、除内毛刺及焊接质量等方面的问题，我国这类钢管的生产工艺还不成熟。

370. 汽车传动轴管的市场需求、品种规格及生产工艺如何？

传动轴管是汽车传递动力的关键部件，由于工作时要承受较大的动载荷和扭矩，因此对传动轴管的要求较高。

(1) 市场需求。根据我国汽车工业的发展目标预测，2010年汽车传动轴管的需求量约为3万t。

(2) 品种规格。不同车型的传动轴规格差异甚大，目前我国汽车传动轴用管的规格主要有：ϕ31.75mm×3.05mm，ϕ89mm/76mm/63.5mm/50mm×2.5mm，ϕ63.5mm×1.8mm，ϕ48mm/42mm×1.5mm，ϕ57mm×1.6mm，ϕ89mm×4.5mm，ϕ90mm×3mm，ϕ93mm×7mm，ϕ89mm/108mm×7mm，ϕ95mm×9mm，ϕ114mm×8mm等。

由于焊接钢管具有壁厚均匀这一突出的优点，因此传动轴除了小规格的用冷拔无缝钢管和大规格的用热轧无缝钢管制作以外，其余绝大部分用精密高频焊接钢管制作。所用钢种为低碳的优质碳素钢和10Ti钢、15Ti钢等。

(3) 生产工艺。目前传动轴管多为高频焊接钢管。由于管壁较厚，均在1.5mm以上，最大达9mm，因此须采用高刚度的焊管机组生产。同时，根据GB 9947—88标准的技术要求，毛刺的残余量应不超过0.2mm。为确保焊缝质量，还必须有高精度的探伤检测仪设备和焊缝热处理设备。宁远钢厂生产这类焊接钢管的工艺流程为：焊接钢管→在线常化→无损探伤→工艺检验→包装→入库。

371. 我国高精密冷拔管生产现状如何？

从1987年开始，我国陆续兴建了20余台全液压预应力高精度冷拔管机(表3-13)，能生产的高精度冷拔管内径均在300mm以内，壁厚为3～32mm。与日本片仓钢管公司相比，我国企业的规模较小，每个企业仅有1～2台冷拔机，且生产合同普遍不饱满，而具有大型冷拔机的企业大多是为本行业服务的；因此新产品的开发和新用户的发掘都有很大的局限性。由于高精度冷拔管在质量方面的优势，可以直接或略经珩磨就可以用于制作特殊的产品，因此其应用范围十分广泛。

表 3-13　我国液压高精度冷拔管机的分布

地　　区	企业数/个	建设年份	拔机数/台	名义拉拔力/kN	有效行程/m
安　　徽	1	1986、1993	2	1470、3430	4.5、12
天　　津	1	1987	2	1470、2450	6、8
四　　川	1	1988、1989	3	3430、980、392	14、8、4
北　　京	2	1988、1990	2	2450、1470	8、8
江　　苏	9	1988、1991、1992、1993	10	5390、2450(2) 1960、1470(6)	12、10、10、8
辽　　宁	1	1992	1	2450	10
河　　北	1	1992	1	2450	10
山　　东	1	1992	1	1960	10

我国“九五”期间大中型工程机械的五大主机所需配套的液压缸达到 50 万件。另外，据有关部门预测(表 3-14)，我国每年需要工程液压缸 60 万 m，千斤顶油缸 100 万 m，煤机油缸筒 80 万 m，再加上其他液压缸、气动缸用管，每年需要的高精度冷拔钢管将突破 300 万 m，约 10 万 t，因此高精度管具有广泛的市场前景。

表 3-14　“九五”期间我国大中型工程机械需求情况(万台)

机　　种	1995 年	2000 年	机　　种	1995 年	2000 年
推 土 机	0.75	1.35	装 载 机	2	3
挖 掘 机	0.5	1.2	叉　　车	3	5
轮式起重机	0.72	1.4			

目前，我国高精度冷拔管的产品开发主要集中于工艺研究方面。经过多年的探索，冷拔模具的设计、磷化与拔制工艺均比较成熟，表 3-15 列出了合肥钢铁公司钢研所与日本片仓钢管公司生产的高精度冷拔管的实物质量情况。从表 3-15 可以看出，我国产品在尺寸公差与直度方面明显优于日本产品。

表 3-15　高精度冷拔管的实物质量比较

产品技术指标	GB 8713—88 标准	合肥钢铁公司钢研所内控标准	日本片仓钢管公司实物水平
内孔尺寸公差	H8—H10	H8—H10	直接使用管 H8—H9 珩磨管 H11-H13
直线度/mm	A　0.3∶1000 B　1.0∶1000 C　1.5∶1000	0.3∶1000	A　1.0∶1000 B　1.0∶1500

续表 3-15

产品技术指标	GB 8713—88 标准	合肥钢铁公司钢研所内控标准	日本片仓钢管公司实物水平
内表面粗糙度 R_a/μm	f3.2 允许偏差+25%	≤0.8	直接使用管≤0.75 珩磨管　议定
壁厚差/%	±10	±10	无缝管±10 焊管±8
产品交货状态	冷加工/软(R) 冷加工/硬(Y) 去应力退火(T)	R Y T	硬化处理,调质处理 去应力退火,可满足 用户的各种力学性能要求

由于我国企业普遍使用 GB 8126—87 标准生产的热轧管作冷拔管坯,钢种为 20、45 及 27SiMn 钢,冷拔后伸长率低,硬度偏大,无法达到设计要求。使用该类管珩磨加工时,磨削速度慢,端部尺寸锯切后易变形(±0.02mm)。

与国外先进企业相比,国内企业在配套设备方面存在一些不足。如没有管坯内孔缺陷清理设备,冷拔管的内表面质量无法保证,特别是不经珩磨直接使用的缸筒,其表层的细小缺陷被表面处理膜所覆盖,油缸筒使用一段时间后便暴露出来,损坏了密封圈,造成缸筒渗漏。另外,矫直机、珩磨机的精度较低,自动化程度不高,无法满足大规模生产的需要。因此我国的企业大多数缺乏高质量的退火设备,因此多数高精度冷拔管均以冷拔状态交货,无法满足用户对交货状态的特殊要求。

372. 生产高精度冷拔钢管的工艺措施有哪些?

较大直径高精度冷拔管在我国油缸与气缸行业有非常广阔的市场。为适应市场的需要,合肥钢铁集团高精度冷拔有限责任公司,成功地开发出 φ60～250mm 高精度冷拔钢管,新产品的质量满足使用要求,受到用户的好评。下面将其采用的工艺措施和实物的尺寸精度简要介绍如下。

该公司 φ160～250mm 高精度冷拔管的生产采用 3500kN 冷拔管机,用三种规格的芯杆,即 490mm、100mm、120mm,材质为 45 钢或 40Cr 钢,长度为 1285mm。最初用圆钢直接焊接而成,由于焊接强度不够,在拔制中芯杆全部拉断。随后改用焊纹连接加对焊,保证了芯杆的强度,其使用正常,再未出现拉断事故。

模具是由 GCr15 钢制成的改进型中式内膜和苏式外膜。中式内膜有两个定径带,两个减径区。这种模具以连拔的方式使用,可保证产品的表面粗糙度、尺寸精度和直线度。

以生产 φ200mm(内径)×7mm 的 20 钢高精度冷拔管为例,图 3-73 为采用 φ219mm(外径)×10mm 热轧管作坯料的工艺流程图。

最初采用 3 个冷拔道次,由于坯料的壁厚差较大,此外在拔制中经常发生断头现象。后改为 4 个拔制道次,减少了道次伸长率,生产顺利,产品质量满足了用户要求,不经研磨就可直接使用(正偏差管)。

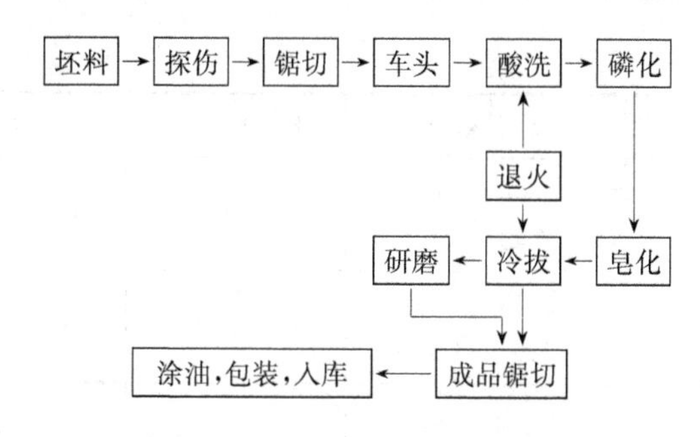

图 3-73　高精度管冷拔工艺流程

采用车头的工艺拔制高精度薄壁管时，变形量过大易造成管头断裂，因此一般道次延伸系数应不超过 1.2，总变形率 $\varepsilon \leqslant 30\%$，超过该范围便需进行去应力退火。表 3-16 为拔制 ϕ200mm×7mm 高精度管的延伸系数。

表 3-16　冷拔 ϕ200mm×7mm 高精度管的延伸系数

拔制道次	延伸系数		拔制力/kN		
工艺 1	工艺 2	工艺 1	工艺 2	工艺 1	工艺 2
1	1	1.13	1.07	1200～2000	950～1300
2	2	1.12	1.05	1300	1200
3	3	1.15	1.12	1300	1300
	4		1.15		1300

373. 高精度冷拔钢管产品的技术指标是什么？

表 3-17 列出了几种标准的技术指标。表 3-18 为试制的几种规格成品管几何尺寸精度实测值。

表 3-17　高精度管标准的技术指标

标　　准	精度等级	椭圆/mm	粗糙度 R_a/μm	直线度/mm
合　金　钢	H10、H11、H12	0.185、0.29、0.46	≤0.8	0.5/1000
GB 8713—88	H8、H9、H10	0.072、0.115、0.185	≤3.2	1/1000
日本片仓钢管	负偏差供货 H12 以上	0.50～0.70	珩磨后使用， R_a 值不作要求	1/1000

表 3-18　成品管几何精度实测值

规格/mm×mm	精度等级	尺寸精度	椭圆度	粗糙度/μm	直线度/mm
ϕ170×15	H10	+0.25　+0.30 +0.08　+0.02	0.17、0.28	0.76、0.64	0.32、0.45
	H11	+0.20　+0.18 +0.05　+0.03	0.15、0.15	0.72、0.68	0.20、0.10

续表 3-18

规格/mm×mm	精度等级	尺寸精度	椭圆度	粗糙度/μm	直线度/mm
ϕ180×16	H10	+0.20 +0.108 +0.07 +0.0	0.13,0.18	0.65,0.72	0.35,0.24
	H11	+0.28 +0.17 +0.05 +0.10	0.23,0.07	0.66,0.74	0.23,0.40
ϕ200×7	H10	+0.25 +0.30 +0.12 +0.20	0.13,0.10	0.62,0.63	0.23,0.37
	H11	+0.5 +0.20 +0.05 +0.05	0.10,0.15	0.60,0.57	0.26,0.30
ϕ250×9	H10	+0.35 +0.30 +0.20 +0.05	0.15,0.25	0.74,0.78	0.45,0.38
	H11	+0.28 +0.38	0.14,0.26	0.70,0.71	0.32,0.48
	H12	+0.10 +0.12			

从表 3-18 可以看出，成品管的实测值均优于日本同类企业标准，但 $D/S>20$ 的薄壁管我国的标准(GB 8713—88)要求过高，超出了气动行业对钢管的精度要求。

374. 我国缸筒用冷拔高精度钢管生产现状如何？

为了实现煤矿支护设备液压支架用高精度钢管的国产化，1976 年原成都无缝钢管厂采用 LG2000 冷轧管机和 1000kN 链式冷拔管机，试制出液压缸筒用 35 钢的 ϕ165mm×12.5mm冷拔高精度钢管 50t，郑州煤机厂将这批钢管制作成液压支架，并成功用于阳泉煤矿井。此外，无锡钢厂也试制成功 ϕ114mm× 8mm、ϕ95mm×9.5mm 等规格的 20Mn 钢冷拔高精度钢管，煤科院常州科研试制中心用其制作 D2-2 型单液压支柱油缸，并在新汶矿务局进行试用。随后，成都无缝钢管有限责任公司又按德国曼内斯曼企业标准试制了数百吨冷拔高精度钢管，主要规格见表 3-19，分别供长江起重机厂、韶关液压组件厂、北京起重机厂和上海纺织机械厂等制作液压缸筒。

表 3-19 成都无缝钢管有限责任公司生产的冷拔高精度钢管的主要规格

规格 $(D\times S\times L)$/mm×mm×mm	钢种	交货状态	数量/t	协议值			实际值		
				σ_s/MPa	σ_b/MPa	δ_5/%	σ_s/MPa	σ_b/MPa	δ_5/%
130×10×8500	St52	多边化热处理	36	≥470	≥570	≥15	492/581	596/643	16/19
156×8×8500	St52	多边化热处理	36	≥470	≥570	≥15	490/583	582/631	16/19
120×10×8500	16MnV	多边化热处理	28	≥560	≥650	≥14	571/612	673/496	15/20

续表 3-19

规格 ($D\times S\times L$)/ mm×mm×mm	钢种	交货状态	数量 /t	协议值			实际值		
				σ_s /MPa	σ_b /MPa	δ_5 /%	σ_s /MPa	σ_b /MPa	δ_5 /%
158×14×8500	St52	多边化热处理	23	≥470	≥570	≥15	488/512	579/614	16/19
152×6×7500	18Mn 2NiV	多边化热处理	21	≥620	≥700	≥14	648/672	718/746	15/18
133×6×6350	20	冷 拔	15	≥420	≥500	≥10	481/496	583/604	11/14

随着冷拔高精度无缝钢管在液压缸筒中的应用成功，促进了新型液压冷拔管机的快速发展。1984 年，长江起重机厂与北京科技大学合作，设计制造出用于高精度冷拔管生产的液压冷拔管机（规格有 360kN、400kN、1000kN），随后更大拔制力（1520kN、2500kN、3500kN、5000kN）的液压冷拔管机也陆续面世。至 1997 年底，我国已有 20 余家企业装备了共计 26 台液压冷拔机，绝大多数液压冷拔机使用正常。至今，我国冷拔高精度钢管的生产能力达到 5 万 t/a，生产和装备迈上了一个新的台阶。

375. 冷拔高精度钢管在缸筒制造中的优势是什么？

(1) 节约钢材。过去深孔加工缸体的金属利用率仅为 60%～70%，最低的仅 40%左右，但在采用高精度钢管制作后，其金属利用率可达 92%～95%。表 3-20 为用不同方式生产缸筒的金属利用率。

煤炭工业用于采煤工作面的安全支护设备，即 27SiMn 钢的单体液压支柱每年需 40 万套，按每套需冷拔高精度钢管 40kg 计算，共需 1.6 万 t，若采用热轧钢管深加工（每套需用 56kg），共需热轧管 2.24 万 t。可先采用冷拔高精度钢管，可节约钢材 0.64 万 t。

表 3-20 不同方式生产缸筒的金属利用率

油缸规格 ($D\times d\times L$) /mm×mm×mm	钢 种	加工方式	选用钢管规格 ($D\times d\times L$) /mm×mm×mm	质量/kg	金属利用率 /%
114×100×1000	20	镗 孔	114×94×1000	32.5	72
114×100×1000	20	冷 拔	114×100× 1000	23.4	95
156×140×8500	16Mn	镗孔车外径	168×134×8500	680.8	46
156×140×8500	16Mn	冷 拔	156×140×8500	341.3	92
152×140×7350	16Mn	镗孔车外径	168×134×7350	590	30
152×140×7350	18Mn2NW	冷 拔	152×140×7350	218.4	92

全国各行业需用的油缸、气缸总量相当于煤炭工业用量的 10 倍，若采用冷拔高精度钢管制作，每年可节约钢材在 5 万 t 以上。

(2) 生产能耗低。采用深孔镗床加工 ϕ100mm 缸径的油缸，每 1m 油缸耗时 45min，调质热处理需30min,共耗电能15.6kW·h。而拔制同规格缸体用高精度钢管,每米仅耗时6min,耗电仅3kW·h。由于冷拔强化,冷拔后的27SiMn钢油缸管的机械强度提高为25%,相当于该管材的调质处理(调质工序的耗电量为10kW·h)。按每年补充40万套支柱计算,则油缸一项可节电500万kW·h,活塞柱节电500万kW·h,若全国各行业推广应用高精度钢管,其节电量是相当可观的。

(3) 提高生产率。如上所述,深孔镗工艺所用的工时是高精度冷拔工艺的12倍(75/6.24);又如加工ϕ156mm×ϕ140mm×ϕ8500mm油缸,深孔镗加工时间为540min,冷拔只需8min。可见,高精度冷拔工艺的效率是非常高的。

(4) 替代机械加工设备。购置一台镗孔直径为250mm、行程为10m的深孔镗床约需150万元,购置一台包括前处理装置在内的高精度拔管机约需350万元,但后者的生产效率是前者的10倍。从生产效率看,投资高精度冷拔管机更划算。

(5)质量高。高精度冷拔工艺在减少钢管壁厚偏差、提高机械强度、降低废品率等方面又为缸筒生产部门创造了间接的经济效益。用深孔镗削工艺制造的缸筒,壁厚偏差高达20%左右,甚至会因严重镗偏缸壁而报废。而高精度冷拔工艺不仅不会扩大原材料热轧钢管的壁厚偏差,还可减少壁厚偏差,保证壁厚偏差在10%以下。据长江起重机厂统计资料表明,深孔镗削一般油缸的加工废品率在5%以上,超长油缸则废品率达20%。高精度冷拔工艺的废品率为1%~2%。

(6)生产成本低。由于冷拔工艺可以提高钢管屈服强度30%,所以在同等条件下,可适当减薄油缸的壁厚,节约钢管。表3-21为高精度冷拔管制作缸筒的经济指标。

表3-21 用高精度冷拔管制作缸筒的经济指标

项目	高精度冷拔管缸筒	深孔镗缸筒
生产速度/m·min^{-1}	2~4	0.016~0.033
材料利用率/%	95	60~70
材料强度/MPa		
20钢	510	410
45钢	645	570(正火后)
27SiMn钢	950	720(调质后达到950)
制造ϕ114mm×4100mm×1000mm缸筒		
缸筒质量/kg	20	28.5
生产工时/min	6	75
生产耗电/kW·h	3	15.6

从表3-21可以看出,用高精度冷拔管制作缸筒,其优越性十分明显,诸如煤矿企业如山东新汶矿务局、兖州矿业集团等均购置了冷拔设备,专门生产单体液压支柱用管,由此使每根油缸生产成本降低20余元。

采用高精度冷拔管生产超长油缸(9m)已显露出优势,并在常州冷拔油缸厂得到实践,解决了深孔镗加工超长油缸不易保证质量的难题。

376. 小直径精密焊管有何用途?

外径为ϕ4.76～10(12)mm的小直径精密管主要用于电冰箱、制冷、汽车制造、机械、电气和轻工业等方面。长期以来,使用部门主要采用铜管、冷拔钢管和双层铜钎焊钢管(邦迪管)。其生产工艺复杂,成本高。

随着电焊钢管技术的进步,焊管质量的提高,用冷轧带钢作原料,通过成形—焊接—冷减径的方法,直接生产高质量的小直径精密焊管的新工艺被广泛采用。由于其生产工艺简单、效率高、质量好、成本低,很多领域的铜管、冷拔管或邦迪管已逐步被精密焊管取代。日本ϕ4.76mm的精密焊管广泛用于冰箱制造业,德国用ϕ1mm以下的精密焊管制造汽车的刹车系统。

377. 精密电焊管的生产方法及工艺是什么?

过去,精密电焊管主要采用直流焊和方波焊生产。由于直流焊电流平稳,焊接后毛刺小,更符合小口径精密管的要求。因此,国外多采用直流焊。但是,直流焊的电气系统和焊接装置结构复杂,维修困难,费用高,而且焊接系统调整复杂,不易掌握。

方波焊是在直流焊的基础上再经过变流装置产生方波电流,通过可旋转输出变压器与直流焊相似的一对直径为610mm的电极轮系统进行焊接。与直流焊相比,整个系统仍很复杂,在使用、操作和维修方面,并无大的改善。而且,虽比通常的低频焊好,焊缝质量仍不如直流焊。

高频焊是一种高效的焊接法,其特点是热量集中、焊接强度高、电气系统和焊接工具结构相对简单、操作及调整易于掌握、维修方便、工具二次投入少、生产成本低。

国外早已用高频焊接生产高要求的油井管、锅炉管和不锈钢管等,国内应用也很普遍。但是,它的主要缺点是焊刺高,对于小直径钢管内毛刺无法消除,影响了使用范围的扩大。

近年来,国外对高频焊接设备和焊接工艺进行了改进,使内焊刺高度小于0.3mm,焊缝质量已达到直流焊水平。因此,新型的高频感应焊接工艺已在小直径精密焊管的生产中应用。在日本、西欧、澳大利亚等国家和地区新建的小直径焊管机组全部采用了新型高频感应焊。例如,日本东芝公司于1987～1988年新建一条高频感应精密焊管生产线,产品销售国内外;冈岛公司新建了高频精密焊管生产线,产品出口到我国;松下电器公司的方波焊管生产线已决定改造为高频感应焊;意大利已建成了新型的高频感应焊接精密管生产线。由此可见,新型高频感应焊接小直径精密焊管的工艺正在被国外广泛应用。

我国小直径精密管有广阔的发展前景,建议新建的小直径精密焊管机组应采用新型高频感应焊。它不仅经济效益好,而且在扩大品种规格(ϕ25mm×1mm)方面潜力很大。

378. 十一辊高精度管材矫直机的结构及主要技术性能如何?

十一辊高精度管材矫直机的矫直辊布置方式如图3-74所示(辊距$T_1>T_2>T_3$)。它是将传统的五、六辊矫直机结合为一体,使管材在矫直辊孔型中进行预矫、精矫、均整,从而得到高的直线度(0.008%～0.025%)和圆度(提高30%～50%)。该矫直机由前后导卫、机架、主传动装置、辊缝调节机构等组成,其机架是中上、下横梁与六根立柱联结而成的方箱形结构,辊缝带动6个上矫直辊和第二个下矫直辊上、下移动来实现的,移动距离由表盘指针,指示精度为0.05mm/刻度,主传动装置由两台直流电机,齿轮分配箱,万向联轴器组成,用于驱动5个上矫直辊和5个下矫直辊,上、下矫直辊的同步由电气系统保证。

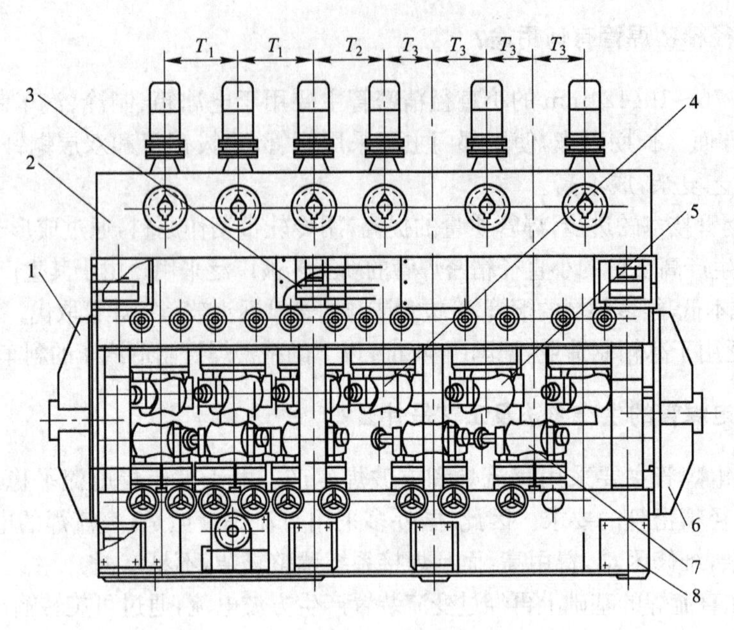

图 3-74　十一辊高精度管材矫直机外貌

1—入口导卫；2—上横梁；3—上被动矫直辊；4—矫直辊；5—上主动矫直辊；
6—出口导卫；7—下主动矫直辊；8—下横梁

该机于1994年12月在三川机械厂调试成功，用于矫直汽车，摩托车减振器等，采用无缝钢管经粗轧—精轧—珩磨加工的生产工艺，而现在采用精密高频直缝焊管经冷拔—退火—矫直的生产工艺，可直接用于高档轿车减振器工作缸等零件的制造，工作表面无需再加工，且生产率大大提高，生产成本也大大降低。

该矫直机于1994年4月通过专家技术鉴定，获1994年度原机械工业部科技进步一等奖和1995年度国家科技进步三等奖；同时获得发明专利，且已形成系列，见表3-22。

表 3-22　十一辊高精度管材矫直机系列

参　数		机组型号		
		GGJ80-Z	GGJ160-Z	GGJ250-Z
管材外径/mm		18～80	40～160	60～250
管材长度/m		2.5～8	3.5～8	3.5～8
管材材质 σ_b/MPa		≤460	≤460	≤460
最小壁厚/mm		0.1	1.0	1.5
径壁比 D/S		6～40	6～40	6～40
矫直速度/m·min^{-1}	普　通	60	40	40
	精　密	425	425	425
主电机功率/kW		30×2	55×2	90×2
原始不直度/mm·m^{-1}		43～4	≤3～4	43～4
矫后精度直度/mm·m^{-1}		40.25	40.4	≤0.6
降低直径偏差/%		30～50	30～50	30～50

379. 复合辊框架矫直机的特点及主要指标性能如何?

复合辊框架矫直机是在一个旋转框架内安装3～4对具有准双曲线辊型的矫直辊和一对大倾角下的凹凸辊型的矫直辊，是将多辊框架矫直机与两辊框架矫直机的矫直原理综合在一起，形成的一种新型矫直机。如图3-75所示，2、7辊是大倾角下的凹凸辊型的矫直辊，相对于准双曲线辊型而言，即2辊比准双曲线辊型凸出一些，7辊比准双曲线辊型凹入一些，其余是准双曲线辊型的矫直辊。每个辊的压下量都可调节，通过调节2、7、3、6辊的压下量，使管材在辊系内形成所需要的反弯曲率。当管材由随框架绕管材中心线旋转的矫直辊孔型中通过时，管材外圆周的纵向纤维都经过了多次递减反弯，这个过程与多辊框架矫直机相似；又由于2、7辊的辊型是按两辊框架矫直机的辊型设计的，管材通过这对矫直辊时，在全长范围内经受了大倾角的凹凸矫直辊的矫直，这个过程又与二辊框架矫直机相似。

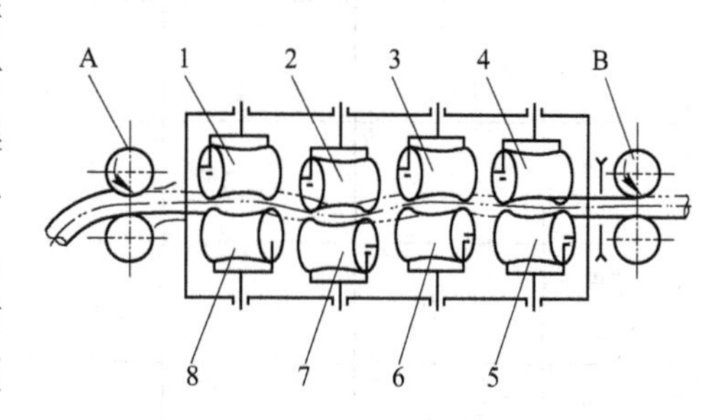

图3-75 复合辊框架矫直机示意图
1、3、4、5、6、8—准双曲线辊型；2—浅凹辊型；7—深凹辊型
A—运料辊；B—拉料辊

复合辊框架矫直机的优点是：

(1) 管材在矫直的过程中不旋转，没有甩尾现象，管材表面不受损伤，特别适合矫直表面质量要求高的管材。

(2) 由于采用复合辊系，管材在全长范围内都获得了矫直，矫直精度高达0.02%～0.05%，解决了多辊框架矫直机头尾矫直精度低的问题；同时也克服了二辊框架矫直机速度低，侧导板磨损严重和咬入困难的缺点。

(3) 结构简单，既可矫直定尺料，也可矫直盘卷料。

这种矫直机现已形成系列，并被多家单位选用(见表3-23、表3-24)，生产效率良好。

表3-23 复合辊框架矫直机系列

参数	机组型号						
	GKJ 10-Ⅰ	GKJ 20-Ⅰ	GKJ 30-Ⅰ	GKJ 30-Ⅱ	GKJ 40-Ⅰ	GKJ 60-Ⅰ	GKJ 100-Ⅰ
管材直径/mm	2～12	6～20	10～30	10～34	15～40	20～60	40～100
管材壁厚/mm	0.1～0.8	0.1～1.0	0.5～2.0	0.5～3.5	0.35～4.0	0.5～4.0	2.0～5.0
管材长度/m	1.0	1.5	1.5	2.0	2.5	3.0	3.3
屈服极限σ_s/MPa	≤800	≤460	≤460	≤1100	≤460	≤600	≤380

续表 3-23

参　数	机　组　型　号						
	GKJ 10-Ⅰ	GKJ 20-Ⅰ	GKJ 30-Ⅰ	GKJ 30-Ⅱ	GKJ 40-Ⅰ	GKJ 60-Ⅰ	GKJ 100-Ⅰ
矫直精度 / m·min^{-1}	≤0.5	≤0.5	≤0.5	≤0.5	≤0.5	≤0.5	≤0.5～1.0
矫直速度 / m·min^{-1}	5～10	7～15	7～15	7～15	8～28	20～60	5～30
主电机功率/kW	2.2	4.0	7.5	22	22	45	40

表 3-24　已投产使用的复合辊框架矫直机

序　号	管材直径 /mm	矫直精度 /%	矫直材质	使用单位	投产年份
1	6～34	0.2～0.5	不 锈 钢	十七冶材料公司	1992
2	6～20	0.2～0.5	紫 铜 管	山东莱芜钢厂	1993
3	20～40	0.2～0.5	紫 铜 管	山东莱芜钢厂	1993
4	6～10	≤0.2	合金钢管	上海有色所	1994
5	8～22	0.2～1.0	合金钢棒	上海沪昌特钢厂	1994
6	6～16	0.2～0.5	钢　棒	贵阳花溪钢材厂	1995
7	3～10	0.2～0.5	不锈钢管	材料仪表材料所	1997
8	6～15	≤0.30	合金钢管	中科院沈阳金属所	1998

380. 条钢、线材采用无头轧制有何优点?

(1) 无头轧制无需切头,轧制中不产生短尺和乱尺产品,从而提高了成材率。

(2) 轧制无间隔时间,和传统的轧制相比轧速提高,故障时间大幅度减少,因此生产率提高。

(3) 简化设备,节省劳动力。

(4) 生产工艺稳定,提高了棒线材的质量和尺寸精度。

381. 何谓 EWR 法?

提高产量和产品精度始终是轧制生产中追求的目标。对于小方坯的轧制来说,要提高产量,只有采用较长方坯(相同断面)或者采用较大的断面(相同长度)来提高所加工的方坯的重量。两种解决办法都有其缺点,特别是在改造原有设备时,如果采用较大方坯断面,就需要增加轧机机架,以及需要建造新的加热系统来加工较长的方坯。连铸机也需改进,而且最终产品处理系统要重新设计,以便适合更大的捆和卷。所以最理想的方法就是实行方坯无头轧制法。

EWR 法是由意大利达涅利公司与瑞典 ESAB 公司(一个生产焊接设备的世界知名公

司)合作研制的。

EWR 法加工过程从加热炉出口开始,对方坯进行脱鳞,接着采用电焊闪光焊将方坯的前端焊接到已经在粗轧机上轧制的方坯的尾端上。方坯焊接机安装在一个有轮子的机动车上。焊接机工作周期从一个预先调定的位置开始,直到机器的移动速度达到与方坯速度相同时为止:然后将方坯的端部锁定在两个夹子中间(调节方坯运行速度,使其与第一个机架的轧制速度一致),并进行闪光焊接过程。第一个夹子的位置可以调节,以保证方坯在焊接过程中自动对中。在此过程中夹子需要进行冷却,并由液压驱动。

在闪光焊时,首先将两块方坯的端面加热到熔点,然后通过施加压力,将两个熔化表面压到一起而焊接起来。在旋压的过程中,熔化的金属从端面涌出,因此可改善焊缝材料的质量。这种焊接装置适合于连接尺寸为 100mm×(100～200)mm×200mm 的任何种类的方坯。

还可根据特定的钢种和钢的温度来选择焊接程序。对于 130mm×130mm 的方坯,焊接周期长度约为 25s(实际闪光焊接时间为 75s)。操作完成后,焊接区的所有毛刺将用液压驱动的去毛刺工具加以去除。清毛刺工具位于焊接机中心线的轴线上,可去除多余的材料,使变形区的方坯恢复到原来形状。在完成这些操作之后,焊接机返回到开始位置,而方坯作为“一个轧件”连续的轧制。

焊接装置设计简单,具有重型结构,它完全防止污染,而且暴露于辐射热中的部件都装有水冷却设施。操作过程的每个阶段,也就是装置的加速和速度控制、夹持、熔化(电功率和周期时间),施压和去除毛刺等过程都是完全自动进行的。

采用计算机进行控制,计算机与轧机自动化系统连接,可以保证生产过程的绝对一致性。这个问题对于在短方坯焊接时特别重要,因为完成焊接周期后可利用的时间更加有限。

由于焊接装置简单且过程控制容易被用户掌握,因此操作人员能够很容易地从 EWR 转向普通的一块一块方坯式轧制。

382. EWR 法的焊缝质量如何?

在施加压力期间,因为熔化过程而可能含有杂质的液体材料,可在方坯相结合的同时从方坯断面漏出。因此,轧件的最终质量不会受到损害(杂质,气孔和其他缺陷都可避免)。焊后对方坯和轧件进行检验,都没有发现过可能影响轧制过程或轧材使用的缺陷。对不同断面尺寸和不同钢种进行的广泛试验证明,不存在由焊接过程所造成的表面和内部缺陷。

对方坯的检验:采用染色渗透剂,对焊接区进行检验,没有发现缺陷。采用超声波检验证明没有内部缺陷,而 X 射线照相检验也得到了同样的结果。

至于显微组织,方坯上唯一肉眼可见的焊缝的痕迹是存在“白线”。对这种缺陷进行显微组织检验表明,有一定的轻微的脱碳,以及存在在焊后快速冷却时热流方向上有较大的晶粒产生。

对整个焊缝上化学成分变化的可能性也进行了研究。通过对“白线”中碳含量的变化进行检测,发现最大扩大范围为距方坯焊接中心 1mm 处。但是这种变化完全在优质钢分析偏差的可接受范围之内。

对轧制棒材的检验:采用染色渗透剂,通过对焊接区进行检验,没有发现表面缺陷。用低倍的显微照相检验,也没有检查出内部缺陷。

方坯上已有的“白线”痕迹还存在，但在大于 25mm² 的棒材上的“白线”，已经由于轧制压下作用而产生了明显变形，虽然这种变形对于较小尺寸的棒材并不明显。

通过再次对整个“白线”的显微组织进行检查，发现由于轧制时的晶粒细化和均匀化作用，晶粒尺寸大小与金属基本相似。虽然存在轻微脱碳，但脱碳程度要比方坯轻得多，因为在轧制时发生了碳的再扩散。通过对轧材的检验表明，基本材料和焊接区的屈服强度和极限抗拉强度非常相似。因此可以说，对能够承受焊接过程的钢种没有限制而这种焊接过程与焊接缝处的材料质量有关系。

383. 方坯无头轧制优点的产生因素是什么？

方坯无头轧制在生产率和材料收得率、设备利用率和直接成本方面，具有很多优点，对一个年产量 45 万 t 的轧机，可望年产量提高 12%～15%，生产成本降低约 2.5%～3%，其中提高生产率是它的主要优点。导致产量提高的主要因素包括：

(1) 消除了方坯间隙时间，因而使生产速度提高。

(2) 轧废率大大降低：轧废一般发生在轧件前端，但是 EWR 每个轧制班只有一个轧件头。

(3) 轧机停机次数减少。

(4) 轧制参数稳定，可使消耗晶(孔型，导卫等)的寿命提高。

(5) 消除了切头切尾和切短操作。

提高轧机效率、材料收得率和降低生产成本的因素在于：

(1) 取消了沿轧机的切头切尾剪切机，因为无头轧制仅在一个生产班结束时有一个前端和一个尾端。

(2) 省去了为使长度最佳而要在冷床上剪断棒材的操作，所有的棒材都具有相同的长度，剪切机只需要按倍尺长度剪切，因而没有短棒材生产。

(3) 生产成卷线材时，在压实和打捆之前不需要对盘卷进行任何的头、尾修整，因为卷与卷的分离是在整形坑中用膜片剪切机进行的；线卷从头至尾具有相同的尺寸和技术性能。

(4) 除了由于轧废造成的停机时间急剧减少之外，由于机械、电气因素造成的耽搁也因轧制参数稳定性提高而减少。

(5) 轧制参数稳定，可延长消耗品的寿命和减少孔型，轧制导卫，刀片等的磨损，也可以使机械设备的寿命提高，因而需要的维修工作减少。

(6) 操作和维修需要的人力减少。

(7) 单位消耗值(每吨热轧材)降低，因为对于同样总消耗水平，产量可能提高。

其他因素与改进管理和提高设备的灵活性有关：

(1) 轧件安全连续，使得准确地调整整个设备成为可能。

(2) 线材轧机的产品优化——线卷质量大小可根据市场要求进行调整。棒材轧机的产品优化——消除了冷床上的短棒材，使所有棒材长度都相同。

(3) 改进设备管理——轧机受到的干扰可能减少，因此可以更好地安排轧机待机和维修。

(4) 节能间接费用——当设备产量提高时，设备折旧等费用可以减少。

总之，EWR 法既适合于新设备，也适合于改造现有设备。目前，在东亚和中美已有 3

家装备有这种新方法的工厂投产。

384. 长条的定径方法有哪几种？

为在当今日趋激烈的长条材市场中保持竞争力，钢厂需要具有高灵活性和高效率，而且能够建立起以较低的单位生产成本生产各种规格材料的轧制设备。一般要在最短的交货时间内轧制小批量定货和许多的钢种，为了降低机加工成本，这就要求材料要以连续形式轧制，而且还要满足最严格的公差标准。

下面介绍一种全新的定径概念——精密轧制系统(PRS)，它是奥地利两家公司 VAI 公司和 GEM 公司联合研制的。PRS 不仅作为一个定径机组用来改善棒材公差，而且还使整个轧制工艺简化。它为仅以少数几种来坯尺寸连续生产宽范围的超窄圆棒材提供了可能性。

这种新的定径系统适合于棒材轧机和线材轧机。

目前市场上有 4 种不同定径方法可供选用：

(1) 采用压下量小的椭圆形—椭圆形—圆形孔型，水平—垂直布置的 3 架普通二辊轧机机架。由于椭圆形孔型轧制几乎不可能从一个机架导向下一个机架，机架布置的非常靠近，为此避免了轧件轧废。其缺点有：轴承后冲，要求采用单槽轧辊，以及要求坯料的尺寸多，这就使得轧机利用率降低。

(2) 采用椭圆形—圆形孔型，垂直—水平布置的两架二辊轧机。热延展和轴承间隙的问题，由在第二机架上采用预应力轧辊来加以补偿，但是引导椭圆形轧件的困难仍需要在短距离内加以克服。这种布置的特点是压下率低。

(3) 采用三角形—三角形—圆形孔型，由若干个以 120°角布置的三辊机架组成的轧制机组。这种系统的机械和驱动装置，以及每个机架中 3 个支撑辊的同步是非常复杂的。后冲作用、轴承间隙以及机架在操作时的热延展，都不能得到补偿。需要的坯料尺寸多且单槽轧辊是另外的缺点。

(4) 具有互成 40°角布置的两架四辊机架，轧辊中有两支撑辊没有动力驱动，因此需要将其加速至轧制速度。除第二架驱动装置复杂(引起调整时间延长)外，热延展和轴承后冲也不能消除。

385. 何谓精密轧制系统(PRS)？

研制长条材轧制用的 PRS 的思路是，首先确定现有定径系统的优点和缺点。然后设计一个可综合所有优点的方法，考虑到市场需求和操作人员的要求，在设计这种定径系统时考虑了许多重要因素。

(1) 产品的范围和公差。特别是汽车工业，越来越多地要求在超精度尺寸公差以内(小于 1/5DIN1013，小于 1/2ASTMA29)的宽范围内的连续轧制材料。如果将二辊、三辊和四辊轧制法加以比较的话，就可看出四辊方法更为可取，因为：由于可以达到的直径偏差小($D_{最大}-D_{最小}$)，因此可达到较高标准的圆度；无材料宽展；采用四辊孔型，不会出现满孔型问题；对一定孔型的几何形状，产品的直径范围就有可能大得多。

(2) 允许的轧辊分力和轧制力矩大大提高。这不仅为轧制具有较高变形阻力的钢种，而且也为采用热机械轧制提供了可能性。

(3) 设备利用率。更换道次和轧辊导卫、去除轧废以及因机械和电气耽搁所造成的停机减少甚至消除，使得轧机的利用率提高。显然，需要的是一种简化的轧制方法，最短的更换时间和一种安全操作形式。

(4) 成材率。由于切头偏短，试验轧件减少或消除，轧废率降低，以及由于优质材比率的提高，因此成材率提高。

(5) 投资费用。为取得最短的投资回收期，应尽可能降低投资费用。因此，所选择的定径方法，应当是结构简单、投资费用经济可行，而且设计紧凑以及能够很快在轧机上施行。

(6) 维修和人员。操作人员要求定径系统设计简单，维修要求最少。采用不很复杂的驱动装置和辊缝调整的标准设备，就可以很好地达到这一点。备件库存必须最少，以便节省费用。由于上游轧机只有一条轧制线，使得轧制工艺简化，因此轧辊导卫的储存量可大大减少。

安装工作不需增加额外人员，轧制工艺的优化，孔型和轧辊可以更换，轧制试验轧件以及维护和清除轧废所需要的操作人员减少。

386. PRS的紧凑箱轧制(CCR)机架有何特点?

PRS由3个机架组成，主要采用紧凑箱轧制(CCR)机架，在此机架上，一个刚性轧制箱固定到齿轮箱上，形成一个紧凑的轧机机架。

1号和2号轧机机架以及3号机架的齿轮箱与CCR机架相同。3号机架装有一个万能箱。万能箱采用4个成90°角布置的轧辊，轧辊之间都加有预应力，形成一个闭合的孔型，而孔型是按所要求的成品圆钢加工的。轧辊预应力大于轧制分力。因此，所有4个辊都是从动的，两对直接地、另外一对间接地随着由普通主轴带动的水平辊和由摩擦带动的垂直辊一起转动。万能箱，仅有10个单独部件组成。万能箱设计非常简单，但却能提供非常高的刚性。

在轧辊寿命期内，万能箱不需要拆卸。采用一台专用机床，按下一个较大的精轧尺寸，重新加工磨损的孔型。每种所需要的精轧尺寸都可切割成为封闭形的和加有预应力的孔型，因而可代表材料的真实形状。在最后的和最大孔型磨坏后，才将万能箱打开，将4支新轧辊安装上。

更换尺寸时，将3号机架上的万能箱，用事先在轧辊车间准备好的用于下个精轧尺寸的一个万能箱予以更换。

新系统的1号和2号机架只需要进行辊缝和导卫调整或机架移动，使所要求的孔型进入轧制线。采用更换万能箱的吊车，变更尺寸所需要的时间不超过3min。变更过程也可以借助于移动车自动进行。

根据轧制程序，3号机架也可以装备一个用于轧制正常精度圆钢、方钢和扁钢的普通轧辊。

一个包括PRS的18机架棒材轧机的典型布置中最后3个机架组成精密轧制系统，用于轧制超精密公差棒材，或者有时用于生产普通材。

如前所述，PRS也可以用来改善线材的尺寸公差，在这种情况下，该系统直接位于线材机组的前边，以减少来坯尺寸数和始终如一地保证来料的尺寸公差。

387. PRS轧辊孔型是如何设计的?

PRS轧辊孔型设计，采用四边形—四边形—圆形孔型。四边形孔型可减少材料在预精轧机孔型中的宽展，因而使材料能正确地从一个机架导入下一个机架。这样，就可以保证正常的轧机机架距离，因而容易接近和使轧机机架的张力控制减少到最小。

典型的PRS装置，轧制具有单位直径范围为1～4的长条材，例如10～40mm(PRS320)。如果轧件尺寸大于这个尺寸，可以安装2个PRS装置，例如，安装在精轧机较大尺寸的上游轧机机组上。

一个用于轧制具有超精度精轧直径——20～80mm(PRS450)的产品的典型孔型设计，整个连续的直径范围只需要6种来坯尺寸。

因为PRS上游的孔型，仅在孔型磨坏时而不是在改变尺寸时才需更换，所以更换轧辊和孔型所需的停机时间可大大减少。

在3个PRS机架上面积减少范围，在最小20%到最大50%之间。

采用PRS时的预定公差，直径小于40mm的圆棒材为小于0.1mm，直径大于40mm的圆棒材为小于直径的0.25%。

388. 发达国家新建成线材轧机有何技术突破?

20世纪80年代以来，除美国先后新建6台线材或棒材轧机更新代替原有轧机外，日本和西欧各国很少新建线材轧机，多是对现有轧机进行改造，部分特殊钢厂新建了线材轧机(一般为棒、线材综合轧机，但在技术上有突破性进展)，主要有：

(1) 无头轧制线材轧机。日本东京钢公司高松厂棒线材生产连续作业(产量90t/h)，自1998年3月开始工业化生产以来，一直运转正常。

这条生产线包括圆坯连铸机(φ200mm，长16～24m)、除鳞机、铸坯自动焊接机、清理毛刺机、感应加热器及轧钢机。连铸圆坯焊接后直接送入轧机，无间歇地生产棒、线材，其优点是：

1) 减少去头、去尾废钢，减少短尺产品，提高成材率；

2) 无间歇生产并减少了次品，提高了生产效率；

3) 盘条的卷重不受坯料质量大小的限制；

4) 减少了维修成本。

生产中关键部分(连续式轧制线)由日本NKK公司提供，并称为新型棒、线材无头轧制装置(EBROS)，其技术为该公司专利。

(2) 线材直接轧制生产线。日本新日铁子公司——东海光行公司若松厂1998年投产了一条线材直接轧制生产线，连铸机生产的方坯通过带有感应加热的传输台直接运往轧机轧制，期间跨度为130m，小方坯运行时间为90s，最高速度可达240m/min。

美国共和工程公司坎顿厂于1995年投产了一条达涅利公司开发的“黑匣子”直接轧制生产线，用以生产线材和棒材，用侧装出料步进炉作为热连铸坯的缓冲和均热装置，铸坯经均热后直送轧机轧制。

(3) 高精度线材轧机。20世纪90年代以来，美国摩根公司开发了无扭精轧机后增加减径和定径机架以提高线材精度和轧机产量。

美国美钢联/神户合资公司建成了带减、定径机组的摩根公司线材轧机，该轧机的出口速度为111.7m/s,成品尺寸精度甚佳,于1995年投产。加拿大的伊瓦科公司由摩根公司提供包括Tekisun减径—定径轧机在内的设备使其年产能力由70万t增至95万t,成为北美洲线材产量最大的单机,线材最小规格为5mm,成品公差为±0.1mm。中国台湾省中钢公司在原有每条生产线无扭精轧机组后增加减径和定径机架各2台(Rod-Tekisun),改善线材断面形状、尺寸精度以及增加有效轧制时间。在生产ϕ5.5mm线材时,轧机产量可增加25%,各种规格线材的直径公差将限制在±0.1mm以内。轧机将可以生产用于生产钢帘线的高碳特殊钢线材,轧机改造后已于1997年投产。

(4) 进一步提高终轧速度,实现温控轧制,应用超重负荷型机架,以提高生产效率及钢材质量,节约能耗。近十年来,新建线材轧机终轧速度进一步提高,1991年摩根公司提供给巴西贝尔格厂棒、线材轧机投产,最高轧速为120m/s,最高设计速度为140m/s,保证最后轧制速度达100m/s以上,一般采用单线布置。这就是所谓第六代高速无扭线材轧机(第五代轧机极限速度为120m/s,设计速度为100m/s,保证速度为80m/s),单线轧机生产能力由过去年产35万t左右提高到63万t。为提高轧材力学性能并节约能耗,温控轧制技术开始用于高速线材生产,主要措施有两项:一是降低开轧温度(粗轧开轧温度约为700~800℃);二是精轧前采用强迫水冷,降低轧件进入精轧机温度(约为800~950℃)。

为适应温控轧制和进一步提高轧制速度,超重型负荷型机架得到应用和发展,超负荷型机架可承受轧制力为正常负荷机架的184%~192%。

(5) 新型连铸连轧不锈钢线材设备。美国纽柯公司线材分公司于1995年投产了一套生产不锈钢线材的新型设备(瑞典Cradic线材公司开发)。连铸机可连续浇铸4流直径为5mm的不锈钢线材坯,速度为76.2~121.9m/min,浇铸产品靠插入其浇钢钢水中的芯线进行冷却。线材坯在8架无扭热轧机组上连续进行加工,轧成直径为1.8mm线材。轧制时有惰性气体保护。

389. 马钢H型钢轧机液压自动辊缝控制系统由哪几部分组成?

马钢H型钢轧机是从德国德马克-萨克公司引进的具有20世纪90年代先进水平的万能轧机机组。全轧线由一台开坯机,两台万能粗轧机及一台轧边机和一台万能精轧机组成。在万能精轧机上配有液压自动辊缝控制(HAGC)系统,以保证产品的尺寸精确性。

万能精轧机机架有水平轧辊上下各一个,垂直立辊在操作侧和非操作侧各一个,共配备六套三对用于辊缝控制的液压位置控制子系统。其中上水平辊的左右两侧对应其机械压下装置,各配置一套液压位置控制子系统及其相应的液压缸;操作侧立辊和非操作侧立辊各配置两套液压位置控制子系统及其相应的液压缸。各套位置控制子系统均相同,其控制结构框图如图3-76所示。

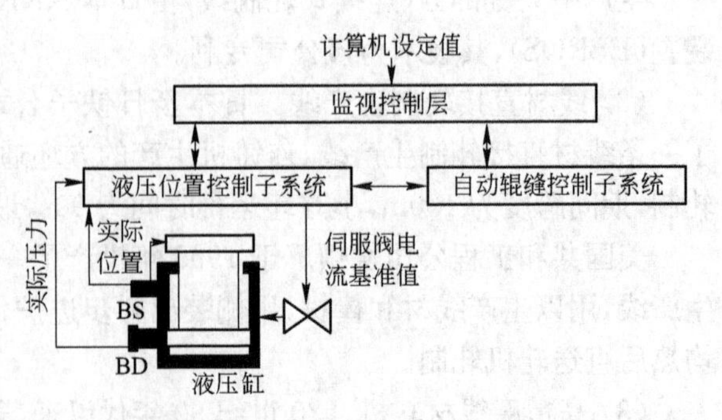

图3-76 HAGC系统结构框图
BS—位置传感器;BD—压力传感器

从框图可见,液压自动辊缝控制系统由三个部分组成:

(1) 监视控制层(HSC),其主要功能是接收来自计算机的设定值，以确定液压缸工作点及辊缝控制范围；向位置控制子系统传送位置基准值；监测位置控制子系统的实际位置和自动辊缝控制子系统的工作状况并做出适时反应，发出逻辑控制指令如协调系统下层的两个子系统的关系。

(2) 位置控制子系统(HPC)是一个相对独立的系统，主要根据来自 HSC 层的设定值和来自自动辊缝控制子系统的位置修正值进行控制，产生一伺服阀数字量给定斜坡电流值，完成 PI 调节器的功能，并将数字量转换成模拟量输出至伺服阀。

(3) 自动控制辊缝(AGC)子系统负责监视实际轧制力和设定轧制力差别，进行相应的计算，向 HPC 子系统送去辊缝修正值，由 HPC 来执行相应的调整过程。

390. GBJ 型高精度合金钢棒材矫直机的主要特点是什么？

1987 年，西安重型机械研究所与上海第五钢铁厂签订了共同开发 ϕ55～130mm 高精度棒材矫直机合同，由西安重型机械研究所负责设计，国营红山机器厂制造，经过近三年的研制，于 1990 年顺利投产。经原冶金部和机电部联合进行的专家技术鉴定确认，该矫直机具有国际先进水平，矫直后的棒材直度不仅满足了我国合金钢棒材出口的要求(≤0.2%)，而且大大改善了棒材的圆度，并解决了长期没解决的棒材“鹅头弯”问题。投产不到一年，就为上钢五厂创汇近 100 万美元，2～3 年就收回了全部设备投资，效益显著。因此，该矫直机获得了国家科技进步二等奖，原机电部科技进步一等奖。

这种高精度棒材矫直机的主要特点是：

(1) 综合了斜七辊矫直机和二辊滚光矫直机的优点，采用了“复合”辊系，在矫直理论上有所突破。众所周知，一般斜七辊矫直机采用的是对辊形式，辊形为准双辊，由于这种矫直机生产效率高，在国内外得到广泛的应用。根据三点矫直原理，管棒材头尾都不可能实现三点矫直，因此，由于前步工序锯切等原因造成的管棒材头尾不直(即“鹅头弯”)，在斜七辊矫直机上同样得不到矫直，从而使管棒材的直度很难满足供货要求，而二辊滚光矫直机采用的也是三点矫直原理，所不同的是将辊距理解为无限小，这种矫直机的辊形为凹凸辊形，由于采用这种原理，导板磨损严重，生产效率较低。但二辊滚光矫直机的最大优点在于管棒材全长上都可以矫直。GBJ 型高精度棒材矫直机就是在综合上述两种矫直机矫直原理，克服各自缺点，发挥其优势的基础上，开发出了“复合”辊系。它保证了棒材矫直的高精度，又满足了高质量的要求。

(2) 采用了国外二辊滚光矫直机上已采用的液压恒压保护系统。国内矫直机大多采用的是弹簧平衡系统，结构简单、制造容易、质量轻，但弹簧容易碎裂，超载能力小，容易发生“扪车”现象。GBJ 型高精度棒材矫直机采用液压恒压保护系统后，技术上获得了极大成功，不仅起到了保护机械和电气设备的作用，更主要的是大大改善了棒材的圆度。在这种系统支持下，棒材在矫直过程中有微量变形，从而提高了表面冷却硬度。据国外使用该矫直机矫直棒材的用户反映，一般轴类零件非配合尺寸表面不再加工，其原因是棒材表面光洁，圆度好，并有一定的硬度，从而大大节约了加工工时。

(3) 采用了预应力机架，设备刚度大。预应力技术在轧钢设备上已获得广泛应用，但我国在矫直机上应用该项技术还是首次。该矫直机采用的是非对称五立柱机架，在立柱中施加一定预应力，以抵消棒材在矫直过程中产生的反力，这种机架刚度大，是保证棒材高精度矫直的重要条件之一。由于采用的是非对称五立柱机架，工人操作视线好，换辊方便，易于维护保养。

(4) 电气自动化程度高。驱动矫直机上、下辊的是两台大功率直流电机，要求两台直流电机完全同步，这在电气传动中是一项关键技术。此外，该矫直机辊缝检测系统，采用的是位移传感器、数码输入、CRT屏幕显示、计算机PLC控制、可手动、半自动和全自动工作。根据用户需要，还可以进行计算机二级管理，计数、存储、显示及制定报表。

(5) 矫直棒材范围广，适应能力强，以上钢五厂棒材矫直机为例，ϕ50～130mm直径的棒材，用一套矫直机即可满足所有棒材规格的矫直。一般来说，国内棒材原始状态比国外同类产品差，未矫时棒材直度往往超过0.8%～1%，有时甚至达到3%，远远超过了高精度矫直机所允许的范围，即使在这种情况下，该矫直机也能一次矫直棒材，棒材直度达到国际棒材出口标准的2%以下。

由于这种矫直机的优点比较多，因此具有很强的生命力，在短短的几年中，已推广各种规格高精度棒材矫直机20多台，并开发出GBJ40-Ⅰ型、GBJ60-Ⅰ型、GBJ80-Ⅰ型、GBJ100-Ⅰ型、GBJ130-Ⅰ型、GBJ 150-Ⅰ型、GBJ170-Ⅰ型高精度合金钢棒材矫直机系列产品，如表3-25所示。

表3-25　高精度合金钢棒材矫直机系列参数

项目＼规格	GBJ 40-Ⅰ	GBJ 60-Ⅰ	GBJ 80-Ⅰ	GBJ 100-Ⅰ	GBJ 130-Ⅰ	GBJ 150-Ⅰ	GBJ 170-Ⅰ
板料材质	合金钢 不锈钢	合金钢 不锈钢	合金钢 不锈钢	合金钢 不锈钢	合金钢 不锈钢	合金钢 不锈钢	普碳钢 低中合金钢
坯料直径 /mm	16～40	20～60	28～80	50～100	55～130	75～150	90～130
坯料长度 /m	2～12	3～6	3～6	3～6	3～6	3～6	3～6
σ_s /MPa	≤1200	≤950	≤900	≤1100	≤900	>ϕ130 ≤700 ≤ϕ130 ≤1100	>ϕ130 ≤700 ≤ϕ130 ≤900
矫直精度 /mm·m^{-1}	≤1	≤2	≤2	≤2	≤2	≤2	≤1.5
矫直速度 /m·min^{-1}	20～30	15～45	15～45	24～60	15～45	18～45	8～15
矫直机形式	十斜辊	六斜辊	七斜辊	七斜辊	七斜辊	七斜辊	七斜辊
主电机功率 /kW	45×2	55×2	90×2	90×2	110×2	110×2	132×2
设备外形（含辅机）长×宽×高 /mm×mm×mm	27.6×5.7×2.5	22×9×3.5	8.2×4.2×4.2（主机）	30×9.5×3.7	11×5.3×4.8（主机）	31.1×10.3×4.3	22.2×9.3×3.6

391. 何谓棒材 Tekisun 轧机?

近年来,日本大同钢铁公司与美国摩根建造公司开发出一项高精度棒线材生产技术,这种 Tekisun 轧制可使 ϕ5～50mm 线棒材的尺寸精度均达到±0.10mm。目前,该轧机已完全商业化,并以 TEKISUNTM 为商标走向世界市场。实践证明,这项高精度轧制技术在提高产品精度上达到目前世界最高水平。摩根公司认为,它将同高速无扭轧机和斯泰尔摩散卷冷却技术一样,成为棒线材技术史上的又一次飞跃。

日产汽车公司曾计划使用高精度热轧棒材不经剥皮加工来生产汽车联结件及一些非标准件,但是,最好的热轧材仍不能满足要求。1982 年,大同钢铁公司曾采用完善传统工艺的方法生产高精度棒材,但是传统工艺精心生产出来的产品成本高,尺寸系列不全,尺寸精度不理想。以后,又尝试用导卫轮进行表面光整,有三辊定径机规圆,但其效果均不很理想。1983 年底,在高刚度轧机小变形消差思想的基础上,设计制造了紧凑结构的、三机架平—立—平布置的高精度棒线材成形机,即 Tekisun 棒材轧机。1984 年第一套棒材 Tekisun 轧机在大同钢铁公司凯多厂进行小批量试生产,生产出一批尺寸精度达±0.1mm 的超高精度热轧棒材。而且这批产品包括 ϕ39.5～40.4mm 的非标准规格产品,不用换辊,只略作调整即能生产该尺寸规格范围内任意规格产品,实现了自由规格轧制。1985 年,Tekisun 轧机正式投产,所生产的高精度热轧棒材满足了用户要求。

1988 年摩根公司与大同钢铁公司签订了棒材 Tekisun 轧机独家技术转让的协议。此后,美国科伯韦尔德钢铁公司订购了第一套商业化棒材 Tekisun 轧机,安装在该公司原来连续棒材轧机的最后一架精轧机之后,目前这套轧机已顺利投产,其车间平面布置如图 3-77 所示。

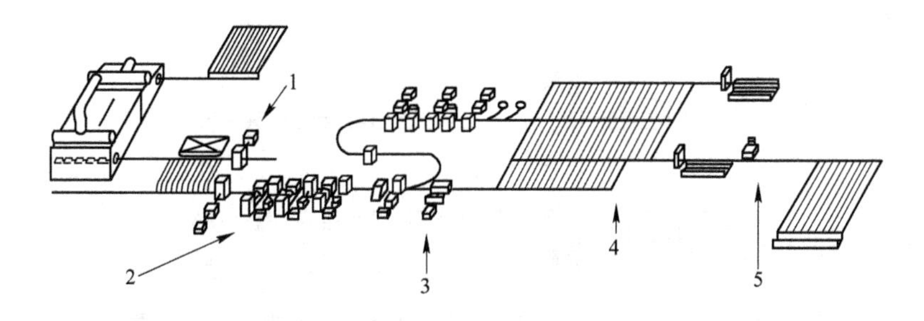

图 3-77 科伯韦尔德钢铁公司的 Tekisun 轧机布置图

1—粗轧机;2—中轧机组;3—Tekisun 轧机;4—冷床;5—热锯

棒材 Tekisun 轧机的核心是 3 架安装在同一底座上的平—立—平紧凑布置的二辊轧机,棒材 Tekisun 轧机辊径较大,辊身较短(辊径 ϕ350mm,辊面宽 150mm),轧辊轴承为重载型精密推力轴承,因此轧机的轴向、径向刚度都很大,轧机上、下辊有轧槽自动对中机构,轧机牌坊用厚钢板制造,每个机架有一套手动压下机构,3 个机架为集体传动。

该轧机 3 个机架的孔型均采用相同半径的圆孔型,但各道次的孔型槽口宽度不相同。第一道为预变形道次,坯料有一定变形,而且尺寸较大部位宽展大,尺寸较小部位宽展小。第 2 道次加工方向转 90°,上道次坯料宽展大的部位,在此道次延伸大;宽展小的反之。最后一道变形很小,仅作为精确成型。3 道次的总减面率为 5%～15%(延伸系数 1.05～1.18),

经 3 道变形，坯料在各个方面均得到加工。

该轧机布置在最后一架精轧机后，换规格时轧机可整体更换，仅需 10min。生产一般产品时，可以方便地将轧机拆除。

该轧机的一套孔型，通过调整辊缝即可生产出与该套孔型标准规格相近的非标准规格产品，实现了在一定范围内的自由规格轧制。相对与标准规格辊缝而言，调整辊缝的范围为－0.5～＋0.5mm。

使用该轧机轧制高精度热轧棒材，直径小于 ϕ50mm 的，尺寸精度可达±0.10mm；直径在 450～100mm 的，尺寸精度为±0.10～±0.15mm。由于产品尺寸精度提高，检废和成品超差的废品量降至最低程度。

棒材 Tekisun 轧机不但适合生产高精度圆断面产品，还可生产方、六角、扁平等规则断面的高精度产品。

392. 何谓线材 Tekisun 轧机？

1985 年前后，西班牙 Esteban Orbegozo 厂要求摩根公司帮助改造原双线德马克型高速线材轧机，提高轧制速度，以全面提高产品产量和质量，为此，摩根公司设计了 2 机架集体传动的 45°顶交型无扭轧机，称为小单元机组（mini-block），这种轧机布置在 1 号水冷却箱之后，局部工艺布置见图 3-78。轧制时中间坯料经 1 号水冷却箱后，温度降至 800～900℃，再进入小单元机组轧制。这样，将原 65m/s 的轧制速度提高到 85m/s，产量相应提高 30%左右；另一方面，小单元机组变形温度较低，真正实现了控制轧制，产品的组织、性能明显得到改善。这种轧机也被用作精轧前的预精轧机。由于在高无扭精轧机后再加轧机的成功实践和增加小单元机组后为控制轧制创造了条件，从而为其后的线材 Tekisun 轧机奠定了基础。

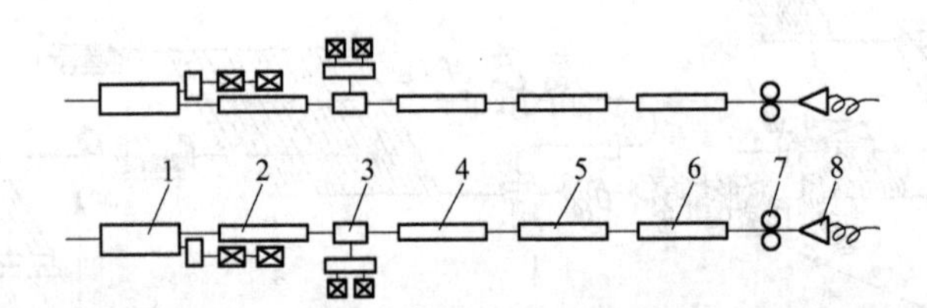

图 3-78　Esteban Orbegozo 厂采用小单元机组改造的局部布置图

1—无扭精轧机；2—1 号水箱；3—Tekisun 轧机；4—2 号水箱；
5—3 号水箱；6—4 号水箱；7—夹送辊；8—吐丝机

1988 年，摩根公司在获得棒材 Tekisun 轧机制造许可的同时，又与大同钢铁公司共同为知多厂线材生产线研制出一套线材 Tekisun 轧机，这套轧机把摩根公司小单元机组的结构与大同钢铁公司的高精度轧制技术相结合起来。该轧机投入使用后，所有规格产品的尺寸精度均达到±0.1mm。图 3-79 为凯多厂使用这种轧机轧制 ϕ16mm 产品时，进料、出料的直径和椭圆度沿长度方向上的分布。轧制 ϕ16mm 产品时，进料尺寸为 16.5mm，图中进料尺寸是在 Tekisun 轧机空过、直接成圆的条件下测得的。由图 3-79 可以看出，使用这种轧机对提高线材尺寸精度和减少头尾大公差段长度的实际效果。

1990 年摩根公司与大同钢铁公司签订了线材 Tekisun 轧机独家制造的许可合同，从此

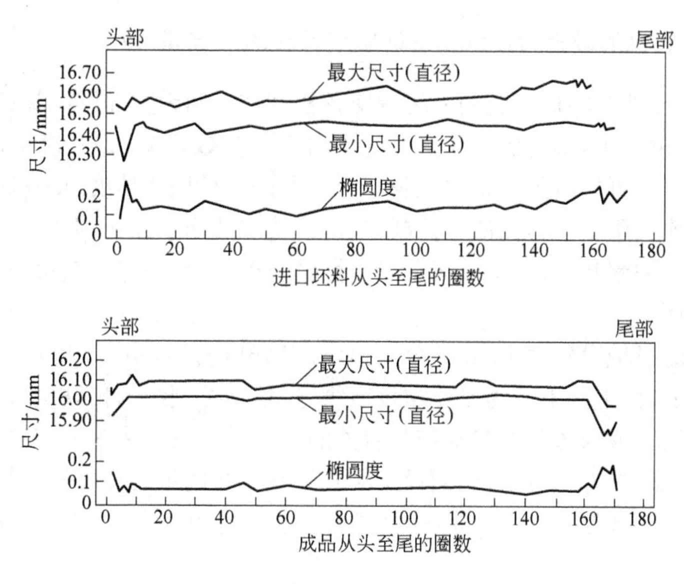

图 3-79 Tekisun 轧机轧制 ϕ16mm 产品时进料和出料直径和椭圆度的变化

这种轧机进入了商业化阶段。1991 年摩根公司为大同钢铁公司星崎厂的线材车间制造出第一套商业化的 Tekisun 线材轧机。之后为我国天津和湘潭两家高速线材厂设计高速线材轧机时，推荐了这项新技术，并在精轧机后面预留了安装这种轧机的位置。

这种轧机的设备结构与摩根型顶交 45°V 形轧机相同。根据具体条件，可选用 2 个或 4 个机架。在传动方式上，2 架或 4 架均为集体传动。在轧制过程中，线材 Tekisun 轧机应与精轧机实现速度的动态同步，因此这种轧机对其自身控制系统的品质要求较高。

为实现低温轧制，这种轧机必须布置在精轧机出口侧水冷箱之后，可以布置在第一段或第二段甚至最后一段水冷箱之后。轧制温度最低可以到 700℃，这样即可实现 d+r 两相区控制。通过控制轧制，可获得近似常化处理的组织和性能，从而可取消常化处理工序；对于需要球化退火的产品，经控制后，可以明显缩短球化退火时间。

线材 Tekisun 轧机比棒材 Tekisun 轧机的优点更多，它不但能使产品尺寸精度明显提高，而且能使产品性能得到改善。另外，由于产品尺寸精度提高，线材头尾超差的剪切量可降低到最低程度。

采用这种轧机后，可使精轧机孔型得以简化，只需一套固定不变的孔型，依靠更换 Tekisun 轧机的孔型，即能轧出所需规格的产品，从而大大降低了精轧机轧辊和导卫件的储备量。同时生产中更换规格十分方便，更换一次只需要 10～15min。另外，由于精轧孔型不再变化，更换规格时，除了速度之外，精轧机及其上游轧机的工艺条件保持不变，简化了轧机调整，也使轧机的自动化程度得到提高。

采用这种轧机，通过调整辊缝，可使同一规格的坯料生产出与该套孔型标准规格相近的非标准规格产品。相对于标准规格辊缝而言，辊缝的调整量为±0.20mm，这样，在一定范围内实现了自由规格轧制，能够生产出制造业所需的特殊规格产品。

如果用这种轧机改造原有的速度较低的轧机，轧制速度可以提高 30%～50%，同时可全面提高产品质量。

393. 棒材连轧机的微张力控制系统的组成及控制过程如何？

在热连轧中，从理想的稳定轧制来说应使各机架的“秒流量”相等，以实现无张力轧制。但是，在实际轧制过程中，影响机架间张力变化的工艺参数很多，如变形量、温度变化、轧制力矩、轧制速度等，不可能做到无张力轧制。为了保证产品尺寸精度，提高轧制产品质量，目前棒材热连轧中均采用微张力和活套控制方法，在轧件截面积较大的轧制区，如抚顺钢铁厂引进的棒材轧线中的精轧区、一中轧区均采用微张力控制，它是保证轧机高通过率的一个关键的自动化技术环节。

抚钢连轧机的机械设备由 Pomini 公司提供。其电控设备由 ABB 公司提供，它按照集散控制系统的组成，由上到下分为操作站设定级，过程站控制级与传动执行级。

操作站设定级完成与微张力自动控制有关的上层设定及其系统监控功能。主要是微张力控制中轧机组态的选择，即通过画面设定哪几架轧机之间被选作微张力控制，哪几架轧机之间被选作自动活套控制。设定中将对微张力控制中相邻两机架之间的张力大小进行设定。

过程控制站为 ABB 的 MP200，它主要完成与微张力控制有关的物料跟踪、逻辑时序互锁、传动执行级的速度级联、速度给定及微张力控制算法等功能。

传动执行级主要完成微张力控制部分轧机的传动，在系统中由 DCV700 全数字直流调速装置完成。

微张力自动控制过程如下：

从微张力电气控制原理上讲，是通过对相邻工作机架中上游机架的电机转矩进行检测，并加以存储记忆，形成表示钢坯内张力大小的张力实际值，它与设定的张力给定值的偏差，通过比例、积分控制校正上游机架的速度来协调上下游机架之间的关系，从而实现微张力控制。微张力控制系统的实质是在上游轧机主传动控制系统上增加张力外环，构成三闭环自动控制系统。在微张力控制中，由微张力的给定值 T_R 与微张力的检测值 T_A 相比较形成微张力偏差 ΔT，此偏差值与微张力控制的比例增益 G_P 相乘，形成微张力控制的比例速度校正量 V_P；此张力偏差值乘以微张力控制增益常数 G_j（G_j 仅是用于张力偏差放大的增益常数，并不是常规积分控制中的积分增益）形成信号 V_g，即微张力控制中用于 R 系数积分控制的校正信号，此信号将送给 R 系数控制环节，通过自整定产生经过校正的 R 系数，送到速度级联系统中，调节上游轧机的速度，实现微张力控制。R 系数控制实质上是一种积分控制，计算公式为：

$$\Delta T = T_R - T_A$$

$$V_P = \Delta T G_P \times (-1)$$

因为是对上游速度进行校正，因此需要乘－1。上述比例控制主要用于稳定控制，即对于机架间除坯头、坯尾外物料较长部分的轧制，利用比例控制的快速性在张力充分发展前消除多余的物料。送到 R 系数积分控制中的校正量 V_g 为：

$$V_g = \Delta T G_j$$

张力给定值 T_R 正常设定为 0～2MPa，即让钢坯中存在一定的微张力来进行轧制。这样的设定实际上是按钢坯头进行设定的，但是在实际轧制过程中，这样的设定不仅适用于坯头，而且也适用于坯身、坯尾，因为温降会在钢坯尾端引起推应力，如果头部微拉，在钢坯尾部的推应力可与之相抵消。如果钢坯温度场均匀分布，则此给定值应设定为零。

394. 检测仪表在轧制生产中的重要性是什么？

现代轧制设备的主要特性是连续化、高效率和产品质量（包括几何尺寸精度和物理性能）的不断提高。在这三大特征中，每一项技术进步在很大程度上都依赖于检测技术的进步，首先是传感器技术的发展。传感器是检测被检测对象所具有的物理量，乃至信号的装置，相当于人体的5个感觉器官。因此，轧制设备配套检测仪表，首先是传感器对成套设备的重要性相当于人的感觉器官对人体的重要性一样。

钢铁生产过程的检测，几乎包括所有检测项目，应用了广泛的检测技术。特别是检测环境恶劣，常常带有粉尘、高温蒸汽、振动等，因此，对高精度、高可靠性传感器的开发有许多苛刻要求。此外，用户从投资角度出发，检测仪表的发展也受到价格因素的制约。这都是发展轧制设备配套检测仪表的困难所在。

尽管如此，随着钢铁工业的技术进步，生产过程的合理化和完善，过程最佳化技术及各种制造技术的改善，操作水平的提高，以及用户对产品质量要求的不断提高，检测技术、首先是检测仪表技术发展的作用就变得日益重要了。因此，开发有关的检测仪表就成了当今极其紧迫而又重要的研究课题。

我国目前检测仪表的设计制造水平与机械设备设计制造水平、液压润滑系统设计制造水平、电气自动化系统设计制造水平、水处理系统及其他配套产品的设计制造水平相比有差距，与国外相比差距更大；因此，目前我国冶金大型轧制设备所需的许多关键配套检测仪表，尚需从国外进口。

近年来，我国仪表行业发展很快，引进了许多国外先进技术和生产设备，国内自动化仪表行业的科研设计单位，也研制了许多与轧制设备配套的检测设备。但总的来说，品种仍远远不能满足需求，在可靠性和性能指标方面尚未获得用户的信任。因此，进一步发展轧制设备在线检测仪表仍是当前我们所面临的重要课题。在线检测仪表是技术密集、知识密集型产品，我们必须加大投资力度，组成技术攻关，开发新产品，逐步推进轧制设备配套检测仪表早日实现国产化。

395. 宽带钢热连轧机对在线检测仪表的要求是什么？

从技术发展考虑，现代化宽带钢热连轧机在轧制生产过程中需要检测的项目及其在轧线上的分布情况如图3-80所示。在精整作业线上为了减轻劳动强度，提高成品质量，实现在线控制，还希望对带钢表面缺陷、内部缺陷、板凸度、晶粒度、相变度、力学性能等进行在线检测。

热轧工艺中，温度是很重要的检测要素。轧前、轧制中、冷却后以及卷取时的轧件温度检测和控制是非常重要的，是目前带钢质量管理中不可缺少的重要环节。轧制过程中最重要的课题是带钢几何尺寸的精度控制和在线质量管理，这就要求对板厚、板宽、板形、板表面缺陷等要素进行在线检测。此外，轧制压力、板头形状等也是控制系统中很重要的检测要素。

现代化宽带钢热连轧机的板宽已达2200mm，轧制速度达25m/s。因此，各种传感器首先应具有与轧制速度相适应的响应速度。其次，热轧中存在的水滴、水蒸气、表面氧化膜等将对检测值产生很大影响。如钢板上水分和蒸汽层的波动会直接产生检测误差（1mm厚的水对γ射线的吸收率相当于0.15mm厚的铁）。钢板表面上方空气密度的变化也将成为测

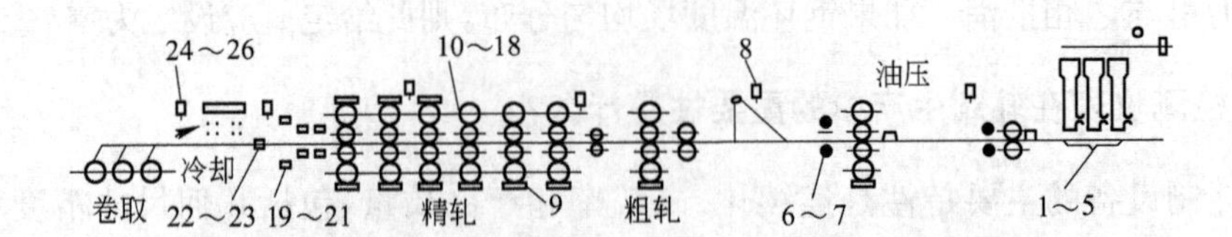

图 3-80 宽带钢热连轧机控制系统检测及其分布示意图

1—炉内钢坯温度；2—钢坯内部温度；3—氧化皮厚度；4—粗轧板凸度；5—粗轧板坯宽度；6—板挠度；7—辊道冷却装置内介质温度；8—板头形状；9—轧制压力；10—带钢表面温度；11—精轧机架间带钢张力；12、14—精轧机架间板厚；13—精轧机架间板宽；15—精轧工作辊辊形；16—精轧辊内部缺陷；17—精轧辊表面温度；18—精轧辊粗糙度；19—板厚(断面)；20—板厚(中心)；21—带钢凸度；22—平直度；23—带钢表面缺陷；24—带钢长度；25—带钢速度；26—卷取机上带钢张力

量误差的重要因素，特别是当前在由点测量向面(分布)测量或移动点测量的情况下，对检测仪表的技术要求愈来愈高。热轧中，板材的振动也往往是检测上需要注意的问题。

上述检测项目的检测仪表，目前有不少尚未在生产中应用，需要今后考虑开发；有些虽在实用过程中，但在精度、功能、维护等方面尚存在一定问题，今后仍需不断完善。如精轧工作辊辊形检测，或者在轧辊凸度控制中从预测模型推测精轧工作辊。但操作时希望能在轧机机架内进行在线测量，检测时间为10s左右，或者能在停机间歇时间内进行。测量精度小于±10μm。在线时的环境温度低于60～70℃，轧辊表面的温度低于100℃，可是此时水滴、水蒸气较多，且振动、冲击较大。在线时还存在轧辊偏心及轴承、机架的变形等问题，检测环境较差。曾经试用过光学式、涡流传感器方式，但不能适应上述环境，也未能达到实用水平。因此，这种检测仪表尚待完善开发。

396. 宽带钢冷连轧机对在线检测仪表的要求是什么？

冷轧带钢的产品厚度为0.10～3.2mm，与热轧机相比，其精度要求高。而且，冷轧辅助工序多，如酸洗、退火、精整等，相关的质量管理项目要比热轧多得多。以酸洗机组、连轧机组、连续退火机组、全卷机组为例，其在线检测项目及其在作业线上的分布情况如图3-81、

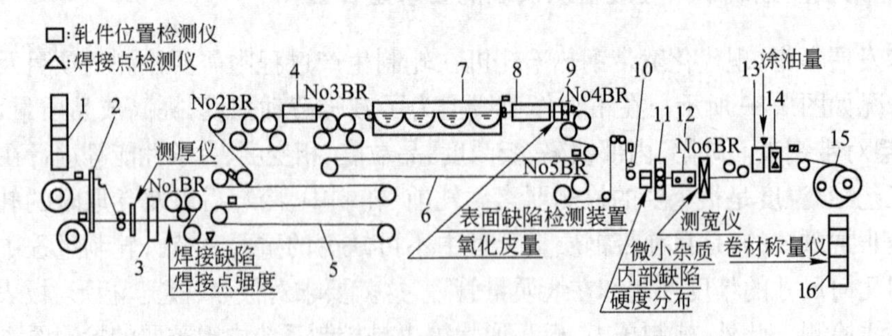

图 3-81 酸洗机组控制系统检测项目及其分布示意图

1—入口传送带；2—双刃剪切机；3—焊接机；4—拉矫机；5—入口活套；6—出口活套；7—酸洗槽；8—清洗槽；9—干燥机；10—侧导板；11—剪边机；12—废边切碎机；13—加油器；14—飞剪机；15—卷取机；16—出口传送带

图 3-82、图 3-83 所示。

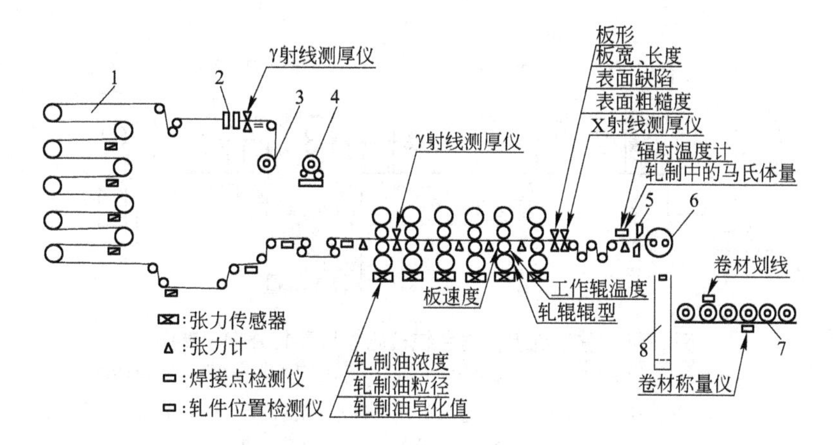

图 3-82　连续式冷轧机组控制系统检测项目及其分布示意图

1—活套；2—焊接机；3—开卷机；4—带卷升降运输车；5—飞剪机；6—卷取机；7—出口侧步进梁；8—出口侧带卷升降运输车

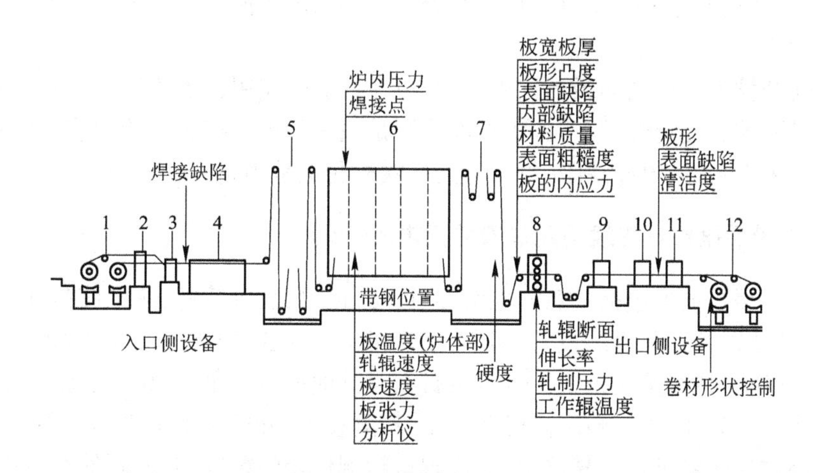

图 3-83　连续式退火机组控制系统检测项目及其分布示意图

1—1、2 号开卷机；2—剪切机；3—焊接机；4—电解清洗部分；5—入口侧活套带；6—炉体部(包括:加热带、均热带、1 次冷却带、过时效处理带、最终冷却带)；7—出口侧活套塔；8—平整机；9—圆盘切边机；10—加油器；11—剪切机；12—1、2 号张力卷取机

在酸洗工序中，由于传感器处于腐蚀性很强的氛围中，因此设计时要着重考虑环境条件。

冷轧工序中最重要的课题是带钢厚度精度和板形控制，因此板厚、板宽、板形、张力等是很重要的检测要素。现代化冷连轧机的最高轧制速度已超过 30m/s，传感器要能适应这种高速化的要求，并能适应轧制用油的侵蚀，大张力引起的板形内在变化等环境条件。

退火工序正在从间歇式向连续式发展。连续式退火生产需要 600m/min 的在线速度，在线、非接触的局部和内部缺陷连续检测装置的要求很高。

图3-84为重卷机组控制系统检测项目及其分布示意图。

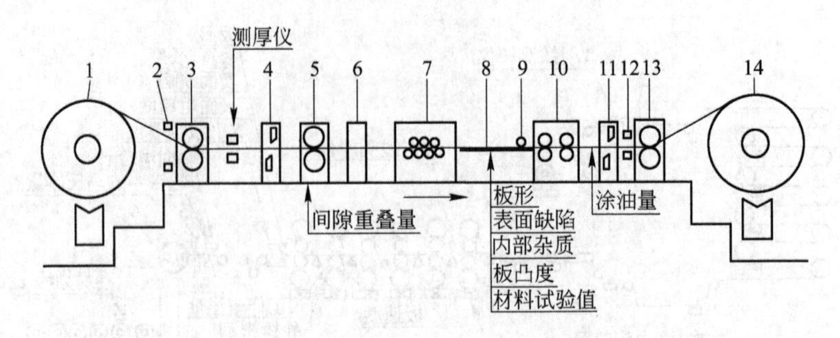

图3-84 重卷机组控制系统检测项目及其分布示意图

1—开卷机;2—定心装置;3—夹送辊;4—剪边机;5—圆盘切边机;6—焊接机;7—矫直机;8—检验台;9—卷材打印机;10—加油器;11—剪切机;12—定心装置;13—导辊;14—张力卷取机

与产品质量和稳定操作有关的各种流体、气体分析仪,如酸洗中酸浓度、氧化铁浓度计的在线化检测,冷轧中轧制油分析的在线仪等均在尝试中。轧制油分析除浓度外,还有皂化值、铁分、氧化、乳化液粒径等项目。从轧制、板面性能、轧制油管理等方面考虑,迫切需要实现在线快速检测。

目前正在开发各种形式的板形检测仪,在冷轧机上的应用已迅速增加,但其精度和可靠性尚不能满足要求。轧辊辊型、工作辊温度检测是板厚和板形控制系统的重要传感器,目前尚未实用化。表面缺陷、内部缺陷、材质等的在线检测也是当前面临的课题。

397. 表面覆层设备对在线检测仪表的要求是什么?

钢材表面涂镀层设备包括:镀锌、电镀锡、镀铬、镀铜、复合镀锌、热浸镀锌、镀锌铝合金、镀铝、镀铅锡合金以及各种涂层设备。随着用户对钢材外观、耐腐蚀性及装饰性等要求的提高,钢材表面的覆层技术发展很快,今后,钢材在与其他材料竞争中,涂镀层新产品的不断开发是极其重要的。为此,进一步提高过程技术、检测技术、分析技术是极其必要的。此外,随着用户对产品质量的要求越来越严格,提高现有检测仪表的精度,开发新的在线传感器以替代目测和人工分析,也是极其迫切的。

表面涂镀层设备一般分为开卷、前处理、涂镀、后处理、卷取等几个部分。其余涂镀层部分和后处理部分直接决定着产品质量,因此配有很多重要的控制和质量保证用传感器。特别是用于管理产品表面状态的传感器,以及像电解液分析传感器等管理操作状态的传感器,其需要非常迫切。这类传感器,有部分已被实际应用,但总的来说有待于今后不断开发,特别是使其在线化。

例如:焊接点检测器、张力计、带钢中心位置检测器、带钢边缘位置检测器等是过程控制的重要检测仪表;炉况检测,各种工作液体检测的温度计、H_2 分析仪、O_2 计、CD计、CO_2 计、露点计、导电度计、pH计等是操作控制和监视中的重要检测仪表;产品几何尺寸控制,覆层厚度检测,气孔、外观、内部夹杂等状态的检测仪表是产品质量检测中的重要仪表。

在表面覆层设备中,对覆层厚度检测仪表的需求最多。目前实用中采用取样离线进行覆层厚度测量的一些方法已难以适应新的要求，迫切需要开发适应在线的传感器。

398. 无缝管轧机和焊管设备对在线检测仪表的要求是什么？

热轧管的钢管表面温度高（700～1300℃），表面有氧化层、蒸汽、冷却水、粉尘飞溅，轧管速度约6m/s，外径及其形状多变，有弯曲、振动等。焊管的突出问题是焊缝表面温度高（600～1200℃）。制管设备的在线检测仪表应适应相应的工况条件。

无缝管轧机在生产中，中小直径焊管生产和大直径焊管生产过程中需要的检测项目及其在线上的分布情况如图 3-85、图 3-86、图 3-87 所示。

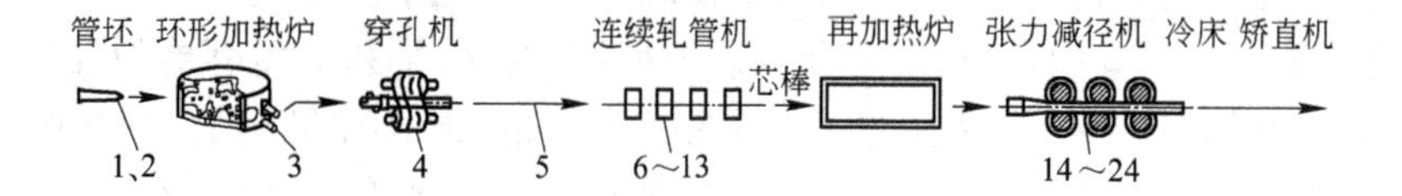

图 3-85　无缝管轧机控制系统检测项目及其分布示意图

1—管坯内部缺陷；2—管坯称重；3—管坯加热温度；4—轧制压力；5—温度；6—机架间张力；7—轧制道次；8—芯棒磨损；9—轧辊磨损，10—芯棒表面缺陷；11—工具表面缺陷；12—轧辊表面缺陷；13—芯棒负荷；14—温度；15—壁厚不均；16—工具架间张力；17—轧制道次；18—轧辊磨损；19—温度；20—壁厚不均；21—轧辊表面缺陷；22—硬度；23—管子表面缺陷；24—管子内部缺陷

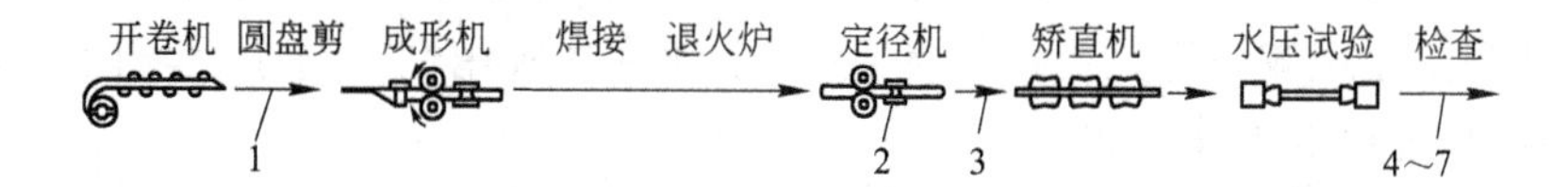

图 3-86　高频焊管机组控制系统检测项目及其分布示意图

1—带钢厚度；2—管子外径；3—管子长度；4—焊缝位置；5—管子壁厚；6—管子外径；7—表面缺陷和内部缺陷

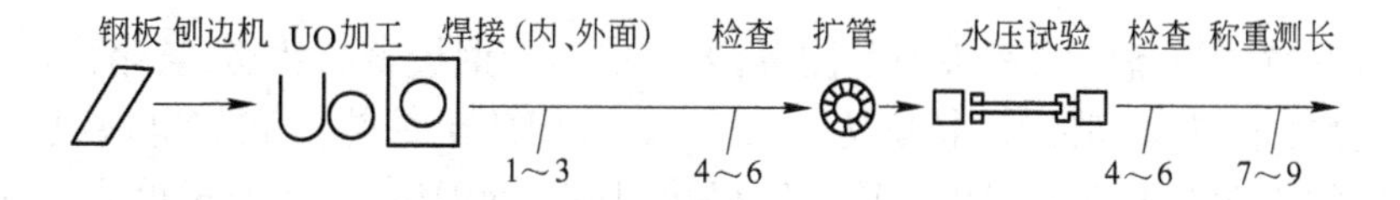

图 3-87　UO 焊管机组控制系统检测项目及其分布示意图

1—坡口形状；2—坡口位置；3—焊透量；4—内、外表面缺陷；5—内部缺陷；6—缺陷判定；7—管子周长；8—挠曲度；9—圆度

无缝管生产的主要质量问题是外径偏差和壁厚不均。为此，正从轧制技术和控制技术方面寻找解决途径。目前采用在线测量管外径和壁厚来瞬时改变轧辊转速的反馈控制方式正在试用之中。

除外径仪、壁厚仪外，大直径焊管的周长及挠度测量仪，管内外表面缺陷检测仪，焊缝缺陷检测，焊缝位置检测，缺陷判别自动化等都是当前的重要课题。

399. 检测仪表的现状如何?

轧制生产中,温度是重要的检测项目,对各种温度计的要求量大面广。目前实用中的温度传感器主要是热电偶和辐射温度计。全辐射高温计、硅光电池比色高温计、光电管色高温计、红外辐射高温计等非接触式测温仪已实用化,主要用于开坯、粗轧机出口、精轧机入口和出口、卷取机入口等处的温度测量。

德国生产的板坯温度计量程为800~1200℃,精度为1.5%;卷取机温度计量程为500~700℃,精度为1.5%;SIMNS公司生产的温度计量程为500~1750℃,响应时间为0.001s,精度为1%。

在国内,目前有上海自动化仪表所、云南仪表厂、鞍山光学仪表厂近10家企事业单位研制生产温度检测仪表。其中,上海自动化仪表所研制的红外辐射双传感器测温装置,量程为800~1400℃,精度为1.5%,距离系数为30,具有平均值、最大和最小值、采样保持、自检工作状态指示、越限报警等功能,用于加热炉钢坯表面温度的测量。WFHZ红外辐射温度计量程为50~750℃和200~1900℃,响应时间不大于1s,距离系数为50,具有时间、自检、报警功能。个别品种的响应时间可达30ms,距离系数为200,适用于精轧机出口、卷取前等部位的温度测量。云南仪表厂引进美国LAND公司技术,现已经可以提供产品。

当今,对温度计的要求是:能适应各种不同工况条件,检测精度高,由于环境条件而引起的测量误差最小,价格不能太贵。如厚板轧件加热炉内板坯温度的测量,如果在微波波长范围内进行辐射测温,有可能造成非接触式抗外扰测温系数,但目前在技术上尚不成熟。若用两个热丝和热电偶组合的测温梯度的温度计,根据两个温度梯度用连接的运算回路得知表面温度,这种测温原理被认为是可行的,但有待于确认其实用性。对于板坯内部温度,似乎可用热传导计算外推的方法求得。

又如,冷轧机工作辊温度的测量,要求能在蒸汽、轧制润滑油飞溅的情况下,以及轧辊旋转状态下(最大圆周速度3000m/min)测温。在蒸汽非常多的情况下,普通辐射温度计难以测量,需要在微波波长范围内进行辐射测温,因为微波比红外线要抗水蒸气。此外,使用晶体温度计,利用晶体振荡频率随温度变化的原理测量,虽然接触旋转体,但信号传递可为非接触式。

再如,表面覆层设备中的钢板温度测量,要求应不受钢板表面状态(氧化状态、表面粗糙度)的影响,测量范围0~600℃,精度为±0.5%。采用两个加热丝和热电偶组合的测温梯度的温度计,根据两个温度梯度用运算回路得知钢板表面温度,这个原理也是可行的。

400. 厚度检测仪表的现状如何?

在世界范围内,产品厚度检测技术比较成熟,已广泛采用了非接触式测厚仪,其中以X测厚仪和同位素测厚仪的应用最广。X测厚仪是以X射线管作射线源,测量方式分单光束、双光束两类,可连续测量,测量范围0~15mm,最大达26mm,设定精度为设定值的±0.1%。同位素测厚仪采用90Sr、106Ru、241Am、137Cs、60Co作为放射源,测量范围根据射源强度及被测金属材料在0~5mm,0~40mm或45~100mm间选择,精度为0.1%~0.15%,广泛用于冷、热带钢轧机和铝材轧机的厚度检测。

此外,激光测厚仪为非接触式双三角法连续测量,光源采用氦氖激光器,由电视摄像机检测，测量范围为115～265mm，精度为2.5～3mm，每秒测量25次，分辨率为0.5mm，适用于厚板轧机的厚度测量。光电测厚仪为光电扫描式非接触连续测量，由抛物镜和光电检测器构成扫描检测，数字显示，数模输出，测量范围达999mm，精度为±2～5mm，分辨率为1mm，适用于粗轧机和特厚板轧机的过载保护和厚度测定。微波测厚仪也属于非接触式在线测量仪表，其响应速度快，抗干扰能力强，测量方法有振幅法、相位法、共振频率法三种，适用于轧制过程中板带材厚度测定。接触式测厚仪采用差动变压器，用数字显示，简单、便宜，但对产品产生划痕，国外已很少应用。

国外射线测厚仪已趋定型，可以满足生产要求。日本东芝公司生产的141型测厚仪，量程为4.5～99.99mm，稳定性为板厚的0.04%+10μm/min，采样时间0.45s，放射源137Cs，30居里；X测厚仪，量程为15mm，精度为0.5%～0.1%，漂移量为0.05%/8h。美国GE公司生产的X测厚仪，量程为15mm，精度为±0.2%。漂移量为0.1%/8h。加拿大KELK公司生产的光电测厚仪及日本、美国研制的微波测厚仪也已用于生产。

上述各种测厚仪，国内基本上都有试制产品。上海电器科学研究所开发的SM400系列X射线测厚仪包括SM401、SM40、SM411、SM412、SM421、SM422，分别适用于铅板、铜板、冷轧带钢、热轧带钢等轧机控制系统的厚度测定。SM422测量范围为1～29.99mm，设定误差为设定厚度的±0.3%，响应时间为0.03～0.10s，漂移为设定厚度的±0.2%/8h。该系列为单束射线，脉冲计数，全数字式结构，采用了具有自适应功能的参量型数字滤波器和16位微机进行程序管理与数据处理，具有自动校正、自动诊断功能。上海自动化所的HHF—216测厚仪，采用137Cs作放射源，17居里，量程为6～60mm，动态精度为0.5%，静态精度为0.22%，稳定性为板厚的0.04%/10h，采样时间为0.5s。机电部27所开发的激光测厚仪、重庆自动化所开发的微波测厚仪，及天津传动所等单位开发的测厚仪都在试用中，需经进一步完善，以满足生产需求。

从总体而言，当前的问题是厚度分布测量的实用化。如冷轧板边缘及其宽度上厚度分布的在线检测，不但应具有高精度和高响应性，而且应具有良好的可靠性和维护性，设备投资不能太大。现已开发的多传感器方式X射线剖面计，可望降低造价，提高可靠性和维护性。

再如热轧无缝管的壁厚偏差测量，要求能在线高效地检测钢管壁厚偏差，且不受钢管弯曲和偏心的影响。现已开发了用多束Y射线供外部非接触测量管壁厚度的技术和电磁超声波方式的检测技术。

401. 宽度检测仪表的现状如何？

为了提高收得率，最近要求板带材生产的中间工序进行在线宽度检测，这就需要开发耐恶劣环境、精度高的检测技术。宽度检测以精密非接触检测为目标，常见的是用光电、X射线干涉和衍射法，最近的发展方向是宽度、长度测量与图像处理结合起来进行形状测量。

光电测宽仪（光脉冲法）采用的是非接触式光源投影法，用光电倍增管作检测器，平移接收光脉冲信号，带数字显示。测量范围为500～1700mm，分辨率为1mm。光电摄像测宽仪为非接触式连续测量，检测元件采用光电二极管阵列，高速采样、带模拟偏差输出，屏幕显示偏差值，测量范围为600～2000mm，分辨率为0.5mm。磁尺式测宽仪采用电气伺服和精密磁尺原理测定带材的两个边缘，由硫化镉（CDS）检测器跟踪边缘，磁尺测宽度，有模数输出和报警功能。测量范围为340～1750mm，精度为±0.5mm。导卫板式测宽仪是一种接触式测宽仪，采用光脉冲发生器计量宽度，这种测宽仪便宜、精度较低，适用于粗轧机出口处厚板坯的宽度测量。

上述测宽仪在国内外均在实用中。德国SIEMIS公司生产的BRP920测宽仪，量程为600～2000mm，精度为±1mm，跳动范围为100mm。AGE公司生产的测宽仪，量程为400～2000mm，系统精度为±1.5mm，被测件温度为600～1200℃，跳动范围为0～500mm。美国IGC公司生产的AD8040M型测宽仪，量程为600～1600mm，精度为±1mm，被测件跳动范围为200mm，温度为200～1200℃。日本东芝生产的测宽仪，量程为400～2000mm，精度为±1.5mm。

国内天津电气传动研究所研制的GD-Ⅰ型带钢测宽仪，采用光电型狭缝扫描，精度为±1%，已用于鞍钢半连轧厂。采用固体摄像器的新型测宽仪也已研制成功，综合精度为±0.5mm，并带有微机控制。上海自动化所采用国外CCD器件的固体扫描测宽仪也已应用于鞍钢初轧厂和硅钢片厂，具有自动曝光电路，被测件温度为700～1200℃，量程为50～2000mm，精度为0.2%～0.15%。当前主要是进一步提高检测精度和可靠性。

402. 长度测量仪表的现状如何？

目前实用中的测长仪分接触式和非接触式两类。接触式一般采用测量辊与被测轧件接触，使被测轧件的长度转换成测量辊的转数，再求得测量长度。非接触式一般为光电式。

实用中的光脉冲式测长仪分测量辊式和轧辊回转式两种，属接触式，误差较大，对轧件表面质量有影响。磁电式测长仪采用霍尔发生器作传感器，测量精度取决于测量辊安装精度。红外测长仪属非接触式连续测量，采用红外检测器。光导纤维式测长仪是将光导纤维接在测尺和测量环相应槽上，由转子扫描测出代表轧件长度的脉冲数，测量范围为5m，测量误差为0.3%，分辨率为5mm。

日本小野测量公司生产的光电脉冲测长仪，精确度为1～2mm。上海转速表厂生产的光电脉冲接触式测长仪，采用CMOS数字集成电路和LED数字显示，显示容量999.999，最小显示值为0.001，最高计数频率为10Hz。中科院技术物理研究所研制的固体扫描仪，量程为300～400mm，精度为±2mm。

目前在技术上的课题是提高测量精度，并实现自动控制。例如利用激光多普勒效应测量型钢剪切定尺长度，其精度可达±5mm。将两个波长的光合成在一起，根据此信号的相位差自动测量UOE钢管周长，或用位置检测元件测量激光光点的无规则光束检测UOE钢管的周长，此类仪表正在开发中。

403. 直径测量仪表的现状如何？

除上述通过测周长确定UOE管的直径外，冷、热棒材、线材的直径测量有以下三种形式的测径仪已在实用中。

激光测径仪系非接触式，用氦氖激光器作光源，可连续测量，数字显示，测量范围为5～25mm，精度为±0.025mm。冶金部自动化研究院研制的这种测径仪已在现场使用。全方位光电测径仪采用卤素灯作强光源，采用光电二极管阵列作摄像传感器，光学系统绕线材轴旋转，扫描速度为10r/s，分辨率为0.01mm，测量范围为ϕ5～15mm，精度为±0.075mm。

光电测径仪采用强光源照射，光电倍增管检测，可测水平、垂直两个方向的直径及其差值。测量范围为 ϕ5～16mm 或 ϕ10～40mm，设定精度为±0.1%×D±10μm 以下。

404. 板形测量仪表的现状如何？

随着用户对板材板形要求的不断提高，板形的在线检测和控制已成为当前板带材生产的重要课题。目前已有多种检测方式，如电磁式、位移式、振动式、光学式、声波式、放射线式等非接触检测方法。

瑞典 ASEA 公司研制的 ASEA 应力计(压磁式力传感器)是在测量辊宽方向分许多区段，每区段圆周上装四个压磁式力传感器，测定带材张力的径向分力，从而测得板材的平整度，有数—模输出，可供板形控制之用。原东北重型机械学院已研制成功这种板形仪，并用于武钢冷轧厂。

德国 Hoesch Hüttenwerke 公司开发的接触式板形仪，也是在测量辊宽度方向分若干个区段，用测力传感器测定径向力，再根据带宽方向张力分布测量带材的平整度。美国开发的气动式(空气支撑式)板形仪是在测量辊固定轴和转子间通压缩空气，根据上、下侧气孔压力差测得带材张力的径向分力，确定带宽方向的张力分布，转子宽为 40～140mm，直径为 145～210mm。日本开发的弹性振动式板形仪，采用涡流法测定带材宽度方向张力分布不均匀而引起带材不规则振动，通过测定距离，测得带材的平整度。德国开发的 BFI 接触辊式(压电晶体式)板形仪，用压电晶体作传感器，检测测量辊张力的径向分力，辊径为 200～350mm，每个辊宽为 25mm，接触角 10°。此外，采用激光法和涡流法的板形仪也在研制中。

但是，这些方法目前尚不能满足生产要求。例如，冷轧板的板形应能在温度 50～150℃，线速度 30m/s 情况下对板卷的全长、全宽进行检测，精度要求为±0.1%(凸度)，响应性 0.05s。热轧板的板形检测应能在较多水、水蒸气和粉尘，且钢板有振动的环境下进行检测。

轧辊辊型在线检测也是板形控制中的重要检测项目。如热轧精轧工作辊辊型的检测，要在轧辊温度为 0～200℃，并处于冷、热反复状态，转速为 30～750r/min 的情况下进行。检测范围为 0～2mm，精度要求为 10μm，应能在轧制空载时间内(即测量时间 10s 以内)完成。目前利用超声波在声阻不同的物质界面上反射的性质，通过测量距离而得知辊型，即所谓的水柱超声波法作为热轧钢板形计已得到实用。而利用光干涉法、波纹法、全息照相法等的辊型控制检测仪尚在开发阶段。

据资料分析，采用非接触传感器与信号处理和图像处理相结合的测量方法将成为今后形状检测的主要方法。也就是说，高图像分辨率和集成化传感器的出现，用非扫描型图像传感器构成的光电二维位置检测来进行形状测量。在光电相关法中应用计算机全息照相已受到重视。

405. 辊缝检测仪表的现状如何？

采用压下螺丝的轧机，其辊缝测量一般采用与压下螺丝传动机构相连的脉冲发生器或轴角端码器，将螺丝的旋转角转换成脉冲量或角位移数字量。采用液压压下的轧辊，一般采用光栅式位移传感器、感应同步器、磁尺、差动变压器等，直接测量活塞的位置。

上海转速表厂研制生产的脉冲式辊缝仪，采用光电脉冲发生器作传感器，具有数—模输出功能，用于测量和设定轧机辊缝，量程为999.999mm，最小示值为0.001mm，显示方式为LED六位，工作频率为10kHz。

码盘式辊缝仪采用光电码盘或电刷式码盘，断电后能保持原值，有数码输出，接触式码盘精度为±0.01%。光栅式辊缝仪采用平面光栅作传感器，有数—模输出，测量范围为150mm(最大1000mm)，分辨率为2μm，响应时间小于0.5ms。这两种辊缝仪国内正在研制。上海光学仪器厂曾生产过全息光栅位移测量仪，量程为20～100mm。

德国生产的光栅位移测量仪，最大量程为200mm，精度为±0.2μm。日本生产的感应同步器，精度为2.5μm，重复性误差为0.025μm。美国生产的感应同步器，量程为0±100mm，精度为1μm。

辊缝测量仪需要提高其响应能力、耐环境性能及可靠性。

406. 压力测量仪表的现状如何？

轧制压力的测量，目前主要采用的是压磁式和应变式。瑞典ASEA公司生产的压磁式测力仪，其传感器为磁—弹性变压器，压头标定精度为0.1%，线性度为0.5%，滞后为0.2%，重现性为0.1%，过载能力为200%～300%时，灵敏度变化1%，输出模拟信号显示、控制、监测用。加拿大KELK公司生产的应变式测力仪，传感器为应变片，线性度和响应速度性能好，为整体结构，但输出信号比压磁式低，过载能力为300%，有指示、记录、AGC接口、输出及报警和保护功能，量程为100～100000kN，精度0.1%。

上海运车仪表厂、天津电气传动研究所、上海自动化所、冶金部自动化研究院等单位都在研制压磁式测力仪。北京科技大学研制的应变式轧制力测量仪，量程为1000～2000kN，精度为2%～3%。

国外当前面临的技术问题是压力分布的测量，以及提高耐环境性能和可靠性。目前引人注意的是采用碳纤维、有机高分子等新材料的应变仪，以及采用扩散型半导体的小型压力传感器的出现。国内当前的问题是研究应力互补、温度补偿技术等，并提高传感器的精度和稳定性。

407. 张力测量仪表的现状如何？

目前，张力测量仪广泛应用的是压磁式和应变式。瑞典ASEA公司生产的压磁式张力计的传感器为磁—弹性变压器，测量辊有单、双、三辊式及垂直、水平等三种安装结构。测量范围为800～12600kN，线性度为0.5%，滞后为0.2%，重现性为0.05%，直接输出信号，并有仪表指示。加拿大KELK公司生产的应变式张力计，采用应变式压头作传感器，测量范围为200～10000kN，非线性为±0.25%，重现性小于0.05%，滞后小于±0.1%，响应时间小于1.5ms，有张力指示，带模拟信号输出。这两种张力计主要用于冷轧带材的测量。

在张力测量方面，需要开发高精度并能直接检测带材或管、线材张力的装置。如热轧精轧机架的带钢张力，应能在最大速度23m/s、温度700～1100℃工况下，在行进中连续检测，精度要求达±5%。热轧输出辊道上的带钢张力检测应能适应长跨度可能引起较大误差的情况，检测精度要求达到5%。冷轧连续退火炉内带钢的张力检测，应能在950℃气温下，在运行中连续进行，且精度要达到±0.2%。连轧管机架间的钢管张力，应能在0～1000kN范围内，以10kN的精度和1s的响应速度进行测量，且能在温度为800～1300℃，并有冷却水飞溅、粉尘和振动的环境下保持较高的可靠性。

采用有机高分子材料的压下传感器，通过全息摄影法和光纤来检测干涉边纹，应用磁致伸缩效应及根据超声波传描速度的异向性来检测应力，利用非晶体硅半导体应变仪测量带材张力，采用光纤测量机架微小位移来测量无缝管轧机机架间的张力等方法，目前都正在研究开发中。

408. 速度测量仪表的现状如何？

速度测量包括轧辊转速和轧件速度的在线检测。目前一般采用测速电机测速法，可以通过模拟量或数字量进行间接测量，测量精度低。光脉冲测速仪，通过轧辊转速产生的光电脉冲计算轧材的轧制速度。轧辊磨损后有误差，需要进一步修正。霍尔元件式测速仪，用霍尔发生器作传感器计算轧材轧制速度。轧辊磨损后有误差，需要修正。激光测速仪为非接触式，采用多普勒频偏原理，精度高。这三种测速仪均有数字输出。

瑞士研制的激光测速仪，量程为 0.01～1000mm/s。英国飞机有限公司生产的测速仪，用于轧材线速度测量，量程为 0.016～5m/s，精度为 0.1％。日本小野测器公司生产的转速显示仪，量程为 60～15000r/min，精度为 0.01％，光电脉冲传感器每转可达 6000 脉冲。

国内上海转速表厂等单位生产光脉冲式测速仪。XS2—01 型数字转速显示仪，量程为 9999r/min，最高计算频率为 9999Hz，精度为 0.1％，传感器每转脉冲数为 1～999。XYP—16 型速度数字显示仪，量程为 1～1000kHz，精度为 0.01％。上海自动化所研制的光纤转速测量仪，量程为 60～3000r/min、3000～30000r/min，精度为 0.1％，0.02％。

速度测量仪表需要进一步开发直接检测的新产品。

409. 轧件位置跟踪检测仪表的现状如何？

轧件位置跟踪检测仪表对识别钢材在轧线中的流向和准确位置，以实现轧材的正确定位跟踪，以及工艺过程的自动控制等，都具有重要意义。

位置检测一般分为热金属检测和冷金属检测两类。目前实用中的热金属检测器有：采用光电池作光电式传感器的非接触式检测，重现性在 5mm 以内；采用微波法的非接触检测，适用于恶劣环境，安装容易；采用 γ 射线的非接触式检测，用 60℃作放射源，对人体有害，需要加以防护。冷金属检测器有光电式、电磁式、电容式等多种形式。

带材对中的位置检测有：光电测量头法，测量并控制带材在生产线运送过程中发生的跑偏现象；电磁感应式，测头塑性密封，已用于带钢酸洗生产线；光幕法，量程为 970mm，测距为 4m，已用于冷轧带钢生产线。带钢开卷和卷取过程的边缘控制，其边缘检测采用光电法，由光电—液压系统对带钢边缘进行伺服跟踪，保证带钢卷两边整齐。

天津电气传动研究所研制的冷、热金属 HRJ-AL、HRJ-AF 系列检测器，已在武钢 1700mm 带钢连轧机中应用。上海自动化所开发的 HMK-S 系列热金属位置检测器，被测物下限温度为 600℃，检测距离为 0.55m；HWK-6 系列冷金属位置检测器(线外)，检测距离为 0～10m；HWK-4 系列激光位置检测器，集发射和接收于一体，有穿透式和反射式两种，穿透式检测距离为 30m，响应时间为 10ms，反射式检测距离为 10m，响应时间为 10ms；HWLK 系列磁电接近开关，检测距离为 50mm±5mm，重复性误差为±1mm。

位置检测在采用三角测量和激光技术的同时，用二维、三维图像处理的实例日渐增多，应用范围也在扩大。即使在用磁测量方面,也在争取实现三维检测。

410. 涂镀层厚度测定仪的现状如何?

在表覆层设备及冷轧的中间工序中,迫切需要对各种表面膜厚进行在线连续检测,其中包括镀膜厚度、表面涂油量、铁锌双层合金膜厚度、有机树脂膜厚度、铬酸盐盖膜厚度、彩色膜厚度等。目前,虽然已有用荧光X射线的离线分析法及红外线、紫外线吸收方式,或椭圆对称法等检测方法,但由于表面膜质量更加复杂化,因而需要开发新型的、精度高的复合化检测方法。

国外带钢镀层厚度的测定已采用X射线荧光厚度仪,用X射线或γ射线源,测量其荧光射线的强度。测量精度为0.15～0.35g/m²,最大量程为5000g/m²,灵敏度高,但需要安全防护。β射线镀层厚度仪采用β射线反射法,灵敏度低,只能测镀层厚度大于350g/m²的带钢,也需要安全防护。

利用红外吸收原理的薄膜厚度连续检测,以及应用光干涉原理的半导体器件膜厚传感器等,有可能实现非接触在线连续检测。此外,可考虑用椭圆对称法检测冷轧钢板表面的涂油量,用红外线照射测量涂饰板的喷漆膜厚。

411. 表面状态检测仪表的现状如何?

表面状态检测项目包括表面粗糙度、光亮度、鳞皮量以及磨损状态等。特别是在最终产品阶段,增加了与人的感官能力有关的传感器需求,如对产品表面光亮度和鲜艳性等从“美观”角度进行在线检测。

最终产品的质量保证,以及中间产品在热状态下的表面缺陷检测需求也日益提高。在热、冷状态下,表面缺陷检查的现场环境都很恶劣,而且由于用户对质量要求愈来愈高。因此,需要进一步研制性能高、可靠性和操作性好、造价便宜的新型检测仪表。

国外非接触光学方法已用于对表面状态的在线检测。虽然已有对表面粗糙度、光亮度及色调的检测装置,但利用光反射法对表面美观的定量检测,还存在技术上的问题。扩展激光反射法,使之适用于表面粗糙度、光亮度、管轧机轧辊、芯棒的磨损度等各项检测乃是今后的重要课题。

目前国外用半导体元件检测表面划痕和缺陷的传感器进展较快。作为检测技术,光学法和磁性法被广泛应用,目前期待着提高其高速性、分辨率及耐环境性能。用相干波照射在被检物上,利用反射光的衍射方式对热轧、冷轧板表面缺陷进行检测,这种原理已在冷轧和镀层中得到实际应用。

412. 内部缺陷检测仪表的现状如何?

与表面缺陷检测一样,在中间产品和最终成品时需要进行内部缺陷检测,如冷、热轧生产线上的钢材内部缺陷和微小夹杂物,钢管内部缺陷判定的自动化,棒材、线材成品的内部夹杂物等检测。

在冷轧和热轧线上,采用超声波探伤难以检测出微小夹杂物。而且,钢件越高级,对提高检测性能的要求越高。

当前在技术上的课题是:冷轧生产线应能检测出40.02mm的金属夹杂物,并能适应

600m/min 的在线速度，而且板边缘不存在灵敏区；应能检测出 ϕ1mm 缩孔，并能在全长和全宽上进行高速检测；钢管生产线上管材内部缺陷的自动判别，应能对 X 射线摄影胶片上的缺陷作定量判定；棒材、线材内部夹杂物的检测应能检测出 ϕ0.1mm 的夹杂物，并能适应 100m/s 的在线速度，并进行全断面检查。

希望开发能识别多种内部缺陷和显示缺陷的系统，并力争实现装置的多功能化。国外正在开发利用电磁超声波、超声波散射、超声波反射波和音响阻抗等传感器，以及利用信息处理和图像处理相结合的 CT 方式传感器。考虑采用超声波的高频探针、CT 技术、以及涡流技术的高性能化来检测内部缺陷将是今后的任务。

413. 辊型检测仪的意义是什么？

在热轧板带材生产中，保持良好的板形质量和表面质量是非常重要的。为了保证有良好的板形，通常将轧辊加工成带有某种凸度曲线的表面形状。其次，轧辊的实际凸度还受到不同轧制温度和冷却条件产生各种热凸度以及轧辊表面磨损程度不均匀等因素的影响，表现出较为复杂的情况。另外，由于轧制过程中轧辊不断与高温钢坯和高压冷却水交替接触，辊身表面在热冲击与热疲劳作业下很容易产生微裂纹，这些微裂纹将直接影响带钢表面质量，需应及时消除。目前，解决以上的问题主要措施是频繁更换、修磨轧辊。但这种措施费时、费水且不准确，大大降低了生产率。而采用轧辊在线修磨，则可以很好地解决这一问题。

所谓轧辊在线修磨，就是不将轧辊移出轧机之外，利用轧制时间或轧制间歇时间，对轧辊进行修磨。此项技术由国外首先提出，引起了各方面的高度重视。在对轧辊进行在线修磨之前，必须由轧辊辊型检测仪对轧辊当前形状进行在线检测，并根据检测结果确定修磨量。因此，研制在线辊型检测仪就成为一项很迫切的任务。太原重型机械学院承担的国家“九五”攻关任务之一，就是研制在线辊型检测仪。

414. 现有的辊型检测仪状况如何？

目前，对在线轧辊修磨装置研究比较活跃的是日本与德国。最早日本三菱公司提出了轧辊在线磨制技术，该技术以水为介质利用超声波对轧辊形状进行在线检测，但未考虑轧辊振动对检测精度的影响。此项技术利用砂轮与轧辊之间的摩擦力驱动砂轮对轧辊表面进行被动磨削。后来，日本日立公司对该技术进行分析，认为轧辊振动对辊型检测精度与砂轮磨削质量影响很大。该公司将磨削砂轮制作为柔性砂轮来减轻磨削时轧辊振动带来的不利影响，并且将砂轮被动式驱动改为主动式。他们还利用一个高灵敏度的测力装置检测砂轮与轧辊之间作用力，并以此判断轧辊形状。由于砂轮柔性很大，砂轮与轧辊之间作用力对轧辊表面形状变化反应不灵敏，加上砂轮转动磨削时不可避免的振动，使得检测结果的可靠度受到很大影响。德国一公司的轧辊在线磨削主要是使砂轮按设定曲线在线磨削，没有专门的辊型检测装置。由上述可知，现有的辊型检测仪尚不完善，有待进一步开发研究。

415. 微位移传感器的分类及特点是什么？

由于辊型检测仪的核心部分就是微位移传感器，因此很有必要分析一下国内外微位移传感器的研究进展情况。微位移传感器的大致分类及特点如下：

(1) 光电编码器式，光栅式等。这类传感器精度很高，工作也比较可靠，但基本上都是接触式的传感器，无法满足辊型检测要求。

(2) 电容式、电感式、磁感应式等。这类传感器属于非接触式，精度很高，检测速度很快，也非常灵敏。但它们抗干扰能力较差，影响检测精度。

(3) 光纤、光强调制式或干涉式微位移传感器。这类传感器也属于非接触式，其优点是精度高、响应速度快。但它们也存在一个缺点，就是检测精度受被测表面粗糙度影响很大，这对热轧轧辊表面各处粗糙度始终保持一致是很困难的。

(4) 超声波位移传感器。此类传感器属于非接触式，其优点是有抗电磁干扰能力，且不妨碍对轧辊喷水冷却等，日本就选用超声波位移传感器。我们对此类传感器进行了仔细分析，认为超声波位移传感器存在下列问题：

1) 检测精度问题。超声波的分辨率受其频率影响比较大。如果以水为介质，水中声速约为1500m/s(23～27℃条件下蒸馏水)。即使采用15MHz超声波，在水中波长为0.1mm左右，用它来分辨出0.01mm的微小距离变化是比较困难的。而且要制造15MHz超声波换能器，目前在技术上还有一些问题需要解决。

2) 水介质的流场分布比较复杂。由于轧辊高速转动，且表面十分光滑，故辊面表层有一部分水层被吸附而随之转动，这时辊面附近将出现紊流。再加上轧辊表面部分水受热汽化后的微气泡和可能出现的微裂纹干扰，都会影响检测精度。水中声速受水温和水中杂质含量影响较大，也会影响检测精度。

(5) 光电检测式。此方式当然属于非接触式，主要由两部分组成。一是发光部分，由光源发出一束平行光，有时也可以采用自然光；二是接收部分，将光图像信号变成电信号。从工作方式看，又可分成遮光式和反光式等。光电检测方式具有精度高、体积小、抗干扰能力强等优点，其缺点是设备复杂，费用较高。

416. 光电位移传感器的工作原理是什么？

通过上述分析，采用光电检测方式作为微位移传感器是最为理想的方案。这是因为，光本身速度快，直线性好，不受电磁场干扰，对环境的适应性也比较强，有较强的穿透水雾的能力。另外，由于光本身可用肉眼观察，这给传感器的调试带来很大方便。

另外，由于轧辊直径半径较大，而周围空间却很小，故其工作方式采用具有体积小特点的光电传感器是非常适宜的。基于同样原因，我们将原来轧辊圆周方向三点式检测方案改为轧辊轴向三点式检测方案。再比如，原方案光源部分采用卤光灯加一个平行光管，虽然可以得到一束平行光，但体积大、单色性、平行性都不理想。而采用半导体激光器作为光源，使光束的单色性与平行性都得到改善。而与He-Ni激光器相比，虽然单色性和相平行性差一些，但它体积小、价格低、抗震性好、响应速度快且无需预热，便于实现光电快门功能。

光电位移传感器的工作原理如图3-88所示。从图中可以看出，光源发出一束平行光，经反射镜后投射到轧辊表面和遮光片上，这时在轧辊表面处产生一个图像。光学透镜系统将这个图像进行放大后再投射到光转换器件上，将光信号变成电信号。这些信号经计算机处理后，即可得到轧辊辊型数据值。传感器在轧辊辊系的位置如图3-89所示，这样既可充分利用轧辊周围的空间，又可减少冷却水的干扰。

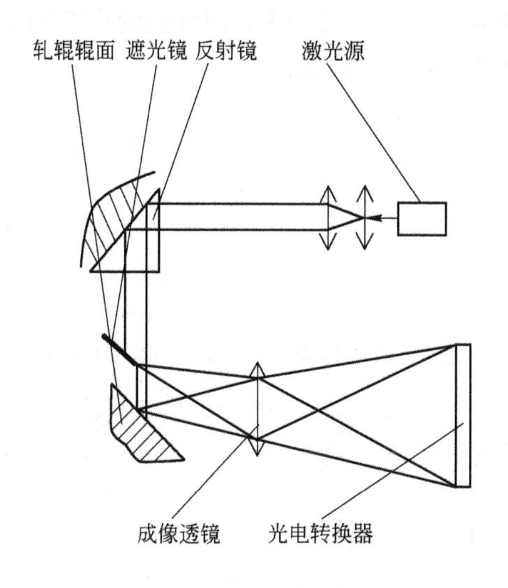

图 3-88　传感器工作原理图

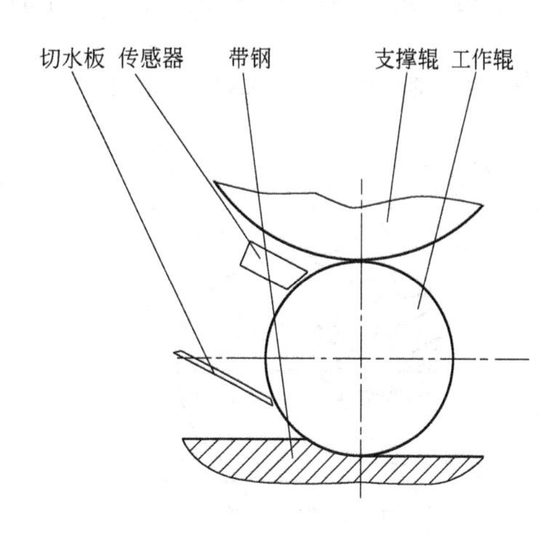

图 3-89　传感器位置示意图

417. 光电式辊型仪的具体设计方案有哪些?

有了位移传感器方案之后,接着就需要考虑辊型仪的具体方案。位移传感器仅探测出轧辊表面的位置信号,而我们需要的是轧辊辊面形状信号。虽然轧辊表面形状变化会引起表面位移,但其他因素如轧辊振动、轧辊挠曲变形等也会引起轧辊表面位移。轧辊振动幅度与它的旋转速度及轧辊轴承磨损程度有关,一般情况下约为 30～50μm。

现将三种辊型仪方案比较如下。

第一种方案如图 3-90 所示,这也是国外辊型仪的主要形式。采用这种方式,位移信号要转换成轧辊辊面形状信号。所以此方案需要建立以下假设条件:

(1) 轧辊任何一处的横截面都是圆的,而不是椭圆或其他形状;

(2) 在检测过程中,轧辊轴线与传感器扫描滑道保持平行;

(3) 在检测过程中,轧辊中心轴线始终保持为一条直线;

(4) 在检测过程中,轧辊中心线始终保持静止不动。

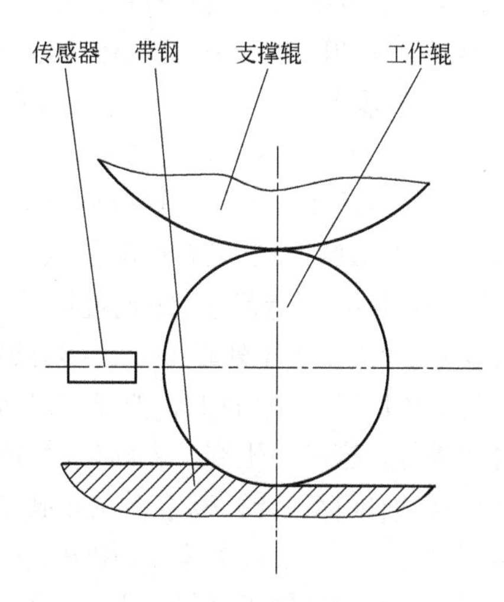

图 3-90　第一种方案示意图

只有以上 4 项假设条件为真时,此方案才能可行。根据前面分析,第二、第四条与实际情况误差较大,这使测得的数据可信性下降。

第二种方案如图 3-91 所示,此方案利用圆周上三个不同点可以唯一确定一个圆的定理,沿轧辊截面圆周方向均匀分布三个探头同时进行检测。利用三组位移数据可以推算出此截面处轧辊半径值。然后将各个截面处的轧辊半径用样条曲线进行拟合,可以得到轧辊形状。采用此方案,只需保留原来假设条件中的第四条,排除了轧辊振动和轧辊挠曲变形的干扰。从理论上看,此方案似乎是最佳方案。但实际上存在一个问题,即轧辊附近空间非常小,故 ϕ 角不能取得太大,但 ϕ 角取得很小后又带来一个误差问题。

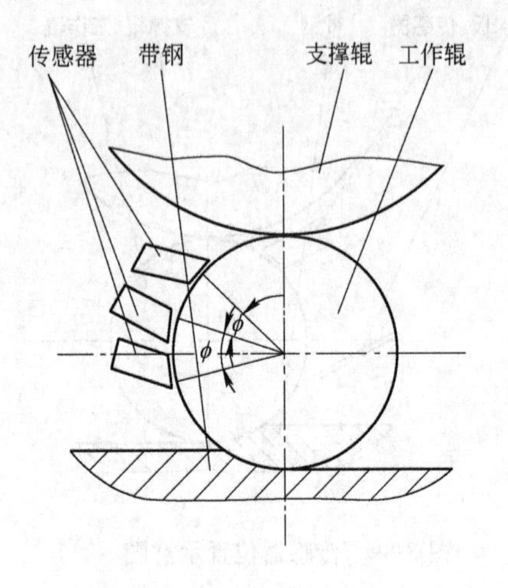

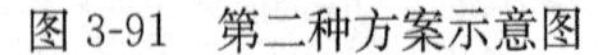

图 3-91　第二种方案示意图

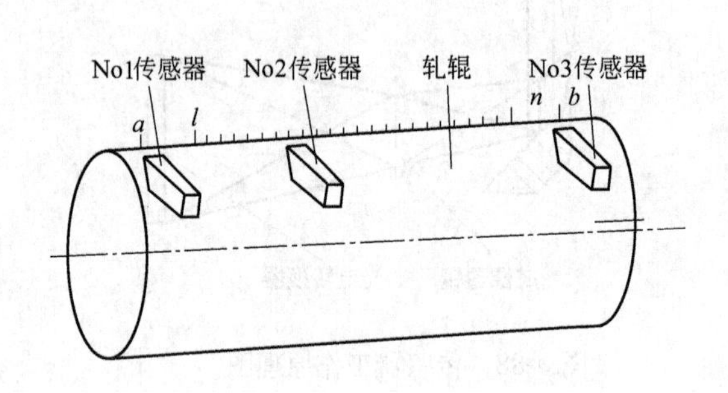

图 3-92　第三种方案示意图

第三种方案如图 3-92 所示,它也是采用三个传感器,但不是沿轧辊圆周方向上分布,而是沿轧辊轴线方向布置。此方案检测过程如下:将轧辊沿轴向分成几个节点,2 号传感器可以沿轴向方向移动,每经过一个节点,测量一次辊面,除了几个节点外,在轧辊两端部还有两个端点 a、b。1 号传感器负责测量 a 点处辊面的位移,3 号传感器负责测量 b 点处辊面位移。由于 a、b 两点处辊面与轧件不发生接触,故磨损量很小。在 2 号传感器测量各个节点处辊面位移的同时,1 号、3 号传感器也对 a、b 两个端点进行测量。这就是说,对每一个节点进行检测,实际上得到三个点的三个位移数据。为了从这个位移数据中得到辊面形状的数据,我们以两个端点 a、b 处的位移为基准,将节点处的辊面变化数据提炼出来。因为 a、b 处的位移信号几乎全部是轧辊振动量信息,而没有辊面变化信息,而在中间各节点处的位移信号中,既有形状信息,又有振动信息。因此,将两者区分开是很容易的。采用此方案,轧辊中心轴线不需要保持静止,即轧辊振动干扰因素被排除,但要求轧辊中心线始终保持一条直线,不能弯曲。由于轧辊是一个实心钢质大圆柱体,可以认为它的刚性是很大的,在没有轧制负荷条件下,轧辊的中心轴线可以认为始终为一条直线。也就是说,检测必须在轧钢间歇时间进行。当新轧辊刚进入轧机时,应该认为此时的轧辊辊型是标准辊型,马上进行扫描检测,并将数据存入计算机中。在轧制了一段时间之后,再次检测轧辊辊面形状,并与原标准辊型进行比较。在此方案中,检测到的是辊面相对形状,而在线磨损系统也只关心辊面的相对形状。对于轧辊辊型绝对形状,可采用间接方法测量。

通过上述分析比较,我们选用了第三方案。此方案具有体积小、误差小等优点,虽然只能利用轧制间歇时间进行检测,但这在生产中是完全可行的,能完全满足检测速度的要求。

418. 太原重型机械学院研制的辊型检测仪系统的主要组成及主要技术指标是什么?

轧辊辊型仪系统的主要组成大致可分为硬件和软件两部分。

硬件部分包括:

(1) 光源部分:采用半导体激光器作为光源。这种光源具有体积小、效率高、抗震性好的优点。所产生的光波长为670mm,电流约为50mA。由于半导体激光器的扩散角与它的模有关,需加一组透镜。将激光调制成43mm的平行光束。

(2) 光路部分:主要包括全反射棱镜、遮光片、透镜组件、孔径光栅调节系统、距离调节系统。

(3) 光电转换系统及控制系统:主要包括电荷耦合器(CCD)、AC1050高速数据采集卡,同步控制系统,倍频电路系统和计算机控制系统。

(4) 机械系统:包括传感器内部各部分之间的连接、调整装置(光栅调节、距离调节部分)。还有三个传感器的连接部分和平移部分等。

软件部分包括:

(1) CCD驱动软件,CCD工作时,需要一系列控制脉冲,这由硬件和软件共同完成。

(2) 传感器与数据采集卡同步工作软件。

(3) 采集卡与计算机通讯软件。

(4) 对辊型检测信号的处理软件。

主要技术指标为:

(1) 测量精度:≤±0.01mm。

(2) 扫描速度:20mm/s。

419. 激光莫尔法的原理是什么?

激光莫尔法首先由日本新日铁(株)生产技术研究所的北村公一等人开发并用于热轧带钢板形测量。激光莫尔法测量原理是利用相同级次的莫尔条纹代表钢板在相同高度的位移,如图3-93所示。受点光源照射,被测带钢上方设置一格栅G,距格栅高L处设置点光源S,这时被测带钢上会留下格栅的影像。若在与点光源S同水平高度距离为d的T点,通过格栅G观察钢板变形后的格栅影像,就可观察到由变形格栅与格栅的空间位置周期变化而产生的莫尔条纹,观察到的这些条纹的级次N,依次为1,2,…,N。

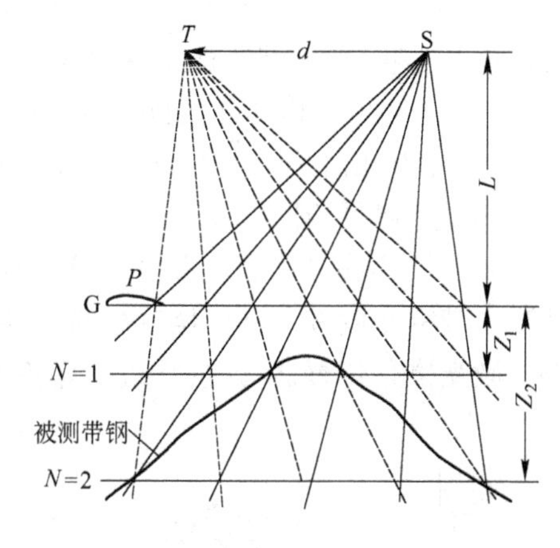

图3-93　激光莫尔法测量原理

格栅由耐热材料制成,宽为2m,长为1m,节距P为1～1.5mm,直线型。格栅置于被测带钢上方1.2m处。为了使亮条纹表示距格栅的等高条件成立,点光源S与观察点T距格栅相等高度是必要的。若Z_N表示被测带钢上亮条纹位置距格栅的距离,则在被测带钢上的第N次亮条纹用下式表示:

$$Z_N = NL/(d/P-N)$$

由上式可知,两亮条纹间隔$\Delta Z_N(=Z_N-Z_{N-1})$随N变化,当测量范围不太大时,ΔZ_N可视为不变。图3-94为实际测量系统,光源是脉冲发光式YAG激光器(532nm),脉冲频率为10Hz,每次发光时间为20ns,发光能量最大为350MJ/P(脉冲)。激光束经扩束后照射耐热(1000℃以上)格栅,产生的莫尔条纹是由带过滤片的电视摄像机拍摄,经录像机存储,再由计算机作数据处理,监视器便于在线观察莫尔条纹。该测量系统在新日铁先后用于热轧薄板和连铸坯,以及热轧厚板的板形测量。经在线实际测量证明,当被测带钢温度高于1000℃时,仍能获得清晰的莫尔条纹图像,采用脉冲发光式YAG激光器作光源,对运动速度在10m/s以上的带钢仍能拍摄到几乎静止的莫尔条纹,并且全部测量结果可覆盖被测带钢的全长。该方法的优点是可以测量运动中带钢的真实形状,缺点是自动检测莫尔条纹级次和提高在线数字图像处理速度比较困难,随着计算机技术的进步,若能开发出在线测量模型,预计这是今后比较理想的板形测量方法之一。

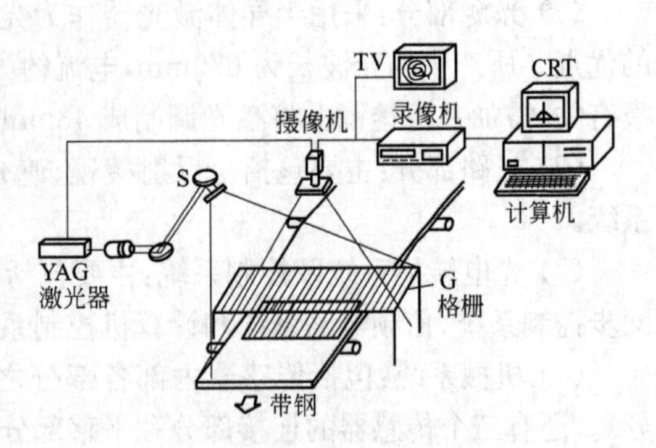

图3-94 激光莫尔法测量系统

420. 激光位移法的测量原理是什么?

激光位移法(三角法)是最常见的激光测位移的方法之一,20世纪70年代用于热轧带钢板形测量,由于这种板形测量方法简单,响应速度快,在线数据处理容易实现,现已广泛用于板形测量领域。激光测位移系统由激光光源(1.13)和接收器(PSD和CCD)两部分组成,如图3-95所示。激光器LD发出的光经透镜L_1汇聚照射在被测带钢表面的点O,其散射光由透镜L_2接收汇聚到线性光电元件(*CCD*)上的点O',O与O'点共轭。当被测带钢表面相对激光器*LD*发生位移X,而使物光点偏离零点O,像光点X'也将产生位移而偏离光电元件的零点(O')。由几何关系可推得$X = aX'/(b\sin\beta + X'\cos\beta)$。实际应用中测量系统结构可能略有不同,但测量原理基本相同。

激光位移法只是测量带钢因浪形而上下摆动的位移量,而要得到对应平直度的参数,需计算出带钢宽度方向不同位置纵向纤维长度差异。因此,通常要沿带钢宽度方向设置三台以上激光位移传感器,并按下式计算各测量点的纤维长度(见图3-96):

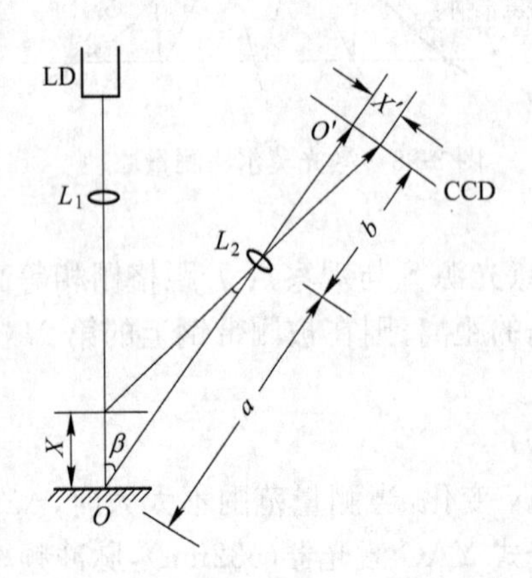

图3-95 激光位移法测量原理图

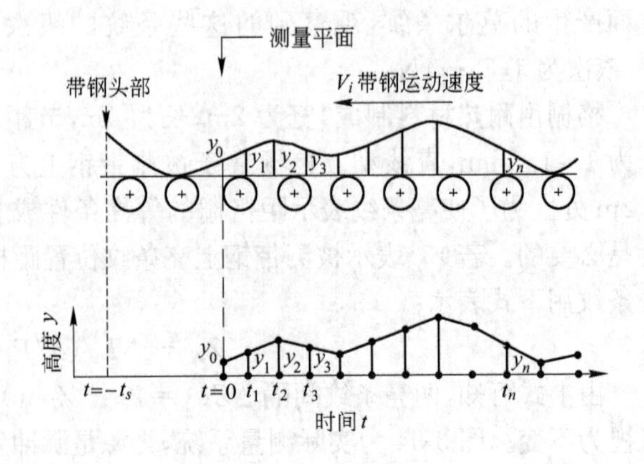

图3-96 激光位移测量示意图

$$L_j=\sum[(y_i-y_{i-1})^2+V_i^{\,2}(t_i-t_{i-1})^2]^{1/2}$$
$$(i=0,1,2,\cdots,n;j=1,2,\cdots,m)$$

考虑平坦的钢板在辊道上传送时，仍会发生摆动与跳动现象，各测量点的纤维长度应以最短的一条为准，即相对延伸差为：

$$\varepsilon=(L_j-L_{\min})\times 105/L_{\min}(\mathrm{I})$$

式中　y_i——第 i 次位移测量值；

V_i——第 i 次测量的 t_i 时刻带钢的运动速度；

ε——相对延伸差；

L_j——沿宽度方向任意测量点带钢纤维长度；

$L_{\min}$——最短纤维长度；

n——一次纤维长度测量周期内对位移测量的次数；

I——不平度的国际标准单位。

421. 激光截光法的测量原理是什么?

激光截光法的原理见图 3-97。处于同一平面内的三束激光斜照射在被测速钢表面，形成沿带钢运动方向分布的三个光斑，沿带钢运动方向相邻两光斑间距为 300～400mm。当带钢因板形缺陷产生浪形时，光斑相对基准位置 A_0、B_0、C_0 发生移动至 A、B、C，A_0、B_0、C_0、θ_1、θ_2、θ_3、L_{12}、L_{23} 可通过标定过程知道，ΔX_1、ΔX_2、ΔX_3 可通过设置在带钢上方的摄像机测量，从而可依下列方程组计算 $\overline{AB}$、$\overline{BC}$ 和 $\overline{AC}$，并直接计算出相对延伸差(平直度)：

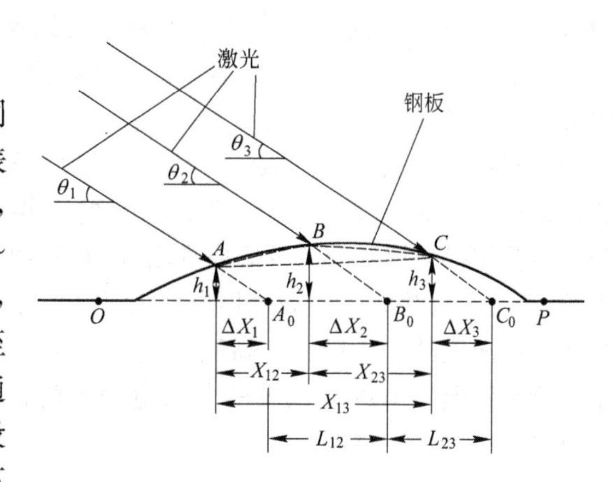

图 3-97　多束激光截光法测量原理图

$$h_1=\Delta X_1\tan\theta_1$$
$$h_2=\Delta X_2\tan\theta_2$$
$$h_3=\Delta X_3\tan\theta_3$$
$$X_{12}=L_{12}+\Delta X_1+\Delta X_2$$
$$X_{23}=L_{23}+\Delta X_2+\Delta X_3$$
$$X_{13}=X_{12}+X_{23}$$
$$\overline{AB}=[X_{12}^2+(h_2-h_1)^2]^{1/2}$$
$$\overline{BC}=[X_{23}^2+(h_3-h_2)^2]^{1/2}$$
$$\overline{AC}=[X_{13}^2+(h_3-h_1)^2]^{1/2}$$

通常相对延伸差 ε_0 可按下式计算，即

$$\varepsilon_0=\frac{OP-\overline{OP}}{OP}\times 10^5$$

考虑到实际需要及测量方便，以近似值 ε 来评价 ε_0，即

$$\varepsilon = \frac{\overline{AB} + \overline{BC} + \overline{AC}}{AC} \times 10^5$$

422. 激光扫描板形仪的测量原理是什么？

由日本住友金属开发的激光扫描板形仪采用 Ar^+ 激光器(4W)作光源，经分光成三束，由转镜变为三束扫描光束，倾斜照射被测带钢的表面，如图 3-98 所示。由设置在被测带钢上方的 TV 摄像机高速同步拍摄(180Hz)激光扫描辉线图像，经图像处理后按上式计算带钢宽度方向各位置的相对延伸差。监视器用于监视激光扫描辉线随带钢板形不良的变化情形，ORT 用于显示测量结果。由于光源采用扫描方式，该系统可测量带钢宽度方向任一位置的相对延伸差(只受 TV 摄像机行数分辨率的限制)，实际测量时可根据需要只计算指定位置(如中心、1/4 处、边部)的相对延伸差。该系统一幅图像测量约需 0.1s，每 0.5s 在 CRT 上显示更新一次计算结果，同时将计算结果输出给上位计算机用于板形控制。

冶金部自动化研究院在综合了激光位移法和激光截光法测量原理优点的基础上开发了多束激光板形仪。测量系统由 7×3 矩阵布置半导体激光光源、黑白 CCD 摄像机、高速图像处理及测量计算机组成，如图 3-99 所示。激光器固定安装，倾斜照射带钢表面，在被测带钢表面形成漫反射光斑组(3 个 1 组)，光斑组的多少依带钢表面宽度规格范围而决定，免去了分光器及扫描转镜使光源更适应现场环境；采用多支小功率(10～15MW)半导体激光器作光源，免去了大功率 Ar^+ 激光器安装调试的麻烦，降低了仪器造价，提高了可靠性。该系统在线测量速度约为 10 次/s，高度测量范围为 −50～150mm，高度测量精度达 ±1mm，适合于被测带钢温度 1000℃以下的薄板宽带钢的板形测量，可以为板形控制提供板形缺陷信号，达到校正板形的目的。

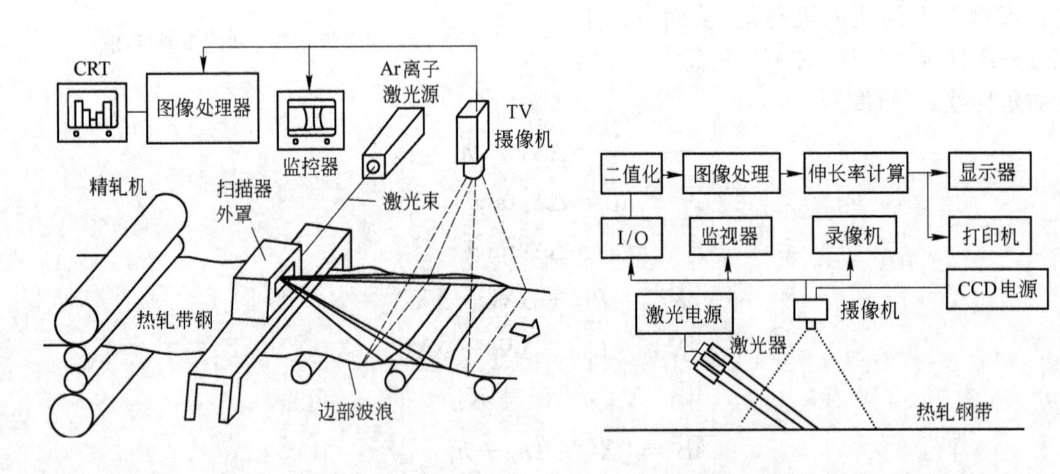

图 3-98 激光扫描板形仪测量原理图

图 3-99 多束激光板形仪测量系统图

该板形仪已从 1997 年 3 月开始应用在攀钢热轧板厂热连轧机组 F_6 机架出口处进行在线测量，运行表明，该系统无机械扫描、无移动部件、故障率低、维修量小。由于测量原理是实时计算相对延伸差，不含时间及运动速度因素，因此，测量与带钢在生产线上的运动状态无关，这样就提高了测量的可靠性。目前板形仪已经成为检验板形调整轧机合理分配压下

量的重要依据。

423. 激光板形测量技术今后发展的趋势是什么？

尽管世界上第一支激光器的诞生迄今为止只有30多年历史，但是人们将激光用于热轧带钢板形的测量却已有20多年了。回顾激光板形测量技术的发展历史，可以得出如下结论：

(1) 采用位移式和截光式的板形测量技术已经获得了广泛应用，可以为板形控制提供有关板形缺陷信号。

(2) 随着光电元件和图像处理技术的进步，低成本、高速度和高精度的激光板形仪将成为今后的研究方向。

(3) 今后应结合板形控制，探讨适合板形控制的板形描述参数定义，并以理论上给出与国际I单位之间的关系。

(4) 应结合板形控制，研究如何标定和评价板形仪测量精度，以便找到更方便实用的标定方法。近10年来国内对激光板形仪的开发研究工作已初见成效，今后更要加大自主开发的力度，尽快开发研制出我们自己新型、高精度的板形检测仪。

424. 钢管涡流探伤新技术的现状如何？

随着现代生产对钢管产品质量要求的不断提高，对产品缺陷的分析检测要求也越来越高，对于钢管生产中常出现的一些产品缺陷，如焊接钢管表面裂纹、未熔焊、暗缝和开口裂纹等轴向缺陷，以及焊管机故障所引起的成段没有焊接的长通伤或缓变伤，无缝钢管的折叠、结疤(表面是条状或块状折叠)、直道(内外表面是纵向凹陷或凸起)、凹坑(压痕)、裂纹、导板划痕、横裂或离层(管壁内的环状分离)等，都需要配备具有良好技术性能的检测设备。

在5种常规无缝钢管探伤检测方法中，涡流NDT方法具有快速、可靠、灵敏、无接触检测以及易于实现自动化等优点，已愈来愈广泛地应用于钢管生产线。

应用涡流检测法探测钢管缺陷已有很长的历史。目前，国内外的涡流检测设备大多已经由仅仅处理缺陷信号的一维参量(幅度)发展到对缺陷信号的二维参量(幅度、相位)进行分析和处理，但在具体探伤中，迄今大多数涡流设备仍难以满足以下要求：

(1) 兼顾长通伤、缓变伤等长缺陷和短小缺陷(如通孔)的可靠检测；

(2) 兼顾钢管内外壁缺陷检测的灵敏度；

(3) 有效地抑制在线、离线检测钢管时的某些干扰信号(如材质不均、晃动)。

另外因涡流仪面板上设置有大量的拨盘、旋钮、开关等，在改变生产规格时，调试很不方便，且操作中易出现人为错误。因此，许多钢管生产厂家都迫切需要更新涡流探伤设备以提高其检测性能。

厦门爱德电子有限公司结合引进的国外先进软、硬件技术，研制开发出EEC系列智能全数字钢管涡流探伤仪，下面就对该系列探伤仪的技术性能及应用情况做简要介绍。

425. EEC-30智能全数字式钢管涡流探伤仪的技术特性是什么？

EEC-30智能全数字式钢管涡流探伤仪的技术特性如下：

(1) 频率范围：32Hz～2MHz(两个通道相对独立可调)；

(2) 增益范围：0～48dB，0.5dB挡；

(3) 快速数字/模拟电子平衡；

(4) 实时阻抗平面图双踪显示和时基扫描显示见图3-100；

(5) 中/英文人机对话，菜单选择；

(6) 可配接耦合间隙要求很低的穿过式探头或小型组合式平面探头以检测钢管表面缺陷；

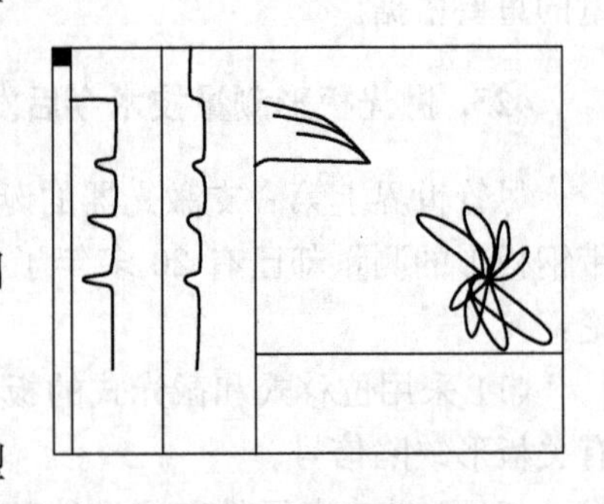

图 3-100　EEC-30智能全数字式钢管涡流探伤仪

(7) 可设置非等幅相位幅度报警线：

CH1：频率—80000Hz	CH1：频率—49382Hz
增益—14.5dB	增益—8.5dB
相位—248°	相位—239°
平衡—单次	平衡—单次
CH2：频率—33333Hz	CH2：频率—33333Hz
增益—27.5dB	增益—4dB
相位—44°	相位—60°
平衡—单次	平衡—连续
场强—40	场强—40
端头延时—240ms，端尾延时—143ms，打标延时—62180ms，总数：32，废品：2	时基速度—1，端头延时—426ms，端尾延时—205ms，打标延时—63990nm，总数：26，废品：1

(8) 具有记忆轨迹自动消隐功能(满足现场观察涡流阻抗平面图的要求)；

(9) A扫描显示，使离线探伤的每根钢管对应于屏幕水平轴的1条检测线，用以方便估算缺陷在整条管子的物理位置；

(10) 打标延时单元可记忆512个损伤信号，延时精度10ms，总长度64s；

(11) 8个硬件报警输出口，方便分选不同缺陷类型的钢管；

(12) 检测总数和缺陷数自动显示；

(13) 可测量存储各种检测程序；

(14) 自动日历时间显示。

图3-101为EEC-30检测仪采用组合平面探头对带长通伤钢管的扫描图形，Y_1 为仪器通道2(具有一般涡流频带特性)检测，仅能获得图形 Y_2 所示的短促报警信号。该信号易使长通伤混为通孔或其他短小缺陷，在缺陷为缓变伤时则可能漏检。

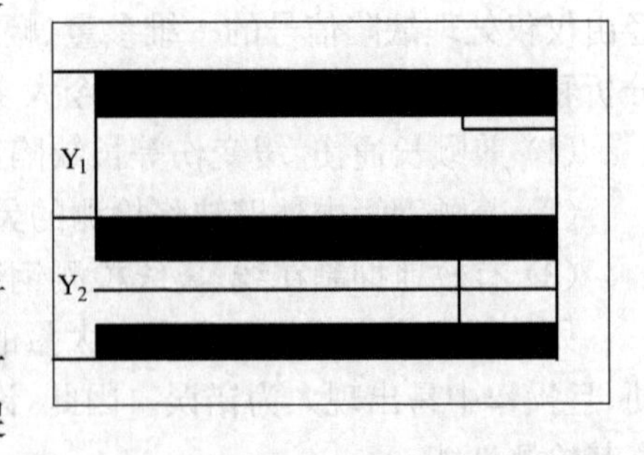

图 3-101　EEC-30钢管涡流探伤扫描图形

426. 石油套管测长称重机组的主要技术性能及测长原理是什么？

机组的主要技术数据如下：

测长范围	4.88～15m
测长精度	±3mm
被测钢管直径	114.3～339.7mm
每支管最大质量	1650kg
测量能力	120 支/h

测量称重机组由对齐、测长、称重、管体压印、接箍压印、喷涂色环和喷字 7 个工位组成，通过横向传送的步进式输送机将套管逐根输送到各个工位。

测长工位测出的套管长度储存在计算机里。当该根套管被送至称重工位时，计算机便根据预先输入的单位长度理论称重，由实测长度自动算出套管的理论重量，并与该工位实测重量进行比较，若超出 API 标准允许的偏差值，计算机自动将其列为废品。当该根套管到达喷字工位时，计算机便将其长度及有关数据和符号自动喷印到套筒的指定部位上。再通过计算机的外围设备实现分捆包扎的清单打印、班生产报表打印。另外通过计算机之间的并网还可实现合同管理。由此可见，在该工位上所测管长有精确度要求。

测长是通过装置粗测和精测长两个环节来完成的，如图 3-102 所示。

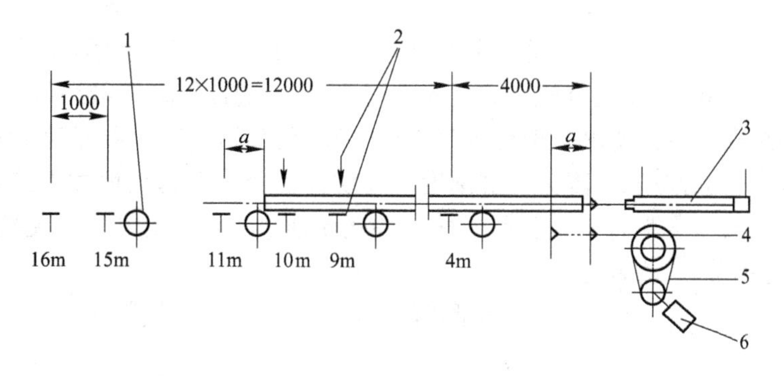

图 3-102　测长原理图

1—阻尼辊；2—光电检测装置(13 副)；3—推送气缸(行程 1070mm)
4—齿轮齿条；5—齿形皮带；6—角度编码器

粗测值：由管体遮盖光电检测装置的光束量来确定。相当于用刻度间隔(即光电检测装置间距)为 1mm 的刻度尺来测量套管长度，刻度尺的原点为气缸的推送头端部。图中套管长度的粗测值为 11m。

精测值：在气缸推送头推动套管移动过程中，测出套管不足 11m 长的精确值(a)。此值由气缸推送头位置检测装置(齿条-齿轮、齿形皮带及角度编码器)精确测出。

将套管粗测长度和精测长度数值输入计算机，并按下式计算出套管的长度(L)：

$$套管长度 = 粗测值 - 精测值$$

即

$$L = 11 - a$$

计算机算出套管长度，并将结果存入计算机内，供后续工位和生产管理使用。

427. 影响测长精度的因素有哪些?

影响粗测值和精测值的各因素均会影响套管测长的实测精度。

(1) 光电检测装置的位置误差(ΔL)。位置误差ΔL将直接影响套管粗测长精度。但该误差为一恒定值,可通过计算机补偿来消除。

(2) 光电检测装置特性差形成的测长误差(Δtv)。光电检测装置从被遮光开始到信号发出的延时t不恒定,延时的最长时间与最短时间之差Δt即为该光电检测装置的时间重复度误差。Δt是一个随机误差,不可能通过计算机补偿来消除。它与推送速度结合起来就形成了精测值的一项重要误差Δtv,即

$$精测值 = a + \Delta tv$$

式中　v——推送速度,m/min。

并且有:

$$L = 11 - (a + \Delta tv) = (11 - a) - \Delta tv$$

从上式可以看出,光电检测装置的特性不合格所引起的测长误差不仅取决于光电检测装置的性能(Δt值的大小),而且与推送速度也有关。另外,在生产中还多次出现套管测量长度比实际长度短几十毫米,甚至一百多毫米的情况,而且数值变化没有规律,但如果将光电检测装置更换合格后,测长精度就恢复正常了。

(3) 气缸推送与套管被推送间的同步误差(Δa)。如图3-102所示,精测值a是将套管被推送过程中,管端刚遮住光电检测装置光束的瞬间,来测量气缸推送头移动的距离作为套管实际移动的距离。要使所测a值能准确地反映套管移动距离,就要求套管在被推送过程中管端始终紧贴气缸推送头,因为气缸速度的波动会使套管在运动惯性的作用下瞬间脱离气缸推送头而超前一段距离Δa,套管的另一端就超前Δa遮住光电检测装置的光束,形成测长误差,即同步误差,此时为:

$$精测值 = a - \Delta a$$

则有:

$$L = 11 - (a - \Delta a) = (11 - a) + \Delta a$$

即所测套管长=实际套管长-同步误差。

同步误差值(Δa)是受气缸及其控制系统、支撑套辊管的多个阻尼辊及其控制系统等多个因素的影响而产生的。测长气动原理如图3-103所示。

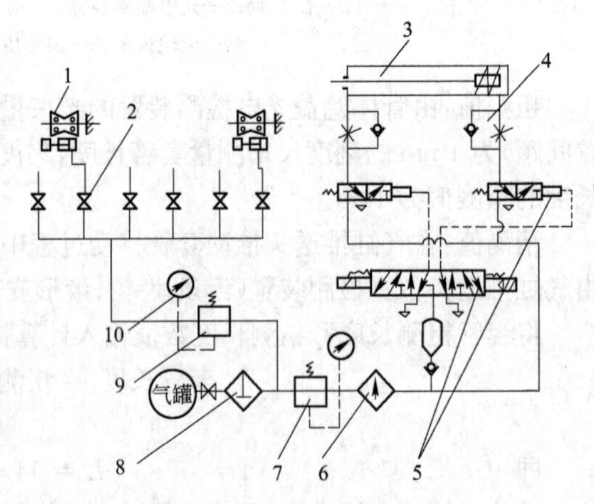

图3-103　测长气动原理

1—阻尼辊;2—闸阀(手动);3—推送气缸;4—单向节流阀;5—换向阀;6—油雾器;7—气缸减压阀;8—气水分离器;9—阻尼辊减压阀;10—压力表

428. 控制测长精度有何措施?

控制测长精度的措施如下:

(1) 光电检测装置位置误差是一项固定误差,可通过计算机的补偿进行消除。本设备采用的计算机补偿范围为99mm。用15m以上长度的钢卷尺对安装位置进行校验,使每个光电检测装置的安装位置误差均小于99mm,发现超差或接近这个数值时,应及时松开支架进行调整,必要时重新

安装调整、校对，直至合格。为确保测长可靠，应当每月对光电检测装置位置的正确性检查1次以上。经正确校正后，该项误差值可视为零。

（2）光电检测装置特性差形成的测长误差（Δtv）。光电检测装置应当定期（半年）送检，备件也要送检（在实验室内用仪表校验），特性合格才能使用。然后按图3-104*a*所示位置调整光电检测装置的安装高度。当被测套管通过光电检测装置时，该装置发射出的光束被套管遮盖，其中大部分被套管表面吸收，少量光线被反射。因此，在安装光电检测装置时，应让光束保持较大的入射角，这样发射的光束经套管表面反射回接收器的干扰光就少，光电管信号转换就准确，重复度误差Δt值也就小。反之则大，如图3-104*b*所示。

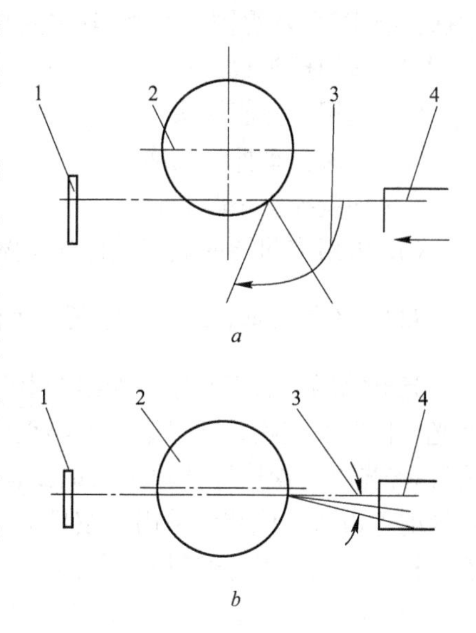

图3-104　光电检测装置安装位置的比较
1—反射镜；2—套管；3—光束入射角；
4—光电检测器（光源＋接收器）

（3）气缸推送与套管被推送之间同步误差（Δa）的控制。加强气缸的油雾润滑和压缩空气管路中的过滤、排水，调整气缸的推送速度，尽可能的避免气缸爬行，同时也要避免因推送速度过快而增加套管的惯性冲量，防止管端脱离推送头产生误差。气缸推送速度的经验数据为$v \leqslant 16\text{m/min}$。

通过调节压缩空气支管道的减压阀压力值，来调节阻尼辊的阻尼力。阻尼力过大会增加推送气缸的负载而导致气缸爬行；阻尼力过小，套管会因惯性运动而脱离气缸推送头导致产生误差（Δa）。因此，在满足阻尼要求的前提下（即管端不因自身惯性而脱离气缸推送头），阻尼力调得低一些为好。

阻尼辊一旦出现不均匀磨损、明显不圆时，应及时全部更换阻尼辊，并重新校正辊子中心的标高和直线度，直到合格。

按以上措施调整，可使气缸趋于平稳、减少爬行，从而减少同步误差。由于气体的可压缩性，气缸在慢速下要获得均匀推送速度的难度较大，尤其是在气缸和阻尼辊道经过长期使用而产生较大磨损时，调整的难度更大。所以同步误差（Δa）在诸项误差中最难控制，在设备使用与维护工作中要特别重视。

（4）推送检测装置自身误差的控制。每年应定期检查，以保证传动装置的运动精度和脉冲发生器符合要求。发现失效的零部件应当及时更换或修复。

429. 提高中厚板超声波在线自动探伤精度的技术措施是什么？

目前，国内绝大多数中厚板厂采用手动方式对产品进行超声波探伤检验。手动探伤不仅劳动强度大，而且难以保证超声波波束100％的覆盖钢板表面，从而会不可避免地产生漏探和误探；而且，手动探伤速度慢，难以适应现代化生产的需求。

柳州钢铁集团公司中板厂，成功地研制出多通道在线自动探伤设备，并采用独特技术，解决了“在高温下不能进行在线超声波探伤”这一困扰国内中厚板在线自动探伤的技术难题，探测厚度可达6～60mm，创造了可观的经济效益和社会效益。其中“中板在线超声波自动探伤技术”已获得国家专利，其主要技术措施如下：

(1) 增加探头数量；

(2) 选用高性能探头；

(3) 增添自动探伤功能；

(4) 加装探头跟踪装置；

(5) 采用多功能的数字式探伤系统。

430. 光电编码器的工作原理在太钢中厚板生产中有何应用?

光电编码器的工作原理如图3-105所示。该装置由安装于旋转轴上刻有光栅的码盘、发光元件以及接收元件等组成。码盘旋转时，接收元件将透过光栅的光信号送至信号处理装置，经光电转换成脉冲输出给记数装置。光电编码器的精度取决于码盘上光栅的通道或圆周的等份数。该装置采用了按日本专利生产的光电编码器，不仅体积小、质量轻、寿命长，而且抗干扰能力强，测量精度高、工作稳定可靠。

光电编码器在圆盘剪、冷矫直机上的应用如图3-106所示。其工作原理是通过齿轮齿条机构将工作机架(如矫直机的上机架或圆盘剪的活动机架)的直线位移转化为圆周运动，经光电编码器进行光电转换，然后将信号直接送往数显表进行显示。操作工可从数显表直接读出圆盘剪开口度或矫直机开口度值，便于操作。

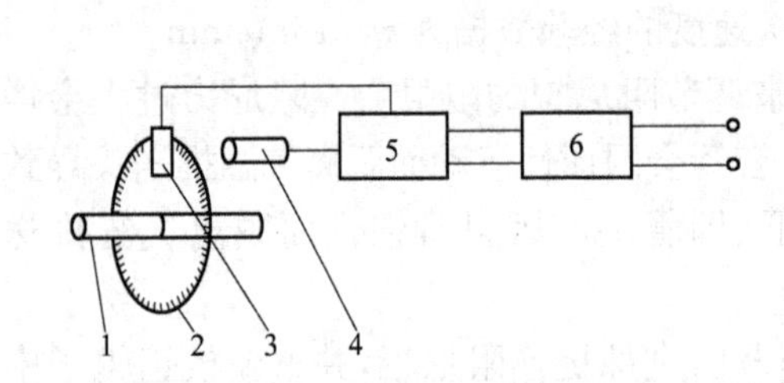

图3-105　光电编码器的工作原理

1—旋转轴；2—光栅盘；3—接收元件；4—发光元件；5—信号处理；6—输出

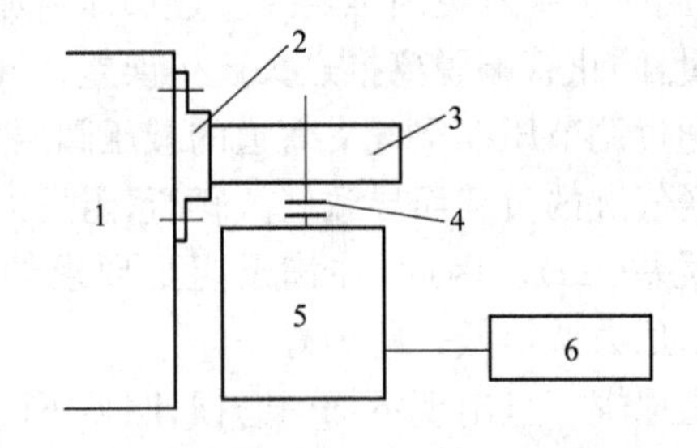

图3-106　圆盘剪与冷矫直机开口度检测装置示意图

1—机身；2—齿条；3—齿轮；4—弹性联轴器；5—编码器；6—数显表

光电编码器在斜刃剪定尺机上的应用如图3-107所示。光电编码器通过弹性联轴器与一个和定尺小车行走齿轮模数相同的齿轮轴连接，该齿轮通过铰链安装于定尺小车的机架上，并利用弹簧压紧装置使其与齿条良好啮合。定尺小车行走时，光电编码器的码盘随齿轮一起转动，将定尺小车行走的距离转换为电脉冲信号输出，该信号经主控制器处理后分别送到定尺剪操纵台、打印台以及生产记录台，通过专用数显装置显示。

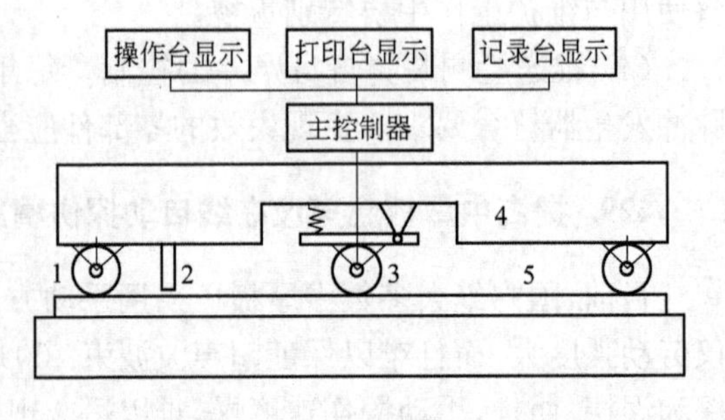

图3-107　定尺检测与多工位显示

1—齿轮；2—定尺挡板；3—检测装置；4—定尺小车；5—齿条

431. 位移检测装置的特点及使用效果如何?

位移检测装置的特点是:

(1) 改变了矫直机、圆盘剪与定尺剪各处位移量的检测方式,消除了测量装置自身结构缺陷带来的误差,并将传统的机械显示改为数字直接显示,操作工可从数显装置上直接读数,方便了操作。

(2) 该装置不仅将检测到的位移量显示在指定工位,而且可以通过单片机控制实现多工位、多块数显示。如打印台可以同时显示当前正在打印的钢板以及定尺剪机后辊道上运行着的两块钢板的长度;记录台可以显示从记录位置到定尺剪之间共5块钢板的长度。从而简化了各工位的操作,减轻了劳动强度,更为重要的是避免了各种错误操作造成的废品。

(3) 操作简单、调整方便、性能稳定可靠,除简便易行的初值设定外,正常工作时不需要任何人工干预。

(4) 采用单片机控制,预留了数据通讯接口为今后工段、全厂甚至整个公司的计算机联网控制创造了条件。

该装置使用效果很好。据统计,由于圆盘剪使用了位移检测装置,自1994年以来,中厚板宽度合格率均为100%,比使用前提高了2个百分点,每年可增收1700余万元;1995年由于浪形判废439t,1996年矫直机使用该装置后,浪形判废降为327t,直接经济效益50多万元;定尺剪自使用该装置后,钢板长度合格率提高1.22%;此外,该装置的使用还提高了操作精度,为节约钢材、降低成本创造了条件,钢板宽度偏差由+(7~10)mm(有时甚至大于10mm),减小到+(3~4)mm,钢板宽度精度大大提高,按24万t/年计算,每年可减少废钢400多吨,增收50多万元。

第四章 小型连轧新技术

432. 为什么说我国建设先进的小型连轧机具有十分重要的意义和紧迫性?

小型型材是钢铁产品的主要品种之一，广泛应用于工业、农业、交通运输业和建筑业。从20世纪70年代初起，世界主要产钢大国就开始减少小型轧机的套数，新建高产优质的新型连续式轧机，淘汰落后的横列式轧机。小型型材的连轧比在美国已达60%以上，在日本则达90%。世界各国近年更是注重研制和使用连铸连轧等新技术和新设备来生产小型钢材。

小型型材在我国国民经济的发展中需求量很大，1997年实际年产量为2044万t，约占钢材产量的25%以上。我国小型轧机的总套数在1350套以上，为世界第一，其中绝大多数为横列式轧机，连续式轧机占的比例较低，至1997年仅有52套，小型连轧比约为40%，在建的连轧机有10套。总体上讲，我国小型型材的生产工艺落后、设备陈旧、产品成本高，因而产品的品种少、质量差、价格高，不适应国民经济的发展需要。

因此，建设新的具有规模效应的先进小型连轧机、提高现有小型连轧机装备水平并使其都达产且充分发挥效益、广泛采用连铸连轧短流程等新技术新工艺，是优化工艺和装备、提高小型型材产品质量、增加和开发小型型材品种、形成小型型材生产的规模经济的必由之路，且具有十分重要的意义和紧迫性。

433. 现代小型轧机的主要特点是什么?

由于机械和电气控制技术的进步，孔型设计的改进，特别是上游连铸技术的进步，小型轧机产生了根本性的变革。现代小型轧机的主要特点是:(1)直接以130mm×130mm～160mm×160mm、重达1.5～2.5t的连铸坯为原料;(2)设备和布置都比以前大大简化，除合金钢小型轧机外，一般小型轧机加热炉前不再需要复杂的坯料检查和修磨设备;(3)一座步进式加热炉与一套轧机相配;(4)轧线主轧机平/立交替布置，全线无扭转轧制，粗轧6架、中轧6架、精轧6架的组合成为普通钢小型轧机的标准布置形式;(5)采用新型轧机，粗轧机多为悬臂式或短应力线式，中轧机则大部分采用高刚度的短应力线轧机;(6) 一般在轧线上设置两台切头飞剪，一台切倍尺飞剪;(7)各架轧机单独传动，采用微张力和无张力轧制;(8)轧线设置有完备的用于低温轧制和控轧控冷的温控设备;(9)曾在20世纪50年代至70年代流行的双面冷床，被一台高效率的单面步进式冷床所代替;(10)除少数合金钢小型轧机外，一般成品的小型轧机已不需要在线探伤和检查设备;在线矫直和在线飞剪定尺剪切的开发成功，一改70年代繁杂庞大的轧材精整系统，使精整线的设备和面积大大减少;(11)高速无扭线材精轧机和斯太尔摩控制冷却工艺的问世，把线材的生产技术推到了一个新的阶段。现在线材轧机的轧制速度提高到120～140m/s，保证速度105m/s，单线产量达40～45万t。为充分利用线材和棒材设备，各自形成一个独立的分支。80年代以后除少量合金钢外，一般为单独的线材或小型车间，线材和小型材的复合轧机已逐渐减少。

434. 小型连轧钢厂综合技术水平发展过程的主要标志是什么?

连续式小型轧钢厂的工艺、机电装备水平在不断发展、提高,新工艺、新技术、新设备层出不穷。目前,连续式小型轧钢工厂综合技术水平已发展到第五代水平。综合技术水平发展过程的主要标志是:

第一代:轧机布置全部为平—平布置,轧机结构为二辊水平牌坊式,成组集体传动,轧件扭转轧制,轧材张力不可控制,轧机主传动和飞剪机传动由水银整流器供电、励磁,电流量控制轧制速度,轧制速度低,产品质量差。

第二代:轧机布置其粗、中轧机组为平—平布置,精轧机组为立—平布置,轧机结构为二辊垂直、水平牌坊式。粗、中轧机组仍为集体传动,轧件扭转轧制,轧件张力不可控制。轧机主传动和飞剪机传动由发电机、电动机组供电、励磁,电流量控制轧制速度,轧制速度低,产品质量有所提高。

第三代:轧机布置全部为立—平布置,轧机结构为二辊垂直、水平牌坊式,粗、中、精轧机组为单独传动,实现全线无扭轧制,精轧无扭无张力轧制。轧机主传动由可控硅供电,并由第1～3代计算机进行控制(模拟量)。精轧速度和产量进一步提高。

第四代:轧机布置全部为平—立布置,粗、中轧机组结构为改进的水平、垂直牌坊式,单独传动,无扭微张力控制轧制。精轧机组为高刚度、高精度的水平、垂直无牌坊式,无扭无张力控制轧制,轧机主传动和飞剪机传动由可控硅供电,并由第4～5代计算机进行控制(全数值),精轧速度为18～20m/s,产品质量高,可稳定地实现负偏差轧制,成材率提高。

第五代:轧机布置全部平—立布置,粗、中、精轧机组结构均为高刚度、高精度无牌坊轧机,类型多样。立辊轧机且可转换成水平轧机。有的精轧机后配有HV二机组定径机。轧机单独传动,轧机主传动和飞剪传动由可控硅供电和控制(全数字),有的采用交交变频调速技术。粗、中轧机组为无扭微张力控制轧制,精轧机组为无扭无张力控制轧制。轧制过程实现温控轧制,在线检测尺寸和缺陷,闭环控制自动调节。全线计算机控制和生产管理。轧制速度22～36m/s,产品尺寸精度高,钢材性能沿长度方向均质化。

435. 小型连轧机的规模和种类如何?

小型材的产品规格并无严格的规定和定义,前几年小型轧机生产圆钢的范围为ϕ10～32mm,现在小型轧机生产的最小规格已可至ϕ6mm;而随着大跨度桥梁和高层建筑对大规格钢筋的需要,小型轧机生产钢筋的上限扩大至ϕ52mm,而合金钢小型轧机产品的上限加大至ϕ75mm,甚至ϕ80mm。淮阴钢厂连续式小型车间的产品规格主要有:ϕ12～60mm的圆钢;ϕ10～50mm的螺纹钢;25mm×5mm～120mm×12mm的扁钢;25mm×5mm～100mm×12mm的等边角钢;45mm×28mm×4mm～100mm×80mm×10mm的不等边角钢;50mm×37mm～126mm×74mm槽钢;13～53mm六角钢;13～50mm方钢;10～126mm工字钢。

小型轧机种类繁多,轧机的类型和布置方式多种多样,当前在运行的主要是:连续式、半连续式和横列式小型轧机,其他如布棋式、串列式、跟踪式小型轧机等已比较少见。

436. 国内外一些典型的小型连轧机主要技术参数是什么?

国内外一些小型连轧机的主要技术参数见表4-1。

表4-1 国内外一些典型的小型连轧机的参数

序号	厂名	投产日期	生产钢种	设计产量/万t·a⁻¹	坯料规格/mm²	产品规格/mm	最高速度/m·s⁻¹	轧制线轧机组成 粗轧	中轧	精轧	冷床(长×宽)/m×m
1	TG棒材车间	1986年	碳素钢	60	185^2	φ4～50	18	6架悬臂式	6架短应力	6架短应力	132×9.55
2	HZ小型车间	1996年	碳素钢	25	120^2,150^2	φ12～40	18	6架闭口式	6架短应力	6架短应力	103×9.5
3	DL经济断面车间	1994年	碳素钢	12	120^2,90^2	φ2～25	8	6架短应力		8架短应力	40×8.8
4	台湾富盛公司棒材车间	1995年	碳素钢	20	120^2,130^2	φ16～38	12	8架闭口式		8架预应力	54×8.5
5	GZ小型车间	1994年	碳素钢、低合金钢	40	150^2	φ12～40	18	7架悬臂式	6架悬臂式	6架短应力	96×8
6	LW小型车间	1994年	碳素钢、低合金钢	60	150^2	φ18～80	15	6架悬臂式	6架短应力	6架短应力	120×14.7
7	CD小型车间	1990年	碳素钢、低合金钢	30	120^2	φ12～40	12	4+6闭口式	4+4二辊闭口	2×4二辊	111×8
8	XJ小型车间	1994年	碳素钢、低合金钢	50	120^2～150^2	φ10～40	18	6架短应力	6架短应力	6架短应力	96×10.7
9	HF小型车间	1994年	碳素钢、低合金钢	50	120^2～150^2	φ10～40	18	6架悬臂式	6架短应力	6架短应力	96×10.7
10	SD小型车间	1980年	碳素钢	50	120^2	φ10～35	16	9架二辊平立		8架立平	121×5.2
11	WS棒材车间	1997年	合金钢	20	150^2,200^2	φ12～75	14	6架短应力	6架短应力	12架短应力	78×10
12	意大利奥里·马丁公司(Ori Martin)	1993年	合金钢	40	130^2～160^2	φ13～40	18	7架悬臂式	12架悬臂式	2架短应力	52×10
13	新加坡国家钢公司	1998年	碳素钢、不锈钢	35	140^2～160^2	φ16～50	16.0	6架悬臂式	6架短应力	6架短应力	96×10.7
14	埃及巴拉卡钢铁公司(AL Barakaz)	1994年	碳素钢	30	180^2～140^2	φ8～25	14.0	6架短应力	6架短应力	6架短应力	54×7
15	S1小型车间	1988年	碳素钢、低合金钢	50	100^2～180^2	φ8～25	14.0	6架水平	6架短应力	6架短应力	54×7
16	BG小型厂	1988年	碳素钢	30	90^2	φ12～20	15	7架二辊水平	4架二辊水平	6架立平	120×12
17	ZJG小型车间	1991年	碳素钢、低合金钢	25	110^2	φ10～40	15	6架二辊闭口	6架二辊应力	6架短应力	78×7.1
18	LY小型车间	1992年	碳素钢、低合金钢	20	140^2	φ8～32	13.7	7架二辊闭口	5架二辊闭口	5架闭口式	66×10

表 4-2　国内外一些典型的半连续式小型车间的参数

序号	厂　名	投产日期	生产钢种	设计产量/万 $t \cdot a^{-1}$	坯料规格/mm^2	产品规格/mm	最高速度/$m \cdot s^{-1}$	轧制线轧机组成			冷床（长×宽）/m×m
								粗　轧	中　轧	精　轧	
1	SH 棒材车间	1992 年	合金钢	30	$160^2, 180^2$	$\phi 12 \sim 40$	16.2	1 架三辊式	4 架预应力	12 架预应力	
2	JY 小型车间	1995 年	碳素钢	20	225×175	$\phi 20 \sim 65$	10	1 架三辊式	6 架闭口式	4 架闭口式	42×7
3	HG1 小型车间	1996 年	碳素钢	30	225×175	$\phi 14 \sim 40$	14	3 架三辊式	6 架预应力	6 架预应力	
4	HD2762 厂	1994 年	碳素钢	15	$120^2, 130^2$	$\phi 16 \sim 38$	12	8 架闭口		8 架预应力	
5	CZ 小型车间	1989 年	碳素钢	18	120^2	$\phi 6 \sim 16$	15	3 架三辊式	10 架闭口式	10 架悬臂	54×7
6	AY 小型车间	1986 年	碳素钢	20	120^2	$\phi 12 \sim 25$	17	3 架二辊闭口	8 架闭口	4 架二辊闭口	66×6
7	GY 小型车间	1989 年	合金钢	15	130^2	$\phi 14 \sim 40$	14	2 架三辊式	4 架预应力	8 架预应力	42×7
8	DL 小型车间	1991 年	碳素钢	14	$90^2 \sim 120^2$	$\phi 10 \sim 20$		3 架三辊式 2 架二辊式	4+4 二辊	6+4 架	45

437. 国内外一些典型半连续式小型车间主要技术参数是什么？

国内外一些半连续式小型车间的主要技术参数见表4-2。

438. 碳素钢小型轧机有哪些新工艺和新设备？

(1) 直接使用连铸坯；
(2) 采用步进式加热炉；
(3) 连铸坯热装热送；
(4) 高压水除鳞；
(5) 低温轧制和控制轧制；
(6) 切分轧制；
(7) 棒材轧后热芯回火(TEMPCORE)工艺；
(8) 在线尺寸检测；
(9) 在线多条矫直和飞剪定尺剪切；
(10) 自动堆垛机。

439. 合金钢小型轧机有哪些新工艺和新装备？

(1) 全连续化的轧制；
(2) 连铸化的坯料；
(3) 直接热送热装；
(4) 坯料的检查和修磨；
(5) 脱头轧制；
(6) 在线温度控制；
(7) 高精度轧机；
(8) 大盘卷生产；
(9) 热处理和精整；
(10) 长条产品的深加工。

440. 怎样选择原料规格？

正确地选择原料规格是确保轧机高产、优质、低消耗的先决条件。原料断面尺寸过大，会造成轧制道次增多，使轧制温度下降太多，影响对成品尺寸公差的控制，增加热轧废品；若原料尺寸太小，则造成轧机小时产量降低，设备能力浪费，所以根据既定产品正确地选择原料规格具有重要意义。

选择的方法是：首先根据轧机布置等具体条件确定轧制道次，然后再根据成品规格和平均延伸系数的经验值求原料断面尺寸。

因为平均延伸系数($\mu_{平均}$)等于总延伸系数($\mu_{总}$)开n次方(n为轧制道次)，即

$$\mu_{平均}=\sqrt[n]{\mu_{总}}$$

而总延伸系数等于原料断面面积(A)与成品断面面积(a)的比值，即

$$\mu_{总} = \frac{A}{a}$$

所以原料断面面积等于成品断面面积与平均延伸系数的 n 次方的乘积，即

$$A = a\mu_{平均}^{n}$$

若选择方钢为原料，则 A 是钢坯边长的平方。

441. 为什么要对原料表面进行清理？

钢材的原料表面经常有各种缺陷，如裂纹、结疤、重皮、皮下气泡、耳子、折叠等。这些缺陷，经加热和轧制后，小部分可能得到改善甚至消除，但大部分缺陷不仅不能消除反而扩展得更为严重，甚至使产品成为次品或废品。因此，为了保证成品质量，一般在加热前都要对坯料表面缺陷进行清理。

钢材的使用条件不同，对坯料表面的质量要求也不同。有的产品要求对原料表面的所有缺陷都必须进行严格的清理；有的则可根据原料表面缺陷的具体情况决定是否清理和怎样清理。

442. 钢的加热工艺制度包括哪些内容？

加热工艺制度包括加热时间、加热温度、加热速度和温度制度。由于钢种不同、化学成分不同、技术特性不同，质量检验标准不同，所以加热工艺制度亦不同。

加热温度是钢坯的出炉温度，钢坯的加热温度沿断面及长度应保证均匀。加热速度是指钢在单位时间内的温度变化。温度制度是指加热金属时，炉温随时间变化的情况。

加热工艺制度应满足以下几点要求：

(1) 必须根据各钢种的性能、断面尺寸大小、形状以及具体加热条件，制订合理的加热工艺。

(2) 钢的加热温度严格地控制在规定范围内。

(3) 加热终了钢温必须均匀。

(4) 防止产生加热缺陷。

443. 怎样确定钢坯的断面尺寸和长度？

钢坯断面尺寸的确定除考虑轧件要有足够的变形量以满足成品的质量要求外，还应考虑轧辊强度和轧制时咬入条件的限制。

变形量的大小对产品性能有很大影响。变形量不足会使金属内部组织和性能达不到质量要求。如高速钢必须有足够的变形量，其网状碳化物才能破碎。但是，在辊径和压下量一定的条件下，若坯料断面尺寸过大，不仅可能发生因变形不渗透而产生的轧件表面变形，而且还会发生断辊、咬入轧件困难等情况。一般坯料高度与轧辊直径有如下关系：

$$H/D \leqslant 0.49$$

式中　H——坯料高度；

　　　D——轧辊工作直径。

上式给出的数据就是从保证轧辊强度和咬入条件出发决定坯料断面尺寸的重要参数。

坯料长度主要是受最后一道的允许轧制时间和定尺倍数的限制。但在其他条件一定时，坯料长度主要受加热炉宽度的限制。加热过程中坯料过长容易刮撞炉墙，坯料过短炉子

生产能力下降。通常坯料长度用下式确定：

单排加热　　$L=B-(400\sim500)$

双排加热　　$L=\frac{1}{2}[B-(400\sim500)]$

式中　L——坯料长度，mm；

B——加热炉有效宽度，mm。

此外，坯料长度的确定还要考虑输送辊道辊距的大小（坯料长度应大于辊距的两倍）和设备间距离的长短。

444. 采用直接热装工艺有什么优点？

（1）减少加热炉燃料消耗，提高加热炉产量。可降低燃料消耗40％～67％，若热装温度为900～600℃；按热装温度高低可节约0.8～0.4GJ/t，加热炉产量可提高20％～30％。

（2）减少加热时间，减少金属消耗，一般可比冷装减少0.3％的金属损耗。

（3）减少库存钢坯量、厂房面积和起重设备，减少人员，降低建设投资和生产成本。

（4）缩短生产周期，从接受订单到向用户交货可以缩短到几个小时。

因此，这项技术在小型棒材轧机和线材轧机，在碳素钢厂和特殊钢厂均得到了广泛应用。而对特殊钢厂由于可省去大量钢坯清理工作和缓冷设施，优点更为明显。

除上述直接热装工艺外，有的厂由于轧钢车间距连铸车间较远，只能采用从连铸车间用保温车热送钢坯的方法。这种生产方式，由于不是直接连接，热送温度无保证，经常波动，一般还需设保温坑，热装效果显然不如直接热装。

轧机与连铸机的紧密衔接和热装，使轧钢车间的生产管理概念产生了革命性的变化。在以往的传统冷装工艺中，轧钢车间是按规格来组织生产的，即每一直径的产品都有不同钢种的坯料编成一组，装入加热炉而后进行轧制，这样可以充分利用轧槽。而在热装工艺中生产计划是根据生产的钢种进行安排的，一个钢种的每一个浇铸单元最低为一炉钢，而大多数情况下均多于一炉，这批钢坯就不是仅轧制一个规格而是要轧制多个规格，因此轧机必须多次换辊。尤其是特殊钢厂订货批量较小，更需频繁换辊。以现在的生产水平每一炉钢轧制2～3个规格是可以达到的，要生产3个以上的规格，由于换轧槽过于频繁，生产组织有相当的难度。

445. 采用热装的条件是什么？

采用热装的条件是：

（1）炼钢车间应具备必要的设备和技术，以保证生产出无缺陷连铸坯和生产过程的稳定均衡。这些设备和技术包括炉外精炼、无渣出钢、吹氩搅拌、喂丝微调成分、插入式水口、气封中间包、保护浇铸、结晶器液面控制、电磁搅拌、气雾冷却、多点矫直等，特殊钢生产还应具有真空脱气、软压下等技术。不合格坯均在炼钢车间剔出处理。

用铝镇静的钢，连铸坯中氮化铝在热装温度范围沿晶界析出，在轧制过程中就会产生表面裂纹。为解决此问题，一个有效的方法是在连铸机的出口处设置水冷淬火装置，将连铸坯表面迅速冷却到550℃左右，形成一定深度的表面淬硬层，从而避免氮化铝在表面析出。

（2）炼钢连铸车间与轧钢车间应按统一的生产计划组织生产，并尽可能统一安排计划检修。

(3) 连铸机与轧机小时产量应匹配得当，若轧机小时产量小于连铸机最大小时产量（不考虑连铸机准备时间），则将有许多热坯不能进入轧机而必须脱离轧线变成冷坯；若轧机设计能力大于连铸机最大小时产量则轧机能力将不能发挥造成浪费，故原则上轧机小时产量应与连铸机最大小时产量平衡，轧机设计时应力求各规格产品的小时产量尽量接近。

(4) 为充分发挥热装效果，希望即使在轧机短时停轧（换辊、换轧槽）时也不产生冷坯离线，故在装炉辊道与加热炉之间应设缓冲区，以暂时储存钢坯。为了在重新开轧后能吸收掉积存的热坯，轧机（包括加热炉）最大小时产量应高于连铸机最大小时产量20%～25%。

(5) 加热炉应能灵活调节燃烧系统，以适应经常波动的轧机小时产量以及热坯与冷坯之间的经常转换。

(6) 轧机应有合理的孔型设计，采用共用孔型系统以减少换辊次数。为尽量缩短因换辊、换槽等引起的短时停车时间，应采用快速换辊装置、轧辊导卫预调、导卫快速定位技术等。

(7) 应设置完善的计算机系统，在炼钢连铸机与轧钢车间之间进行控制和协调。

446. 热装工艺有哪几种方式？

(1) 正常热装。正常轧制状态下，热连铸坯自连铸机冷床处用取料机逐根取出放到单根坯运输辊道上，再由此辊道送到加热炉附近，在此进行测长并剔出不合格坯，合格坯提升后落入装料辊道，称重后装入加热炉加热，并随后送入轧机轧制。

(2) 间接热装。若轧机短时停轧（换辊、换轧槽、一般事故），热连铸坯则从另一组多排料的输送辊道送入缓冲保温室暂存，并由保温室中的移送机将坯料移向保温室出口附近。当轧机重新运转后，暂存的热连铸坯从其输出辊道逐根送出，经测长、提升、称重后入炉。同时从连铸机冷床来的热连铸坯也沿同一辊道送入加热炉。此时加热炉和轧机将以较高的小时能力生产，直至缓冲保温室内积存的坯料完全出空。此时轧机又恢复到正常轧制状态。由于热坯不是直接从连铸机而是经由保温室进入加热炉，故称之为间接热装。

(3) 冷装。从连铸机甩下的冷坯及清理后的连铸坯，用吊车从坯料堆存场地成排吊到冷装台架上，钢坯到达台架端部时，逐根被拨入运输辊道，然后测长、提升、称重入炉。

(4) 混合热装。当某些规格需要轧机小时产量大于连铸机的小时产量时，可采取混合热装方式操作。其过程如下：

从连铸机送来的热坯沿多根坯运输辊道进入缓冲保温室暂存，同时将冷坯装入加热炉，并按要求的小时产量进行轧制。当缓冲保温室已存满钢坯时停止上冷坯，改由缓冲保温室和连铸机共同向轧机加热炉供热坯，此时的轧机小时产量就可高于连铸机的产量。当缓冲保温室内的热坯出空时，热坯又转向缓冲保温室暂存，同时改用冷坯装炉。

(5) 延迟热装。如前所述，某些钢种为防止采用热装时在轧制后出现表面裂纹，需将连铸坯从900℃左右再装炉，这种热装工艺称为延迟热装。

447. 特钢合金钢棒材车间热装热送的主要设备组成有哪些？

其主要设备组成为：

(1) 一座100t超高功率直流电炉，平均出钢时间57～62min。

(2) 一座100t钢包精炼炉。

(3) 一台5流方坯连铸机，方坯尺寸135mm×135mm、150mm×150mm、195mm×195mm，

预留 220mm×280mm、240mm×280mm、195mm× 230mm、280mm× 300mm，长 8～11.8m。

（4）一座步进式加热炉，小时产量 180t/h。

（5）一套越野式大中型轧机，粗轧 ϕ810mm 二辊可逆式，中轧 ϕ810mm 二辊可逆式，精轧 ϕ670mm 二辊不可逆式，最大轧速 3.0m/s。

连铸—轧机区的设备布置示意图见图 4-1。

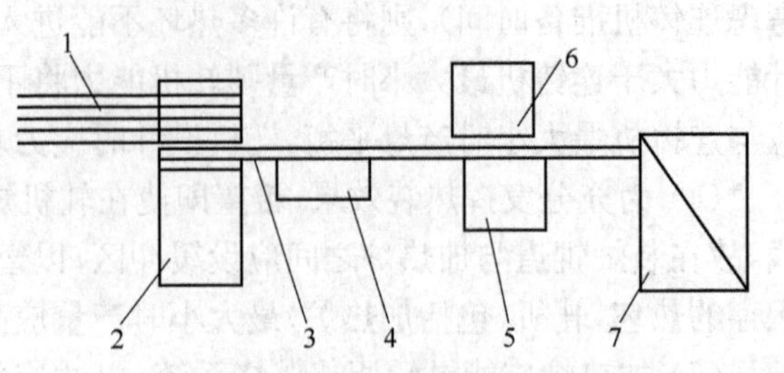

图 4-1　某合金棒材车间热装工艺布置图
1—连铸机；2—冷床；3—运输辊道；4—缓冲台架；
5、6—冷上料台架；7—加热炉

此系统中也设有不保温的缓冲台架，并设有两个冷上料台架，因连铸机和轧机均布置在地坪上，故无提升机。

448. 小型车间热装热送的主要设备有哪些？

电炉短流程钢厂的小型车间，年产钢产量 42 万 t，年产 ϕ12～60mm 棒材和工、槽、角钢 40 万 t。生产钢种为碳结钢、优碳钢、低合金钢、合结钢。其主要设备组成为：

（1）一座 70t 超高功率交流电炉。

（2）一座 70t 钢包精炼炉。

（3）一台 5 流方坯连铸机，钢坯尺寸为 100mm×100mm～150mm×150mm，长 12m，最大单重 2100kg。

（4）一座步进梁式加热炉，冷装小时产量 100t/h，热装小时产量 120t/h，燃料为重油。

（5）一套连续式棒材轧机，共 18 个机架，平立交替布置，并有 4 架平/立可转换机架，最大轧制速度 18m/s。

连铸—轧机区的设备布置如图 4-2 所示。

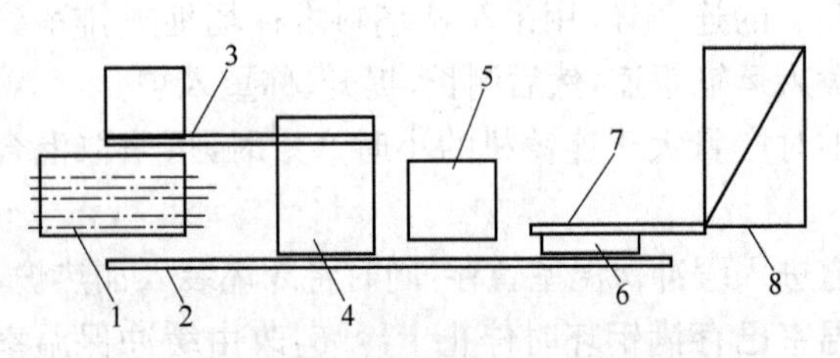

图 4-2　某小型车间热送工艺布置
1—冷床；2—单根坯输送辊道；3—多排坯输送辊道；
4—缓冲保温室；5—冷装上料台架；6—提升装置；
7—入炉辊道；8—加热炉

在此系统中，正常情况下热坯由连铸机冷床取出放入单根坯输送辊道并向前输送，提升后经入炉辊道进入加热炉。轧机换辊或发生事故时热坯则从多根坯输送辊道送入缓冲保温室暂存，换辊或事故结束后，热坯从缓冲保温室送入单根坯输送辊道再送入加热炉。这种布置的优点是热坯先进先出，入炉温度一致。

449. 怎样确定钢的加热温度范围？

加热温度范围是指从钢的允许最高加热温度到允许最低加热温度。由于各种钢的成分和组织不同，所以其加热温度范围也不同。

根据钢在加热过程中的组织变化，碳钢最合适的温度范围是单相奥氏体区内，其中亚共析钢的加热温度范围是在铁碳图中 Ac_3 以上 30～50℃与固相线 NJE 以下 100～150℃之间，一般在800～1350℃之间，过共析钢的最高加热温度应比 JE 线低50～100℃。最高温度的确定主要应考虑防止过热、过烧。因为钢的含碳量越高，越容易过烧，所以随着碳含量的增加最高加热温度下降，如表4-3所示。

表4-3　钢的加热温度表

钢　种	允许最高加热温度/℃	理论过烧温度/℃	钢　种	允许最高加热温度/℃	理论过烧温度/℃
碳钢 w(C)=1.5%	1050	1140	镍钢 w(Ni)=3%	1250	1370
w(C)=1.1%	1080	1180	w(Ni)=8%	1250	1370
w(C)=0.9%	1120	1220	铬锰钢	1250	1350
w(C)=0.9%	1180	1280	高速工具钢	1280	1380
w(C)=0.5%	1250	1350	奥氏体铬镍钢	1300	1420
w(C)=0.2%	1320	1470	铬铝钢、铬钼铝钢	1160	1220
w(C)=0.1%	1350	1490	含铬钢	1050	1090
硅锰弹簧钢	1250	1350			

合金钢的加热温度范围受合金元素的影响，因为合金元素加入钢中，有的形成了合金碳化物（如VC、WC、MoC、Cr_7C_3 等），提高了钢的熔点，有的扩大了奥氏体区，提高固相线；有的缩小奥氏体区，使固溶体的熔点改变。

钢的加热温度范围的确定除考虑化学成分和组织状态外，还必须考虑以下几点：

（1）钢的组织缺陷对加热温度的影响，例如为了消除钢锭的铸造组织偏析，可适当提高加热温度。

（2）终轧温度对加热温度的影响。亚共析钢的终轧温度不能低于 Ar_3，否则轧制过程中析出的铁素体形成带状，降低成品性能。过共析钢的终轧温度如果高于 Ar_{cm} 线，轧后会析出二次渗碳体，形成渗碳体网状组织，从而使力学性能下降。

（3）氧化和脱磷对加热温度的影响。

（4）断面尺寸大小、道次多少对加热温度的影响。一般断面尺寸大、道次多需要相应地提高加热温度，反之则应降低一些。

（5）轧制工艺对加热温度的影响。

影响加热问题的因素很多，有些是相互矛盾的，因此必须根据具体情况，抓住主要因素合理确定加热温度。

450. 怎样确定钢的加热速度？

从提高产量出发，加热速度愈快愈好。加热速度愈快，加热时间就愈短，炉子生产率就愈高，燃料消耗也相应减少。但加热速度不能任意提高，它主要受钢的允许温差的限制。一般情况下把700～800℃以下的加热阶段叫低温加热阶段或预热阶段。钢在低温加热阶段的特点是钢温低、塑性差，钢的内外温差大，在此阶段末期钢发生组织转变。这时钢的温度应力和组织应力大，当应力超过抗拉强度时，钢就会产生裂纹。因此，低温加热阶段的加热速度不宜太快，特别是大断面钢锭和塑性差、导热性不好的钢，其加热速度更不能快，以免产生各种加热缺陷。

当钢加热到700～800℃时，一方面钢的塑性显著增加，某些导热性差的钢种，其导热性也有一定改善；另一方面钢温升高使氧化脱碳速度增加，这个阶段的加热时间愈短愈好。因此，这时应采用快速加热。这个阶段称加热阶段。

当钢的表面刚刚加热至要求温度时，其中心温度一般还未达到要求，特别是加热大断面钢坯时，内外温差更大。因此，为了使钢温均匀，当钢坯表面加热到要求温度后，还应继续保温一定时间，这个阶段又称为均热阶段。

451. 怎样确定钢的加热时间？

加热时间是指把钢加热到工艺要求温度（包括均热）需要的总时间。它受钢种、钢坯形状和尺寸、炉内布料方式、炉形结构、供热能力；加热速度等许多因素影响。确定加热时间要考虑加热的均匀性，保证钢在加热过程中消除或减轻铸锭造成的部分组织缺陷，尽可能减少氧化和脱碳，防止产生过热过烧等缺陷。

目前确定加热时间的方法有理论计算和根据实际资料用经验公式确定两种。在生产现场大都采用后一种方法确定加热时间。

钢在连续式加热炉内的加热时间用下式计算：

$$t_{总} = (7 + 0.05S)$$

式中　S——钢的厚度，cm。

上式适用于碳钢坯两面加热。

钢的加热时间也可以按加热单位厚度金属所需时间的经验数据进行估算，即

$$t_{总} = cS$$

式中　c——系数，当加热低碳钢和低合金钢时，c 为 0.1～0.5；当加热中碳钢和一般的高碳合金结构钢时，c 为 0.15～0.20；当加热高合金钢和各种工具钢时，c 为 0.3～0.4。

452. 怎样确定加热炉的温度制度？

加热炉的温度制度是指钢在加热炉内加热时炉温随时间变化情况。对于连续式和步进式加热炉来说，就是炉温沿炉长的变化情况。

由于坯料的钢种、断面尺寸、装炉温度及轧制工艺不同，采用的温度制度也不同，目前应用的温度制度有一段式、二段式、三段式和多段式等。

一段式温度制度就是把钢放在恒温炉加热。钢的表面和中心温度逐渐升到所要求的温度。其优点是加热速度快、加热时间短，炉子可以获得很高的生产率。缺点是不适用于导热性差、低塑性的钢种和断面尺寸大的钢坯。

二段式温度制度是钢先后在两个不同的温度区域内加热或者说先后以两个不同的加热速度进行加热。根据具体情况，二段式加热可以由加热期和均热期组成，也可以由预热期和加热期组成。前者适用于导热性较好、断面较大的钢坯，后者适用于导热性较差、断面较小的低塑性或中等塑性钢坯。

三段式温度制度是以三种不同加热速度进行加热。这种温度制度由预热期、加热期、均热期组成。其优点是预热期的加热速度慢、温度应力小、炉尾温度低、燃料消耗低。加热期的加热速度快，可以减轻氧化和脱碳，提高炉子产量。在均热期，钢表面温度几乎不上升，可以长时间保温，以便消除或减轻钢的显微组织缺陷，并保证加热温度均匀。这种温度制度适

合于加热各种钢，尤其适合于加热大断面、低塑性的合金钢。

453. 怎样计算加热炉的产量？

加热炉的生产率就是单位时间内的出钢量。加热炉生产率有很多种表示方法，如小时产量(t/h)、班产量(t/班)、日产量(t/d)等。它的计算式为：

$$G = \frac{N}{t}$$

式中　G——加热炉的生产率，t/h；

N——炉子容量，即加热炉内容纳的金属质量，t；

t——加热时间，h。

为了比较不同加热炉能力的大小，生产工程设计采用的生产率指标以单位有效炉底面积每小时的产钢量(或称有效炉底强度、炉底应力等)表示，它的含义是每平方米钢料覆盖的炉底面积的每小时产钢量，计算公式为：

$$p_{炉} = \frac{G \times 1000}{8F}$$

式中　$p_{炉}$——炉底强度，kg/(m^2·h)；

G——8h(班)的总产量，t；

F——有效炉底面积，m^2。

454. 怎样用肉眼判断钢的加热温度？

正确地确定钢的加热温度，对于保证产品的质量和产量有很重要的意义。一般可通过仪表测量出钢温和炉温，但是仪表所指示出的温度是炉内几个测温点的温度，有一定的局限性。加热工人必须学会用肉眼观察钢的加热温度，以便结合仪表测量更正确地调整炉温。

实践证明，通过观察火焰颜色、钢的颜色和加热炉内各段炉墙的颜色，能够准确地判断出实际钢温。表 4-4 列出了钢在加热时的火色(受热物体的发光亮点)与实际温度的关系。

表 4-4　钢的表面温度与火色的对应关系

火　色	温度/℃	火　色	温度/℃
暗红色	550～600	淡黄色	1000～1100
红　色	700～800	白　色	1200～1350
橘红色	850～900	白亮刺眼	1400 以上

在实际生产中，加热工人还应当经常检查钢料是否烧透。一般钢料内部(指钢与钢之间的缝隙)的温度与钢料两端的温度相同时，说明钢料本身温度已经比较均匀；若端部温度高于内部温度，说明钢料尚未烧透还须加热；若内部温度高于端部温度，则说明炉温有所降低，此时须警惕发生粘钢现象。

455. 怎样提高加热炉的加热效率？

加热炉的热效率是衡量炉子工作好坏的重要指标。提高加热炉的热效率是降低炉子燃料消耗的重要途径。加热炉的热效率以加热金属的有效热量占炉内燃料燃烧放出热量的百分数来表示。热效率高表明炉子的热能利用情况好。轧钢生产常用工业炉的热效率 η 炉大致如下：

连续式加热炉	0.3～0.6
均热炉	0.2～0.3
室状炉	0.1～0.15
室状热处理炉	0.15～0.2

在实际生产中，影响炉子热效率的因素很多，如炉子产量、燃料种类、燃烧设备、燃料和空气的预热情况、废气排出量和出炉温度、炉子冷却及散热状况等。因此，要提高炉子热效率必须根据炉子的具体情况，针对影响炉子热效率的主要因素，采取有效措施。从分析炉子热平衡出发提出提高炉子热效率的主要措施有：

(1) 减少烟气从炉膛带走的热量，如安装预热器、预热空气或者煤气。

(2) 减少炉子冷却件带走的热量，如采用无水冷滑道、炉底筋管应用可塑料包扎等。

(3) 减少化学和机械不完全燃烧，如保证足够的空气，使燃料能充分燃烧，燃煤加热炉采取勤加煤、少加煤等措施。

(4) 减少炉墙传导散热和炉门开关的辐射散热，如采取炉墙绝热、减少炉门开启次数、防止和减少冷空气吹入等。

(5) 提高炉子的生产率。

456. 怎样计算炉内燃料的需要量？

首先找出在要求温度下钢的比热容（即单位质量金属温度变化1℃所需要的热量），再按下式求出钢的热含量：

$$Q_t = c_t \Delta t$$

式中　Q_t——热含量，kJ/kg；

c_t——t 度时钢的比热容，kJ/(kg・℃)；

Δt——加热产生的温度变化，℃。

然后，找出炉内热效率。所谓炉内热效率是指燃料在炉内所放出的全部热量中有多少被钢料吸收。根据热效率定义，即钢料所吸收的热量占全部燃烧热量的百分比。

炉内热效率的关系式可写为：

$$\eta_{炉} = \frac{Q_m}{Q_k}$$

式中　$\eta_{炉}$——热效率，%；

Q_m——金属吸热量，kJ/kg；

Q_k——燃料发热值。

炉内热效率的计算方法比较繁琐，经实测一般轧钢厂加热炉的热效率为30%～40%，半数以上的热量损失掉了，其中废气带走热量最多，约占40%左右。

457. 什么叫过热、过烧，产生过热、过烧的原因是什么？

过热就是当加热温度超过 Ac_3 时，钢的晶粒过度长大，从而引起晶粒间的结合力减弱，钢材的力学性能恶化的现象。晶粒长大程度与加热温度和加热时间有关。加热温度越高，停留时间越长，晶粒长的越大。当加热接近固相线时晶粒迅速长大而产生过热。过热的钢材在断口上呈现粗糙的颗粒。产生过热的原因有：

（1）钢的加热段的温度过高，在均热段保温时间过长。

（2）钢的化学成分影响钢的过热敏感性，如锰元素使钢过热倾向性增大；铝元素增加钢的过热敏感性尤为突出；钨、钼元素促使钢的晶粒长大；而硅的作用相反，促使晶粒细化。常见的几种典型钢种的过热温度为：

碳钢（$w(C)=0.12\%$）	1250℃
碳钢（$w(C)=0.50\%$）	1150℃
铬钢（20Cr）	1200℃
铬钢（40Cr）	1150～1200℃
铬镍钢（20CrNi3A）	1150℃
铬镍钨钢（18Cr2Ni4WA）	1200℃
铬钼铝钢（38CrMoAlA）	1050℃

过热的钢锭或钢坯可以经过退火加以挽救，使之恢复到原来状态，但这样做严重地影响加热炉的产量，并增加燃料和人力的消耗，因此加热过程中，应尽量避免发生过热。

过烧就是当钢在高温下，在强烈氧化介质中加热时，氧渗透到钢内杂质集中的晶粒边界，使晶界开始氧化和部分熔化，形成脆壳，严重破坏晶粒间的连接的现象。

过烧的钢在轧制时产生严重的开裂甚至破裂成碎块。很多情况下过烧钢的断口失去金属光泽。产生过烧的原因有：

（1）钢的加热温度过高，加热时间过长。

（2）在氧化性炉气中加热易产生过烧。炉气的氧化优越强，过烧越剧烈。

（3）钢的化学成分对过烧也有影响。低碳钢及中碳钢过烧的可能性小，合金钢特别是合金工具钢、各种高碳钢都有较大的过烧危险性，其中又以含铜钢最易过烧。

过烧钢无法挽救，只能报废。

458. 什么叫脱碳，它受哪些因素影响？

在加热过程中钢的表层金属的含碳量减少，甚至完全不含碳的现象叫脱碳。脱碳深度叫脱碳层深度。脱碳与钢的化学成分（含碳高低、合金元素种类及含量）、加热温度、加热时间、炉内气氛有密切关系。炉内气氛是指炉内的氧、氢、二氧化碳和水蒸气含量的多少。

加热温度越高，时间越长，脱碳就越严重。钢在高温下长时间保温比低温下保温其脱碳层厚得多。

某些特殊用途的钢（如滚动轴承钢、工具钢和弹簧钢等）会因脱碳而降低表面硬度，从而降低其耐磨性、切削性和弹性等，所以要控制脱碳层深度。脱碳层的允许深度，在有关技术标准中有具体规定。

459. 氧化铁皮对轧钢生产有什么影响？

加热时，钢表面与高温炉气接触发生氧化，生成氧化铁皮，称为一次氧化铁皮。在轧制过程中表面氧化铁皮脱落，热的金属表面与水和空气接触，还会生成新的氧化铁皮，称为二次氧化铁皮。一般氧化铁皮由三层组成，最外层是三氧化二铁，约占整个氧化铁皮厚度的2%；中层是四氧化三铁，约占整个氧化铁皮厚度的18%；最里层是氧化亚铁，约占整个氧化铁皮厚度的80%。

热轧钢坯表面的氧化铁皮，其致密程度与钢坯的冷却速度有关。在空气中冷却时氧化铁皮比较疏松，裂纹很多；缓冷时氧化铁皮比较致密，裂纹也少。矫直可使钢材的氧化铁皮破碎或变得疏松。

合金钢的氧化铁皮除含有氧化铁之外，还含有不同数量的合金元素氧化物，所以合金钢的氧化铁皮性质不同于碳钢。例如，不锈钢中有铬、硅等元素使钢坯表面生成稳定的氧化膜，这种氧化膜不能用普通酸洗方法去除。

氧化铁皮的构造、特性除与钢的化学成分有关外，还受加热温度、加热时间及炉气成分等因素的影响。通常在低温阶段加热时生成的氧化铁皮较少；当加热到600～700℃时，氧化开始显著并生成氧化铁皮；钢在900～1000℃时氧化速度急剧增加，氧化铁皮生成量增加。一般地说，加热温度愈高、加热时间愈长、炉子的氧化性气氛愈强，生成的氧化铁皮就愈多。

加热、轧制过程中产生氧化铁皮有以下害处：

(1) 造成金属损失。钢坯加热时生成的一次氧化铁皮质量约占钢坯总量的2%～3%。

(2) 使加热炉生产率降低。氧化铁皮较钢的基体组织疏松的多，它覆盖在钢的表面会降低钢的导热系数，影响加热速度。

(3) 影响炉底材料寿命，使之容易损坏，因为氧化铁皮呈碱性，它对酸性黏土砖有侵蚀作用。

(4) 氧化铁皮大量堆积在炉底上造成炉底升高、起包，迫使加热炉停炉清渣，这不仅影响炉子的产量，而且使操作条件恶化。

(5) 在轧制时氧化铁皮易打滑，增加咬入困难，增加孔型磨损。氧化铁皮压入钢材表面造成斑点和麻坑缺陷，降低产品表面质量。

460. 加热温度不均对轧钢生产有什么影响，如何防止温度不均？

钢料上下温度不均，一般称为阴阳面。通常把低温面称为阴面，把高温面称为阳面。轧制时，有阴阳面的钢坯容易产生弯曲、扭转现象。阴面向上，则轧件出轧辊时向上弯；阴面向下，则向下弯。轧件向上弯易发生顶掉卫板和缠辊等事故。生产中一般把阴阳面预先翻到侧向位置。

钢料内外温度不均匀，轧制时延伸不均，使轧件产生应力，容易造成裂纹。沿钢料长度上温度不均匀，如水管黑印轧制时造成辊跳值波动，而使同一轧件尺寸波动，给控制成品尺寸公差造成困难。

保证加热温度均匀的措施有：

(1) 在高温区加热时，由钢坯上部的烧嘴供热称为上加热，由钢坯下部的烧嘴供热称为下加热。应确保下加热温度比上加热温度高20～30℃，以减少上下面的温度差。

(2) 严格控制加热速度，防止速度过快造成钢料内外温差过大，并且一定要在低温阶段使温度均匀，然后再提高加热速度。

(3) 经常观察炉内温度分布情况，正确调整炉内温度使沿炉宽各点的温度保持均匀，可减少沿坯料长度上的温度差。

(4) 均热段要有足够的保温时间，以保证温度均匀，或者用翻钢的办法使钢温均匀。

461. 步进式炉和推钢式炉相比有何优点？

步进式炉和推钢式炉相比有许多优点：

(1) 轧机计划停轧前步进式炉可以把所有钢坯取出送往轧机而不需要任何其他设备，炉子出空后其热惰性比装有坯料的炉子小，冷却较快，缩短了检修周期和减轻了劳动强度；轧机事故停轧时炉内钢坯可以局部或全部从装料侧方向退出炉外，没有因炉内保温所造成的氧化损失和燃料消耗。

(2) 钢坯在步进式炉内以一定间隔放置，这就排除了粘钢的可能性。在推钢式炉里如出现粘钢便可能产生废品或引发事故。装料可以按任意顺序安排钢号或钢种，只要在它们之间将间隙增大到若干步距即可。对于多品种、小批量的轧机来讲，炉子在装钢操作方面的这些特点是极为有利的。

(3) 步进底式炉内，方坯是三面加热，底面则定期地暴露在炉气中，不仅加热均匀而且加热时间大致上只是单面加热的推钢式炉的一半。步进梁式炉内，方坯是四面加热。这些都能减少脱碳深度，但不能按同样比例减少氧化烧损，后者还和受热面积有关；只是钢坯在步进式炉内受到的震动小，氧化铁皮脱落少，减少了进一步氧化。

(4) 在步进式炉内改变批料的间距，可以做到钢坯在炉内的停留时间(加热时间)大致相同而炉子的产量不同，这对于产量波动范围大的型钢轧机而言是有利的。在低产操作期步进式炉则能减少氧化脱碳损失并节约燃料。

(5) 步进式炉内基本上消除了钢坯表面的划痕，产品质量高，成品率也高。

(6) 步进梁式炉内水冷滑轨形成“黑印”浅，因而能得到厚度、宽度尺寸精度高的轧材。随之而来的是不需要均热床，即在同样能力的条件下步进梁式炉比有均热床的推钢式炉短，不需要定期维修均热床。

(7) 步进式炉炉长不受推钢长度(或推钢倍数)的限制，可以提高炉子的容量和产量，更适应当代轧机向大型化、高速化与现代化方向发展的需要。但炉长增加后钢坯的跑偏量增大；如为悬臂辊出料，水平行程的控制精度也要提高。

(8) 步进梁式炉的步进梁、固定梁和支柱管比推钢式炉的纵水管、横水管和立柱管的数量多。据资料介绍，在统计了许多座炉子的基础上可以粗略地认为(数据都已由英制换算成法定计量单位)：以每吨产量计，步进梁式炉水管的表面积为 1.024m^2，推钢式炉为 0.819m^2。按当时的包扎材料计算，水管隔热层完整时的热损失：产量 250t/h 步进梁式炉为 51.7GJ/h，相同产量的推钢式炉则为 41.36GJ/h。使用一年后，前者隔热层脱落 10%，后者隔热层脱落 50%，热损失相应增加到 98.23GJ/h 和 227.47GJ/h。按年平均计算水管热损失步进梁式炉为 74.96GJ/h，推钢式炉为 134.4GJ/h。因此，步进梁式炉水系统投资要高些，经常消耗费用却低。

(9) 步进式加热炉在配合连铸坯热装时有明显的优越性，一般采用炉底分段方式。在连铸机开始浇铸时即停止向炉内装料，而炉子仍按轧制节奏连续出钢，炉子装料侧一段炉底空出；热连铸坯送到后立即装炉，尽量减少热坯的散热损失，同时集中加热热连铸坯，可以有效地提高炉子产量和降低燃料消耗。

462. 三种连续加热炉炉型相比有何优缺点？

三种连续加热炉炉型比较见表4-5。

表4-5 三种连续加热炉炉型的比较

项目		上下加热的推钢式炉		步进梁式炉		步进底式炉	
设备	相同产量时炉长	较长	B	短	A	长	C
	炉长受何条件限制	推钢倍数	C	跑偏量	A	跑偏量	A
	基础深度	浅	B	深	C	较深	C
	单位炉底面积造价	最低	A	最高	C	较高	B
功能	加热时间	较长	B	短	A	长	C
	加热能力的调节范围	较小	C	较大	A	较大	A
	钢坯的温度均匀性	除热滑轨外水管黑印一般较大	C	水管黑印小，断面上温差小	A	无水管黑印，断面上温差稍大	B
	钢坯表面质量	被滑轨擦伤	C	无擦伤	A	稍被炉底擦伤	B
	钢坯相互粘结	有此可能	C	不可能	A	不可能	A
	氧化烧损量	较多	B	较少	A	稍多	C
操作	钢坯的运送	会上拱和下垂	C	会下垂	B	会翻转	C
	炉宽方向温度分布	易调节	B	端加热易调节	B	端加热易调节	B
	热量损失	较少	B	较多	C	少	A
	冷却水用量	多	B	较多	C	较少	A
	耗电量	少	A	较多	B	多	C
	炉子操作上的灵活性	灵活性差	C	灵活性好	A	灵活性好	A
维护	滑轨包扎材料寿命	寿命短	C	寿命长	B	炉底砖会磨损	C
	日常维护	较简单	A	多	C	较多	B

注：A=优良，B=中等，C=较差。

463. 各种步进式加热炉的应用情况如何？

各种步进式加热炉的应用情况见表4-6。

表4-6 各种步进式加热炉的应用情况

炉型	国内各轧钢厂		国外炉子公司甲		国外炉子公司乙	
步进底式	≤150方：	35座	≤150方：	41座	≤150方：	15座
	160～190方	3座	160～190方：	6座	160～190方：	4座
			200～250方：	3座	200～250方：	5座
			280～350方：	2座		
	小计	38座	小计	52座	小计	24座

续表 4-6

炉　型	国内各轧钢厂	国外炉子公司甲	国外炉子公司乙
组合式	100～150 方， 长 9～18m：　6 座	120～205 方， 长 12～18m：　7 座	100～200 方， 长 12～17m：　4 座
步进梁式	120 方：　1 座 150 方：　8 座 160～200 方：　4 座	116～140 方：　13 座 170 方：　1 座 205 方：　1 座 220、250 方：　各 1 座	100～130 方：　3 座 150 方：　4 座 220 方：　1 座
	小　计　13 座	小　计　17 座	小　计　8 座
合　计	57 座	76 座	36 座

464. 煤气烧嘴和油烧嘴的种类和特征是什么？

煤气烧嘴和油烧嘴的种类和特征见表 4-7、表 4-8。

表 4-7　煤气烧嘴的种类和特征

形　式	长焰烧嘴	半长焰烧嘴	炉顶烧嘴	调焰烧嘴	低 NO_2 烧嘴
用　途	炉子端墙上	高温炉端墙	加热炉炉顶	加热炉侧墙	炉子端墙上
能力/kW	465～17000	700～11600	70～1160	700～4700	1700～7000
煤气压力/kPa	0.1～2.0	0.2～4.0	0.5～3.0	1.5～3.0	0.1～5.0
空气压力/kPa	0.5～3.0	3.0～7.0	3.0～7.0	3.5～5.0	2.5
调节范围	1∶6～1∶10	1∶5～1∶10	1∶3～1∶10	1∶5～1∶10	1∶6
优　点	结构简单	可用高温空气	热负荷大	火焰长度可调	减少污染
缺　点	混合较差	自重较大	烧嘴数量多	结构复杂	混合较差

表 4-8　煤气烧嘴的种类和特征

形　式	高压外混型	高压内混型	低压雾化型	油气两用型
用　途	大型加热炉	大型加热炉	小型加热炉	大型加热炉
能力/$kg \cdot h^{-1}$	10～600	10～1500	5～180	50～1000
重油压力/kPa	20～100	200～900	40～300	500～1000
雾化剂压力/kPa	200～800	300～1000		
雾化剂用量/$kg \cdot kg^{-1}$	0.35	0.25		
空气压力/kPa	0～0.5	0～2.5	2～10	2～3
调节范围	1∶6	1∶8	1∶3～1∶8	1∶5～1∶8
火焰长短	半长焰	半长焰	短焰	长焰

465. 小型连轧高压水除鳞采取哪些措施？

为了保证小型材特别是优质钢和合金钢小型材的表面质量，在加热炉后粗轧机组之前设置了高压水除鳞装置，以去除加热产生的表面氧化铁皮。高压水的工作压力达 20～22MPa。前几年建的小型轧机在粗轧机前、粗轧与中轧之间、精轧机前都设置除鳞机。据近年来实践所取得的经验，影响表面质量的主要是加热炉产生的一次氧化皮，因此，在粗轧机前设置一台除鳞装置就可以了，除鳞速度要在0.8～1.5m/s。为此，将加热炉与粗轧机拉开一定的距离，为的是除鳞的速度不受粗轧机咬入速度的限制。前几年为减少高压泵的容量，在高压水系统中设有蓄水器，近年来的新设计多采用直通式供水，可取消蓄水器，使高压供水系统大大简化。

466. 何谓控制轧制技术？

控制轧制即指在调整钢的化学成分的基础上，通过控制加热温度、轧制温度、变形制度等工艺参数，控制奥氏体组织变化规律和相变产物的组织形态，达到细化组织、提高钢材强度与韧性的目的。控制轧制工艺可用于生产碳素钢、微合金化钢、低合金钢、高强度和超高强度钢及一些合金钢。

控制轧制工艺可分为奥氏体再结晶区轧制、奥氏体未再结晶区轧制和奥氏体与铁素体两相区轧制三类。采用控制轧制工艺时，为了防止原始奥氏体晶粒过分长大，一般采用较低的加热温度和开轧温度。由于开轧温度高，变形后的奥氏体晶粒会发生再结晶而细化，如在此阶段停止变形，轧件即随温度下降而产生相变。相变核在奥氏体晶界形成，奥氏体晶粒细化，使转变后的铁素体晶粒细化。此种控制轧制称再结晶型控制轧制。随着轧制温度变低，变形奥氏体不会再结晶，随变形量的增加，奥氏体晶粒内产生变形带，变形量越大，变形带越多。若此时变形终止，金属相变时这些变形带成为形核的优先位置，从而使铁素体细化，此谓未再结晶型控制轧制。而在铁素体相变后还进行变形，即在奥氏体、铁素体两相区轧制，轧制变形将使相变后的铁素体晶粒内形成亚晶和位错。这样得到的组织主要是细铁素体晶粒及亚晶，从而韧性不降低而强度大幅度增加，此谓两相区控制轧制。控制轧制通过细化铁素体晶粒而使强度和韧性同时改善，比其他强化方法有利得多。

采用何种类型和何种类型组合的控制轧制工艺则取决于轧机的设备条件、控制水平及对钢材性能的要求。再结晶型控制轧制工艺在设备能力较差条件下采用，但其细化效果受到相变时奥氏体/铁素体转换比的限制，细化效果较差，适用于一般钢种。未再结晶型控制轧制工艺中变形温度低，同时变形量要求大，因此要求具有较大的轧机强度和刚度，但其细化效果好，较适用于微合金化钢。两相区控制轧制工艺对设备的要求更高，因为变形温度较低，但对要求一定的韧性而有很高强度的钢材，这种工艺十分有效。近年来控制轧制技术无论在理论研究上还是生产实践中都有很大发展，已经形成比较成熟的热轧工艺，广泛用于钢板生产中，目前已逐渐推广到小型材生产中。

467. 控制轧制技术在连续式小型轧机中的应用如何？

由于连续小型轧制工艺参数中变形制度难以调整（即由孔型设计而定），要通过改变各道次变形量来适应控制轧制的变形量要求是极其困难，甚至是不可能的，因此在连续式小型轧机上只能采取控制各轧机上轧制温度的控制轧制工艺——控温轧制。通过控制温度，使变形条件在一定程度上满足控轧要求。连续式小型轧机上的温控轧制可以有以下两种类型：

(1) 奥氏体再结晶型和未再结晶型的两阶段工艺。选择低的加热温度，以避免原始奥氏体晶粒过分长大。粗轧机组的开轧温度仍在再结晶温度范围内，利用变形奥氏体再结晶细化奥氏体晶粒；中轧机组的轧制温度在950℃以下（处于奥氏体未再结晶区），且总变形率在60%～70%；在接近奥氏体向铁素体转变温度（Ar_3）终轧。

(2) 奥氏体再结晶型、未再结晶型与铁素体两相区轧制的三阶段工艺。粗轧在奥氏体再结晶区反复轧制细化奥氏体晶粒；中轧在950℃以下未再结晶区轧制，并给予60%～70%的累积变形率；然后在铁素体及奥氏体两相区轧制并终轧。这种方法特别适合于结构钢生产。

当然还可以采用不同的组合安排，如采用两阶段轧制工艺，可在粗、中轧阶段采用再结晶型轧制，而控制粗轧机入口温度使精轧在未再结晶区轧制。这样粗、中轧采用常规轧制设计，可节约资金。

根据有关厂控温轧制经验，对于高碳钢（或低合金钢）和低碳钢，粗轧开轧温度分别为900℃和850℃，精轧机入口轧件温度分别为925℃和870℃，轧件出口温度分别为900℃和850℃。

为实现控温轧制，必须在轧制线上某些位置设制冷却装置。

控温轧制除了能生产具有细晶组织、强韧性组合很好的钢材外，还可简化或取消热处理工序。例如非调质钢，利用控温轧制（配合控制冷却）可以生产冷镦用高强度标准件原料，使用这种原料，原标准件生产中冷镦工序后的调质工序可以取消；对于某些轧后要求球化退火的钢材可以节约退火时间。日本某厂将轧件进入精轧机的温度控制到650℃，然后轧制，得到的组织在进行球化时退火时间可缩短1/2。

同样，对于某些钢种，为使轧件温度保持在规定范围内，也必须采用控温轧制。控温轧制还可以用于开发新品种，如双相钢。

468. 连续小型轧机上控温轧制的使用范围如何？

连续小型轧机上控温轧制的使用范围可用图4-3加以说明。

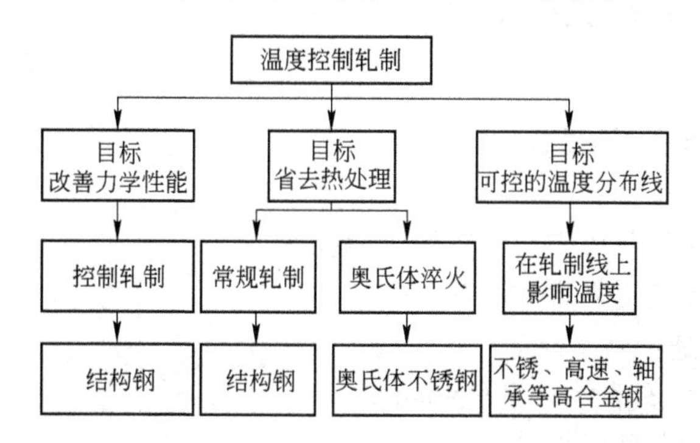

图4-3 控温轧制在连续小型轧机上的使用范围

469. 采用低温轧制技术的主要目的是什么？

低温轧制是指在低于常规热轧温度下的轧制，国外也称中温轧制或温轧。其目的是为了大幅度降低坯料加热所消耗的燃料，减少金属烧损。据国外报道，普通线棒材轧机生产能耗大约为650kW·h/t，其中约需520kW·h/t的能量用于将坯料加热到1150℃，而用于轧制的能量仅为110kW·h/t。瑞典法格斯塔（Fagersta）厂的生产试验表明，用ϕ70mm中碳钢（SS1650）坯经14道次轧成10.5mm尖角方钢，在750℃时轧制比在1150℃时轧制节省能量约182kW·h/t，且无咬入及产生表面缺陷等问题。在低温轧制弹簧钢、轴承钢、工具钢和不锈钢等合金钢时表明，在800～950℃范围也能正常轧制，且可节省能量85～130kW·h/t。

在美国布劳诺克斯(Blawknox)厂的钢板热连轧机上,将板坯的出炉温度从1250℃降低到1093℃,可节省能耗145kW·h/t,考虑了降低加热温度后引起轧制能耗的增加,该厂每年仍可从该项技术中获得400万美元的经济效益。因此,无论是线、棒材轧机或板带连轧机都可采用低温轧制技术,并从此得到良好的经济效益。至于最佳的低温轧制温度要根据各厂的装备和产品情况优化确定。

470. 低温轧制技术的可行性如何?

在通常的加热炉中,线、棒材轧制用钢坯加热到1150℃约需500kW·h/t的能量,但实际钢坯在该温度时的物理热仅为230kW·h/t。由于加热炉热效率低而损失50%以上的热量。

在轧制过程中,由于辐射、空气对流以及轧辊、导卫和轧辊冷却水的传导,所以轧制材料的热量不断散失。而热量散失的速率又与轧材本身的温度有关,降低加热温度,可以减少上述热量的散失。与此同时,在轧制过程中,轧材也从所消耗的轧制功率中由于变形热和摩擦热等得到一部分热量。轧制过程的理论分析表明,当精轧机速度超过30m/s时,则终轧温度几乎与加热无关。因此,只要粗轧机有足够的能力,通过精轧机组的变形热和摩擦热补充一部分热量,在精轧机组采用热轧工艺润滑还可减少一部分变形抗力,因此适当降低坯料的加热温度完全是可行的。试验表明,在750℃低温轧制时,整个轧制过程温度的变化比较平稳,散失的热量与从变形和摩擦中得到的热量基本平衡。在精轧机组,常规轧制与低温轧制的温度比较接近,保证了低温轧制后产品的力学性能与常规轧制产品的力学性能基本一致。因此,低温轧制的实施,关键在粗轧机,只要粗轧机不发生过载,就有可能实现低温轧制。

471. 低温轧制的优缺点是什么?

低温轧制的优点是:

(1) 在加热工序节省了能耗;

(2) 减少了氧化烧损;

(3) 减少了轧辊由于热应力引起的疲劳裂纹;

(4) 减少了氧化铁皮对轧辊的磨损。

低温轧制的缺点是:

(1) 增加了轧制力、轧制力矩和轧制功率;

(2) 降低了轧制材料的塑性;

(3) 影响轧材的咬入,降低了道次压下量。

472. 低温轧制的制约条件是什么?

为实现低温轧制,瑞典冶金研究所(MEFOS)对福斯巴卡(Forsbaka)厂的棒材轧机进行了分析测定,提出了在该轧机上实现低温轧制有如下限制条件:

(1) 粗轧机组连续平均功率不超过1580kW;

(2) 粗轧机组瞬时功率不超过3160kW;

(3) 轧辊应力不超过225MPa;

(4) 对低塑性材料,如高合金钢或带有铸态组织的钢,则根据材料的塑性来限制最低的轧制温度。

根据上述限制条件，该轧机上轧制球磨钢(FagerstaA810，成分(质量分数)为0.83%C、0.28%Si、0.86%Mn、0.02%P、0.027%S、0.26%Cr等)，从$100mm^2$坯轧成ϕ34mm棒材。经计算其最佳低温轧制温度为950℃。轧制现场实测结果为：在1150℃轧制时，粗轧机所需功率为1072kW，在950℃轧制时所需功率为1508kW，计算结果和现场实测结果比较吻合。

473. 采用低温轧制的经济效益如何？

以瑞典一套年产22万t普通低碳钢棒材轧机为例，分析采用低温轧制技术可得到的经济效益，其结果见表4-9。

表4-9 低温轧制和常规轧制时经济指标分析

项目	加热温度/℃		
	1150	950	750
加热炉油耗/$L \cdot t^{-1}$	40.1 (400kW·h/t)	31.7	(220kW·h/t)
燃油费用/万美元	180	143	98
金属烧损/%	1.3	0.4	0.2
烧损折价/万美元	62	19	9.6
电能消耗/$kW \cdot h \cdot t^{-1}$	90	110	120
电能费用/万美元	60	73	79
总费用/万美元	301	235	187

474. 何谓控制冷却与在线热处理技术？

控制冷却是在钢材终轧后利用轧件冷却速度的不同来控制钢材的组织和性能。通过轧后控制冷却能够在不降低轧材韧性的前提下进一步提高钢材的强度，并且缩短热轧钢材的冷却时间。

随着钢种的不同，控制冷却钢的强韧性取决于轧制条件和冷却条件。控制冷却实施之前钢的组织形态决定于控制轧制工艺参数；控制冷却条件对热变形后奥氏体状态、相变前的组织有影响，对相变机制、析出行为、相变产物组织形貌更有直接影响。控制冷却可以单独使用，但将控制轧制和控制冷却工艺有机地结合使用，可以取得控制冷却的最佳效果。

在线热处理主要指利用轧材的轧制余热将轧件组织直接淬火成马氏体并进行回火的工艺，属于控制冷却范畴。它与采用一般调质处理所得轧材相比，钢的强韧性得到进一步提高，而且节省了一次再加热，简化了工艺，节约了能源。

控制冷却与在线热处理是连续小型轧材生产中采用的一种新工艺。

475. 控制冷却与在线热处理在连续小型轧机中应用得如何？

目前，连续小型轧机上应用得最广泛的控制冷却技术是带肋钢筋及棒材的轧后余热淬火。

棒材轧后余热淬火又称棒材轧后热心回火工艺，是比利时CRM(国立冶金研究中心)发明的一项连续式小型生产新技术，称Thermex(瑟麦克斯)冷却工艺。国外现已广泛应用于钢筋生产，我国引进的广州全连续棒材生产线中也采用了此项技术。意大利POMINI公司将此工艺原理应用于大盘卷带肋钢筋生产中。

图4-4是Thermex带肋钢筋在线淬火原理图，现简要介绍如下。

在精轧机入口，控制轧件温度为940～960℃，出口温度为960～980℃。紧接最后一架轧机，钢筋通过Thermex控制冷却系统，对钢筋表面进行短时间高强度冷却。由于温降速度高于马氏体淬火的临界速度，因此钢筋表面形成马氏体，而心部保持奥氏体组织。水冷后进行空冷，此时，由于心部的热量传导作用，淬火马氏体层被回火而形成回火马氏体。最后，当钢筋进入冷床时，残余奥氏体转变成极小片层的珠光体及细晶粒铁素体组织，使钢筋具有高屈服强度和高延展性的组织结构。

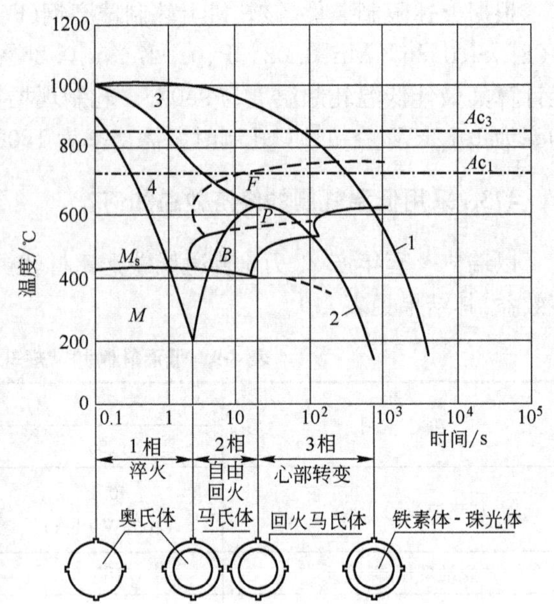

图4-4 Thermex带肋钢筋在线冷却

1—自然冷却；2—Thermex冷却；3—心部；4—表面

Thermex标准冷却系统如图4-5所示。

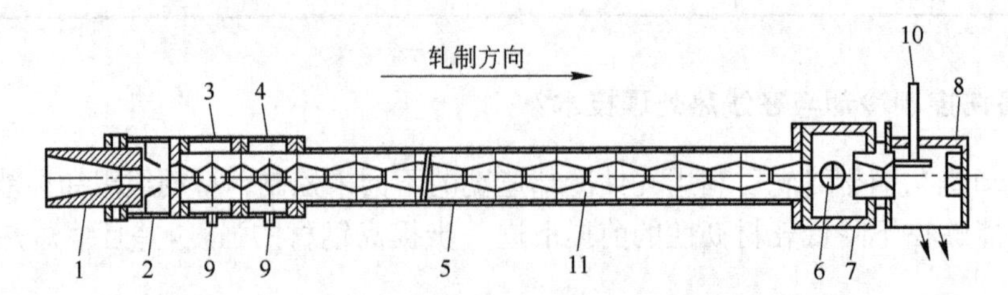

图4-5 Thermex标准冷却示意图

1—入口嘴；2—带空气剥离器的预冷箱；3—第一组喷头；4—第二组喷头；
5—中间管；6—无压回水；7—回水箱；8—偏转箱；9—供高压水；
10—压缩空气用于水的偏转；11—文氏管元件

经过余热淬火处理的钢筋，其屈服强度可提高150～230MPa。采用此种工艺还具有很大的灵活性，即用同一成分的钢，通过改变冷却强度，可获得不同级别的钢筋(3～4级)，并且淬火温度与屈服强度有关，因此控制淬火时间及水流量，可达到所要求屈服强度，并可用于各种直径的钢筋生产。由于可采用碳当量低的钢而保持了高的屈服强度，所以此种钢筋同时具有良好的焊接性能、延伸性能、弯曲性能及耐热性能。在生产同直径钢材的情况下，余热淬火法(在线热处理)成本最低。

连续小型轧机上的控制冷却除了棒材余热淬火可达到提高强韧性目的外，往往还可以利用轧后快冷工艺得到某种预组织，以取消热处理工序或缩短热处理工序时间。奥氏体不锈钢余热淬火便是这种工艺。此种工艺的目的是利用轧制余热进行固溶处理，以抑制不合乎需要的铬碳化物析出，从而就不需要在轧后进行热处理。实现此工艺所需要的参数是：精轧温度大于1050℃，这时保证轧材处于奥氏体状态而晶粒无碳化物析出；淬火温度低于400℃，这时碳化物已完全固溶在奥氏体中，不会再析出。

在连轧轴承钢或高碳工具钢棒材时，可利用控温轧制及轧后快冷，获得理想的快速球化的所要求预组织。在终轧机架前设置水冷装置，使轧制温度降至880℃进行终轧，使先析出碳化物加工后分散分布不至于形成网状。这种变态的珠光体在球化退火时，可以加快球化过程，缩短退火时间。或在较高温度下终轧而采用轧后快冷，避免网状碳化物析出及降低珠光体转变温度，细化珠光体片层，缩短球化退火时间。

476. 在连续式小型轧机中实现控制轧制、控制冷却及在线热处理所需的工艺与设备条件是什么？

在连续小型轧机中实现控制轧制、控制冷却及在线热处理，对设备布置和设计有一定的要求。首先必须在轧制线上及轧后设置水冷设备。轧制线上的水冷设备用于控温轧制。由于粗轧机组上轧件温升不大，且可通过炉温来控制粗轧机组上的轧制温度，从而也相应地控制了中轧机组上的轧制温度，因而粗轧机前与粗、中轧机之间一般不用设置水冷设备，经中轧后，轧件有一定温升，且为了控制精轧温度，通常需在中轧机组之后设置水冷设备。在确定轧制线上水冷设备的组数、间距时，要先依据最大冷却速度要求而定；对某一特定钢种，则应根据钢的特性与轧制速度来选择使用全部还是部分水冷设备。必须使水冷设备与随后轧机间有一足够长距离，即均衡段。这一距离应保证经水冷后的轧材到达下一道次时，轧件中心和表面之间的温度达到均衡。温度是否均衡对最后显微组织的均匀性是一个决定性因素。

轧后冷却设备用于控制冷却及在线热处理，通常设置在精轧机之后，但可根据车间的具体设备布置、所轧钢种及冷却目的的不同，还可在剪机之后和冷床之前设置水冷设备。

选择好水冷设备的种类、冷却工艺参数是实现控制轧制、控制冷却及在线热处理的充分条件。冷却设备主要有套管式、湍流管式两大类。前者冷却效果差，应用较少。湍流管式使用效果好，在生产不同规格钢材时，只需开启不同组数水冷器及调节管路水量和水压，即能达到冷却工艺需求，且冷却均匀、产品平直，因而得到了广泛的应用。

冷却工艺参数包括开冷温度、水量、水压和冷却时间（后三者决定了终冷温度），应根据冷却速度要求而定。为实现冷却工艺参数的调整和控制必须有必要的显示和控制仪表。由于连续小型轧机轧制速度快，采用计算机控制冷却条件是十分必要和有利的。

实现控温轧制，特别是低温加热、低温轧制的未结晶型和两相区轧制，对轧机负荷能力有一定的要求。高的强度和刚度，也要求电机及传动设备具有较高的能力。

目前我国大多数连续小型轧机还不完全具备实现控温轧制、控制冷却及在线热处理工艺的条件。因此如何对现有连续式小型轧机进一步完善和改造以实现这些工艺，以及针对不同生产条件应采用哪一种工艺更合适，应当进行研究开发，这对提高我国钢材质量及扩大品种具有很大的经济价值。

477. 带肋钢筋或圆钢轧后水冷系统由哪几部分组成，该系统的特点是什么？

该套系统适用于规格为ϕ12～50mm的带肋钢筋或圆钢、轧制速度为8m/s的生产条件，该系统由冷却装置系统、冷却水系统和微机检测控制系统三部分组成。

冷却装置系统由水冷装置、夹送辊和水冷设备的横移装置组成。

冷却水系统由泵房、送水和回水管路系统，以及相应的显示和检测仪表组成，为了节约用水，采用清水自循环系统。

微机控制的目的是对不同品种、规格及实测数据的轧件进行实时在线控制冷却，以达到工艺所要求的轧件返红温度，保证产品的综合力学性能。

所选定的微机检测控制系统具有以下功能：

(1) 轧件跟踪和相应有关参数的检测及数据处理。为控制、监测及管理提供数据。

(2) 水流量 DDCPID，保证实时性、降低成本、便于维护。

(3) 依据轧件原始参数及实测参数进行水流量控制、调节，保证终冷温度或返红温度。

(4) 自学习以克服环境等变化因素影响，提高控制精度。

(5) 数据记录、处理及印刷所需报表。

(6) 操作简便的人机接口。

该套轧后水冷系统的特点是：

(1) 灵活性：根据现场的实际需求选择、配置各种测温、水流量、水压、位置等检测仪表，并根据生产要求考虑使用 PID 仪表或计算机 DDC，以最大限度提高系统的性能/价格比。

(2) 扩展性：系统具备不断扩展的性能，从而可以用较少的投资，并在短期内取得效益，同时为进一步技术改造准备了条件，实现技术改造与经济效益的良性循环。

(3) 可靠性：综合考虑计算机硬件、软件及整个系统以适应工业现场环境。并有系统监视、故障报警及处理设备，因而使故障影响减至最小。提供多种操作方式，保证生产的延续性。

该系统经使用，取得以下效果：

(1) 使 20MnSi 钢筋性能达到新Ⅲ级钢筋标准及英国 BS 4449—88 标准，性能稳定。

(2) 减少了钢筋表面的氧化铁皮，可提高钢材成材率 0.1%左右，并使钢筋表面质量大幅度提高。

478. 棒材生产中机架间冷却的机理及工艺是什么？

采用常规热轧法和采用机架间冷却法典型的轧制温度曲线如图 4-6 所示。在棒材直径一定时，此曲线的形状取决于钢坯出炉温度和轧制速度。轧件在精轧机上的加工变形使棒材所产生的热值，可以超过由辐射、传导和对流造成的热损失值，因而其结果是轧件通过精轧机列时温度升高。图中虚线表示与温度升高效果相反趋向的采用机架间冷却的温度曲线。由图可见，采用机架间冷却时，棒材从精轧轧制后的温度降低比传统热轧后大得多，因而可达到细化晶粒的目的。

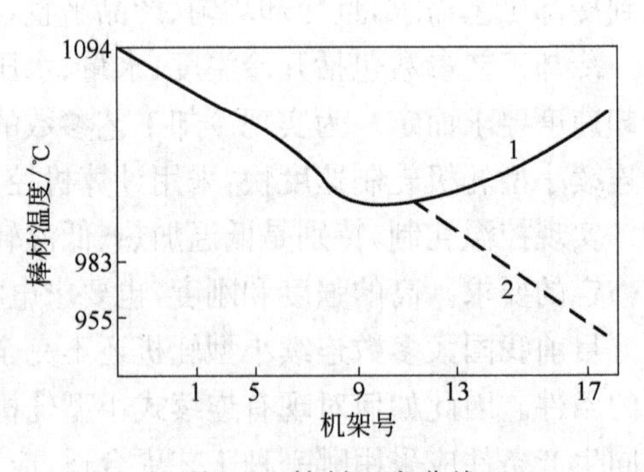

图 4-6 棒材温度曲线

1—传统工艺；2—机架间冷却

机架间喷水冷却设备放在中轧或精轧机组轧件断面为圆形时的机架之间。根据不同终轧温度的要求，直接地在线设置 1 至数个喷水冷却装置。具体设置位置为机架出口与围盘进口端之间。当需要采用两个喷水冷却箱时可串联布置，如工艺不需喷水冷却时，也可通过移位机构使冷却箱离开作业线。

479. 精轧机后为什么要采用穿水冷却工艺?

精轧后采用穿水冷却工艺是提高产品力学性能的重要手段。采用轧后穿水冷却有以下优点：

(1) 提高了产品的力学性能。

(2) 减少了产品表面二次氧化损失。

(3) 穿水冷却后，由于轧件温度低、刚度大，在冷床输入辊道上事故减少，轧件在冷床上冷却时塌腰弯曲减少，可提高成材率和产品质量。

(4) 冷床长度可相应减小。

480. 穿水冷却装置的基本原理是什么?

穿水冷却装置一般用于生产圆钢和带肋钢筋的棒材轧机，其基本原理是：在精轧机后设一个由数个水冷箱组成的可调水冷段，对棒材进行急剧冷却，使棒材表面形成马氏体组织，在随后的温度恢复过程中，心部热量散出对表面马氏体组织产生回火作用，结果棒材表面层为回火马氏体，心部为细粒珠光体，即索氏体组织，这种组织结构使棒材屈服极限和韧性提高，并具有良好的可焊性。某厂以 15m/s 的速度生产 ϕ16～40mm 的带肋钢筋时，水冷段全长 24m，冷却水耗量 600m^3/h，水压力 12Pa，每个喷嘴由一个开关阀控制，喷嘴材质为合金钢。水冷箱末端设有压缩空气喷嘴，用于清除轧件表面冷却水，防止产生不均匀冷却。

481. 控轧钢筋可获得哪些经济效益?

钢筋控轧时，由于降低了轧制温度，所以主电机电能的消耗略有增加，轧辊磨损亦有增加，并增加了冷却装置及测量仪表的投资。但控轧钢筋的经济效益远远超过上述的耗费。其综合经济效果如下：

(1) 可提高钢筋性能及节约金属。控轧钢筋与普通热轧钢筋相比较，强韧性可提高 2～4 级。随着钢筋性能级别的提高，每吨钢筋的价格增高，这样可为生产厂增加经济收益。这种钢筋用于预应力混凝土结构中，可降低金属消耗 20%～25%，最高可达 50%～60%。在温度为 200～500℃条件下控轧钢筋具有较高的承重能力及可靠性，较低的脆性转变温度，较高的低温强度及疲劳强度。

(2) 可提高合格率及成材率。热轧钢筋往往因强度相差 10～20MPa 而达不到标准要求，使其性能合格率降低。而控轧钢筋由于可提高性能和质量，因而可大幅度提高性能合格率，减少废次品，提高成材率。

(3) 可节约能耗。建筑工业为了提高钢筋的强度，往往采用热处理强化的方法，这样一来，轧后的余热不能利用，钢筋热处理强化时又增加了电能的消耗。如用控轧钢筋，余热可得到利用，而且又可省去钢筋的热处理工序，减少了电能的消耗，对简化生产工序、减少生产中的能量消耗具有十分重要的意义。

(4) 可节约钢中的合金元素。

482. 实行控制轧制后钢筋的性能有什么变化?

实行控制轧制后钢筋性能的变化主要有：

(1) 控轧可使钢筋的屈服点提高1～2.5倍，抗拉强度提高0.5～1.5倍，而塑性及韧性有所降低，这是由于控轧后固溶体中保存了高含碳量。

(2) 在低碳钢中加入1%(质量分数)的锰和硅时，除强度提高较大外，冲击韧性保持不变或略有提高。

(3) 随着硅含量的增加，钢筋的强度明显提高，当硅含量(质量分数)增加到2%时，控轧后钢筋的冲击韧性也提高了。因此，为了提高结构钢强度和韧性，提高含硅量的钢必须经过控轧处理。

(4) 为了提高控轧钢筋的韧性，钒含量(质量分数)最好不超过0.10%。钒超过此含量时，将引起碳化钒的析出，由此产生析出强化，使钢筋的屈服点、抗拉强度和脆性转变温度升高。

483. 采用轧后余热控制热处理工艺生产带肋钢筋有何经济效益?

采用轧后余热处理工艺生产带肋钢筋可获得以下的技术经济效益:

(1) 20MnSi轧后余热处理钢筋与同规格热轧钢筋相比，σ_s 提高80～120MPa，σ_b 提高45～60MPa，δ_5 降低4%～5%，但与标准相比，仍有较大余量。

(2) 性能合格率由原来的85%提高到100%。

(3) 减少了二次氧化损耗，改善了钢筋表面质量。

(4) 改善了各道工序的劳动条件，解决了长期存在的钢筋剪切时头部弯曲问题。

(5) 可用20MnSi连铸坯代替原用25MnSi钢锭坯生产出口带肋钢筋，用3号钢轧后余热处理工艺生产出口钢筋可获得更大经济效益。

484. 斯太尔摩控冷法三种形式的特点是什么?

三种斯太尔摩控冷法的特点见表4-10。

表4-10 三种斯太尔摩控冷法的特点

内容	常规(标准)型	缓慢型	延迟型
投产年份	1966	1975	1977
投产台数	约200	3	约30
特点	可调风冷	绝热罩加烧嘴补热，冷却缓慢	设绝热罩及边板，当罩打开时作常规型使用
冷却速度/℃·s^{-1}	4～12	0.3～10	1～10
运送速度/m·s^{-1}	0.2～1.3	0.05～10	0.05～1.0
适用产品	普碳、低合金及高碳等普通钢材	冷后可直接冷镦钢、焊条钢	直接继续加工而强度不高的中低合金钢
效果	介于空冷与铅浴处理之间，且有软化退火的功能	同常规型，且效果更好一些	同常规型，介于常规型与缓慢型之间，也有软化退火的功能
形式	辊道式或链式	辊道式	辊道式或链式
投资	低	高	中等

485. 高速线材生产的控制冷却技术发展概况如何？

控制冷却技术是高线生产的两大技术支柱之一。要使轧制速度为 100m/s 以上、产量为 100t/h 的线材在线冷却下来，并得到所希望的性能及良好的卷形，则需要先进的控冷技术及盘卷成型技术。

线材的控制冷却由水冷及风冷组成：水冷是用水将线材以终轧温度冷却到 750℃（最低），表面温度在马氏体临界点以上，以获得细晶粒奥氏体组织，限制氧化铁皮生成，在相变温度以上成卷，以便在风冷段精确控制显微组织（也可采用淬火回火法进行水冷作业）。

风冷根据钢种采用不同的冷却方式，一般高碳钢、低合金钢采用快冷，而低碳钢采用慢冷方式。

高碳钢（低合金钢）采用风冷，将线材由 800℃以 17℃/s 的速率快冷至 550℃，以实现索氏体化。

斯太尔摩线风冷的关键是链式运输机上形成的大量死点——热点，它的大量存在看上去形成热线，这些热点与连铸坯中周期出现的偏析峰值重合，促使在自由晶粒周晶渗碳体成星体布置，在冷拉高碳钢丝时出现断裂。

20 世纪 70 年代末、80 年代初，世界上标准斯太尔摩线纷纷进行技术改造，由于阿希洛辊式空冷运输机的优点而掀起一个“辊式化”热潮，德马克也由链式运输机改为辊式运输机，摩根也研究开发出一种带“佳灵装置”（Optiflex）的辊式空冷运输机。这种空冷运输机改链式为辊式多段传动，辊道上设有落差，辊道可变速。与此同时，改进了风冷系统，将风机台数增多，压力及流量加大，风机速度可变，流量可控，风压可调，可纵向、横向调节风量，使散开的线环控制更加均匀，从而可最大限度地消除热点。

低碳钢（冷镦低合金、弹簧钢、易切削钢及一些不锈钢）控冷是在链式运输机上非常缓慢地冷却，关闭风机，加上隔热装置，将散卷温度保持在 300～500℃，直到碳以极细渗碳状态从铁素体中析出，以改善钢的拉拔性能。

带保温罩可使冷速降到 0.7℃/s，有些钢种可低到0.12℃/s。

摩根今日的斯太尔摩线已经克服了以往的缺点，吸取多家精华，形成了这种最佳的可变的送风系统，带隔热装置的多用斯太尔摩新系统，既可快冷又可慢冷。辊道运输速度，延迟型为 0.36～0.12m/s，标准型为 1.5～0.6m/s。冷却速度延迟型为 1.5～0.6℃/s，标准型为17～6℃/s。可以满足各种产品质量的高标准要求，可使一圈内的强度变化低到 8.8MPa。

最近，瑞典马哥哈马公司将亚音频冷却技术应用于高速线材轧机风冷系统，取得了良好效果。亚音频是由一个连接在谐振管上的特殊装置——发生器产生的。谐振管把标准亚音波引向铺放在运输机上的散卷，其上产生空气脉冲运动，由此带走线环热量，其冷却速率大于 30℃/s。如在脉动风流中增加水雾，可达到更高的冷却速度，高碳线材性能可望达到铅浴淬火水平。摩根公司也在进行风冷加水雾的试验，效果显著。据说，高碳钢线材经快冷后，已达到铅浴淬火水平。

486. 何谓切分轧制技术？

切分轧制系指在热轧机上利用特殊的轧辊孔型和导卫装置中的切分轮或者其他切分装

置将一根轧件沿纵向切成两根(或更多根)轧件,进而轧出两根(或更多根)成品轧材(或中间坯)的轧制工艺。

切分轧制技术已有一百多年历史。早在1858年,美国和英国就研究成功废旧钢轨的切分轧制。后来又有一些国家采用切分轧制技术生产横断面不对称的异形轧材。但是,总的来说,20世纪70年代以前,切分轧制技术发展不大,应用也不广泛。

70年代中期,加拿大钢铁公司首先在连续式小型轧机上成功地用切分轧制工艺生产了带肋钢筋和光面钢筋。该公司不仅能将轧件均匀地沿纵向切开,而且能连续地同时生产出两根或更多根钢筋。这与传统的切分轧制技术相比前进了一大步,并开拓了切分轧制的新领域。随后英国、美国、日本、前苏联、芬兰、韩国、挪威等国家的10多套棒材轧机相继采用了切分轧制技术,并将切分轧制技术不断加以发展。

487. 切分轧制的方法有哪几种,切分轧制前、后轧件断面形状的不同组合有哪几种?

目前切分轧制的方法有下述4种:

(1) 辊切法:利用在切分孔型中的轧制,使轧件在变形的同时实现切分。

(2) 切分轮法:先用有特殊孔型的轧辊将轧件加工成准备切分的形状,再由安装在轧机出口侧导卫装置中的一对切分轮将轧件"撕开",分成两根圆轧件。

(3) 圆盘剪切法:先用有特殊孔型的轧辊将轧件轧成准备切分的形状,再用安装在轧机出口侧的圆盘剪将轧件纵向切成两根轧件。

(4) 火焰切割法:先将轧件轧成准备切分的形状,再用火焰将其纵切成两部分。

切分轧制前、后轧件横断面的不同组合有下述5种:

(1) 方轧件切分成圆轧件:在棒材生产过程中将轧制成一定尺寸的方轧件纵切为两根圆轧件。

(2) 方坯切成方坯:将一根较大的方坯切分成两根较小的方坯。如在方坯连铸机后面安装一台或两台轧机,将从连铸机出来的大、中方坯切分轧制成两根中、小方坯。

(3) 板坯切成方坯:将一块板坯纵切为两根、多根方坯。

(4) 型材切分:把一根型材纵切成两根型材。例如,先由方坯或板坯轧机轧制出左右对称的槽钢,再将其切分为两根角钢。

(5) 废旧型钢切分为棒状轧件:如将加热好的废旧钢轨切分为轨头、轨腰和轨底三部分,再分别将其轧制成成品钢材。

488. 棒材生产中为什么要采用切分轧制技术?

棒材生产中的切分轧制与传统的单根轧制相比,具有以下优点:

(1) 能吃更大的钢坯,可解决轧机与连铸机衔接、匹配问题。切分轧制可减少轧制道次,用现有的轧机便可吃更大断面的连铸方坯。另外,用切分轧制法还可将板坯连铸机或方坯连铸机生产的某几种固定规格的板坯或扁坯切分为方坯,供给棒材轧机或线材轧机。这两点都可使连铸机避免连铸60~90mm小方坯遇到的困难,从而显著地提高连铸机的生产率,使轧机和连铸机实现坯料断面和产量方面较好的匹配。

(2) 显著地提高生产率。切分轧制可缩短总的纯轧时间,加快轧制节奏,提高小时产量。如在轧制小规格(ϕ8mm、ϕ10mm)钢筋时,若轧制速度相同,切分轧制的轧机小时产量可比单根轧制的提高 88%～91%。

(3) 产品尺寸精度高。采用切分轧制工艺，轧件头尾温差较小，且轧出的两根轧件同时咬入和轧制，可避免单根轧制时轧辊不对称弯曲所造成的尺寸偏差，因此，切分轧制轧件的尺寸精度可比单根轧制提高 5%～20%。

(4) 降低能耗和成本。切分轧制可缩短轧制时间，轧件的热损失较小，钢坯的出炉温度可比单根轧制工艺降低 30～40℃，燃耗降低；金属变形能耗和轧制道次少，节电约 15%～20%；减少轧制道次，降低辊耗 15%；产量大幅度提高，降低单位产品的能耗和成本。上述诸因素可使切分轧制的产品单位成本下降 10%～20%。

(5) 减少机架数，节省投资。例如，将 130mm 方坯轧成 ϕ12mm 钢筋的轧制道次，可从单根轧制的 16 道减少为 14 道。因此，新建的棒材轧机，采用切分轧制工艺可减少两个机架，缩短了厂房长度，节省了投资。

(6) 在冷床无法延长的情况下增大钢坯质量。

489. 切分轧制的工艺过程及关键技术是什么？

采用切分轧制工艺，以方坯为原料生产棒材的工艺过程如下：

(1) 方坯通过粗轧机架轧成规定尺寸的方轧件，如图 4-7*a* 所示。

(2) 用精导卫装置将规定尺寸的方轧件精确导入有“狗骨”形孔型轧辊的机架，轧制成横断面为“狗骨”形的轧件，如图 4-7*b* 所示。

(3) 将横断面为“狗骨”形的轧件精确导入切分机架，轧成由很薄的连接带连成一体的两根圆轧件，如图 4-7*c* 所示。

(4) 用切分机架出口侧的导卫装置中的切分轮将连成一体的两根轧件“撕开”，并将分开了的两根轧件分别送往随后的机架。

(5) 用传统轧制方法将切分好的轧件轧制为成品，如图 4-7*d*、*e* 所示。

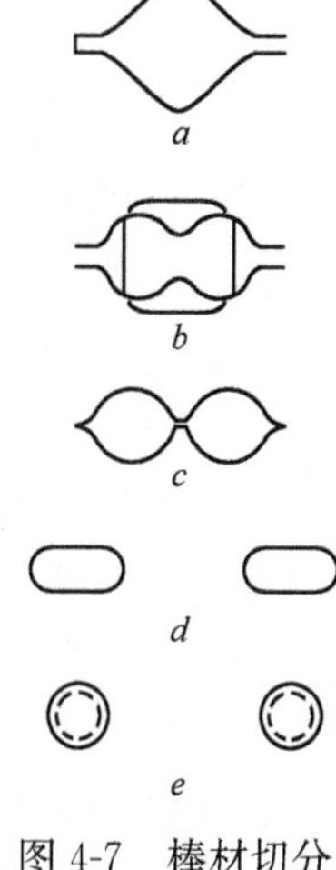

图 4-7　棒材切分轧制孔型图

从上述工艺过程可看出，切分轧制法的主要技术包括切分技术、精导卫技术和围盘技术(对于越野式轧机)，以及普通轧制法的自动控制技术和活套技术。

490. PTS-ASHLOW-MFK 集团公司的切分轧制技术的具体内容是什么？

PTS-ASHLOW-MFK 集团是由德国 PTS 公司、英国 ASHLOW 公司和瑞典 MFK 公司组成的跨国公司，该公司主要致力于研究和推广切分轮式切分轧制技术。

切分轧制通常在倒数第 4 道(共轧 14 或 16 道次)开始用轧辊孔型将轧到一定尺寸的方轧件切入，使其变为“狗骨”形横断面。在倒数第 3 道用轧辊孔型使轧件的左右两部分进一步分开，变成由薄带连接成一体的两根圆轧件。该轧件在离开倒数第 3 机架进入精导卫装置后，即被其中的两个切分轮“撕开”为两个圆轧件。也就是说，在切分过程中，由轧辊孔型和切分轮共同完成切分。由于最后将两根轧件完全分开的“撕开”力很大，如果只有轧辊孔型将两个轧件彻底分开，则轧辊的磨损量必然很大，轧辊使用寿命很短。而采用材质相当好

(一般用硬度为52HRC的高强度工具钢)的切分轮将两个轧件撕开,则可使轧辊孔型每加工一次可轧制约1000t左右轧材,使轧机的作业率较高。

联成一体的两根圆轧件之间的连接带厚度一般为0.4～0.8mm。切分轮缘为楔形,其边缘的宽度为1.2～1.8mm。

两个切分轮在不切分时的间隙为2mm左右(其间隙可通过两个切分轮上7个缺口分别对准的方法加以调整),因此,切分轮并不是靠剪切作用将两根轧件剪切开,而是靠两个侧面的侧向力将两个轧件“撕开”。

每对切分轮使用一次可切分1500t轧件,经加工后可使用7次。一对切分轮一般切1万t后就报废。

在一定的产品尺寸范围内改轧不同规格棒材时,切分轮不必改变规格。例如,轧制ϕ12～ϕ20mm圆钢时,可以用同一种规格的切分轮。

为保证轧件尺寸精度和切分轧制的顺利进行,切分机架的辊缝偏差应保证小于0.5mm。为此,应采用短应力线机架、预应力机架等高刚度机架,轧辊的轴向窜动应小于0.2mm。因此必须安装轧辊轴向止推轴承。跟普通单根轧制工艺一样,轧辊孔型附近也需喷水冷却。

491. PTS-ASHLOW-MFK集团公司的精导卫技术有什么特点?

必须有好的导卫装置,才能保证切分轧制顺利进行,才能生产出优质的棒材。英国ASHLOW公司的辊式导卫装置居世界领先地位。由于辊式导卫装置在轧件进、出时都受到比较大的力,工作条件又较恶劣,因此,其壳体必须作得很结实,且用耐腐蚀的不锈钢制成。

辊式导卫装置有一对水平导辊和一对立式导辊。各对导辊的间距都可以根据轧件的尺寸和导辊的磨损情况精确地调整。导卫装置置于安装在机架上的支撑架上。导卫装置左右、前后的位置可在机架上直接进行调整,导卫装置调整到正好对准轧辊孔型后,即用销子固定在支撑架上。因此,这种辊式导卫装置可保证把轧件精确地导入孔型中。

辊式扭转导卫装置也是四辊式。它可将上一机架出来的轧件扭转一定角度(通常为90°)后精确地导入下一个机架。扭转导卫装置也可左右、前后调整。

稳定导卫装置有两个较大的水平导辊(夹送辊),可将产生跳动的轧件的中心位置固定,再将其准确地送入四辊式导卫装置中。稳定导卫的安装位置也可以调整。

切分导卫装置是在其中安装了一对切分轮的导卫装置。它除了可调整导卫装置位置、导辊间距、切分轮间距外,还有反射镜可观察轧件在导卫装置中的状况。

492. 切分轧制对围盘有什么要求?

越野式棒材轧机在轧制过程中需要用围盘将轧件从一个机架送入与其排在同一横线上的另一个机架。在越野式轧机上进行切分轧制对围盘有以下特殊的和更高的要求:

(1)“狗骨”形轧件在围盘中不许扭转,以保证“狗骨”形轧件能精确、稳定、可靠地导入下一个机架。PTS-ASHLOW-MFK集团通过设置两个导卫装置来满足这一工艺要求。

(2)为使两根轧件同时进入下一个机架,应使两根轧件的活套相等。轧好的两根成品钢材同时进行切头和定尺剪切,可提高成材率,因而要求两根轧件的前端在行进方向上前后相差不大于100mm。这就要求尽量使切分后的两根轧件同时进入下一个机架。因此在设计围盘时，必须尽量使两根轧件在两个机架形成的活套长度相同。

（3）当两根轧件被水平机架及其出口处的切分轮切开后要经围盘送入立式机架时，由于两根轧件需由水平平行变成一上一下，所以必须设计双通道围盘，并且应特别注意使两根轧件的活套长度相同。

493. 采用切分轧制技术所需要的条件是什么？

切分轧制将钢材纵向分成多线，如果切分连接带控制不好会在成品钢材表面留下折叠痕迹。所以一般地讲，切分轧制不适宜用以生产表面质量要求高的品种。

此外，还由于在切分轧制时同时轧制出的几根钢材之间在尺寸和横截面积上始终存在差异，有时还差别较大，所以尺寸精度要求较高的品种不适合切分轧制。因此，最适合于切分轧制的钢材品种是热轧带肋普通低合金建筑钢筋。

在对老厂进行挖潜改造时，切分轧制在全水平排列或立/平交替排列的连续式轧机上均可实施。但是当设计建造新的棒材连轧机时，应结合其投资规模和产品结构，根据以下原则合理确定轧机的排列形式：

（1）产品结构比较单一，基本全是钢筋的专业轧钢厂，轧机以全水平排列为好，这样可使设备和工艺达到了最佳组合，而且相对于立/平交替排列的轧机而言，建厂投资可大幅度减少，从而得到较高的投入产出比。

（2）产品结构比较复杂，不仅有钢筋、圆钢等简单断面产品，而且还有扁钢、角钢等需要加工侧边限制宽度尺寸的型钢品种，同时建厂资金比较充裕时，精轧机组应配备平/立可转换轧机。当生产型钢产品时可转换轧机作为立式轧机使用，保证产品质量；当采用切分工艺生产钢筋时可转换轧机作为水平轧机使用，确保切分工艺稳定。

（3）产品结构也比较复杂，按照理想的排列方式也应该采用平/立可转换轧机，但是由于资金比较紧张，只好采用正统的立/平交替排列的轧机，以保证型钢产品的生产和质量，而对于钢筋的切分轧制，只能通过采用立体交叉导槽精确导向，完成双线轧件从水平轧机进入立式轧机，再从立式轧机进入水平轧机，最终轧制成材的工艺过程。

由于连轧过程中机架间的张力对切分轧制的均匀性有着直接的影响，所以轧机应采用单独传动的可调速电机驱动，以便准确、灵活地设定和调整各架轧机的轧制速度，满足连轧生产工艺的基本需要。对于控制水平提出以下两点要求：

（1）中、精轧机组要配备三台以上的轧机活套自动调节器。

（2）连轧机组的级联调速比例精度要在±0.5%之内。

494. 切分轧制的孔型设计应注意些什么问题？

延伸孔多为菱—方和椭圆—方孔型系统，因此在孔型结构上并无特殊之处。需要注意的是孔型的充满程度应高一些。

弧边方孔型如图4-8所示。设计这个孔型时，应注意边长上圆弧深度要适宜，浅了起不到在孔型中自动找正的作用；深了对后几个道次的料型有不利影响。一般掌握在2～4mm即可。

预切孔如图4-9所示。设计中应注意：

(1) 预切孔切分角度要大于切分孔切分角度10°～20°，防止在下架切分时轧件对轧辊产生夹持力，损坏轧辊楔尖。

(2) 宽展要充分，确保对应弧边方弧底的辊缝处能充满孔型。

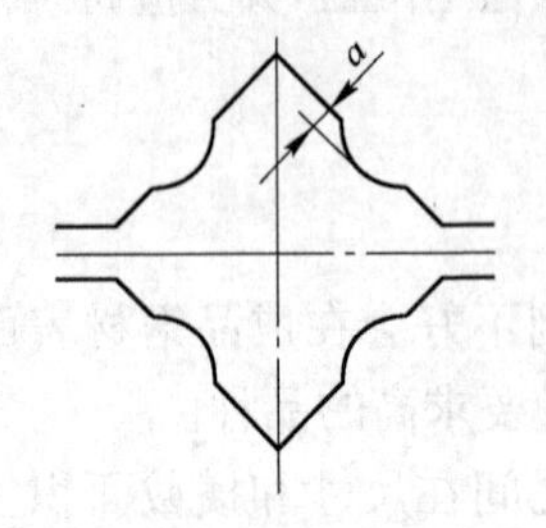

图4-8　弧边方孔型

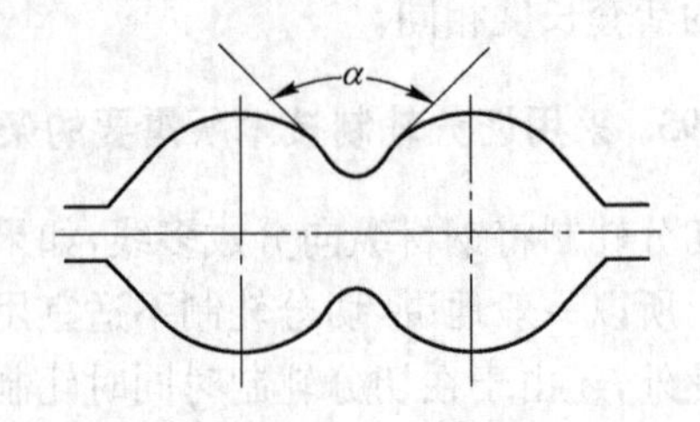

图4-9　预切分孔型

切分孔型如图4-10所示。设计中应注意：

(1) 切分孔型楔尖角度要小于切分轮角度10°～20°，以保证在轧机出口处的切分轮对轧件产生足够的水平分力，使切分过程顺利完成。

(2) 由于切分孔的主要作用是"切分"，因此延伸系数较小(1.0～1.3)，宽展系数较大(宽展量/压下量＝1.2～1.8)。

(3) 为保护切分孔的楔尖，在作配辊设计时应设有保护辊环。

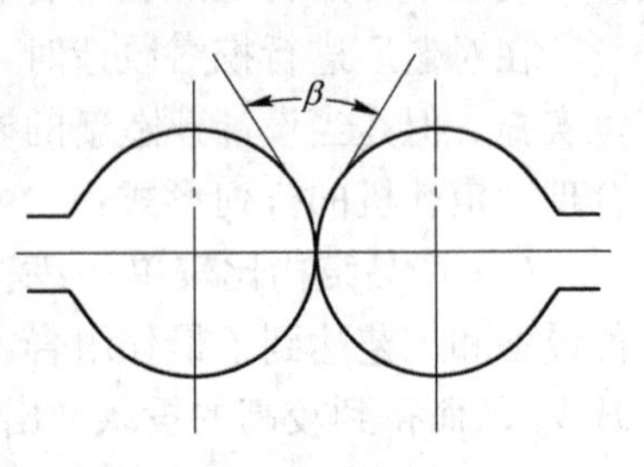

图4-10　切分孔型

495. 预切和切分入口采用什么导卫装置?

在预切孔和切分孔的入口处，除去正常使用的滚动导卫之外，还必须装有预入口导卫(图4-11)，其结构为沿圆筒形导管的长度方向上配置了三对平/立布置的导辊，轧件经过这三对导辊的夹持、扶正后，准确稳定地通过入口导卫，进入预切或切分孔型。预入口导卫对切分轧制过程的稳定性起着非常重要的作用。

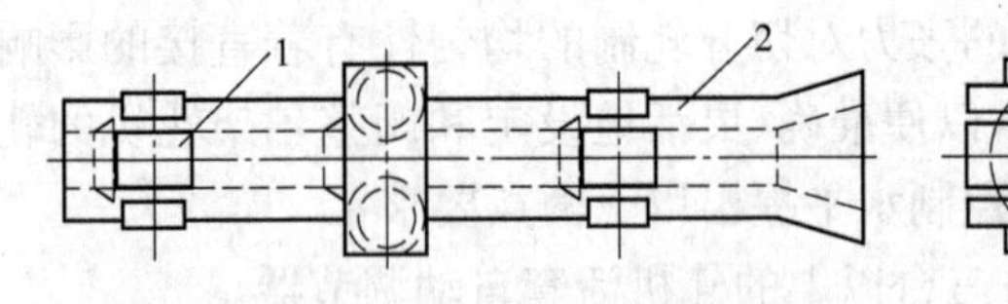

图4-11　预入口导卫
1—辊子；2—导管

有的厂家还在预切孔入口处的导卫横梁上安装了遥控等分装置(图4-12)。当两支成品钢材尺寸不均匀时，可根据实际情况操作电机进行正反向运转，电机带动丝杠，丝杠再带动入口导卫装置沿入口横梁左、右(或上、下)移动，从而对正孔型，纠正切分不均匀问题。

496. 切分出口采用什么导卫装置?

切分出口导卫结构如图4-13所示，由于零件较多且以拼积木方式组装在一起，因此应注意：

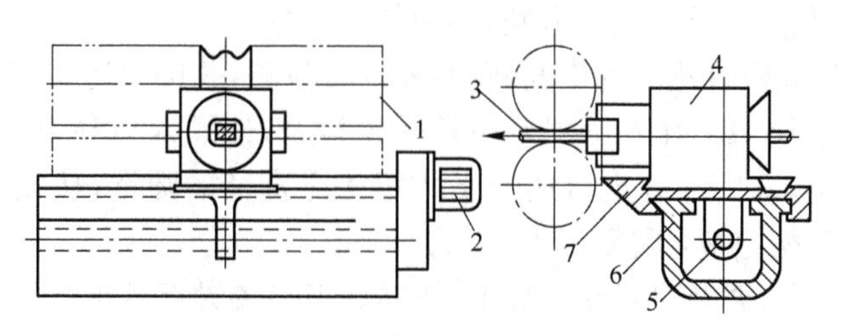

图 4-12　切分轧制遥控等分装置

1—轧辊；2—电机；3—轧件；4—辊式入口导卫；
5—丝杠；6—导卫梁；7—连接板

(1) 各零部件应有明确的形位公差要求，以保证组装顺利。

(2) 切分轮轴承转速较高(3000r/min以上)，切分轮润滑要做好防尘结构和润滑方式的设计。有条件的最好采用油/气润滑方式。

(3) 切分轮的冷却要充分，避免切分轮开裂、掉肉。

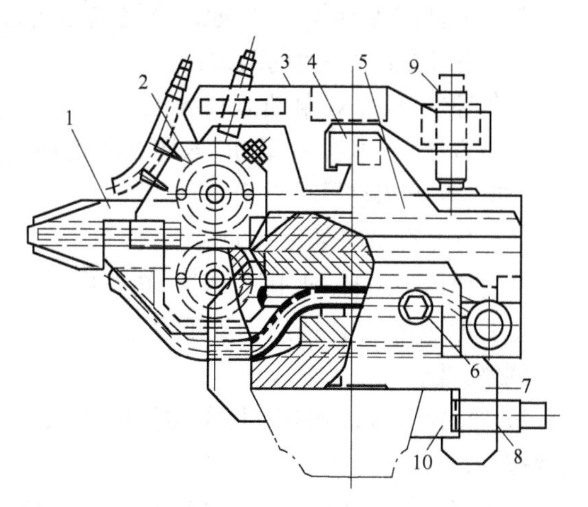

图 4-13　切分出口导卫

1—切分卫板；2—切分轮；3—顶部压架；4—导卫主体；
5—双槽卫板；6—调整螺栓；7—外盒；
8—紧固螺栓；9—压紧螺栓；10—固定楔铁

497. 切分轧制时轧机调整的基本要求是什么？

(1) 严格执行换槽制度，确保切分孔型系统各架铁型形状正确。对于局部磨损严重、形状变异较大，但又未到规定使用班次的轧槽应立即予以更换。

(2) 各架铁型除应满足一般控制要求外，对 K_1、K_2、K_3 孔铁型还应注意：轧件在槽内要保持良好的充填状态，用木板划料时，以轧件中部两侧圆滑过渡，无明显的凸出或凹入，尾部以略带耳子为宜。

(3) 从 K_3 孔分开后的铁型呈“桃”状时(见图 4-14*b*)，应先检查轧件尾部尺寸和形状，如果料小应将 K_3 孔以前的料适当放大；如果尾部料形和尺寸均合乎要求，则应对轧机速度配置进行调整，消除拉钢。

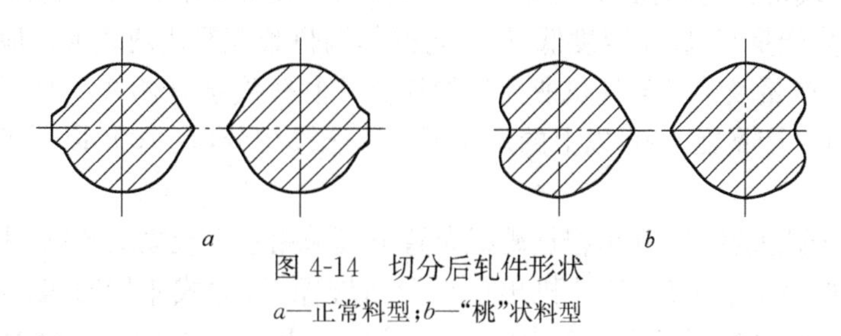

图 4-14　切分后轧件形状

a—正常料型；*b*—“桃”状料型

(4) 当两线成品尺寸基本正常，成品轧机偶有一线不进，且头部料宽度较小时，应当对

K_2 孔以前的导卫和孔型进行检查和调整，避免轧件产生弯头。

(5) 对发生轧制故障时跑出的中间铁型，要认真检测，并按上述要求进行控制。

(6) 换槽以后对 K_3、K_4 孔入口用专用长样棒检测，使预入口导卫、入口导卫装置和轧槽在一条轴线上对正。对 K_3 孔出口还要坚持用相应直径的圆钢，从立交导槽的反轧制线方向插入分钢器和双槽卫板，手感无明显阻力。

(7) 遇有停轧机会，要及时对切分导卫、扭转导卫等关键部件进行检查。

498. 切分轧制常见的工艺问题是什么?

切分后的双线轧件尺寸不均匀现象叫两线差，是切分轧制中最常见的一种工艺问题。

常见的两线差种类、产生原因和调整方法为：

(1) 中、尾部相一致的两线差。

产生原因：K_3、K_4 轧机入口导卫不正。

调整方法：停 K_3、K_4 轧机，参照轧槽走钢痕迹，将两架当中偏斜严重的一个先调整对正孔型，如无效再调整另外一个。

(2) 中部有而尾部没有的两线差。

产生原因：中部一般比头部瘦，轧件再入口里发飘。切不正主要受轧制线不正的影响，同时也要考虑 K_4 孔预切不正的因素。

调整方法：

1) 如果同一根钢的中、尾部宽度差较大，或中部两线都偏瘦，则应注意调整速度关系，减轻拉钢；

2) 检查 K_4 孔出口导卫，使翻钢角度正确，轧件走向平直，用长样棒调整 K_3～K_4 两孔之间的轧制线；

3) 检查、调整 K_4 孔轧机入口导卫，使其对正轧槽。

(3) 中部的两线差和尾部的相反。

产生原因：K_3、K_4 孔其中一架或两架入口偏，轧制线不正，同时存在着拉钢严重问题。

调整方法：参照前两种两线差的调整。

499. 某钢铁公司棒材切分孔型系统的特点是什么?

(1) 两线、三线切分孔型系统在“狗骨”前来料形状为矩形，在“狗骨”咬入变形过程中无扭转且变形均匀，再经过切分孔型切开的两线或三线的断面差别小。

(2) 两线、三线切分轧制在 K_6 孔采用了平辊轧制，轧辊车削容易，轧制变形均匀。

(3) 三线切分产量高，轧制速度低，但工艺操作调整难度要比两线大。应根据加热炉能力、轧机理论小时产量及第一架轧机所允许的最低轧制速度选择两线还是三线切分孔型系统。一般说来，机时产量在100t以上的车间可考虑三线切分，在100t以下可采用两线切分孔型系统。

(4) 两线切分孔型在 K_1 孔可根据轧机布置形式采用水平或立式轧制，水平布置时需要 K_2 孔的轧机翻转90°，应在 K_2 架轧机出口设置扭转导卫；立式布置时虽然不需要扭转导卫，但 K_1 与 K_2 之间轧制线不在一条直线上，这样需在 K_1、K_2 之间设计合理的过渡导槽。

切分孔型系统示意见图4-15。

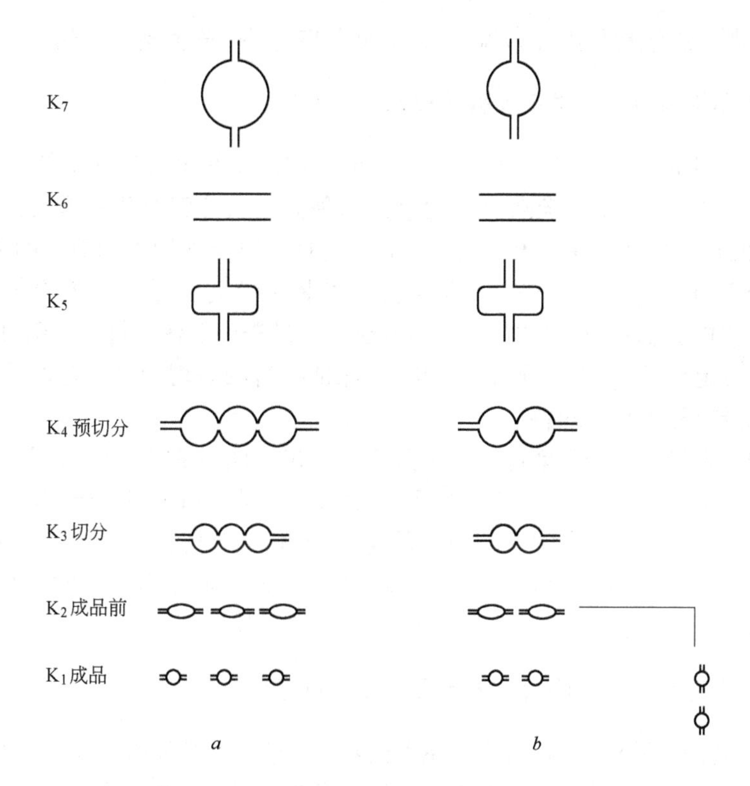

图 4-15　某钢铁公司棒材厂切分孔型系统示意图

a—三线切分孔型系统（用于 ϕ12mm、ϕ14mm）；*b*—两线切分孔型系统（用于 ϕ12mm、ϕ14mm、ϕ16mm、ϕ18mm、ϕ20mm）

500. 何谓在线多条矫直和飞剪定尺剪切？

采用齿条式步进冷床可使轧件冷却均匀，圆钢、螺纹钢等简单断面钢材冷却后有很好的平直度，不需要矫直即可交货。对槽钢、角钢、工字钢等异型材，经冷床冷却后还需要进行矫直。以往的工艺需另设专门的异型材精整作业线，需用大面积进行中间堆存和周转。

新式高产量的多品种小型轧机，在冷床后设有在线多条矫直机和冷定尺剪切飞剪，轧件以整个冷床长度的倍尺长度进行多条矫直，随后用剪刃带孔型的飞剪将轧件切成商业的定尺长度。倍尺多条矫直，头部咬入的次数大大减少，事故少，效率高，采用这种工艺和设备，生产的机械化、自动化程度高，大大减少精整面积和操作人员。

对这种设备设计要集中解决的问题是：轧件在矫直辊中的排列和对中，喂料、辊组的快速更换、辊子的调整和优良的矫直参数。目前的改进主要在以下几个方面：

（1）应用排料隔栅和带孔型的夹送辊，以便精确地喂料和对中。

（2）安装在机旁小车上的辊组可对矫直辊进行快速更换。

（3）电动辊缝调整，用一组辊子可矫直不同的尺寸。

（4）整个机组包括备用辊可装在一个底板上，在生产不需要矫直的产品时从生产线移出，进行检修而不需要轧机停产。

为使冷床输出辊道上预排好棒材层，装备有一套链式运输机和小车式的抽出设备，使轧件层按要求的距离缓慢地移出冷床齿条，并由小车将轧件移送到运输辊道上。

501. 何谓不需矫直的棒材定尺剪切技术？

在传统的轧制生产线上，轧件在冷床上冷却后，在冷床的输出辊道处有一台手动固定式冷剪，棒材由定位挡板齐头，将轧件切成定尺。这种固定式冷剪有两种形式：一种为开口式（或称作C形框架式），另一种为闭口式。它们的选择取决于剪切力和剪刃的宽度。两种剪机均装有两个剪刃，一个固定，另一个活动剪刃安装在滑板上，由气动离合器或启、停式直流电机操作。剪机上装有一套棒材压紧装置，在剪切过程中卡住棒材。采用可移动挡板，调整其位置来改变定尺长度，并实现最小的切头，保证棒材的剪切精度。剪切后的棒材，由垂直方向的运输链或移动小车卸料。

钢材冷却后直接采用冷飞剪进行多条剪切成定尺。曲柄式冷飞剪采用直流传动，剪切速度可以从1.5m/s变到2.5m/s，剪切定尺长度为4m到18m。例如唐钢棒材厂采用摆式冷飞剪，剪切能力350t，可剪切成6～12m的定尺棒材，最高剪切速度达2.5m/s，已经高于其他形式的冷剪机，因此可以使每排料排的少一些，而不影响飞剪的生产能力。减小剪切料的排料宽度有利于提高剪切精度，减少切头量，减少事故率。

502. 多线矫直定尺飞剪联合系统的形式和特点是什么？

（1）采用短辊身的矫直机和高速冷飞剪的组合，剪切速度可达2.0m/s，有的曲柄式飞剪剪切速度可达2.5m/s，剪刃宽仅500mm，剪切精度±15mm，直径大于20mm的棒材采用孔型剪刃。

（2）采用长辊身矫直机和低速摆动剪的模式，剪切速度约1.0m/s。

两种形式各有优缺点，但比较起来第一种形式的优点多一些，主要表现在以下几个方面：

（1）由于矫直辊的辊身短，矫直时辊身弯曲减小，可以使用更小直径的矫直辊，而辊径越小，对小断面型材的矫直效果越好。

（2）每排料同时送入时，由于根数少，出现问题的机会也相应减少，减少了对不齐现象。

（3）剪切时轧件跑出的危险减少，对剪切的精度影响也减小。

（4）由于排料宽度接近垛宽度，所以码垛机构造可以简单些。

503. 自动堆垛机改革的主要内容是什么？

对这种设备设计要集中解决的问题是：轧件在矫直辊中的排列和对中、喂料、辊组的快速更换、辊子的调整和优良的矫直参数。目前的改进主要在以下几个方面：

（1）应用排料隔栅和带孔型的夹送辊，以便精确地喂料和对中。

（2）安装在机旁小车上的辊组可对矫直辊进行快速更换。

（3）电动辊缝调整，用一组辊子可矫直不同的尺寸。

（4）整个机组包括备用辊可装在一个底板上，在生产不需要矫直的产品时从生产线移出，进行检修而不需要轧机停产。

为使冷床输出辊道上预排好棒材层，装备有一套链式运输机和小车式的抽出设备，使轧件层按要求的距离缓慢地移出冷床齿条，并由小车将轧件移送到运输辊道上。

型钢在线自动堆垛机已使用多年，传统的堆垛机是单个或两个旋转磁头的堆垛机，在中型和小型轧机中对堆垛机进行改革已是刻不容缓。堆垛机改革的主要内容是：自动化水平的升级（应用 PLC）；提高产量（减少周期时间）；可靠性和操作的可重复性；更好的堆垛形状（好的几何形状，捆线或捆带）。现在打捆一双磁头衬垫堆垛机和摆式堆垛机已在成功地使用。磁性堆垛机因要对轧件退磁，结构复杂，非磁性堆垛机的使用会越来越多。

504. 堆垛机基本设备组成有哪些？

堆垛机用来将预定根数的、成排的型材码放成紧密有序的方形或矩形钢材垛，然后送往打捆区进行捆扎，以满足安全运输和储存的市场需求。

堆垛机安装在矫直设备和定尺剪切设备之后，能对角钢、槽钢、扁钢、方钢及棒材进行堆垛。基本设备组成包括：(1)给堆垛机送料的输送设备（一般为链式输送机）；(2)钢材分层装置；(3)取料及堆垛机构，(4)固定的捆束成形架及步进移动料架；(5)运送钢材垛至打捆区的运输装置。

目前世界上已发展形成了各种类型的小型车间用的标准堆垛机，主要分为两大类：磁性堆垛机和非磁性堆垛机。

505. 何谓磁性堆垛机？

轧件由装有可调磁性的翻转臂和输送小车进行一层一层堆垛，并且层与层之间是面对面或背对背交替放置的。该系统主要适用于中型型钢（图 4-16）堆垛，全部由计算机自动操作。

从矫直机和冷剪（停剪或冷飞剪）出来的型钢层通过翻转臂从输出辊道上移送到堆垛机前运输机上，翻转臂上装有可调磁性的磁头，对钢材层进行制动和定位。

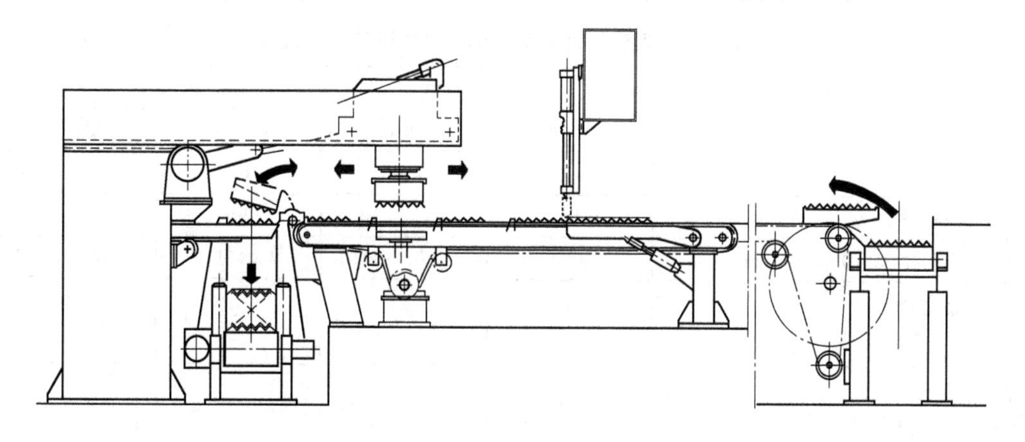

图 4-16　磁性堆垛机

输送机一般较长，目的是使钢材有较长的滞留时间，同时也给堆垛机的操作带来更好的灵活性。其上设有齐头辊道和专用挡板，使所有钢材层在运输中齐头。紧急运输系统可在停产时或轧件不满足矫直公差要求时将型钢收集在一个专用的料筐内。抬高挡板可将后面跟来的料层分开以形成预定数量的钢材层。这些料层被磁性运输车托起或被磁性翻转臂拾取。在一个专门的升降装置上轧件层面对面、背对背交替地堆垛在一起，堆垛成形。这个专用装置使轧件在磁头失磁后更容易脱离开磁头。

钢材堆垛后由平立辊道输送到打捆区。平立辊道的宽度是可调的,以避免料垛在运输过程中散落。

506. 何谓非磁性堆垛机?

轧件由两套液压—机械机构控制的机械手进行一层层堆垛,其动作类似于人手夹持并移送钢材,将钢材层面对面或背对背地进行堆放。

非磁性堆垛机多用于中小断面型钢,可避免料层中钢材在堆垛臂失磁时散落,形成不正确的料捆形状。

矫直后的钢材从堆垛前输入辊道上被移向并收集在装有专用链条的缓冲区。专用链条用于避免单根钢材在运输中重叠。

升降挡板与一个易更换的梳料装置相结合,可奇数、偶数交替而精确地选择每单层料层的数量。

已成形的料层由直线运动的升降臂或通过夹持系统翻转料层来实现料层面对面或背对背交替堆放于步进下降的运输架上形成料垛。

梳料装置是根据所运输的钢材断面形状而变化的,在生产中用几分钟时间很容易更换。

由于运动件和回转件的低惯性,因此处理每层料平均只用8s,全部程序自动化。

非磁性堆垛机即纯机械堆垛机的一个显著特点就是具有无故障地处理双层型钢的能力,故其效率可提高一倍。

507. 达涅利摩加沙玛中小型材堆垛机技术性能如何?

达涅利摩加沙玛中小型材堆垛机技术性能见表4-11。

表4-11　达涅利摩加沙玛中小型材堆垛机技术性能

堆垛机形式		磁性堆垛机		非磁性堆垛机	
机型		TMR400	TMS400	NMC400	LANCE400
台架尺寸/mm		400	400	400	400
最大型材层质量/kg·m^{-1}		55	55	55	190
最大打包尺寸($b \times h$)/mm×mm		400×400	400×400	400×400	400×400
型材层成层时间/s “正面放置堆垛”		6	10	6	6
型材层成层时间/s 双层堆垛“正+反置”		12	14		
型材层成层时间/s 单层堆垛“正+反置”		16	20	8	
两包之间的最少时间/s		12	4	5	5
圆钢尺寸/mm	最小	20	20	20	20
	最大	最大型材层质量	最大型材层质量	最大型材层质量	最大型材层质量
方钢尺寸/mm	最小	18	18	18	18
	最大	最大型材层质量	最大型材层质量	最大型材层质量	最大型材层质量

续表 4-11

堆垛机形式		磁性堆垛机		非磁性堆垛机	
扁钢尺寸/mm×mm	最小 最大	20×3 最大型材层质量	20×3 最大型材层质量	20×3 最大型材层质量	20×3 最大型材层质量
六角钢尺寸/mm	最小 最大	18 最大型材层质量	18 量大型材层质量	18 最大型材层质量	18 最大型材层质量
角钢尺寸/mm×mm	最小 最大	15×3 100×6	15×3 100×6	15×3 100×6	
不等边角钢尺寸/mm×mm×mm	最小 最大	30×20×3 130× 65×12	30×20×3 130×65×12	30×20×3 130×65×12	
槽钢尺寸/mm	最小 最大	140	140	140	
只用于圆钢的机械手		有	有	无	无
用于双层的机械手		有	有	无	无
用于单层的机械手		有	有	无	无
堆垛区长度/m		12—15—18—24	12—15—18—24	12—15—18	12—15—18

508. NMC400 型堆垛机的主要特点是什么?

NMC400 型堆垛机为非磁性回转式堆垛机。该机型是达涅利新研制设计的产品,已投入使用,见图 4-17。该机可对单层型材正反交替堆垛,同时也可对单层对称断面的型材堆垛。其主要特点有:

(1) 堆垛机采用回转式工作方式,在把正或反面放置的型材拾起的同时,另一层型材被放入固定料架中。

(2) 型材拾取装置的动作通过传动链驱动扭转轴完成。

(3) 堆垛机由两套独立的机构组成:正面排列成层棒材的拾取、放置装置和反面排列成层棒材的拾取、存放装置。

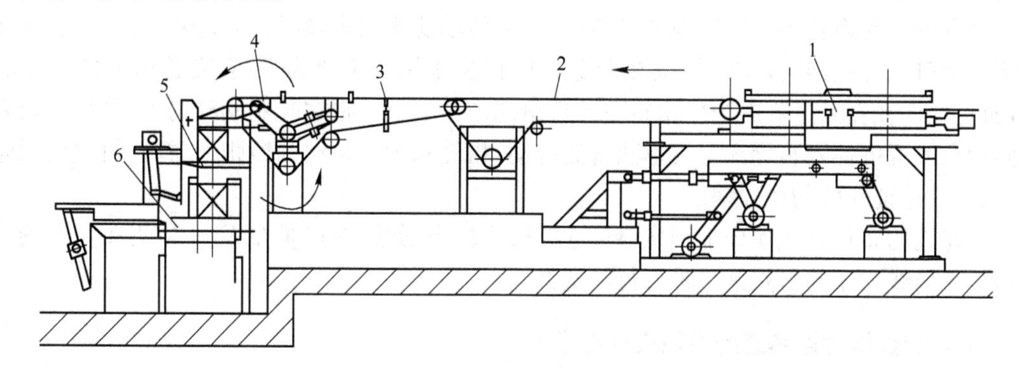

图 4-17　NMC400 型堆垛机

1—堆垛机入口侧辊道;2—型材成层链式输送机;3—成层型材分离装置
4—非磁性堆垛装置;5—固定料架;6—成捆型材输出辊道

与世界上其他小型用磁性或非磁性堆垛机相比较，该机的主要优点有：

(1) 产量高，12m 长的堆垛机产量达每小时 100t。

(2) 工作周期短。

(3) 占用长度小。

(4) 减小了输入辊道与输出辊道中心距。

(5) 减少了型材层的分离装置和对齐辊道

(6) 设备结构简单紧凑。

(7) 易于维护和维修。

(8) 减少了初始投资和备件。

与前两种堆垛机相比，其主要缺点是：

(1) 对棒、型材平直度要求较高。

(2) 噪声增大。

509. 合金钢小型轧机和碳素钢小型轧机有何不同?

合金钢小型轧机和碳素钢小型轧机有许多共同之处，如直接使用连铸坯、连铸坯的热装热送、采用步进式加热炉(合金钢用步进梁式加热炉)、高压水除鳞、低温轧制、在线测径、步进式冷床等。但合金钢小型轧机更有自己的特殊性，合金钢长条产品加工从产量、钢种、产品规格上，更注意与炼钢—炉外精炼—连铸以及锻造、开坯、精整热处理的合理衔接，注重整体技术群的组合与提高。

510. 合金钢为什么要采用全连续化轧制?

连轧化是合金钢加工技术的一大进步，由于合金钢加工温度范围窄，过去的合金钢轧机多采用几十公斤小单重的坯料，在横列式轧机上穿梭轧制。轧机制造和电控技术的提高，特别是在线温度控制技术的应用，使合金钢包括高合金钢(合金工具钢，马氏体不锈钢、高速钢)的连轧成为可能。20 世纪 80 年代末国外有几套轧机实现了合金钢连轧，从那时起我国从国外引进了 4 套合金钢长条产品连轧机，其中抚顺钢厂和大连钢厂两套合金钢连轧机具有当今世界水平。

合金钢实现连轧要求轧机强度更高，电机的传动功率更大，轧机形式多为短应力线式或传统的闭口式轧机，悬臂式的轧机在合金钢厂很少采用。全线为平/立交替布置的无扭轧制，避免轧件在轧制过程中产生扭转而导致角部产生裂纹。根据轧制钢种的不同要求，设置不同的在线温度控制装置。全线单独直流传动，粗轧和中轧机组为微张力，精轧机组为无张力控制，以保证轧件的尺寸精度。

半连轧的布置方式使合金钢坯料尺寸有较大的灵活性，对产量在 15～20 万 t 左右的合金钢棒材或线材车间仍然是一种可行的选择。

511. 合金钢对连铸坯的断面有何要求?

连铸坯在碳素钢小型和线材轧机中已使用多年。随着连铸技术的进步，许多合金钢如合金结构钢、弹簧钢、轴承钢、奥氏体不锈钢等的连铸坯已在连铸机上生产，并在长条产品的轧机中使用，近年来意大利柯尼亚(Cogne)厂甚至在连铸机上生产马氏体不锈钢连铸坯。

国外的合金钢连铸有两种流派；日本派是大断面连铸，360mm×360mm～400mm×400mm 的连铸坯经初轧—连轧机开坯后再由棒材或线材轧机轧制成材。欧洲派则是中断面连铸，160mm×160mm～280mm×280mm 的连铸坯经一次加热即轧制成最终的成品尺寸。

连铸坯的断面取决于最终产品所要求的压缩比。而压缩比是为保证产品组织结构和力学性能所要求的最小变形量。压缩比是在一定条件下的经验数据，其数值与产品的最终用途、钢水和连铸的质量密切相关，特别是钢中的氧含量、碳化物的不均匀程度对其影响最大。同是齿轮用钢，高级轿车和普及型轿车也应有所不同，而且随着炼钢和连铸水平的提高而变化。在当前的炼钢和连铸水平的条件下，欧洲用户对工程用钢要求的压缩比如下：

奔驰(Benz)	1∶6
飞亚特(Fiat)	1∶8
梅塞德斯戴姆勒(MercedesDaimler)	1∶6
卡特皮勒公司(Caterpillar)	1∶5～1∶7
滚珠轴承公司(瑞典)(SKF)	1∶10

随着冶炼和连铸水平的提高，使用 180mm×180mm～240mm×240mm 中断面的连铸坯，为国内越来越多的厂家所接受，因为在保证产品质量的前提下，采用中断面的连铸坯，无论连铸机还是小型轧机都可大大减少基建投资，并可大幅度减少生产运营费用。

512. 对合金钢坯料需进行哪些检查和修磨？

合金钢产品的表面和内在质量都要求很高，因此，几乎所有的合金钢厂都实行精料方针。根据目前的发展水平，一部分坯料可以直接热装，还有一部分钢种的坯料不能直接热装。对不能直接热装的坯料要进行 100%表面检查，对有表面缺陷的坯料要进行表面修磨，去除表面缺陷。对可直接热装的坯料，亦可能有一部分存在表面缺陷，对热探伤发现有缺陷的坯料也要从作业线上剔出，下线进行表面修磨。

对方坯和扁坯的表面缺陷探伤主要采用人工或荧光磁粉法。喷涂在钢坯表面的磁粉，在黑灯下显示出钢坯的缺陷，由人工标出有缺陷的部位，然后对缺陷进行局部修磨。缺陷修磨主要采用高压高速修磨机。在 10kN 的压紧力下，用以 80～120m/s 高速旋转的砂轮对有缺陷的钢坯表面进行修磨。

除了局部修磨缺陷外，对不锈钢和部分要求严格的轴承钢要 100%扒皮修磨，对高速钢要磨去尖锐的四角，以避免在轧制过程中角部冷却过快，产生裂纹。

513. 何谓脱头轧制？

在连轧过程中各机架之间速度和轧件断面面积的关系遵循秒流量相等的原则。当成品规格和最终的轧制速度一定后，某种规格坯料的入口速度也就定了。对合金钢长条产品而言，轧机的产量不要求太高，因而终轧速度不需要很高，对生产合金钢的线材轧机速度为 70～85m/s即可满足要求；再者，在轧制线材时某些高合金钢，如高速钢、马氏体不锈钢，其最大轧制速度要求不大于 40m/s，即使最近设置在线温控装置的新式合金钢线材轧机中，其轧制速度亦不大于 70m/s。这样就决定了合金钢轧机的轧制速度不能也不需要选择很高。如前文所述，合金钢连铸坯的断面面积比碳素钢的大，一般在 160mm×160mm～240mm×

240mm之间。成品出口速度低，进口坯料断面面积大，这就决定了粗轧机的入口速度很低。而某些特殊钢种要求在第一架的咬入速度不小于0.2m/s。为解决这些矛盾而将粗轧机组和中轧机组之间的距离拉大，使之不形成连轧，这样可使粗轧机组速度根据轧制钢种的需要进行调节。

514. 合金钢在线温度控制有哪几种？

在线温度控制技术的应用，使合金钢的连轧成为可能。根据不同钢种的生产工艺要求可有以下4种不同的在线温度控制：

第一种：如优质碳素钢要求低温控轧，这就要在精轧机组前设置冷却水箱，并配合以40%～50%的精轧压下率，而且在精轧机后装设水箱，在轧后进行快速冷却。

第二种：如轴承钢和弹簧钢要求在低温下完成精轧，而在轧后则要求保温缓冷（为防止网状碳化物的析出，轴承钢、弹簧钢为轧后先快冷，后慢冷：弹簧钢是为使剪切时的硬度HB≤280，轧后慢冷），为此在精轧机前设冷却水箱，以控制进入精轧机的轧件温度，在冷床的入口或出口侧设置保温罩，对轧件进行缓冷。

第三种：如马氏体不锈钢、合金工具钢、高速钢等，其热加工的温度范围很窄，在轧制过程中除要有较高的咬入速度外，在低速轧制阶段还要求保温或在线加热，在轧制速度较高后，轧制变形热使轧件温度迅速升高，此时要对轧件进行适当的冷却；在轧制后要求保温，对轧件进行缓慢冷却。为满足这类钢的要求，在加热炉与粗轧机之间、粗轧机与中轧机之间设保温辊道，有的轧机还在中轧机前设在线感应加热装置，在精轧机组前设置水箱，控制轧件的温升；在精轧机后设高温快速收集装置，将轧件装入保温箱进行缓冷。

第四种：如奥氏体不锈钢要求在线淬火，即在高温下完成终轧，轧后在1030～1050℃的高温下淬火，快速冷却至500℃，完成固溶热处理。为此，需精确控制轧件的轧制温度，在精轧机后安装大水量的冷却水箱，对轧件进行快冷。

不同的轧机根据所生产的钢种，可选择上述4种在线温度控制方式中的一种。在线的温度控制技术使合金钢长条产品在变形的过程中，同时完成组织转变，达到所要求的组织和性能，减少或取消离线的热处理，降低生产成本。

515. 目前国内外常用的粗轧机机型有哪几种？

粗轧机的机型很多，目前国内外常用的主要机型有以下几种：

（1）长辊身、多孔槽、平立交替布置的粗轧机组。20世纪60年代大部分连轧机（如首钢300小型）均采用这种方式。这种粗轧机的平辊可以横向移动，立辊可上下移动，更换轧槽时能保持轧件处于一条轧制中心线上，而且，粗轧机轧件不扭转，可以保证良好的质量，另外，还具有更换轧槽时间短、轧机能力大等优点。其缺点是设备重量大、厂房高、投资大。

（2）长辊身、多轧槽、全平辊、扭转轧制粗轧机组。它是近几年来我国引进高速线材轧机和新建的小型轧机普遍采用的一种粗轧机型。采用这种方式的有包钢、酒钢、马钢等

这种轧机采用扭转轧制，可以同时轧制两根轧件，因而生产能力可达40～60万t/a。这种轧机较适于生产普碳圆钢或线材等。

（3）大压下量的紧凑式粗轧机组。如天津二轧厂采用的紧凑式轧机，是将4台短应力线机架间距缩短至1350mm，并按平—立布置方式放入大框架内，机外备有4台机架整组更

换，使用150mm方连铸坯，4台轧机均采用菱形孔型。唐钢和通钢也有类似紧凑式轧机作粗轧机组。这类轧机可使轧机减少1～2台，使厂房缩短，节省投资。但此类轧机设备结构复杂，维护工作量大。目前国外采用的紧凑式轧机不用大框架结构，仅将粗轧机架尽量缩至1550mm，采用紧凑式布置方式，也利用一部分潜在咬入角能力。这样设备不仅简单，也易维修和操作。

(4) 悬臂辊、单轧槽、平直交替布置。广州轧钢厂的连续小型轧机就是这种机型。轧辊最大直径可达 ϕ800mm，使用350mm连铸方坯。如果使用150mm连铸方坯时需采用 ϕ550mm左右的轧辊。每个辊套设有一个轧槽，轧槽使用寿命：第1～5架10000t/次车削，第6架5000t/次车削。每套轧辊可车削10次，因此一套轧辊可轧钢约10万t，轧辊消耗量约为0.03kg/t，非常经济。

这类粗轧机采用平立交替布置，立辊为下传动，更换辊套方便，可以实现无扭轧制。与一般平立交替轧机相比，可节省投资20%～30%，布置形式一般也为紧凑式。由于采用悬臂辊结构，因此对轧辊轴承受力、立辊轴承密封结构等方面都有一些特殊要求。

(5) 采用常规的三辊式 ϕ650～500mm开坯机架。国内好几个厂采用这种机型，有的一架，有的两架。当轧机产量为10～20万t/a左右时，采用这种方式较经济实用。近年来有些外国制造厂对10～20万t/a产量的小型连轧机作过报价，推荐采用两架三辊轧机作粗轧机组。采用这种方案时，在粗轧机上可以轧制5～7道次，从而可以使用较大断面的连铸坯，可免去粗连轧机组的昂贵投资。此外，根据各厂的条件，如炼钢厂的连铸比达不到100%时，多余的小钢锭也可以在此机架上轧成钢坯。因此，对于年产量为20万t左右的地方企业，采用这种方式不仅方便灵活，投资省，上马快，而且维护、操作都很简单。缺点是使用坯料不能太长，一般为3～5m。

516. 新型高刚度轧机的主要形式及特点是什么？

对于 ϕ300mm左右的小型连轧机，其机架形式国内外已有数十种，其发展的主要特点是大刚度。过去普通 ϕ300mm轧机的刚度一般小于40t/mm，现代大刚度轧机一般大于80t/mm。由于轧机刚度提高，所以产品的实物精度大大提高。例如，对于 ϕ10～16mm的圆钢，直径偏差可达±0.2mm。

下面对主要几种大刚度轧机进行简要介绍：

(1) 二辊闭口式大刚度轧机。这种轧机在我国已普遍采用，酒钢等厂引进的小型轧机也采用了这种类型的机架。这种轧机的特点是机架上横梁断面加高加大，使牌坊立柱仅承受拉力。轧辊为短辊身(不大于600～800mm)，采用滚动轴承，因此轧机具有较大刚度，如首钢红冶钢厂 ϕ350mm轧机的刚度为85t/mm。此外，由于机架立柱的支持作用，轧辊可承受较大的轴向力，轧制产品的适应性强，换辊方便，单机重量较重，但总造价与其他形式相比，相差不多。

(2) 短应力线轧机。这种轧机在我国也已普遍推广采用。目前国内外这种类型轧机形式很多，但大部分大同小异，北京科技大学设计的GY型轧机可作为代表。北京冶金设备研究院为了解决其轴向刚度不足及在线换辊问题，将下轴承座作成半牌坊形式，固定在底板上。国外新设计的大刚度轧机是将上下轴承座用4根螺栓拉紧后，整体放在一个固定于底板上的半牌坊架内，通过牌坊立柱保证其轴向刚度(称Red Ring轧机)。这种轧机形式似乎不如我国GY型轻巧,但很受现场操作人员欢迎。近年来,包头钢铁设计研究院综合了各家优点,开发设计出一种高刚度轧机,可供选用。

(3) 预应力轧机。我国已有20多家采用了这种轧机,其结构形式类似于开口机架。其特点是在牌坊立柱中加入4根长螺栓,利用液压螺母使牌坊预先受压,其压力大于轧制力,从而可减少轧制时的弹跳变形。其缺点是螺栓装卸较繁,因此采用这种机型的单位逐渐减少。

(4) 连接板式轧机。这种轧机也是一种大刚度短应力线轧机,已在齐钢投入使用。这种轧机由机架板承受拉力,轧机总刚度达85t/mm,采用偏心轴压下系统,特殊的轴承座定位机构和齿圈式轴向调整机构。其轴向固定刚度大,轧制过程中轴向窜动量小于0.1mm,质量轻,可以整机更换,其上横梁拆装简便也可在线换辊。缺点是加工件太多,制造成本高。

(5) 三辊Y形轧机。这种机型是KOCKS公司近年来开发出的一种新机型,三个轧辊呈Y形布置,机架结构形式与钢管张力减径机相似。孔型由三段平辊或椭圆曲线构成,采用差动调速传动,专门用于轧制ϕ5.5～80mm的合金钢、精密圆钢。目前这种轧机已在日本WKS Toyama、法国Ugine Aciers厂投产使用,西班牙、韩国、我国台湾也有使用的。

德国KOCKS公司开发的这种三辊式Y形轧机专门为了轧制精度很高的圆钢。其轧制的基本原理是采用调速、无活套连轧工艺,主传动采用类似钢管张力减径机的差动调速方法。

517. 近代小型轧钢厂采用的悬臂式轧机有何优点?

20世纪70年代开发的悬臂式轧机是适于小型轧钢厂采用的一种好机型。在80年代已广泛应用于棒材和线材的粗轧、中轧和预精轧机组。

悬臂式轧机由于采用油膜轴承,所以又称油膜轴承悬臂式轧机,分立式和平式两种。这种轧机与人字齿轮箱合为一体,省去了轧辊传动轴,没有传统形式的机架和轴承座,结构紧凑。轧辊辊缝对称调整,孔型中心线始终不变;辊缝由液压马达调整。孔型上下轧槽对正,无需轴向调整。这种轧机重量轻,与传统轧机相比减重2/5;占地面积小,与同等轧机布置相比,传统轧机布置长度需49m,悬臂式轧机只需37m。这种轧机的优点是:

(1) 便于操作。没有牌坊、轴承座和各种调整螺丝,便于调整。机架间距短,孔型和导卫容易对中,操作大为简化和方便。

(2) 部件简化。悬臂式轧机没有传动连接轴,部件也非常简化,比传统轧机减少1/2以上。

(3) 换辊快捷。换辊既容易又快捷,换辊时间缩短3/4。

(4) 减少了维修量。

(5) 投资省,作业率高。与传统轧机相比,一次投资节省建筑物费用20%、基础费用30%,安装调试时间缩短25%。设备投资下降10%;轧制生产过程中更换轧槽停轧时间减少3/4,更换轧制程序的停歇时间下降15%,轧机机组作业率提高5%～7%。

518. 高精度预应力轧机的结构特点是什么?

鄂城钢铁厂在ϕ330mm/ϕ330mm×2布棋式中小轧机上采用了预应力新型轧机。实践证明,预应力轧机轧制产品精度高(尺寸公差精度可控制在±0.04～0.06mm),质量稳定,使用效果良好,经济效益显著。

轧机结构为半机架式结构。它没有普通小型轧机的大顶盖,而是用上轧辊两个轴承座取代。上辊轴承座靠4根带液压螺母的拉杆，用液压产生的预应力和半机架牌坊紧固成一体，下辊轴承座装在半截牌坊的柱口内，在轴承座下面安装轧辊上下调整器。半机架式牌坊采用焊接结构。该预应力轧机具有下列特点：

(1) 轧机刚度高、轧制产品精度高。预应力轧机牌坊立柱比老式轧机立柱短，轧机应力线减短75%，故预应力轧机刚度大，因此提高了轧件精度，保证了轧件头尾尺寸偏差稳定。头尾精度偏差可控制在±0.06mm以内(改造前ϕ300mm轧机的轧件头尾精度偏差在0.1～0.5mm范围内波动)，为型钢的负偏差轧制创造了良好条件。

(2) 轧机结构紧凑，设备质量轻。预应力轧机的设备结构紧凑，在相同许用轧制力下，它的设备质量轻，投资省。

(3) 轧机拆卸方便，便于安装维护。预应力轧机每次本体加压卸载和加压固紧的换辊操作十分方便，可在10～15min内完成，提高了轧机作业率。

(4) 轧机采用焊接结构，易于加工制造，价格为铸钢件的60%。

519. 整体式轧机(BLOCK)有何特点？

整体式轧机(BLOCK)即线材轧机的无扭精轧机组。将它引入棒材生产领域可以说是一种新的尝试。例如DANIELI公司为意大利ALFA、ACCLAL、S. R. L提供的一套小型轧机即采用了4架ϕ200mm整体式轧机作为精轧机组，轧机年产量50万t，生产碳素钢ϕ10～36mm棒材。坯料为130mm×130mm×11000mm，轧制速度为30m/s，产品精度可达1/2DIN1013的规定值。采用整体机组刚度高，轧速可大幅度提高，可采用碳化钨辊环，轧辊寿命高，不用活套，控制简单，轧机紧凑，质量轻，用户反映生产顺利。但由于采用微张力轧制，对成品头尾段影响究竟有多大尚不清楚。

520. 闭口式轧机的特点是什么？

闭口式多孔槽二辊轧机是用于小型轧机最普通的形式。近年来把压下装置设在轧机牌坊上横梁和上轴承座之间，维持了牌坊的整体性，使轧机刚度增加，并采用了上辊液压平衡和手动蜗杆-蜗轮机构进行上辊轴向调节技术，液压小车换辊和轧机横移，使轧制线固定不变等技术。多孔槽的轧辊可减少换辊次数，从而减少换辊时间损失，闭口式二辊轧机是可靠的粗轧和中轧机组，常规的精轧机组也大多采用这种机型。

单孔槽闭口式轧机的轧辊采用短辊身，轧辊采用辊环式装配在轧辊轴上，辊环上只刻一个轧槽，辊环材质为离心浇注的高强度耐磨球墨铸铁。这种轧机与普通闭口式二辊轧机相比，其设备质量轻，几乎小一半左右；由于为单孔槽，轧制线恒定，无需孔型对中装置；轧辊辊身短而且为双支撑，轧机刚度大，能承受高的轧制力；设备占用空间小，操作简单；如为立辊轧机，其结构简单且轻便。

521. 短应力线轧机有何特点？

短应力线轧机具有体积小、质量轻、轧机刚度大、轴承使用寿命长等优点，近年来在小型轧机上使用越来越广泛。随着短应力线轧机在线快速换辊装置的出现，避免了整体更换机架，使轧机投资减少，短应力线轧机的应用将会更普遍。短应力线轧机适于用作中轧机和精轧机，用于粗轧机时，由于轧件断面大，轧件的推力或张力容易破坏机架与底座间的连接。

522. 紧凑式轧机的工作原理是什么?

为了解决连铸坯和小型轧机之间的衔接问题,又不影响连铸的生产能力和保证连铸坯内部质量,国外20世纪70年代研究开发了一种紧凑式轧机,80年代一些国家开始采用紧凑式连轧机作为小型连轧机中的粗轧机或中轧机。

新发展的紧凑式轧机是由美国摩根公司首先提出的。它是建立在1978年日本钢铁公司进行的关于强迫咬入和强迫轧制试验的基础上,美国摩根公司把施加推力的方法发展到利用前一架轧制对后一架产生推力咬入,这个发展是通过轧机密集排列的方法实现的。强迫咬入是指咬入角$\alpha>\rho$(摩擦角时),沿轧制方向在轧件上作用一个水平推力,在轧机机架间距离较短,坯料断面尺寸较大的条件下,可以实现前一架轧机对后一架轧机产生推力咬入轧制。美国摩根式紧凑式轧机的最大咬入角可达40°~50°,一般的连轧机是无法以这么大的咬入角进行轧制的。这种咬入角超过理论极限进行的轧制,正是紧凑式轧机的轧制特点。

523. 紧凑式轧机的主要特点是什么?

紧凑式轧机属于大压下量轧机,其主要特点是:

(1) 轧机间距小,由前一架轧机将轧件推入后一架轧机内实现强迫咬入,从而进行大压下轧制。

(2) 机组通常由4架、5架或6架轧机组成,采用平—立交替式布置。

(3) 辊身短,每个轧辊辊身仅开一个孔型(或为单道次子辊轧制)。

(4) 由于采用大压下,所以在同等条件下,与普通型二辊轧机相比,可减少1~2架轧机。

(5) 机架为短应力线结构或悬臂辊式结构。

(6) 由于采用大压下,如果调整不当,易发生机架间堆钢事故,加之其机架间距小,所以操作调整和事故处理不便。

(7) 紧凑式轧机各机架单独传动,传动控制精度高,特性硬。轧制过程无扭无活套,机组一般采用微型计算机或PLC控制,自动化程度高。

524. 紧凑式轧机的结构和技术特性如何?

国外紧凑式轧机分两大类:一类是由双支承的轧机组成,另一类是由悬臂轧机组成。前者能承受大轧制力,一般多在大压下量时,或对合金钢进行轧制时采用。这类轧机又有两种不同结构,一种是集框式,另一种是机架式。

瑞典莫格斯哈玛公司的HRC轧机是集框式紧凑式轧机,它是由4组或6组轧辊按平—立—平—立辊组成一台轧机。4~6个平立相间的短应力线轧机紧密排列在一个小车上,放在一个焊接的大框架中。

美国的伯兹·保罗(Birds Boro)公司和意大利波米尼(Pomini)公司制造的紧凑式轧机是机架式的。意大利达尼公司的ESC轧机是悬臂式紧凑轧机。它采用油膜轴承,也可以承受较大的轧制力,垂直机架造价较低。

还有一类也可称为紧凑式轧机,即三机架紧凑型可逆式(Triplet)轧机,它是由瑞典皇家工学院斯特朗德尔(Strandell)教授发明的,是针对小型连铸方扁坯与轧机连接设计的。它是由两组ϕ350mm×300mm立辊和一组ϕ470mm×400mm水平辊组成立辊—水平辊—立辊的大压下轧机。轧机机架是立柱式，采用液压压下装置，平辊轧制。轧机刚度高，是一种高变形能力轧机。最大轧制力是：立辊 1MN，水平辊 1.3MN；延伸系数可达 1.6；最大轧制坯料规格是 270mm×90mm 扁坯或 150mm×150mm 方坯；产品是 40mm 方坯，尺寸精度高。它适合作小型材粗轧机，灵活性好。这台轧机采用计算机程序控制，自动化程度很高。

紧凑式轧机目前所采用的坯料大部分为 140～180mm 方坯，4 机架总压下率可达 82%～85%，最大咬入角可达 40°～45°，实际控制在 30°左右。由于大大提高了压下量，所以坯料本身获得很大的变形热，机架间距小，减少了坯料轧制时间和温降，因而紧凑式轧机可降低开轧温度，出炉温度可控制在 950～1000℃。紧凑式轧机温降比连轧机小得多，为实施低温轧制工艺创造了条件。

525. 悬臂辊式轧机的特点是什么？

悬臂辊式轧机在小型材轧机方面应用也很多，特别是意大利、美国等国应用得较多。轧机采用了悬臂轴式，轧辊轴由油膜轴承支承，因此轧辊轴辊颈可以加大，有利于提高轧机刚度。轧机机架与齿轮机座和减速齿轮装置合为一体，结构紧凑，体积小，重量轻，与普通轧机相比，质量减轻 2/5，机架间距小，占地面积也小，可以实现轧辊径向对称调整，采用专用工具快速换辊。悬臂式立辊轧机和水平—立辊可更换机架质量远比普通型立辊轧机和水平—立辊可更换轧机质量轻。由于上述的许多优点，悬臂辊轧机在棒材精轧机上得到了广泛应用，粗、中轧机上也得到了应用。悬臂辊轧机采用轧辊辊环，如用于轧制槽钢、角钢等型钢时，由于辊环刻槽深而不够经济；另外，由于辊环上刻槽少（粗轧机为单槽，中轧和精轧为双槽），为了减少换辊次数，轧辊材质必须选用硬质合金（碳化钨、工具钢、合金锻钢等）辊环。

526. 连续式小型轧机中常用粗轧机的特点是什么？

连续式小型轧机中常用的粗轧机有闭口式二辊轧机、短应力线轧机、紧凑式轧机和悬臂辊式轧机。表 4-12 列出了这几种轧机的特点对比。

表 4-12　4 种粗轧机的特点对比

项目 \ 轧机形式	闭口式轧机	短应力线轧机	紧凑式轧机	悬臂辊式轧机
机架牌坊	由板坯切割而成	无牌坊	C形框架等	无牌坊
轧辊轴承	滚动轴承	滚动轴承	滚动轴承	油膜轴承
轧辊径向调整方式	上辊压下，下辊加垫片	对称调节	对称或非对称调节	偏心套对称调节
轧辊轴向调节方式	上辊调节	上辊调节	上辊调节或无调节	无调节
上辊平衡方式	液压或弹簧	液压或弹簧	液压或弹簧	
换辊方式	液压或电动小车换辊	整机架	整机架	借用专用吊具和吊车换辊环
机架横移	液压或电动横移	液压或电动横移	无	无
轧辊轧槽数	4～8	4～8	1	1～2

续表 4-12

项目＼轧机形式	闭口式轧机	短应力线轧机	紧凑式轧机	悬臂辊式轧机
轧辊材质	铸钢或球墨铸铁	铸钢或球墨铸铁	合金锻钢	硬质合金
轧辊装配方式	整体轧辊	整体轧辊	整辊或辊环	辊环
换辊时间/min	15～20	10～15	10～15	8～15
机架间距	大	较小	小	较小
机架刚度	高	高	高	较高
事故处理	容易	容易	较难	容易
设备质量	100%	较小	较小	70%～80%
轴承寿命	较长	长	长或较长	长
布置方式	全水平或平—立交替	全水平或平—立交替	平—立交替	平—立交替
伸长率	较大	较大	大	较小

527. 紧凑式粗轧机组含钢停车事故的常规处理办法有什么弊端?

吉林通化钢铁公司高速线材车间在热试车以及以后的试生产期,发生过多起紧凑式粗轧机组(5架轧机)集体含钢并堆钢的紧急停车事故。最初,采用常规的处理办法,即事故停车后,先将轧件割断,再将轧机移出机座(C形架),然后再处理轧辊间的含钢。此时虽然立式轧机可以移出轧制线外,但压下装置的液压马达不能转动,辊缝不能张开,事故轧件不易取出,只好用气割将机架入、出口导卫中及辊缝中的轧件一点点熔化、吹掉。而水平机架的情况更严重,驱动压下装置的液压马达不能转动;拉杆(即机架)不能下降;轧辊滚轮不能接触轨道;轧机上盖板与C形架上滑道不能脱离。在这种情况下,要想将轧机移出轧制线,一方面需用吊车将机架吊离C形架上滑道(吊起高度50mm,否则将损坏机架移出液压缸);另一方面,在精轧机对面水平方向安设水拉葫芦向外牵引机架;同时用手捅机架移出缸的液压换向阀。

上述处理事故的方法有许多弊端:

(1) 容易将液压马达、蜗轮蜗杆减速机、液压缸及压下指示装置等设备损坏。

(2) 切割轧辊间的事故轧件时,很难避免切坏导板梁和轧辊。

(3) 抢修事故时,需要较多人力。

(4) 事故处理时间过长,处理一次事故,至少需8h。

528. 紧凑式粗轧机组含钢停车事故处理困难的原因是什么?

紧凑式粗轧机组含钢处理难,是由于事故轧件在轧机中冷却后,驱动压下装置的液压马达转不动,即辊缝张不开所致。而液压马达转不动是由于轧件温度迅速降低后,为防止发生烧轧辊事故不能立即停冷却水，这样，导致轧件金属变形抗力增大。特别是当轧件由1100～1250℃（此时轧件金相组织为奥氏体）冷却到723℃（再结晶温度）以下时，轧件的晶格结构由面心立方晶格转变为体心立方晶格。由于体心立方晶格比面心立方晶格的比容大，所以，伴随轧件晶格的转变，其体积必然膨胀。且随着轧制钢种碳含量的增加，其体积的膨胀量也增加。其反作用力（变形抗力）通过轧辊，直接作用在轧机4个拉杆的螺纹摩擦副上。其摩擦力的增大，使得恒转矩的液压马达超负荷而转不动。

529. 紧凑式粗轧机组含钢停车事故处理的改进措施及效果如何？

吉林通化钢铁公司高速线材厂在总结以前工作的基础上，提出如下改进措施：在发生粗轧机组含（堆）钢事故时，抢在轧件金属未发生相变之前，在现场地面站按动操作按钮，将轧件的辊缝迅速张开。因为此时轧件的金相组织为均匀的奥氏体，金属内部原子的热振动剧烈，原子间的空隙较大，原子间的结合力较弱，因而导致轧件金属的塑性变形抗力低，使得液压马达能够转动。上述动作完成后，再按常规方法处理事故。

采取改进措施后，取得了理想效果。事故发生后，立即启动液压马达，仅用1～2min即可将5架辊缝打开，处理一次事故仅用2～3h。

530. 三辊行星轧机的工作原理是什么？

三辊行星轧机是20世纪70年代初期发展起来的一种新型大压下量轧机。这是随着轧钢技术的发展，尤其是为适应产量不大的小型轧机对供坯的需要而逐渐发展起来的。

三辊行星轧机主机列分为轧机本体和传动两部分。轧机本体由回转盘系统、中心套管和机座组成。回转盘的一侧装有传动齿轮，而三个相互布置成120°角的锥形辊安装在另一侧，倾斜的轧辊轴与轧制中心线构成辗轧角。此外，每个辊座都可相对回转盘在调整角范围内任意转动一个角度，使轧辊轴与轧制中心线形成空间交叉的送进角。传动部分由主传动和辅助传动构成，如图4-18和图4-19所示。其传动过程如下：

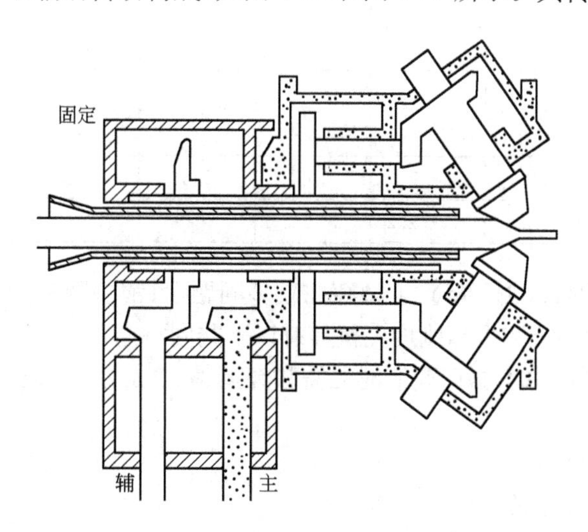

图4-18　三辊行星轧机结构示意图

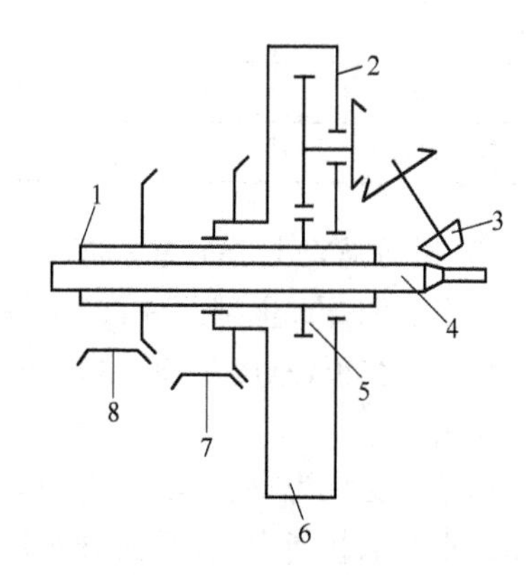

图4-19　三辊行星轧机传动系统示意图

1—中心套管；2—行星轮；3—轧辊；4—轧件；5—太阳轮；6—回转盘；7—主传动轴；8—辅助传动轴

（1）主电机通过主传动轴、一对螺旋锥齿轮带动回转盘转动，这时装在回转盘上面的三个锥形轧辊也同时绕轧件公转。而装在回转盘内的行星轮随回转盘一起转动，经齿轮带动轧辊绕自身轴进行自转。

（2）辅助电机通过辅助传动轴和一对螺旋锥齿轮，带动中间套管、太阳轮、行星轮，再经辊座内部的齿轮将动力传给锥形轧辊，使其产生叠加运动，以调节轧辊的自转转速。

531. 三辊行星轧机有何优点？

在用于产量低、难轧制的特殊钢种的棒材坯料生产和中小钢厂使用 ϕ120～200mm 连铸圆（方）坯的棒材粗轧生产这两个领域中，三辊行星轧机可充分表现出下列优点：

（1）单道次可实现大延伸系数 5～12；

（2）无导卫轧制；

（3）没有咬钢，抛钢的冲击负荷，运转平稳；

（4）轧制变形合理，使难变形金属容易变形；

（5）设备紧凑，占地面积小，投资费用少。

532. SY 型高刚度轧机的规格性能及特点是什么？

SY 型高刚度轧机的规格性能如表 4-13 所示。

表 4-13 SY 型高度轧机规格性能表

性能		规格						
		SY-225	SY-228	SY-230	SY-232	SY-225	SY-240	SY-250
轧辊直径/mm	公称尺寸	250	280	300	320	350	400	500
	最小值	245	250	280	290	320	380	430
	最大值	280	320	340	360	380	450	560
辊颈直径/mm		150	160	180	190	200	250	280
最大轧制力/kN		450	550	800	1000	1200	1500	1800
最大轧制力矩/kN·m		16	20	30	45	55	75	100
辊系质量/t		2.9	3.1	4.2	4.5	6	7.4	8.5
底座质量/t		1～1.5	1.5～1.6	1.5～2.0	1.8～2.2	2～2.5	2～3	2.5～3.5

SY 轧机分 SY-Ⅰ、SY-Ⅱ、SY-Ⅲ三种形式，由于 SY-Ⅰ型存在较多问题，目前主要使用的是 SY-Ⅱ型和 SY-Ⅲ型两种，这两种类型的 SY 型高刚度轧机具有以下共同特点：

（1）应力线短，刚度高，轧辊轴向窜动控制能力好，轧制时无需频频调整，产品精度可达到 ISO 级标准。

（2）辊式支承为全悬挂式，受力对称且稳定。

（3）轴承承载能力高，载荷分布均匀，寿命长。

（4）辊缝对称调整，轧制中心线不变。

（5）易于装卸接轴，整体更换辊系，在线换辊时间可控制在 10min 内。

（6）备有与轧机配套使用的连接轴换辊架。

(7) 可用于横列式、复二重式轧机的技术改造,还可用于新建的连轧机组。

533. HGR型与GY型、SY型短应力线高刚度轧机的结构有何不同?

UGR型与GY型、SY型短应力线高刚度轧机结构对比见表4-14。

表4-14　HGR型与GY型、SY型短应力线高刚度轧机结构对比

项　　目	杭州钢厂HGR型	北京科技大学GY型	北京冶金设备研究院SY型
机架形式	U形双立柱机架,有利于轧机工作稳定	L形单立柱机架,速度提高时工作不够稳定	双立柱装配式座架,零件及装配较复杂,工作稳定
轧辊装配	基本上与GY型相同	采用四列滚柱轴承+推力轴承	采用四列滚柱轴承+双列径向止推轴承
辊缝调整	立柱上端为细牙锯齿螺纹,上辊调整+下部斜楔调整,降低零件加工,装配技术要求	立柱螺杆为上下粗牙锯齿螺纹,上下辊对称调整	基本与GY型相同,但螺距减小
辊缝调整用蜗轮箱	增设蜗轮副游隙微调装置,空转行程小,提高了调整精度	蜗轮副空转行程大,正反向调整时精度难以控制	基本与GY型相同
横向调整装　　置	设置在机架立柱上,靠近轧辊中心,克服了轧辊轴向窜动现象,采用差动装置微调,提高了精度	设置在机架立柱、外侧,离轧辊中心较远,或设置在立柱的悬臂上,位于轧辊中心,轴向刚度差,有窜动现象	设置在两根立柱上工作较为稳定
上轴平衡装　　置	立柱内侧专设蝶形弹簧平衡装置,可以在线调整	立柱孔内采用6个圆柱螺旋弹簧平衡,无法在线调整	基本与GY型相同
轧辊锁紧装　　置	设置此机构保证轧制稳定,无晃动现象	没有锁紧机构,机架单立柱上导轨磨损后轴承座前后晃动,工作不稳定	采用双立柱导轨,工作较稳定,但磨损后无法调整
两侧蜗轮箱的连接形　　式	采用导柱连接,刚性大,可伸缩调整两侧中心距,又可锁紧,使用灵活方便	采用连接板,刚性差,容易变形,而且无法调整	已提高连接梁刚性,但无法调整中心距

534. 摆锻式轧机的工作原理及特点是什么?

摆锻式轧机介于锻锤和轧机之间,借助上下、左右两对摆动的锤头,快速交替锤击轧件,使其承受大的变形。它可置于连铸机后,形成连铸连轧,利用其变形量和轧制速度灵活可调的优点,起连铸和小型生产的中间调节作用;亦可放在加热炉后,将钢坯轧成方、矩、八角、圆形等断面,供给后面的小型或线材轧机,其一次延伸系数可达8～9,从而可取代整个粗轧机组。

摆锻机的锤头可分为砧式和辊式两种,砧式的工作原理如图4-20所示。电机通过伞齿轮系统驱动4个曲柄连杆机构. 使水平、垂直锤头来回摆动,其相位差为180°,故可对轧件四面加工。锤头的运动可分解为水平和垂直两个分量，前者使轧件前进，后者压缩轧件，故无需其他送料设备。由于每锤击一次轧件变形量不大，送进距离亦不大，故可大大节省电机容量，但由于锤击频率高达 220 次/min，故一道延伸系数可达 8 以上，而轧出速度为 0.3m/s 左右。由于是四面加工轧件，故对轧制低塑性钢种有利。由于锤头是在高温下连续工作，故需要用水从锤头内部冷却。用此法将 180mm 方坯在不经中间加热的条件下，与线材轧机相配合，曾轧出 ϕ11.5mm、重 5000kg 的盘卷，金属收得率达 98%，一对锤头可轧制钢材 3900t。

DSW 辊式摆锻机的工作原理与砧式相似，如图 4-21 所示。两者不同之处是：辊式摆锻机的锻锤是一对由大辊支持的小工作辊，在其往复运动中，辊面相对轧件滚动，故轧件表面质量较好，轧辊磨损小，轧机可通过偏心套调节轧辊开口度，以适应轧制不同规格产品的需要。为了与其后面轧机相配合，摆锻机与小型轧机或线材轧机之间设有活套装置。

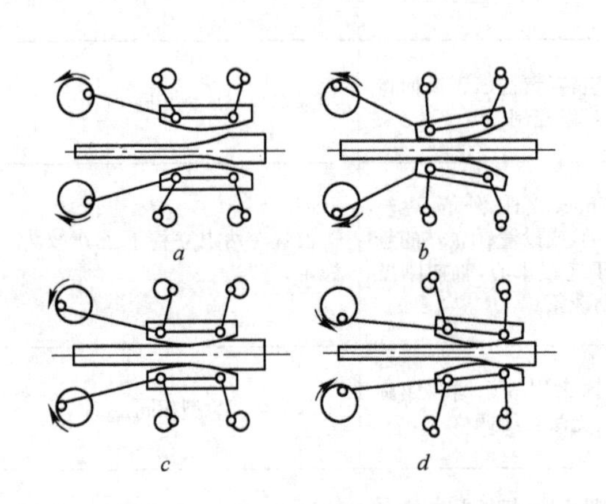

图 4-20　砧式摆锻机工作原理

a—锤头开始下降；*b*—锤头与轧件接触；*c*—压缩金属；*d*—加工完毕锤头开始离开轧件

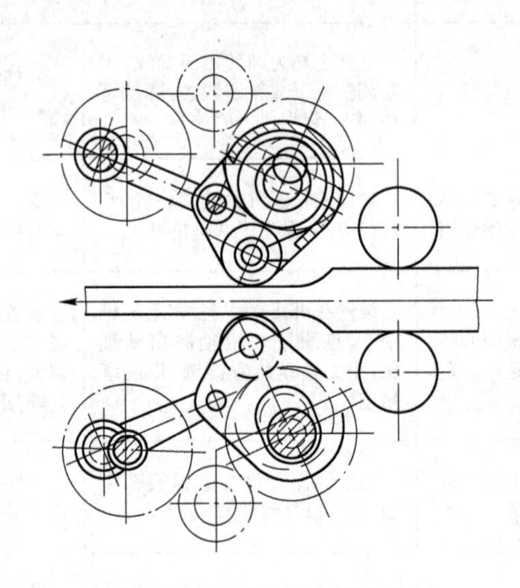

图 4-21　DSW 辊式摆锻机

535. 预应力轧机有什么特点？

预应力轧机是 20 世纪 50 年代发展起来的，经过许多改进目前国外如意大利、德国、日本等国仍在广泛应用。由于其特殊的结构，用 1.2～2.5 倍左右预应力通过拉杆加于机架上，轧机总刚度为拉杆与机架之和，故增大了刚度。预应力轧机形式有半机架式、无牌坊式、偏心套式，以及上钢五厂新棒材车间引进的折叠式等。预应力机架轧出的产品精度达 1/2～1/3D1N1013。质量比普通机架轻 1/3～1/2。其缺点是有液压螺母，结构复杂，轴承一般采用锥柱轴承，装卸麻烦，除偏心套式外，不能对称调整，需加垫片。

536. 三辊轧制技术的特点是什么？

比较二辊轧制方式和三辊轧制技术可以发现，三角形孔型产生一种极有利于纵向（即延伸方向）变形的应力状态，因轧制力从几个侧面同时施加到轧件上，在棒材中心形成一个均匀压应力区，其作用线与轧制方向垂直，因而可确保在整个断面进行有效变形。

一般，三角形孔型设计用于无扭轧制。终轧断面采用三边椭圆—圆孔型。

由于上述的变形特点，三辊轧制技术在经济的生产及轧件的再加工方面有很大优点。三辊轧制与二辊轧制相比有如下特点：轧机效率较高；产量较高；轧制能耗较低（约低30%）；所需人员较少；可轧制尺寸的灵活性较大；可轧制材料种类较宽；产品公差、表面质量、显微结构及所有性能的均匀性均大大改进。

关于轧制能力方面，三辊轧机有如下突出特点：

(1) 无需大量调整轧辊即可高精度地轧制具有各种宽展特点的不同种类的材料。

(2) 可轧制最难轧制的材料，甚至包括钨和钼。

(3) 即使每月要生产的品种规格很多也可实现高生产率轧制。

537. Tekisun 轧机有什么特点？

日本大同钢公司与美国摩根建造公司开发出一项最新高精度棒线材生产轧机——Tekisun 轧机，这种轧机可使 ϕ5～50mm 线棒材的尺寸精度均达到 ±0.1mm。Tekisun 轧机的核心是 3 架安在同一底座上的平—立—平紧凑布置的二辊轧机。棒材 Tekisun 轧机辊径较大，辊身较短（辊径为 ϕ350mm，辊面宽为 150mm），轧辊轴承为重载型精密推力轴承，因此轧机的轴向、径向刚度都很大，轧机上下辊有轧槽自动对中机构，轧机牌坊用厚钢板制造，每个轧机有 1 套手动压下机构，3 个机架为集体传动。

该轧机 3 个机架的孔型均采用相同半径的圆孔型，但各道次的孔型槽口宽度各不相同。第一道次为预变形道次，坯料有一定的变形，而且，尺寸较大部位宽展大，尺寸较小部位宽展小。第二道次加工方向转 90°，上道次坯料宽展大的部位，在此道次延伸大；宽展小的反之。最后一道变形很小，仅作为精确成形。3 道的总减面率为 5%～15%（延伸系数 1.05～1.18），经 3 道变形，坯料在各方面均得到加工。

该轧机布置在最后一架精轧机后，换规格时，轧机可整体更换，仅需 10min。生产一般产品时，可以方便地将轧机拆除。

该轧机的一套孔型，通过调整辊缝即可生产出与该套孔型标准规格相近的非标准规格产品，实现了在一定范围内的自由规格轧制。相对于标准规格辊缝而言，调整辊缝的范围为+0.5～−0.5mm。使用该轧机轧制的热轧棒材，直径小于 50mm 的，尺寸精度可达：±0.1mm；直径为 50～100mm 的，尺寸精度为±0.1～±0.15mm。由于产品精度提高，轧废和成品超差的废品量降至最低程度。

棒材 Tekisun 轧机不但适合生产高精度圆断面产品，还可生产方、六角、扁平等规则断面的高精度产品。

线材 Tekisun 轧机的设备结构与摩根型顶交 45°V 形轧机相同。根据具体条件，可选用 2 个或 4 个机架。在传动方式上均为集体传动。在轧制过程中，线材 Tekisun 轧机与精轧机实现速度的动态同步，因此，这种轧机对自身控制系统的品质要求较高。

为了实现低温轧制，这种轧机必须布置在精轧机出口侧水冷箱之后，可以布置在第 1 段或第 2 段甚至最后一段水冷箱之后。轧制温度最低可到 700℃，这样即可实现 $\alpha+\gamma$ 两相区控轧。通过控制轧制，可以获得近似常化处理的组织和性能，从而可取消常化处理工序；对于需要球化退火的产品，经控制轧制后，可以明显缩短球化退火时间。

线材 Tekisun 轧机比棒材 Tekisun 轧机的优点更多，它不但能使产品精度明显提高，而且能使产品性能改善。另外，由于产品精度提高，线材头尾超差的剪切量可降低到最低程度。

采用这种轧机后，可使精轧孔型得以简化，只需要 1 套固定不变的孔型，依靠更换 Tekisun 轧机的孔型，即能轧出所需规格的产品，从而大大降低了精轧机轧辊和导卫件的储备量。同时，生产中更换规格十分方便，更换一次只需 10～15min。另外，精轧孔型不再变化，换规格时，除了速度之外，精轧机及上游轧机的工艺条件保持不变，简化了轧机调整，也使轧机自动化水平提高。

采用这种轧机，通过调整辊缝，可使同一规格的坯料生产出与该套孔型标准规格相近的非标准规格产品。相对于标准规格辊缝而言，辊缝的调整量为±0.2mm，这样，在一定范围内实现了自由规格轧制，能够生产出制造业所需的特殊规格产品。

如果用这种轧机改造旧有的速度较低的轧机，轧制速度可提高 30%～50%，同时可全面提高产品的质量。

538. 非高速有扭和高速无扭两种轧机的技术性能有何差别？

非高速有扭和高速无扭两种轧机的技术性能的比较如表 4-15 所示。

表 4-15　非高速有扭和高速无扭两种轧机技术性能比较

项　　目	非高速有扭轧机	高速无扭轧机
轧制速度/m·s^{-1}	12～16.4(23)	50～112(140)
线材直径/mm	6.5、8、9、10	5.5～14(16)
盘重/kg	100～200(320)	1000～2000(2500)
偏差/mm	±0.5(±0.3)	±0.2(±0.1)
通条 σ_b 差/MPa	普线 40，硬线 80	普线 10，硬线 20
一次拉拔减面率/%	普线 90，硬线 80	普线 99，硬线 97
氧化铁皮量/%	1.2～2.2	0.2～0.6
硬线脱碳层深度/mm	0.2	0.03～0.05
钢坯尺寸/mm	60～90	100～150
线材组织	珠光体	索氏体
轧后冷却	成盘空冷	散卷控冷
单耗：金属/t·t^{-1}	1.22～1.64	1.03～1.04(连铸坯)
电力/kW·h·t^{-1}	178～203	104～114
燃料/GJ·t^{-1}	2.9～4.2	1.3
精轧工艺特点	围盘活套扭转轧制	连续无扭轧制
包装	高温人工捆扎	低温机械压紧捆扎
加热炉形式	推钢式	步进式
生产能力/万 t·(a·线)$^{-1}$	15	35 (40)

539. 无扭精轧机组的发展趋势是什么？

1984年以后，摩根公司提供的100m/s高速无扭机组均为V形结构，现已有10套V形机组在运转（含阿希洛机型）。德马克原为45°侧交，现改为15°/75°机型，向下旋转30°。克虏伯原为45°侧交，现改为平—立交替型，向下旋转45°。摩根原为45°侧交，现改为V形机组，向下旋转90°。

属于V形机组的还有英国的阿希洛高速无扭机组，属于平立型无扭机组的有意大利的达涅利、瑞典的马哥哈马、德国的SKET。

从总的趋势看，侧交45°机型趋于淘汰，其主要缺点是：上传动轴的标高距基础面远，稳定性差，机组振动及噪声大，视野闭塞，不便操作及维护，影响了轧制精度。

新一代V形机组在结构上作了重大改进，两根传动轴接近底面基础，机组重心下降，倾动力矩减少，增加了机组的稳定性，噪声级别低，视野开阔，便于操作管理，机组质量较轻。因此，V机型是高速线材轧机进入第4代以后的优秀机型。

巴西新建一个设计速度为140m/s的高速线材轧机，为达到ϕ5.5mm线材所占比例较高、年产量60万t、单线轧制的要求，其精轧速度还需进一步提高，而V机型最能适应这一发展需要。所以，单线、全无扭、无张（除无扭精轧机组外）轧制、产量60万t/a、质量进一步提高，达到高质量高精度轧制是高速线材轧机生产线的目标。

540. 德马克15°/75°侧交型和摩根新一代V形机组各有何特点？

德马克侧交45°机型纵轴上下距离较大，设备较大、较高，机体绝大部分在地面以上，设备笨重，重心高稳定性差，振动噪声大，增速同步齿轮箱高3m以上，为制造、安装、维修增加了难度，轧制线距基础面高，不便操作。

将原机型改为15°/75°侧交型后，上轴标高及机组顶部高度降低。新机组有以下特点：

（1）新机型上轴标高比旧机型上轴标高降低约400mm，顶部标高由2200mm降至1700mm，换辊省力，高速运行时振动小、噪声低。

（2）在传动机构上，两根平行的传动长轴通过伞齿轮改变传动方向（不变速），再通过一对圆柱齿轮变换速度带动分配箱传动轧辊。其优点是伞齿轮可在较低速度下运转且种类减少。

（3）各架名义辊径均为ϕ210mm，通用性好，备件少，辊环可以最大限度地使用，相对增加了辊环寿命，碳化钨辊环轴向固定在不锈钢套上。

（4）机架间距为800mm，可勉强放下水冷导管，轧件基本上可以在无扭机架间水冷。

（5）辊缝调整改为偏心套筒对称调节，与摩根轧机近似。

（6）接触式及非接触式复合密封在非接触式迷宫中用空气/油润滑，可防止铁皮和水浸入，有效地防止漏油现象，且有利于阻止水、铁皮进入辊箱。

摩根新一代V形机组的终轧速度大于100m/s（最大速度已达140m/s），平均面缩率为20%，与原45°侧交型机组相比，具有的特征是：刚性增加、振动减少、换辊方便、视野开阔。

541. 摩根高速线材轧机有何特点？

摩根高速线材轧机的特点是：

（1）采用MSNTC或自动张力控制系统、活套调节器、主马达电控装置，可使轧机各段均实现无张或微张轧机，提高了产品质量和轧机效率。

(2) 轧制线恒定，可减少废品，并提高操作效率。

(3) 所有机架都可进行快速换辊，缩短了部件换辊时间。

(4) 轧机牌坊设计可使轧辊孔型与轧机中心线快速对中，从而缩短了部件更换时间。

(5) 粗、中、预精轧各机架采用单独马达传动，从而最大程度地适应轧制程序的灵活性。

(6) 设备设计考虑了控制轧制和控制冷却工艺，以便获得最佳产品质量。

(7) 精轧机前设高压除鳞设施，以提高表面质量。

(8) 设有可在线检测产品尺寸公差、质量的棒规和检测器。

(9) 摩根V形机组可高精度轧制线材。

(10) 斯太尔摩线设计成延时冷却及带“佳灵装置”的快速均匀冷却的多用型。

(11) 预留了UDH或Tekisun机架的位置。

542. 南京钢铁厂引进的BCV精轧机组的技术性能和设计特点是什么？

BCV精轧机组的技术性能如下：

设计速度	120m/s
最大轧制速度	95m/s
保证速度	76m/s
16～17号轧机辊环直径	ϕ212/ϕ191mm
18～25号轧机辊环直径	ϕ166/ϕ150mm
辊环宽度	72/62mm
轧槽数目	2个
主电机容量	1800kW×2，DC
主电机转速	0/900/1200r/min
轧槽寿命	800～2500t
来料尺寸	ϕ16.7mm、20.2mm
相邻机架间距	660mm
噪声平均值	当85m/s时为95dB

BCV精轧机的设计特点如下：

(1) 机组结构紧凑、坚固、轻巧，辊环轴安装在油膜轴承上，辊环安装在斜锥套筒上，具有机械式轴向锁定装置作用，偏心套和棘轮扳手调整辊环中心距。

(2) 机架刚度大、振动小，在高速轧制时平稳可靠，产品的尺寸精度高。

(3) 机组传动比设计与孔型设计的精确配合是实现微张力轧制的前提。每个轧程的平均截面缩小率为20%。

(4) 由于碳化钨辊环使用寿命长，所以轧件尺寸稳定，并减少了轧机调整。45min内可以变换轧制程序，包括辊环的拆卸、清理、组装，以及对中和调节。

543. 我国自制的三辊小型万能轧机的基本结构是什么？

该轧机的结构如图4-22所示，主要特点有：

(1) 水平辊和立辊均为悬臂式布置。

(2) 机架为由钢板焊接而成的箱体。

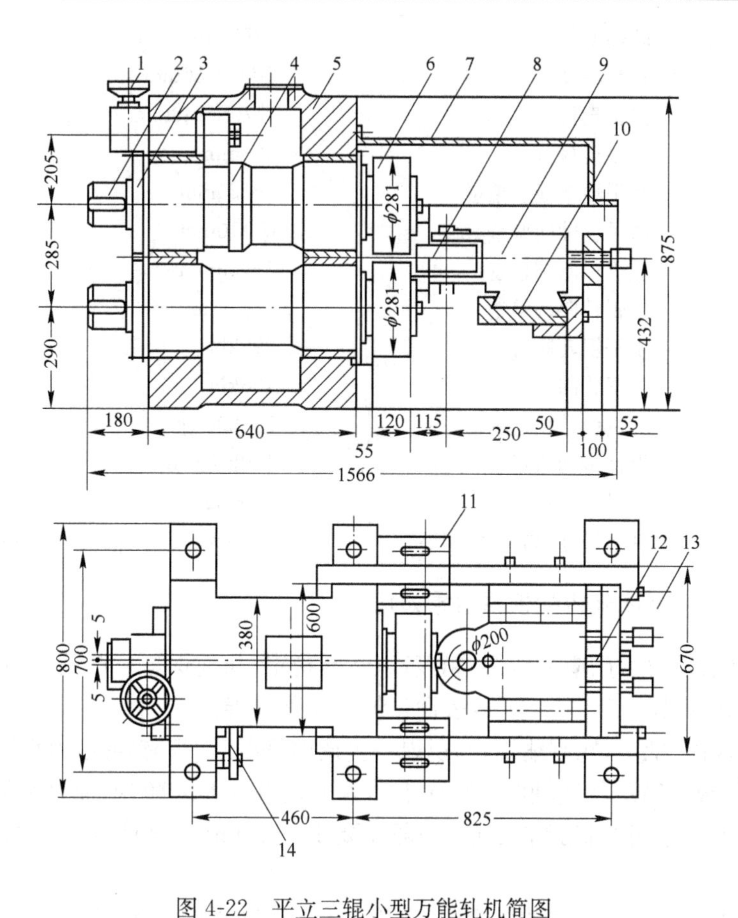

图 4-22　平立三辊小型万能轧机简图

1—轴向调整机构；2—上下水平辊主轴；3—调整齿轮；4—偏心套筒；5—封闭式方形箱体；6—上下水平辊；7—防护安全罩；8—立辊；9—立辊架；10—立辊架底座；11—导卫托架；12—立辊径向调整；13—立辊定位螺杆；14—水平辊轴向调整机构

(3) 水平辊调整机构：上下辊的径向调整通过内装轧辊轴的偏心套筒的旋转来实现。轧辊通过手轮经齿轮系统传动的拨叉拨动上偏心套来实现轴向调整。

(4) 立辊的轴向调整与径向调整：立辊径向调整由调整螺杆和定位螺杆将支撑架与支架尾部横梁及两侧板相连接进行定位调整。立辊的轴向调整由立辊心轴上端螺丝螺帽以支撑架上部为支撑，转动其心轴来实现。

(5) 辊环结构：在保证辊环强度、刚度及装卸方便的基础上，辊环采用两种结构：一是辊环与轴以 1/10 斜度配合，用圆键连接；二是轴上安装一字形拨爪，与辊环背部一字形沟槽镶嵌连接。轴端均有压盖防止松动。

(6) 立辊为无驱动的被动辊，为保证轧件顺利咬入，须有三个辊与轧件同时接触，或先与两个水平辊接触，因此，需对立辊的最大直径加以限制。

544. 平立三辊万能轧机的技术参数是什么？

平立三辊万能轧机的技术参数如下：

轧辊直径	ϕ285mm
辊环厚度	100～150mm
立辊直径	ϕ170～240mm
立辊辊身宽度	100mm
水平辊辊缝调整量	0～20mm
水平辊轴向调整量	0～10mm
立辊径向调整量	1～20mm
立辊轴向调整量	0～5mm
水平辊轧制力	490kN
立辊轧制力	196kN
轧机设计线速度	5～20m/s
设计传动扭矩	190kN·m
质量	4100kg
外形尺寸(高×宽×长)	975mm×860mm×1610mm

545. 平立三辊万能轧机的使用效果如何?

(1) 由于轧机刚性好、应力线短、精度高、运转稳定,从而保证了产品几何精度的提高和稳定。质量比国标提高30%～50%,表面粗糙度显著改善。

(2) 调整轻便、稳定,轧制线不变,所以一旦调整好以后,只有因孔型磨损而影响质量时才需微调;顶导板、缠辊、轧辊轴向和径向松动等工艺事故大为减少;而且易调整,换辊速度快,可以在线换辊,也可整机预装更换,一般需要15～20min。这些都为提高轧机作业率创造了条件。

(3) 降低了辊耗。与普通轧机相比,辊耗仅为普通轧机的1/4～1/7。

(4) 节能。由于摩擦阻力小、辊环轻、作业率高等,在空负荷、重负荷条件下电耗降低10%～15%。

(5) 适用多品种。不但可以生产普通轧机不易生产的异型钢,也可用于圆钢、线材等型钢生产。

(6) 有些问题尚需完善,如应增设水平辊、立辊调整的数字指示装置等。

546. 小型轧机的机架有哪几种形式?

轧机机架由两个框架状牌坊连接而成。它的作用是使轧辊轴承座牢固地固定在牌坊里;当轧件在轧辊间被咬入时,支承通过轴承座传递的轧制负荷;减少轧辊间隙的扩大。

机架多数是铸钢件铸成的,最近采用厚钢板焊接结构的情况增多。

机架有下列几种形式:

(1) 开式机架,机架上部为可拆卸式结构。

(2) 闭式机架,机架为整体式结构。

(3) 无牌坊机架,这种机架省略了牌坊,用通过轴承座的螺栓固定,使机架小型化和轻量化,多用于中间机列或精轧机列。

(4) 预应力机架,是预先给机架以较大的压力,然后紧固轧辊轴承座所装配的机架。其中,压力用油压或螺栓进行紧固。采用预应力机架的目的是提高产品的尺寸精度。这种机架多用于精轧机组。

547. 三辊Y形轧机有何特点？

这种轧机于1955～1960年在德国柯克斯公司首先研制成功，所以又叫Kocks轧机，此轧机的每个机架由三个互成120°夹角的圆盘形轧辊组成，其形状如同“Y”字，故称Y形轧机。

最初设计的Y形轧机，压下不能调整，轴向也不可调，由一台电机经齿轮箱集体驱动最后两架设有差动调速装置，在轧线上不进行压下调整。

在最近设计的三辊Y形轧机中，三根轧辊轴均为主动轴。可以通过偏心套机构进行径向压下调整，径向调整量为3～6mm，轴向也可随轧辊轴一起调整。

轧机的传动采用集体传动形式。为提高轧机的灵活性，一般在后1～3架上采用一套差动调速装置，从而可对后1～3架轧制速度进行调节，同时可以调整压下，改变减面率，

换辊采用整机架方式，因此需有备用更换机架。最新设计的两套机架轧辊直径略有不同，这样轧辊在较大直径机架上使用后，还可以在较小辊径机架上使用。

最初齿轮箱与机架一起安装在一个底座上，需采用可伸缩联轴节以便机架脱开，然后用吊车更换机架。这种方式更换机架费时，后来发展成机架带有单独底座，采用整体小车更换的方式。旧小车用绞车或液压缸推出轧线，处于等待位置的新小车进入轧制位置。更换时间极短。若不用吊车参与，机架小车直接进入轧辊间，机旁设等待位置，换辊时间仅3～5min。若采用箱式机架结构，需吊车参与换辊，时间就要稍长一些。

对于机架内三根轴都传动的形式，换辊时上下齿轮箱须用液压马达通过丝杠使其沿长轴移开，让出换机架空间，然后用横移换辊车将机架成对拉出到处于环形轨道上的机架小车上，机架小车可沿轨道进入轧辊间。

548. 飞剪在小型连轧机上的作用是什么？

一套小型连轧机一般都有2～4台飞剪，在粗轧机后有一台切头及碎断用的飞剪；在中轧机后，也有一台速度比前者高，但剪切断面较小的切头、碎断飞剪；在精轧机组后冷床前有一台切头、分段飞剪；在冷床出口处一般是采用冷剪切定尺，而目前随着技术的不断进步，冷床出口处已有采用在线矫直与定尺冷飞剪联合机组的趋势（尤其是在一些需要矫直的小型材轧机上）。

549. 小型连轧机使用的飞剪种类及特点是什么？

用于连续式小型轧机的飞剪通常有曲柄回转式和回转式两种，用作轧件的切头、切尾和冷床前的分段剪切或定尺剪切。

曲柄回转式飞剪用于粗轧机后切头和切尾，事故时连续剪切，进行碎断。

曲柄回转式飞剪用于剪切断面较大的轧件（剪切断面可达100mm×100mm，或更大）。这种飞剪剪刃运动轨迹为椭圆形，剪切质量好，操作灵活，已广泛用于粗轧机组后进行切头和切尾。曲柄回转式飞剪一般采用起—停工作制。

回转式飞剪常用于精轧机前切头、切尾和冷床前分段剪切，用于剪切断面较小的轧件。这种飞剪结构简单，能够满足剪切质量要求。飞剪工作制度有两种：一是起—停工作制，即通过电气控制，每完成一次剪切，电机按起动—加速—制动—停止过程进行，起—停工作制

度控制准确，飞剪剪切的轧件长度公差小，定尺率高；第二种是连续工作制，即电机连续运行，飞剪剪切由气动离合器和制动器控制，国际上，这种工作方式逐渐被起—停工作制取代。连续工作制飞剪的最大缺点是飞剪剪切的准确度完全由气动离合器和制动器工作状况所决定，随着离合器和制动器的磨损，定尺精度受到影响，而且离合器和制动器常须更换摩擦块，维护比较复杂。

近来出现了双系统曲柄—回转式飞剪新结构，即在一台飞剪机上同时设有曲柄式飞剪和回转式飞剪两套剪切机构，对于小断面速度较高的轧件采用回转式剪切，大断面速度较低的品种采用曲柄式剪切，通过剪体移动转换剪切形式。这种飞剪适用于生产圆钢和型钢（角钢、槽钢等）的车间，剪切型钢时，剪切断面也比较规则，能满足进入矫直机要求。

550. 小型连轧机对飞剪的要求有哪些？

小型连轧机对飞剪的要求主要有：

（1）各区域的飞剪剪切速度及剪切能力与轧机出口速度和轧制品种相匹配，例如在精轧机出口速度为18m/s的条件下，飞剪的剪切速度应可达20m/s，飞剪能剪切的断面尺寸，必须包含轧机所生产的全部品种。

（2）在轧机后部出现故障时，前面的飞剪可以及时将轧件切断并碎断，以便于事故处理。

（3）剪切精度高、误差小，具有可重复性，以提高成材率。

（4）要求剪切断面好（尤其是冷床前的分段飞剪），这样可省去冷床之后冷剪对第一排轧件的切头，减少切头量，提高成材率。

（5）在有穿水冷却的生产线上，冷床前的飞剪应能适应温度降低后的轧件。

（6）飞剪工作必须可靠，维修方便，结构尽可能简单，便于轧线作业率的提高。

551. 现代小型飞剪的传动方式及其发展趋势是什么？

现代的小型飞剪一般有两种传动方式：一为离合器、制动器型，即电机连续工作，用快速气动离合器、制动器控制剪切；一为直接驱动型，即起停工作制，由电机直接带动剪机进行剪后制动，下一次剪切，电机再启动，剪后再制动。

目前，国外发展的趋势是用直接驱动型，即起停工作制的飞剪，其原因是：

（1）起停工作制的飞剪，结构简单，维护保养也简单。

（2）在现代电控水平高的前提下，剪切精度高，且具有可重复性，不会因摩擦离合器受外界因素或本身磨损的影响而改变工作特性，导致剪切精度发生变化，影响成材率。

（3）采用高功率、低惯量的驱动，可使飞剪的启动、制动时间缩短到0.5s，从而使剪切周期缩短，定尺调整更加灵活，适合高速剪切。

用离合器制动器，实现剪切的飞剪相对于电机直接驱动的飞剪有节能的优势，电机功率较低，可以利用连续运转的离合器以及飞剪传动部分的惯量来实现剪切，功率消耗小、节能，再则这种飞剪在电机及电控方面的要求相对较低，因而综合起来本身投资比较低。

气动离合器比电磁离合器有很大的优越性，电磁离合器反应速度、准确性都不如气动（尤其是气胎式）离合器。用气动离合器实现剪切比起过去采用的电机连续工作，用空切机构、匀速机构实现定尺变更的飞剪或用摆槽实现剪切的飞剪有很大的优越性。有空切机构、匀速机构不免使机构复杂、庞大，转动惯量大，不适合高速剪切。摆槽式飞剪虽然可高速剪切，但剪切误差高达1～2m，降低了成材率。

552. 现代小型飞剪的结构形式及其特点是什么？

从剪切机构看，现代小型飞剪有4种结构形式：

(1) 曲柄连杆式：曲柄连杆式飞剪在剪切区域剪刃几乎是平行移动，因而剪切断面好，适合剪切断面大的轧件。一般用于粗轧、中轧后，但剪切速度不宜高。

(2) 回转式飞剪或称双臂杆式飞剪：由于结构简单，动载特性好，适合高速剪切，但剪刃作回转运动，不适合剪切大断面，一般用于中、精轧之后，冷床之前。

(3) 可转换型飞剪：它是前两者的结合，可以很容易地从一种形式转化成另一种形式。同一台飞剪可以在20m/s速度下剪切ϕ10mm的圆钢，也可以在1.5m/s速度下剪切ϕ70mm的圆钢，适合产品范围宽的轧线。

(4) 与矫直机联合的多条冷剪机，其作用原理与剪板飞剪类同，因而剪切速度较低，一般在2～4m/s左右，但同时剪切的根数多，轧件排列的宽度可达1200mm左右。飞剪为曲柄连杆式，可剪切6～12m定尺，剪切误差为±10mm以内。

553. CV50FR4.2切头飞剪有何特点？

该飞剪的剪切能力为轧件的冷拉强度800MPa，温度在800℃以上，剪切断面为1600mm^2，当轧件速度在2～6m/s时，切头偏差为±30mm，切尾偏差为±35mm，事故剪切长度约1860mm，切头长度可在工作时任意调整。这种飞剪的主要特点是，剪刃由60kW直流主电机驱动，采用主副工作齿轮轴，由离合器制动器控制，动作灵敏，剪刃复位准确，而且可以随时调整。剪前有一对由30kW直流电机带动的TR250压送辊。由剪前ID200热金属检测器及压送辊控制切头切尾。

554. CV30FR4.1成品倍尺(分段)飞剪剪切精度高的主要技术措施有哪些？

该飞剪安装在精轧机后，用于成品倍尺分段。当轧件的冷拉强度为800MPa，温度在800℃以上时，允许剪切断面为1000mm^2。当轧制速度在6m/s时，剪切误差为±40mm；当速度为17m/s时，剪切误差为±80mm。最短剪切周期1.5s。这种转鼓式飞剪剪切精度高的主要原因是采用了下列技术措施：

(1) 齿轮传动系统为了减少转动惯量，采取了减少齿轮直径的办法；为提高剪刃的线速度，要增大剪臂长度，对此可用惰轮来解决。

(2) 剪前用气动压送辊装置，压送辊由30kW直流电机拖动，它与精轧速度配合一致，成品的终轧速度始终保持不变，轧机采用速度逆调，而剪切速度按剪切断面大小及被切成品材质取大于轧制速度6%。其剪刃速度为：

$$v_p = \frac{v_{轧}}{\cos\alpha}$$

式中　v_p——剪刃线速度；

$v_{轧}$——成品轧机线速度；

α——剪刃线速度与轧件之间夹角。

(3) 剪切分段(倍尺)设在主控台上进行，其长度是由一压送辊拖动的脉冲发生器和与它连接的计数电子系统来控制。由于系统精度高，所以剪切误差小，显示出该飞剪的先进性。

(4) 剪刃复位控制。目前我国自制飞剪剪刃复位不准确，严重影响飞剪工作，主要是在飞剪上未采取被动轴阻尼复位。即使采用气动离合器，也只是在传动轴上使用，因此不能保证主、从齿轮间的侧向间隙与剪刃间隙不变，剪刃复位也不准确。而飞剪采用气动离合器和制动器分别装在主、从动轴上，并由一个装在气动制动器上的传感器控制剪刃待剪位置。当复位待剪位置不合适时可以人工整定。

555. BM型棒材定尺飞剪有何特点?

BM型棒材定尺和倍尺飞剪的高速轴通过刚性机械无级调速器带动夹送辊，机械无级调速器可使轧件在夹送辊磨损严重而车削后仍与剪刃保持严格的同步关系，而夹送辊和成品轧机间保持少量活套，将减少轧件在夹送辊间打滑影响剪切精度。飞剪的主轴通过拨钢传动装置带动摆槽，摆槽的运动规律由一优化设计的凸轮机构来驱动，它保证可靠地将轧件准确、平稳地送进剪刃中剪切和移出，使得轧件头尾平直。飞剪还可以通过更换挂轮等改变定尺长度。可剪切的定尺有6m、7.5m、9m、10.5m、12m 5种定尺。

成品轧机出来的轧件经定尺飞剪剪切，再经过分路器和头尾分路器后，定尺产品分别到两个定尺冷床，经下料、排齐装置后在冷床上冷却，检查后通过定尺根数自动计数装置进行打捆。头尾和定尺分别送到各自的冷床上进行处理，可充分发挥高精度飞剪的作用，提高定尺率和减少不必要的重复切头、切尾。

556. CV30FR4.1成品飞剪的结构特点是什么?

该飞剪由夹送辊及飞剪本体两大部分组成。两部分均为直流电机驱动，直流电机为长期运行，电机通过降压调速实现飞剪的无级调速，以适应不同的轧制速度的轧件对剪切速度的要求。

夹送辊通过齿轮箱中齿轮的啮合，达到上下辊同步转动，下夹送辊通过工作气缸的驱动，可以迅速升起或落下，以使轧件能顺利进入夹送辊，并被夹紧和计量长度。夹送辊由直流电机驱动便于调速，以适应不同轧制速度的轧件。夹送辊夹紧力的大小，通过螺丝和弹簧调节，避免夹伤，同时要保持精轧机与飞剪之间的轧件处于微拉状态。辊槽形状根据轧件断面形状而异，以不损伤轧件断面形状，又保持一定的摩擦力为原则。

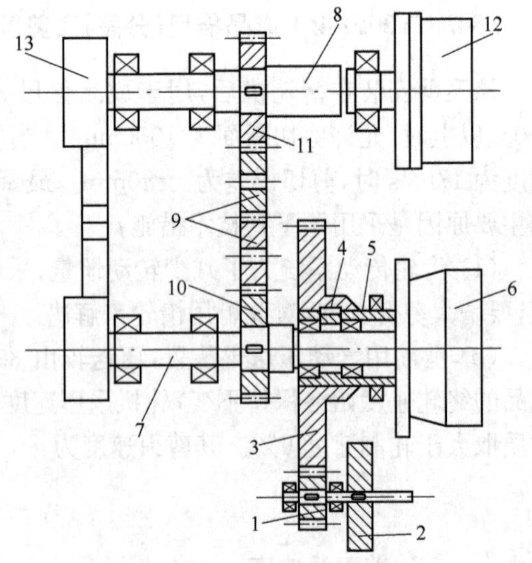

图4-23　飞剪本体结构示意图

1—主动轮；2—飞轮；3—大齿轮；4—键；5—轴套
6—离合器；7—下轴；8—上轴；9、10、11—齿轮；
12—制动器，13—剪刃座

飞剪本体部分结构如图4-23所示。

飞剪本体外的制动器，对上轴起制动作用，并通过齿轮的啮合，对上下轴同时实现制动。两个剪刃座固定在两个轴上，下剪刃座由切向键固定在下轴，上剪刃座由英费德(RINGFEDER)锁紧方式固定。该固定方式能在轴上 360°范围内随意调整并紧固，可以调整到充分符合工作需要。

飞剪由直流电机通过离合器驱动，因此能实现无级调速，以适于不同轧制速度的轧件。

轧件进入夹送辊前，先经导管将轧件引入夹送辊，轧件出夹送辊后又经导管引入剪刃，剪切后进入导槽。导槽上设有安全装置，事故发生时，飞剪停止剪切。夹送辊及剪刃前的导管均可调整高低，以便对准轧线。

557. CV30FR4.1 飞剪在设计和安装调整中应注意的问题是什么？

飞剪的载荷为动载荷，刚度和强度设计计算中均要考虑动载荷的冲击，并应考虑剪切速度增大，被剪轧件抗剪切阻力增大的情况。此外还应注意下列几点：

(1) 尽量减少传动系统中的飞轮力矩。

(2) 消除齿轮系统的侧间隙。

(3) 气动系统元件应灵敏可靠，气压要求稳定，并可根据需要在规定范围内调节，离合器与制动器型号选择要恰当。

(4) 电磁系统应灵敏可靠。

在安装中应注意下列问题：

(1) 剪刃上下重合度为 2mm，两剪刃之间的侧向间隙为0.1～0.15mm。

(2) 在第一次投入工作前，先空载运转 4～8h，以使各部件处于正常稳定状态。

(3) 调整剪刃的线速度，使之比轧件速度稍快，应快 5%～10%。

(4) 飞剪运转部分用 70 号级齿轮润滑油润滑。

(5) 相互啮合的齿轮之间，齿侧间隙应保持小于 0.1mm。

558. 气动离合器与制动器的结构特点和选用时应注意事项是什么？

该飞剪中采用了维基塔(WICHITA)气动离合器与制动器。

离合器结构如图 4-24 所示。

通常中间轴转动，当气囊充气后外壳与中间轴同时转动使空气进入气囊的旋转接头，与外壳连接。

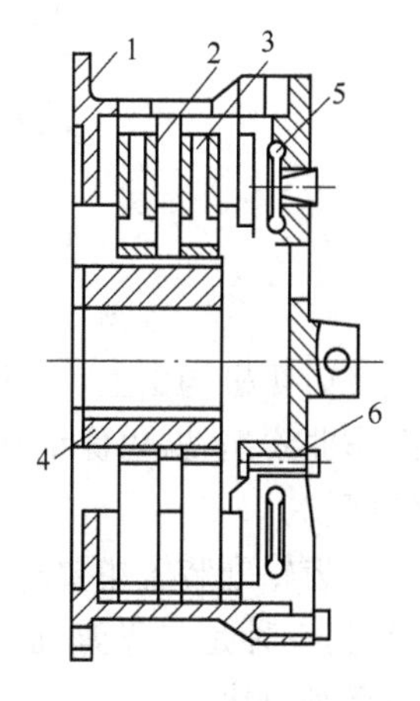

图 4-24　离合器结构

1—外壳；2—摩擦片；3—与轴套外齿啮合的摩擦片；4—轴套；5—气囊；6—弹簧装置

制动器与离合器的结构大致相同，但外壳不转动。离合器与制动器均使空气进入气囊使摩擦片相互压紧，产生摩擦力和摩擦力矩，从而实现离合与制动功能。

选择离合器与制动器时应考虑下列因素：

(1) 所需扭矩的大小。当传动件与被传动件有速度差时，产生动态滑动扭矩。其扭矩的大小直接与空气压力成正比例。为了使扭矩大小能在允许范围内根据需要进行调节，需在空气系统中设置调节空气压力装置。

(2) 允许使用的线速度范围。在采用标准铸铁装置时有一允许的使用速 度。在高于此速度情况下，要采用加强气囊、特殊铸铁或钢，还应增设保持平衡的装置。

(3) 发热因素。离合器带动设备是从静到动的过程，制动器是使设备从动到静的过程，都要克服惯性力和惯性力矩而作功，这些功又转化为热，因此要考虑发热因素。

559. 曲柄连杆式飞剪结构组成是什么？

此种飞剪机一般设在粗轧机后面，用来切头和碎断。它由剪切机构、齿轮副装置和传动装置组成，见图4-25、图4-26。

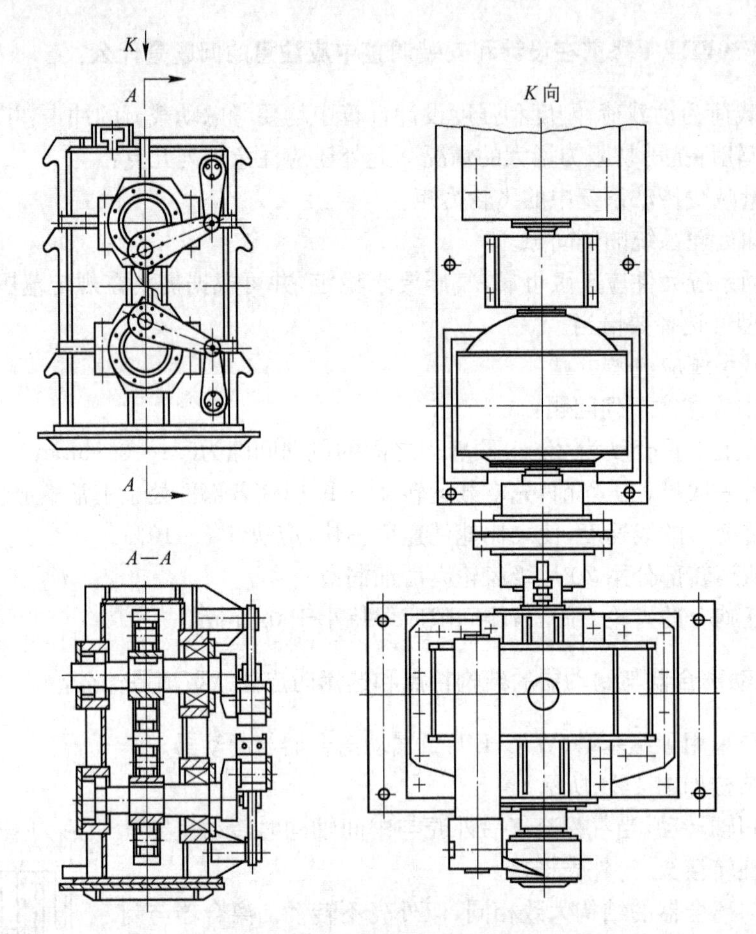

图4-25 曲柄连杆飞剪机
（机箱内无减速齿轮副）

剪切机构由上、下曲轴以及与之相连的连杆组成。剪刃装在连杆上。在运动过程中，剪刃作曲线运动，以保证它尽可能与轧件垂直，获得较好的剪切断面，因而它适合于较大断面的剪切。

齿轮副装置主要有两种：一种是在飞剪机体内由一对分别装在上、下曲轴上的齿轮组成，另一种是在飞剪机体内由分别装在上、下曲轴上的齿轮和一个传动小齿轮组成，即增加一级减速比。

传动装置由减速机和电动机组成。飞剪机本体内设有一级减速比时，可省去减速机。

560. 回转式飞剪机结构组成是什么？

此种飞剪机一般设在中轧机或精轧机后面，用来切头、碎断和分段。它由剪切机构、齿轮副装置和传动装置组成，见图 4-27、图 4-28。

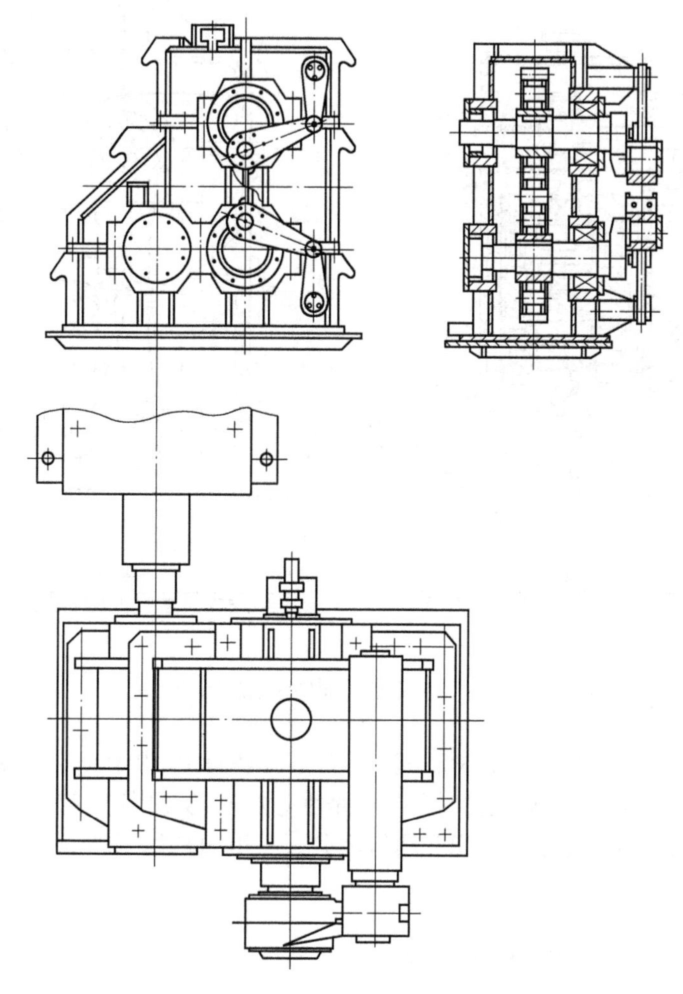

图 4-26　曲柄连杆飞剪机
（机箱内有一级减速齿轮副）

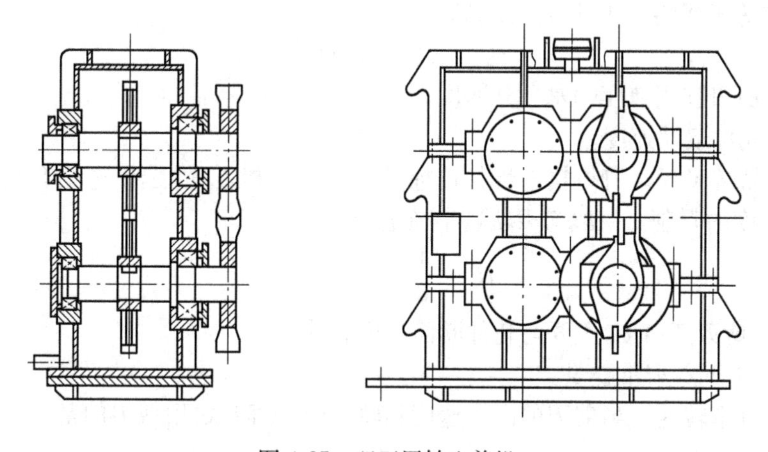

图 4-27　双刀回转飞剪机

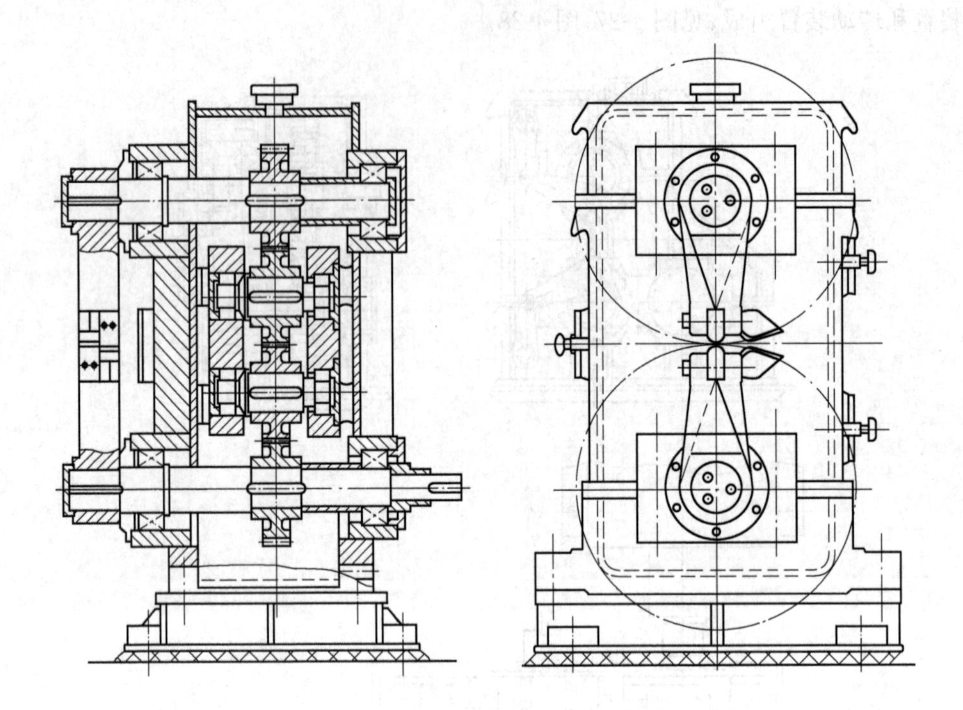

图4-28　单刀回转飞剪机

剪切机构由两个相互旋转的转臂组成。刀片装在转臂上，由于刀片随转臂做圆周运动，所以剪切速度较高。但是，剪切轧件时刀片不是垂直切入，从而限定了轧件的高度。

此种飞剪机在刀片数量上有一组和两组之分。一组刀片用于切头和分段；两组刀片用于切头和碎断。

561. 飞剪机基本参数如何选择？

根据生产需要，飞剪的基本参数应适用于生产的要求。

(1) 剪刃的圆周速度。剪刃圆周速度应适合轧件速度，也就是剪刃在剪切区内，剪刃的水平分速度应等于或略大于轧件速度，即

$$v_x = (1 \sim 1.03)v_0$$

式中　v_x——剪刃圆周速度的水平分速度；

v_0——轧件运动速度。

(2) 剪刃轨迹半径。剪刃轨迹半径选择过大会使整机庞大，选择过小会受到剪刃开口度以及零件强度的限制。一般剪刃轨迹半径定为：

$$R = \frac{1}{2}(H_0 + \delta_0)$$

式中　H_0——剪刃开口度，主要与轧件断面高度有关；

δ_0——上下剪刃重叠量。

(3) 剪刀基本转速。当剪刃的圆周速度和轨迹半径确定之后剪刃的基本转速 n_0 为：

$$n_0 = \frac{60v_x}{2\pi R}$$

电动机转速为；

$$n = n_0 i$$

式中　i——电动机出轴至轨迹半径回转轴之总速比。

(4) 剪刃重叠量与侧间隙。为了能使轧件很好地剪断，上、下剪刃必须有一定的重叠量。重叠量不能过大，否则会发生上下剪刃干扰，平刃一般取 2～4mm。

剪刃侧间隙是保证正常剪切的一个重要因素。侧间隙太小会发生啃刀现象；侧间隙太大剪切断面塑性变形较大，甚至发生剪不断轧件的事故。侧间隙一般取 0.1～0.8mm。

剪刃重叠量与侧间隙最简单的调整方法是在刀片与刀架之间加垫片，见图 4-29。

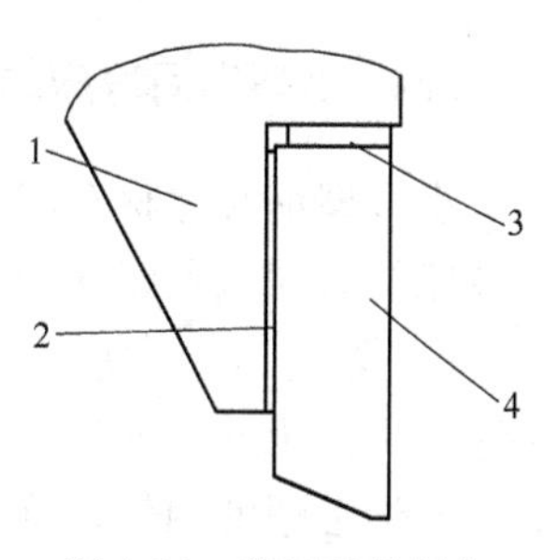

图 4-29　剪刃重叠量与侧间隙量的调整

1—刀架；2—侧间隙调整垫片；3—重叠量调整垫片；4—刀片

562. 小型型材车间的冷床有哪几种形式，各种冷床有何特点？

小型型材车间的冷床有齿条式、斜辊式、链条传送式以及钢丝绳移送的滑移式。以上各种冷床的特点如下：

(1) 齿条式冷床。经辊道高速运来的棒材，由设在辊道下面的推出装置推出来并移送到冷床的固定齿条上，然后，靠可动齿条的运动将棒材向前移动。因为固定齿条和移动齿条的齿槽都并列在同一直线上。所以骑在齿条式冷床上的棒材，既受到矫直作用，又被冷却。使用齿条式冷床时，棒材在完全冷却之前，连续不断地受到矫直作用，因此同其他形式冷床相比，轧件的直线性非常好。

(2) 斜辊式冷床。一般棒材先要在 1～2m 的齿条上矫直和冷却后再送到斜辊上。这种冷床由于没有矫直作用，轧件的直线性不如齿条式冷床。但是，在辊式冷床上棒材的间隔可以自由选择，因此在轧机和剪切机之间能起一定程度的缓冷作用。此外，就斜辊本身的特征来说，它可以移送形状多样和尺寸范围很广的棒材。

(3) 链条传送式冷床。链条传送式冷床是使轧材间隔均匀的有效形式。但是，由于链子上要求承受的负荷均衡，容易发生链子拉伸不一致现象。这样，轧件有可能发生弯曲。

(4) 钢丝绳移送的滑移式冷床。这是一种最简单的形式，但轧件的间隔很不好掌握。冷却的轧材经常摆满在冷床上，当把钢材移去后，冷床又空起来，床面的利用率不好。

563. 冷床步进梁的运动轨迹及步进梁的传动机构有哪几种形式？

冷床步进梁的运动轨迹有各种不同形式，有圆形、椭圆形、矩形等。为了使步进梁缓慢地托起或放置轧材，使轧材与冷床不发生摩擦，或者使摩擦减到最小，中小型轧钢厂的步进梁通常采用矩形运动轨迹。

为实现步进梁的矩形运动轨迹，步进梁的传动机械通常由升降装置和移动装置两部分组成。其结构形式有三种：偏心凸轮式、曲轴式、斜面导轨式。

步进梁的升降装置和移送装置，一般都有单独的传动装置，通常分为机械传动和液压传动两种；有些步进梁的升降用机械传动、水平移动用液压传动的组合传动。

564. 小型车间冷床结构与使用特点是什么?

小型型钢及棒材车间使用的冷床有步进式锯齿形冷床、斜辊式冷床、摇摆式冷床。这三种冷床的共同点是床面均为运动的。它们的结构和使用特点如下：

(1) 步进式锯齿形冷床。步进式锯齿形冷床的床面由静动两组齿条组成，结构复杂。轧件每次在床面上的移动距离等于静动两组齿条的齿距，而静动两组齿距则为传动装置中偏心轮偏心距的两倍。这种结构的冷床其传动装置设在床面的下部，维修较困难。步进式冷床结构复杂，造价高，但它较斜辊式和摇摆式冷床有许多优点，故现代小型型钢及棒材车间基本上都选用步进式锯齿形冷床。

(2) 斜辊式冷床。床面由一系列长辊子组成，成45°～60°倾斜于输入或输出辊道的中心线，结构较简单。由于轧件和辊子表面接触处的改变，故冷却较均匀。这种冷床因驱动辊子的数量较多，因此维修工作量大，加之轧件在床面上无约束，对轧件无矫直功能，故轧件易弯曲。

(3) 摇摆式冷床。床面上由若干根摇摆杆和固定的钢轨组成，结构较简单。在摇摆杆的角钢上装有左齿条和右齿条，工作时通过齿条的摇摆运动，使轧件在冷床上移动，故这种冷床是锯齿形冷床的又一种形式。所不同的是这种冷床的齿条作摇摆运动，通过齿条的摇摆而使轧件在冷床上面移动。

565. 高速超短冷床的功用及结构组成是什么?

该冷床的功用如下：

(1) 允许轧件在冷床床面第一个齿内继续滑移一段距离。

(2) 使轧件以步进式向输出辊道方向逐步移动，逐步冷却。

(3) 使轧件卸到输出辊道上以后，温度逐渐降到200℃左右。

(4) 在轧件卸下冷床前可使冷却的轧件一端对齐。

(5) 可防止轧件在冷却过程中产生弯曲变形。

冷床是由定齿床及摔直板、动齿床及驱动装置、对齐辊道及对齐挡板、计数装置、聚集装置等5部分组成的：

(1) 定齿床及摔直板。摔直板及定齿床承担从上卸钢装置卸到冷床上的轧件，并允许轧件在摔直板上滑移一段距离。滑移停止后，通过动齿床的运动，可使轧件在定齿床上步进。动齿床每运动一次，轧件可推进一个齿距。在正常生产时，通常每卸到摔直板上一根轧件，动齿条自动步进一次，根据需要也可人工操作，使动齿步进多次或连续步进。

摔直板一侧与上卸钢相邻，另一侧与定齿条用销钉连接，组成定齿床。定齿床的齿板一长一短相间配置。在低温区齿条配制较稀，在高温区，齿条配置较密。轧件从上卸钢装置卸下至摔直板，所以摔直板实际是齿条配置密度最大区段。

(2) 动齿床及驱动装置。动齿条的启动是由热金属检测器给出讯号，经延时、电磁阀换向、制动器打开、离合器合上，实现启动。制动是通过感应开关使电磁阀换向，离合器打开，制动器制动。离合器、制动器均为气动，制动器及蜗轮减速机均有水冷。

蜗杆减速器的出轴(蜗杆轴)两端有齿形联轴器与两端的主轴连接，各段轴约长6m，轴间为刚性连接。减速器两端主轴连接总长约66m，采用刚性连接，以使主轴能同步转动。每段轴有轴承座偏心轮各两个，并适当配备平衡重锤，以平衡因偏心轮、动齿床和床面载荷产生的力矩。主轴应是有较好的扭转刚度。为了克服因主轴挠度而产生的偏心轮与支撑轮接触不良的情况，支撑轮应采用在主轴方向可稍作摆动的结构。支撑轴一个为双轮，一个为单轮，双轮起支撑和定位作用，单轮起支撑和补偿作用。当主轴转动时，两主轴上偏心轮同步转动，从而使动齿条作圆周运动，冷床上的钢材即可实现步进运动。

偏心轮下设油池，偏心轮每转一周可自动浸油一次作偏心轮与支撑轮之间的润滑。

(3) 对齐辊道及对齐挡板。对齐辊道为带锯齿形的辊，辊的齿形与齿条齿形相同，每个辊有 4 个齿，辊的表面比定齿床的上表面高 8～10mm。对齐辊道的表面线速度为 3.5m/s。在连续生产的情况下，钢材可以在对齐辊道范围内移动 5～6m。

对齐辊道是由链传动的，设计中应考虑可以调整链条的松紧。

(4) 计数装置。在定齿条的成品卸下端，装有微动开关，以对成品计数。计数装置还可通过二次仪表实行自动控制。

(5) 成品的聚集装置。到达定齿床终端的钢材，即可按步进节奏进入聚集装置，使成品密集，并向冷床方向移动。当装置中收集了预定数量的钢材后，即将钢材卸到冷床输出辊道上去。

566. 高速超短冷床的特点及建立高速超短冷床的条件是什么?

现代小型棒材的生产，将以连铸—连轧取代旧式的模铸—开坯生产。为提高产品的内在质量、表面质量、定尺率等，坯料断面增大，坯料长度、单重不断增加，有的成品长度已达数百米，甚至千米以上，轧制速度已达 25m/s。因此，用传统技术建造一座满足上述成品轧制长度和速度要求的冷床，将使冷床和厂房太长，冷床的传动技术、设备问题无法解决，建厂投资也太大。如我国 S 厂成品最高线速度为 16m/s，飞剪分段长度在 100m 以下，冷床长度 120m，冷床重达 700t，而且有时还满足不了成品卸上冷床时，速度制动所需滑动距离的要求。而我国某厂 ϕ260mm 半连续小型棒材轧机，使用坯料 120mm 方、长 6m 的连铸坯，生产 ϕ12～25mm 圆钢、螺纹钢，最高终轧速度 17m/s，却仅用 66m 长的冷床即满足了生产要求。这种高速超短冷床与 S 厂的齿条式步进式冷床相比有以下特点：

(1) 冷床长度缩短将近 1 倍(120/66)。

(2) 冷床动作周期减少将近 1 倍(6.52/3.5)。

(3) 设备重量减轻一半多(700/249.5)。

要建立高速超短冷床，必须具备的条件是：

(1) 上床钢材运行速度的稳定性。

(2) 上床钢材倍尺长度的一致性。

(3) 上卸装置的动作周期和错头机动作配合的准确性。

(4) 冷床动作与上卸钢装置动作配合的准确性。

567. 高速超短齿条步进式冷床有何优点?

以往为适应棒材高速轧制，冷床只是向长的方向发展，以满足冷床的动作周期，这样既增加设备质量又增加工程投资。目前我国一般小型棒材轧机的冷床，都不能将上卸钢动作与冷床动作配合起来，不是采用启动工作制就是采用连续工作制。高速超短齿条步进式冷床，采用了先进的电子技术和气动离合器、气动制动器控制技术，使它与成品飞剪、上卸装置动作有机配合，可使棒材准确地卸上冷床，并使每根棒材头部在冷床停动位置的偏差不超过 500mm。

该冷床具有下列优点：

(1) 床面上装有对齐辊道。

(2) 有自动下卸钢计数装置，这对负偏差轧制定根打捆很有利，可以让冷剪操作工控制剪钢根数。

(3) 下卸钢是液压平移结构，对保证剪切质量有重要作用。

(4) 周期可达到 2.31s/次。工作周期最短为 3.4s/次。

568. 冷床上卸装置的结构特点是什么？

将线速度为 17m/s 的成品卸上冷床的关键设备是型号为 VRC2 的上卸装置，它由辊道和可升降的挡板组成。在结构上，上卸装置有带固定挡板的辊道、带活动挡板的辊道或一般无辊子的辊道；在速度上，它可分为两段，第一段线速度高于轧速 15%，第二段线速度与轧速相同。该设备有如下特点：

(1) 其结构如图 4-30 所示，与目前的成品上冷床装置（跳板、拨板）都不同。上卸过程如下：

第一阶段：棒材 A 以轧制速度运行，挡板开始下降；

第二阶段：棒材停在挡板与矫正栅侧壁形成的槽上，制动开始，棒材 B 到达；

第三阶段：卸到冷床上；

第四阶段：送到摔直板上，下一根棒材 B 卸上周期开始。

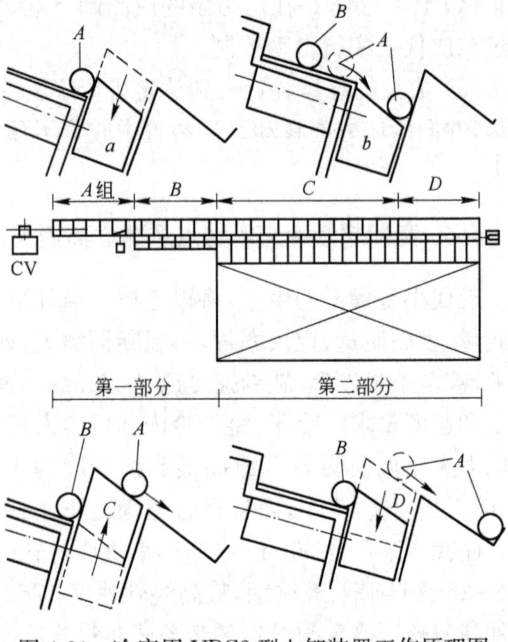

图 4-30 冷床用 VRC2 型上卸装置工作原理图

它用可控硅变频装置改变辊子速度，以适应不同成品规格的轧制速度。

(2) 卸钢动作周期也由 4 个阶段组成。其中只有一个阶段时间是可变的，以此调整不同轧速成品上卸钢周期。因此当生产大规格的成品时，成品卸上冷床前，就已停止滑动，此时不用副冷床和错头器。

569. 新型 DE 小型冷床有何特点？

为了解决现有冷床的能耗、造价和维修费用偏高问题，德国 Dewes 工程公司研制出主要用于小型材冷却的 DE 冷床。该冷床设计的关键是快速制动机构和制动后运送至冷床床体机构，要求小型材在制动和运送中表面不受损并保护平直度。DE 冷床通过在制动溜槽上配置凸缘来增大制动面积，并以逐级上台阶方式提升及将小型材运至冷床。这种方式既降低了能耗又不会损伤小型材表面。由于该冷床设计了两套制动系统，将冷床长度缩短至原来的60%。床体为两组移动式格栅，它有一套横向运载机构，可使一组作上下及横向运送的同时，另一组作反向运动。其优点是格栅向上运所需力仅为负载的一半。所需能耗、造价及维修费用都较低。

570. 热轧圆钢的冷床夹尾装置有何功能？

热轧圆钢冷床夹尾装置——制动轮系统，系瑞典中英·莫格斯哈马公司设计、制造的定型产品。该装置为一滚筒，安装在成品轧机之后，冷床之前。高速运行的钢材从端部导嘴进入以一定速度旋转的滚筒，这个滚筒起制动作用，轧件减速并停止下来，然后将其送入冷床。该装置制动精度较高，在轧件速度为25m/s时，即可在±100mm范围内使其停止。当成品线速为25m/s时，轧件自由运动将冲出80m，使用该装置，则可使轧件在限定位置瞬时停止，大大缩短冲出距离。如当轧件定尺为42m时，其缩短距离可达38m，这样不仅可减少厂房长度，又能保证轧件表面质量，减少纵向弯曲等。该装置结构紧凑，易于装在现有轧机上。

571. 双线高速超短冷床有何特点？

长治钢铁公司引进的二手棒材生产车间的冷床是属于双线高速超短冷床。该冷床最高速度24m/s，冷床长度54m，夹送辊到冷床终端总长73m，冷床质量76t，夹送辊到冷床终端总重167t，可以实现双线轧制。

这套飞剪冷床系统，工艺独特，轧制速度高，设备重量轻，占地面积小，各部分的动作全部由S70程序控制器控制。飞剪由气动离合器、制动器控制剪切，与夹送辊同轴的脉冲发生器的脉冲作为长度信号，用四位8、4、2、1拨码盘设定倍尺长度，其设定范围为0～9999，故剪切精度高，倍尺设定灵活。通过对轧件尾部的制动控制，使轧件减速到4m/s，然后将其送入冷床收集槽，大大缩短了轧件自由冲出距离(可缩短71m)。

通过对轧件尾部的制动控制，不但使冷床超短化，省去了冷床输入辊道，由夹送辊直接将轧件送入冷床收集槽，简化了冷床结构，而且保证了轧件头部卸至冷床上时位置的准确性。由于直流电动机拖动的夹送辊调速方便，因此本系统速度适应性强。

572. 双线高速超短冷床系统的组成是什么？

整个系统由夹送辊、飞剪机、转换器、棒材偏离装置、棒材尾部制动器、双向收集槽及齿条步进式冷床等组成。系统平面示意图如图4-31所示。

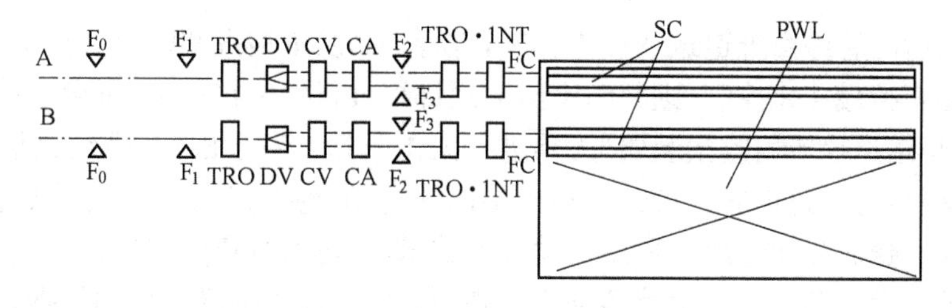

图4-31　冷床系统平面示意图

F_0、F_1、F_2、F_3—热金属检测器；TRO—夹送辊；CV—飞剪机；CA—棒材偏离装置；TRO·1NT—夹送辊；FC—棒材尾部制动器；SC—双向收集槽；PWL—齿条式步进冷床；DV—转换器

飞剪前夹送辊的线速度比轧制速度高2%，飞剪后夹送辊的线速度比轧制速度高5%～10%，以保证在两个夹送辊之间不产生自由活套，防止轧件在飞剪处振动而造成事故。倍尺轧件由夹送辊送入冷床收集槽。

飞剪机可进行切头、倍尺剪切及事故处理。

转换器用来改变轧件的运行线路，使轧件交替进入两个通道。

偏离装置的功用是：当发生事故时，飞剪将轧件切成长约2800mm的小段；或最后一根非倍尺长度小于设定值时，偏离装置垂直方向动作，使轧件偏离生产线进入一个大坑中。

棒材尾部制动器可将棒材尾部减速制动，因此，应适应高速轧机，使冷床超短化。

双向收集槽代替了一般冷床的辊道及卸料装置，工作原理简单、合理、巧妙，与棒材尾部制动器及齿条冷床能很好地配合。

齿条式步进冷床采用气动离合器、气动制动器控制。不管是单线轧制还是双线轧制，冷床工作周期不变。

573. 矫直—剪切联合作业线的特点及工艺过程是什么？

型钢矫直和棒材剪切是连续轧制生产线的咽喉，为了适应轧机高产量的需要，避免下冷床后的型材矫直和定尺剪切成为限制生产的薄弱环节，采用了在线多根连续矫直—剪切联合作业线，这是当代中小型轧制生产工艺中的最新技术，它具有明显的工艺设备占地面积小和生产能力高两大特点，这种生产工艺经实践证明是可行的。

其工艺过程为，当输出辊道运来冷却后的成组轧件由分钢定位装置将轧件按照矫直机的孔型间距分隔定位后，由第一个夹送辊将轧件夹紧并加速到矫直速度，然后喂入矫直机，矫直机为门形结构的八辊式，上下各4个矫直辊，辊径为ϕ290mm，辊身长800mm，上辊可垂直调节，矫直速度可达3m/s，可同时矫直10根轧件。矫直后的轧件由第二个夹送辊送入摆式冷剪切机切成定尺，剪后的定尺轧件再由第三个夹送辊加速到冷剪后的输出辊道速度，这样可把前后两组轧件分开，满足后部工序要求。

摆动式冷剪机的剪架具有上、下剪刃摆动机构。剪切时，剪刃先向轧件运行的反方向摆动，再以轧件运行和同步速度剪切轧件，这样两个剪刃始终保持与轧件成垂直状态，可以保证剪切轧件端部质量，剪切精度可达+20～30mm。剪切为启—停工作制，当不需要矫直的轧件通过矫直机时，可由备用辊道代替矫直机。

574. 成品收集和打捆设备的具体功能是什么？

定尺剪切后的轧件由辊道送往检查台架，进行产品质量检查和短尺料分选，如果对上冷床的轧件长度实行最佳化控制，则每组钢材的尾部短尺料集中在一起，可通过剪后设一收集筐收集，或由辊道送往专用收集装置，无须进行人工分选。对于圆钢、螺纹钢筋和小扁钢等简单断面的钢材，可通过设置在链式运输机尾部的自动计数装置，将钢材计数收集成捆，再经打捆机捆扎后送成品库存放。采用自动计数技术，将对实行负公差轧制工艺，提高成材率奠定物质基础。对于角钢和槽钢等型钢产品则须采用码垛机堆垛后再用打捆机捆扎。码垛机一般为电磁结构，由电磁机械手将成排钢材吸起，再翻转到收集辊道上的堆垛台上，由电动升降。如果车间既生产圆钢，又生产型钢，通常圆钢收集和型钢收集分开进行，型钢收集台架上设码垛机，可以共用打捆机。

575. 型号为LF450/6和LF150/4的打捆机的技术性能及结构如何?

型号为LF450/6的打捆机用于打大捆，打捆最大直径400mm，最小直径为120mm，打捆钢丝为ϕ6mm；型号为LF150/4的打捆机用于打小捆，打捆最大直径为120mm，最小直径为40mm，打捆钢丝为ϕ4mm。以上两种打捆机均是气动程序自控打捆。其压力不小于5.5×10^5Pa。其结构如图4-32所示。这两种打捆机打捆周期短，打结牢固，并可适应不同情况下打捆，漏孔率不超过2%。

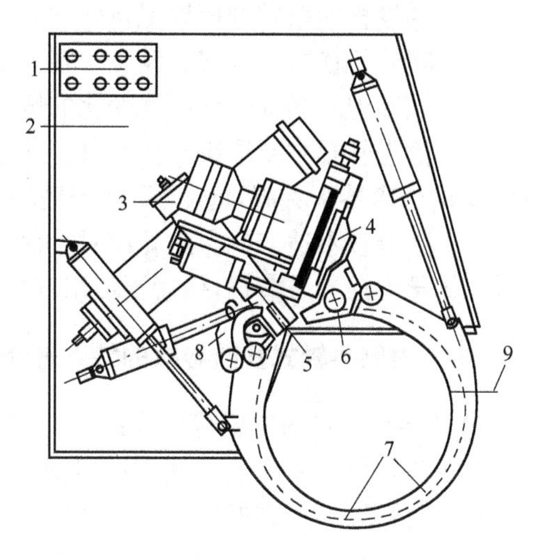

图4-32 打捆机结构示意图

1—气动箱；2—机体；3—打结器；4—夹紧辊；5—结头；6—打包线导卫蝶板；7—导向臂；8—钩夹装置；9—打结装置

576. FVAI垂直立活套的工作原理是什么?

安装在轧线上的FVAI垂直立活套如图4-33所示。立活套使其两侧的轧机实行无张力轧制，它配有控制活套高度系统，即ID600检测器及与此相配合的电子装置。由ID600检测器检测出热金属的位置信号，参与整个轧机系统的速度调节，实现连调控制，以保证连轧常数不变。

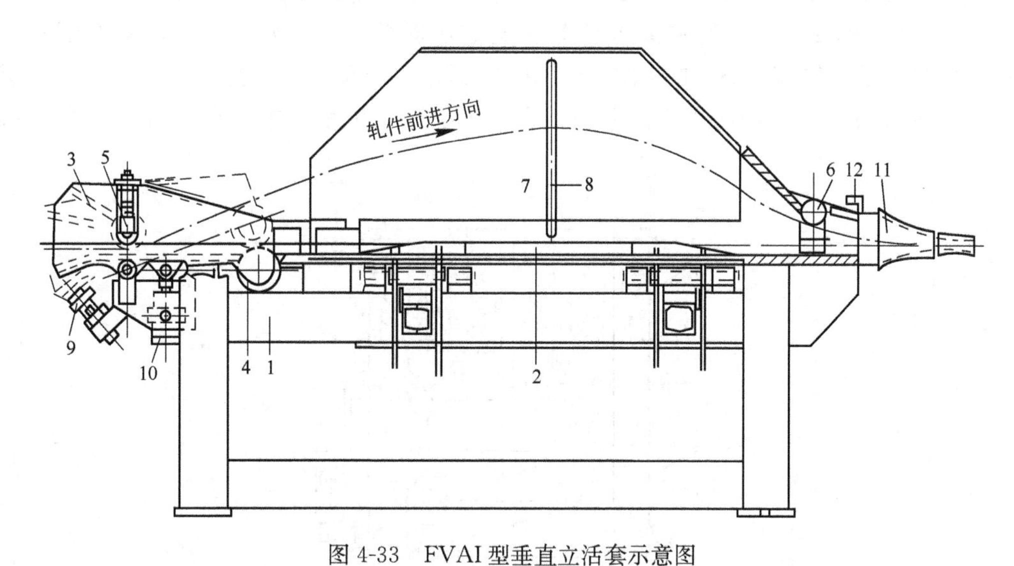

图4-33 FVAI型垂直立活套示意图

1—架子；2、7—立板；3—板；4—空动辊子；5、6—辊子；8—立检测缝；9—限位；10—气缸；11—漏头；12—销子(ID600检测器正对立检测缝)

577. 外侧导辊式扭转导板有什么特点?

这类导板在使用中无论是零件还是整套装置都存在多种形式。其总的设计原则在于增加扭转导板的扭转摩擦力而增加其可靠性。

多数外侧导辊式滚动扭转导板有如下特点：

(1) 靠导板前扭转摩擦导卫将轧件导入入口导板。

(2) 在轧机横梁上仅需有满足扭转导卫安装的小空间。

(3) 该导卫对椭圆轧件厚度变化的敏感性取决于它同轧辊中心线的距离。

(4) 撞击轧辊主要取决于扭转导卫水下倾角的突变，而这一撞击可由紧密安装于扭转导卫上的分离器来克服，增加了分离器这一部件。

(5) 当调整不适产生中间轧废时，可缩短扭转导卫与入口导卫间距。

(6) 导卫前端易磨损，缩短了使用寿命

578. 内侧导辊式扭转导板的特点是什么？

这种导卫装置的主要特点是：

(1) 与轧机紧凑安装，使扭转导卫水平倾角减小，从而降低了冲击载荷。

(2) 扭转导卫在靠近轧辊一侧呈喇叭口状。

(3) 轧辊孔型的预先配置，给精确安装该装置带来不便。

(4) 它与轧槽间的安装精度较高于外侧辊式扭转导板。

(5) 与外侧导辊扭转导板相比，导卫前端较坚固，调整补偿能力强。为使设备安装牢固，不至于摆动，采取燕尾槽将其紧固。

579. CYF-B型油水分离器的工作原理是什么？

油水分离器的工作原理如图4-34所示。专用泵把含油废水送入油水分离器中的扩散喷嘴后，大颗粒油滴即上浮到左集油室顶部，含有小颗粒油滴的废水向下进入多层波纹板组。使它处于低速层流状态，在狭小的流道内缓慢流动，油滴相互碰撞，聚合成较大油滴流出多层波纹板组后，上浮到右集油室顶部。含有更小油滴的废水通过细滤器，滤出机械杂质

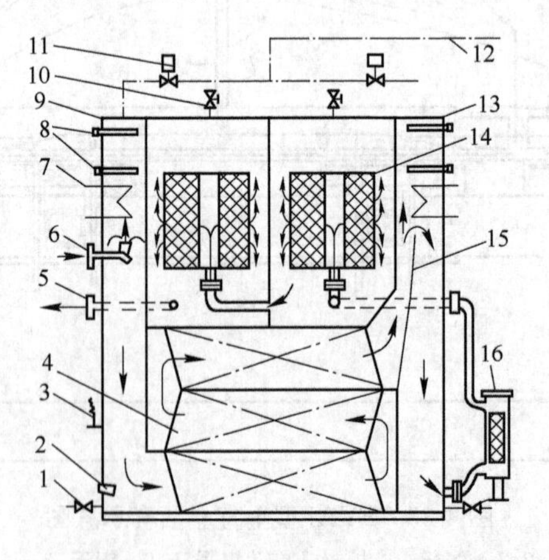

图4-34 CYF-B型油水分离器原理图

1—泄放阀；2—蒸汽冲洗喷嘴，3—安全阀；4—多层波纹板组；5—清水排放口；6—油污水进口；7—加热器；8—油位检测器；9—集油室(左)；10—手动排油器；11—自动排油阀；12—排油管；13—集油室(右)；14—粗粒化元件；15—隔板；16—细滤器

和部分蜡胶状物体后，顺次进入第一级、第二级粗粒化装置。它的特殊聚合能力，使残留的细微油滴在其中聚合为较大油滴上浮到腔室顶部。“自动”排油装置把油送入盛油器。符合排放标准的水，经弹簧调压阀送入循环水池，供轧机继续使用。

580. CYF-B型油水分离器的主要技术性能参数是什么？

CYF-B型油水分离器的主要技术性能参数如下：

型号	CYF-05B
外形尺寸	1250mm×520mm×1720mm
泵吸入高度	≤6m
电控箱电源	AC 380V 50Hz
排水控制方式	手动和自动
质量	0～350kg
处理能力	$0.5m^3/h$
排放标准	$<10\times10^{-6}$
工作压力	$<24.5N/cm^2$
电动往复泵	0.6kW
加热方式	电加热
进/出口管径	25/25mm

581. 基础回油装置及设计参数是什么？

基础回油装置及设计参数如下：

(1) 清污分流设施为钢筋混凝土结构，长3.8m，宽1.5m，确保98%以上的冷却水不受油污染。

(2) 人字齿轮箱倾斜集油槽：长3.8m，宽2.8m，深0.3m，有效容积$3.1m^3$。

(3) 减速器倾斜集油槽：长4.2m，宽1.5m，深0.3m，有效容积$1.89m^3$。

(4) 平流沉淀池：长3.3m，宽2.9m，深0.5m，有效容积$4.7m^3$。

(5) 丁字形含油废水输送管：114mm×2900mm×3200mm。

(6) 含油废水集中处理池：长3m，宽2m，深2.5m，有效容积$15m^3$，其结构为钢结构。

582. 小型连轧机的自动化系统必须具备的基本条件是什么？

小型连轧机的自动化系统必须具备的基本条件是：

(1) 基础自动化级：粗轧区、中轧区、精轧区和精整加工区的可编程序控制器。

(2) 过程自动化级：应有一个过程机，可选用VAX机或工业PC机等。要求有一定的存贮能力，一定的计算速度。

(3) 二级数据通讯：通讯形式可以不同，有的利用本地网，有的用一台PLC兼作通讯机。

583. 计算机控制与一般自动控制有何不同？

在连续、高速的轧钢生产过程中，大量应用着机械、电气设备，因此，非常适用采用计算机控制。近年来，计算机在轧钢生产领域中已得到广泛的应用，不久轧钢生产将进入计算机的全线控制时代。计算机控制与一般自动控制不同之处在于：它不仅仅起"控制"作用，重要的是在控制过程中不断地"学习"，使工艺不断适应生产条件，即不断地"优化工艺"，而且可以与生产管理相结合，使计算机对轧钢生产过程的控制具有强大的生命力及广阔前景。

对于轧钢生产过程进行计算机控制之前，首先要进行控制系统的总体设计，包括工艺过程、设备布置、控制思想及计算机选型等。

584. 轧钢生产过程中计算机控制系统的基本功能是什么？

对生产过程进行控制，首先应确定其工艺及设备。在已确定工艺及设备的条件下，为实现计算机控制，还要确定计算机控制系统的基本功能。

计算机有多种功能，而过程控制所必需的基本功能一般分为4类：

(1) 直接数字控制(DDC)。计算机可以代替模拟量调节器进行直接数字控制，即用程序代替电路的运算，而可通过修改软件对多个回路进行控制，因此，利用计算机进行控制要经济方便得多。

(2) 设定功能及数学模型。DDC控制只解决设定值与过程反馈值之间的误差调节，不能确定设定值本身是否合理；生产过程的设定值必须按照过程的生产工艺进行优化计算，这就必须建立生产过程的数学模型，以保证生产过程的优化及控制过程的实现。

(3) 轧件跟踪功能。为保证计算机对轧件的控制，必须使生产线上的轧件与计算机所控制的轧件一一对应起来，办法是在计算机内部设置轧件跟踪专用程序，实现轧件跟踪功能。

(4) 制表、打印、数据编辑及操作指导等功能。不断地将生产数据完整而系统地打印成各种报表，将生产技术数据、操作情况完整地记录和保存下来；记录产品质量；一切与操作有关的原始数据、各种设定值，均在操作台的屏幕显示器上不断显示，成为操作人员监视生产情况，并作为指导手动干预的有力依据。

585. 实现小型连轧过程自动化的意义是什么？

实现小型连轧生产自动化的意义，可以从以下几个方面来考虑：

(1) 通过建立合理的(或最优的)控制模型，保证工艺的最佳状态，以保证产品质量。

(2) 通过生产过程的自动控制，使小型轧机处于最佳运行状态，以提高生产率。

(3) 通过小型连轧设备单机自动化、基础自动化和过程自动化的实现，减少了人为因素对生产过程的影响。

(4) 有利于加强生产调度和现代化管理。

(5) 改善操作人员的工作环境，降低劳动强度。

总之，实现小型连轧过程自动化的意义就在于实现生产过程的优质、高产、低消耗，从而达到提高社会效益和经济效益的目的。

586. 小型连轧自动化包括哪些内容？

小型连轧自动化是在连轧生产过程中，按照工艺要求，借助于检测仪表和控制设备，在没有人工干预的情况下，连轧生产自动地进行。

为达到上述目的，小型连轧过程自动化应该包括的主要内容有：

(1) 连轧生产过程的自动检测,以提供实现自动控制的依据。

(2) 基础自动化,包括各工序环节的单机自动控制、各种参数的单回路调节与控制及各工序的局部自动控制。

(3) 过程自动化是在基础自动化已实现的基础上,实现连轧生产全过程的自动控制,从而按照工艺要求,实现小型材产品的优质、高产。

(4) 管理自动化,用于车间或厂的生产调度、原材料、能源消耗,产品产量、质量的统计管理,从而实现生产过程的优化管理。

587. 发展小型连轧自动化应考虑解决的问题是什么?

我国小型连轧正处在大发展时期,从目前的现状出发,应考虑解决以下问题:

(1) 必须大力解决检测技术问题。检测技术是自动化技术的基础,如果测不出被控对象的参数值,那么要自动控制该对象是难以想像的。小型连轧生产过程中的一些重要参数的检测技术,至今还未很好解决,需要花大力研制。

(2) 大力推广交流调速技术。小型连轧机使用全交流传动应作为现有小型连轧机和新建小型连轧机电气传动的发展方向,因为无论从节省电能,还是从维护检修来看,它都优于直流传动。

(3) 必须首先搞好基础自动化。根据我国的经济条件、管理水平和人员素质等情况,多数工厂应首先搞好基础自动化,逐步实现过程自动化和多级自动化。

(4) 必须加强引进技术的消化移植,挖掘国内潜力,开发我国自己的新产品。

我国已引进了一些小型连轧机,并进行消化移植,取得了成功的经验。随着小型连轧工艺的不断发展,对小型连轧的一些专用设备,在引进硬件的同时,必须引进软件,并充分发挥国内的技术潜力,进行消化移植,开发出我国自己的新产品,以促进小型连轧技术的发展。

(5) 逐步推广多级计算机系统的应用。小型连轧生产应用多级计算机系统进行生产管理、过程控制和基础自动化是提高生产、保证质量的有效措施,也是发展的必然趋势。实现多级计算机控制的条件是:生产管理是科学的、有规律的和正常的;生产操作人员具有一定的素质;具备一定的基础化设施和操作水平。国内目前绝大多数工厂还没有这样的条件,需要努力创造条件,争取尽快地逐步实现。

588. 小型连轧机有几种控制功能,各有什么作用?

小型连轧机的控制有手动运行、自动运行、监测功能及事故运行功能。

手动运行功能的作用是完成单机设备的操作,便于维修和调整。

自动运行功能的作用是完成整个生产过程的自动运行。小型连轧生产过程包括加热、粗轧、中轧、精轧、精整等部分。

监测功能的作用是对连续运行过程的监测,包括轧件温度设备运行状态及故障等。

事故运行功能的作用是在生产过程中出现事故时,使相关设备能够及时运行,以减少事故造成的各种损失。

589. 新疆八一钢厂小型棒材连轧机直流传动控制系统如何构成?

小型棒材连轧线共有 18 台轧机,由上海电机厂生产的他励直流电机驱动,其中 1～4 号主电机的功率为350kW,800/1200 r/min;5～10号主电机的功率为450kW,600/1200r/min;11～18号主电机的功率为600kW,600/1400r/min。根据生产工艺的特点,轧机控制响应不是非常快,从性价比考虑,轧线18台主电机均选用励磁回路可逆、电枢回路不可逆的控制方式,这样可节约投资。控制装置采用的是德国AEG公司的MAXISEMI S整流装置。

直流传动控制系统的构成如图4-35所示,18架轧机的主电机传动控制全部采用AEG公司的MAXISEMI S全数字整流装置,其特点是可靠性高,易于维护。控制装置是通过MODNET 1/D网络与轧机控制系统MCS相连,由MCS下装轧制程序,通过18架轧机间的级联控制,1～11号机架之间的微张力控制11～18号轧机之间的活套控制等,为18台直流主电机提供相应的操作值。通过1台PC机,在LOGIDYN-D系统软件支持下,可直接对直流传动系统编程,修改程序及参数。

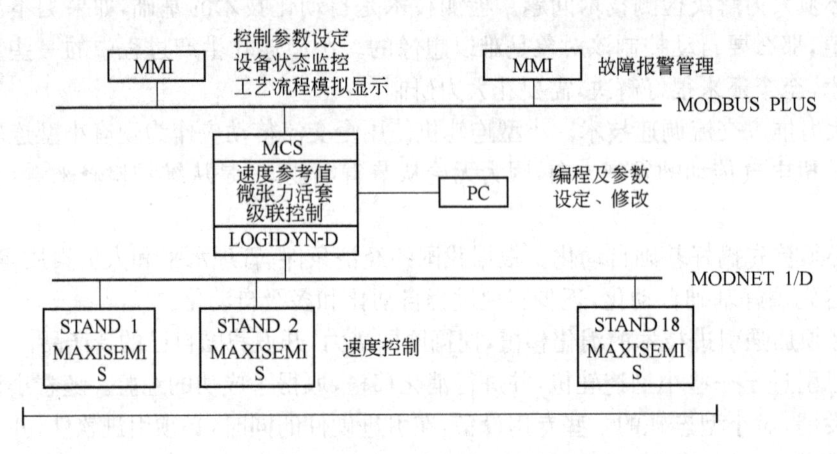

图4-35 速度及自动化系统配置图

590. MAXISEMI S整流器的结构组成是什么?

MAXISEMI S是一个直流的全数字化静态整流装置,该装置的控制系统ISA-D采用LOGIDYN-D系统模块装配成的标准控制机箱,它是AEG公司开发研制的传动控制装置,用于直流传动的开闭环控制,其内部结构主要由电源部分、脉冲触发放大单元、电枢回路控制单元、励磁回路控制单元、监测单元及实际值数据采集单元组成。其结构示意图见图4-36。

591. 控制系统ISA-D的组成和软硬件配置如何?

在MAXISEMI S整流柜内部,控制单元ISA-D是由LOGIDYN-D系统组成的,它的构成原理如图3-37所示。

从图中可以看出,直流电机的速度控制主要由电流控制器SRE032和微处理器MCU032组成的一个双闭环控制系统,其中内环为电流环,外环为速度环。

(1) ISA-D系统的硬件配置。18台直流主电机的ISA-D机箱装配有:

NO4——电源模块1块,提供+5V,±24V的高精度电源。

MCU032——通用处理器1块,用于逻辑和数据处理,装载应用程序,实现整流装置的开、闭环控制。

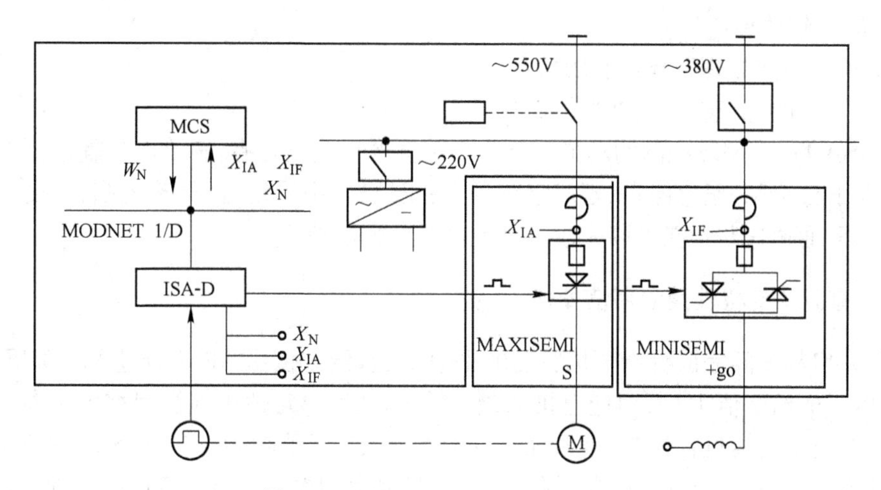

图 4-36　MAXISEMI S With ISA-D

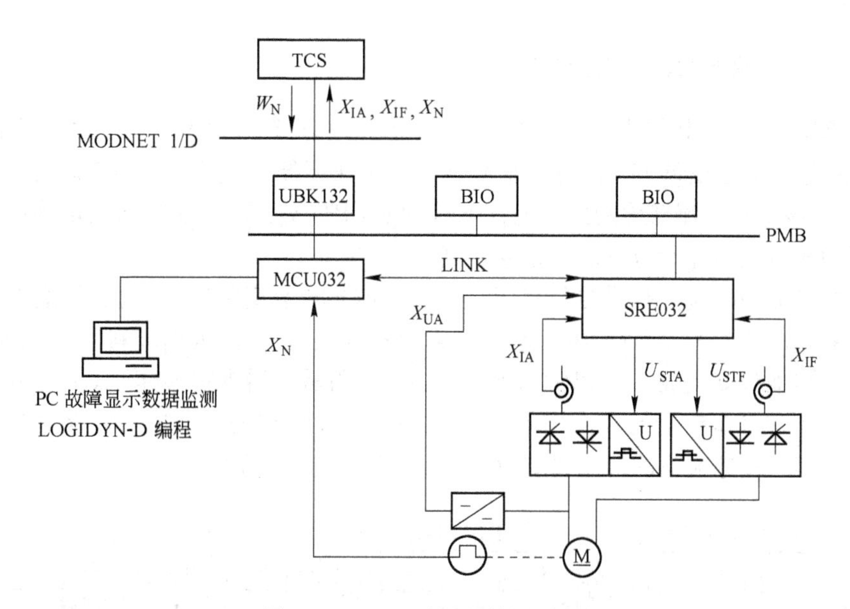

图 4-37　ISA-D 控制系统示意图

W_N—速度的参考值；W_{IA}—电枢电流参考值；W_{IF}—励磁电流参考值；

X_N—速度的实际值；X_{UA}—电枢电压实际值；X_{IA}—电枢电流实际值；

X_{IF}—励磁电流实际值；U_{STA}—电枢回路控制电压；U_{STF}—励磁回路控制电压

SRE032——电流控制器 1 块，用于电流环的控制。

B1O032——输入输出模块 2 块，16 位输出，16 位输入。

UBK132P-1——MODNET 1/D 总线耦合卡 1 块，用于连接轧制系统 MCS 的通讯。

(2) 该系统软件主要有：

LOGI CAD——用于编写应用软件。

LOGI VIEW——用于在线显示参数和修改参数。

LOGI REC——用于故障指示。

LOGI TOOL——下装程序。

(3) 应用软件有：

F000——主要处理开环控制的信息。

F001——主要处理闭环控制的信息。

(4) ISA-D开、闭环控制的功能。ISA-D装置的功能主要有：直流电机辅助回路的分合闸、主回路的分合闸、紧急停车、延时停车、点动正反转、主轴定位、弱磁控制、速度调节以及各类保护等，通过这些功能可以完成对直流电机的传动控制。

592. 直流主电机转速参考值如何设定？

为了在启动期间完成直流电机驱动的平滑加速，给定值由MCS通过MODNETl/D网络设定.电机的给定值100%对应电机的最大转速，速度给定值由线性斜坡发生器产生。为了更好地对电机速度进行控制，该系统增设了手动人工干预功能，在一定范围内用手动给定来改变速度的参考值，比如在轧制过程中，CP2控制室的操作人员可通过级联调速杆对电机的速度进行修正。

593. 双闭环调速的原理是什么？

在MAXISEMI S机箱中，PI速度调节器比较转速的参考值W_N与实际反馈值X_N，根据它们的差值作为速度调节器的输入信号构成一个速度外环，通过PI调节器转变为电流的参考值W_{IA}，该值与整流器检测到的电枢电流的实际值X_{IA}进行比较，送到电流控制器P12的输入端构成电流内环参与系统的速度控制。

速度控制器和电流控制器的参数T_N和K应该与转速实际值、电流实际值以及给定值与实际值的差值(W_N-X_N)相匹配，此外在实际轧制过程中，应根据坯料刚咬入轧机时，负载突然从零增加到满负载时，电枢电流的变化情况，用示波器观察转速X_N和电枢电流X_{IA}的波动来调整速度调节器的放大倍率K及积分时间T_N，以使直流电机能够满足在冲击负载的作用下实现快速响应的传动要求，直流电机速度控制原理见图4-38。

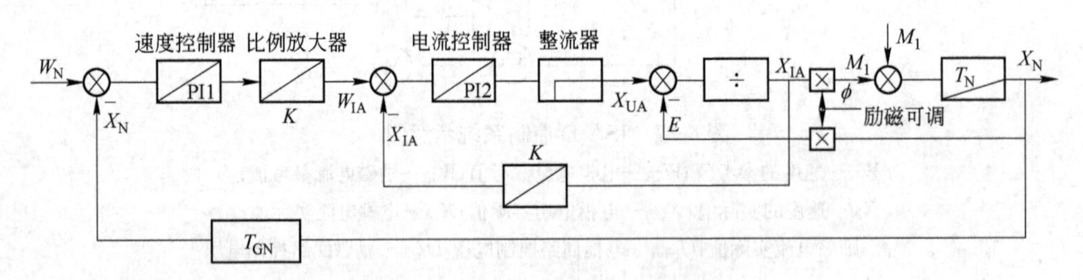

图4-38 双闭环调速原理图

594. 弱磁是如何控制的？

小型连轧厂主轧机配备了三种规格的直流电机，分别为：

350kW，基速800r/min，最高转速1200r/min；

450kW，基速600r/min，最高转速1200r/min；

600kW，基速600r/min，最高转速1400r/min。

为了满足工艺要求使轧机具有较宽的调速范围，必须采用调压和弱磁配合控制的方案，即在基速以上保持电枢电压为额定值，减弱磁通升速，下面以 600kW 电机为例说明弱磁调节原理（见图 4-39）。

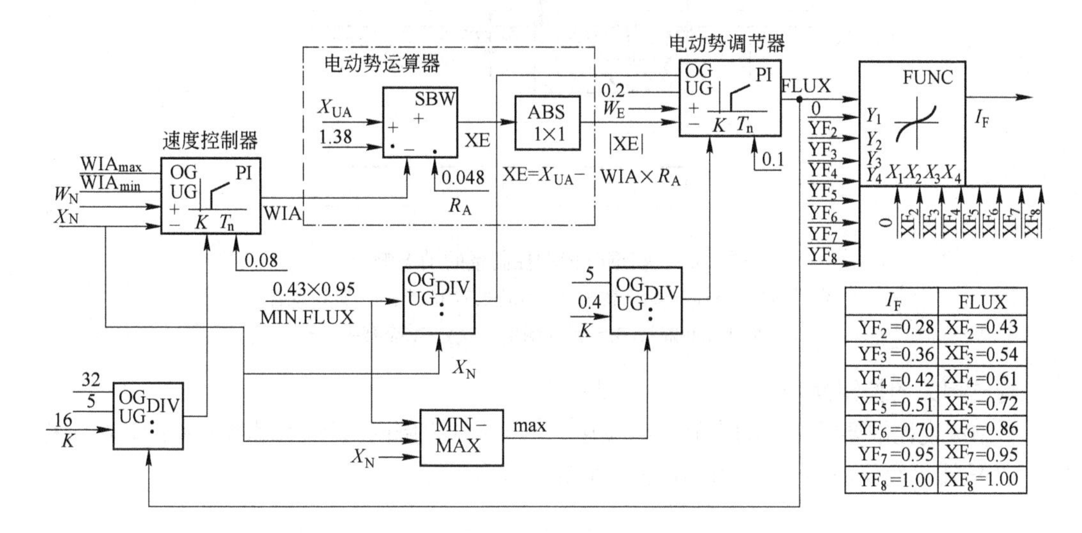

I_F	FLUX
YF_2=0.28	XF_2=0.43
YF_3=0.36	XF_3=0.54
YF_4=0.42	XF_4=0.61
YF_5=0.51	XF_5=0.72
YF_6=0.70	XF_6=0.86
YF_7=0.95	XF_7=0.95
YF_8=1.00	XF_8=1.00

图 4-39　弱磁调节原理图

在这里要特别注意，速度调节器的比例系数将随电动势调节器输出的减小而增大（在基速以上逐步增大）。电动势调节器的比例系数和上限输出值将随速度的增大而减小（在基速以上逐步减小）。

当转速低于基速的 95％时，速度调节器比例系数取较小值，调节器不易饱和，电枢电压小于额定值，经电动势运算器 AE 求得的反电动势也小于基速时电动势给定值 W_E，而此时电动势调节器比例系数又取较大值。因此，电动势调节器处于饱和状态，其输出一直处于上限值，经磁化曲线函数求得的励磁电流也达到上限值（满值）。

当转速接近基速的 95％或超过基速后，速度控制器的比例系数逐步增大，使得该调节器很容易饱和，其输出达到上限值，经电动势运算器 AE 求得的反电动势也接近基速时电动势给定值 W_E，而此时电动势调节器比例系数逐步减小，使电动势调节器逐步退出饱和状态，其输出将随着转速的升高而逐步减小，经磁化曲线函数求得的励磁电流也将逐步下降，进而达到弱磁调节的目的。

磁化曲线对于不同的电机需要在调试时进行测定，它是经过实测得到的。

595. 直流电机速度控制的动态响应如何？

在轧制过程中当坯料刚咬入轧机时，最大的负载就产生了，当负载从零突变到满负载时，电机的速度能否在最短的时间内平稳地过渡到系统允许的范围内，这是衡量速度控制系统动态过程好坏的一个重要指标。图 4-40 表明了在负载突然变化后，控制性能的曲线形状。测量的速度用 r/min 表示，当实际速度（N_{ACT}）离开规定的公差带（Y）时，动态调节过程开始了，当电机速度回到并且保持在允许的公差带时，动态过程结束。

速度控制的动态精度由动态响应时间 T_A 和最大偏差 A_1 确定，其值越小，说明速度控制系统的动态特性越好。

最大动态偏差：$A_1=(N_{REF}-N_{ACT})/N_{REF}\times100\%$

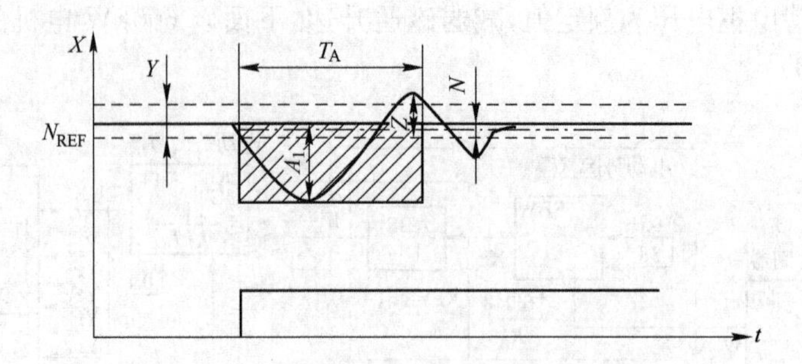

图 4-40 咬钢时传动控制量的动态响应

X—控制量；N_{REF}—给定转速；Y—允许公差带；N_{ACT}—实际转速；

Z—负载控制偏差；A_1—最大偏差量；T_A—动态响应时间

构成相关的控制面积：$N\times T=A_1\times T_A$

轧制速度控制要求相应的控制面积应在0.35%s的范围内，系统可达到平稳的轧制过程。10号轧机咬钢时的速度和电流波形如图4-41所示。

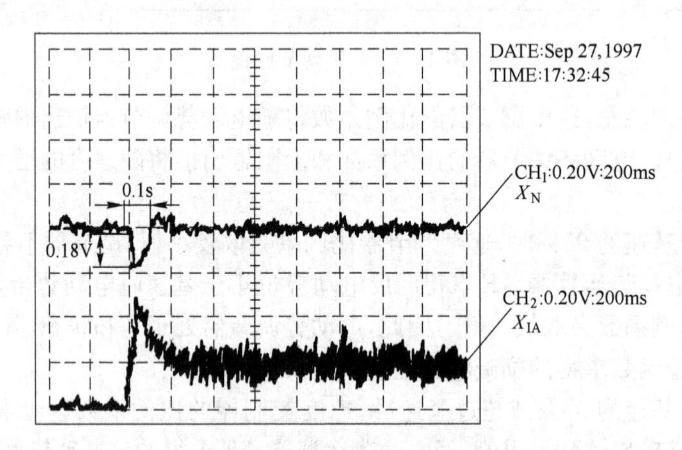

图 4-41 10号轧机咬钢时的速度和电流波形

（$K_p=14$，$T_n=0.07$，$W_N=N_{REF}=6.80V$）

从实测波形可知 $N_{REF}-N_{ACT}=0.18V$，$T_A=0.10s$，则：

$$A_1=(N_{REF}-N_{ACT})/N_{REF}\times 100\%=0.18/6.8\times 100\%=2.65\%$$

$$N\times T=A_1\times T_A=0.265\%s$$

因控制面积 $N\times T<0.35\%s$，所以系统的动态特性能满足轧制要求。

596. 剪切机控制装置ISA-D机箱包括哪些硬件模块？

剪切机控制装置ISA-D机箱包括以下硬件模块：

(1) 1块C30P132处理器模板，COP132为一个32位通用协处理器模块，其处理器选用NS3000系列，其中包括中央处理器(CPU：NS3200系列)，浮点处理器(FPV：NS32081-15)，中断控制单元(ICU：NS32202-10内部中断使用)和内存管理单元(MMU：NS32082)。

(2) 1块TCU132处理器模块，TCU132为一双层处理器模板，它相当于一个COP132和一个COP800相加，即TCU132=COP132+COP800。

其中 COP800 相当于一个 TRANSPUTER＋CEA132，TRANSPUTER 是一个并行高速 32 位微处理器，它处理电枢电流环采样时间为 0.2ms，励磁电流环为 0.6ms，而 CEA132 相当于一个高速输入输出接口，它具有 4 个开关量输入，4 个开关量输出，4 个模拟量输入和 4 个模拟量输出，另外还有 8 个计数器通道，而 TRANSPUTER 可直接访问这些接口，这要比通过 VME、PMB 总线完成速度快得多。

(3) 2 块 B1O032 开关量输入输出模块。

(4) 1 块 ADA132 模拟量输入输出模块，

(5) 1 块 SRE232 电流控制器模块，用于剪机直流电机电流环控制。

(6) 1 块 UBK132V 网络通讯模块 MODNET 1/D 接口卡，实现 ISND 系统与轧制控制系统(MCS)或工艺控制系统(TCS)间的通讯。

(7) 2 块 NG4 模板式电源，其输入电压为 230V(＋10%～15%)，输出电压：＋5V 电流 10A 供总线 CPU 模板；＋15V，－15V，电流 1A，供模拟量输入输出模板；＋24V 电流 2A 供数字量输入输出模板。

597. 剪切机直流调速控制 ISA-D 系统由哪些软件组成？

剪切机直流调速控制 ISA-D 系统的标准软件由以下部分组成

(1) 图形化项目设计软件 LogiCAD；

(2) Logidyn D 模块包；

(3) 状态显示和参数化系统 Logiview；

(4) 故障显示系统 Logirec。

ISA-D 系统的特点是具有一个清晰模块化的结构，一个较宽的功能范围及综合的显示选项，项目设计、参数化、状态显示及故障显示可以通过一台带有 MS-DOS 操作系统的个人计算机来完成，无需专用的处理器汇编语言或标准语言的知识即可完成对此系统的处理和操作。开环和闭环控制使用相同的用户界面(LogiCAD/Logidyn/Logiview)。

剪机控制系统的程序软件包括 3 个功能块：F000、F010 和 F011。F000 功能用于完成剪机驱动的开环控制，该部分程序下装于 COP132 中，F010 功能是剪机的开环控制，该程序装在 TCU132 中的 COP132 处理器，F011 功能包括传动控制和剪机的工艺控制，这部分程序下装在 TCU132 中的 COP800 中。

598. 冷床设备有何功能？

冷床设备主要包括：裙板辊道、分钢器、裙板、冷床静齿条、冷床动齿条、冷床电机及控制设备。冷床区域主要设备布置见图 4-42。

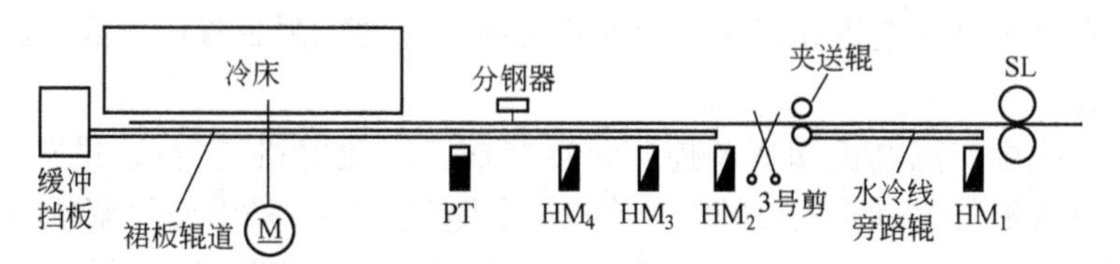

图 4-42 冷床区域主要设备布置图

SL—终轧机；HM_1、HM_2、HM_3、HM_4—热金属检测器；PT—光学高温计

裙板辊道将最后一个成品轧机轧出的棒材,经3号倍尺剪剪切后运送到冷床上,并在冷床上准确定位,进行自然冷却。当裙板把棒材卸到冷床上时,冷床电机通过机械设备带动冷床动齿条步进,棒材在冷床步进过程中得到自然冷却。冷床在接钢位(启动位)每接到裙板卸下的一根棒材,就要步进一个周期,否则就会出现乱钢的现象,这就要求驱动冷床运动的直流电机必须根据速度给定值,既能快速启动又能快速制动,以实现对冷床准确的控制过程。

599. 冷床电机速度控制及自动化系统有何配置?

冷床电机的速度控制及自动化系统配置如图4-43所示。

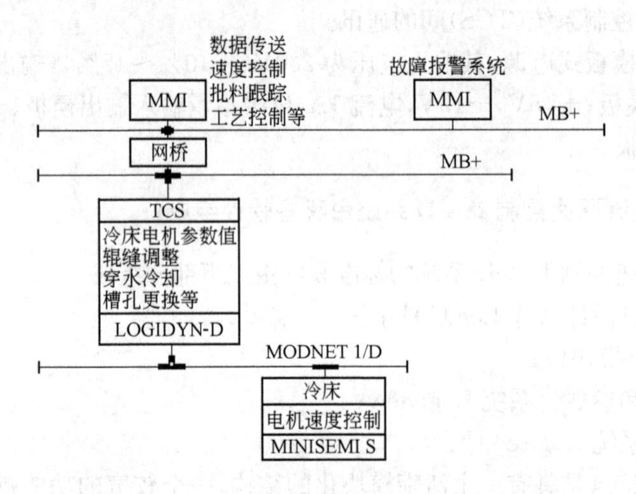

图4-43 冷床电机的速度控制及自动化系统配置

冷床电机采用AEG公司的MINISEMI S全数字速度控制装置驱动。它通过MODNET 1/D网络与工艺控制系统TCS柜相连。TCS借助于MB+网桥(BRIDGE)通过MOD-BUSPLUS网与MMI相连。在MMI计算机内装有轧制数据库,当轧制不同产品时,从MMI计算机中可调出相应的轧制参数通过MODBUS PLUS网下装到LOGIDYN-D系统内,就可实现TCS系统的参数设定。TCS系统通过MODNET 1/D网络将处理过的参数(如:冷床电机速度的预设值、运行周期的参考值、电机的启动延时等值)传送到MINISEMIS整流柜中,实现对冷床电机的速度控制。

600. 小型连轧设备中各单体设备的运行电机的调速方法有几种,各有什么特点?

小型连轧设备中,各单体设备的运行电机调速方法有直流调速和交流调速两种。

直流调速系统由直流电机和直流调速装置组成。它的控制装置造价低,国内配套容易,有使用维修经验。

交流调速系统由交流电机和变调控制装置组成。交流电机造价低、维护方便、动特性好。调速控制设备造价比直流调速的高。在交流调速方式中,采用变频调速具有调速精度高、调速范围大、可实现无级调速及调速效率高等优点。采用交流调速系统即可节能,又可提高调速系统的性能,是一种需要大力推广和发展的技术。

601. 小型连轧设备传动控制用检测器的作用是什么？

小型连轧设备传动控制用检测器是传动控制系统的重要组成部分，检测器提供的信号是设备连锁及自动控制时实现传动装置启动、增速、减速、制动、停止等各种运行状态的基础。

检测器主要用于位置检测，常用的检测器有：

(1) 机械式限位开关。这种检测器一般用在精度要求不高，环境条件较差的场合。

(2) 凸轮控制器。在设备现场安装机械式限位开关比较困难或控制点数较多的场合，可采用凸轮控制器，将其安装在传动轴上进行位置检测。

(3) 激光式光电管。在高温、蒸汽和烟尘大的恶劣环境条件下，需采用这种检测器。

(4) 光电管检测器。在环境条件较好的场合，可以采用这种检测器。

(5) 脉冲发生器。当需要对行程位置进行较准确的检测与控制时，常采用这种检测器。它发出的脉冲数正比于行程，脉冲当量根据需要可设计成 0.1～1mm/每个脉冲。

(6) 自整角机。当需要远距离对行程位置进行检测与调节时，可采用这种检测器。

(7) 接近开关。又称无触点开关，对环境条件及安装精度要求较高，应用场合的选择应予以注意。

(8) 微波检测器。当被测设备的运动超过一维空间时，需采用这种检测器。

(9) 无线感应式位置检测器。它是一种专用位置检测器。无线感应从动数据传送器将位置信号通过天线发射，安装在控制台内的无线感应主动数据传送器接收，并将两个的位置信号传送至相应的控制器，对本台设备的速度进行控制，确保相互不发生碰撞事故。

(10) 旋转式分解器。它是一种专用检测器，用来检测转速或转角位移量。

602. 小型连轧设备电控系统设计时应考虑哪些原则？

随着微电子技术的发展，目前可编程序控制器已成为电控系统的主干控制装置，结合小型连轧工艺性很强的特点，设计电控系统时，为了合理地配置硬件，应考虑以下几条原则：

(1) 小型连轧一般包括粗轧机组、中轧机组、精轧机组，以及飞剪等各类辅助设备，在考虑电控设备配制时，应设置各自独立的主干控制装置，以防止某台设备发生故障，影响其他设备正常工作。

(2) 为适应小型连轧设备采用多级计算机控制的要求，主干控制装置应具备自己的数据总线及 I/O 远距离扩展总线，以实现由电控系统与上位计算机和仪表控制系统的数据通讯。同时，便于与分散在现场的各种 I/O 设备的连接并进行有效的实时控制，即形成高级的 PC 网络。

(3) 由于小型连轧机的各主要单体设备位置分散，为满足操作的要求，除在主控室设置操作监视盘外，在各操作室也应有相应操作监视装置，以便进行设备运转的监视、控制参数的手动调节、机旁操作及设备维修等。

(4) 从提高可靠性的角度考虑，为保证在电控设备出现故障时，仍能继续维护设备的正常运转，对主干控制装置的余度应有要求，通常采用“双重化”的控制装置，一套运行，另一套在线备用。

(5) 主干控制装置的 I/O 点数，除应满足小型连轧工艺要求外，还需考虑一定的裕度，以备系统变更或扩充时用。

603. 小型连轧机的计算机控制系统是怎样构成的?

现代小型连轧机的计算机控制系统,一般是一个三级计算机控制系统。第一级是中央计算机或管理计算机,用于管理和生产调度;第二级是生产过程控制机,用于控制整个生产过程;第三级是电气控制系统或仪表控制系统,用于执行过程机送来的设定值或控制具体的生产设备。

604. 小型连轧机采用计算机控制系统的目的是什么?

小型连轧生产过程采用计算机控制系统的目的,归纳起来可有以下几个方面:

(1) 提高生产效率。为了提高生产效率,采用计算机过程控制系统进行自动设定、自动控制,以保证连续生产、提高设备运转率,从而提高生产效率。

(2) 提高钢材的成材率。小型生产采用连铸坯连续轧制工艺,可大大提高钢材的成材率。小型连轧生产过程采用计算机自动控制,可严格按先进轧制工艺进行,可减少由于设备或人员误操作造成轧废事故发生,从而进一步提高了钢材的成材率。

(3) 提高产品质量。影响产品质量的因素很多,为提高产品质量,通常需采用新工艺和新技术。新技术的采用是与应用计算机控制系统相关的,根据工艺要求,用计算机系统实现生产过程的最佳控制,从而提高了产品的质量。

(4) 改善工作条件和节省人力。采用计算机自动控制系统非常方便,且能节省人力,同时,操作人员也可从高温的工作环境中解脱出来。

605. 小型连轧机计算机控制系统的任务是什么?

小型连轧机计算机控制系统的任务有生产管理和过程控制两大方面。

生产管理是管理小型连轧机生产过程的全部生产信息。

生产管理按内容可分为:数据的收集和录入、数据的存贮、信息的传输、信息的加工和信息的输出等。

生产管理按功能可分为:操作管理(包括小型连轧过程设备作业状态、轧件跟踪、管理操作顺序等);工程管理(包括接受生产命令、生产标准、生产计划,向工厂管理级计算机报告计算机控制系统运行情况、故障报警和打印报表等);质量管理(包括收集连铸坯原始数据、收集连轧过程的实际值、收集操作人员从操作盘上输入质量判断情况、跟踪生产时产生的位置及分析质量异常原因并向操作人员提供信息)。

小型连轧机的计算机过程控制是用计算机自动地、有目的地控制连轧生产过程和设备状态。

过程控制方式可分为置定控制方式、模型控制方式。

过程控制按功能又分为:加热炉控制、微张力控制、活套高度控制、飞剪剪切控制、穿水冷却控制、轧机速度控制及精整区和其他辅助设备的逻辑和顺序控制等。

606. 小型连轧计算机选型的基本原则是什么?

为了设计一个功能强、运行可靠、整体性能优越的计算机控制系统,计算机的选型至关重要，一般要考虑下列原则：

(1) 性能稳定，可靠性高。这是保证系统和生产安全运行的基本条件，同时也便于维护。

(2) 满足小型连轧厂对计算机系统的技术要求，并留有余地。对主存容量、计算速度、输入/输出的控制方式、能连接 I/O 设备的种类和数量等提出明确要求。

(3) 备有功能强与可靠性高的系统软件，面向过程的软件支持系统和丰富的实用程序。

(4) 能为网络技术的应用提供支持，便于钢铁生产的网络化。

(5) 要有汉字处理功能，为用户使用提供方便。

(6) 实时响应好，为及时处理连轧机被控对象随时发生变化，并保证诸多数据的同时性，确保过程控制的实时性。

(7) 优先选用国家优选系列机型。

参考文献

1 Thomas A P, Thomas T R. Engineering surface as fractals, fractals aspects of materials. Pittsburgh: Materials Research Society, 1986: 75～77

2 Mandelbrot B B. The fractal geometry of nature, New York: Freeman, 1982

3 黄庆学,梁爱生. 高精度轧制技术. 北京:冶金工业出版社,2002

4 Mandelbrot B B, Passoja D E, Paulley A J. Fractal character of fracture surface of metals. Nature, 1984; 308(19): 721～724

5 费斌,蒋庄德. 工程粗糙表面粘着磨损的分形学研究. 摩擦学报,1999; 19(1): 78～82

6 苑寅秋,王珉,左敦稳. 磨合匹配表面形貌的分形特性研究,机械工程学报,2000; 36(12): 39～42

7 Li Ketian, Gu Husheng. Application of cryptomorphous period estimation to study wearing failure of the automobile cylinder. Proceeding of the International Conference on Machining Technology in Asian & Pacific Regions, 1993: 377～380

8 张长军,贺林. 表面接触分形模型对滑动摩擦副磨损的预测. 西安矿业学院学报,1998; 18(3); 244～248

9 温诗铸. 摩擦学原理. 北京:清华大学出版社,1990

10 新疆八一钢铁(集团)公司《小型连轧机的工艺与电气控制》编写组. 小型连轧机的工艺与电气控制. 北京:冶金工业出版社,2000

11 郭溪泉,李树青. 现代大型连轧机油膜轴承. 北京:机械工业出版社,1998

12 Pinkus O, Sternlicht B. 流体动力润滑理论. 西安交通大学轴承研究小组译. 北京:机械工业出版社,1980

13 温诗铸,杨沛然. 弹性流体动力润滑. 北京:清华大学出版社,1992

14 徐芝纶. 弹性力学简明教程. 北京:高等教育出版社,1980

15 丁光正. 轧机油膜轴承通用规程. 中国重型机械工业协会油膜轴承行业协会,1995

16 孙恭寿,冯明. 液体动静压混合轴承设计. 北京:世界图书出版公司,1993

17 傅德薰. 流体力学数值模拟. 北京:国防工业出版社,1994

18 Dawson D. A generalized Reynolds equation for fluid film lubrication. International Journal of Mechanical Science, 1962; 4

19 张直明等. 滑动轴承的流体动力润滑研究. 北京:高等教育出版社,1986

20 Jain S C, Sinhasan R, Singh D V. Effect of Elastic Deformation of Bearing Surface on the Performance of Hydrodynamic Journal Bearing. Proceeding of the International Conference held at the University College, Swansea, 7th～11th September 1981

21 张超英等. 热连轧机组工作辊轴承严重烧损的故障诊断研究. 冶金设备,2001; (3)

22 李茂秀等. 影响油膜轴承寿命因素的研究. 第二届轧机油膜轴承技术研讨会论文集,1994

23 周建南等. 轧钢机械滚动轴承. 北京:冶金工业出版社,2001

24 王殿刚,杨和林. 铸铁轧辊生产. 北京:冶金工业出版社,1988

25 梁爱生. 小型连轧机及近终形连铸500问. 北京:冶金工业出版社,1995

26 邹家祥. 轧钢机械(第2版). 北京:冶金工业出版社,2000

27 郭溪泉,李树青. 现代大型轧机油膜轴承(理论与实践). 北京:机械工业出版社,1991

28 董福元. 轧辊用滚动轴承寿命的讨论. 重型机械,1997; (6)

29 黄庆学等. 轧机轴承与轧辊寿命研究及应用. 北京:冶金工业出版社,2003

30 陈占福. 2050CVC热连轧机工作辊滚动轴承运行行为及自适应均载方法研究:[博士学位论文]. 秦皇岛:燕山大学,2000

31 孙从容. 21世纪轧辊技术发展趋势. 宝钢技术,1996; (5)

32 符寒光. 高速钢轧辊的研究与应用. 中国钼业,1998; (6)

33 王瑞梓,陈厚. 铝板轧制用轧辊的质量与寿命. 轻合金加工技术,1998; (12)

34 张备. 提高初轧辊寿命的实践与认识. 宝钢技术,1991; (1)

35 曹建国，魏钢城等.宽带钢热轧机轧辊剥落的控制与效果.冶金设备，1999；(4)
36 张元韬.提高 1150 初轧机轧辊使用寿命的研究与应用.钢铁，2000；(9)
37 宫开令等.高速钢复合轧辊的研制及生产.钢铁，1998；(3)
38 张弘人.焊管轧辊新材料—微细钢 KDIIV 和 KDA.焊管，1996；(1)
39 陆道成等.二辊轧机轧辊堆焊新技术应用.轧钢，1994；(4)
40 孙浩，刘莉.中厚板轧机工作辊失效分析及对策.轧钢，2002；(1)
41 赵保全，肖鸿伟.铸轧机轧辊使用寿命的探讨.重型机械，2001；(1)
42 张文志等.轧辊疲劳断裂分析专家系统的研制.重型机械，2002；(3)
43 孙林等.2800 四辊轧机工作辊磨损模型研究.冶金设备，2001；(3)
44 《小型型钢连轧生产工艺与设备》编写组.小型型钢连轧生产工艺与设备.北京：冶金工业出版社，1999
45 静大海.用边界元法分析轧机油膜轴承锥套的损伤：[硕士学位论文].太原：太原重型机械学院，2002
46 董宝力.油膜轴承的理论计算及其烧损原因分析：[硕士学位论文].太原：太原重型机械学院，2002
47 张秀珍.2050 热连轧机油膜轴承载荷分布的边界元解析及实验研究：[硕士学位论文].太原：太原重型机械学院，2002